Catarina,
A GRANDE

Robert K. Massie

Catarina, A Grande

RETRATO DE UMA MULHER

Tradução
Ângela Lobo de Andrade

Rocco

Título original
CATHERINE THE GREAT
Portrait of a Woman

Copyright © 2011 by Robert K. Massie
Copyright mapas © 2011 by David Lindroth, Inc.

Todos os direitos reservados.

Edição brasileira publicada mediante acordo com a
Random House, um selo da Random House Publishing Group,
uma divisão da Random House, Inc., Nova York.

Direitos para a língua portuguesa reservados
com exclusividade para o Brasil à
EDITORA ROCCO LTDA.
Rua Evaristo da Veiga, 65 – 11º andar
Passeio Corporate – Torre 1
20031-040 – Rio de Janeiro – RJ
Tel.: (21) 3525-2000 – Fax: (21) 3525-2001
rocco@rocco.com.br | www.rocco.com.br

Printed in Brazil/Impresso no Brasil

revisão técnica
BRUNO GARCIA

preparação de originais
SÔNIA PEÇANHA

diagramação
FA EDITORAÇÃO

CIP-Brasil. Catalogação na fonte
Sindicato Nacional dos Editores de Livros, RJ.

M369c   Massie, Robert K., 1929-
                Catarina, a grande: retrato de uma mulher/Robert K. Massie;
         tradução de Ângela Lobo de Andrade. – Rio de Janeiro: Rocco,
         2012.

                Tradução de: Catherine the great – portrait of a woman
                ISBN 978-85-325-2799-8

            1. Catarina II, Imperatriz da Rússia, 1729-1796. 2. Imperatrizes
         – Rússia – Biografia. 3. Rússia – Reis e governantes – Biografia.
         4. Rússia – História – Catarina II, 1762-1796. I. Título.
12-6102   CDD: 923.1
                                                     CDU: 929 "1729/1796"

Para Deborah

E para Bob Loomis.
Vinte e quatro anos, quatro livros.
Obrigado.

*Talvez a melhor descrição dela seja
que é tanto mulher como imperatriz.*

– Duque de Buckinghamshire,
embaixador britânico na Rússia, 1762-65

SUMÁRIO

PARTE I ❧ *Uma princesa germânica*

1 ❧ A infância de Sofia 19
2 ❧ O chamado para a Rússia 29
3 ❧ Frederico II e a viagem para a Rússia 35
4 ❧ A imperatriz Elizabeth 44
5 ❧ A produção de um grão-duque 56
6 ❧ O encontro com Elizabeth e Pedro 65
7 ❧ Pneumonia 68
8 ❧ Cartas interceptadas 73
9 ❧ A conversão e o noivado 78
10 ❧ Peregrinação a Kiev e bailes travestis 82
11 ❧ Varíola 88
12 ❧ O casamento 96
13 ❧ Joana vai para casa 105

PARTE II ❧ *Um casamento infeliz*

14 ❧ O caso Zhukova 111
15 ❧ Furos para espiar 116
16 ❧ O cão de guarda 122
17 ❧ "Ele não era rei" 127
18 ❧ No quarto 130
19 ❧ Uma casa desmorona 134
20 ❧ Prazeres de verão 137
21 ❧ Demissões na corte 141
22 ❧ Moscou e o campo 145
23 ❧ Choglokov faz um inimigo, e Pedro sobrevive a uma conspiração 149
24 ❧ Um banho antes da Páscoa e o chicote do cocheiro 152
25 ❧ Ostras e um ator 156
26 ❧ Livros, danças e uma traição 160

PARTE III ❦ *Sedução, maternidade e confronto*

27 ❦ Saltykov *167*
28 ❦ O nascimento do herdeiro *178*
29 ❦ Retaliação *186*
30 ❦ O embaixador inglês *189*
31 ❦ Um terremoto diplomático *194*
32 ❦ Poniatowski *198*
33 ❦ Um rato morto, um amante ausente e uma proposta arriscada *201*
34 ❦ Catarina desafia Brockdorff e dá uma festa *208*
35 ❦ A retirada de Apraksin *214*
36 ❦ A filha de Catarina *218*
37 ❦ A queda de Bestuzhev *221*
38 ❦ Uma aposta *225*
39 ❦ Confronto *231*
40 ❦ Um *ménage à quatre* *235*

PARTE IV ❦ *"Chegou a hora!"*

41 ❦ Panin, Orlov e a morte de Elizabeth *275*
42 ❦ O breve reinado de Pedro III *288*
43 ❦ "Dura!" *300*
44 ❦ "Nós nem sabemos o que fizemos" *314*

PARTE V ❦ *Imperatriz da Rússia*

45 ❦ Coroação *329*
46 ❦ O governo e a Igreja *338*
47 ❦ Servidão *350*
48 ❦ "Madame Orlov jamais poderia ser imperatriz da Rússia" *361*
49 ❦ A morte de Ivan VI *370*
50 ❦ Catarina e o Iluminismo *378*
51 ❦ O *Nakaz* *391*
52 ❦ "Todos os estados livres do reino" *399*
53 ❦ "O rei que nós fizemos" *411*
54 ❦ A primeira partilha da Polônia e a primeira guerra da Turquia *419*
55 ❦ Médicos, varíola e peste *431*
56 ❦ O retorno de "Pedro Terceiro" *440*
57 ❦ Os últimos dias do "marquês de Pugachev" *451*

PARTE VI ❦ *Potemkin e favoritismo*

58 ❦ Vasilchikov 461
59 ❦ Catarina e Potemkin: paixão 465
60 ❦ A ascensão de Potemkin 478
61 ❦ Catarina e Potemkin: separação 483
62 ❦ Novos relacionamentos 490
63 ❦ Favoritos 495

PARTE VII ❦ *"Meu nome é Catarina Segunda"*

64 ❦ Catarina, Paulo e Natália 511
65 ❦ Paulo, Maria e a sucessão 520
66 ❦ Potemkin: construtor e diplomata 530
67 ❦ Viagem à Crimeia e às "Cidades Potemkin" 537
68 ❦ A segunda guerra turca e a morte de Potemkin 550
69 ❦ Arte, arquitetura e o cavaleiro de bronze 567
70 ❦ "Eles são capazes de enforcar o próprio rei num poste de luz!" 580
71 ❦ Dissensão na Rússia, partilha final da Polônia 594
72 ❦ Declínio 607
73 ❦ A morte de Catarina, a Grande 616

Agradecimentos 621
Notas 623

A Região de São Petersburgo

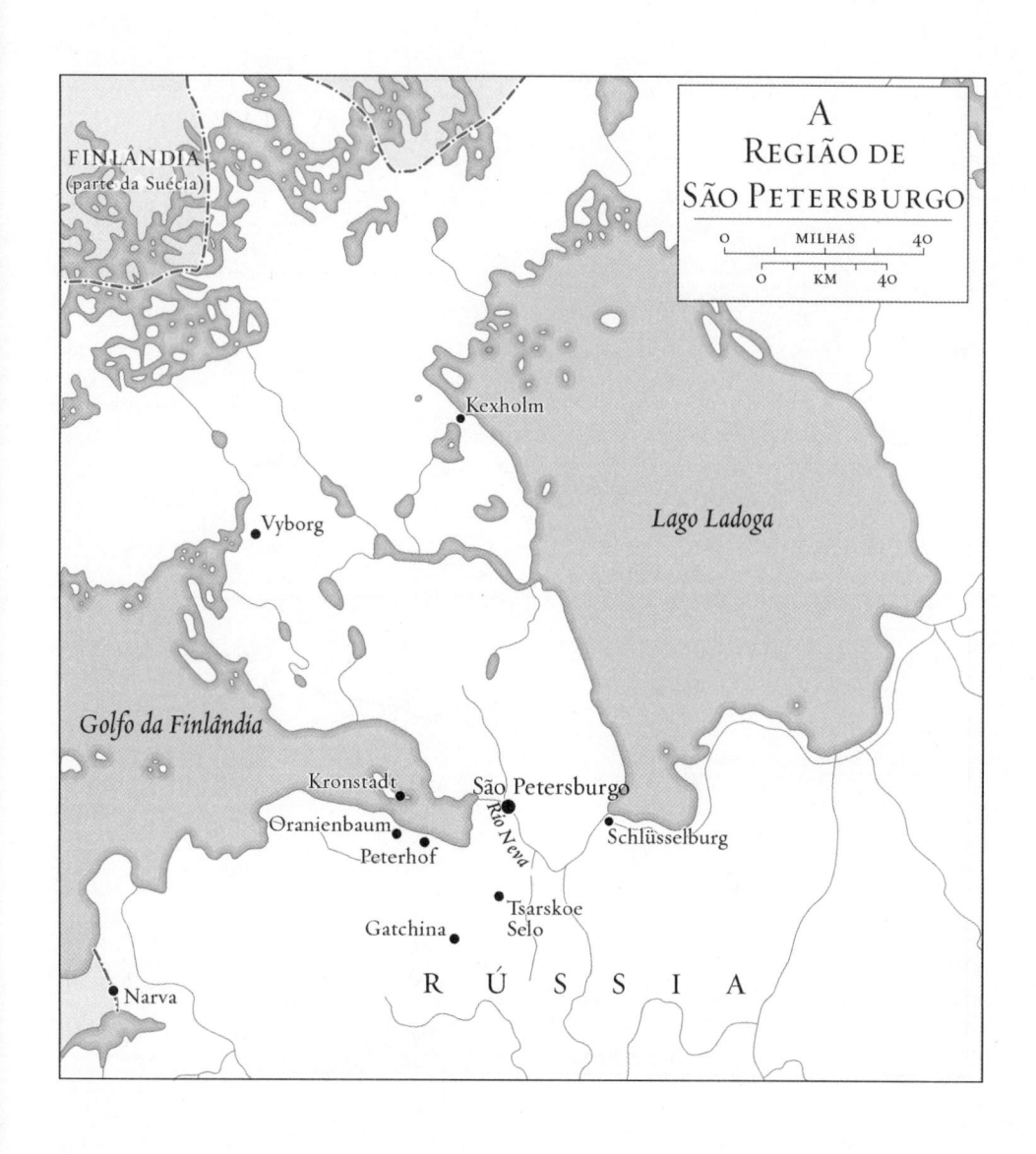

A Revolta de Pugachev

POLÔNIA
Kiev
USTRIA
RÚSSIA
Río Dnieper
Río Dniester
Río Bug
Río Pruth
Ekaterinoslav
MOLDÁVIA
JASSY
BENDER
Nikolaev
Ochakov
Odessa
Kherson
Kinburn
THE LIMAN
AKKERMAN
Taganrog
Río D
Azov
MAR DE AZOV
ISMAIL
VALÁQUIA
CRIMEIA
Kerch
Bakhchiserai
Sebastopol
Río Danúbio
Silistria
Kuchuk Kainardzhi
MAR NEGRO
IMPÉRIO OTOMANO
Constantinopla
O IMPÉRIO E AS CONQUISTAS DE POTEMKIN
Batalhas
Conquistas de Potemkin
0 MILHAS 200
0 KM 200

RÚSSIA EUROPEIA E
A TRIPLA
PARTILHA DA POLÔNIA
0 MILHAS 200
0 KM 200
MAR BRANCO
SUÉCIA
FINLÂNDIA
(parte da Suécia)
Vyborg
Lago Ladoga
Golfo da Finlândia
Revel
ESTÔNIA
São Petersburgo
MAR BÁLTICO
Novgorod
LIVÔNIA
COURLAND
Pskov
RÚSSIA
Riga
Mitau
A RÚSSIA NA
PRIMEIRA PARTILHA
1772
Rio Volga
Yaroslavl
Tver
Vladimir
Moscou
Vilna
PRÚSSIA
OCIDENTAL
Minsk
Smolensk
(PARA
PRÚSSIA)
Mogilev
Tula
Varsóvia
POLÔNIA
(ANTES DA PRIMEIRA PARTILHA 1772)
Orel
Rio Bug
A RÚSSIA NA
SEGUNDA PARTILHA
1793
Voronezh
Kursk
(PARA A
ÁUSTRIA)
Kiev
A RÚSSIA NA
TERCEIRA PARTILHA
1795
Rio Dnieper
Rio Dniester
Rio Bug
ÁUSTRIA
Ekaterinoslav
Rio Pruth
Rio Don
Ochakov
Kherson
Kinburn
MAR DE
AZOV
IMPÉRIO
OTOMANO
CRIMEIA
Rio Danúbio
MAR
NEGRO
Sebastopol

PARTE I
Uma princesa germânica

❧ I ❧
A INFÂNCIA DE SOFIA

O príncipe Cristiano Augusto de Anhalt-Zerbst dificilmente se distinguia na chusma de obscuros nobres empobrecidos que conturbavam o panorama e a sociedade da politicamente fragmentada Alemanha do século XVIII. Não possuindo qualidades excepcionais nem vícios alarmantes, o príncipe Cristiano demonstrava as sólidas virtudes de sua linhagem Junker: um grave senso de ordem e disciplina, integridade, parcimônia e piedade, aliados a uma inabalável falta de interesse por fofocas, intrigas, literatura e o mundo externo em geral. Nascido em 1690, fez carreira como soldado profissional no Exército do rei Frederico Guilherme da Prússia. Sua atuação militar em campanhas contra a Suécia, França e Áustria foi meticulosamente organizada, mas suas proezas no campo de batalha não foram extraordinárias, e nada aconteceu para acelerar ou retardar sua carreira. Quando veio a paz, o rei, que certa vez teria se referido a seu leal oficial como "aquele idiota, Zerbst", deu-lhe o comando de um regimento de infantaria que guarnecia o porto de Stettin, recentemente adquirido da Suécia, na costa báltica da Pomerânia. Ali, em 1727, o príncipe Cristiano, ainda solteiro aos 37 anos, acedeu aos apelos da família e se dispôs a produzir um herdeiro. Vestindo seu melhor uniforme azul e portando sua reluzente espada cerimonial, desposou a princesa Joana Elizabeth de Holstein-Gottorp, de 15 anos de idade, que ele mal conhecia. A família dele, que havia arranjado a união com a dela, estava exultante. A linhagem de Anhalt-Zerbst parecia assegurada e, além disso, a família de Joana estava um degrau acima na escala de posição social.

Foi um mau casamento. Havia problemas de diferença de idade. A união de uma adolescente com um homem de meia-idade geralmente é fruto de uma confusão de motivos e expectativas. Quando Joana, de uma boa família, mas com pouco dinheiro, chegou à adolescência, e seus pais, sem consultá-la, arranjaram essa união a um homem respeitável com quase o triplo de sua idade, Joana só pôde consentir. Fato ainda menos promissor, o caráter e o temperamento dos dois eram quase totalmente opostos. Cristiano Augusto era simples, honesto, austero, recluso e parcimonioso. Joana Elizabeth era complicada, vivaz, amante do prazer e extravagante. Era considerada bela e, com as sobrancelhas arqueadas, cabelos louros cacheados, charme e uma exuberante vontade de agradar, atraía facilmente as pessoas. Em ocasiões sociais, tinha necessidade de cativar, mas, à medida que envelhecia, tentava um pouco demais. Com o tempo, outras falhas apareceram. Muita conversa alegre revelava sua superficialidade; quando era contrariada, seu charme azedava para a irritabilidade, e o temperamento forte explodia sem aviso. Subjacente a esse comportamento, e Joana sabia disso desde o início, estava o fato de que seu casamento havia sido um terrível — e agora inescapável — erro.

A confirmação veio rapidamente, quando ela viu a casa em Stettin, para onde o marido a trouxera. Joana havia passado a juventude em ambientes extremamente elegantes. Tinha 11 irmãos e, como a família formava um ramo menor ligado aos duques de Holstein, seu pai, o bispo luterano de Lübeck, levou Joana para morar com a madrinha, duquesa de Brunswick, que não tinha filhos. Ali, na mais suntuosa e magnífica corte do Norte da Alemanha, ela se acostumou a uma vida de lindas roupas, pessoas sofisticadas, bailes, óperas, concertos, fogos de artifício, caçadas e frequentes mexericos divertidos.

Seu marido, Cristiano Augusto, oficial de carreira vivendo com um magro soldo do Exército, não podia oferecer nada disso. O melhor que pôde arrumar foi uma modesta casa de pedras cinzentas numa rua calçada, constantemente varrida pelo vento e a chuva. A cidade fortificada de Stettin, cercada por muralhas sobre o triste Mar do Norte e dominada pela rígida atmosfera militar, não era um lugar onde a alegria, a graciosidade e quaisquer refinamentos sociais pudessem florescer. As esposas na guarnição tinham uma vida tediosa, e a vida das mulheres na cidade era ainda mais tediosa. E ali exigia-se que a jovem animada, recém-chegada do luxo e dos divertimentos da corte de Brunswick, vivesse com uma renda mínima, ao lado de um marido puritano dedicado à vida militar, habituado a uma economia severa, equipado para comandar, mas não para conversar, e ansioso pelo êxito da mulher no empreendimento para o qual a desposara: dar-lhe um herdeiro. Nesse sentido, Joana fez o melhor possível — era uma esposa obediente, ainda que infeliz. Mas sempre, no fundo, ela ansiava por ser livre: livre do marido enfadonho, livre da relativa penúria, livre do estreito mundo provinciano de Stettin. Sempre teve certeza de que merecia algo melhor. E então, passados 18 meses do casamento, ela teve um bebê.

Aos 16 anos, Joana não estava preparada para as realidades da maternidade. Havia lidado com a gravidez enovelando-se em sonhos de que os filhos seriam extensões dela mesma, e a vida deles poderia abrir uma larga avenida para ela percorrer realizando suas próprias ambições. Nesses sonhos, tinha a certeza de que a criança em seu ventre — seu primogênito — seria um filho herdeiro do pai e, principalmente, um menino bonito, extraordinário, cuja brilhante carreira ela viria a orientar e finalmente compartilhar.

Às duas e meia de 21 de abril de 1729, na fria madrugada cinzenta do Báltico, nasceu o bebê de Joana. Ai, a pessoinha era uma menina. Joana e o mais conformado Cristiano Augusto conseguiram dar um nome à criança, Sofia Augusta Frederica, mas, desde o começo, Joana não conseguiu sentir nem expressar qualquer sentimento maternal. Não amamentou nem acariciou a filha. Não perdia tempo olhando-a no berço, nem a pegava no colo. Em vez disso, entregou abruptamente a menina aos cuidados de criados e amas de leite.

Uma possível explicação é que o processo do parto quase custou a vida de Joana. Depois do nascimento de Sofia, a mãe adolescente permaneceu 19 meses confinada ao leito. Uma segunda explicação é que Joana era ainda muito jovem e suas altas ambições na vida estavam longe de realizadas. Mas o motivo mais forte, subjacente, foi que o bebê era menina, e não menino. Ironicamente, embora ela não pudesse saber então, o nascimento dessa filha viria coroar a realização de sua vida. Se o bebê tivesse sido o menino tão ardentemente desejado, e se tivesse vivido até a idade adulta, teria sucedido o pai como príncipe de Anhalt-Zerbst. Nesse caso, a história da Rússia teria sido diferente e jamais teria existido o pequeno nicho que Joana Elizabeth conquistou.

Dezoito meses depois do nascimento da filha, Joana deu à luz o filho que foi sua paixão. Seu amor por esse segundo filho, Guilherme Cristiano, tornou-se ainda mais intenso quando ela percebeu que a criança tinha um problema sério. O menino, que parecia sofrer de raquitismo, era sua obsessão. Ela o acariciava, mimava e não o perdia de vista, dedicando-lhe toda a afeição que negara à filha. Sofia, já bem ciente de que seu nascimento havia sido uma decepção para a mãe, observava o amor com que Joana cercava o irmãozinho. Beijinhos afetuosos, sussurros carinhosos, ternos afagos concedidos ao menino — e Sofia observava. Certamente, é comum a mãe de um filho com dificuldades ou uma doença crônica dedicar mais tempo a essa criança, assim como é normal que outras crianças da família se ressintam dessa afeição desproporcional.

Mas a rejeição de Joana por Sofia começara antes do nascimento de Guilherme e persistiu, de forma ainda mais agravada. O resultado desse favoritismo materno foi uma ferida permanente. A maioria das crianças rejeitadas ou negligenciadas em favor de um irmão reage mais ou menos como Sofia reagiu: para evitar maiores mágoas, bloqueou seus sentimentos. Nada lhe era dado, e nada era esperado. O pequeno Guilherme, que simplesmente aceitava a afeição da mãe como coisa normal, não tinha culpa nenhuma da injustiça, mas mesmo assim Sofia o odiava. Quarenta anos mais tarde, escrevendo suas *Memoirs*, seu ressentimento ainda despontava:

> Disseram-me que não fui recebida com muita alegria. Meu pai achava que eu era um anjo; minha mãe não prestava muita atenção em mim. Um ano e meio depois, ela [Joana] deu à luz um menino a quem idolatrou. Eu era meramente tolerada e frequentemente repreendida com uma violência e raiva que eu não merecia. Eu sentia isso sem que o motivo estivesse perfeitamente claro em minha mente.

Guilherme Cristiano não é mais mencionado nas *Memoirs* até sua morte, em 1742, com a idade de 12 anos. Então, o breve relato de Sofia é puramente clínico:

> Ele viveu apenas até os 12 anos e morreu de febre pintada [escarlatina]. Só após sua morte souberam a causa da doença que o obrigava a andar sempre de muletas e para a qual os remédios sempre lhe eram dados em vão, e foram consultados os mais famosos médicos da Alemanha. Aconselharam a levá-lo aos banhos em Baden e Karlsbad, mas a cada vez ele voltava tão manco quanto antes, e sua perna ficava menor à proporção que se tornava mais alto. Depois de sua morte, seu corpo foi dissecado e descobriram que o quadril era deslocado, e deve ter sido assim desde bebê... Na morte dele, minha mãe ficou inconsolável e foi necessária a presença de toda a família para ajudá-la a suportar a dor.

Essa amargura apenas sugere o enorme ressentimento de Sofia com relação à mãe. O mal causado à menina pelas óbvias demonstrações da preferência de Joana marcou profundamente o caráter de Sofia. Sua rejeição em criança ajuda a explicar a busca constante, quando mulher, por aquilo que tinha perdido. Mesmo quando imperatriz Catarina, no auge do poder autocrático, ela desejava não somente ser admirada por sua mente extraordinária e obedecida enquanto imperatriz, mas também encontrar o afeto elementar que seu irmão, e não ela, havia recebido da mãe.

As famílias principescas do século XVIII, mesmo as de menor importância, mantinham o aparato da classe. As crianças da nobreza tinham amas, governantas, tutores, professores de música, dança, equitação e religião para exercitá-las no protocolo, na conduta e nas crenças das cortes europeias. A etiqueta era primordial; as crianças praticavam cumprimentos e reverências centenas de vezes até que a perfeição fosse automática. As aulas de linguagem eram de suma importância. Os jovens príncipes e princesas tinham de saber falar e escrever em francês, a língua da *intellígentsia* europeia. Nas famílias aristocráticas germânicas, a língua alemã era considerada vulgar.

A influência de sua governanta, Elizabeth (Babet) Cardel, foi fundamental nessa época da vida de Sofia. Babet, francesa huguenote que achou a Alemanha protestante mais conveniente do que a França católica, foi encarregada de supervisionar a educação de Sofia. Babet logo entendeu que a frequente beligerância de sua pupila era fruto da solidão e de uma ânsia por estímulos e afeição. Babet lhe deu isso. E também deu a Sofia o que veio a ser seu permanente amor pelo idioma francês, com todas as suas possibilidades de lógica, sutileza, espírito e vivacidade na escrita e na conversação. As aulas começaram com *Les Fables de La Fontaine* e depois passaram a Corneille, Racine e Molière. Boa parte de seus estudos, Sofia diria mais tarde, havia sido pura memorização. "Logo notaram que eu tinha boa memória; a partir daí, eu era atormentada incessantemente para aprender tudo de cor. Ainda possuo a Bíblia alemã em que todos os versículos que eu precisava decorar estão sublinhados com tinta vermelha."

A abordagem de ensino de Babet era suave em comparação à do pastor Wagner, um pedante capelão do Exército escolhido pelo pai de Sofia, fervoroso luterano, para instruir a filha em religião, geografia e história. A rígida metodologia de Wagner – memorizar e repetir – obtinha poucos progressos com a aluna que Babet descrevia como um *esprit gauche* e que obtinha perguntas desconcertantes, como: Por que grandes homens da Antiguidade, como Marco Aurélio, eram condenados à danação eterna se não tinham conhecido a salvação de Cristo e, portanto, não poderiam ser redimidos? Wagner respondeu que era a vontade de Deus. Qual era a natureza do universo antes da Criação? Wagner respondeu que era um estado de caos. Sofia pediu uma descrição desse caos original. Wagner não sabia. A palavra "circuncisão", usada por Wagner, naturalmente acionou a pergunta: O que é isso? Wagner, estarrecido na situação em que se encontrou, recusou-se a responder. Ao descrever os horrores do Juízo Final e a dificuldade de alcançar a salvação, Wagner aterrorizou tanto a aluna que "toda noite, no crepúsculo, eu ia chorar na janela". No dia seguinte, porém, ela retaliou: Como a infinita bondade de Deus pode admitir os terrores do Juízo Final? Wagner, gritando que não havia respostas racionais para essas perguntas, e o que ele ensinava deveria ser aceito pela fé, ameaçou a pupila com a bengala. Babet interveio. Mais tarde, Sofia escreveu: "Estou convencida, no fundo da minha alma, de que Herr Wagner era um idiota." E acrescentou: "Em toda a minha vida, sempre tive inclinação para ceder somente diante da gentileza e da razão, e para resistir à pressão."

Nada, porém, nem a gentileza, nem a pressão, poderia ajudar seu professor de música, Herr Roellig, em sua tarefa. "Ele sempre trazia consigo uma criatura que urrava em tom baixo", ela escreveu mais tarde a seu amigo Frederico Melchior Grimm. "Ele o trazia para cantar em meu quarto. Eu ouvia e dizia a mim mesma 'ele urra como um touro', mas Herr Roellig exultava de prazer quando a garganta do baixo entrava em ação." Ela jamais superou sua incapacidade para apreciar a harmonia. "Desejo ardentemente ouvir e apreciar música", Sofia Catarina escreveu em suas *Memoirs*, "mas tento em vão. É barulho aos meus ouvidos, e pronto."

A influência da didática de Babet Cardel em sua infância permaneceu viva na imperatriz Catarina e, anos depois, ela expressou sua gratidão: "Tinha uma alma nobre, a mente culta, um coração de ouro; era paciente, gentil, animada, justa, coerente – em suma, o tipo de governanta desejável para toda criança." A Voltaire, ela escreveu que era "a pupila de *mademoiselle* Cardel". E em 1776, quando tinha 47 anos, escreveu a Grimm:

> Nem sempre se pode saber o que as crianças estão pensando. É difícil entender as crianças, principalmente quando uma educação esmerada as acostuma à obediência, e a experiência as torna cautelosas na conversa com os professores. Você não extrai disso a boa má-

xima de que não se deve ralhar muito com as crianças, mas torná-las confiantes para que não escondam suas bobagens de nós?

Quanto mais independência Sofia demonstrava, mais sua mãe se preocupava. A menina era arrogante e rebelde, Joana definiu. Era preciso acabar com essas qualidades antes que a filha fosse oferecida em casamento. Como o casamento era o único destino de uma princesa de menor representação, Joana estava determinada a "extirpar dela o demônio do orgulho". Dizia repetidamente à filha que ela era feia e impertinente. Sofia era proibida de falar, a não ser que falassem com ela, e de expressar suas opiniões a adultos. Era obrigada a se ajoelhar e beijar a barra da saia de todas as mulheres nobres que as visitavam. Sofia obedecia. Embora privada de afeição e aprovação, ela ainda mantinha uma atitude respeitosa diante da mãe, permanecia calada, submissa às ordens de Joana, abafando as próprias opiniões.

Mais tarde, o orgulho disfarçado em humildade veio a ser reconhecido como uma tática deliberada e útil que Sofia – renomeada Catarina – usava ao enfrentar as crises e o perigo. Quando ameaçada, ela se envolvia num manto de mansidão, deferência e temporária submissão. Aqui também se vê o exemplo de Babet Cardel, uma mulher bem-nascida que aceitou a posição inferior de governanta, mas, ainda assim, conseguiu manter o respeito próprio, a dignidade e o orgulho que a elevaram, aos olhos de Sofia, a um lugar mais alto que o de sua mãe.

Naqueles anos, Sofia era exteriormente uma criança alegre. Isso se devia, em parte, à ardente curiosidade e, em parte, à pura energia física. Tinha necessidade de grande quantidade de exercício. Passeios no parque com Babet não bastavam, e seus pais permitiam que ela brincasse com as crianças da vila. Sofia assumiu facilmente o comando desses grupinhos de meninos e meninas, não apenas por ser uma princesa, mas por ser naturalmente líder, e sua imaginação criava brincadeiras de que todos gostavam de participar.

A certa altura, Cristiano Augusto foi promovido, passando de comandante da guarnição a governador de Stettin, um progresso que o autorizava a se mudar com a família para uma ala do castelo de granito na praça principal da cidade. A mudança para o castelo não trouxe melhora para Joana. Ela continuava infeliz, ainda incapaz de se ajustar à situação em que a vida a colocara. Havia se casado com alguém de posição inferior à dela e, em vez da vida brilhante com que sonhara, agora não passava de uma senhora provinciana numa vila militar. Dois filhos seguiram-se aos dois primeiros – outro menino e outra menina –, mas não lhe trouxeram mais felicidade.

Em seu desejo de escapar, seus pensamentos se voltaram para as relações que ainda mantinha com a nobreza. Por nascimento, Joana pertencia a uma das grandes famílias da Alemanha, a casa ducal de Holstein-Gottorp, e estava convencida de que, com a posição de sua família, sua inteligência, charme e vivacidade, ainda poderia criar para si um lugar melhor no mundo. Passou a dedicar tempo a cultivar o relacionamento com seus parentes, escrevendo-lhes cartas e visitando-os regularmente. Ia muito a Brunswick, a refulgente corte de sua infância, onde Rembrandts e Van Dycks decoravam as paredes. Todo mês de fevereiro, na época do carnaval, ia a Berlim cumprimentar o rei da Prússia. Tinha paixão por intrigas da corte e, da perspectiva de Stettin, até as intrigas e fofocas das menores cortes germânicas, onde ela supunha que iria brilhar, a atraíam. Mas de algum modo, em todos aqueles ambientes, Joana estava sempre ciente de não ser mais que uma parente pobre, uma moça de boa família com um casamento não promissor.

Quando Sofia tinha 8 anos, Joana começou a levá-la nessas viagens. Arranjar um casamento era um dever que Joana estava determinada a cumprir, e mal não havia, mesmo nesse estágio precoce, em dar conhecimento à sociedade de que havia uma princesinha crescendo em Stettin. E, certamente, casamento era um tópico de conversação da maior importância nessas incursões de mãe e filha. Quando Sofia tinha 10 anos, falar desse ou daquele marido em potencial era comum entre suas tias e tios. Sofia nunca fez objeção a viajar com a mãe; na verdade, ela gostava. À medida que crescia, não apenas estava bem consciente do propósito dessas visitas, mas aprovava de todo o coração. O casamento oferecia a melhor via para escapar da mãe e da família e, além disso, Sofia havia sido apresentada a uma alternativa terrível: era a condição das tias solteironas, filhas em excesso da pequena nobreza do Norte da Alemanha, alijadas nas alas mais distantes dos castelos da família ou enfiadas em remotos conventos protestantes. Sofia se lembrava da visita a uma dessas infelizes, uma irmã mais velha de sua mãe, que possuía 16 cães da raça *pug* e todos dormiam, comiam e cumpriam suas funções naturais no mesmo cômodo que a dona. "Além deles, uma grande quantidade de papagaios vivia no mesmo quarto", escreveu Sofia. "Pode-se imaginar a fragrância que reinava ali."

Apesar do desejo de se casar, as chances de Sofia arrumar um excelente partido pareciam ser apenas acidentais. Uma safra de princesas adolescentes europeias elegíveis era produzida todo ano, e a maioria oferecia muito mais substância às famílias reais e nobres do que uma união com a insignificante casa dos pequenos Zerbst. E Sofia nem era uma criança com atrativos físicos notáveis. Aos 10 anos, tinha um rosto feinho, com um queixo fino e protuberante, que Babet Cardel a aconselhava a manter cuidadosamente recolhido. Sofia entendeu o problema de sua aparência. Mais tarde, escreveu:

> Não sei se quando criança eu era realmente feia, mas lembro-me bem de sempre me dizerem que eu era e, portanto, devia me esforçar para mostrar qualidades interiores e inteligência. Até a idade de 14 ou 15 anos, eu estava firmemente convencida da minha feiura e, portanto, mais empenhada em alcançar realizações internas, e menos atenta à minha aparência externa. Vi um retrato meu pintado quando eu tinha 10 anos, e era certamente muito feio. Se realmente se parecia comigo, nada de falso me disseram.

E assim foi que, apesar das probabilidades medíocres e da aparência meio feiosa, Sofia percorreu o Norte da Alemanha acompanhando a mãe. Nessas viagens, acrescentou novos temas a sua educação. Ouvindo as conversas dos adultos, aprendeu a genealogia da maioria das famílias reais da Europa. Uma visita foi de especial interesse. Em 1739, um irmão de Joana, Adolfo Frederico, príncipe-bispo de Lübeck, foi designado guardião do jovem recém-órfão duque de Holstein, Carlos Pedro Ulrich, de 11 anos de idade. Era um menino extraordinariamente bem relacionado, presumivelmente destinado a um futuro glorioso. Era o único neto vivo de Pedro, o Grande, da Rússia, e, além disso, o primeiro na linha de sucessão ao trono da Suécia. Um ano mais velho que Sofia, era também seu primo em segundo grau pelo lado materno. Assim que ele ficou sob a tutela do irmão, Joana não perdeu tempo em levar Sofia a uma visita ao príncipe-bispo. Em suas *Memoirs*, Sofia-Catarina descreve Pedro Ulrich como "agradável e bem-nascido, embora seu gosto por beber já fosse perceptível". Essa descrição do órfão de 11 anos estava longe de ser completa. Na realidade, Pedro Ulrich era pequeno, delicado e doentio, com olhos esbugalhados, queixo retraído e ralos cabelos louros caindo pelos ombros. Era subdesenvolvido, tanto física como emocionalmente. Tímido e solitário, vivia cercado de tutores e instrutores, sem contato com ninguém da mesma idade, não lia nada e era glutão nas refeições. Mas

Joana, como qualquer outra mãe de filha casadoira, observava todos os movimentos do menino, e seu coração se elevou quando viu a filha, de 10 anos, conversando com ele. Depois Sofia viu a mãe cochichando com as tias. Mesmo naquela idade, sabia que estavam falando sobre a possibilidade de uma união dela com aquele menino esquisito. Não se importou. Já tinha dado asas à imaginação:

> Eu sabia que algum dia ele seria rei da Suécia e, embora eu ainda fosse uma criança, o título de rainha soava docemente aos meus ouvidos. Desde então, as pessoas me faziam gracejos a respeito dele e gradualmente me acostumei a pensar que estava destinada a ser sua esposa.

Enquanto isso, a aparência de Sofia melhorava. Aos 13 anos, era esguia, seus cabelos castanho-escuros eram sedosos, a testa alta, olhos azuis brilhantes e a boca curva como um botão de rosa. O queixo pontudo tinha ficado menos proeminente. Suas outras qualidades começavam a atrair a atenção. Era inteligente e sagaz. Nem todos a achavam insignificante. Um diplomata sueco, conde Henning Adolfo Gyllenborg, que conheceu Sofia na casa da avó dela em Hamburgo, ficou impressionado com sua inteligência e disse a Joana, na presença de Sofia: "Madame, a senhora não conhece a menina. Asseguro-lhe que ela tem mais inteligência e caráter do que a senhora lhe atribui. Portanto peço-lhe que preste mais atenção a sua filha, pois ela merece, em todos os aspectos." Joana não se impressionou, mas Sofia jamais esqueceu essas palavras.

Ela estava descobrindo como fazer as pessoas gostarem dela e, uma vez aprendida essa habilidade, praticava-a brilhantemente. Não se tratava de um comportamento sedutor. Sofia – mais tarde Catarina – nunca foi coquete. Não era o interesse sexual que lhe interessava despertar, mas a solidária, cálida compreensão que o gentil conde Gyllenborg lhe dispensara. Para provocar essas reações nas pessoas, ela usava meios tão convencionais e modestos que pareciam quase sublimes. Entendeu que as pessoas preferiam falar a ouvir, e falar sobre si mesmas acima de tudo. Nesse sentido, sua mãe, pateticamente ansiosa para ser considerada importante, oferecia um bom exemplo de como não se comportar.

Outros sentimentos se agitavam em seu interior. Sofia estava despertando para a sensualidade. Aos 13 e 14 anos, ela frequentemente ia para seu quarto ainda com a inquietação de uma energia nervosa. Na tentativa de obter algum alívio, sentava-se na cama, colocava um travesseiro duro entre as pernas e, cavalgando um cavalo imaginário, "galopava até ficar exausta". Quando as criadas entravam no quarto para investigar o barulho, encontravam-na deitada quietinha, fingindo estar dormindo. "Nunca fui apanhada no ato", disse ela. Havia uma razão para seu férreo controle em público. Sofia tinha um único desejo, primordial: escapar da mãe. Entendia que sua única rota de fuga era o casamento. Para conseguir isso, precisava se casar, e não somente desposar qualquer marido, mas um que a elevasse a uma posição o mais alto possível acima de Joana.

Todavia, ela sucumbiu a um episódio de paixão adolescente. Aos 14 anos, flertou com um tio jovem e belo, irmão mais novo de sua mãe, Jorge Lewis. Dez anos mais velho que Sofia e atraído pela fresca inocência da sobrinha em flor, o reluzente tenente dos couraceiros começou a fazer-lhe a corte. Sofia descreve o progresso desse pequeno romance, que terminou com o tio Jorge pedindo-a subitamente em casamento. Ela ficou estupefata: "Eu não sabia nada sobre o amor e nunca o associei a ele." Lisonjeada, ela hesitou; o homem era irmão da mãe dela. "Meus pais não vão permitir", ela disse. Jorge Lewis argumentou que o parentesco não era obstáculo, que uniões desse tipo ocorriam frequentemente em famílias aristocráticas da Europa. Confusa, Sofia permitiu que o tio Jorge continuasse a cortejá-la. "Ele era muito bonito na época, tinha lindos olhos e sabia da minha propensão. Eu estava acostumada a ele. Sentia-me atraída e não o evitava." Afinal ela pensou em aceitar a proposta do tio, desde que "meu pai e minha mãe dessem seu consentimento. Nesse momento, meu tio se abandonou inteiramente à paixão, que era extrema. Aproveitava todas as oportunidades para me abraçar e era hábil em criá-las, mas, afora alguns ⊢ ijos, era tudo muito inocente".

Sofia estava realmente preparada para deixar de lado a ambição de ser rainha e se tornar cunhada da própria mãe? Por um momento, ela hesitou. Talvez pudesse ceder, permitir os avanços de Jorge Lewis e se casar com ele. Mas antes que acontecesse alguma coisa definitiva, chegou uma carta de São Petersburgo.

❧2❧

O CHAMADO PARA A RÚSSIA

A CARTA DA RÚSSIA FOI UMA SURPRESA, mas a mensagem era tudo o que Joana sonhava e esperava. Enquanto escoltava a filha pelas cortes menores do Norte da Alemanha, a ambiciosa mãe procurava fazer uso de uma conexão mais elevada. A história da família envolvia parentes de Joana, na casa de Holstein, com a dinastia imperial russa dos Romanov. Em dezembro de 1741, quando Sofia tinha 12 anos, Elizabeth, filha mais nova de Pedro, o Grande, tomou o trono com um golpe de Estado na calada da noite.* A nova imperatriz tinha vários laços fortes com a casa de Holstein. O primeiro era por intermédio de sua adorada irmã Ana, filha mais velha de Pedro, o Grande, casada com Carlos Frederico, duque de Holstein, primo de Joana. Esse casamento havia gerado o triste menino Pedro Ulrich. Três meses depois do nascimento da criança, Ana morreu.

Elizabeth tinha um vínculo pessoal ainda mais direto com a casa de Holstein. Aos 17 anos, havia sido noiva do irmão mais velho de Joana, Carlos Augusto. Em 1726, esse jovem príncipe Holstein viajou para São Petersburgo a fim de se casar, mas, semanas antes do casamento, contraiu varíola na capital russa e lá faleceu. Para Elizabeth, restou um sofrimento que ela jamais superou, e dali por diante via a casa de Holstein quase como parte de sua própria família.

Agora, com a notícia de que essa mesma Elizabeth tinha inesperadamente ascendido ao trono russo, Joana escreveu imediatamente para dar congratulações à nova imperatriz que outrora esteve prestes a se tornar sua cunhada. A resposta de Elizabeth foi amigável e afetuosa. O relacionamento prosperou. Joana possuía um retrato que a imperatriz desejava, de Ana, sua irmã falecida. Quando Elizabeth escreveu à "querida sobrinha" perguntando se o quadro poderia retornar à Rússia, Joana ficou exultante ao lhe fazer essa gentileza. Pouco depois, um emissário da embaixada russa em Berlim chegou a Stettin trazendo para Joana um retrato em miniatura de Elizabeth, numa magnífica moldura de diamantes valendo 8 mil rublos.

Determinada a cultivar essa promissora conexão, Joana levou a filha a Berlim, onde o pintor da corte prussiana, Antoine Pesne, pintou um retrato de Sofia para ser enviado de presente à imperatriz. O retrato nada tinha de extraordinário. Na maioria dos quadros de Pesne, os retratados acabavam ficando quase idênticos, e essa tela de Sofia surgiu como um retrato genérico de uma jovem agradável do século XVIII. Entretanto, quando a pintura foi despachada para São Petersburgo, logo chegou a resposta desejada: "A imperatriz está encantada com as expressivas feições da jovem princesa."

---

* Elizabeth Petrovna, imperatriz da Rússia entre 1741 e 1762, é também conhecida em português por Isabel da Rússia. (N. do E.)

A partir daí, Joana não perdeu oportunidades de tecer novos laços na rede familiar. No fim de 1742, deu à luz uma segunda filha, única irmã de Sofia. Tão logo soube o gênero da criança, Joana escreveu à imperatriz dizendo que a menina iria se chamar Elizabeth e pedindo a Sua Majestade que consentisse em ser a madrinha. Elizabeth concordou e em breve chegava a Stettin outro retrato da imperatriz, também emoldurado em diamantes.

Enquanto isso, outra série de eventos favoráveis a Joana vinha acontecendo. Em janeiro de 1742, o jovem Pedro Ulrich de Holstein, o órfão que Sofia conhecera três anos antes, desapareceu subitamente de Kiel e reapareceu em São Petersburgo, onde foi adotado pela tia Elizabeth e proclamado herdeiro do trono russo. Esse menino, agora futuro imperador da Rússia, era primo de Joana e, por extensão, de Sofia. Em 1743, veio outra maravilhosa surpresa para Joana. Como condição de se tornar herdeiro do trono russo, o pequeno Pedro Ulrich renunciou a sua reivindicação ao trono da Suécia. Segundo os termos de um tratado feito entre a Rússia e a Suécia, a imperatriz Elizabeth tinha permissão para designar um substituto do sobrinho como herdeiro do trono sueco. Ela escolheu Adolfo Frederico, príncipe-bispo de Lübeck, o irmão de Joana que havia sido guardião de Pedro Ulrich. Assim foi que, quando todas essas proclamações, mudanças e substituições aconteceram, Joana se viu no centro de uma roda de espantosa boa sorte. Perdera para a varíola o irmão que teria sido consorte da imperatriz russa, mas agora tinha um primo que algum dia seria imperador da Rússia, e um irmão mais velho, vivo, que se tornaria rei da Suécia.

Enquanto Joana cortejava São Petersburgo e escoltava a filha pelo Norte da Alemanha, o príncipe Cristiano Augusto, marido e pai, permanecia em casa. Agora com mais de 50 anos, imutável em seu jeito de viver frugal e disciplinado, sobrevivera a um ataque temporário de paralisia e, recuperado, viveu para ver a elevação do próprio status e posição social. Em julho de 1742, o novo rei da Prússia, Frederico II, o promoveu a marechal de campo do Exército prussiano. Em novembro do mesmo ano, o príncipe e seu irmão mais velho conseguiram a soberania conjunta do pequeno principado de Anhalt-Zerbst, uma cidadezinha a sudoeste de Berlim, com torres e muralhas medievais, um fosso e casas com frontão na fachada. Saindo do Exército e de Stettin, Cristiano Augusto levou a família para Zerbst e se dedicou ao bem-estar de seus 20 mil súditos.

Joana estava razoavelmente feliz. Agora era a princesa reinante de um pequeno — muito pequeno — Estado soberano germânico. Morava em um pequeno — muito pequeno — palácio barroco. Apesar da correspondência com uma imperatriz e das visitas aos parentes bem colocados, ainda se incomodava, pensando que a vida estava passando por ela.

Então, no dia 1º de janeiro de 1744, depois do serviço religioso na capela do castelo, a família acabava de se sentar para o jantar de Ano-Novo quando um correio trouxe uma carta selada para Joana. Abriu-a imediatamente. Vinha de São Petersburgo, escrita por Otto Brümmer, grande mestre de cerimônias da corte de Pedro Ulrich, o jovem duque de Holstein, agora herdeiro provável do trono russo. Brümmer dizia:

> Sob o comando explícito de Sua Majestade Imperial [a imperatriz Elizabeth], venho informar, madame, que a imperatriz deseja que Vossa Alteza, acompanhada da princesa, sua filha mais velha, venha à Rússia o mais breve possível e se dirija, sem perda de tempo, ao local onde estiver a Corte Imperial no momento. Vossa Alteza é inteligente demais para não perceber o verdadeiro significado da impaciência da imperatriz para vê-la aqui, bem como à princesa sua filha, que muitas informações atestam ser adorável. Ao mesmo tempo, nossa incomparável soberana encarregou-me expressamente de informar a Vossa Alteza que Sua Alteza o príncipe não deverá, em nenhuma circunstância, participar da viagem. Sua Majestade tem razões muito importantes para que assim seja. Uma palavra de Vossa Alteza será, creio eu, o suficiente para cumprir o desejo de nossa divina imperatriz.

A carta de Brümmer continha outras solicitações. Pedia a Joana que viajasse incógnita até Riga, na fronteira russa, e que, se possível, mantivesse em segredo seu destino. Se porventura seu destino viesse a ser conhecido, ela deveria explicar que o dever e a etiqueta lhe exigiam agradecer pessoalmente à imperatriz russa sua generosidade para com a casa de Holstein. A fim de cobrir as despesas de Joana, Brümmer incluiu uma carta de crédito no valor de 10 mil rublos, a ser descontada num banco em Berlim. A carta não especificava o propósito final da convocação, mas uma segunda carta, trazida poucas horas depois por outro correio, tornava claro aquele propósito. Esta carta, de Frederico II da Prússia, também era endereçada apenas a Joana:

Não mais esconderei o fato de que, além do respeito que sempre nutri pela senhora e pela princesa sua filha, sempre tive o desejo de outorgar alguma excepcional boa sorte a esta última; e veio-me o pensamento de que seria possível organizar a união dela com seu primo, o grão-duque Pedro da Rússia.

A exclusão explícita do príncipe Cristiano Augusto na carta de Brümmer, reforçada pelo fato de Frederico ter escrito apenas a Joana, decerto era humilhante para o chefe nominal da família. E o conteúdo das duas cartas deixava claro que todos os envolvidos estavam certos de que a esposa conseguiria subjugar quaisquer objeções que o fleumático marido pudesse levantar, não apenas à sua exclusão do convite, mas também a outros aspectos desse possível casamento. Receavam que essas objeções se concentrassem na exigência de que uma princesa germânica, ao se casar com um futuro czar, precisasse renunciar à fé protestante e se converter à Igreja Ortodoxa grega. A devoção de Cristiano Augusto ao luteranismo era bem conhecida, e todos entendiam que ele se oporia à filha abandoná-la.

Para Joana, foi um dia glorioso. Após 15 anos de um casamento depressivo, uma imperatriz e um rei lhe apresentavam o prospecto da realização de todos os seus sonhos de diversão e aventura. Ela seria uma pessoa importante, uma estrela no palco mundial. Todos os tesouros de sua personalidade, desperdiçados até então, entrariam em ação. Estava eufórica. Nos dias seguintes, chegavam a Zerbst novas mensagens da Rússia e de Berlim insistindo que se apressasse. Em São Petersburgo, Brümmer, sob a constante pressão da impaciente imperatriz, disse a Elizabeth que Joana havia respondido e "só lhe faltavam asas" para voar até a Rússia. Era quase verdade: Joana levou apenas dez dias nos preparativos da viagem.

Enquanto a mãe de Sofia saboreava seu momento de glória, o pai se mantinha isolado no escritório. O velho soldado sempre soubera se comportar num campo de batalha, mas não sabia como agir agora. Ressentia-se da exclusão do convite, mas, ao mesmo tempo, queria apoiar a filha. Era abominável imaginar que ela fosse obrigada a mudar de religião, e desgostava da ideia de vê-la sair de casa para um país tão politicamente instável como era a Rússia. Por fim, apesar de todas essas preocupações e restrições, o velho soldado, bom homem, viu que não tinha escolha. Precisava ouvir a esposa e obedecer às ordens do rei Frederico II. Trancou-se no escritório e pôs-se a escrever conselhos de cautela à filha sobre como se comportar na corte russa:

> Abaixo de Sua Majestade, a imperatriz, você deve respeitar o grão-duque [Pedro, o futuro marido] acima de tudo como seu Senhor, Pai e Soberano; e além disso conquistar, com cuidado e ternura, em todas as oportunidades, a confiança e o respeito dele. Seu Senhor e a vontade dele deverão ter preferência sobre todos os prazeres e tesouros do mundo, e nada que o desgoste deve ser feito.

Em três dias, Joana já respondia a Frederico: "Meu marido, o príncipe, manifestou sua aprovação. A viagem, que nesta época do ano é extremamente perigosa, não me atemoriza. Tomei a decisão e estou firmemente convencida de que tudo está acontecendo conforme o mais alto interesse da Providência."

O príncipe Cristiano não era o único membro da família Zerbst com papel inequivocamente secundário nesse momentoso empreendimento. Enquanto Joana lia e escrevia, encomendava e experimentava roupas, Sofia era ignorada. O dinheiro servia para aprimorar o guarda-roupa da mãe e nada sobrava para a filha. As roupas de Sofia – o que poderia ser considerado seu enxoval – consistiam em três vestidos velhos, uma dúzia de roupas de baixo, alguns pares de meias e uns poucos lenços. Os lençóis do enxoval foram feitos de umas roupas de cama usadas da mãe. No total, esses tecidos enchiam metade de um baú, pequeno, que uma mocinha da região carregaria para se casar na cidade vizinha.

Sofia já sabia o que estava acontecendo. De relance, vira que a carta de Brümmer vinha da Rússia. Enquanto a mãe a abria, conseguira ler as palavras "acompanhada da princesa, sua filha mais velha". Além disso, o subsequente comportamento ansioso da mãe e a rápida escapada dos pais para cochichar aumentaram sua convicção de que a carta dizia respeito a seu futuro. Ela sabia da importância do casamento; lembrava-se do entusiasmo demonstrado pela mãe quatro anos antes, quando conhecera o pequeno duque Pedro Ulrich, e sabia que seu retrato tinha sido enviado para a Rússia. Em certo momento, incapaz de conter a curiosidade, questionou a mãe. Joana admitiu o que as cartas diziam e confirmou suas implicações. "Ela me disse", Catarina escreveu mais tarde, "que havia também um risco considerável, em vista da instabilidade daquele país. Respondi que Deus proveria a estabilidade, se assim fosse a vontade Dele, eu tinha coragem suficiente para encarar o risco, e meu coração dizia que iria ficar tudo bem." O problema que afligia o pai – a questão de mudar de religião – não preocupava Sofia. Sua relação com a religião, como bem sabia o pastor Wagner, era pragmática.

Durante aquela semana, a última que passariam juntas, Sofia não contou a Babet Cardel sobre a iminente partida. Seus pais a haviam proibido de mencionar aquilo. Espalharam que iriam sair de Zerbst com a filha simplesmente para a visita anual a Berlim. Babet, sempre em sintonia fina com a personalidade da pupila, percebeu que ninguém ali estava sendo sincero. Mas a aluna, mesmo na lacrimosa despedida da adorada professora, não revelou a verdade. E assim, professora e aluna jamais voltariam a se ver.

Em 10 de janeiro de 1744, mãe, pai e filha embarcaram numa carruagem para Berlim, onde se encontrariam com o rei Frederico. Sofia agora estava tão ansiosa quanto a mãe. Era a fuga tão sonhada, o começo de sua ascensão a um destino mais alto. Ao deixar Zerbst para ir à capital da Prússia, não houve cenas sofridas. Ela beijou o irmão de 9 anos, Frederico (Guilherme, o irmão que ela odiava, já tinha morrido), e sua irmãzinha Elizabeth. Seu tio, Jorge Lewis, que ela tinha beijado e com quem prometera se casar, já estava esquecido. Enquanto a carruagem transpunha os portões da cidade e ganhava a estrada, Sofia nem olhou para trás. E nas mais de cinco décadas de vida que teria pela frente, jamais retornou.

3

FREDERICO II
E A VIAGEM PARA A RÚSSIA

TRÊS ANOS E MEIO antes de Sofia e os pais chegarem a Berlim, quando Frederico II, aos 28 anos, ascendeu ao trono da Prússia, a Europa enfrentou um confuso pacote de contradições. O novo monarca possuía uma mente brilhante, incansável energia, astúcia política e um notável – até então não revelado – talento militar. Quando subiu ao trono esse introspectivo amante da filosofia, da literatura e das artes, e também implacável praticante da política maquiavélica, seu pequeno reino já pulsava de energia combativa, pronto a se expandir e deixar sua marca na história da Europa. Frederico só precisava dar a ordem de marchar.

Não era o que a Europa nem a Prússia esperavam. Na infância, Frederico havia sido um menino delicado e sonhador, que frequentemente apanhava do pai, o rei Frederico Guilherme I, por não ser varonil. Quando adolescente, usava o cabelo em longos cachos que chegavam à cintura e se trajava de veludo bordado. Lia autores franceses, escrevia poemas em francês, tocava música de câmara ao violino, cravo e flauta. (A flauta foi uma paixão da vida inteira; ele compôs mais de cem sonatas e concertos para flauta.) Aos 25 anos, Frederico aceitou seu destino nobre e assumiu o comando de um regimento de infantaria. Em 31 de maio de 1740, tornou-se Frederico II, rei da Prússia. Sua aparência não impressionava – mal tinha 1,70m de altura, rosto magro, testa alta e grandes olhos azuis, ligeiramente protuberantes – mas isso não importava a ninguém, e muito menos, na ocasião, a Frederico. Ele não teve tempo para enfeites e bobagens, nem houve formalidades de coroação. Seis meses depois, Frederico subitamente lançou seu reino numa guerra.

A Prússia herdada por Frederico era um Estado pequeno, pobre em população e recursos naturais, disperso em fragmentos desconectados do Reno ao Báltico. No centro estava o eleitorado de Brandemburgo, com capital em Berlim. A leste estava a Prússia Oriental, separada de Brandemburgo por um corredor de terras pertencentes ao reino da Polônia. A oeste havia vários enclaves separados no Reno, na Westfália, na Frísia Oriental e no Mar do Norte. Mas se a falta de coesão territorial era uma fraqueza nacional, Frederico possuía um importante instrumento de poder. O exército prussiano, homem a homem, era o melhor da Europa: 83 mil soldados profissionais bem treinados, um eficiente corpo de oficiais e arsenais abastecidos com armas modernas. A intenção de Frederico era usar a tremenda força militar da Prússia para compensar a fraqueza geográfica.

A oportunidade se lançou rapidamente ao encontro dele. Em 20 de outubro de 1740, cinco meses após Frederico ocupar o trono prussiano, o sagrado imperador romano, Carlos VI da Áustria, morreu de repente. Último Habsburgo da linha masculina, Carlos deixou duas filhas, e a mais velha, Maria Teresa, com 23 anos, assumiu o trono austríaco. Vendo sua chance, Frederico convocou imediatamente seus generais. Em 28 de outubro, decidiu tomar a província da Silésia, uma das mais ricas possessões dos Habsburgo. Seus argumentos eram pragmáticos: seu exército estava pronto enquanto a Áustria parecia estar sem liderança, fraca, empobrecida. Outras considerações, Frederico deixou de lado. O fato de ter jurado solenemente reconhecer o título de Maria Teresa sobre todos os domínios dos Habsburgo não o deteve. Mais tarde, em sua *Histoire de Mon Temps*, ele admitiu francamente que a "ambição, a oportunidade de ganho, o desejo de firmar minha reputação foram decisivos, e assim a guerra se tornou uma certeza". Ele escolheu a Silésia porque estava bem ao lado e porque suas riquezas agrárias e industriais, além da população largamente protestante, iriam constituir um reforço substancial para seu pequeno reino.

Em 16 de dezembro, sob uma gélida chuvarada, Frederico liderou 32 mil soldados na travessia da fronteira silesiana. Praticamente não encontrou resistência. A campanha foi mais uma ocupação do que uma invasão. No final de janeiro, Frederico estava de volta a Berlim. Mas ao fazer seus cálculos pré-guerra, faltou ao jovem rei uma informação importante: não conhecia a personalidade da mulher que ele tornara sua inimiga. Arquiduquesa da Áustria e rainha da Hungria, Maria Teresa tinha uma beleza enganadora, carinha de boneca, com olhos azuis e cabelos dourados. Em momentos de tensão, conseguia aparentar uma inusitada calma, o que levava alguns observadores a concluir que ela era boba. Estavam equivocados. Ela possuía inteligência, coragem e tenacidade. Quando Frederico atacou e tomou a Silésia, todos em Viena ficaram paralisados, exceto Maria Teresa. Embora em adiantado estado de gravidez, ela reagiu com a energia dos irados. Levantou dinheiro, mobilizou tropas e inspirou seus súditos, e nesse ínterim deu à luz o futuro imperador José II. Frederico ficou surpreso diante da teimosa recusa dessa jovem inexperiente a entregar a província que ele roubara. Ficou ainda mais surpreso quando, em abril, um exército austríaco cruzou as montanhas da Boêmia e retomou a Silésia. Os prussianos derrotaram novamente os austríacos e, na paz temporária que se seguiu, Frederico manteve a Silésia, com seus 22.500 quilômetros de fazendas produtivas, ricos veios em minas de carvão, prósperas cidades e uma população de um milhão e meio, na maioria protestantes germânicos. Somados ao número de súditos que Frederico herdara do pai, a Prússia chegava a uma população de 4 milhões. Mas esse espólio custou caro. Maria Teresa via sua herança de Habsburgo como um encargo sagrado. A guerra agressiva de Frederico criou um ódio a ele que durou a vida inteira e um antagonismo entre Prússia e Áustria que permaneceu durante um século.

Apesar da vitória na Silésia, Frederico estava numa posição perigosa. A Prússia continuava a ser um reino pequeno, seus territórios continuavam fragmentados, e sua crescente força deixava seus poderosos vizinhos apreensivos. Dois grandes impérios, ambos maiores e potencialmente mais fortes que a Prússia, eram possíveis inimigos. Um deles era a Áustria, sob a amargurada Maria Teresa. O outro era a Rússia, o imenso império espalhado pelos flancos norte e leste da Prússia, regido pela recém-coroada imperatriz Elizabeth. Nessa situação, nada tinha maior importância para Frederico do que a amizade, ou pelo menos a neutralidade, da Rússia. Ele se lembrava do conselho de cautela que o pai, no leito de morte, lhe transmitira: sempre haveria mais a perder do que a ganhar numa guerra com a Rússia. E, naquele ponto, Frederico não tinha certeza do que a imperatriz Elizabeth iria fazer.

Imediatamente após assumir o trono, a imperatriz havia colocado à testados assuntos políticos um homem que odiava a Prússia, o novo vice-chanceler, conde Alexis Bestuzhev-Ryumin. A ambição mais antiga de Bestuzhev era criar uma aliança unindo a Rússia aos poderes marítimos, Inglaterra e Holanda, e aos poderes terrestres da Europa Central, Áustria e Polônia-Saxônia. Ciente da visão de Bestuzhev, Frederico acreditava que o vice-chanceler era o único empecilho a um acordo diplomático com a imperatriz. Parecia indispensável, portanto, que aquele obstáculo fosse removido.

Frederico calculava que algumas dessas complicações diplomáticas poderiam ser desenredadas se ele se envolvesse pessoalmente na busca da imperatriz russa por uma noiva para seu sobrinho e herdeiro, então com 15 anos de idade. Mais de um ano antes, o embaixador prussiano em São Petersburgo havia informado que Bestuzhev vinha pressionando Elizabeth para escolher uma filha de Augusto III, eleitor da Saxônia e rei da Polônia. Esse casamento, se ocorresse, poderia vir a ser um elemento fundamental na política do vice-chanceler de construir sua aliança contra a Prússia. Frederico estava determinado a evitar tal casamento saxônico. Para conseguir isso, precisava de uma princesa germânica de uma casa ducal razoavelmente expressiva. A preferência de Elizabeth por Sofia, essa conveniente marionete de Anhalt-Zerbst, servia admiravelmente bem a Frederico.

No dia de Ano-Novo de 1744, o prazo dessa negociação se tornara crítico. A ênfase em pressa e segredo na primeira carta de Brümmer para Joana, reiterada pela carta de Frederico, provinha do fato de Bestuzhev continuar a pressionar a imperatriz a favor da polaco-saxônica Mariana. Agora que Elizabeth tinha escolhido Sofia, tanto ela como Frederico queriam que as duas princesas Holstein, mãe e filha, chegassem a São Petersburgo o mais breve possível. Para Frederico, era essencial que a imperatriz não tivesse tempo de mudar de ideia.

Frederico II estava ansioso para ver a princesinha de Zerbst a fim de julgar por si mesmo como ela seria recebida em São Petersburgo. Ao chegar a Berlim, porém, seja por temer que Sofia não atendesse às expectativas do rei, seja por simplesmente não imaginar que o interesse de Frederico seria maior pela filha do que por ela, Joana correu a se apresentar à corte – sozinha. Quando Frederico lhe perguntou sobre Sofia, Joana disse que a filha estava doente. No dia seguinte, ela deu a mesma desculpa. Pressionada, disse que a filha não poderia ser apresentada à corte porque não tinha trazido roupas adequadas. Perdendo a paciência, Frederico ordenou que providenciassem um vestido de uma de suas irmãs e que Sofia viesse imediatamente.

Quando finalmente Sofia ficou diante dele, Frederico viu uma menina nem feia nem bonita, usando um vestido que não lhe caía bem, sem nenhuma joia e sem o cabelo empoado. A timidez de Sofia se transformou em surpresa quando soube que ela – mas não sua mãe nem seu pai – se sentaria à mesa do rei. E a surpresa se transformou em perplexidade quando se viu sentada ao lado do próprio monarca. Frederico se esforçou para deixar a nervosa mocinha à vontade. Mais tarde ela escreveu que ele falou com ela sobre "ópera, teatro, poesia, danças e nem sei mais o quê, mas milhares de coisas que geralmente não se usam para conversar com uma menina de 14 anos". Gradualmente, adquirindo confiança, Sofia conseguiu responder com inteligência e, como ela disse mais tarde com orgulho, "todas as pessoas presentes olhavam com espanto ao verem o rei conversando com uma criança". Frederico gostou de Sofia. Quando pediu a ela que passasse um prato de geleia a outro convidado, ele disse com um sorriso: "Aceite esse presente das mãos dos Amores e Graças." Para Sofia, a noite foi um triunfo. E Frederico não estava sendo indulgente com sua jovem conviva naquele jantar. À imperatriz Elizabeth, ele escreveu: "A princesinha de Zerbst reúne a alegria e a espontaneidade próprias a sua idade com uma inteligência e sagacidade surpreendentes em alguém tão jovem." Sofia era então uma reles marionete política, mas sabia que algum dia teria um papel importante. Ela estava com 14 anos, Frederico, com 32, e este foi o primeiro e último encontro de dois monarcas memoráveis. Ambos viriam a merecer o título de "Grande". E durante décadas viriam a dominar a história da Europa Central e Oriental.

Apesar da atenção pública dada por Frederico a Sofia, os assuntos privados do rei foram tratados com sua mãe. Frederico planejava que, em São Petersburgo, Joana fosse uma agente diplomática prussiana não oficial. Assim, à parte da vantagem de longo prazo do casamento de

Sofia com o herdeiro do trono russo, Joana, sendo próxima da imperatriz russa, seria capaz de exercer influência a favor da Prússia. O rei lhe falou sobre Bestuzhev e sua política. Enfatizou que o vice-chanceler, inimigo jurado da Prússia, faria tudo em seu poder para evitar o casamento de Sofia. Ainda que fosse por essa única razão, o rei insistiu, era do interesse de Joana fazer tudo o que pudesse para enfraquecer a posição de Bestuzhev.

Não foi difícil para Frederico acender o entusiasmo de Joana. A missão secreta confiada a ela deixou-a encantada. Não mais iria viajar para a Rússia como personagem secundária, dama de companhia da filha, mas como figura central de um grande empreendimento diplomático: a derrubada de um chanceler imperial. Enlevada, Joana perdeu o tino. Esqueceu sua sempre proclamada gratidão e dedicação a Elizabeth, esqueceu o conselho de seu severo e provinciano marido, de não tomar parte em política, e esqueceu que o verdadeiro propósito de sua viagem era acompanhar a filha.

Na sexta-feira, 16 de janeiro, Sofia deixou Berlim, acompanhada de sua mãe e seu pai, numa pequena procissão de quatro carruagens. Conforme as instruções de Brümmer, o grupo a caminho da Rússia tinha um número limitado: as duas princesas, um oficial, uma dama de companhia, duas criadas, um valete e um cozinheiro. Como combinado, Joana viajava sob o falso nome de condessa de Reinbeck. Oitenta quilômetros a leste de Berlim, em Schwest, no rio Oder, o príncipe Cristiano Augusto disse adeus à filha. Ambos choraram na despedida. Ainda não sabiam que nunca mais iriam se ver. Os sentimentos de Sofia pelo pai, embora formalmente expressos, se revelavam numa carta escrita duas semanas depois, de Königsberg. Ela promete algo que certamente agradaria ao pai, de tentar cumprir seu desejo de continuar luterana.

> Meu senhor: imploro-lhe assegurar-se de que seu conselho e exortação permanecerão para sempre gravados em meu coração, como permanecerão as sementes da fé sagrada em minha alma, para o que rezo a Deus que me empreste toda a força necessária para me sustentar através das tentações a que, imagino, estarei exposta. Espero ter o consolo de ser digna disso, assim como de continuar a receber boas notícias do meu querido Papai, e sou, enquanto viver, e

em inviolável respeito a meu senhor, Vossa Alteza, a mais humilde, mais obediente, mais fiel filha e serva, Sofia.

Viajando para um país desconhecido, impelida pelo sentimentalismo de uma imperatriz, pela ambição da mãe e pelas intrigas do rei da Prússia, uma adolescente foi lançada numa grande aventura. E uma vez superada a tristeza da separação do pai, Sofia estava animadíssima. Não tinha medo da grande viagem, nem das complicações de se casar com um rapaz que ela encontrara apenas rapidamente, quatro anos antes. Se seu futuro marido era considerado ignorante e voluntarioso, se a saúde dele era delicada, se ele era infeliz na Rússia, nada disso importava a Sofia. Pedro Ulrich não era seu motivo da viagem à Rússia. O motivo era a própria Rússia e a proximidade do trono de Pedro, o Grande.

No verão, a estrada de Berlim para São Petersburgo era tão primitiva que a maioria dos viajantes preferia ir por mar; no inverno, ninguém usava a estrada, exceto correios postais e diplomáticos levando mensagens urgentes. Joana, acicatada pela demanda de pressa da imperatriz, não tinha escolha. Embora já estivessem em meados de janeiro, não havia caído neve, e os trenós, projetados para deslizar sobre uma superfície endurecida, não podiam ser usados. Os viajantes seguiam lentamente em pesadas carruagens aos solavancos, dia após dia, sacudidos ao passar por cima das raízes congeladas, enquanto o vento enregelante do Báltico assoviava entre as frestas do chão e das laterais. Numa das carruagens, mãe e filha se aconchegavam, embrulhadas em casacos grossos e máscaras de lã cobrindo o nariz e a face. Muitas vezes os pés de Sofia ficavam tão dormentes devido ao frio que precisavam levá-la no colo quando as carruagens paravam para descansar.

Frederico dera instruções para que se fizesse todo o possível para amenizar a jornada da "condessa de Reinbeck" e sua filha, e nas cidades germânicas de Danzig e Königsberg suas ordens resultaram em considerável conforto. Após um dia de rodas rangendo e chicotes estalando no lombo dos cavalos, os viajantes foram recebidos com quartos aquecidos, jarras de chocolate quente e jantar de aves assadas. Mais para o leste, na estrada congelada, encontraram apenas toscas estações de correios, com uma enorme lareira no cômodo central de uso comum. "As alcovas não tinham aquecimento, eram gélidas", Joana escreveu ao marido, "e tivemos que nos refugiar no próprio quarto do chefe do correio, que era pouco diferente de uma pocilga. Ele, a mulher, o cachorro e umas crianças se empilhavam uns por cima dos outros como nabos e repolhos. Trouxeram um banco para mim e me deitei no meio do cômodo." Onde Sofia dormiu, Joana não relatou.

Na verdade, Sofia, saudável e curiosa, via tudo como parte de sua grande aventura. Ao passar por Courland (na Látvia), viu o imenso cometa de 1744, fulgurante ao cruzar o escuro céu da noite. "Eu nunca tinha visto nada tão grandioso", ela escreveu em suas *Memoirs*. "Parecia muito perto da Terra." Em certa parte da viagem, ela caiu doente. "Nesses últimos dias tive uma ligeira indigestão porque bebi toda a cerveja que me apareceu", ela escreveu ao pai. "A querida mamãe me fez parar com isso e já estou bem."

O frio aumentava, e mesmo assim não nevava. Da madrugada até a noite, sacolejavam sobre as raízes congeladas das árvores. A partir de Memel, não havia mais postos de correios e precisavam alugar cavalos dos camponeses. Em 6 de fevereiro chegaram a Mitau, na fronteira entre a Lituânia polonesa e o Império Russo. Ali foram recebidos por um coronel russo, comandante da guarnição de fronteira. Seguindo a estrada, foram encontrados pelo príncipe Semyon Naryshkin, alto emissário da corte e ex-embaixador russo em Londres, que lhes deu as boas-vindas oficialmente em nome da imperatriz. Entregou a Joana uma carta de Brümmer dizendo que ela não se esquecesse, quando fosse levada à presença da imperatriz, de demonstrar "extraordinário respeito", beijando a mão da soberana. Nas margens do congelado rio Dvina, em frente à cidade de Riga, o vice-governador e uma delegação cívica os aguardavam com um belo coche do município para uso dos viajantes. Lá dentro, relatou Joana, "encontrei, prontas para nos agasalhar, duas esplêndidas zibelinas bordadas em ouro... duas estolas da mesma pele e uma coberta de outra pele, tão bela quanto as outras". Mãe e filha atravessaram o gelo até chegar à cidade, onde as armas da fortaleza dispararam em saudação a sua chegada. Nesse momento, a desconhecida condessa de Reinbeck foi transformada em princesa Joana de Anhalt-Zerbst, mãe da esposa prometida ao futuro imperador da Rússia.

Em Riga, os viajantes atrasaram seu calendário em 11 dias porque a Rússia usava o calendário juliano, que ficava 11 dias atrás do gregoriano, usado na Europa Ocidental. E foi também em Riga que a neve finalmente começou a cair. Em 29 de janeiro (9 de fevereiro em Berlim e Zerbst), as duas princesas deixaram Riga a caminho de São Petersburgo. Viajavam agora num magnífico trenó imperial – na verdade, uma cabana de madeira sobre esquis, puxada por dez cavalos – com o interior decorado por cortinas escarlates debruadas com galões de ouro e prata, e tão espaçoso que era possível às passageiras se deitar totalmente em acolchoados de penas com almofadas de seda e cetim. Nesse confortável veículo, com um esquadrão de cavalaria galopando ao lado, seguiram para São Petersburgo. Chegaram ao Palácio de Inverno ao meio-dia de 3 de fevereiro. A aproximação foi saudada por um troar de tiros das Fortalezas de São Pedro e São Paulo, defronte ao congelado rio Neva. Do lado de fora do palácio, uma guarda de honra apresentou armas. Lá dentro, uma multidão trajada em uniformes, sedas e veludos coloridos sorria e fazia reverências.

A imperatriz Elizabeth não estava; seguira na frente para Moscou duas semanas antes, mas muitos da corte e do corpo diplomático tinham ficado, e Elizabeth havia comandado que dessem às recém-chegadas uma recepção imperial. Joana escreveu ao marido:

> Aqui tudo acontece em estilo tão magnífico e respeitoso que me pareceu como se tudo fosse um sonho. Janto sozinha com as damas e os cavalheiros que Sua Majestade Imperial me concedeu; sou servida como uma rainha. Quando entro para jantar, tocam as trombetas aqui dentro e soam lá fora os tambores da guarda, em saudação. Não parece real que tudo isso possa estar acontecendo comigo, pobre de mim, para quem só em poucos lugares algum tambor chegou a ser tocado.

Aquilo tudo não era para a "pobre de mim", é claro, mas enquanto sua mãe se circundava de todas essas honras, Sofia ficava por perto e observava. A verdade era que ela estava mais interessada nas façanhas dos 14 elefantes adestrados, presenteados à imperatriz pelo xá da Pérsia, exibindo suas habilidades no pátio do Palácio de Inverno.

A Frederico, em Berlim, Joana escreveu num tom diferente, apresentando-se como sua súdita obediente, trabalhando a seu favor. Enquanto as princesas germânicas eram providas de guarda-roupas russos antes de seguirem para Moscou, Joana conversou com os dois homens que Brümmer havia designado para orientá-la na Rússia. Um deles era o próprio embaixador, barão de Mardefeld, e o outro era o ministro francês, marquês de La Chétardie. Os embaixadores reiteraram que o vice-chanceler Bestuzhev se opunha ferozmente a Sofia ter sido escolhida como noiva do herdeiro. Declaravam que, por essa razão, ele precisava ser destituído, e contavam com a ajuda dela. Enquanto isso, para que Joana se colocasse nos termos mais amigáveis com a imperatriz, instavam para que ela fosse depressa para Moscou, a tempo de comemorar o aniversário de 16 anos do grão-duque Pedro, em 10 de fevereiro.

Guiadas por esse conselho, as duas viajantes seguiram para Moscou na noite de 5 de fevereiro, numa caravana de trinta trenós. Dessa vez percorreram sem problemas e com rapidez os 650 quilômetros de neve endurecida na melhor estrada da Rússia, a via expressa de inverno usada pela imperatriz. Quando paravam para trocar os cavalos, as pessoas das aldeias ficavam olhando e sussurrando entre si: "É a noiva do grão-duque."

Às quatro horas do quarto dia – na tarde de 9 de fevereiro de 1744 –, a caravana chegou a uma hospedaria a 70 quilômetros de Moscou. Lá encontraram uma mensagem da imperatriz solicitando que adiassem a entrada em Moscou até o cair da noite. Enquanto aguardavam, tomaram sopa concentrada de peixe, café, e se vestiram para a apresentação à monarca. Sofia usou um vestido de seda cor-de-rosa debruado de prata. Para aumentar a rapidez do trenó, foram atrelados 16 cavalos descansados em substituição às mudas de dez que os tinham trazido até ali. Uma vez no trenó, avançaram velozmente, chegando aos muros de Moscou antes das oito da noite. A cidade estava às escuras até atingirem o palácio Golovin e seu pátio iluminado por tochas flamejantes. A viagem chegara ao fim. Ali, ao pé de uma ampla escadaria no hall de entrada, estava Otto Brümmer, escrivão das convocações da imperatriz, para lhes dar as boas-vindas. Quase não tiveram tempo para conversar, tirar os casacos de pele e alisar os vestidos. Dali a pouco Sofia, aos 14 anos de idade, estaria diante da imperatriz Elizabeth e seu sobrinho, o grão-duque Pedro, as duas pessoas que dominariam sua vida pelos 18 anos seguintes.

✣ 4 ✣

A IMPERATRIZ ELIZABETH

ELIZABETH TINHA UMA SINA DRAMÁTICA. Em 18 de dezembro de 1709, seu pai, Pedro, o Grande, estava saindo pelas ruas nevadas de Moscou, à frente de um desfile comemorando sua impressionante vitória em Poltava, no verão anterior, sobre seu formidável inimigo, o rei

Carlos XII da Suécia. Atrás do czar marchavam os regimentos da guarda imperial russa arrastando pela neve trezentas bandeiras de batalha suecas capturadas, uma fila de generais suecos vencidos e, por fim, uma longa coluna de mais de 17 mil prisioneiros suecos, remanescentes do até então invencível exército que invadira a Rússia dois anos antes.

De repente, um oficial foi até o czar e entregou-lhe uma mensagem. Pedro ergueu a mão. O desfile parou. O czar disse alguma coisa e saiu a galope. Pouco depois, Pedro freou seu resfolegante cavalo diante do grande palácio de madeira, Kolomenskoe, fora de Moscou, e irrompeu porta adentro. Num quarto, encontrou a esposa que acabara de dar à luz. Ao lado dela estava uma menininha. Seu nome seria Elizabeth e, 32 anos mais tarde, viria a ser imperatriz da Rússia.

Elizabeth foi a quinta dos filhos de Pedro com a camponesa que se tornou esposa dele – a quinta de 12, seis meninos e seis meninas, dos quais apenas duas viveram além dos 7 anos. A outra foi Ana, a irmã um ano e pouco mais velha que Elizabeth. Ao que se sabia, tanto Elizabeth como Ana eram ilegítimas; seu pai dizia que "não tinha tido tempo" de se casar publicamente com a mãe delas, uma roliça camponesa da Livônia chamada Martha Skavronskya e rebatizada Catarina. De fato, em novembro de 1707, ele tinha se casado secretamente com Catarina, mas o segredo foi mantido por questões de Estado. Pedro já havia se casado quando muito jovem, mas destoava drasticamente da primeira esposa, Eudóxia, e tinha se divorciado, colocando-a num convento. Em 1707, com o exército sueco em marcha, muitos russos tradicionais teriam achado escandaloso o czar escolher aquele momento para se casar com uma camponesa estrangeira e analfabeta. Cinco anos depois, com a vitória em Poltava, as coisas eram diferentes. Em 9 de fevereiro de 1712, Pedro se casou novamente com Catarina, dessa vez com fanfarra pública. Nesse segundo casamento, Ana e Elizabeth, então com 4 e 2 anos, usando joias nos cabelos, foram damas de honra da mãe.

Pedro sempre disse que "amava as duas filhas como a sua própria alma". Em 28 de janeiro de 1722, quando ele declarou a maioridade de Elizabeth, então com 13 anos de idade, ela era uma mocinha loura, com olhos azuis, cheia de energia e saúde. Deliciava a todos com suas risadas e sua animação, em contraste com a irmã mais sossegada, Ana, a quem adorava. Tanto Ana como Elizabeth tiveram uma educação de princesas europeias, tendo aulas de línguas, etiqueta e dança. Aprenderam o francês simultaneamente ao russo, e Ana, a melhor aluna, aprendeu também um pouco de italiano e sueco. Muitos anos depois, a imperatriz Elizabeth recordava o ardente interesse do pai pela educação das filhas. Ele ia frequentemente aos aposentos delas para vê-las e costumava perguntar o que tinham aprendido naquele dia. Quando ficava satisfeito, as elogiava, beijava e às vezes dava um presente a cada uma. Elizabeth se lembrava também de como Pedro lamentava o descaso com sua própria educação. "Meu pai sempre repetia", dizia ela, "que teria dado um dos dedos para que sua educação não tivesse sido negligenciada. Não se passava um dia sem que ele sentisse essa deficiência."

Aos 15 anos de idade, Elizabeth não era tão alta e imponente quanto a irmã, mas muitos preferiam o esplendor da alegre e loura Elizabeth à majestade escultural da morena Ana. O embaixador espanhol, duque de Líria, descreveu Elizabeth com exaltação: "Ela é de uma beleza como nunca vi. Uma pele maravilhosa, olhos brilhantes, boca perfeita, pescoço e colo de rara brancura. É alta, e seu temperamento é jovial. Parece estar sempre dançando. Percebe-se nela grande inteligência e afabilidade, mas também certa ambição." O ministro saxão, Lefort, elogiou seus grandes e brilhantes olhos azuis, e achou irresistíveis sua graça, leveza e senso de humor.

Aos 15 anos, foi considerada pronta para o casamento. Desde que fora a Paris, em 1717, o czar Pedro, o Grande, tinha a esperança de casar Elizabeth com Luís XV, dois meses mais novo que ela. Elizabeth tinha sido educada tendo esse casamento em vista. Aprendeu o idioma e as maneiras da corte francesa, assim como estudou a literatura e a história da França. Campredon, o embaixador francês em São Petersburgo, endossava plenamente o plano do czar: "Nada há que não seja agradável na princesa Elizabeth", escreveu a Paris. "Devo dizer que é linda de talhe, pele, olhos e mãos. Suas imperfeições, se é que as tem, estão em aspectos da educação e da etiqueta, mas estou certo de que ela é tão inteligente que será fácil retificar alguma falha, se ficar aos cuidados de alguém hábil e experiente, caso o assunto chegue a bom termo." Mesmo assim, apesar dessa recomendação e dos encantos evidentes da moça, suas credenciais tinham um estigma para Versalhes: sua mãe era camponesa, e a menina poderia ter nascido fora do matrimônio. A França não queria uma bastarda no trono, nem perto dele.

As esperanças de Pedro para Elizabeth foram frustradas, mas uma de suas filhas iria se casar. Em 1721, quando Elizabeth nem tinha 12 anos, e Ana tinha 13, veio a São Petersburgo o duque Carlos Frederico de Holstein, único sobrinho de Carlos XII da Suécia, o lendário inimigo de Pedro, o Grande. Quando o rei Carlos XII morreu, o duque ficou deslocado em Estocolmo, impedido de assumir o trono herdado do tio.

Na Rússia, Pedro recebeu o jovem com uma pensão e posição de honra. Para melhorar ainda mais sua situação, o duque começou a cortejar Ana, irmã de Elizabeth. Quatro anos depois, quando Ana tinha 17 anos – e apesar da falta de entusiasmo dela pelo pretendente –, os dois foram declarados noivos numa cerimônia em que o casal trocou anéis, e o próprio imperador os colocou nos dedos dos nubentes. Mas em 25 de janeiro de 1725, aos 52 anos, Pedro, o Grande, morreu de repente. O casamento de Ana foi adiado, e sua mãe assumiu o trono como imperatriz Catarina I. Em 21 de maio, quatro meses depois da morte do pai, Ana casou-se com Carlos Frederico. Sua irmã de 15 anos, Elizabeth, foi dama de honra.

A morte de Pedro, o Grande, e o casamento de sua filha Ana mergulharam a já complicada sucessão russa numa confusão ainda maior. Num decreto de fevereiro de 1722, Pedro tinha contestado, alegando ser uma prática perigosa e sem fundamento na legislação, a norma de primogenitura masculina, a antiga forma de sucessão, consagrada pelo tempo, pela qual os grão-duques de Moscóvia, e mais tarde os czares russos, passavam o trono do pai ao filho mais velho. Pedro declarou que, dali por diante, todos os soberanos reinantes teriam o poder de designar seu sucessor ou sucessora. Em seguida a essa proclamação, Pedro colocou a coroa na cabeça de Catarina, declarando-a imperatriz.

A morte prematura do pai afetou profundamente o futuro de Elizabeth. A possibilidade de um excelente marido tornou-se remota. Sua mãe ainda tinha esperanças de um casamento francês para ela, mas Luís XV se casara com uma princesa polonesa. A essa altura, em São Petersburgo, o novo cunhado de Elizabeth, o duque Carlos Frederico de Holstein, começou a tecer elogios aos méritos de seu primo Carlos Augusto de Holstein, de 20 anos de idade (que era também irmão da princesa Joana de Anhalt-Zerbst). Catarina I, que gostava muito do genro, concordou em convidar esse segundo jovem Holstein para ir à Rússia.

Carlos Augusto chegou a São Petersburgo em 16 de outubro de 1726 e causou uma impressão favorável. Elizabeth o viu como parente do marido da adorada irmã mais velha, o que facilitou cair de amores por ele. O anúncio do noivado foi marcado para 6 de janeiro de 1727, quando a imperatriz Catarina I foi acometida por uma série de calafrios e febres. A cerimônia foi adiada até que ela se recuperasse. A imperatriz não se recuperou; piorou, e em abril, após reinar apenas 27 meses, morreu. Em maio, somente um mês depois da morte da mãe, Elizabeth decidiu levar adiante o casamento. Mas em 27 de maio, na véspera do anúncio do noivado, seu futuro marido, Carlos Augusto, ficou doente. Horas depois, os médicos diagnosticaram varíola, e após quatro dias, ele também morreu. Elizabeth, com a felicidade abalada aos 17 anos, cultuou a memória do noivo pelo resto da vida. Porém, apesar de lhe terem escapado as esperanças de um casamento convencional, a tristeza não impediu que procurasse consolo em outros homens.

Quando Catarina I morreu, o neto de Pedro, o Grande, aos 11 anos de idade, assumiu o trono e se tornou o imperador Pedro II. Em julho de 1727, pouco depois da morte de Catarina I, o duque de Holstein achou que já tinha ficado tempo demais na Rússia. Após a infância na Suécia e seis anos da juventude na Rússia, o duque hereditário foi tardiamente aceito como governante do seu ducado germânico. Ele e a esposa, Ana, partiram para Kiel, capital de Holstein, com uma generosa pensão russa.

Sozinha, Elizabeth foi assolada pela tristeza. No espaço de seis meses, fora abandonada por sua mãe, seu futuro marido e sua amada irmã. Embora fosse a primeira na linha de sucessão ao trono depois de Pedro II, conforme a vontade de sua mãe, Elizabeth não constituía uma ameaça política ao jovem czar. Na verdade, procurou fazer amizade e logo ela e o sobrinho, um bonito rapaz, robusto, alto para a idade, se tornaram companheiros. Pedro se divertia com a alegria borbulhante da tia, gostava de sua beleza e de estar perto dela. Em março de 1728, quando a corte se mudou para Moscou, Elizabeth o acompanhou. Ela compartilhava a paixão do jovem imperador pela caça, e galopavam pelas colinas nos arredores de Moscou. No verão, passeavam de barco, e no inverno, de trenó e esqui. Quando Pedro não estava presente, Elizabeth procurava outras companhias masculinas. Ela confessou que estava "contente apenas quando apaixonada", e diziam que havia sido generosa em dar prazer até ao próprio jovem imperador.

Para o mundo, poderia parecer uma doidivanas, mas, apesar da frivolidade, havia um outro lado de Elizabeth. Levava a religião muito a sério, e seus momentos de impulsiva busca de prazer eram seguidos por longos retiros em oração. Quando estava na fase de piedade religiosa, passava horas de joelhos em igrejas e conventos. Então a vida falava mais alto, na forma de uma gargalhada de algum oficial da guarda. Era dotada da ardente impetuosidade do pai e não hesitava em satisfazer seus desejos. Há relatos de que se entregou a seis rapazes antes de fazer 20 anos. Não se envergonhava; dizia a si mesma que tinha nascido bela por um bom motivo e que o destino lhe roubara o único homem que ela realmente amara.

Permanecia indiferente ao poder e à responsabilidade. Os amigos que instavam para que ela se interessasse mais pelo futuro eram descartados. Mas houve um momento em que o trono estava pronto para ser ocupado. Na noite de 11 de janeiro de 1730, aos 14 anos, Pedro II, gravemente doente, morreu de varíola. Elizabeth, então com 20 anos, estava dormindo quando seu médico francês, Armand Lestocq, irrompeu no quarto avisando que, se ela se levantasse, se apresentasse à guarda, se mostrasse ao povo, corresse ao Senado e se proclamasse imperatriz, não perderia o trono. Elizabeth o mandou embora e voltou a dormir. De manhã, a oportunidade tinha evaporado. O Conselho Imperial declarara imperatriz sua prima Ana de Courland, de 36 anos. A falta de ação de Elizabeth se baseou, em parte, no medo de agir e talvez falhar, podendo cair em desgraça e até ser presa. O motivo mais forte era que não estava preparada. Não queria poder e protocolo; preferia a liberdade. Jamais se arrependeu da decisão daquela noite. Mais tarde, disse: "Eu era jovem demais. Estou muito feliz por não ter exigido meu direito ao trono antes. Eu era muito jovem, e meu povo jamais me daria apoio."

O conselho apressou-se a eleger Ana naquela noite porque achava que ela seria uma imperatriz mais fraca, mais dócil do que a filha de Pedro, o Grande. Ana, que vinte anos antes saíra da Rússia, viúva aos 17 anos sem nunca mais se casar nem ter filhos, era filha do meio-irmão de Pedro, o coczar Ivan V, amável e fraco de espírito. Pedro gostava de Ivan e, quando esse infeliz irmão morreu, jurou cuidar da viúva e das suas três filhas pequenas. Pedro cumpriu a palavra. Em 1710, depois da vitória em Poltava, arranjou o casamento de sua sobrinha Ana, de 17 anos, com Frederico Guilherme, de 19, duque de Courland. Mas o casamento durou muito pouco. O próprio Pedro ordenou uma festa de casamento pantagruélica, na qual o noivo bebeu até chegar ao estupor. Dias depois, ao sair da Rússia, teve cólicas, convulsões e morreu na estrada. A jovem viúva implorou para ficar com a mãe em São Petersburgo, mas Pedro insistiu para ela assumir sua posição em Courland. Ela obedeceu e, sustentada pelo dinheiro e o poder militar russos, tornou-se governante do ducado. Vinte anos depois, ainda estava lá, governando com a ajuda de seu secretário e amante germânico, conde Ernesto João Biron. O Conselho Imperial da Rússia lhe ofereceu o trono, mas cercado de condições: ela não poderia se casar nem designar seu sucessor, e caberiam ao conselho a aprovação de guerra e paz, a cobrança de impostos, os gastos de dinheiro, a concessão de propriedades e a promoção de todos os oficiais acima da patente de coronel. Ana aceitou todas as condições e foi coroada em Moscou, na primavera de 1730. Em seguida, com o apoio dos regimentos da guarda, ela rasgou todos os documentos que tinha assinado e restabeleceu a autocracia.

Apesar da coroa, Ana vivia desconfiada de Elizabeth. Temerosa de que a prima de 21 anos representasse uma ameaça, quando Elizabeth foi cumprimentá-la, Ana chamou-a de lado e disse: "Minha irmã, temos muito poucas princesas restantes na Casa Imperial, e portanto cabe a nós vivermos na mais estrita união e harmonia, para o que pretendo contribuir com todo o meu poder." A resposta alegre e aberta de Elizabeth convenceu parcialmente a imperatriz de que seu medo era exagerado.

Durante 11 anos, desde os 20 até os 31 anos de idade, Elizabeth viveu sob as ordens da imperatriz Ana. No princípio, esperava-se que ela comparecesse à corte em ocasiões formais, discretamente sentada ao lado da soberana. Elizabeth fez o que pôde, mas era impossível não brilhar mais que a prima imperatriz. Além de ser a única filha viva de Pedro, o Grande, era também a inquestionável *belle* da corte imperial. A certa altura, cansou-se da tensão de viver na corte e refugiou-se numa propriedade no campo, retomando sua vida independente, com seu comportamento e sua moral livres da vigilância da corte. Excelente amazona, muitas vezes cavalgava vestida em roupas masculinas com a finalidade de exibir as pernas torneadas, mais facilmente admiradas em calças de homem. Elizabeth amava os campos da Rússia, com suas florestas antigas e amplas campinas. Ela participava da vida e dos divertimentos dos camponeses: cantos e danças, colheita de cogumelos no verão, esqui e trenó no inverno, sentar diante da lareira comendo nozes e bolos.

Como era uma jovem solteira e sua vida particular não estava sujeita a regras nem autoridades, tornou-se alvo de mexericos da corte e, inevitavelmente, da atenção da imperatriz. Ana se incomodava com a frivolidade de Elizabeth, tinha ciúmes da atração que exercia sobre os homens, se irritava com a popularidade dela, e se sentia insegura de sua lealdade. Chegou a ficar tão abalada com as histórias do comportamento de Elizabeth que ameaçou trancá-la num convento. Elizabeth, por sua vez, entendeu que seu status estava mudando quando sua renda anual foi reduzida, depois reduzida de novo. A hostilidade de Ana, a princípio velada, virou uma mesquinharia de cunho pessoal. Quando Elizabeth se apaixonou por um jovem sargento chamado Alexis Shubin, a imperatriz baniu o rapaz para Kamchatka, no Pacífico, a 8 mil quilômetros de distância. Elizabeth recebeu então ordens de voltar imediatamente para São Petersburgo.

Ela obedeceu, mudando-se para uma casa na capital, onde fez questão de conhecer os soldados dos regimentos da guarda. Os oficiais que serviram a Pedro, o Grande, e conheciam Elizabeth desde menina ficavam encantados ao ver a última filha sobrevivente de seu herói. Ela passava horas visitando os quartéis e familiarizou-se com a linguagem e os hábitos tanto dos soldados como dos oficiais; elogiava, compartilhava reminiscências, perdia dinheiro nos jogos de cartas, foi madrinha de vários filhos deles e logo os fascinou e conquistou. Além de sua beleza e generosidade, eles admiravam o fato de Elizabeth ser russa e confiavam nisso. Ninguém sabia se ela, nesse estágio, tinha um motivo oculto, um plano. A imperatriz Ana estava no trono, e a ideia de desalojá-la deve ter sido remota, se é que chegou a existir. Provavelmente, o óbvio era a verdade: Elizabeth era espontânea, generosa e hospitaleira, amava as pessoas e queria estar cercada pelos que a admiravam. Seja como for, ela era sempre vista nas ruas da capital. E quanto mais vista, mais popular se tornava.

Ironicamente, essa jovem bonita e admirada viu-se incapaz de se casar. O fato de ser filha e herdeira em potencial de Pedro, o Grande, deveria ser um brilhante atrativo marital. Mas com Ana de Courland no trono, Elizabeth enfrentava insuperáveis obstáculos a qualquer casamento dourado. Nenhuma casa real da Europa permitiria que um filho lhe fizesse a corte, pois isso poderia ser interpretado como um ato de inimizade pela imperatriz Ana. Outra desvantagem interferia na possibilidade de casamento com algum filho da nobreza russa. Se uma mulher, com potencial para ser soberana, se casasse com um conterrâneo abaixo de sua posição, correria o perigo de prejudicar uma futura reivindicação ao trono.

A reação de Elizabeth foi rejeitar qualquer ideia de casamento, e escolher a liberdade. Se não podia ter um marido da realeza nem da nobreza, teria um soldado da guarda, um cocheiro ou um lacaio bonitão. De fato, apareceu um homem a quem ela amaria com devoção, uma ligação que iria durar a vida inteira. Assim como seu pai tinha encontrado a felicidade com uma esposa camponesa, Elizabeth também descobriu um companheiro de origem humilde. Certo dia, ela ouviu uma nova voz, poderosa, um rico baixo profundo, cantando no coro da capela real. Descobriu que a voz pertencia a um jovem alto, de olhos negros, cabelos negros e um sorriso encantador. Era filho de camponeses ucranianos, nascido no mesmo ano que Elizabeth. Seu nome era Alexis Razumovsky. Elizabeth imediatamente fez dele um membro do coro de sua capela privativa. Pouco depois, ele tinha um quarto perto dos aposentos dela.

Como favorito, Razumovsky era o ideal para Elizabeth, não só pela extraordinária beleza, mas também porque era um homem verdadeiramente simples e decente, universalmente amado por sua bondade, bom humor e tato. Não prejudicado pela educação formal, tinha total falta de ambição e jamais interferia na política. Mais tarde, Catarina, a Grande, escreveria sobre Alexis Razumovsky e seu irmão mais novo, Kyril, que ela "não conhecia nenhuma outra família que gozasse de tão alto favor da soberana, nem que fossem tão amados, por tantas pessoas, quanto os dois irmãos". Elizabeth amava seu rosto bonito, as maneiras gentis, a voz magnífica. Ele se tornou seu amante e, possivelmente, depois de um casamento secreto, seu marido morganático. À boca pequena, os cortesãos o chamavam de "Imperador da Noite". Uma vez no trono, Elizabeth fez dele conde, príncipe e marechal de campo. Mas, enquanto sua soberana acumulava-o de títulos, Razumovsky lhe dizia: "Vossa Majestade pode fazer de mim um marechal de campo, mas a desafio, e a qualquer outra pessoa, a fazer de mim sequer um capitão medíocre."

Na casa dos 20 anos, Elizabeth ainda parecia leve e exuberante em comparação com a austera, ameaçadora imperatriz Ana. Numa outra esfera, a diferença era ainda mais impressionante: Ana vivia cercada de germânicos; Elizabeth era russa de coração e alma, amante do idioma, do povo, dos costumes. Embora não houvesse sinais externos de que ela estivesse impaciente para reclamar seu direito ao trono, alguns viam outra coisa sob a calma aparente. "Em público, ela tem uma alegria genuína, e um certo ar de frivolidade que parece lhe ocupar toda a mente", disse a esposa do embaixador britânico. "Mas em conversa particular a ouvi falar com tamanho bom senso e raciocínio conciso que estou convencida de que o outro comportamento é uma simulação."

Outra sombra caiu sobre o futuro de Elizabeth quando a imperatriz Ana, viúva sem filhos, trouxe para São Petersburgo a filha de sua irmã, sua sobrinha germânica Catarina de Mecklenburg, e a converteu à Igreja Ortodoxa sob o nome de Ana Leopoldovna. Em seguida, a imperatriz propôs que Ana Leopoldovna desposasse o príncipe germânico Antônio Ulrich de Brunswick-Wolfenbüttel. Ana Leopoldovna estava apaixonada por outra pessoa e se recusou, mas a imperatriz insistiu, e na primavera de 1738 foi anunciado o noivado. Nos meses anteriores ao casamento,

Ana se transformou de uma moça alegre e simpática em uma pessoa sem graça, calada, uma noiva infeliz, amargamente ressentida da decisão da tia. Elizabeth, ao contrário, estava sempre confiante e encantadora, e sua beleza, ainda que não tão fresca quanto uma década antes, continuava admirável o bastante para irritar a imperatriz.

Em julho de 1739, Ana Leopoldovna casou-se com Antônio Ulrich, e em 24 de agosto de 1740 deu à luz um filho. Felicíssima, a imperatriz Ana insistiu que o menino se chamasse Ivan, como o pai dela. Mal havia se passado um mês, a imperatriz sofreu um derrame. Recuperou-se temporariamente e, numa pressa febril, nomeou seu herdeiro o sobrinho--neto recém-nascido, e a mãe, Ana Leopoldovna, seria nomeada regente caso o menino subisse ao trono ainda menor de idade. Em 16 de outubro, a imperatriz sofreu um segundo derrame. Desta vez os médicos declararam que seu estado era irremediável e, aos 47 anos de idade, ela morreu. No dia seguinte, o decreto da imperatriz foi lido publicamente. O bebê de dois meses foi proclamado imperador Ivan VI. Elizabeth, agora com 30 anos, assim como os pais da criança, juraram respeitosamente lealdade ao novo soberano.

Seguiu-se muita confusão. A mãe da criança, Ana Leopoldovna, engoliu a mágoa de não ter sido premiada com a cobiçada coroa e assumiu a função de regente. Nomeou seu marido, o conde germânico Antônio Ulrich de Brunswick, comandante em chefe do exército russo, e reatou o relacionamento com seu amante, o embaixador saxão, conde Lynar. O marido passava por humilhação pública; à vista de todos, soldados ficavam postados para barrar sua entrada nos aposentos da esposa sempre que o amante estava lá.

Elizabeth, a mais direta descendente de sangue de Pedro, o Grande, agora fora passada para trás pela terceira vez, e ainda parecia não se incomodar. Não questionou a autoridade da nova regente. Por outro lado, não alterou seu estilo de vida. Continuava a ser vista nas ruas de São Petersburgo. Ia todos os dias ao pátio da parada do quartel da Guarda Preobrazhensky, perto do seu palácio. Nas capitais estrangeiras e no meio diplomático, havia um rebuliço de especulações. O relatório do embaixador britânico a Londres dizia que Elizabeth era "extremamente cordata e afável e, consequentemente, muito amada e extremamente popular. Também tem a vantagem adicional de ser filha de Pedro, o Grande, que, embora fosse mais temido que qualquer dos príncipes anteriores desse século, ao mesmo tempo foi o mais amado. Esse amor certamente se estende a sua posteridade, com uma tendência geral na mente das pessoas comuns, e da soldadesca também".

A princípio o relacionamento entre Ana Leopoldovna e Elizabeth foi correto. Elizabeth era convidada frequentemente ao Palácio de Inverno, mas logo ficou mais reservada e comparecia somente a cerimônias que não podia evitar. Em fevereiro de 1741, a regente já dera ordens para que Elizabeth fosse vigiada. Esses constrangimentos não escapavam aos olhos da corte e da comunidade diplomática. Durante o verão de 1741, o relacionamento piorou. Ana Leopoldovna agora se cercava apenas de estrangeiros. O conde Lynar a pressionava continuamente para ordenar a prisão de Elizabeth. As restrições colocadas sobre Elizabeth se tornaram mais pesadas. Em julho, sua renda foi reduzida. No começo do outono, ouviu boatos de que a regente estava planejando insistir com ela para colocar por escrito uma renúncia à reivindicação ao trono. Circulava uma história de que Ana Leopoldovna estava a ponto de obrigá-la a se tornar freira e entrar para um convento. Na manhã de 24 de novembro, o Dr. Lestocq entrou no quarto de Elizabeth, acordou-a e entregou-lhe uma folha de papel. Num dos lados, ele havia desenhado um retrato dela como imperatriz e, no outro, ele a tinha retratado como freira, tendo ao fundo um local de suplício e uma forca.

— Madame — disse ele —, é preciso escolher agora mesmo se será imperatriz ou relegada a um convento, vendo seus súditos perecerem sob tortura.

Elizabeth decidiu agir. À meia-noite, ela partiu para o quartel da Guarda Preobrazhensky. Lá chegando, falou:

— Vocês sabem de quem eu sou filha. Sigam-me!

— Estamos prontos! — gritaram os soldados. — Vamos matar todos eles!

— Não — disse Elizabeth —, nenhum sangue russo será derramado.

Acompanhada por trezentos homens, no frio cortante da noite, Elizabeth seguiu rumo ao Palácio de Inverno. Passando por passivos guardas do palácio, ela liderou o caminho ao quarto de Ana Leopoldovna, onde tocou no ombro da regente adormecida e disse:

— Irmãzinha, é hora de se levantar.

Entendendo que tudo estava perdido, Ana Leopoldovna implorou misericórdia para ela e seu filho. Elizabeth garantiu que nenhum mal seria feito a qualquer membro da família Brunswick. À nação, ela anunciou que havia ascendido ao trono de seu pai, que os usurpadores haviam sido presos e seriam acusados de tê-la privado de seu direito hereditário.

Em 25 de novembro de 1741, às três horas da tarde, Elizabeth reentrou no Palácio de Inverno. Aos 32 anos, a filha de Pedro, o Grande, era imperatriz da Rússia.

Seu primeiro ato como soberana foi derramar gratidão sobre os que a tinham apoiado durante os longos anos de espera. Promoções, títulos, joias e outras recompensas jorravam em ricas cascatas. Todos da Guarda Preobrazhensky que haviam marchado com ela ao Palácio de Inverno foram promovidos. Lestocq foi nomeado conselheiro particular e médico-chefe da soberana, além de receber um retrato dela emoldurado em diamantes e uma bela pensão anual. Razumovsky virou conde, alto secretário da corte e Grão-Mestre da Caça. Outros conselheiros particulares foram nomeados, outros condes foram criados, mais retratos e caixas de rapé ornados com pedras preciosas foram doados, e mais anéis colocados em mãos ansiosas.

Mas o problema prioritário de Elizabeth não podia ser resolvido com generosidade. Um czar vivo, Ivan VI, permanecia em São Petersburgo. Tendo herdado o trono aos 2 meses de idade e sido destronado aos 15 meses, não sabia que era imperador, mas tinha sido ungido, sua imagem fora espalhada em moedas por todo o reino, preces haviam sido feitas por ele em todas as igrejas da Rússia. Desde o começo, Ivan foi uma ameaça para Elizabeth. Inicialmente, ela teve a intenção de enviá-lo para o estrangeiro junto com seus pais e, por esse motivo, mandou toda a família Brunswick para Riga, primeiro estágio da viagem para o Oeste. Uma vez chegados a Riga, porém, Elizabeth teve outra ideia: talvez fosse melhor manter o pequeno e perigoso prisioneiro sob guarda de segurança em seu próprio território. A criança foi tirada dos pais e classificada como prisioneiro secreto do Estado, um status que manteve nos 22 anos subsequentes de sua vida. Era levado de uma prisão para outra, e, mesmo assim, Elizabeth não podia saber se haveria alguma tentativa de libertá-lo e levá-lo ao trono. Logo apareceu uma solução: se tivessem de manter Ivan vivo, mas permanentemente inofensivo, era preciso encontrar um novo herdeiro para o trono, um sucessor de Elizabeth que garantisse o futuro de sua dinastia, que fosse reconhecido pela nação russa e pelo mundo. Elizabeth sabia que esse herdeiro jamais sairia de seu corpo. Ela não tinha um marido reconhecido. Já era muito tarde para isso e não acharia nenhum pretendente a sua altura. Além disso, apesar de seus muitos anos de voluptuosidade libertária, jamais tinha passado por uma gravidez. Portanto, seu herdeiro deveria ser filho de outra mulher. E essa criança existia: era o filho de sua amada irmã, Ana, neto do seu notável pai, Pedro, o Grande. O herdeiro que ela traria para a Rússia, que educaria e proclamaria, era um menino de 14 anos de idade, que morava em Holstein.

5
A PRODUÇÃO DE UM GRÃO-DUQUE

NÃO HAVIA NINGUÉM QUE ELIZABETH amasse tanto quanto sua irmã Ana. Assim como a mais jovem das irmãs havia inspirado descrições entusiasmadas de sua beleza e animação, a mais velha também tinha encontrado admiradores eufóricos. "Não acredito que haja na Europa, no momento presente, uma princesa que possa competir com a princesa Ana em beleza e majestade", escreveu o barão Mardefeld, ministro prussiano em São Petersburgo. "Ela é morena, mas com uma pele vividamente branca e praticamente não artificial. Suas feições são tão perfeitamente belas que um artista consagrado, julgando-a segundo os mais rigorosos padrões clássicos, nada mais desejaria. Mesmo quando está em silêncio, pode-se ler a amabilidade e magnanimidade de seu caráter em seus olhos grandes, lindos. Seu comportamento não tem afetação, ela é sempre a mesma, e mais séria que alegre. Desde a juventude, tem se dedicado a cultivar a mente. Fala francês e alemão com perfeição."

A vida de Ana foi mais curta que a de Elizabeth. Casou-se aos 17 anos com Carlos Frederico, duque de Holstein, um jovem que tinha diante de si muitas perspectivas e habilidades moderadas. Era o filho único de Hedwig Sofia, irmã do lendário rei Carlos XII, da Suécia, e de Frederico IV, duque de Holstein, que morreu lutando no exército do rei Carlos. Educado na Suécia, Carlos Frederico tinha bons motivos para acreditar que seu tio, Carlos XII, sem filhos, o quisesse como herdeiro. Quando o rei Carlos morreu e Frederico, príncipe de Hesse, foi levado ao trono, o rejeitado Carlos Frederico, então com 19 anos, recuou para São Petersburgo em busca da proteção de Pedro, o Grande. O czar recebeu o duque que, sendo pretendente à coroa sueca, poderia servir como arma política.

O duque, dono de uma ambição acima de suas capacidades, ainda era hóspede recente da corte russa quando começou a tramar para obter a mão de uma das filhas do imperador. Pedro se opunha a esse tipo de casamento, mas sua esposa, Catarina, gostou do duque e convenceu a filha Ana de que ele era um bom partido. A princesa se rendeu aos argumentos da mãe e foi combinado o noivado.

De repente, em janeiro de 1725, Pedro, o Grande, caiu mortalmente enfermo. No leito de morte, acordando do delírio, ele gritou: "Onde está Aninha? Quero vê-la!" A filha foi chamada, mas, antes que chegasse, o pai já estava delirante de novo e não recobrou mais a consciência. O noivado e o casamento foram adiados, mas por pouco tempo. Em 21 de maio de 1725, Ana se casou com o duque.

Durante o curto reinado de sua mãe, Ana e o marido moraram em São Petersburgo. Em 1727, quando Catarina morreu, o duque e a esposa se mudaram da Rússia para Holstein. Ana ficou triste por deixar a irmã, Elizabeth, mas feliz por saber que estava grávida. Em 21 de fevereiro de 1728, seis meses após sua chegada a Holstein, Ana deu à luz um menino que, no dia seguinte, foi batizado na igreja luterana em Kiel. O nome do bebê, Carlos Pedro Ulrich, proclamava sua ilustre linhagem: "Carlos" vinha do pai, mas também do tio-avô Carlos XII; "Pedro", do avô Pedro, o Grande; e "Ulrich", de Ulrica, a rainha da Suécia na época.

Enquanto Ana se recuperava, foi realizado um baile em honra do novo príncipe. Era fevereiro e, apesar do tempo muito frio e úmido, a feliz mamãe de 19 anos teimou em ficar diante de uma janela aberta para ver os fogos de artifício ao final do baile. Quando as damas protestaram, ela riu e disse: "Lembrem-se de que sou russa, e minha saúde está acostumada a um clima mais rigoroso do que esse." Pegou um resfriado que evoluiu para uma tuberculose; três meses após o nascimento do filho, ela morreu. Em seu testamento, pedia que fosse enterrada ao lado do pai, e uma fragata russa veio para levar seu corpo pelo Báltico até São Petersburgo.

Quando Ana morreu, Carlos Frederico chorou não só a perda da jovem esposa, mas também o fechamento das torrentes de ouro que fluíam do tesouro imperial de São Petersburgo para Kiel. As despesas do duque eram altas. Ele sustentava uma multidão de servos e guarda-costas com uniformes espalhafatosos, tudo justificado por ele ainda se considerar herdeiro do trono da Suécia. Preocupado com essas questões, Carlos Frederico pouco interesse tinha pelo filho. O bebê foi entregue a enfermeiras e depois, até os 7 anos, a governantas francesas que lhe ensinaram a falar um francês razoável, embora ele se sentisse mais à vontade em sua nativa língua alemã. Aos 7 anos, Pedro começou o treinamento militar, aprendendo a se manter ereto em postos de guarda e a andar empertigado com espada e mosquete em miniatura. Logo aprendeu a amar as formações e a atmosfera dos exercícios militares. Nas aulas com seu tutor, ele largava de um salto as lições e corria à janela para ver as manobras dos soldados se exercitando no pátio. Ficava ainda mais feliz quando ele próprio estava no pátio das paradas, vestindo uniforme de soldado. Mas Pedro tinha pouca resistência. Frequentemente adoentado, tinha de ficar no quarto e substituir os verdadeiros treinamentos no pátio pelas manobras e formações de soldados de brinquedo. Em dado momento, seu pai tomou conhecimento dele. Certo dia, quando Pedro tinha 9 anos e havia conquistado a patente de sargento, estava montando guarda à porta da sala onde o duque jantava com seus oficiais. Quando a refeição começou, o menino, com fome, não fez outra coisa senão olhar fixamente a sucessão de pratos que passavam por ele, carregados para a mesa. Na segunda rodada, seu pai se ergueu, levou-o à mesa, promoveu-o a tenente com toda a solenidade e o convidou a se sentar com os oficiais. Anos depois, na Rússia, Pedro disse que foi "o dia mais feliz da minha vida".

Pedro recebeu uma educação casual. Dominava o idioma sueco tanto quanto o francês e aprendeu a traduzir essa língua para o alemão. Amava a música, embora seu interesse não tenha sido encorajado. Adorava violino, mas nunca aprendeu a tocar bem. Praticava sozinho, tocando o melhor que podia suas melodias prediletas, torturando todos os ouvidos ao alcance do som.

Quando criança, Pedro foi empurrado em muitas direções. Era o herdeiro, depois de seu pai, do ducado de Holstein e herdaria também a reivindicação do pai ao trono da Suécia. Pelo lado da mãe, era o único homem vivo descendente de Pedro, o Grande, e, portanto, também um potencial herdeiro ao trono da Rússia. Mas quando morreu seu primo czar Pedro II, o Conselho Imperial russo, ignorando as reivindicações do jovem príncipe Holstein e da irmã de Pedro, Elizabeth, decidiu eleger Ana de Courland para o trono, e a corte de Holstein, que esperava obter os benefícios das conexões russas do jovem Pedro, reagiu com azedume. A partir de então, em Kiel, na presença do menino, a Rússia passou a ser ridicularizada como uma nação de bárbaros.

Essa multiplicidade de futuros possíveis trazia exigências demais a Pedro. Era como se a natureza tivesse lhe pregado uma peça: o mais próximo parente masculino de sangue dos dois maiores adversários na grande guerra do Norte – neto de Pedro, o Grande, aquele dínamo de energia humana, e sobrinho-neto do invencível Carlos, o mais brilhante soldado de sua época – era um menino franzino, doentio, com olhos protuberantes, queixo retraído e pouca energia. A vida que foi obrigado a levar, o imenso legado que foi obrigado a carregar tinham um peso grande demais para ele. Em qualquer posição subordinada, ele teria cumprido seu dever com a maior competência. Ele acharia maravilhoso comandar um regimento. Um império, ou até mesmo um reino, seria demasiado.

Em 1739, quando Pedro tinha 11 anos, seu pai morreu, e o menino se tornou, pelo menos no título, duque de Holstein. Além do ducado, a reivindicação à coroa sueca passou do pai para o filho. Seu tio, o príncipe Adolfo Frederico de Holstein, o bispo luterano de Eutin, foi indicado seu guardião. Obviamente, o bispo deveria ter dado atenção especial à criação de um menino que era o possível herdeiro de dois tronos, mas Adolfo, bonachão e preguiçoso, furtou-se a esse dever. A tarefa foi delegada a um grupo de oficiais e tutores, sob a autoridade do grão-marechal da corte ducal, um ex-oficial de cavalaria chamado Otto Brümmer. Este, um homem bruto, autoritário e colérico, maltratou sem piedade o pequeno soberano. O tutor francês do jovem duque observou que Brümmer era "mais adequado para treinar um cavalo do que um príncipe". Brümmer atacava seu jovem encargo com punições severas, zombarias, humilhação pública e alimentação deficiente. Quando, como acontecia frequentemente, o jovem príncipe ia mal nas lições, Brümmer chegava à sala de jantar ameaçando punir o pupilo tão logo ele terminasse a refeição. O menino, apavorado, incapaz de continuar a comer, deixava a mesa, vomitando. Quando isso acontecia, o grão-marechal ordenava que não lhe dessem comida no dia seguinte. Faminto, o menino tinha de passar o dia inteiro na porta, nas horas das refeições, com o retrato de um burro pendurado ao pescoço, assistindo a seus próprios cortesãos comerem. Brümmer espancava rotineiramente o garoto com vara ou chicote, e o obrigava a ficar horas a fio ajoelhado sobre grãos duros de ervilhas secas, até que os joelhos nus estivessem vermelhos e inchados. A violência constante de Brümmer sobre Pedro fez dele uma criança patética, transtornada. Tornou-se amedrontado, fingido, hostil, soberbo, covarde, ambíguo e cruel. Só fazia amizade com os mais baixos de seus servos, a quem lhe era permitido atacar. E torturava animais de estimação.

O regime insensato de Brümmer, seu prazer em torturar uma criança que algum dia poderia vir a ser rei da Suécia ou imperador da Rússia, jamais foi explicado. Se ele pretendia temperar o caráter do menino com esse tratamento vil, o efeito foi o oposto. A vida ficou dura demais para Pedro. Sua mente se rebelou contra qualquer aprendizagem ou obediência forçadas por meio de pancadaria e humilhações. Em todos os capítulos da infeliz vida de Pedro, o pior monstro que precisou enfrentar foi Otto Brümmer. O mal causado seria revelado no futuro.

Pouco antes de completar 13 anos, a vida de Pedro mudou. Na noite de 6 de dezembro de 1741, sua tia Elizabeth pôs fim ao reinado do pequeno czar Ivan VI e à regência da mãe de Ivan, Ana Leopoldovna. Uma vez no trono, um dos primeiros atos da nova imperatriz foi convocar o sobrinho Pedro, seu único parente masculino remanescente, a quem pretendia adotar e proclamar seu sucessor. Sua ordem foi obedecida, e o sobrinho foi rapidamente trazido, em segredo, de Kiel para São Petersburgo. Elizabeth não consultou nem revelou sua intenção a ninguém até o menino ter chegado em segurança. Diplomatas, obrigados a explicar a ação dela às suas cortes, sugeriam razões, citando a ameaça de Ivan VI, ressaltando o amor de Elizabeth à irmã Ana. Mencionaram também um motivo menos nobre: autopreservação. Com Ivan sob guarda, Pedro era o único concorrente de Elizabeth ao trono. Se permanecesse em Holstein e sua reivindicação ao trono russo fosse respaldada por potências estrangeiras, poderia ser perigoso para ela. Mas, se ele se tornasse um grão-duque russo, vivendo sob o olhar de Elizabeth, seria ela a controlar o futuro dele.

Quanto a Pedro, o golpe de Estado de Elizabeth virou a vida do menino de cabeça para baixo. Aos 14 anos, deixou seu castelo em Kiel, sua nativa Holstein, de onde ainda era o governante nominal, e, acompanhado por Brümmer, seu torturador, viajou para São Petersburgo. Sua partida de Holstein, repentina e furtiva, foi quase um sequestro. Seus súditos só souberam da viagem três dias depois, quando ele já havia cruzado a fronteira. Pedro chegou a São Petersburgo no início de janeiro de 1742. Numa emocionada recepção no Palácio de Inverno, a imperatriz lhe estendeu os braços, derramou lágrimas e prometeu dar todo carinho ao filho único da irmã como se fosse dela.

Elizabeth jamais vira Pedro até aquele momento. Quando o examinou, viu o que Sofia tinha visto quatro anos antes. Ainda era uma figura estranha, pequeno para a idade, pálido, magro e desajeitado. Os cabelos louros esfiapados pendiam até os ombros. Tentando mostrar deferência, manteve o corpo franzino duro como um soldadinho de pau. Quando perguntado, Pedro respondia numa mistura estridente, pré-púbere, de alemão e francês.

Surpresa e decepcionada com a aparência do adolescente, Elizabeth ficou ainda mais estarrecida com a ignorância dele. Ela própria estava longe de ser uma intelectual, e até considerava o excesso de livros prejudicial à saúde. Desconfiava que isso havia causado a morte prematura de sua irmã Ana. Designou o professor Staehlin, um amável saxão da Academia Imperial de Ciências de São Petersburgo, para assumir responsabilidade total pela educação de Pedro. Ao apresentar Staehlin a Pedro, ela disse:

– Vejo que Vossa Alteza ainda tem muitas coisas bonitas a aprender e *monsieur* Staehlin vai lhe ensinar de maneira tão agradável que será um mero passatempo.

Quando Staehlin começou a avaliar seu novo aluno, imediatamente ficou clara a ignorância em quase todas as áreas do conhecimento. Staehlin descobriu também que o pupilo era de uma infantilidade impressionante para a idade, e tão inquieto que era difícil manter sua atenção, mas, por outro lado, tinha paixão por tudo relacionado a soldados e guerras. Quando chegou, Elizabeth lhe concedeu a patente de tenente-coronel da Guarda Preobrazhensky, o regimento sênior da Guarda Imperial Russa. Pedro não se impressionou. Via com escárnio os largos uniformes verde-garrafa dos soldados russos, tão diferentes dos uniformes germânicos de Holstein e da Prússia, azuis e ajustados.

Staehlin se adaptou o melhor que pôde, facilitando ao máximo a aprendizagem. Expôs ao pupilo a história da Rússia usando livros cheios de mapas e ilustrações, mostrando coleções de moedas e medalhas antigas emprestadas da galeria de arte. Deu a Pedro uma ideia da geografia do reino que ele viria a governar um dia, mostrando um enorme *fólio* com a localização de todas as fortalezas do império, desde Riga até as fronteiras com a Turquia e a China. Para ampliar os horizontes do aluno, lia as notícias dos despachos diplomáticos e publicações oficiais estrangeiras, usando mapas e globo para mostrar onde os eventos estavam acontecendo. Ensinou geometria e ciências mecânicas por meio de modelos em escala; ciências naturais, passeando com Pedro pelos jardins do palácio, apontando categorias de plantas, árvores, flores; arquitetura, percorrendo o palácio e explicando como tinha sido projetado e construído. Já que ele não conseguia ficar sentado quieto, ouvindo o tutor falar, na maioria das aulas Pedro e o professor ficavam lado a lado, andando para cima e para baixo. A tentativa de ensinar Pedro a dançar, um projeto fora da responsabilidade de Staehlin e muito caro ao coração da imperatriz, foi um fracasso espetacular. Elizabeth, dançadora consumada, exigiu que o sobrinho tivesse um treinamento intensivo em quadrilhas e minuetos. Quatro vezes por semana, Pedro era obrigado a largar o que quer que estivesse fazendo quando o mestre de dança e um violinista adentravam seu quarto. O resultado era um desastre. Durante toda a vida, a performance de Pedro na dança foi cômica.

Staehlin manteve sua tarefa por três anos. Obteve pouco sucesso, mas não por sua culpa. O estrago tinha sido feito antes, quando o ânimo e o interesse do aluno foram distorcidos e destruídos. Para Pedro, a vida era uma sucessão opressiva de instruções em assuntos que em nada lhe interessavam. Staehlin escreveu que seu pupilo era "absolutamente frívolo" e "completamente indisciplinado". Ainda assim, Staehlin foi a única pessoa na vida do jovem Pedro que fez alguma tentativa de entender o menino e lidar com ele usando inteligência e solidariedade. E embora pouco tenha aprendido, Pedro manteve com esse tutor um relacionamento amigável pelo resto da vida.

Durante seu primeiro ano na Rússia, o aprendizado de Pedro foi afetado pela saúde delicada. Em outubro de 1743, Staehlin escreveu: "Ele está extremamente fraco, e perdeu o gosto por tudo o que lhe agradava, inclusive a música." Certa vez, num sábado, quando havia música tocando na antecâmara do jovem duque e um *castrato* cantava a ária favorita de Pedro, o menino, deitado e com os olhos fechados, falou, num sussurro mal audível: "Eles vão parar de tocar logo?" Elizabeth correu para ficar ao lado dele e não conteve as lágrimas.

Mesmo quando Pedro não estava doente, outros problemas o afligiam. Não tinha amigos. De fato, não conhecia ninguém de sua idade. E Brümmer, cujo verdadeiro caráter não tinha sido testemunhado nem entendido por Elizabeth, estava sempre por perto. Os nervos do menino, enfraquecidos pela doença, eram constantemente ameaçados pelo comportamento violento de Brümmer. Staehlin relata que um dia Brümmer atacou o jovem duque e começou a socá-lo. Quando Staehlin interveio, Pedro correu à janela e pediu socorro aos guardas do pátio. Depois correu ao quarto e voltou com uma espada, gritando para Brümmer: "Esta foi sua última insolência. Na próxima vez que você ousar levantar a mão para mim, vou lhe enfiar essa espada." Todavia, a imperatriz permitiu que Brümmer ficasse. Pedro entendeu que não ganhara sossego das perseguições com a vinda para a Rússia. A situação era ainda pior;

por mais infeliz que fosse com Brümmer em Kiel, pelo menos estava em casa.

Elizabeth ficava angustiada pelo fracasso do sobrinho, que não fazia nenhum progresso discernível. Ela não era uma mulher paciente, queria resultados favoráveis, e sua ansiedade ranzinza quanto à existência de Ivan VI levava-a a exigir mais do menino e de seu tutor. Ela se perguntava por que o sobrinho era tão difícil, tão pouco promissor? Certamente, em breve ele iria mudar. Às vezes, tentando acalmar a ansiedade e se convencer de que tudo estava bem, Elizabeth exagerava nos louvores aos progressos do sobrinho. "Nem sei expressar em palavras todo o prazer que sinto quando vejo você empregando tão bem seu tempo", ela dizia. Mas, à medida que os meses se passavam e não havia melhora, suas esperanças iam naufragando.

A principal queixa de Elizabeth era a aversão aberta do sobrinho a tudo o que fosse russo. Ela designou professores para lhe ensinar a língua russa e a religião ortodoxa, e fazia tutores e padres trabalharem horas a mais para ver se ele aprendia. Estudando teologia duas horas por dia, ele aprendeu a balbuciar trechos da doutrina ortodoxa, mas desprezava essa nova religião e não sentia nada além de antagonismo por aqueles sacerdotes barbados. Cinicamente, ele disse aos embaixadores da Áustria e da Prússia: "Promete-se aos padres muitas e muitas coisas que não se pode cumprir." Tinha a mesma atitude com relação ao idioma russo. Tinha aulas, mas odiava a língua e não fazia esforço nenhum para falar com correção gramatical. Quando podia, se cercava de tantos oficiais de Holstein quanto fosse possível e só conversava com eles em alemão.

A dificuldade de Pedro era mais profunda do que a aversão e o cinismo. Não era uma simples questão de aprender a língua russa; ao longo do tempo, ele poderia vir a dominá-la. Contudo, por trás de cada tarefa que os professores lhe exigiam, assomava o obstáculo maior: a perspectiva de sucessão ao trono russo. Era contra esse futuro que Pedro se rebelava. Ele não tinha o menor interesse em governar um vasto e – a seu ver – primitivo império estrangeiro. Tinha saudades da Alemanha e de Holstein. Ansiava pelos dias simples e descomplicados da caserna em Kiel, onde a vida só exigia uniformes e tambores, comando e obediência. Escolhido para ser o futuro governante do maior império da face da Terra, em seu coração ele permanecia um pequeno soldado de Holstein. Seu herói não era o imponente avô russo, mas o ídolo de todo soldado germânico, Frederico da Prússia.

Contudo, a imperatriz acabou vencendo. Em 18 de novembro de 1742, na capela da corte no Kremlin, Pedro Carlos Ulrich foi solenemente batizado e recebido na Igreja Ortodoxa com nome russo, Pedro Fedorovich – um nome Romanov escolhido para limpar a mácula de sua origem luterana. Nesse momento, a imperatriz Elizabeth o proclamou oficialmente herdeiro do trono russo, elevou-o à categoria de Alteza Imperial e lhe deu o título de grão-duque. Pedro, com frases decoradas em russo, prometeu rejeitar todas as doutrinas contrárias aos ensinamentos da Igreja Ortodoxa e assim, ao final do culto religioso, a corte reunida lhe jurou fidelidade. Durante toda a cerimônia e na audiência pública que se seguiu, ele demonstrou um indisfarçável mau humor. Embaixadores estrangeiros, notando seu estado, disseram que "a julgar por sua fala, com a petulância costumeira, pode-se concluir que ele não será um crente fanático". Pelo menos naquele dia, Elizabeth simplesmente se recusou a ver esses sinais negativos. Quando Pedro foi confirmado, ela chorou. Mais tarde, quando o novo grão-duque voltou aos seus aposentos, encontrou a sua espera uma ordem de pagamento de 300 mil rublos.

Apesar da apaixonada demonstração de sentimentos, Elizabeth ainda não confiava no sobrinho. Para tornar irrevogável seu comprometimento com a Rússia e cortar todas as possibilidades de recuo, ela liquidou sua reivindicação ao trono sueco, fazendo incluir como condição de um tratado entre Rússia e Suécia que todos os direitos suecos do sobrinho fossem transferidos para seu ex-guardião, o irmão de Joana, Adolfo Frederico de Holstein, bispo de Lübeck. Assim o bispo tornou-se herdeiro do trono sueco em lugar de Pedro.

Quanto mais óbvio se tornava que Pedro era infeliz na Rússia, mais Elizabeth se preocupava. Ela havia retirado do trono um ramo da família odiado por suas relações germânicas, e agora descobria que seu herdeiro escolhido era ainda mais germânico. Toda influência russa possível tinha sido empurrada para Pedro, e ainda assim suas ideias, gostos, preconceitos e aspecto continuavam teimosamente germânicos. Estava amargamente decepcionada, mas precisava aceitá-lo. Não podia mandá-lo de volta a Holstein. Era seu parente mais próximo, acabava de se tornar ortodoxo, de ser proclamado herdeiro e agora era a esperança da dinastia Romanov. E quando, em outubro de 1743, ele caiu gravemente doente, não deixando o leito até meados de novembro, ela percebeu o quanto precisava dele.

A fraqueza da saúde de Pedro realmente levou Elizabeth a novas ações. Ele estava sempre enfermo; imagine se morresse? E então? Uma solução – a melhor, e talvez a única – era encontrar uma esposa para ele.

Pedro tinha 15 anos, e a presença de uma jovem esposa poderia não só ajudá-lo a amadurecer, mas servir a um propósito ainda maior, fornecendo um herdeiro infante, uma criança mais bem equipada que o pai para garantir a sucessão. Elizabeth decidiu seguir esse caminho: encontrar logo uma esposa para gerar um herdeiro. Daí a pressa da imperatriz em escolher uma noiva para Pedro. Daí as missivas urgentes escritas por Brümmer a Joana, em Zerbst, por ordem da imperatriz: Venha para a Rússia! Traga sua filha! Depressa! Depressa! Depressa!

6
O ENCONTRO COM ELIZABETH E PEDRO

Enquanto Sofia e a mãe esperavam, Pedro apareceu de repente.
— Não pude esperar mais — ele declarou em alemão, com um sorriso exagerado.

No entanto, seu entusiasmo era genuíno, e tanto Sofia como sua mãe ficaram satisfeitas. Vendo-o diante delas, mexendo-se nervosamente, Sofia olhou atentamente para o futuro marido que ela havia encontrado uma única vez, quando menino de 10 anos. Agora, aos 15, ele ainda era excepcionalmente pequeno e magro, e suas feições — face pálida, boca larga, queixo fortemente retraído — não tinham mudado muito desde que o vira, cinco anos antes. Sua calorosa recepção pode ser explicada por encontrar uma prima quase da mesma idade, com quem ele podia falar alemão e que havia compartilhado, portanto conhecia, o ambiente de onde ele viera. Ele pode ter acreditado que essa priminha se tornaria sua aliada na resistência às demandas que a Rússia vinha impondo. Andando de um lado para outro, falando incessantemente, ele só parou quando o Dr. Lestocq chegou, dizendo que a imperatriz estava pronta para recebê-los. Pedro ofereceu o braço a Joana, uma dama de companhia ofereceu o dela a Sofia, e passaram por uma sucessão de salões iluminados a velas, cheios de pessoas cumprimentando-os e fazendo reverências. Finalmente chegaram ao portal dos aposentos imperiais, e as portas duplas foram amplamente abertas. Diante delas estava Elizabeth, imperatriz da Rússia.

Sofia e a mãe ficaram extasiadas. Elizabeth era alta, com corpo cheio, arredondado. Tinha grandes olhos azuis, brilhantes, testa larga, lábios cheios, dentes brancos e a pele clara, rosada. Os cabelos, louros por natureza, estavam agora tingidos de um preto luxuriante. Trajava um vestido imenso, sustentado por anágua armada, todo em prata debruada com rendas de ouro, e os cabelos, o pescoço e o vasto colo estavam cobertos de diamantes. O efeito daquela mulher diante delas, num fulgor de prata, rendas de ouro e diamantes, foi esmagador. E Sofia ainda foi capaz de notar, e nunca mais esquecer, um detalhe que a coroava com um toque peculiar: num dos lados da cabeça, uma pluma negra saía para cima dos cabelos da imperatriz e se curvava cobrindo parte do rosto.

Joana, lembrando-se do conselho de Brümmer, beijou a mão de Elizabeth e, gaguejando, expressou seus agradecimentos pelas muitas benesses oferecidas a ela e à filha. Elizabeth abraçou-a e disse:

— Tudo o que fiz por você nada é em comparação ao que farei por sua família no futuro. Meu próprio sangue não me é mais caro do que o seu.

Quando Elizabeth voltou-se para Sofia, a menina de 14 anos curvou-se até a cintura e fez uma reverência. Elizabeth, sorrindo, observou seu frescor, os modos discretos e submissos, e sua inteligência. Enquanto isso, Sofia também fazia sua avaliação e, trinta anos depois, escreveu: "Era praticamente impossível, ao vê-la pela primeira vez, não ficar abismada por sua beleza e pela majestade de seu porte." Ali, naquela mulher coberta de joias e irradiando poder, ela viu a incorporação do que esperava se tornar.

O dia seguinte era aniversário de 16 anos de Pedro. A imperatriz apareceu num vestido marrom bordado em prata, "a cabeça, pescoço e colo cobertos de joias", e presenteou mãe e filha com a Ordem de Santa Catarina. Alexis Razumovsky, em seu traje de Mestre da Caça, trouxe as fitas e as insígnias da ordem numa salva de ouro. Quando ele se aproximou, Sofia fez outra avaliação: Razumovsky, o amante oficial, "Imperador da Noite", nas palavras de Sofia era "um dos homens mais bonitos que já vi em minha vida". Elizabeth continuava de excelente humor. Com um largo sorriso, acenou para Joana e Sofia se aproximarem e colocou as fitas da ordem em torno do pescoço de cada uma.

A manifestação de afeto da imperatriz por Joana e Sofia vinha de algo mais profundo que a satisfação com um promissor casamento político surgindo no horizonte. Elizabeth não tivera filhos. Dois anos antes, tinha procurado o filho de sua irmã, Pedro, e trazido o menino para a Rússia, fazendo dele seu herdeiro. Mas Pedro não correspondeu ao tipo de amor materno que ela tentou lhe dar. Agora ela escolhia para ele uma noiva, sobrinha do homem que ela amara. Sozinha no trono, a imperatriz da Rússia esperava criar uma família a sua volta.

Joana interpretou as boas-vindas da imperatriz como parte de seu próprio triunfo político. Viu-se no centro de uma corte resplandecente, agraciada por uma monarca de lendária generosidade. Mãe e filha receberam instalações próprias, com mordomos, damas de companhia, valetes e um plantel de servos menores. "Estamos vivendo como rainhas", Joana escreveu ao marido. "Tudo aqui é ornamentado, incrustado em ouro, magnífico. Circulamos em maravilhoso estilo."

A ambição de Joana para si mesma e para a filha se materializava. Quanto ao lado privado, íntimo, do casamento em vista, e a obrigação de dar à filha conselhos úteis, a mãe, de 32 anos, dava pouca atenção. Afinal, ninguém tinha se ocupado de seus sentimentos quando, anos antes, ela se casara com um homem de quase o dobro de sua idade. Ela sabia pouco sobre o verdadeiro caráter do futuro noivo da filha. O fato de que viria a ser imperador era suficiente. Se Joana se perguntasse se aqueles dois adolescentes teriam chance de desenvolver uma paixão romântica, sua resposta mais honesta seria dar de ombros. Em casamentos reais arranjados, essas questões eram irrelevantes. Joana sabia disso; Sofia sentia isso. A única pessoa que ainda acreditava no amor e tinha esperanças de que a paixão, assim como a política, selasse aquele relacionamento juvenil, era Elizabeth.

Mais tarde, Sofia se lembrou de que Pedro, "nos dez primeiros dias, parecia contente em ver minha mãe e a mim. Nesse curto espaço de tempo, percebi que ele pouco ligava para a nação que estava destinado a governar, permanecia um luterano convicto, não gostava do ambiente e era muito infantil. Eu ficava em silêncio, escutando, o que me ajudou a ganhar sua confiança".

O que Pedro pensava de Sofia e seu iminente noivado? É verdade que, na noite da chegada, ele tinha feito um discurso bonito. E nos dias que se seguiram, expressou repetidamente seu prazer de ter uma parente da mesma idade com quem podia falar francamente. Mas logo o polido interesse dela o encorajou a falar muito francamente, francamente demais. Na primeira oportunidade, ele contou que estava realmente apaixonado por outra pessoa, a filha de uma ex-dama de companhia de Elizabeth. Ainda desejava se casar com aquela moça, disse ele, mas, infelizmente, havia pouco tempo a mãe dela tinha caído em desgraça e sido exilada na Sibéria. Agora sua tia, a imperatriz, não permitiria o casamento com a filha. E seguiu dizendo que tinha se resignado a se casar com Sofia "porque era o desejo de sua tia".

Ainda considerando Sofia mais como uma amiga e companheira do que como futura esposa, Pedro não teve intenção de magoá-la. Ele estava simplesmente sendo honesto, à sua maneira. "Fiquei corada ao ouvir essas confidências", Sofia escreveu em suas *Memoirs*, "e agradeci a ele por confiar tanto em mim, mas no fundo estava perplexa com sua imprudência e falta de discernimento." Se ela ficou magoada pela desatenta insensibilidade dele, não demonstrou. Havia aprendido a lidar com ausência de amor em sua própria família e estava preparada para lidar com isso na nova situação. Além do mais, a última ordem de seu pai ao partir tinha sido de que ela deveria respeitar o grão-duque como seu "amo, pai e soberano senhor", procurando obter seu amor "por meio da mansidão e da docilidade".

Sofia tinha apenas 14 anos, mas era sensata e prática. Na ocasião, adaptou-se ao jeito de Pedro e aceitou seu papel de amiga e companheira. Mas não havia nem sinal de amor, nem mesmo a versão desastrada que tinha vivenciado com seu tio Jorge.

7

PNEUMONIA

NÃO DEMOROU MUITO PARA SOFIA entender dois fatos importantes sobre sua posição na Rússia. Primeiro, ela tinha de agradar a Elizabeth, não a Pedro. Segundo, se quisesse ter sucesso naquela nação, precisava aprender o idioma e praticar a fé religiosa. Uma semana após chegar a Moscou, teve início sua educação. Foram designados um professor para ensinar a falar e ler russo, e um sacerdote para instruí-la na doutrina e liturgia da Igreja Ortodoxa russa. Ao contrário de Pedro, que resistiu e se rebelou contra tudo que os professores tentavam ensinar, Sofia se empenhava em aprender.

A tarefa mais urgente, na opinião da imperatriz, era a conversão à Igreja Ortodoxa, e a pessoa escolhida para o ensino era especificamente qualificada para acalmar as apreensões de uma jovem protestante a quem se pedia que abandonasse sua fé luterana. Simon Todorsky, bispo de Pskov, era um homem culto, de mente aberta, que falava alemão fluentemente, tendo passado quatro anos estudando na Universidade de Halle, na Alemanha. Lá ele veio a entender que o mais importante na religião não era a diferença entre credos, mas a mensagem interior, fundamental, da cristandade. Disse a Sofia que a fé ortodoxa não era assim tão diferente da luterana, e não estaria traindo a promessa feita ao pai caso se convertesse. Sofia escreveu ao pai, dizendo haver entendido que a discrepância entre a Igreja Luterana e a Ortodoxa era apenas que "os ritos externos são bem diferentes, mas a Igreja aqui está obrigada a eles pela rudeza do povo". Cristiano Augusto, alarmado pela rapidez com que o protestantismo da filha parecia estar se esvaindo, respondeu:

> Examine com cuidado se, na verdade, em seu coração, você está inspirada pela inclinação religiosa ou se, talvez, sem ter plena consciência disso, as evidências dos favores a você concedidos pela imperatriz a tenham influenciado nessa direção. Nós, seres humanos, geralmente vemos apenas o que está diante de nossos olhos. Mas Deus, em Sua infinita justiça, perscruta nosso coração e nossos motivos secretos, e nos manifesta Sua misericórdia adequadamente.

Sofia, lutando para conciliar as crenças opostas de dois homens que ela respeitava e honrava, tinha dificuldade de encontrar seu caminho. "A mudança de religião causa à princesa infinita dor", escreveu o embaixador prussiano Mardefeld a Frederico II. "Suas lágrimas jorram com abundância."

Ao mesmo tempo que estudava com Todorsky, Sofia mergulhava no estudo da língua russa. O dia era curto demais para ela, e implorava que as aulas se prolongassem. Passou a se levantar da cama à noite, pegar uma vela e um livro e, andando descalça no frio chão de pedra, ficava repetindo e decorando palavras russas. Não é de admirar que, sendo o mês de março em Moscou, ela pegasse um resfriado. A princípio, Joana, com medo de sua filha ser criticada como suscetível demais a enfermidades, tentou esconder a doença. Mas Sofia teve febre, ficou tiritando e batendo os dentes, banhada em suor, e acabou desmaiando. Os médicos, chamados tardiamente, diagnosticaram pneumonia aguda e receitaram à paciente, ainda sem sentidos, uma sangria. Joana recusou-a veementemente, alegando que uma excessiva perda de sangue tinha causado a morte de seu irmão, Carlos, prestes a se tornar noivo da jovem Elizabeth, e ela não iria permitir que outros médicos matassem sua filha. "E lá estava eu, deitada, com febre alta, entre minha mãe e os médicos discutindo", Sofia escreveria mais tarde. "Eu não pude conter um gemido, e minha mãe me repreendeu por isso, preferindo que eu sofresse em silêncio."

Os rumores de que a vida de Sofia corria perigo chegaram à imperatriz, que estava em retiro em Troitsa, o monastério do século XIII, a 65 quilômetros de distância. Elizabeth voltou depressa a Moscou, correu ao quarto da doente e, ao entrar, ainda flamejava a discussão entre Joana e os médicos. Elizabeth interveio imediatamente e ordenou que todos os procedimentos médicos considerados necessários fossem realizados. Repreendendo Joana pela ousadia de se opor aos *seus* médicos, a imperatriz ordenou uma sangria naquele instante e, como Joana continuasse a protestar, mandou que a mãe da menina fosse retirada do quarto. Elizabeth então embalou a cabeça de Sofia enquanto um médico abria uma veia no pé da menina e retirava quase 60 mililitros de sangue. Daquele dia em diante, e nas quatro semanas que se seguiram, Elizabeth cuidou pessoalmente de Sofia. Como a febre persistia, Elizabeth ordenava mais sangrias, e a menina de 14 anos foi sangrada 16 vezes em 27 dias.

Enquanto a paciente ia e vinha da inconsciência à consciência, Elizabeth velava. Quando os médicos balançavam a cabeça, a imperatriz chorava. Aquela mulher, que não teve filhos, desenvolveu um amor maternal pela jovem que mal conhecia e que temia estar prestes a perder. Quando Sofia despertou, estava nos braços de Elizabeth. Sofia se lembraria para sempre desses momentos de intimidade. Mesmo com tudo o que ela veio a usufruir e a suportar nos anos que passou nas mãos de Elizabeth – generosidade e gentileza alternadas com mesquinharia e áspera desaprovação –, Sofia jamais esqueceu a mulher que naqueles dias de incerteza ficou a seu lado, acariciou-lhe os cabelos e beijou sua testa.

Para alguns, a doença de Sofia foi motivo de alegria e não de tristeza. O vice-chanceler Alexis Bestuzhev e outros que eram a favor de um casamento saxão para Pedro estavam exultantes, embora Elizabeth rapidamente extinguisse aquela euforia ao declarar que, fosse como fosse, mesmo se tivesse a infelicidade de perder Sofia, "o diabo que a carregasse antes de aceitar uma princesa da Saxônia". Em Berlim, Frederico da Prússia já pensava em candidatas à substituição; escreveu ao conde de Hesse-Darmstadt perguntando sobre a disponibilidade da filha dele, caso Sofia morresse.

Enquanto isso, a juvenil enferma estava, sem que o soubesse, conquistando corações. Suas damas de companhia sabiam como ela havia contraído a doença e contaram às arrumadeiras, que contaram aos lacaios, que espalharam pelo palácio, e de lá para a cidade inteira: a princesinha estrangeira amava tanto a Rússia que agora jazia às portas da morte porque tinha se levantado da cama toda noite para aprender a língua russa mais depressa! Num período de poucas semanas, essa história valeu a Sofia a afeição de muitos que tinham sido repelidos pela atitude superior, negativa, do grão-duque Pedro.

Outro incidente no quarto da enferma, amplamente divulgado, deu ainda mais lustro à reputação de Sofia. Num momento em que se temia o pior, Joana falou em trazer um pastor luterano para confortar a filha. Sofia, apesar de exaurida pela febre e pelas sangrias, conseguiu murmurar: "Por quê? Chame Simon Todorsky. Prefiro falar com ele." Ao ouvir isso, Elizabeth desfez-se em lágrimas. A notícia do pedido de Sofia logo correu a corte e a cidade, e as pessoas que tinham visto com apreensão a chegada da menina germânica e protestante estavam agora cheias de compaixão.

Se Sofia sabia o que estava fazendo e entendia o possível efeito de suas palavras, não se pode afirmar. É improvável que, nas poucas semanas de estada na Rússia, tivesse se convertido realmente à fé ortodoxa. Contudo, o fato é que, tão perto da morte, ela teve a extraordinária sorte – ou a extraordinária presença de espírito – de usar o meio mais eficaz de ganhar a solidariedade de seus futuros compatriotas: "Chame Simon Todorsky."

Em suas *Memoírs*, em retrospecto, Catarina insinua que a menina de 14 anos entendia mesmo o impacto daquele pedido. Ela admite que, durante a doença, em alguns momentos chegou a enganar. Às vezes, fechava os olhos, fingindo estar dormindo a fim de ouvir as conversas das damas ao redor do leito. O idioma francês, que ela conhecia, era usado comumente na corte russa. Mais tarde, ela contaria que, em grupo, "as damas diziam o que pensavam, com toda a franqueza, e assim aprendi muitas e muitas coisas".

Talvez a explicação seja ainda mais simples. Não havia motivo aparente para o ânimo ou a saúde de Sofia melhorarem devido à presença de algum clérigo luterano desconhecido. E se as religiões luterana e ortodoxa eram essencialmente similares, como Todorsky lhe explicara, por que não pedir que o próprio Todorsky, de quem ela gostava e com quem tinha prazer em conversar, fosse confortá-la?

Na primeira semana de abril, a febre cedeu. À medida que recuperava as forças, ela observava mudanças de atitudes nas pessoas que a cercavam. Não somente as damas em seu quarto estavam mais simpáticas, mas "o comportamento de minha mãe durante a doença diminuiu a estima de todos por ela". Infelizmente, logo nessa ocasião, Joana conseguiu criar mais dificuldade para si mesma. A preocupação com a vida da filha era verdadeira, mas, enquanto a menina ia silenciosamente ganhando elogios e admiradores, Joana, impedida de entrar no quarto da doente, tornou-se beligerante. Certo dia, quando Sofia estava se recuperando, Joana mandou uma dama pedir à filha que lhe desse um corte de brocado azul e prata, um presente de despedida da parte do tio de Sofia, irmão do pai dela. Sofia acedeu, mas com relutância, dizendo que gostava muito daquele tecido, não só porque era um presente do tio, mas por ser a única coisa linda que trouxera para a Rússia. Indignadas, as damas que estavam no quarto da doente contaram o incidente a Elizabeth, que imediatamente mandou para Sofia uma grande quantidade de belos tecidos, inclusive uma linda seda azul entremeada de flores de prata, parecida com o tecido em questão, mas muito melhor.

Em 21 de abril, dia do seu aniversário de 15 anos, Sofia apareceu na corte pela primeira vez desde sua doença. "Não consigo imaginar por que todos me acharam uma visão tão edificante", ela escreveu mais tarde. "Eu estava magra como um esqueleto. Tinha crescido, mas minhas feições estavam exauridas, meus cabelos estavam caindo, e eu estava mortalmente pálida. Estava me achando horrivelmente feia, nem reconhecia meu próprio rosto. Naquele dia, a imperatriz me mandou um pote de ruge e ordenou que o usasse." Para recompensar Sofia por sua coragem e comemorar sua recuperação, Elizabeth lhe deu um colar de diamantes e um par de brincos, no valor de 20 mil rublos. O grão-duque Pedro lhe enviou um relógio incrustado de rubis.

Quando reapareceu naquela noite de aniversário, Sofia talvez não fosse a perfeita imagem de uma beleza juvenil, mas, ao entrar nos salões de recepção do palácio, ela notou que algo tinha mudado. Na expressão de cada rosto, no calor de cada aperto de mãos, ela viu e sentiu a simpatia e o respeito que havia conquistado. Já não era uma estrangeira, um objeto de curiosidade e suspeita. Ela fazia parte deles, voltava para eles e era bem-vinda. Naquelas semanas de sofrimento, os russos passaram a pensar nela como sendo russa.

Na manhã seguinte, voltou às aulas com Simon Todorsky. Ela havia concordado em se converter à religião ortodoxa, e houve uma breve correspondência entre Moscou e Zerbst a fim de obter o consentimento formal do pai para a mudança de religião. Ela sabia que Cristiano Augusto ficaria profundamente triste, mas Zerbst estava muito longe, e agora ela estava comprometida com a Rússia. No início de maio, escreveu ao pai:

Meu senhor, tenho a ousadia de escrever a Vossa Alteza a fim de pedir seu consentimento às intenções de Sua Majestade Imperial com relação a mim. Posso lhe garantir que a vontade do senhor será sempre a minha, e que ninguém me levará a descumprir meu dever com o senhor. Desde que não vejo muita diferença entre as Igrejas Ortodoxa e Luterana, estou decidida (com todo o respeito pelas graciosas instruções de Vossa Alteza) a mudar, e enviarei minha confissão de fé no primeiro dia. Posso congratular-me de que Vossa Alteza estará satisfeito com isso e sou, enquanto viver, com profundo respeito, meu senhor, a muito obediente e humilde filha e serva de Vossa Alteza. Sofia.

Cristiano Augusto demorou a concordar. Frederico da Prússia, que tinha grande interesse no casamento, escreveu sobre a situação ao conde de Hesse-Darmstadt: "Nosso bom príncipe está completamente obstinado nesse ponto. Estou tendo problemas infindáveis para superar seus escrúpulos religiosos. Sua resposta a todos os meus argumentos é 'Minha filha não entrará para a Igreja Ortodoxa'." Frederico acabou encontrando um ministro luterano cooperativo para persuadir Cristiano Augusto de que não havia "diferença essencial" entre a fé luterana e a ortodoxa, e Cristiano Augusto deu seu consentimento. Mais tarde, Frederico escreveu: "Tive mais trabalho para resolver esse assunto do que teria com a questão mais importante do mundo."

8
CARTAS INTERCEPTADAS

Tão logo Frederico da Prússia teve sucesso em amansar os escrúpulos religiosos de Cristiano Augusto, a mãe de Sofia, Joana, acreditando ser a primeira agente secreta dele na Rússia, participou do estrago do seu maior empreendimento diplomático. Frederico havia recrutado Joana para ajudar a derrubar Bestuzhev, dizendo a ela que o vice-chanceler russo era hostil à Prússia e, portanto, ao casamento de Sofia, que ele faria tudo para evitar. Uma vez na Rússia, Joana uniu-se aos embaixadores francês e prussiano numa conspiração contra Bestuzhev. Quando o complô foi descoberto, as consequências foram desastrosas para os dois embaixadores e seriamente prejudiciais a Joana.

O comportamento de Elizabeth durante a doença de Sofia tinha deixado claro para todos a afeição da imperatriz pela princesinha. Estando o noivado prestes a se consolidar, Joana poderia ter se perguntado qual perigo ao casamento ainda poderia vir de Bestuzhev. Um momento de reflexão lhe diria que havia pouco risco; que Bestuzhev, por mais que se opusesse, não poderia, àquela altura, fazer prevalecer sua opinião sobre a da imperatriz e cancelar o casamento germânico. Joana, portanto, deveria ter sido amável com o inimigo derrotado. De fato, a sensatez lhe diria para se empenhar em conquistá-lo para o lado da filha. Mas Joana era incapaz dessa reversão. Desde o momento em que ela chegou a São Petersburgo, Mardefeld e La Chétardie, inimigos de Bestuzhev, haviam sido seus confidentes. Houve encontros secretos, planejamentos, cartas em código enviadas a Paris e a Berlim. Joana não era uma pessoa que se privasse desse cálice inebriante. Em todo caso, era tarde demais para mudar. Ela já estava enredada.

Alexis Bestuzhev-Ryumin, então com quase 51 anos, era um dos mais privilegiados russos daqueles dias. Seus talentos diplomáticos eram de alta categoria; sua habilidade política para sobreviver em meio ao turbilhão de correntes políticas domésticas e intrigas na corte o elevavam mais alto ainda. Quando menino, demonstrara excelente habilidade em idiomas. Aos 15 anos, foi mandado ao estrangeiro por Pedro, o Grande, para completar os estudos e iniciar seu longo aprendizado em diplomacia. Em 1720, Pedro o nomeou, aos 27 anos, embaixador em Copenhague. Cinco anos mais tarde, depois da morte de Pedro, o Grande, ele foi rebaixado para um posto menor como representante em Hamburgo, onde permaneceu por 15 anos. Elizabeth, quando sucedeu às duas germânicas, a imperatriz e a regente, quis restaurar a política externa de seu pai. A fim de administrar essa política, ela tirou Bestuzhev, protegido do pai dela, da estagnação de Hamburgo e o colocou como vice-chanceler à frente das relações exteriores.

Homem de lábios finos e nariz grande, queixo pontudo e ampla testa inclinada, Bestuzhev era *gourmet*, alquimista amador e hipocondríaco. Era por natureza temperamental, reservado, irascível e implacável. Mestre da intriga, ao retornar à corte se manteve tão calado e eficiente no manejo do poder que era mais temido que amado. Mas, embora impiedoso com os inimigos, era dedicado a sua terra e a Elizabeth. Antes de Sofia se tornar a imperatriz Catarina, ele se opôs, porém mais tarde a ajudou, e ela veio a entender os dois lados do caráter dele: brusco, obstinado e até despótico, mas também um excelente psicólogo e juiz dos homens, trabalhador fanático, altruísta em sua dedicação, um russo nacionalista apaixonado e fiel servo dos autocratas.

Enquanto Elizabeth reinou, somente sua própria opinião contava. Ela talvez não gostasse do vice-chanceler como homem, mas confiava nele como seu principal conselheiro e rejeitava todas as tentativas dos embaixadores e agentes de Frederico para minar essa confiança. Permitia que ele resolvesse as coisas a seu jeito na maioria das vezes, mas havia ocasiões em que ela se impunha. Não o consultou, por exemplo, quando mandou buscar o sobrinho para se tornar seu herdeiro, e agiu contra os conselhos dele ao escolher Sofia para se casar com Pedro. Nessas duas ocasiões, agiu impulsivamente, guiada pela intuição e por sua própria iniciativa. Por outro lado, havia longos períodos em que ela se dedicava a ser apenas uma mulher linda no centro de uma corte refulgente, cheia de admiradores, uma mulher que se contentava em se divertir o tempo todo. Às vezes, quando ela estava nesse estado de humor, Bestuzhev precisava esperar semanas, ou meses, para obter a assinatura dela em documentos importantes. "Se a imperatriz desse aos assuntos do governo apenas um centésimo da atenção que Maria Teresa lhes dedica, eu seria o mais feliz dos homens sobre a Terra", disse Bestuzhev certa vez a um diplomata austríaco.

A instrução dada por Frederico a Joana, em Berlim, havia sido para ajudar seu embaixador a se livrar do vice-chanceler. Mas nenhum dos conspiradores tinha um real conhecimento do inimigo. Achavam que era um homem de talentos moderados e muitas falhas: um jogador, bebedor e intrigante trapalhão. Da mesma forma, achavam que bastaria um leve esforço, bem planejado, para ele despencar. Nem imaginavam que ele estava a par de seus encontros secretos, que era astuto o bastante para adivinhar seus propósitos, que estava ardilosamente em guarda, e Bestuzhev, e não eles, seria o primeiro a atacar.

As precauções de Bestuzhev eram simples: ele interceptava as cartas, mandava decodificar, lia e mandava copiar. O trabalho de decodificação era feito por um especialista alemão no Ministério das Relações Exteriores, que decifrava, copiava e selava novamente as cartas, tão bem que não se via nenhum traço de interferência. E assim inúmeras cartas passaram entre Moscou e a Europa sem que missivistas nem destinatários tivessem a menor suspeita de que Bestuzhev havia lido e gravado cada palavra.

Bestuzhev não precisava temer o que diziam dele nessas cartas. O conteúdo principal era uma série de comentários sarcásticos e ataques irreverentes que La Chétardie fazia à imperatriz. Elizabeth, segundo o marquês informava ao seu governo, era preguiçosa, extravagante e imoral, trocava de roupa quatro ou cinco vezes por dia, assinava cartas que nem tinha lido, era "frívola, indolente, cada vez mais gorda" e "já não tinha energia suficiente para reger o país". Escritas com um rancor arrogante destinado a divertir Luís XV e seus ministros em Versalhes, eram cartas para enfurecer até uma monarca muito menos sensível e irascível do que a filha de Pedro, o Grande.

Além dos insultos de ordem pessoal, as cartas de La Chétardie também traziam à luz a conspiração para derrubar Bestuzhev e sua política a favor da Áustria. Nessa conexão, foi revelado o envolvimento clandestino da princesa de Anhalt-Zerbst. Ao citar o apoio dela a suas opiniões, e se referindo à correspondência dela com Frederico, em Berlim, o marquês expôs o papel de Joana como agente prussiana.

Bestuzhev não se apressou. Deu aos inimigos tempo suficiente para se incriminarem. Só quando reuniu cerca de cinquenta dessas cartas venenosas, muitas escritas com a pena de La Chétardie, levou as provas à imperatriz. Em 1º de junho de 1744, Elizabeth levou Pedro, Sofia e Joana ao seu retiro no monastério de Troitsa. Ali, calculando que no isolamento daquele lugar religioso a imperatriz teria mais tempo para ler, Bestuzhev colocou diante dela as provas reunidas. O que Elizabeth viu, além da tentativa de derrubar seu vice-chanceler, é que a mãe de Sofia, enquanto recebia toda generosidade, coberta de luxos, estava tramando contra a Rússia no interesse de uma potência estrangeira.

Em 3 de junho, Sofia, Pedro e Joana acabavam de almoçar quando a imperatriz, acompanhada de Lestocq, entrou na sala e ordenou que Joana a seguisse. Deixados a sós, Sofia e Pedro subiram ao peitoril de uma janela e se sentaram, lado a lado, com as pernas balançando, conversando e fazendo brincadeiras. Sofia estava rindo de alguma coisa que Pedro dissera quando a porta foi aberta abruptamente, e Lestocq apareceu, gritando:

— Essa brincadeira vai acabar agora mesmo!

Voltando-se para Sofia, disse:

— Pode ir arrumar suas malas. Você vai voltar para casa imediatamente.

Os dois jovens ficaram estupefatos.

— Do que se trata? — Pedro perguntou.

— Você saberá — Lestocq disse em tom severo e saiu.

Nem Pedro nem Sofia podiam imaginar o que tinha acontecido. Que um cortesão, mesmo altamente colocado, falasse com tamanha insolência ao herdeiro do trono e sua futura esposa, era algo impensável. Tentando achar uma explicação, Pedro disse:

— Se sua mãe fez alguma coisa errada, não significa que você tenha feito.

Amedrontada, Sofia respondeu:

— Meu dever é seguir minha mãe e obedecer às ordens dela.

Sentindo que estava a ponto de ser mandada de volta a Zerbst, ela olhou para Pedro, imaginando como ele ficaria se aquilo acontecesse. Anos depois, ela escreveu: "Vi claramente que ele se separaria de mim sem pesar."

Os dois ainda estavam sentados lá, trêmulos, aturdidos, quando a imperatriz, os olhos azuis faiscando, a face rubra de raiva, saiu de seus aposentos. Atrás dela vinha Joana, com os olhos vermelhos de lágrimas. Quando a imperatriz se agigantou diante deles, sob o teto baixo, os dois adolescentes desceram de um salto daquele poleiro e inclinaram a cabeça em sinal de respeito. Esse gesto pareceu desarmar Elizabeth, e, impulsivamente, ela sorriu e os beijou. Sofia entendeu que não seria responsabilizada por coisa alguma que a mãe tivesse feito.

Não houve perdão, porém, para os que tinham insultado e traído a imperatriz. O primeiro a ser atingido foi La Chétardie. O embaixador francês teve ordem de sair de Moscou em 24 horas, partindo diretamente para a fronteira em Riga, sem atravessar São Petersburgo. A raiva de Elizabeth do ex-amigo foi tão grande que mandou devolver o retrato incrustado de diamantes. Ele devolveu o retrato, mas ficou com os diamantes. Mardefeld, o embaixador prussiano, teve permissão para ficar mais um pouco, mas também foi mandado embora dentro de um ano. Joana teve permissão para ficar somente porque era mãe de Sofia, e somente até sua filha se casar com o grão-duque.

Tendo seus inimigos políticos vencidos e dispersados, Bestuzhev se elevou ainda mais. Foi promovido de vice-chanceler a chanceler e ganhou um novo palácio e propriedades. A queda dos inimigos diplomáticos significava o sucesso de sua política a favor da Áustria e contra a Prússia. Seguro de seu poder, entendeu que não precisava mais se opor ao casamento de Pedro e Sofia. Sabia que a imperatriz estava disposta a levar adiante esse projeto; uma tentativa de impedi-lo poderia ser perigosa. Além disso, depois do casamento, a mãe da noiva seria inofensiva.

A curta carreira da princesa Joana na diplomacia terminou em infortúnio: o embaixador francês foi banido sumariamente; o embaixador prussiano, veterano de vinte anos na corte russa, foi destituído de influência; Bestuzhev foi promovido a chanceler. Por fim, houve a queda da própria Joana. A amizade de Elizabeth pela irmã do homem que ela amara foi substituída por um desejo intenso de mandar a mãe de Sofia de volta à terra dela logo que possível.

9
A CONVERSÃO E O NOIVADO

A IMPERATRIZ, DESEJANDO ACELERAR OS EVENTOS, marcou a data do noivado de Sofia e Pedro para 29 de junho. Providencialmente, estava acertado que no dia anterior, 28 de junho, a princesinha alemã iria renunciar publicamente à fé luterana e ser admitida na Igreja Ortodoxa. Quase na última hora, Sofia ficou preocupada com o passo irreversível que estava prestes a dar. Mas na véspera da cerimônia, parece que suas preocupações desapareceram: "Ela dormiu muito bem a noite inteira", Joana escreveu ao marido, "um bom sinal de que sua mente está em paz."

Na manhã seguinte, a imperatriz mandou chamar Sofia para ser vestida sob sua supervisão. Elizabeth mandara confeccionar para a moça um vestido idêntico ao dela. Ambos eram de um pesado tafetá escarlate, bordados em prata ao longo das costuras. A diferença era que o vestido de Elizabeth flamejava de diamantes, ao passo que as únicas joias de Sofia eram os pendentes e o broche que a imperatriz lhe dera depois da pneumonia. Sofia estava pálida após os três dias de jejum exigidos antes da cerimônia, e usava apenas uma fita branca nos cabelos não empoados, mas, segundo Joana escreveu, "Devo dizer que eu a achei encantadora". De fato, naquele dia, muitos se surpreenderam com a elegância daquela figura esbelta, com cabelos escuros, pele clara, olhos azuis e vestido escarlate.

Elizabeth tomou-lhe a mão e juntas conduziram uma longa procissão através dos muitos salões até a lotada capela do palácio. Sofia se ajoelhou numa almofada quadrada, e a longa cerimônia teve início. Joana descreveu partes ao marido ausente: "A testa, os olhos, o pescoço, a garganta, as palmas e costas das mãos foram untados. O óleo é retirado com um chumaço de algodão imediatamente após a aplicação."

Ajoelhada na almofada, Sofia desempenhou habilmente seu papel. Em voz firme e clara, recitou o credo da nova fé. "Tinha aprendido de cor, em russo. Como um papagaio", ela admitiu mais tarde. A imperatriz chorou, mas, disse a jovem convertida, "eu mantive o controle, e por isso fui muito elogiada". Para ela, essa cerimônia era mais um desafiante dever de casa a cumprir, o tipo de atuação em que ela era excelente. Joana ficou orgulhosa da filha: "A atitude dela durante toda a cerimônia foi tão cheia de nobreza e dignidade que eu a teria admirado [mesmo] se ela não fosse o que é para mim."

Foi assim que Sofia Augusta Frederica de Anhalt-Zerbst se tornou Ekaterina, ou Catarina. Poderia ter sido batizada com seu próprio nome, Sofia, que era comum na Rússia. Mas Elizabeth rejeitou a ideia porque Sofia era o nome de sua tia, meio-irmã e rival de Pedro, o Grande, que lutara pelo trono com o jovem czar cinquenta anos antes. Por isso, Elizabeth escolheu o nome de sua mãe, Catarina.

Ao sair da capela, a nova convertida foi presenteada pela imperatriz com um colar e um broche de diamantes. Apesar da gratidão, a jovem Catarina estava tão exausta que, a fim de ter forças para a próxima jornada, pediu permissão para ser dispensada do banquete que se seguiu à cerimônia. Mais tarde naquela noite, ela seguiu com a mãe, o grão-duque e a imperatriz para o Kremlin, onde o noivado seria celebrado no dia seguinte.

De manhã, quando Catarina despertou, lhe deram dois retratos em miniatura, um de Elizabeth e o outro de Pedro, ambos emoldurados em diamantes, presenteados pela imperatriz. Logo Pedro chegou para acompanhá-la à presença da imperatriz, que estava usando a coroa e, sobre os ombros, um manto imperial. Elizabeth saiu do palácio do Kremlin caminhando sob um dossel de prata maciça, cujo peso exigia oito generais para carregá-lo. Atrás da imperatriz, vinham Catarina e Pedro, seguidos por Joana, a corte, o sínodo e o senado. A procissão desceu a famosa Escadaria Vermelha, cruzou a praça ladeada por soldados dos regimentos da guarda e entrou na catedral da Assunção, onde eram coroados os czares russos. Lá dentro, Elizabeth deu a mão aos dois jovens e conduziu-os a uma plataforma acarpetada em veludo vermelho erigida entre os grossos pilares no centro da igreja. O arcebispo de Novgorod conduziu a cerimônia, e os anéis de noivado foram entregues aos nubentes pela própria imperatriz. Joana, com seu olhar avaliativo, observou que os anéis eram "ambos verdadeiros monstrinhos". Sua filha foi mais específica: "O anel que ele me deu valia 12 mil rublos, e o que ele recebeu de mim, 14 mil." Ao fim da cerimônia, um oficial da corte leu um decreto imperial conferindo a Catarina a categoria de grã-duquesa e o título de Alteza Imperial.

O relato de Joana sobre a cerimônia de noivado foi uma ladainha de queixas:

> A cerimônia demorou quatro horas, durante as quais era impossível se sentar nem por um momento. Não é exagero dizer que minhas costas ficaram dormentes de tantas mesuras que fui obrigada a fazer ao abraçar todas as numerosas damas, e que ficou uma marca vermelha do tamanho de um florim alemão tomando minha mão direita, de tantas vezes que foi beijada.

Os sentimentos conflitantes de Joana com relação à filha, agora figura central naquele aparato cerimonial, deveriam ter sido apaziguados quando Elizabeth se deu ao trabalho de ser indulgente com uma mulher que ela desprezava. Na catedral, a imperatriz tinha impedido que Joana se ajoelhasse diante dela, dizendo: "Nossa situação é a mesma; nossos votos são os mesmos." Mas quando a cerimônia terminou, com os canhões troando, os sinos da igreja badalando e a corte se dirigindo ao palácio adjacente, Granovitaya, para o banquete de noivado, a infelicidade de Joana veio à tona. Por uma questão de hierarquia, a mãe da noiva não podia se sentar à mesa imperial com a imperatriz, o grão-duque e a recém-proclamada grã-duquesa. Quando isso foi explicado a Joana, ela protestou, declarando que seu lugar não poderia ser entre as meras damas da corte. O mestre de cerimônias ficou hesitante quanto ao que fazer. Catarina testemunhou a cena e sofreu em silêncio com o comportamento da mãe. Elizabeth, novamente enfurecida com a presunção daquela hóspede ingrata e traiçoeira, ordenou que montassem uma mesa separada numa alcova privativa, de onde Joana poderia assistir por uma janela.

O baile naquela noite foi no Hall das Facetas do palácio Granovitaya, um salão construído com um único pilar central, que tomava um quarto do espaço, sustentando o teto baixo. Catarina disse que naquele lugar "as pessoas ficavam quase sufocadas com o calor e a multidão". Depois, na caminhada de volta aos aposentos de cada um, havia outras normas de precedência. Catarina era agora Sua Alteza Imperial, Grã-Duquesa da Rússia, futura esposa do Herdeiro do Trono, e Joana, portanto, era obrigada a andar atrás da filha. Catarina tentava evitar essas situações e Joana reconheceu seu esforço: "Minha filha se conduz com muita inteligência em sua nova situação", ela escreveu ao marido. "Ela enrubesce cada vez que é obrigada a andar na minha frente."

Elizabeth continuava a ser generosa. "Não se passava um dia sem que eu recebesse presentes da imperatriz", Catarina diria mais tarde. "Pratas, joias, roupas, na verdade tudo o que se pode imaginar, e os menores valiam de 10 a 15 mil rublos. Ela me demonstrava extrema afeição." Pouco depois, Elizabeth deu a Catarina 30 mil rublos para despesas pessoais. Catarina, que nunca tivera nenhum dinheiro seu, ficou admirada com tamanha quantia. Enviou imediatamente dinheiro ao pai, a fim de ajudar na educação e tratamento médico do irmão mais novo. "Sei que Vossa Alteza enviou meu irmão para Hamburgo e isso acarretou despesas pesadas", ela escreveu a Cristiano Augusto. "Peço a Vossa Alteza que deixe meu irmão lá o tempo que for necessário para recuperar a saúde. Vou arcar com todas as despesas."

Elizabeth deu também à nova grã-duquesa uma pequena corte particular, incluindo jovens camareiros e damas de companhia. Pedro já possuía sua corte, e nos aposentos do grão-duque e da grã-duquesa os jovens brincavam de cabra-cega e faziam outros jogos, rindo, pulando, dançando, correndo, chegando a tirar a tampa de um instrumento musical grande, um cravo, para apoiá-la sobre travesseiros e usar como trenó para deslizar no chão. Catarina participava dessas folias para tentar agradar ao futuro marido. Pedro demonstrava amizade a essa companheira de divertimentos; era também inteligente o bastante para saber que qualquer demonstração de apreço pela noiva agradava a imperatriz. Até Brümmer, vendo-os juntos e achando que ela poderia ajudá-lo a lidar com aquela atitude rebelde, pediu-lhe que "usasse minha influência para corrigir e repreender o grão-duque". Ela recusou. "Disse-lhe que era impossível, pois, nesse caso, eu seria tão odiosa para ele [Pedro] quanto o resto de sua *entourage*." Sabia que, para ter alguma influência sobre Pedro, ela precisava ser o oposto daqueles que tentavam "corrigi-lo". Ele não podia recorrer a ela em busca de amizade e acabar descobrindo que tinha mais um cão de guarda.

Joana ficou mais distante. Agora, quando queria ver a filha, precisava se fazer anunciar. Relutante quanto a isso, ela se afastou, dizendo que a jovem corte de Catarina era muito barulhenta e bagunceira. Enquanto isso, Joana também fazia novas amizades. Passou a integrar um círculo de pessoas que a imperatriz e a maioria da corte desaprovavam. Não tardou muito para que sua intimidade com o secretário, conde Ivan Betskoy, desse o que falar. A certa altura, os dois ficavam juntos com tanta frequência que algumas pessoas na corte começaram a dizer que estavam tendo um caso, e havia até cochichos de que a princesa de Anhalt-Zerbst, aos 32 anos de idade, estava grávida.

10

PEREGRINAÇÃO A KIEV E BAILES TRAVESTIS

A NOIVA CHEGARA À RÚSSIA, era jovem, sua saúde fora recuperada e as dificuldades envolvendo sua conversão à religião ortodoxa tinham sido superadas. Agora que ela e Pedro estavam noivos, o que impedia um casamento imediato? Um obstáculo, difícil de ser vencido até mesmo por uma imperatriz, era a cautelosa opinião dos médicos quanto a Pedro. Aos 16 anos, o grão-duque mais parecia ter 14, e os doutores ainda não conseguiam detectar nele qualquer sinal convincente de puberdade. Achavam que levaria pelo menos um ano até que ele pudesse gerar um filho. Ainda que ocorresse uma gravidez, restariam nove meses até o nascimento da criança. Para Elizabeth, esse tempo — 21 meses — parecia uma eternidade. E como o casamento precisava ser adiado, a imperatriz precisava adiar também a partida de Joana.

Aceitando com relutância esses desapontamentos, Elizabeth decidiu tomar outras medidas para apresentar sua dinastia ao público. Em agosto de 1744, ela partiu em peregrinação a Kiev, a mais antiga e sagrada cidade da Rússia, onde a cristandade fora introduzida pelo grão-príncipe Vladimir no ano 800 d.C. A viagem de Moscou a Kiev, de quase 900 quilômetros, foi sugerida a Elizabeth por seu amante ucraniano, Razumovsky, e incluía Pedro, Catarina e Joana, com suas respectivas comitivas, além de 230 cortesãos e centenas de servos. A caminho, as fileiras de carruagens e carroças com bagagens sacolejavam dia após dia nas estradas infindáveis, infligindo cansaço, tédio, fome e sede aos passageiros. Os cavalos eram trocados frequentemente. A cada posto de muda, oitocentos animais descansados aguardavam a chegada da caravana imperial.

Enquanto os eminentes da corte russa viajavam em carruagens forradas com almofadas de veludo, uma pessoa seguia a maior parte do trajeto a pé. Elizabeth levava muito a sério a penitência e a peregrinação. Caminhando pelas estradas russas quentes e sem sombras, suando com o calor e murmurando orações, Elizabeth parava para rezar em cada igreja de cada aldeia e em cada santuário do caminho. Enquanto isso, Razumovsky, prático e modesto tanto nas perspectivas terrenas como nas celestiais, preferia acompanhá-la em sua confortável carruagem.

Catarina e Joana começaram a viagem numa carruagem com duas damas de companhia. Pedro seguia em outra carruagem, com Brümmer e dois tutores. Um dia, cansado de seus "pedagogos", como Catarina os chamava, Pedro resolveu se reunir às duas princesas germânicas, cuja companhia ele julgou ser mais animada. Saindo de sua carruagem, ele "entrou na nossa e se recusou a sair", trazendo com ele um dos alegres jovens de sua comitiva. Não demorou para que Joana, irritada com a presença dos jovens, quisesse fazer outra arrumação. Joana tinha uma carroça equipada com pranchões e almofadas de modo a acomodar dez pessoas. Para seu aborrecimento, Pedro e Catarina insistiram em encher essa carroça com outros jovens. "Só deixamos ficar conosco os mais engraçados e divertidos da nossa comitiva", Catarina disse. "De manhã à noite, só fazíamos rir, brincar e ter alegria." Brümmer, os tutores e as damas de companhia de Joana ficaram insultados com essa troca, que ignorava a precedência da corte. "Enquanto nos divertíamos, eles ficaram numa carruagem, todos os quatro, mal-humorados, repreendendo, condenando, fazendo comentários azedos à nossa custa. Em nossa carruagem, sabíamos disso, e ríamos deles."

Para Catarina, Pedro e seus amigos a viagem não foi uma peregrinação religiosa, mas uma excursão, uma grande brincadeira. Não havia pressa. Elizabeth só caminhava poucas horas por dia. Ao fim de três semanas, a comitiva principal chegou à grande mansão de Alexis Razumovsky em Koseletz, onde esperaram mais três semanas até que a imperatriz aparecesse. Quando finalmente ela chegou, em 15 de agosto, o aspecto religioso da peregrinação foi suspenso temporariamente. Durante duas semanas, os "peregrinos" se reuniam numa sucessão de bailes, concertos e, de manhã à noite, em jogos de cartas tão febricitantes que às vezes 40 ou 50 mil rublos se amontoavam nas mesas.

Enquanto estavam em Koseletz, houve um incidente que gerou uma rusga permanente entre Joana e Pedro. Começou quando o grão-duque entrou numa sala em que Joana estava escrevendo. Num banquinho ao lado dela, estava sua caixa de joias, onde guardava as pequenas coisas que lhe eram caras, inclusive suas cartas. Pedro, de brincadeira, para fazer Catarina rir, fingiu remexer na caixa e pegar as cartas. Joana lhe disse severamente que não tocasse naquilo. O grão-duque, ainda se exibindo, saiu correndo pela sala, mas, ao fazer piruetas para se afastar de Joana, seu casaco se prendeu na tampa aberta, jogando a caixa e todo o conteúdo no chão. Joana, pensando que ele tinha feito isso intencionalmente, teve um acesso de fúria. Pedro ainda tentou se desculpar, mas, quando ela se recusou a acreditar que havia sido por acidente, ele também se zangou. Os dois começaram a gritar um com o outro, e Pedro, apelando para Catarina, pediu que atestasse a inocência dele.

Catarina ficou no meio da briga.

"Sabendo como minha mãe se exaltava facilmente e que seu primeiro impulso era sempre muito violento, temi que ela me desse um tapa se eu discordasse dela. Sem querer mentir para ela nem ofender o grão-duque, fiquei calada. Contudo, acabei dizendo a minha mãe que eu não achava que o grão-duque tinha feito de propósito."

Joana então se voltou contra Catarina.

Quando minha mãe estava com raiva, tinha de achar alguém com quem brigar. Permaneci em silêncio e depois explodi em lágrimas. A princípio, meu silêncio enraiveceu a ambos. Então o grão-duque, vendo que toda a raiva de minha mãe se dirigiu para mim porque eu tinha tomado o partido dele e que eu estava chorando, acusou minha mãe de ser uma megera arrogante e injusta. Ela contra-atacou, dizendo que ele era "um menininho mal-educado". Seria impossível brigar com mais violência sem chegar aos tapas.

A partir de então, o grão-duque tomou grande antipatia por minha mãe e nunca esqueceu aquela briga. Minha mãe, por sua vez, guardou por ele um irremediável rancor. Aquele relacionamento tenso se tornou cada vez mais cheio de amargor e suspeita, passível de azedar a qualquer momento. Nenhum dos dois conseguia esconder de mim seus sentimentos. E por mais que me esforçasse para obedecer a uma e agradar ao outro – e de algum modo promover a reconciliação –, conseguia isso apenas por curtos períodos. Cada um tinha sempre uma farpa de sarcasmo ou malícia pronta a ser arremessada. Minha posição ficava mais difícil a cada dia.

Catarina estava angustiada, mas o mau gênio da mãe e a simpatia de Catarina pelo grão-duque surtiram um efeito: "Na verdade, naquela época, o grão-duque abriu seu coração para mim mais que para qualquer outra pessoa. Ele via que minha mãe sempre me atacava e me repreendia quando não conseguia encontrar alguma falta nele. Isso me colocou numa alta posição em sua estima; ele acreditava poder confiar em mim."

No clímax da peregrinação, a imperatriz e a corte passaram dez dias em Kiev. Catarina teve uma visão inicial panorâmica da magnífica cidade, com seus domos dourados se erguendo de uma encosta na margem oeste do rio Dnieper. Elizabeth, Pedro e Catarina entraram a pé na cidade, andando com uma multidão de padres e monges atrás de uma grande cruz. Em toda parte da mais sagrada de todas as cidades russas, numa época em que a Igreja era imensamente rica e o povo devotamente piedoso, a imperatriz foi recebida com uma pompa extravagante. Na famosa igreja da Assunção no monastério Pecharsky, Catarina ficou admirada com o fausto das procissões, a beleza das cerimônias religiosas, o incomparável esplendor das próprias igrejas. "Nunca, em toda a minha vida", ela escreveu mais tarde, "algo me deixou tão impressionada quanto a extraordinária magnificência daquela igreja. Todos os ícones eram recobertos de ouro maciço, prata, pérolas e incrustados de pedras preciosas."

Embora tão impressionada por esse espetáculo visual, nunca em sua vida Catarina foi muito devotada à religião. Nem a austera crença luterana de seu pai, nem a apaixonada fé ortodoxa da imperatriz Elizabeth jamais tomaram posse de sua mente. O que ela via e admirava na igreja russa era a majestade da arquitetura, da arte e da música, mescladas numa esplêndida unidade de inspirada — embora feita pela mão do homem — beleza.

Tão logo Elizabeth e a corte retornaram de Kiev, começou nova temporada de óperas, festas e bailes de máscaras em Moscou. Cada noite Catarina aparecia com um vestido novo e lhe diziam que estava muito bonita. Ela era astuta o bastante para reconhecer que a lisonja era o óleo lubrificante da vida na corte, e estava também ciente de que algumas pessoas ainda a desaprovavam: Bestuzhev e seus seguidores, damas ciumentas que invejavam a estrela em ascensão, parasitas que mantinham minuciosa contabilidade da distribuição de favores. Catarina tentava de todas as maneiras desarmar seus críticos. "Eu tinha medo de não ser querida e fazia tudo em meu poder para conquistar aqueles com quem iria passar minha vida", ela escreveu mais tarde. Acima de tudo, ela nunca esqueceu a quem devia maior lealdade. "Meu respeito pela imperatriz e minha gratidão a ela eram extremos", ela disse. "E ela costumava dizer que me amava tanto ou mais que ao grão-duque."

Um modo certo de agradar a imperatriz era dançar. Para Catarina, era fácil: assim como Elizabeth, ela gostava apaixonadamente de dançar. Diariamente, às sete horas da manhã, *monsieur* Landé, o mestre francês de balé na corte, chegava com seu violino e, durante duas horas, ensinava-lhe os passos da última moda em Paris. De quatro a seis da tarde, ele voltava para outra aula. E assim, à noite, Catarina impressionava a corte com sua dança graciosa.

Alguns desses bailes noturnos eram bizarros. Toda terça-feira, por decreto da imperatriz, os homens vinham vestidos de mulher e as mulheres vestidas de homem. Catarina, aos 15 anos, se deliciava com essa mudança de trajes: "Devo dizer que não havia nada mais horrendo e ao mesmo tempo mais cômico do que ver quase todos os homens vestidos desse jeito e nada mais triste do que ver as mulheres em roupas de homem." A grande maioria da corte detestava profundamente essas noites, mas Elizabeth tinha um motivo para esse capricho: ela ficava esplêndida em roupas de homem. Embora longe de ser esguia, sua silhueta de busto farto ficava realçada pelo par de pernas esbeltas, maravilhosamente bem torneadas. Sua vaidade exigia que aquelas pernas elegantes não permanecessem escondidas, e a única maneira de exibi-las era em calças justas masculinas.

Catarina descreveu o perigo com que se defrontou numa dessas noites:

> *Monsieur* Sievers, muito alto, usando um vestido com ampla anágua armada que a imperatriz lhe emprestara, estava dançando uma *polonaise* comigo. A condessa Hendrikova, que dançava atrás de mim, tropeçou na anágua armada de *monsieur* Sievers no momento em que ele dava um rodopio segurando minha mão. Ao cair, ela esbarrou em mim com tanta força que caí debaixo da anágua, que tinha saltado como uma mola bem ao meu lado. Sievers, por sua vez, se embaraçou nas próprias saias longas, que estavam em grande desordem, e acabamos nós três estatelados no chão, eu inteiramente coberta pela anágua dele. Eu estava morrendo de rir, tentando me levantar, mas

foi preciso que viessem nos ajudar porque estávamos tão embrulhados na roupa de *monsieur* Sievers que nenhum dos três conseguia se levantar sem fazer com que os outros dois tornassem a cair.

Naquele outono, porém, Catarina viu e sentiu o lado negro da personalidade de Elizabeth. A vaidade da imperatriz exigia que ela fosse não somente a mais poderosa mulher do império, mas também a mais bela. Não tolerava ouvir elogios à beleza de outra mulher. Os triunfos de Catarina não lhe passaram despercebidos, e sua irritação encontrou um escape. Numa noite, na Ópera, a imperatriz estava com Lestocq no camarote real, oposto ao camarote de Catarina, Joana e Pedro. No intervalo, a imperatriz notou Catarina conversando alegremente com Pedro. Como poderia essa jovem, a radiante saúde e confiança em pessoa, agora tão popular na corte, ser a mesma menina tímida que chegara à Rússia um ano antes? De repente, o ciúme da imperatriz flamejou. Olhando para a mulher mais jovem, ela pegou o primeiro agravo que lhe veio à mente. Como se o assunto não pudesse esperar, despachou Lestocq para o camarote de Catarina para lhe dizer que a imperatriz estava furiosa com ela porque tinha contraído débitos inaceitáveis. Elizabeth lhe dera 30 mil rublos: para onde tinham ido? Ao dar o recado, Lestocq fez questão de que Pedro e todos à volta pudessem ouvir. As lágrimas jorraram dos olhos de Catarina e, mesmo chorando, recebeu nova humilhação. Pedro, em vez de consolá-la, disse que concordava com a tia e achava apropriado que a noiva fosse repreendida. Joana então declarou que, como Catarina não mais a consultava sobre como uma filha deveria se comportar, "lavava as mãos" daquela história.

A queda foi súbita, abrupta. O que tinha acontecido? Que crime tinha cometido a menina de 15 anos, que só pensava em agradar a todo mundo, especialmente à imperatriz? Catarina foi verificar e viu que tinha um débito de 2 mil rublos. A quantia era irrisória em vista da extravagância e generosidade da própria Elizabeth, e a reprimenda era obviamente uma desculpa para encobrir outra queixa. É verdade que Catarina gastava sem restrições. Tinha mandado dinheiro para o pai pagar as despesas de seu irmão. Tinha gastado consigo mesma. Ao chegar à Rússia com apenas quatro vestidos e uma dúzia de roupas de baixo em seu baú, e assumindo seu lugar numa corte em que as mulheres trocavam de roupa três vezes por dia, ela usou parte de sua mesada para montar um guarda-roupa. Mas a maior parte havia sido gasta em numerosos presentes para sua mãe, suas damas de companhia e para o próprio

Pedro. Ela descobrira que o meio mais eficaz de pacificar o temperamento da mãe e parar com as constantes implicâncias entre Joana e Pedro era dar presentes para ambos. Percebeu que, naquela corte, presentes conquistavam amizades. Percebeu também que a maioria das pessoas a sua volta não fazia objeção a receber presentes. Portanto, ansiosa por conquistar boa vontade, não viu motivo para desprezar esse método simples e poderoso. Em poucos meses, tinha aprendido não só a língua, mas também os costumes da Rússia.

Era difícil entender e aceitar esse repentino ataque da imperatriz. Revelava as duas faces de Elizabeth, uma mulher que, alternadamente e sem aviso, encantava e intimidava. Depois, quando Catarina se lembrava daquela noite, também se lembrava da lição aprendida: ao lidar com um ego inflado como o de Elizabeth, todas as mulheres da corte deviam evitar ter muito sucesso. Ela se esforçou para se reintegrar com sua protetora. E Elizabeth, quando o ataque de ciúmes cedeu, se abrandou e acabou por esquecer o incidente.

11
VARÍOLA

EM NOVEMBRO, enquanto a corte ainda estava em Moscou, Pedro caiu doente com sarampo e, como Catarina não tivera a doença, foi proibido todo contato entre os dois. Naquela ocasião, disseram a Catarina que Pedro "estava incontrolável em seus caprichos e paixões". Confinado ao quarto e negligenciado pelos tutores, ele passava o tempo ordenando a seus servos, anões e valetes que marchassem seguindo exercícios de paradas militares em volta de sua cama. Quando, após seis semanas de convalescença, Catarina o viu novamente, "ele me confessou suas travessuras infantis e não cabia a mim reprimi-lo; deixei-o fazer e dizer o que desejava". Pedro ficou contente com essa atitude. Não sentia atração romântica por ela, mas era sua companheira e a única pessoa com quem ousava falar francamente.

Chegando o fim de dezembro de 1744, quando Pedro se recuperou do sarampo, a imperatriz decidiu que a corte deveria sair de Moscou e voltar a São Petersburgo. Uma forte nevasca caía sobre a cidade, e a temperatura estava cruelmente baixa. Catarina e Joana deveriam viajar com duas damas de companhia, e Pedro iria em outro trenó com Brümmer e um tutor. Enquanto mãe e filha se acomodavam no trenó, a imperatriz, que viajaria separadamente, inclinou-se sobre Catarina e ajeitou bem as mantas de peles em volta dela. Depois, achando que talvez fossem insuficientes contra o frio, tirou seu próprio magnífico manto de arminho e colocou-o sobre os ombros de Catarina.

Quatro dias depois, entre as cidades de Tver e Novgorod, a pequena comitiva de Catarina e Pedro parou, a fim de passar a noite na cidade de Khotilovo. Naquela noite, Pedro teve tremores, desmaiou e foi levado para a cama. No dia seguinte, quando Catarina e Joana foram vê-lo, Brümmer impediu que entrassem no quarto. O grão-duque, disse ele, tinha tido febre alta durante a noite e apareceram manchas em seu rosto, um sinal de varíola. Joana empalideceu. Aterrorizada pela doença que tinha matado seu irmão, ela imediatamente puxou Catarina para longe da porta, ordenou que trouxessem seu trenó, e partiram na mesma hora para São Petersburgo, deixando Pedro aos cuidados de Brümmer e das duas damas de companhia. Um correio saiu a galope antes delas para levar a informação à imperatriz, que já estava na capital. Tão logo Elizabeth recebeu a notícia, ordenou que trouxessem seu trenó e, com os cavalos galopando sob chicote, partiu correndo de volta a Khotilovo. Os dois trenós, o de Catarina e o de Elizabeth, em disparada pela neve em direções opostas, se cruzaram no meio do caminho, no meio da noite. Pararam, e Joana disse a Elizabeth o que sabia. A imperatriz escutou, assentiu e deu sinal para que prosseguissem. Enquanto os cavalos seguiam em frente, Elizabeth olhava para a escuridão – não só a escuridão da noite lá fora, mas a escuridão do futuro de sua dinastia, caso Pedro viesse a morrer.

Mas o que levou a imperatriz à atitude que teve em Khotilovo foi algo além do interesse pessoal. Ao chegar, ela se sentou ao lado do leito do enfermo e declarou que iria tomar conta pessoalmente do sobrinho. Permaneceu ao lado da cama de Pedro durante seis semanas, deitando-se raramente, quase não trocando de roupa. Elizabeth, que parecia não se preocupar com coisa alguma além de preservar sua beleza, agora assumia todas as baixas funções de uma enfermeira. Deixando de lado todos os riscos da varíola e as sequelas que poderiam desfigurá-la, ficou à cabeceira do sobrinho. Era o mesmo impulso acolhedor, maternal, que a tinha compelido a ficar ao leito de Catarina, quando a princesinha germânica caíra vítima de pneumonia. Enquanto Pedro dormia, ela enviava correios a galope com mensagens à única pessoa que, a seu ver, compartilhava inteiramente sua afeição e seus temores.

Em São Petersburgo, Catarina esperava ansiosamente pelas notícias. Será que o grão-duque, recém-curado do sarampo, sobreviveria a essa doença mais sinistra? A ansiedade de Catarina era genuína. Embora achasse Pedro infantil e muitas vezes irritante, ela o aceitava como noivo. Claro que a situação era mais complexa; ela estava ansiosa com relação ao próprio futuro. Se Pedro morresse, sua vida iria mudar. Sua posição na corte, todas as honras que lhe prestavam, eram conferidas à esposa do futuro czar. Em São Petersburgo, alguns cortesãos, pressentindo a morte do grão-duque, já vinham se afastando dela. Impotente para fazer qualquer outra coisa, ela escrevia a Elizabeth cartas afetuosas, respeitosas, perguntando sobre a saúde de Pedro. Essas cartas, em russo, eram rascunhadas por seu professor e depois passadas a limpo na caligrafia de Catarina. Sabendo ou não desse detalhe, Elizabeth se emocionou.

Enquanto isso, Joana continuava a criar problemas. A imperatriz tinha reservado para Catarina uma suíte de quatro aposentos no Palácio de Inverno. Esses aposentos eram separados de outros quatro reservados para a mãe dela. Os aposentos de Joana tinham o mesmo tamanho, as mesmas mobílias e os mesmos tecidos em azul e vermelho. A única diferença era que os de Catarina ficavam à direita da escadaria, e os de Joana, à esquerda. Todavia, quando Joana descobriu essa disposição, reclamou. Os aposentos de sua filha eram mais luxuosos que os dela, disse. Além disso, por que Catarina precisava ficar separada dela? Ela não havia proposto isso, e não aprovava. Quando Catarina disse à mãe que a separação tinha sido ordenada e os aposentos designados pela própria imperatriz, que não queria que ela, Catarina, compartilhasse os aposentos da mãe, Joana ficou ainda mais indignada. Considerou esse arranjo como uma crítica a sua conduta na corte e a sua influência sobre a filha. Incapaz de direcionar sua raiva a Elizabeth, Joana descontou em Catarina. Aprontava brigas constantes "e estava tão mal relacionada com todo mundo que não mais nos fazia companhia nas refeições, pedindo que servissem em seu apartamento". Catarina confessou, porém, que essa separação "em muito me agradava. Eu não ficava à vontade nos aposentos de minha mãe e não tinha boa opinião do grupo de amigos íntimos que ela reunia a sua volta".

Separada da mãe e evitando cuidadosamente os amigos dela, Catarina teve pouco conhecimento de certas áreas da vida de Joana. A natureza e extensão do relacionamento de Joana com o conde Betskoy era uma delas. Catarina sabia que sua mãe gostava de Betskoy e o via constantemente, e muitas pessoas na corte, inclusive a imperatriz, acreditavam que esse relacionamento tinha se tornado íntimo demais. Sobre os rumores de que Joana estaria grávida de Betskoy, Catarina nada diz em suas *Memoírs*. No entanto, ela conta a história a seguir. Um dia, a criada alemã de Joana irrompeu no quarto de Catarina dizendo que sua mãe tinha desmaiado. Catarina correu ao quarto da mãe e encontrou-a pálida, porém consciente, deitada num colchão no chão. Catarina perguntou o que tinha acontecido. Joana disse que tinha pedido uma sangria, e o cirurgião havia sido desastrado. "Ele não conseguiu em duas veias dos braços, depois tentou abrir duas nos pés", e também não conseguiu. Joana desmaiara. Catarina sabia que a mãe tinha medo de sangrias e havia se oposto violentamente a esse tratamento quando ela, Catarina, teve pneumonia. Não entendia por que ela quereria agora em si mesma, nem para qual doença seria o tratamento. Joana, ficando histérica, recusou-se a responder a outras perguntas e começou a gritar. Acusou a filha de não ligar para ela e "me mandou sair".

Aqui Catarina termina o relato, insinuando o que teria acontecido. Joana deu uma desculpa esfarrapada, dizendo que havia contraído uma doença súbita, não especificada. É improvável que exatamente aquela mulher chegasse a pedir uma sangria. Houve uma acusação de grosseira incompetência cirúrgica para explicar o grande sangramento. Houve a colocação de uma paciente nobre num colchão no chão e não na cama, sugerindo que Joana havia cambaleado e desmaiado subitamente. Houve a raiva e histeria de Joana no confronto com a filha. E, por fim, nos dias seguintes, houve uma total ausência de sintomas da doença que essa sangria cirúrgica deveria curar ou aliviar. Uma explicação possível é que Joana tenha sofrido um aborto.

Não muito depois desse episódio, Joana sofreu outro abalo. Chegou de Zerbst a notícia de que sua filha de 2 anos e meio, irmã mais nova de Catarina, tinha morrido de repente. Joana estava fora de casa havia mais de um ano. O marido escrevia cartas pedindo constantemente que ela voltasse para casa. Ela sempre respondia que sua obrigação principal era pajear e supervisionar o brilhante casamento oferecido à filha mais velha.

A certa altura, chegou de Khotilovo uma mensagem da imperatriz para Catarina:

> Vossa Alteza, minha muito querida sobrinha, sou infinitamente grata a Vossa Alteza por suas amáveis mensagens. Demorei a respondê-las porque não podia dar garantias quanto à saúde de Sua Alteza o Grão-Duque. Agora, neste dia, posso assegurar que, para nossa alegria, Deus seja louvado, podemos esperar seu restabelecimento. Ele voltou para nós.

Ao ler essa carta, a alegria natural de Catarina voltou, e naquela noite ela foi a um baile. Quando apareceu, todos os presentes se acercaram: havia se espalhado a notícia de que o perigo estava debelado, o grão-duque estava se recuperando. Aliviada, Catarina viu os tempos de Moscou se repetirem: a cada noite um baile ou mascarada, a cada noite, um novo sucesso.

Em meio àquela roda-viva, o diplomata sueco conde Henning Adolfo Gyllenborg chegou a São Petersburgo. Vinha como enviado oficial para anunciar o casamento do novo príncipe coroado da Suécia, Adolfo Frederico de Holstein (irmão de Joana e tio de Catarina) com a princesa Luísa Ulrika, irmã de Frederico II da Prússia. Era a segunda vez que Catarina encontrava Gyllenborg. Haviam se conhecido cinco anos antes na casa da avó dela, em Hamburgo, quando ela estava com 10 anos. Fora então que ela o tinha impressionado tanto com sua inteligência precoce que ele aconselhara Joana a dar mais atenção à menina.

Catarina descreve assim esse segundo encontro:

> Era um homem de grande inteligência, já não era jovem [Gyllenborg tinha então 32 anos]. Ele observou que eu aceitava sem protestar todas as intrigas e costumes da corte, e pareceu-lhe que eu manifestava menos inteligência do que ele me atribuíra em Hamburgo. Um dia, me disse que estava surpreso com a prodigiosa mudança que se passara em mim. "Como pode ser", disse ele, "que seu caráter, tão forte e vigoroso em Hamburgo, se permitiu deteriorar. Você agora se ocupa apenas com superficialidades, com luxo e prazer. Você precisa recuperar a inclinação natural de sua mente. Seu gênio está destinado a grandes realizações, e você está se desperdiçando com ninharias. Aposto que você não leu nem um livro desde que chegou à Rússia."
>
> Falei-lhe das horas que passava lendo em meu quarto. Ele disse que uma filósofa de 15 anos ainda era jovem demais para ter autoconhecimento, e que eu estava cercada por tantas armadilhas que iria

cair numa delas, a não ser que minha alma fosse de um metal muitíssimo superior; e eu devia nutri-la com as melhores leituras possíveis. Recomendou *Vidas paralelas*, de Plutarco, a vida de Cícero e *As causas da grandiosidade e do declínio da república romana*, de Montesquieu. Prometi ler, e de fato procurei esses livros. Encontrei a vida de Cícero em alemão e li algumas páginas, depois me trouxeram Montesquieu. Quando comecei a ler, fui levada a refletir, mas não conseguia ler direto porque me fazia bocejar, e deixei de lado. Não consegui achar as *Vidas* de Plutarco; só vim a ler dois anos depois.

Para mostrar a Gyllenborg que não era superficial, Catarina escreveu um ensaio sobre si mesma, "de modo que ele veria se eu me conhecia ou não". No dia seguinte, ela enviou a Gyllenborg esse ensaio intitulado "Retrato de uma filósofa de 15 anos". Ele ficou impressionado e o devolveu com 12 páginas de comentários, a maioria deles favorável. "Li as observações dele várias vezes, muitas e muitas vezes. Ficaram impressas em minha consciência e resolvi seguir seus conselhos. Além disso, houve algo surpreendente: um dia, conversando comigo, ele permitiu que a seguinte frase escapulisse: 'Que pena que você vai se casar!' Quis saber o que ele queria dizer, mas ele não me contou."

No começo de fevereiro, Pedro estava finalmente em condições de viajar, e a imperatriz o trouxe de volta a São Petersburgo. Catarina foi ao encontro dele em um salão de recepção do Palácio de Inverno. Eram mais de quatro horas da tarde, e a luz esmaecia. Eles se encontraram, diz Catarina, na "semiescuridão". Até aquele momento, a ausência e a ansiedade tinham suavizado a imagem do homem com quem ela iria se casar. Pedro nunca foi bonito, mas possuía uma certa meiguice indefinível, inofensiva. Às vezes tinha um risinho enfadado, às vezes um leve sorriso que poderia ser vazio, ou simplesmente tímido. De modo geral, sua aparência não era de todo desagradável. Catarina estava ansiosa para vê-lo.

Agora a figura parada diante dela na penumbra era muito diferente. Encheu-a "quase de terror... Seu rosto estava praticamente irreconhecível". Estava devastado, inchado e esburacado com as marcas da varíola ainda não curadas. Era evidente que ficariam profundas cicatrizes. Sua cabeça fora raspada, e a enorme peruca que ele estava usando lhe dava uma aparência ainda mais pavorosa. Apesar da luz fraca, Catarina não foi capaz de disfarçar o horror. Mais tarde, ela descreveu seu futuro marido como "horrendo". Ela ficou parada, "ele se aproximou e perguntou: 'Você me reconhece?'". Reunindo toda a sua coragem, ela gaguejou congratulações pelo restabelecimento dele, e correu para o quarto, onde desabou.

Catarina não era uma jovem simples, romântica. A imperatriz, contudo, ficou preocupada com a reação dela diante da aparência do sobrinho. Temendo que a menina pudesse rejeitar impulsivamente aquele futuro esposo tão assustador e pedir aos pais que retirassem o consentimento à união, Elizabeth duplicou suas demonstrações de afeto. Em 10 de fevereiro, aniversário de 17 anos de Pedro, que ainda não tinha condições de aparecer em público, a imperatriz convidou Catarina para jantar com ela, sozinha. Durante a refeição, cumprimentou Catarina por suas cartas escritas em russo, conversou em russo, elogiou sua pronúncia e disse que ela estava se tornando uma mulher muito bonita.

A atitude de Elizabeth foi gratificante, mas desnecessária. Catarina não tinha a intenção de desmanchar o noivado. Nem por um momento, fosse qual fosse a aparência do noivo, ela pensava em voltar à Alemanha. Havia uma promessa à qual Catarina foi fiel durante toda a vida, um compromisso que jamais iria renegar, e que era sua ambição. Ela não tinha ido se casar com um rosto, fosse bonito ou feio, mas se casar com o herdeiro de um império.

Pedro foi mais afetado emocional e psicologicamente do que Catarina pela sequela da varíola. Mas como a doença é que havia causado o dano, a falha comportamental recaiu em Catarina. Sua reação inicial era de esperar; a maioria das jovens se retrairia ao ver um rosto tão horrivelmente desfigurado, e talvez poucas teriam autocontrole para disfarçar seus sentimentos. Nesse caso, porém, se o relacionamento devia superar aquele desafio e prosseguir com sucesso, o momento do encontro exigia mais do que Catarina foi capaz de dar. E se havia algo que ela não conseguia ter era uma afeição cálida, generosa, aquela ternura espontânea que surgia naturalmente na imperatriz Elizabeth.

Pedro ficou arrasado ao se sentir fisicamente repulsivo à noiva. No instante em que se encontraram na penumbra do salão, Pedro foi capaz de ler os pensamentos na voz e nos olhos dela. Daí por diante, ele se considerou "horrendo" e, portanto, impossível de ser amado. Essa nova sensação de inferioridade reforçou sentimentos que o afligiam desde que nascera. Em toda a sua infância triste e solitária, Pedro nunca tivera uma amizade íntima. Agora, justamente quando a prima com quem era forçado a se casar estava se tornando uma companheira, uma feiura chocante se somava à sua lista de desvantagens. Quando perguntou "Você me reconhece?", Pedro revelou sua ansiedade quanto ao efeito que sua mudança teria sobre ela. Foi precisamente nesse momento que Catarina, sem o saber, falhou. Se ela tivesse conseguido lhe dar um sorriso de compaixão e uma palavra afetuosa, poderia ter assegurado um futuro mais amigável. O sorriso não foi dado, a palavra não foi dita. O assustado jovem viu sua amiga de brincadeiras e confidências estremecer ao vê-lo. E soube que, na visão dela, ele estava "horrendo".

Catarina não entendeu nada disso. A princípio, ficou confusa, e teria ficado perplexa se soubesse que sua reação involuntária o tinha afastado. Quando a reação dele ficou clara, o orgulho dela ditou que respondesse àquela frieza com igual reserva. Essa atitude reservada, por sua vez, só poderia reforçar a convicção de Pedro, de que se tornara repulsivo para ela. Não tardou para que seu espanto e solidão se transformassem em perversidade e despeito. Achou que, quando ela se mostrava amigável com ele, era simplesmente para efeito externo. Odiava o sucesso de Catarina. Julgava contra ela o fato de sua feminilidade estar desabrochando. Quanto mais bela, espontânea e alegre ela se mostrava em festas e eventos sociais, mais ele se sentia isolado em sua feiura. Enquanto Catarina dançava e encantava, Pedro zombava e se retirava. Ambos estavam infelizes.

Catarina desejava, entretanto, que a deterioração do relacionamento pessoal dos dois ficasse oculta. Pedro, a quem faltavam tanto os recursos internos como a inabalável ambição de Catarina, não se prestava a essas aparências. A varíola dera um golpe destruidor em sua saúde física e mental. O rosto desfigurado demais afetou seu equilíbrio psíquico. Sob essas pressões, o jovem regrediu para o mundo de sua infância. Na primavera e verão de 1745, Pedro deu elaboradas desculpas para permanecer no quarto, cercado e protegido por seus servos. Sua diversão era mandar que vestissem uniformes e fazê-los marchar. Quando criança, uniformes, exercícios militares e voz de comando o ajudavam a esquecer a solidão. Agora, não amado e cada vez mais consciente de estar sozinho, buscava alívio no antigo remédio. Seus desfiles privados, com um batalhão de servos fantasiados de soldados, era seu modo de protestar contra a prisão que ele considerava sua vida e o destino indesejável para onde estava sendo guiado.

❦12❦

O CASAMENTO

A PACIÊNCIA DE ELIZABETH estava exaurida. O pesadelo da corrida a Khotilovo e a longa vigília à cabeceira de Pedro lhe deixaram uma profunda impressão. O sobrinho tinha quase morrido, mas sobrevivera. Estava com 17 anos, e sua noiva, de 16, já estava na Rússia havia mais de um ano, mas ainda não tinham se casado e não havia um infante a caminho. É verdade que os médicos voltaram a lhe dizer que o grão-duque era ainda muito jovem, muito imaturo e não tinha se recobrado totalmente dos efeitos da doença. Desta vez a imperatriz dispensou os argumentos deles. Via apenas que a sucessão dependia da saúde de Pedro e sua capacidade de gerar um herdeiro. Se ela esperasse mais um ano, outra doença fatal poderia levar embora o grão-duque, mas, se seguisse adiante com o casamento, um ano poderia trazer à Rússia um pequeno herdeiro Romanov, mais forte e saudável que Pedro, tão forte e saudável quanto Catarina. Por essa razão, o casamento deveria se realizar o mais cedo possível. Os médicos se curvaram à vontade dela, e a imperatriz começou a escolher uma data. Em março de 1745, um decreto imperial marcou o casamento para o dia 1º de julho.

Como a recente casa imperial da Rússia jamais havia celebrado um casamento real público, Elizabeth decidiu que deveria ser tão magnificente que as pessoas e o mundo tivessem certeza da força e permanência da monarquia russa. Deveria ser o assunto dominante na Europa. Seguiria o modelo das grandes cerimônias da corte francesa. O embaixador russo em Paris recebeu instruções de relatar em detalhes os mais recentes casamentos reais em Versalhes. Extensos memorandos com descrições minuciosas chegaram para serem imitadas e, se possível, superadas. Grossos fichários com croquis e desenhos foram trazidos, acompanhados de amostras de veludos, sedas e adornos em ouro. Somas enormes de dinheiro atraíram artistas franceses, músicos, pintores, alfaiates, cozinheiros e marceneiros à Rússia. Enquanto essas torrentes de informações e pessoas fluíam para São Petersburgo, Elizabeth lia, olhava, ouvia, estudava, comparava e calculava. Supervisionava todos os detalhes. De fato, durante toda a primavera e o começo do verão, a imperatriz ficou tão envolvida com os preparativos do casório que não teve tempo para mais nada. Negligenciou assuntos de Estado, ignorou os ministros, e quase cessaram as atividades governamentais de rotina.

Quando o gelo derreteu no Báltico e no rio Neva, começaram a chegar a São Petersburgo navios com fardos de sedas, veludos, brocados e o pesado tecido de prata que seria usado para confeccionar o vestido de Catarina. Os oficiais mais graduados da corte receberam o adiantamento de um ano de salário para se vestirem com refinamento. A imperatriz decretou que os membros da nobreza comparecessem em carruagens puxadas por seis cavalos.

Enquanto a corte fervilhava de excitação, a noiva e o noivo, curiosamente, foram deixados a sós. Nenhuma instrução lhes foi dada sobre o que significava um casamento. O que Pedro aprendeu sobre um relacionamento adequado entre marido e mulher foram algumas lições informais de um de seus servos, um ex-oficial sueco chamado Romburg, que deixara a própria esposa na Suécia. O marido, declarou Romburg, deve ser o amo e senhor. A esposa não deve falar sem permissão na presença dele, e somente um sujeito muito burro permitiria que a mulher tivesse opiniões próprias. Caso houvesse problemas, uns bons cascudos na cabeça dela poriam as coisas nos eixos. Pedro gostava de ouvir essas conversas e – "quase tão discreto como um tiro de canhão", nas palavras de Catarina – se divertia contando a ela o que ouvira.

Quanto ao sexo, Pedro tivera conhecimento de alguns fatos básicos, mas entendeu apenas parcialmente. Seus servos lhe passavam informações expressadas com grosseria e, em vez de esclarecer, as palavras deles só serviam para deixá-lo espantado e intimidado. Ninguém se deu ao trabalho de lhe comunicar o fato essencial de que os seres humanos costumam ter prazer na atividade sexual. Confuso, envergonhado e sem saber o que era desejo, Pedro chegaria ao leito da esposa apenas com um senso de dever e uma ideia elementar, mecânica de como esse dever deveria ser cumprido.

Na primavera e no verão anteriores ao casamento, Catarina via o futuro marido frequentemente, pois seus aposentos eram adjacentes. Mas Pedro nunca passava muito tempo com ela e, com o correr dos dias, ficava cada vez mais claro que ele estava evitando sua companhia para estar com seus servos. Em maio, ele se mudou com a imperatriz para o Palácio de Verão, deixando Catarina e a mãe. Mais tarde, Catarina escreveu:

> Toda a atenção que o grão-duque me dispensava antes cessou. Mandou-me uma mensagem por um servo dizendo que estava morando longe demais para vir me visitar. Eu estava plenamente consciente de sua falta de interesse e afeição; meu orgulho e vaidade sofriam, mas eu jamais sonharia em me queixar. Teria me sentido humilhada se alguém demonstrasse algum sinal de solidariedade que pudesse ser interpretado como piedade. Mas, quando estava sozinha, derramava muitas lágrimas, depois as enxugava e ia brincar com minhas servas.

Naquele verão, a corte se mudou para o palácio nas terras de Peterhof, no golfo da Finlândia, 30 quilômetros a oeste da capital. Catarina descreveu suas atividades:

> Passávamos o tempo caminhando, cavalgando e passeando nas carruagens. Vi então, claro como o dia, que a comitiva do grão-duque, e especialmente seus tutores, havia perdido toda a autoridade sobre ele. Suas brincadeiras militares, que mantivera em segredo, passaram a acontecer praticamente na presença deles. Agora o conde Brümmer só podia observá-lo em público; o restante do tempo ele passava na companhia de servos, em atividades infantis, inacreditáveis para alguém de sua idade. Até brincava com bonecos. O grão-duque achava muita graça em me ensinar exercícios militares e, graças a ele, sei manejar um rifle com a precisão de um granadeiro experiente. Ele me fazia ficar em armas com meu mosquete, montando guarda na porta entre o quarto dele e o meu.

Em muitos aspectos, Catarina também ainda era uma criança. Adorava o que chamava de "travessuras" com as jovens de sua pequena corte. Ainda brincavam de cabra-cega. No fundo, porém, via a proximidade do casamento com apreensão.

> À medida que se aproximava o dia do meu casamento, eu me sentia mais melancólica e chorava frequentemente, sem saber bem por quê. Meu coração previa pouca felicidade, somente a ambição me sustentava. No fundo da minha alma, alguma coisa não me per-

mitia duvidar, nem por um momento, de que mais cedo ou mais tarde eu viria a ser soberana da Rússia por direito próprio.

O nervosismo pré-nupcial de Catarina não provinha do medo das intimidades noturnas exigidas pelo casamento. Ela não sabia nada dessas coisas. De fato, na véspera do casamento, ela era tão inocente que não sabia quais as diferenças físicas entre os sexos. E nem tinha a menor ideia de quais atos misteriosos eram efetuados quando uma mulher se deitava com um homem. Quem fazia o quê? Como? Ela perguntava às suas damas de companhia, mas as jovens damas eram tão inocentes quanto ela. Numa noite de junho, ela improvisou uma festinha para as damas dormirem em seu quarto, cobrindo o chão com colchões, inclusive o dela. Antes de dormir, as oito jovens, agitadas e excitadas, conversaram sobre homens e como seria o corpo deles. Nenhuma delas tinha informações específicas; as conversas eram tão mal-informadas, incoerentes e inúteis que Catarina decidiu perguntar à mãe na manhã seguinte. Perguntou, mas Joana — também casada aos 15 anos — recusou-se a responder. Em vez disso, "repreendeu severamente" a filha por sua curiosidade indecente.

A imperatriz Elizabeth sabia que as coisas não andavam bem no relacionamento de Pedro e Catarina, mas supôs que o problema era temporário. O grão-duque podia ser imaturo para a idade, mas o casamento faria dele um homem. Ela contava com Catarina para isso acontecer. Quando a jovem estivesse no leito, usando toda a sua juventude e charme, ela o faria esquecer das brincadeiras com os servos. De qualquer maneira, os sentimentos mútuos do casal nupcial só tinham importância periférica. A realidade era que nenhum dos dois adolescentes tinha escolha e iriam se casar, querendo ou não. Os noivos sabiam disso, é claro, e encaravam o fato de maneiras diferentes. Pedro flutuava entre profunda depressão e revoltas bobas. Às vezes resmungava que a Rússia era uma terra amaldiçoada. Em outras ocasiões agredia com ódio as pessoas a sua volta. A reação de Catarina era diferente. Apesar de suas apreensões, era um caminho sem volta. Ela viera para a Rússia, tinha aprendido a língua russa, tinha resistido ao pai e se convertido à religião ortodoxa, se esforçado muito para agradar à imperatriz, e estava pronta para se casar com Pedro, apesar dos defeitos dele. Depois de todas essas concessões e sacrifícios, não iria jogar tudo fora, voltar para casa e se acomodar com o tio Jorge.

Enquanto isso, a grande extensão e complexidade dos preparativos haviam obrigado até a impaciente imperatriz a adiar a data do casamento, não uma vez, mas duas. Finalmente, foi marcado para 21 de agosto. Na noite de 20 de agosto, a cidade foi estremecida por salvas da artilharia e o bimbalhar de sinos. Catarina ficou com a mãe e, por um momento, deixaram de lado os mal-entendidos e as animosidades: "Tivemos uma conversa longa e amigável, ela me exortou a cumprir meus futuros deveres, choramos um pouquinho juntas, e nos separamos muito afetuosamente."

Naquela ocasião, mãe e filha compartilhavam um desapontamento humilhante para ambas. Àquela altura, tendo atraído a raiva e o desprezo da imperatriz, Joana mal era tolerada na corte. Ela sabia disso e não tinha ilusões quanto a obter vantagens pessoais com o casamento da filha. Sua última esperança era que o marido, o pai da noiva, fosse convidado para o casamento. Por trás desse desejo, não havia uma estrondosa afeição por Cristiano Augusto, mas o orgulho dela. Compreendia muito bem que a contínua recusa de Elizabeth a convidá-lo era um tapa na cara dela, bem como na de seu marido. Deixava bem claro para Joana — e para o mundo — qual o seu lugar.

Explicar isso ao marido não tinha sido fácil. Durante meses, Cristiano Augusto vinha escrevendo de Zerbst, pedindo a Joana que obtivesse da imperatriz o convite ao qual tinha direito, obviamente. Por muito tempo, Joana ainda teve essa esperança, dizendo ao marido que se preparasse, que o convite estava a ponto de ser enviado. Afinal, não houve convite nenhum. Depois foi explicado a Cristiano Augusto que a imperatriz não ousou convidá-lo em consideração à opinião russa que, disseram-lhe, se opunha fortemente a "príncipes germânicos" — apesar do fato de um príncipe de Hesse, o duque de Holstein e outros nobres germânicos estarem vivendo na corte russa. Além disso, entre os convidados estavam dois irmãos de Joana, ambos príncipes germânicos, Adolfo Frederico, agora herdeiro do trono da Suécia, e Augusto, que o sucedera como príncipe-bispo de Lübeck. Assim, dois tios de Catarina estariam presentes ao casamento, mas seu pai, não. Era um insulto evidente, mas nada havia que Joana pudesse fazer.

Catarina também tinha esperanças de que o pai fosse convidado. Havia um ano e meio que ela não o via. Sabia que ele gostava dela e acreditava que, em seu jeito simples e honesto, poderia dar-lhe bons conselhos. Mas os sentimentos e desejos de Catarina nessa questão não interessavam a ninguém. Sua posição, a seu modo, era tão clara quanto a de sua mãe: por baixo dos títulos e dos diamantes, era apenas uma menina germânica trazida à Rússia com o único propósito de dar ao filho da casa um herdeiro.

Em 21 de agosto de 1745, Catarina levantou-se às seis horas. Estava tomando banho quando a imperatriz entrou inesperadamente para examinar, despida, a virginal portadora de suas esperanças dinásticas. Depois, quando Catarina estava sendo vestida, a imperatriz e o cabeleireiro conversaram sobre o penteado que melhor manteria no lugar a coroa que a noiva iria usar. Elizabeth supervisionou tudo, e Joana, que teve permissão para estar presente, depois descreveu a cena para seus parentes germânicos:

> O vestido de noiva, em brocado de prata, era do mais brilhante tecido já visto, com aplicações de refulgentes bordados de rosas em prata. Tinha uma saia ampla, cintura de 17 polegadas, e um corpete justo com mangas curtas. [Ela usava] joias soberbas: braceletes, brincos pendentes, broches, anéis. As pedras preciosas que a cobriam lhe confeririam uma aparência encantadora. Sua pele nunca esteve mais adorável. Os cabelos brilhantes, de um negro lustroso, levemente ondulados, acentuavam ainda mais seu ar de juventude.

Como estava pálida, foi aplicado um pouco de ruge nas faces. Depois prenderam em seus ombros um manto de prata, tão pesado que Catarina mal podia se movimentar. Por fim, a imperatriz colocou em sua cabeça a coroa de diamantes de grã-duquesa russa.

Ao meio-dia, Pedro apareceu num traje do mesmo tecido de prata do vestido e manto de Catarina. Ele também estava coberto de joias. Seus botões, o punho da espada e as fivelas dos sapatos eram incrustados de diamantes. Juntos, combinados em suas pratas e diamantes, de mãos dadas como a imperatriz tinha instruído, o jovem casal saiu para se casar.

Soaram trombetas e canhões trovejaram anunciando o início da procissão nupcial. Vinte e quatro elegantes carruagens passaram pela avenida Nevsky, indo do Palácio de Inverno para a catedral de Nossa Senhora de Kazan. O casal seguiu com a imperatriz na carruagem oficial, "um verdadeiro castelo" puxado por oito cavalos brancos em arreios adornados com fivelas de prata, grandes rodas douradas brilhando, painéis laterais e portas pintadas com cenas mitológicas. "O desfile supera infinitamente tudo que já vi", relatou o embaixador inglês. Dentro da catedral, Catarina se viu cercada por um mar de ícones incrustados de joias, velas acesas, nuvens de incenso e fileiras de rostos. A cerimônia, conduzida pelo bispo de Novgorod, durou três horas.

Para Catarina, a cerimônia do casamento, com a liturgia cantada e os magníficos hinos a capela, foi uma provação física. Seu belíssimo vestido era "horrivelmente pesado", o peso da coroa apertando a testa resultou numa terrível dor de cabeça, e ainda havia o banquete e o baile a seguir. Uma vez terminada a cerimônia na catedral, Catarina pediu permissão para tirar a coroa, mas Elizabeth recusou. Catarina perseverou durante o banquete na longa galeria do Palácio de Inverno, mas pouco antes do baile, com a dor de cabeça piorando, ela implorou para tirar a coroa por alguns minutos. Relutante, a imperatriz consentiu.

No baile, apenas os mais altos dignitários, carregados de honrarias e de idade, tiveram o privilégio de dançar com a noiva de 16 anos. Felizmente para ela, depois de meia hora o baile foi encerrado, devido ao impaciente desejo de Elizabeth de mandar os noivos para a cama. Precedida por um cortejo de oficiais, damas e cavalheiros, Elizabeth acompanhou o marido de 17 anos e sua esposa, novamente de mãos dadas, à câmara nupcial.

O apartamento consistia em quatro grandes cômodos elegantemente mobiliados. Três deles eram forrados com tecido de prata, e as paredes do quarto de dormir eram revestidas de veludo escarlate debruado em prata. Uma cama enorme, coberta de veludo vermelho bordado em ouro e encimada por uma coroa com relevos em prata, dominava o meio do quarto. Ali o casal se separou, e os homens, inclusive o noivo, se retiraram. As mulheres ajudaram a noiva a se despir. A imperatriz tirou a coroa de Catarina, a princesa de Hesse ajudou-a a se livrar do pesado vestido, e uma dama de companhia presenteou-a com uma nova camisola cor-de-rosa vinda de Paris. A noiva foi colocada na cama, mas quando a última pessoa estava saindo do quarto, Catarina chamou. "Implorei à princesa de Hesse que ficasse comigo mais um pouquinho, mas ela recusou", Catarina disse. O quarto ficou vazio. Vestindo sua camisola cor-de-rosa, ela esperou sozinha na cama enorme.

Seus olhos estavam fixos na porta por onde o marido iria entrar. Minutos depois, a porta ainda estava fechada. Duas horas se passaram. "Fiquei sozinha, sem saber o que deveria fazer. Deveria me levantar? Ficar na cama? Eu não tinha ideia." Ela não fez nada. Perto de meia-

-noite, sua principal dama de companhia, madame Krause, entrou e anunciou "alegremente" que o grão-duque acabara de ordenar jantar para ele e estava esperando ser servido. Catarina continuou a esperar. A certa altura, Pedro chegou, cheirando forte a tabaco e álcool. Deitado ao lado dela, ele riu nervosamente e disse: "Como meus servos iriam se divertir se nos vissem juntos na cama!" Depois adormeceu e dormiu a noite inteira. Catarina continuou acordada, imaginando o que fazer.

No dia seguinte, madame Krause perguntou a Catarina sobre a noite de núpcias. Catarina não respondeu. Ela sabia que alguma coisa estava errada, mas não sabia o quê. Nas noites seguintes, ela continuou intocada pelo marido adormecido, e as perguntas matinais de madame Krause continuaram sem resposta. "E as coisas continuaram nesse estado, sem a menor mudança, durante nove anos", ela escreveu em suas *Memoirs*.

A união, embora não consumada, foi seguida por dez dias de regozijo da corte na forma de bailes, quadrilhas, mascaradas, óperas, jantares formais e ceias. Lá fora, para o povo, houve fogos de artifício, mesas de banquete montadas na Praça do Almirantado e fontes jorrando vinho. Catarina, que geralmente adorava dançar, odiava essas noitadas porque os jovens da idade dela eram excluídos. "Não havia um único homem que conseguisse dançar", ela disse. "Todos tinham entre 60 e 80 anos, em sua maioria coxos, sofrendo de gota, ou decrépitos."

Nesse ínterim, uma mudança para pior se efetuara no círculo de mulheres à volta de Catarina. Em sua noite de núpcias, ela descobriu que a imperatriz havia designado madame Krause como sua principal dama de companhia. "No dia seguinte", Catarina disse, "percebi que aquela mulher já havia inspirado medo em todas as minhas outras damas porque, quando fui falar com uma delas da maneira usual, ela me disse: 'Pelo amor de Deus, não chegue perto de mim. Fomos proibidas de sequer sussurrar com você.'"

O casamento também não melhorou o comportamento de Pedro. "Meu querido marido não me dava a menor atenção", disse Catarina, "e passava todo o tempo no quarto brincando de soldado com seus servos, pondo-os para fazer exercícios militares ou trocar de uniforme vinte vezes por dia. Eu bocejava, bocejava de tédio, não tendo ninguém com quem falar." Duas semanas após o casamento, Pedro finalmente tinha algo a dizer a Catarina: com um sorriso largo, ele anunciou que se apaixonara por Catarina Karr, uma das damas de companhia da imperatriz.

Não contente de dar essa notícia à jovem esposa, ele ainda confidenciou sua nova paixão a seu secretário, conde Devier, dizendo-lhe que a grã-duquesa nem se comparava à encantadora *mademoiselle* Karr. Quando Devier discordou, Pedro teve um ataque de raiva.

Se a paixão de Pedro por *mademoiselle* Karr era genuína ou se tinha meramente inventado essa história para explicar a Catarina (e talvez a si mesmo) sua falta de interesse sexual na esposa, de qualquer modo ele sabia que a estava insultando e submetendo-a a humilhação. Anos mais tarde, Catarina descreveu em suas *Memoirs* a situação em que se encontrava e o rumo que decidiu tomar para lidar com aquilo:

> Eu estaria pronta a gostar do meu marido se ele fosse capaz de afeição, ou estivesse disposto a demonstrar alguma. Mas nos primeiros dias do nosso casamento, cheguei a uma triste conclusão a respeito dele. Disse a mim mesma: "Se você se permitir amar esse homem, será a criatura mais infeliz neste mundo. Com seu temperamento, você vai esperar alguma resposta, enquanto que esse homem mal olha para você, não fala de outra coisa a não ser bonecos e presta mais atenção em qualquer outra mulher do que em você. Você é orgulhosa demais para reclamar, portanto, atenção, por favor, e refreie qualquer afeição que você possa ter por esse cavalheiro; você tem de pensar em si mesma, minha querida." Essa primeira cicatriz em meu impressionável coração permaneceu comigo para sempre; nunca essa firme resolução deixou minha mente, mas tomei muito cuidado para não contar a ninguém que eu tinha resolvido jamais amar sem restrições um homem que não correspondesse totalmente a esse amor. Essa era minha disposição, que meu coração só pertenceria inteiramente e sem reservas a um marido que amasse somente a mim.

Essa era a voz de uma Catarina mais velha, mais sábia, revendo as dificuldades da jovem que fora muitos anos antes. Mas se sua descrição reflete precisamente ou não seus pensamentos naqueles tempos, ela foi pelo menos sempre mais honesta e realista que sua mãe. Joana nunca foi capaz de deixar seu mundo de fantasia, nem de parar de descrever a vida como ela desejava que fosse. Escrevendo ao marido para descrever o casamento da filha, ela contou que "foi o casamento mais alegre, talvez, de todos os celebrados na Europa".

❖ 13 ❖

JOANA VAI PARA CASA

O FIM DAS COMEMORAÇÕES do casamento significava o fim das desventuras de Joana na Rússia. Ao vir para o país, ela esperava empregar suas conexões e seu charme, tornando-se uma figura importante na diplomacia europeia. Em vez disso, seu complô político enfureceu a imperatriz, o tratamento dado à filha afastou a corte, seu suposto caso de amor com o conde Ivan Betskoy deu a seus inimigos o deleite de muitas fofocas. Sua reputação estava em ruínas, mas Joana parecia nunca aprender. Mesmo agora, às vésperas de ir embora, ela continuava a escrever a Frederico II. Suas cartas, porém, não eram mais interceptadas secretamente, lidas, copiadas e seladas de novo. Por ordem da imperatriz, eram simplesmente abertas, lidas e guardadas numa pasta.

Pouco depois de chegar à Rússia, Catarina percebeu que a mãe estava cometendo erros. Como não queria provocar a fúria de Joana, ela nunca disse uma palavra de reprovação. Mas a experiência da noite do casamento e a "confissão" de Pedro do seu amor por *mademoiselle* Karr avivaram os sentimentos de Catarina por Joana. Agora era a companhia da mãe que ela procurava. "Desde meu casamento, estar com ela passou a ser meu único consolo", escreveu Catarina mais tarde. "Eu aproveitava toda oportunidade de ir aos aposentos dela, principalmente porque os meus ofereciam pouca alegria."

Duas semanas após o casamento, a imperatriz mandou Catarina, Pedro e Joana para a propriedade rural de Tsarskoe Selo, fora de São Petersburgo. O tempo em setembro estava maravilhoso – um intenso céu azul de outono e folhas douradas de bétula –, mas Catarina estava muito infeliz. À medida que se aproximava a partida da mãe, sua própria ambição parecia oscilar. Compartilhar lembranças com Joana havia se tornado um prazer e, pela primeira vez desde a chegada à Rússia, Catarina teve saudades da Alemanha. "Naquela época", Catarina escreveu mais tarde, "eu daria tudo para poder deixar o país com ela."

Antes de partir, Joana solicitou uma audiência com a imperatriz e foi atendida. Joana deu ao marido sua versão do encontro:

Nossa despedida foi muito afetuosa. Para mim, foi quase impossível deixar Sua Majestade Imperial, e essa grande monarca, por sua vez, deu-me a honra de estar tão profundamente comovida que os cortesãos presentes também foram profundamente afetados. Adeus foi dito inúmeras vezes e, por fim, essa mais graciosa das governantes me acompanhou até as escadas com lágrimas e expressões de bondade e ternura.

Uma testemunha ocular, o embaixador britânico, dá uma descrição diferente dessa entrevista:

Ao se despedir da imperatriz, a princesa caiu aos pés de Sua Majestade Imperial e implorou, lavada em lágrimas, que a perdoasse se ela de alguma forma tivesse ofendido Sua Majestade Imperial. A imperatriz replicou que era tarde demais para essas considerações, mas que, se a princesa tivesse tido tais pensamentos sensatos antes, teria sido melhor para ela.

Elizabeth estava determinada a mandar Joana embora, mas também queria parecer magnânima, e a princesa partiu levando uma carroça cheia de presentes. Para consolar o tão negligenciado príncipe de Anhalt-Zerbst, Joana levou para casa fivelas de sapato de diamantes, botões de casaco de diamantes e um punhal incrustado de diamantes, tudo isso entregue como presentes do genro dele, o grão-duque. Além disso, antes de partir, Joana recebeu 60 mil rublos para pagar suas dívidas na Rússia. Depois de sua partida, veio a se saber que ela devia mais que o dobro dessa quantia. Para salvar a mãe de maior vergonha, Catarina concordou em pagar as contas atrasadas. Tendo apenas sua cota pessoal de 30 mil rublos ao ano, esse compromisso estava além de suas posses e ajudou a criar um débito que se arrastou por 17 anos, até ela se tornar imperatriz.

Quando chegou o momento da partida, Catarina e Pedro acompanharam Joana no primeiro curto trecho da viagem, de Tsarskoe Selo até Krasnoe Selo, ali perto. Na manhã seguinte, Joana partiu antes do amanhecer, sem dizer adeus. Catarina supôs que foi "para não me deixar mais triste". Ao acordar, vendo o quarto da mãe vazio, ela ficou muito abalada. Sua mãe tinha desaparecido – da Rússia e de sua vida. Desde o nascimento de Catarina, Joana esteve sempre presente para orientar, incitar, corrigir e ralhar. Pode ter fracassado como agente diplomática, certamente não foi uma figura brilhante nos palcos europeus, mas não tinha sido um fracasso como mãe. Sua filha, nascida princesa de uma casa menor germânica, era agora uma grã-duquesa imperial, a caminho de se tornar imperatriz.

Joana viveria mais 15 anos. Morreu em 1760, com a idade de 47 anos, quando Catarina estava com 31. Agora deixava para trás uma filha de 16 anos que jamais tornaria a ver um membro da família. A filha estava sob o jugo de uma monarca temperamental, todo-poderosa, e dormia todas as noites ao lado de um jovem cujo comportamento era cada vez mais peculiar.

Viajando devagar, Joana levou 12 dias para chegar em Riga. Ali, a punição adiada de Elizabeth a alcançou, e foi à altura da ingratidão e duplicidade da hóspede. Joana recebeu uma carta da imperatriz ordenando que dissesse a Frederico da Prússia, ao passar por Berlim, que ele deveria chamar de volta seu embaixador, o barão Mardefeld. A carta era escrita com a fria polidez diplomática: "Considero necessário intimá-la a, quando chegar a Berlim, comunicar a Sua Majestade o rei da Prússia que me agradará se repatriar seu ministro plenipotenciário, o barão Mardefeld." A escolha de Joana para levar essa mensagem era um tapa, tanto na princesa como no rei. La Chétardie, o embaixador francês, teve 24 horas para deixar Moscou após a cena no monastério de Troitsa. Mardefeld, o embaixador prussiano, que servia na Rússia havia 20 anos, fora poupado por mais um ano e meio, mas agora também era mandado embora. E a escolha de Joana para levar a notícia era o reconhecimento explícito do fato de que, enquanto na Rússia, a princesa havia conspirado a favor do rei da Prússia para derrubar Bestuzhev, o mais poderoso ministro de Elizabeth. Não há provas de que esse doloroso encargo tenha sido obra de Bestuzhev, mas tudo indica que sim. Se assim foi, Elizabeth concordou.

Certamente, a carta, seu conteúdo e o meio de entrega deixaram claro para Frederico o quanto ele havia superestimado Joana. Arrependido do próprio julgamento equivocado, ele jamais a perdoou. Dez anos mais tarde, depois que o marido tinha morrido e Joana atuava como regente do filho menor, Frederico avançou sem aviso e incorporou peremptoriamente o principado de Zerbst ao reino da Prússia. Joana foi obrigada a se refugiar em Paris. Lá ela morreu, na periferia da sociedade, dois anos antes de sua filha se tornar imperatriz da Rússia.

PARTE II
Um casamento infeliz

14

O CASO ZHUKOVA

DE VOLTA A SÃO PETERSBURGO, após se despedir da mãe, Catarina chamou imediatamente Maria Zhukova. Antes do casamento, a imperatriz tinha acrescentado à pequena corte de Catarina um grupo de jovens damas de companhia russas para ajudar a futura noiva, que só falava alemão, a melhorar o russo. Catarina adorou aquele convívio. Eram todas jovens; a mais velha tinha 20 anos. "Daquele momento em diante", Catarina recorda, "eu nada fazia além de cantar, dançar e brincar em meu quarto, desde o instante em que acordava até a hora de dormir." Essas eram as companheiras com quem Catarina brincou de cabra-cega, usou a tampa do cravo como trenó e passou uma noite num colchão no chão imaginando como seria o corpo de um homem. A mais animada e inteligente dessas jovens se chamava Maria Zhukova, de 17 anos, e se tornou a favorita de Catarina.

Quando Catarina mandou chamar Maria, disseram-lhe que a jovem tinha ido visitar a mãe. Na manhã seguinte, pediu de novo, e a resposta foi a mesma. Ao meio-dia, quando ela foi ao quarto da imperatriz, Elizabeth começou a falar sobre a partida de Joana, esperando que Catarina não fosse afetada demais por isso. Então, em tom casual, disse algo que deixou Catarina sem palavras. "Achei que ia desmaiar", Catarina escreveu depois. Em voz alta, e na presença de 30 pessoas, a imperatriz comunicou que, atendendo ao pedido de Joana ao se despedir, ela havia banido Maria Zhukova da corte. Elizabeth disse a Catarina que Joana "receava que eu tivesse ficado muito ligada à moça e que uma amizade íntima entre duas jovens da mesma idade era indesejável". E depois de dizer isso Elizabeth, por sua própria iniciativa, acrescentou uma série de insultos direcionados a Maria.

Catarina se perguntava se Elizabeth estava dizendo a verdade, se de fato sua mãe havia pedido à imperatriz que mandasse a moça embora. Catarina tinha certeza de que, se Joana tivesse tanta hostilidade com relação a Maria, teria contado antes de partir. Joana nunca se absteve de criticar. Era verdade que Joana sempre tinha ignorado Maria, mas a explicação que Catarina encontrava era a inabilidade de Joana para falar com a moça: "Minha mãe não falava russo, e Maria não falava outra língua." Se, por outro lado, Joana não tinha culpa, e a ideia era somente de Elizabeth, talvez madame Krause tivesse falado com a imperatriz sobre a estreita amizade das jovens. E talvez Elizabeth tivesse considerado essa informação relevante para os relatos de que nada de produtivo estava acontecendo à noite no quarto conjugal. Isso explicaria por que, com a desculpa de ter sido o desejo de Joana, Elizabeth havia demitido sumariamente a melhor amiga de Catarina. Se alguma dessas conjecturas era verdade, Catarina jamais soube.

De qualquer modo, Catarina sabia que Maria Zhukova era inocente de qualquer transgressão. Aborrecida, ela disse a Pedro que não pretendia abandonar a amiga. Pedro não demonstrou interesse. Catarina então tentou mandar dinheiro para Maria, mas foi informada de que a moça saíra de São Petersburgo para Moscou, com sua mãe e sua irmã. Catarina então pediu que enviassem o dinheiro a Maria por meio do irmão dela, um sargento da guarda. Disseram que o irmão e sua esposa também tinham desaparecido; o irmão fora enviado repentinamente para um regimento distante. Recusando-se a desistir, Catarina tentou arrumar um casamento. "Com ajuda de minhas servas e outros, procurei um marido adequado para *mademoiselle* Zhukova. Foi localizado um homem que parecia aceitável, um oficial júnior da guarda, cavalheiro e proprietário de terras. Ele viajou para Moscou, oferecendo-se para casar com Maria, caso ela gostasse dele. Ela aceitou a proposta." Mas quando a história desse arranjo chegou aos ouvidos da imperatriz, ela interveio novamente. O futuro marido foi enviado (essencialmente, banido) para um regimento em Astrakhan. "É difícil encontrar uma explicação para essa perseguição adicional", Catarina escreveu mais tarde. "Com o tempo, entendi que o único crime jamais atribuído àquela menina era minha afeição por ela e sua suposta ligação comigo. Mesmo agora, é difícil achar uma explicação plausível para tudo isso. Parece que as pessoas estavam sendo arruinadas gratuitamente, por mero capricho, sem sombra de razão."

Era um aviso para o que viria depois. De fato, Catarina logo percebeu que o cruel tratamento dado a Maria Zhukova era um sinal claro para todos os jovens de sua corte, de que todos os suspeitos de amizade por Catarina ou Pedro estavam sujeitos, sob qualquer pretexto, a serem transferidos, demitidos, a cair em desgraça e até serem presos. A responsabilidade por essa política cabia ao chanceler Alexis Bestuzhev e, acima dele, à imperatriz. Bestuzhev odiava a Prússia e sempre tinha se oposto a trazer dois adolescentes germânicos para a Rússia. Agora que tinham se casado a despeito do desejo dele, estava determinado a não deixar que ficassem em posição de prejudicar sua administração da diplomacia russa. Isso significava uma severa supervisão do casal, o impedimento de todas as amizades independentes e contatos de qualquer natureza, podendo chegar a uma tentativa de completo isolamento. Por trás de Bestuzhev, é claro que estava Elizabeth, cujas preocupações e temores eram de ordem pessoal. Ela temia pela segurança de sua pessoa, seu trono e o futuro de sua dinastia. Em seus planos, é claro que Catarina, Pedro e o futuro filho deles eram de suprema importância. Por essa razão, ao longo dos anos, as atitudes de Elizabeth com relação ao jovem marido e à jovem esposa oscilavam drasticamente entre afeição, preocupação, decepção, impaciência, frustração e fúria.

Não apenas em aparência, mas também no caráter, Elizabeth era bem filha de seus pais. Era filha do maior czar da Rússia e sua esposa camponesa, que se tornou Catarina I. Elizabeth era alta como o pai e parecida com ele na energia, no temperamento ardente, nas atitudes súbitas, impulsivas. Como sua mãe, rapidamente manifestava solidariedade e generosidade pródiga, espontânea. Mas sua gratidão, assim como as outras qualidades, carecia de moderação e permanência. No momento em que sua desconfiança era despertada, a vaidade ou dignidade afrontadas, ou quando o ciúme explodia, ela se tornava uma pessoa diferente. Já que era difícil adivinhar os humores da imperatriz, ninguém podia prever suas ações públicas. Mulher de contradições extremas, e às vezes violentas, podia ser fácil – ou impossível – lidar com Elizabeth.

No outono de 1745, quando Joana voltou para a Alemanha, e Elizabeth passou a ser a influência dominante na vida de Catarina, a imperatriz estava perto de seu aniversário de 36 anos. Permanecia bela, escultural, mas tendia a engordar. Continuava a se mover e a dançar com graciosidade, os grandes olhos azuis ainda eram brilhantes e ainda tinha a boca de botão de rosa. Os cabelos eram louros, mas, por alguma razão, ela os tingia de preto, assim como as sobrancelhas e, às vezes, até os cílios. A pele continuava tão clara e rosada que pouco precisava de cosméticos. Preocupava-se imensamente com o que vestia e se recusava a usar um vestido mais de uma vez. Depois de sua morte, diz-se que foram descobertos 15 mil vestidos e mantos em seus armários e guarda-roupas. Em ocasiões formais, recobria-se de joias. Ao aparecer com os cabelos cintilando de diamantes e pérolas, o pescoço e o colo cobertos de safiras, esmeraldas e rubis, ela criava uma impressão esmagadora. E queria que fosse sempre assim.

No entanto, satisfazia seu apetite sem restrições. Comia e bebia de tudo e o quanto desejava. Muitas vezes passava a noite acordada. O resultado – embora ninguém ousasse dizer – era que sua decantada beleza estava perdendo o viço. Apesar de Elizabeth também saber disso, continuava a viver segundo suas próprias regras. Sua agenda diária era uma mistura constante de mudanças, da pontual formalidade aos repentes imperiais. Ela observava e reforçava o rígido protocolo da corte quando convinha a seus propósitos. Mais frequentemente, porém, assim como o pai, ela ignorava a rotina e se comportava conforme seus impulsos. Em vez de almoçar regularmente ao meio-dia e jantar às seis, ela só começava o dia quando estava disposta. Muitas vezes adiava o almoço até as cinco ou seis da tarde, jantava às duas ou três da madrugada e só ia dormir ao nascer do sol. Enquanto não estava pesada demais, ia cavalgar ou caçar de manhã e saía de carruagem à tarde. Muitas vezes por semana, havia bailes ou óperas à noite, seguidos por um sofisticado jantar e um show de fogos de artifício. Para essas ocasiões, ela ficava trocando de roupas e refazendo seus elaborados penteados várias vezes por dia. Os jantares na corte se compunham de cinquenta a sessenta pratos variados, mas às vezes – para desespero do *chef* francês – a imperatriz preferia o passadio dos camponeses russos: sopa de repolho, blinis (panqueca de trigo sarraceno), porco em conserva e cebolas.

Para manter sua esfuziante preeminência na corte, Elizabeth assegurava que nenhuma outra mulher presente brilhasse tanto quanto ela. Às vezes isso requeria medidas coercitivas draconianas. No inverno de 1747, a imperatriz decretou que todas as suas damas de companhia raspassem a cabeça e usassem perucas pretas até que os cabelos crescessem de novo. As mulheres choraram, mas obedeceram. Catarina imaginou que chegaria a sua vez, mas, surpreendentemente, foi poupada. Elizabeth explicou que os cabelos de Catarina ainda estavam crescendo depois de uma doença. Logo o motivo da poda geral ficou conhecido: depois de uma ocasião festiva recente, Elizabeth e suas criadas não conseguiram tirar com a escova um pó pesado demais entranhado na cabeleira, que ficou cinza, coagulada e grudenta. O único jeito foi raspar a cabeça. E como se recusava a ser a única mulher careca na corte, recolheram-se baldes de cabelos ceifados.

No Dia de São Alexandre, no inverno de 1747, o olhar ciumento de Elizabeth recaiu especificamente sobre Catarina. A grã-duquesa apareceu na corte com um vestido branco debruado de renda espanhola. Quando voltou ao seu quarto, uma dama veio lhe dizer que a imperatriz ordenava que ela tirasse o vestido. Catarina pediu desculpas e pôs um vestido diferente, também branco, mas adornado em prata, e um casaco vermelho vivo com punhos. Catarina comentou:

> Quanto ao meu vestido anterior, talvez a imperatriz achasse que ele tinha causado mais efeito que o dela e foi essa a verdadeira razão para me ordenar que tirasse o meu. Minha querida tia era muito afeita a esses ciúmes triviais, não apenas em relação a mim, mas com todas as outras damas também. Ficava de olho particularmente nas mais jovens, que ficavam continuamente expostas a suas explosões. Ela levou tão longe o ciúme que certa vez mandou chamar a cunhada de Lev Naryshkin, Ana Naryshkina, que devido a sua beleza, sua figura gloriosa, porte magnífico e um gosto sofisticado para se vestir, passara a ser o objeto predileto de aversão da imperatriz. Na presença de toda a corte, a imperatriz pegou uma tesoura e cortou um lindo arremate de fitas sob o pescoço de madame Naryshkina. De outra feita, cortou metade dos cachos da frente de duas de suas damas de companhia, com o pretexto de não gostar do estilo de penteado delas. Depois, em particular, essas damas disseram que, talvez na pressa, ou talvez na feroz determinação de mostrar a extensão de seus sentimentos, Sua Majestade Imperial cortou, juntamente com os cachos, um pouco da pele delas.

Elizabeth ia dormir tarde, e com relutância. Quando as festividades e as recepções oficiais terminavam, e a multidão de cortesãos e convidados se retirava, ela ia para seu apartamento privativo com um pequeno grupo de amigos. Mesmo quando essas pessoas iam embora, e ela estava exausta, permitia apenas que a despissem, mas ainda se recusava a dormir. Enquanto estivesse escuro – e no inverno de São Petersburgo a escuridão permanecia até oito ou nove horas da manhã –, ela continuava a conversar com umas poucas damas, que se revezavam massageando e fazendo cócegas nas solas de seus pés para mantê-la acordada. Durante todo esse tempo, não muito longe por trás das cortinas de brocado da alcova real, um homem ficava deitado, completamente vestido, num colchão ralo. Era Chulkov, guarda-costas de confiança da imperatriz, que tinha a estranha capacidade de conseguir ficar sem dormir, e passou vinte anos sem dormir numa cama de verdade. Por fim, quando uma pálida luz do dia vinha se insinuando pelas janelas, as damas saíam e aparecia Razumovsky, ou quem fosse o favorito do momento, e nos braços dele Elizabeth finalmente adormecia. Chulkov, o homem por trás da cortina, permanecia no posto enquanto a imperatriz estivesse dormindo, às vezes até a tarde.

A explicação para essas horas não convencionais era que Elizabeth tinha medo da noite. Acima de tudo, tinha medo de dormir à noite. A regente Ana Leopoldovna estava dormindo quando foi destronada, e Elizabeth temia que o mesmo destino a pegasse de surpresa. Seus temores eram exagerados. Ela era popular entre o povo e só um golpe palaciano, organizado para eleger um novo pretendente, poderia significar a perda do trono. Somente o menino destronado, o pequeno czar Ivan VI, a criança desamparada trancafiada numa fortaleza, seria uma ameaça para Elizabeth. Mas era o espectro dessa criança que assombrava Elizabeth e lhe roubava o sono. Potencialmente, é claro, havia um remédio. Outra criança, um novo bebê herdeiro, fruto de Pedro e Catarina, era do que ela precisava. Quando essa criança nascesse e fosse cercada, guardada e amada com todo o poder de Elizabeth, ela conseguiria dormir.

❧15❧
FUROS PARA ESPIAR

As intervenções de Elizabeth na vida diária do jovem casal eram quase sempre triviais. Uma noite, quando Catarina e Pedro estavam jantando com amigos, madame Krause chegou à meia-noite dizendo, "em nome da imperatriz", que eles deveriam ir dormir; a monarca considerava errado "ficarem acordados até tão tarde". Os amigos foram embora, e Catarina disse: "Pareceu-nos estranho, pois sabíamos das horas irregulares de nossa querida tia... pareceu-nos mais mau humor do que razão." Por outro lado, Elizabeth era inusitadamente amigável com Catarina, quando a jovem estava em dificuldades, e a imperatriz podia desempenhar o papel de mãe companheira. Um dia Pedro teve febre alta, forte dor de cabeça e não conseguiu sair da cama. Ficou acamado durante uma semana e foi submetido a várias sangrias. Elizabeth ia visitá-lo diversas vezes por dia e, vendo lágrimas nos olhos de Catarina, "ficou satisfeita e contente comigo". Pouco depois, quando Catarina fazia suas orações da noite numa capela do palácio, uma das damas de companhia de Elizabeth veio lhe dizer que a imperatriz, sabendo que a grã-duquesa estava abalada com a doença do grão-duque, a enviara para dizer que Catarina deveria ter fé em Deus e não se preocupar porque, em nenhuma circunstância, a imperatriz a abandonaria.

Da mesma forma, nos primeiros meses do casamento de Catarina, nem sempre as pessoas que deixaram a corte da jovem tinham ido embora por obra de Elizabeth. O secretário de Catarina, conde Zakhar Chernyshev, desapareceu subitamente. Ele era um dos jovens cortesãos convidados por Pedro e Catarina a acompanhá-los na grande carroça almofadada em que viajaram para Kiev antes do casamento. Mas a partida do conde Zakhar Chernyshev, devido a um compromisso diplomático, nada teve a ver com a imperatriz. Na verdade, fora iniciativa da mãe do rapaz, que havia implorado a Elizabeth que mandasse seu filho para longe. "Receio que ele se apaixone pela grã-duquesa", disse a mãe dele. "Ele não tira os olhos dela, e, quando vejo isso, tremo de medo de que faça alguma coisa impensada." De fato, a intuição dessa mãe tinha fundamento: Zakhar Chernyshev estava mesmo atraído por Catarina, como ele deixaria claro alguns anos depois.

O segundo a partir, e ninguém lamentou, foi o torturador de longa data de Pedro, Otto Brümmer. Na primavera anterior ao casamento, o jovem Pedro, com 17 anos, havia sido formalmente declarado maior de idade e assim se tornou, pelo menos em título, o duque reinante de Holstein. Em questões concernentes a esse ducado, ele agora tinha direito a tomar certas decisões. A decisão que ele mais desejava tomar era se livrar de Brümmer. Após ler o documento confirmando sua titulação, Pedro invocou sua Nêmesis [deusa da vingança], e disse: "Finalmente, meu desejo se cumpre. Você me dominou por tempo demais. Vou tomar providências para mandá-lo de volta a Holstein o mais cedo possível." Brümmer lutou para se salvar. Para surpresa de Catarina, recorreu a ela, pedindo-lhe que frequentasse mais os aposentos de Elizabeth e falasse com ela. "Eu disse a Brümmer que sua sugestão não o ajudaria, pois a imperatriz nunca aparecia quando eu estava lá. Ele implorou para que eu perseverasse." Catarina, percebendo que "isso serviria aos propósitos dele, mas não seria nada bom para mim", disse ao conde Brümmer que estava indecisa. Desesperado, ele continuou tentando convencê-la, "sem sucesso". Na primavera de 1746, a imperatriz mandou Brümmer de volta à Alemanha, com uma pensão de 3 mil rublos anuais.

Viver sob o olhar de Elizabeth era difícil para Catarina, mas com exceção de sua tentativa vigorosa, porém fracassada, de ajudar Maria Zhukova, a jovem grã-duquesa procurava aceitar sua situação. Pedro era menos flexível. Tinha pouco desejo de agradar a tia, e uma rebeldia beligerante geralmente o levava a fazer bobagens.

O episódio dos furos na porta emparedada foi um exemplo. Por volta da Páscoa de 1746, Pedro criou um teatro de bonecos em seu apartamento e insistiu para que todos os jovens fossem assistir às apresentações. Num dos lados da sala em que montou o teatro, uma porta havia sido emparedada porque levava à sala de jantar do apartamento particular da imperatriz. Um dia, enquanto trabalhava com os bonecos, Pedro ouviu vozes através daquela porta. Curioso para saber o que estava acontecendo na sala ao lado, pegou uma furadeira de carpinteiro e fez buraquinhos na porta para espiar. Para sua alegria, viu-se assistindo a um almoço da imperatriz cercada por uma dúzia de amigos. Ao lado da tia estava o conde Razumovsky, que vinha se recuperando de uma doença, vestido informalmente com um roupão de brocado.

E mesmo depois de ultrapassar os limites da discrição, Pedro exagerou. Animado com a descoberta, ele chamou todo mundo para espiar pelos furinhos. Os servos colocaram cadeiras, bancos e tamboretes diante da porta perfurada, montando um anfiteatro improvisado para que todos aproveitassem o espetáculo. Quando Pedro e sua corte se cansaram de olhar, ele convidou Catarina e suas damas de companhia para virem assistir àquela cena notável.

> Ele não contou o que era, aparentemente para nos fazer uma agradável surpresa. Não me apressei o bastante, e assim ele foi levando madame Krause e minhas damas. Fui a última a chegar, e encontrei todas elas sentadas diante da porta. Perguntei o que estava acontecendo. Quando ele me falou, fiquei assustada, horrorizada com a temeridade dele e disse que não queria olhar nem tomar parte naquele comportamento escandaloso, que certamente iria aborrecer sua tia, se ela descobrisse. O que dificilmente deixaria de acontecer, pois ele havia compartilhado o segredo com pelo menos vinte pessoas.

Quando o grupo que estava espiando viu que Catarina se recusava a fazer o mesmo, todos foram saindo, um por um. Pedro também ficou receoso e voltou a arrumar seus bonecos.

Elizabeth não tardou a saber o que tinha acontecido e num domingo de manhã, depois da missa, entrou subitamente no quarto de Catarina e ordenou que chamassem seu sobrinho. Pedro apareceu de roupão, trazendo nas mãos o barrete de dormir. Ele parecia tranquilo e correu para beijar a mão da tia. Ela aceitou o gesto e perguntou como ele ousara se comportar daquela maneira. Ela disse que tinha encontrado a porta crivada de buracos, todos de frente para o lugar em que ela se sentava. Só podia supor que ele se esquecera do quanto lhe devia. Lembrou-lhe que o pai dela, Pedro, o Grande, teve um filho ingrato a quem puniu, deserdando-o. E que a imperatriz Ana prendia numa fortaleza qualquer pessoa que demonstrasse desrespeito. Seu sobrinho, Elizabeth prosseguiu, "não passava de um menininho desrespeitoso que precisava aprender a se comportar".

Pedro gaguejou algumas palavras em sua defesa, mas Elizabeth ordenou que se calasse. Seu gênio explodiu, e ela "o atacou com os mais chocantes insultos e desaforos, mostrando tanto desprezo quanto raiva", relatou Catarina. "Nós dois ficamos pasmos, estupefatos, mudos, e, embora a cena nada tivesse a ver comigo, me vieram lágrimas aos olhos." Elizabeth reparou e disse a Catarina: "O que estou dizendo não é dirigido a você. Sei que não tomou parte no que ele fez, que não olhou nem quis olhar através daquela porta." E então a imperatriz se acalmou, parou de falar e saiu do quarto. O casal se entreolhou. Pedro, misturando contrição e sarcasmo, disse: "Ela parecia uma Fúria. Não sabia o que estava falando."

Mais tarde, quando Pedro tinha saído do quarto, madame Krause entrou e disse a Catarina: "Deve-se admitir que a imperatriz se comportou hoje como uma verdadeira mãe." Incerta do significado disso, Catarina ficou calada. Madame Krause explicou: "Uma mãe se zanga, ralha com os filhos e depois tudo é esquecido. Vocês deveriam, os dois, ter dito a ela '*Vinovaty, matushka*' – 'Pedimos seu perdão, mãezinha' – e ela ficaria desarmada." Catarina replicou que tinha ficado tão abalada pela raiva da imperatriz que não conseguiu dizer nada. Mas aprendeu com o episódio. Anos depois, ela escreveu: "a frase 'Pedimos seu perdão, mamãe' ficou gravada em minha memória como uma forma de aplacar o ódio da imperatriz. Mais tarde, usei-a com bons resultados."

Quando Catarina chegou na Rússia, solteira, o círculo íntimo de Pedro incluía três jovens nobres – dois irmãos e um primo – de sobrenome Chernyshev. Pedro gostava imensamente dos três. O mais velho dos irmãos, Zakhar, foi quem deixara a mãe tão preocupada com sua óbvia afeição por Catarina que ela conseguiu sua remoção da corte, fora do alcance. No entanto, o primo e o irmão mais novo permaneceram, e o primo, André, também nutria sentimentos por Catarina. Ele começou por se tornar útil. Catarina descobrira que madame Krause era "grande amiga da garrafa. Muitas vezes minha *entourage* a fazia ficar bêbada, após o que ela ia dormir, deixando a jovem corte se divertir sem reprimendas". A *entourage*, nesse caso, era André Chernyshev, que sabia persuadir madame Krause a beber o quanto ele quisesse.

Antes de Catarina se casar com Pedro, André tinha estabelecido um costume de flertar alegremente com a futura noiva. Longe de se opor ou se sentir incomodado com essa brincadeira, íntima porém inocente, Pedro achava graça e até incentivava. Durante meses, ele falou com a esposa sobre a dedicação e a boa aparência de André. Várias vezes por dia, ele mandava André levar mensagens banais a Catarina. A certa altura, porém, André passou a se sentir desconfortável com a situação, e um dia disse a Pedro: "Vossa Alteza Imperial deve ter em mente que a grã-duquesa não é madame Chernyshev", e mais diretamente ainda, "Ela não é minha noiva, é sua". Pedro riu e contou essas observações a Catarina. Para pôr fim a essa brincadeira desconfortável, depois do casamento, André propôs a Pedro redefinir aquela relação com Catarina: ele passaria a chamá-la de *matushka* (mãezinha), e ela o chamaria de *synok* (filho). Mas tanto Catarina como Pedro continuavam a demonstrar grande afeição pelo "filho" e falavam sempre sobre ele, e alguns servos deles começaram a ficar preocupados.

Um dia, o valete de Catarina, Timóteo Evreinov, chamou-a de lado para avisar que toda a casa estava comentando o relacionamento dela com André. Francamente, ele disse, temia o erro em que ela poderia estar incorrendo. Catarina perguntou o que ele queria dizer com isso.

– Vossa Alteza só fala e pensa em André Chernyshev – ele respondeu.

– Que mal há nisso? – Catarina perguntou. – Ele é meu filho. Meu marido gosta mais dele do que eu, e ele é um amigo leal a nós dois.

– É verdade – respondeu Evreinov –, e o grão-duque pode fazer o que quer, mas isso não se aplica à senhora. O que a senhora chama de lealdade e afeição, porque esse jovem é fiel à senhora, sua *entourage* acredita ser amor.

Quando ele falou essa palavra, "que eu nunca tinha imaginado", diz Catarina, ela foi atingida "como se por um raio". Evreinov lhe disse que, a fim de evitar mais mexericos, ele já tinha aconselhado Chernyshev a alegar que estava doente e pedir um afastamento da corte. E, de fato, André Chernyshev já tinha ido embora. Pedro, a quem nada disso foi dito, ficou preocupado com a "doença" do amigo e falou sobre isso com Catarina.

Um mês depois, quando André reapareceu na corte, provocou um momento de perigo para Catarina. Durante um dos concertos de Pedro, em que ele mesmo tocava violino, Catarina, que detestava música em geral e os esforços do marido em particular, retirou-se para seu quarto, que ficava logo depois do grande salão do Palácio de Verão. O teto desse salão estava sendo consertado, e o local estava cheio de andaimes e operários. Ao abrir a porta do seu apartamento, que dava para o salão, ficou surpresa ao ver André Chernyshev parado ali perto. Acenou para ele. Apreensivo, ele veio à porta do seu apartamento. Ela disse alguma coisa sem importância, e ele respondeu:

— Não consigo falar com você assim. Há muito barulho no salão. Deixe-me entrar no seu quarto.

— Não — disse Catarina —, isso eu não posso fazer.

Mesmo assim, ela continuou falando com ele por cinco minutos, com a porta semiaberta. Então uma premonição a fez virar a cabeça e viu, observando-a de dentro do quarto, o conde Devier, secretário de Pedro.

— O grão-duque está perguntando pela senhora, madame — disse Devier.

Catarina fechou a porta para Chernyshev e seguiu Devier de volta ao concerto. No dia seguinte, os dois Chernyshev remanescentes sumiram da corte. Disseram a Catarina e Pedro que haviam sido destacados para regimentos distantes. Mais tarde, porém, souberam que, na verdade, estavam em prisão domiciliar.

O caso Chernyshev teve duas consequências para o jovem casal. A menor delas foi que a imperatriz ordenou ao padre Todorsky interrogar separadamente marido e mulher sobre suas relações com aqueles jovens. Todorsky perguntou a Catarina se ela havia beijado algum dos Chernyshev.

— Não, padre — ela respondeu.

— Então, por que a imperatriz foi informada do contrário? — ele perguntou. — Disseram à imperatriz que você deu um beijo em André Chernyshev.

– Isso é calúnia, padre. Não é verdade – disse Catarina.

Sua sinceridade pareceu convencer Todorsky, que murmurou para si mesmo:

– Que gente malvada!

Ele relatou essa conversa à imperatriz, e Catarina não ouviu mais falar nisso.

Mas o caso André Chernyshev, embora carecendo de substância, uma vez instalado na mente da imperatriz, teve papel importante no que aconteceu a seguir, algo mais significativo e duradouro. Na tarde em que os Chernyshev desapareceram, apareceu uma nova governanta-chefe, superior a madame Krause. A chegada dessa mulher para dominar a vida diária de Catarina marcou o início de sete anos de perseguição, opressão e infelicidade.

❦16❦
O CÃO DE GUARDA

ELIZABETH AINDA PRECISAVA DE UM HERDEIRO e estava perplexa, ressentida e zangada porque não havia bebê a caminho. Em maio de 1746, passados oito meses desde o casamento, não havia sinal de gravidez. Elizabeth suspeitava de desrespeito, má vontade e até de deslealdade. Culpou Catarina.

Para o chanceler, Bestuzhev, o problema era outro. Em questão, não havia só um casamento malsucedido que não gerara uma criança, mas também o futuro diplomático da Rússia. Essa era a esfera de Bestuzhev e, para usar e manter seu poder, reforçou as suspeitas de Elizabeth, estimulando seu ressentimento. Pessoalmente, ele também se preocupava com o jovem casal. Estava preocupado com as opiniões e o comportamento de Pedro e não confiava na filha de Joana, de quem ele suspeitava de uma conspiração com Frederico da Prússia. Como Pedro admirava abertamente Frederico, Bestuzhev mal podia disfarçar o medo da ascensão de tal soberano ao trono da Rússia. Quanto a Catarina, o chanceler sempre se opusera ao casamento de um grão-duque germânico com uma princesa germânica. Assim, não se devia permitir ao jovem casal e à jovem corte se tornarem um centro de poder alternativo, um corpo político independente formado por amigos fiéis e partidários leais. Isso já acontecera muitas vezes em reinados com herdeiros cheios de pensamentos independentes. Para evitar isso, Bestuzhev empregou duas táticas: primeiro, o isolamento do jovem casal do mundo externo; segundo, a colocação de um cão de guarda vigilante e poderoso dentro da corte dos jovens, para observar cada movimento e ouvir cada palavra.

Como primeiro-ministro da imperatriz, é claro que ele precisava atender à principal preocupação dela: a necessidade de um herdeiro. Bestuzhev recomendou que uma mulher forte, leal a ele, fosse designada como governanta sênior de Catarina, para ser dama de companhia e presença constante junto à jovem esposa. A incumbência dessa mulher seria superintender as intimidades conjugais e assegurar a fidelidade de Catarina e Pedro. A ela caberia tomar conta da grã-duquesa e impedir qualquer familiaridade com os cavalheiros, pajens e servos da corte. Além disso, deveria evitar que sua bem vigiada escrevesse cartas ou tivesse conversas particulares com quem quer que fosse. Essas proibições casavam perfeitamente as preocupações de Elizabeth sobre infidelidade com a insistência de Bestuzhev em isolamento político. Era absolutamente importante para o chanceler que a correspondência e as conversas de Catarina com diplomatas estrangeiros fossem mantidas sob estrita vigilância. Assim Bestuzhev impôs a Catarina uma nova *entourage*, encarregada de aplicar um novo conjunto de regras, ditadas por ele, supostamente objetivando consolidar a afeição mútua do casal, mas com a intenção adicional de deixá-los politicamente inofensivos.

Apenas metade dessas providências foi explicitada a Catarina. Num decreto assinado por Elizabeth, a jovem esposa deveria saber que:

> Sua Alteza Imperial foi escolhida para a alta honra de ser a nobre esposa de nosso querido sobrinho, Sua Alteza Imperial, o Grão-Duque, herdeiro do império. [Ela] foi elevada a sua presente dignidade de Alteza Imperial com nenhuma finalidade e objetivo outros senão que Sua Alteza Imperial possa, por seu comportamento sensato, sua inteligência e virtudes, inspirar amor sincero a Sua Alteza Imperial e conquistar seu coração e, assim fazendo, trazer à luz o herdeiro tão desejado para o império e um novo fruto em nossa ilustre casa.

A mulher cuidadosamente escolhida por Bestuzhev para supervisionar e administrar essas obrigações foi Maria Semenovna Choglokova, com 24 anos de idade, prima-irmã de Elizabeth pelo lado da mãe. Era uma das favoritas de Elizabeth, e tanto ela como o marido, um dos altos secretários da imperatriz, eram também dedicados servos do chanceler. Além disso, madame Choglokova tinha uma notável fama de virtude e fertilidade. Idolatrava o marido e produzia um filho com regularidade quase anual, um sucesso doméstico que deveria servir de exemplo para Catarina.

Catarina a odiou desde o começo. Em suas *Memoirs*, ela dispara uma chuva de adjetivos desairosos contra essa mulher que teria por obrigação reger sua existência por muitos anos: "simplória... inculta... cruel... maliciosa... cheia de caprichos... egoísta." Na tarde seguinte à chegada de madame Choglokova, Pedro chamou Catarina e contou que soubera que a nova governanta tinha sido contratada para tomar conta dela porque ela, sua esposa, não o amava. Catarina respondeu que era impossível a qualquer pessoa acreditar que aquela mulher poderia fazer com que ela tivesse mais ternura por ele. Agir como cão de guarda era diferente, disse ela, mas para aquele propósito deveriam ter escolhido alguém mais inteligente.

A guerra entre a nova governanta e a jovem teve início imediato. O primeiro ato de madame Choglokova foi informar a Catarina que deveria manter maior distância da soberana. No futuro, se a grã-duquesa tivesse qualquer coisa a dizer à imperatriz, deveria ser por intermédio dela, madame Choglokova. Ao ouvir isso, os olhos de Catarina se encheram de lágrimas. Madame Choglokova correu a relatar a falta de entusiasmo com que tinha sido recebida, e os olhos de Catarina ainda estavam vermelhos quando Elizabeth apareceu. A imperatriz levou Catarina para uma sala onde ficaram inteiramente a sós. "Em dois anos na Rússia", ela escreveu, "foi a primeira vez que ela falou comigo em particular, sem testemunhas." A imperatriz então despejou uma torrente de reclamações e acusações. Perguntou "se foi minha mãe que me deu instruções para traí-la a favor do rei da Prússia; disse que estava a par dos meus ardis e mentiras e, numa palavra, que ela sabia de tudo. Disse que sabia que o casamento não tinha sido consumado por minha culpa". Quando Catarina começou a chorar de novo, Elizabeth declarou que moças que não amam o marido sempre choram. Mas ninguém a tinha obrigado a se casar com o grão-duque, casou-se porque era seu próprio desejo, e não tinha o direito de chorar agora. Disse que, se Catarina não amava Pedro, ela, Elizabeth, é que não tinha culpa disso. A mãe de Catarina lhe assegurara que a filha estava se casando com Pedro por amor. Certamente, ela não tinha obrigado a menina a se casar contra a vontade. "Agora, como eu estava casada", Catarina relata o que Elizabeth falou, "não devia mais chorar. E acrescentou que sabia muito bem que eu estava apaixonada por outro homem, mas não disse o nome do homem por quem eu estaria supostamente apaixonada." Por fim, ela disse: "Sei muito bem que você é a única culpada por não terem filhos."

Catarina não conseguiu pensar em nada para dizer. Achava que a qualquer momento Elizabeth iria bater nela. Sabia que a imperatriz batia regularmente nas mulheres de sua corte, e até nos homens, quando estava zangada.

> Eu não podia fugir para me salvar porque minhas costas estavam encostadas numa porta, e ela estava na minha frente. Então me lembrei do conselho de madame Krause e disse "Imploro seu perdão, mãezinha", e ela se acalmou. Fui para meu quarto ainda chorando e pensando que a morte era preferível a essa vida de perseguição. Peguei uma faca grande e me deitei num sofá, com a intenção de enfiá-la no meu coração. Nesse momento, uma das minhas servas entrou, atirou-se para pegar a faca e me impediu. Na verdade, a faca não era muito pontuda e não teria trespassado meu corpete.

Sem saber a que ponto Bestuzhev havia atiçado Elizabeth com o caso da Prússia, Catarina supôs haver apenas um motivo para a explosão da imperatriz. Nenhuma das críticas era válida. Catarina era obediente e submissa, não era indiscreta, não estava traindo a Rússia com a Prússia, nunca fizera buracos em portas e não amava outro homem. Sua falta era não ter tido um filho.

Poucos dias depois, quando Pedro e Catarina acompanharam a imperatriz numa visita a Reval (hoje Talim, capital da Estônia), madame Choglokova estava na mesma carruagem. O comportamento dela, disse Catarina, era "um tormento". A cada observação, por mais simples, inocente ou banal, ela reagia dizendo que "essa conversa vai desagradar a imperatriz" ou "essas coisas não são aprovadas pela imperatriz". A reação de Catarina foi fechar os olhos e dormir durante a viagem.

Madame Choglokova manteve sua posição pelos sete anos seguintes. Não possuía nenhuma das qualidades necessárias para assistir uma jovem esposa inexperiente. Não era sábia nem solidária; pelo contrário, tinha fama de ser uma das mulheres mais ignorantes e arrogantes da corte. Nem remotamente lhe ocorreu conquistar a amizade de Catarina ou, como esposa e mãe de uma grande família, conversar sobre o problema subjacente que fora convocada para resolver. De fato, não teve sucesso na área que trazia mais ansiedade a Elizabeth; sua supervisão do leito conjugal foi infrutífera. Contudo, seu poder era concreto. Funcionando como carcereira e espiã de Bestuzhev, madame Choglokova fez de Catarina uma prisioneira real.

Em agosto de 1746, no primeiro verão completo seguinte ao casamento, Elizabeth permitiu que Pedro e Catarina fossem a Oranienbaum (Laranjeira), uma propriedade no golfo da Finlândia que Elizabeth dera ao sobrinho. Ali, no pátio e nos terraços ajardinados, Pedro montou um acampamento militar simulado. Ele e seus secretários, valetes, servos, escudeiros e até jardineiros andavam por lá com mosquetes aos ombros, fazendo exercícios militares e paradas de dia e montando guarda em turnos à noite. Catarina não tinha o que fazer, exceto ficar ouvindo os resmungos de madame Choglokova. Tentou mergulhar nos livros. "Naqueles dias, eu só lia romances", ela disse. Seu preferido naquele verão foi um exagerado romance francês intitulado *Tiran the Fair*, a história de um cavaleiro errante francês que viaja para a Inglaterra, onde triunfa em torneios e batalhas e se torna favorito da filha do rei. Catarina adorava particularmente a descrição da princesa, "cuja pele era tão transparente que, quando ela tomava vinho tinto, podia-se vê-lo descendo pela garganta". Pedro também lia, mas seu gosto se limitava a contos de "salteadores de estrada enforcados por seus crimes ou estirados na roda". Sobre esse verão, Catarina escreveu:

> Nunca duas mentes se pareceram menos. Nada tínhamos em comum em termos de gosto ou modo de pensar. Nossas opiniões eram tão diferentes que nunca teríamos concordado sobre coisa alguma se eu não cedesse frequentemente a fim de não afrontá-lo muito obviamente. Eu já vivia inquieta demais, e esse desassossego era aumentado pela vida horrível que eu tinha de levar. Era constantemente deixada sozinha e a suspeita me rondava por todos os lados. Não havia divertimento, nem conversas, nem gentileza, nem atenção que ajudassem a aliviar meu fastio. Minha vida se tornou insuportável.

Catarina começou a sofrer de insônia e fortes dores de cabeça. Quando madame Krause dizia que esses sintomas iriam desaparecer se a grã-duquesa tomasse um copo de vinho húngaro à noite na cama, Catarina recusava. Então madame Krause fazia um brinde à saúde de Catarina – e ela mesma bebia.

17
"ELE NÃO ERA REI"

Em Zerbst, no dia 16 de março de 1747, o príncipe Cristiano Augusto, pai de Catarina, teve um segundo derrame e morreu. Ele tinha 56 anos, e ela, 17. Ele não tivera permissão para ir ao noivado nem ao casamento, e ela não o tinha visto mais desde que saíra de casa, três anos antes. No último ano de vida dele, tiveram pouco contato. Isso, por obra da imperatriz Elizabeth, do conde Bestuzhev e de sua agente, madame Choglokova. As relações entre a Rússia e a Prússia vinham piorando, e Bestuzhev instava com a imperatriz para que toda a correspondência entre a Rússia e qualquer pessoa na Alemanha fosse interrompida. Assim, Catarina ficou totalmente proibida de escrever cartas particulares aos pais. As cartas mensais que escrevia à mãe e ao pai eram redigidas pelo Ministério das Relações Exteriores; só lhe permitiam copiar e assinar seu nome no final. Era proibida de passar qualquer notícia pessoal, e até de enfiar no texto uma palavra de afeição. E agora seu pai, que ao seu jeito calado, introvertido, lhe dera a única afeição desinteressada que ela jamais tivera, tinha partido sem uma palavra final de ternura da parte dela.

O pesar de Catarina foi profundo. Fechou-se em seu apartamento e chorou durante uma semana. Então Elizabeth mandou madame Choglokova dizer a ela que uma grã-duquesa da Rússia não tinha permissão de chorar por mais de uma semana "porque, afinal, seu pai não era rei". Catarina replicou que "era verdade que ele não era um soberano reinante, mas era meu pai". Elizabeth e Choglokova prevaleceram e, após sete dias, Catarina foi obrigada a reaparecer em público. Como concessão, lhe permitiram usar seda preta em sinal de luto, mas apenas por seis semanas.

Na primeira vez que saiu do quarto, ela encontrou o conde Santi, mestre de cerimônias da corte, nascido na Itália, e lhe disse alguma coisa casual. Dias depois, madame Choglokova foi lhe dizer que a imperatriz soube pelo conde Bestuzhev, a quem o conde Santi relatara por escrito, que Catarina dissera ter achado estranho os embaixadores estrangeiros não lhe apresentarem condolências pela morte de seu pai. Madame Choglokova disse que a imperatriz considerou os comentários dela ao conde Santi altamente impróprios, que Catarina era orgulhosa demais e, novamente, devia se lembrar de que seu pai não era rei. Por essa razão, não devia esperar nenhuma manifestação de pêsames dos embaixadores.

Catarina mal podia acreditar no que madame Choglokova estava dizendo. Esquecendo seu medo da governanta, ela disse que, se o conde Santi tinha escrito ou falado que ela dissera uma única palavra sobre o assunto, era um grande mentiroso, que nada daquele tipo tinha passado pela cabeça dela, que nunca dissera uma palavra sobre aquilo a ele ou a qualquer outra pessoa. "Aparentemente, minhas palavras transmitiram convicção", Catarina escreveu em suas *Memoirs*, "pois madame Choglokova levou-as à imperatriz, que passou a direcionar sua raiva ao conde Santi."

Muitos dias depois, o conde Santi enviou uma mensagem a Catarina dizendo que o conde Bestuzhev o tinha forçado a dizer aquela mentira, e ele estava muito envergonhado. Catarina disse ao mensageiro que quem mente é mentiroso, sejam quais forem as razões para mentir, e, para que o conde Santi não voltasse a enredá-la em suas mentiras, ela não voltaria a falar com ele.

Se Catarina imaginava que a mesquinha tirania de madame Choglokova quanto a seu pesar pela morte do pai a tinha levado ao nadir de seus primeiros anos na Rússia, estava enganada. Na mesma primavera de 1747, e ela ainda de luto pelo pai, sua situação – e a de Pedro – se tornou decididamente pior quando o marido de madame Choglokova foi promovido a governante de Pedro. "Foi um golpe terrível para nós", ela disse. "Era um idiota arrogante e brutal, um homem presunçoso, malicioso, esnobe, dissimulado, calado, que nunca sorria, um homem a ser tão desprezado quanto temido." Até madame Krause, cuja irmã era a principal aia das damas da imperatriz e uma das favoritas, tremeu quando soube da novidade.

A decisão tinha sido tomada por Bestuzhev. O chanceler, desconfiando de todos que tivessem contato com o casal, queria outro cão de guarda implacável. "Poucos dias depois de *monsieur* Choglokov assumir, foram presos três ou quatro jovens servos de quem o grão-duque gostava muito", disse Catarina. Depois Choglokov forçou Pedro a demitir seu secretário, conde Devier. E logo em seguida foi mandado embora um *chef* muito amigo de madame Krause, que fazia pratos especialmente apreciados por Pedro.

No outono de 1747, os Choglokov impuseram mais restrições. Todos os secretários tiveram o acesso proibido ao quarto do grão-duque. Pedro ficou sozinho com alguns servos menores. Tão logo ele demonstrava preferência por algum deles, esse era transferido. A seguir, Choglokov obrigou Pedro a demitir o chefe de sua equipe doméstica, "um homem gentil, sensato, ligado ao grão-duque desde seu nascimento, que havia lhe dado muitos bons conselhos". O idoso valete sueco de Pedro, o bronco criado Romburg, que lhe dera conselhos grosseiros sobre como tratar a esposa, foi demitido.

As restrições foram ainda mais reforçadas. Uma ordem dos Choglokov proibia que qualquer pessoa, sob pena de demissão, entrasse no quarto de Pedro ou Catarina sem permissão expressa de *monsieur* ou madame Choglokov. As damas e cavalheiros da jovem corte deveriam ficar na antecâmara, onde nunca deveriam falar com Pedro e Catarina, exceto em voz alta, de modo que todos pudessem ouvir. "O grão-duque e eu", escreveu Catarina, "agora éramos obrigados a ficar inseparáveis."

Elizabeth tinha seus motivos para isolar o jovem casal. Ela acreditava que, se ficassem reduzidos à companhia um do outro, iriam gerar um herdeiro. Essa ideia não era inteiramente irracional:

> Em sua angústia, o grão-duque, privado de todos, suspeitos de estarem ligados a ele, e incapaz de abrir seu coração com qualquer outra pessoa, voltou-se para mim. Vinha sempre ao meu quarto. Sentia que eu era a única pessoa com quem ele podia falar sem que cada palavra fosse considerada um crime. Entendi sua posição, fiquei com pena e tentei oferecer todo o consolo em meu poder. Na verdade, eu ficava exausta com essas visitas, que duravam horas, porque ele não se sentava, e eu tinha de andar pelo quarto o tempo todo, para lá e para cá, junto com ele. Ele andava depressa, com passos largos, de modo que era difícil acompanhá-lo e ao mesmo tempo continuar a conversar sobre detalhes militares muito específicos,

sobre os quais ele falava interminavelmente. [Mas] eu sabia que era o único divertimento que lhe restava.

Catarina não podia falar sobre os próprios interesses; em geral, Pedro ficava indiferente:

> Havia momentos em que me ouvia, mas era sempre quando ele estava infeliz. Estava constantemente temeroso de alguma conspiração ou intriga, que poderia significar terminar seus dias numa fortaleza. É verdade que ele tinha alguma perspicácia, mas não julgamento. Era incapaz de fazer distinção entre sentimentos e pensamentos e era tão extraordinariamente indiscreto que, depois de se empenhar para não se revelar pelas palavras, ele dava meia-volta e se traía em gestos, expressões e atitudes. Acredito que foram essas indiscrições que causaram as transferências tão frequentes de seus servos.

18
NO QUARTO

AGORA PEDRO PASSAVA A MAIOR PARTE DO DIA com a esposa. Às vezes tocava violino para ela. Catarina ouvia, escondendo o ódio pelo "barulho". Frequentemente ele falava horas sobre si mesmo. Às vezes lhe era permitido dar festinhas à noite, em que ele ordenava aos servos que usassem máscaras e dançassem, enquanto ele tocava violino. Entediada com essa diversão infantil, tão diferente dos movimentos graciosos nos grandes bailes que ela amava, Catarina alegava dor de cabeça, deitava-se num sofá, ainda usando a máscara, e fechava os olhos. E depois, quando iam para a cama – durante os primeiros nove anos de casamento, Pedro nunca dormiu em outro lugar a não ser na cama de Catarina –, ele pedia a madame Krause que trouxesse seus brinquedos.

Como todos na jovem corte detestavam e temiam os Choglokov, todos se uniram contra eles. Madame Krause havia sofrido com a arrogância daquela que a suplantara, e desprezava tanto madame Choglokova que tinha se aliado totalmente a Pedro e Catarina. Ela se deliciava em ser mais esperta que a principal *duenna* e infringia constantemente as novas regras, principalmente a favor de Pedro, a quem desejava agradar porque, como ele, ela era nativa de Holstein. Sua maior rebeldia era lhe trazer todos os soldadinhos, canhões e fortalezas de brinquedo que ele quisesse. Pedro não podia brincar durante o dia porque madame e *monsieur* Choglokov iriam querer saber de onde tinham vindo os brinquedos e quem os trouxera. Os brinquedos ficavam escondidos na cama e debaixo da cama; Pedro só brincava com eles à noite. Depois do jantar, ele se despia e se deitava. Catarina também. Assim que os dois estavam na cama, madame Krause, que dormia no quarto ao lado, entrava, trancava a porta e trazia tantos soldadinhos com o uniforme azul de Holstein que a cama ficava coberta deles. E ali madame Krause, já com mais de 50 anos, também brincava, movimentando os soldadinhos ao comando de Pedro.

O absurdo daquilo, frequentemente até às duas da madrugada, às vezes fazia Catarina rir, mas geralmente ela apenas suportava. Ela não podia se mexer na cama com a superfície tomada pelos brinquedos, e alguns deles eram pesados. Além disso, ficava preocupada: e se madame Choglokova ouvisse essas brincadeiras noturnas? Pois uma vez, já quase meia-noite, madame Choglokova bateu à porta do quarto. A porta tinha uma fechadura dupla e os que estavam lá dentro não a abriram logo porque Pedro, Catarina e madame Krause se atabalhoavam para tirar os brinquedos de cima da cama e escondê-los debaixo das cobertas. Quando finalmente madame Krause abriu a porta, madame Choglokova entrou furiosa porque tinha ficado esperando. Madame Krause explicou que tivera de ir pegar as chaves. Madame Choglokova perguntou por que Catarina e Pedro não estavam dormindo. Pedro respondeu secamente que não estava a fim de dormir naquele momento. Madame Choglokova retrucou que a imperatriz ficaria furiosa ao saber que o casal não estava dormindo àquela hora. Ela acabou indo embora, resmungando. Pedro continuou a brincar até cair de sono.

A situação era ridícula. Um casal recém-casado constantemente em guarda para não serem apanhados com brinquedos. Por trás dessa farsa, jazia o maior absurdo: um jovem marido brincando com soldadinhos na cama conjugal, deixando a jovem esposa sem nada a fazer, a não ser assistir. (Em suas *Memoirs*, uma Catarina mais velha, mais sofisticada, comenta ironicamente: "Parece-me que eu era boa para uma outra coisa.") Entretanto, o verdadeiro contexto em que essas brincadeiras aconteciam era tão perigoso quanto bizarro. Elizabeth era uma mulher acostumada a obter o que queria. Essas duas crianças ducais impudentes a estavam contrariando. Ela havia feito tudo por eles: tinha localizado e trazido os dois para a Rússia, enchido os dois de presentes, títulos e gentilezas, tinha lhes dado um casamento magnífico, tudo com a esperança de uma rápida realização de seu desejo de ter um herdeiro.

Quando, depois de meses, Elizabeth viu suas esperanças ainda frustradas, determinou-se a saber qual dos dois era o responsável. Seria concebível que Catarina, aos 17 anos, com todo o seu frescor, sua inteligência e charme, deixasse totalmente frio o marido de 18 anos de idade? Não seria mais provável que a feiura e a natureza desagradável de Pedro houvessem causado repulsa na esposa, e ela estivesse expressando esse asco na privacidade do quarto, repelindo seus avanços? Se não fosse isso, que outro motivo haveria?

Pedro não era completamente indiferente às mulheres. Prova disso era seu constante entusiasmo com uma ou outra das damas da corte. Seu comentário na noite de núpcias, "Como meus servos iriam se divertir...", é prova de que sabia das intimidades no sexo, mas a zombaria tornava a intimidade uma piada vulgar.

Talvez os médicos tivessem razão, e Pedro, apesar de seus 18 anos, ainda não tivesse atingido plenamente a masculinidade física. Essa era mais ou menos a opinião de madame Krause, que interrogava a jovem esposa todas as manhãs, em vão. Não sabemos por que ele não queria ou não conseguia se aproximar da esposa e tocá-la. Em suas *Memoirs*, Catarina não dá uma resposta. Pedro não deixou anotações. Mas duas explicações, uma psicológica e outra física, foram sugeridas.

As inibições psicológicas trazidas da infância podem ter impedido que Pedro expusesse seu ego frágil à intimidade física da relação sexual. A infância e juventude de Pedro foram horríveis. Cresceu órfão, sem amor, sob os cuidados de tutores autoritários. Nunca pôde ter amigos e companheiros de sua idade. Só conhecia pessoas que lhe davam ordens ou que obedeciam às suas ordens, e nunca alguém com quem pudesse compartilhar interesses em comum e desenvolver uma relação de amizade e confiança. Durante seu primeiro ano na Rússia, Catarina lhe proporcionou companhia, mas, sem intenção de magoar, ela falhou no momento em que, na penumbra do salão, ele lhe apareceu com as medonhas marcas da varíola. Naquele instante, a amiga deu um golpe em sua autoconfiança. Perdoá-la, confiar nela novamente, entregar-se com sua abalada autoimagem eram passos que ele não conseguia dar. Pedro tinha uma vaga ideia do que deveria fazer na cama com Catarina, mas a inteligência e o charme dela, e até mesmo sua presença feminina, não lhe despertavam qualquer iniciativa. Pelo contrário, aguçavam seus sentimentos de inadequação, fracasso e humilhação.

Outra possibilidade foi levantada para explicar a aparente indiferença de Pedro. O marquês de Castéra, diplomata francês que escreveu *Life of Catherine II*, obra em três volumes, publicada um ano após a morte dela, sugeriu que: "O menor dos rabinos de São Petersburgo, ou o menor dos cirurgiões, teria sido capaz de corrigir sua pequena imperfeição." Ele falava da condição fisiológica chamada fimose, o termo médico para o aperto da pele que recobre a ponta do pênis, impedindo uma movimentação fácil e confortável. Esse problema é normal em recém-nascidos e meninos pequenos, e às vezes não é detectado em um menino não circuncidado, antes da idade de 4 ou 5 anos, porque o prepúcio pode continuar apertado até então. Em geral, o problema se resolve naturalmente antes da puberdade, quando a pele afrouxa e se torna flexível. Mas se isso não acontece e a condição persiste até a adolescência, pode ser muito doloroso. Às vezes, o prepúcio continua tão apertado que o rapaz não consegue ter ereção sem sentir dor. É claro que isso torna a relação sexual indesejável. Se foi esse o caso de Pedro, sua relutância em ter uma ereção, e em tentar explicar isso a uma jovem desinformada, é compreensível.*

Se Pedro tinha fimose quando ele e Catarina ficaram noivos, talvez fosse o motivo pelo qual os médicos de Elizabeth recomendaram que o casamento fosse adiado. Em outro contexto de suas *Memoirs*, Catarina diz que o doutor Lestocq recomendou esperar até que o grão-duque fizesse 21 anos. Talvez o Dr. Lestocq tenha dado esse conselho por julgar que essa condição do grão-duque certamente se resolveria até lá. Mas se Lestocq levantou essa questão com Elizabeth, ela simplesmente desconsiderou sua opinião. Estava com muita pressa de ter um herdeiro.

Nenhuma explicação da persistente frieza de Pedro no leito conjugal pode ser comprovada ou desmentida. De todo modo, fosse o problema psicológico ou físico, ou talvez com elementos de ambos, Pedro

---

* Curiosamente, uma "pequena imperfeição" similar afligia o delfim francês, futuro rei Luís XVI, aos 16 anos, na época de seu casamento em 1770 com a arquiduquesa austríaca Maria Antonieta, de 15 anos. Isso continuou por sete anos. Finalmente, em 1777, Luís foi circuncidado, e um filho foi concebido.

não tinha culpa. Ainda assim, era inevitável que, tal como a rejeição de Catarina ao ver seu rosto desfigurado o tinha afetado, também a rejeição física de Pedro provocou nela uma reação. Antes de se casar, ela não estava apaixonada por Pedro, mas disposta a viver com ele e atender as expectativas do marido e da imperatriz. Catarina, que pouco sabia sobre sexo, ereções e prepúcios, e certamente não sabia nada sobre fimose, sabia muito bem o que se esperava de uma esposa num casamento da realeza. Não foi Catarina quem se recusou.

Mas Pedro tornou aquilo impossível para ela. Demonstrava desprezo pelo corpo dela, ficava louco por outras mulheres e a encorajava a flertar com outros homens. Toda a corte era testemunha dessa humilhação. Todos os embaixadores estrangeiros viam que ela não conseguia despertar o interesse do marido, todos os servos sabiam o nome de cada jovem que o grão-duque assediava no momento. E como ninguém entendia por que Pedro ignorava a jovem esposa, todos, incluindo a imperatriz, punham a culpa nela. Pedro e Catarina continuavam vivendo juntos; não tinham escolha. Mas ficavam distanciados por milhares de mal-entendidos e aflições, um deserto de animosidade não falada se estendia entre eles.

❦19❦
UMA CASA DESMORONA

Quase no final de maio de 1748, a imperatriz Elizabeth e a corte visitaram a propriedade rural do conde Razumovsky, perto de São Petersburgo. Catarina e Pedro ficaram hospedados numa pequena casa de madeira, de três andares, construída sobre uma colina. O apartamento deles, no andar de cima, tinha três quartos. O casal dormia num dos quartos, Pedro se vestia em outro, e madame Krause dormia no terceiro. No andar de baixo, se alojavam os Choglokov e as damas de Catarina. Na primeira noite, a festa se estendeu até as seis da manhã, quando todos foram se deitar. Por volta das oito horas, enquanto todos dormiam, um sargento da guarda, de plantão, ouviu uns rangidos estranhos. Ao verificar a base da casa, viu que os grandes blocos de pedra que a suportavam estavam se movendo na terra úmida e escorregadia, se soltando da estrutura de madeira da construção e deslizando morro abaixo.

Ele apressou-se em avisar a Choglokov que a fundação estava cedendo, e todos tinham de sair. Choglokov correu ao segundo andar e abriu de um repelão a porta do quarto em que Pedro e Catarina dormiam. Escancarando a cortina do leito, ele gritou: "Levantem e saiam o mais rápido possível! A fundação da casa está desabando!" Pedro, que dormia profundamente, deu um pulo da cama para a porta e desapareceu. Catarina disse a Choglokov que já ia sair. Enquanto se vestia, lembrou-se que madame Krause estava dormindo no quarto ao lado e foi acordá-la. As tábuas do chão começaram a se mexer – "como ondas do mar", disse Catarina – e houve um tremendo estrondo. A casa estava afundando, se desintegrando, e Catarina e madame Krause caíram no chão. Nesse momento, o sargento entrou, pegou Catarina e a carregou para a escada – que não estava mais lá. No meio do desabamento, o sargento passou Catarina para a primeira pessoa mais abaixo, que a passou para outra, e para outra, de mão em mão, até chegar lá embaixo, de onde foi carregada para fora. Ali ela encontrou Pedro e outras pessoas que tinham saído ou sido retiradas da casa. Logo apareceu madame Krause, salva por outro soldado. Catarina escapou com arranhões e um grande choque, mas, no andar de baixo, três servos que dormiam na cozinha foram mortos quando a lareira desabou. Perto da fundação, 16 trabalhadores que dormiam foram esmagados e ficaram soterrados nos escombros.

A casa desmoronou porque fora construída às pressas, no começo do inverno, sobre a terra semicongelada. A fundação foi erguida com quatro blocos de calcário servindo de apoio para troncos. Com o degelo da primavera, os quatro blocos começaram a resvalar em diferentes direções, e a casa desmoronou. Mais tarde naquele dia, quando a imperatriz mandou buscar o casal, Catarina pediu a Elizabeth que recompensasse o sargento que a tinha carregado para fora do quarto. Elizabeth olhou firmemente para ela e não respondeu logo.

> Imediatamente depois, ela perguntou se eu tinha sentido muito medo. Respondi: "Sim, muito." Isso a desagradou ainda mais. Ela e madame Choglokova ficaram zangadas comigo o dia inteiro. Acho que não notei que elas queriam ver o ocorrido como um pequeno incidente. Mas o choque foi tão grande que isso era impossível. Como a imperatriz queria minimizar o acidente, todo mundo tentou fingir que o perigo foi pouco, e alguns chegaram a dizer que não houve perigo nenhum. Meu terror a desagradou profundamente, e ela mal falou comigo. Enquanto isso, nosso anfitrião, o conde Razumovsky, estava desesperado. Chegou a pegar sua pistola, falando em

estourar os miolos. Soluçou e chorou o dia inteiro. Depois, no jantar, esvaziou copo após copo. A imperatriz não conseguiu esconder sua mágoa com a condição do favorito e se desfez em lágrimas. Manteve-o vigiado de perto. Aquele homem, sempre tão gentil, ficava intratável e enlouquecido quando embriagado. Era preciso evitar que se machucasse. No dia seguinte, retornamos todos a São Petersburgo.

Depois do episódio da casa desmoronada, Catarina observou que a imperatriz parecia sempre descontente com ela. Um dia, Catarina entrou numa sala onde estava um dos secretários da imperatriz. Os Choglokov ainda não tinham chegado, e o secretário sussurrou para Catarina que ela estava sendo difamada para a imperatriz. Dias antes, no jantar, disse ele, Elizabeth a tinha acusado de estar se afundando em dívidas, que tudo o que ela fazia tinha a marca da estupidez, e que, enquanto ela se imaginava muito inteligente, ninguém mais tinha essa opinião porque sua estupidez era óbvia para todo mundo.

Catarina não estava disposta a aceitar essa avaliação e, deixando de lado sua habitual deferência, irritou-se:

> Que, quanto à minha estupidez, eu não tinha culpa porque cada um é como Deus o fez; que minhas dívidas não eram surpresa porque, com uma mesada de 30 mil rublos, eu tinha de pagar 60 mil rublos de dívidas deixadas por minha mãe; e que ele dissesse a quem o tinha enviado que eu lamentava imensamente saber que estava sendo denegrida aos olhos de Sua Majestade Imperial, a quem nunca deixei de demonstrar respeito, obediência e deferência, e quanto mais estreitamente minha conduta fosse observada, mais ela se convenceria disso.

A proibição de qualquer comunicação não aprovada entre o casal e o mundo externo permanecia, mas também tinha falhas. "Para mostrar quão inútil é esse tipo de ordem", Catarina escreveu mais tarde, "encontramos muita gente disposta e ansiosa por sabotar. Até os parentes mais próximos dos Choglokov procuravam diminuir o rigor daquela política." De fato, o próprio irmão de madame Choglokova, conde Hendrikov, que era também primo-irmão da imperatriz, "frequentemente me passava informações úteis e necessárias. Era um homem bom e falava sem rodeios, ridicularizando a estupidez e as brutalidades da irmã e do cunhado".

Da mesma forma, havia frestas no muro que Bestuzhev havia erguido para bloquear a correspondência de Catarina. Ela era proibida de escrever cartas pessoais; quem as escrevia era o Ministério das Relações Exteriores. Essa injunção ficou sublinhada quando Catarina soube que um oficial do ministério quase foi acusado de crime porque ela lhe enviou algumas linhas implorando que as inserisse numa carta que ele estava escrevendo para Joana, acima de sua assinatura. Mas havia pessoas que tentavam ajudar. No verão de 1748, o Chevalier di Sacrosomo, um Cavaleiro de Malta, chegou à Rússia e foi calorosamente recebido na corte. Quando foi apresentado a Catarina, ao beijar-lhe a mão passou-lhe um bilhetinho. "Isso é de sua mãe", ele sussurrou. Catarina temeu que alguém, principalmente os Choglokov, parados ali perto, tivessem visto. Conseguiu enfiar o bilhete dentro da luva. Em seu quarto, ela encontrou uma carta de sua mãe enrolada no bilhete de Sacrosomo. Joana dizia estar aflita com o silêncio de Catarina, queria saber a razão disso, e qual era a situação da filha. Catarina respondeu que estava proibida de escrever para ela e para qualquer outra pessoa, mas que estava bem.

No bilhete, Sacrosomo dizia a Catarina que enviasse a resposta por um músico italiano que iria se apresentar no próximo concerto de Pedro. Assim, a grã-duquesa enrolou a resposta da mesma maneira que a recebeu e esperou o momento de passá-la ao músico. No concerto, ela deu uma volta pela orquestra e parou atrás da cadeira de um violoncelista, como fora descrito no bilhete. Quando ele viu a grã-duquesa atrás de sua cadeira, abriu bem o bolso do casaco e fingiu estar pegando o lenço. Catarina enfiou rapidamente a carta no bolso e saiu de perto. Ninguém viu. Durante sua estada em São Petersburgo, Sacrosomo lhe passou mais três bilhetes, e as respostas seguiram da mesma maneira. Ninguém ficou sabendo.

※ 20 ※

PRAZERES DE VERÃO

O S CHOGLOKOV HAVIAM SIDO DESIGNADOS a fim de reforçar o desejo de Bestuzhev de isolar Catarina e Pedro do mundo externo, e também para prover o jovem casal com um brilhante exemplo de virtude, felicidade conjugal e fertilidade produtiva. No primeiro desses encargos, eles tiveram um sucesso parcial; nos outros, fracassaram espetacularmente.

Durante uma temporada na propriedade Peterhof, no golfo da Finlândia, no verão de 1748, Catarina e Pedro ficavam nas janelas olhando o jardim e frequentemente viam *monsieur* e madame Choglokov indo e voltando do palácio principal, na colina, para Monplaisir, a pequena casa de tijolos vermelhos em estilo holandês que Pedro, o Grande, mandara construir à beira da água, e onde a imperatriz escolhera ficar. Não tardaram a descobrir que essas idas e vindas eram relacionadas a um caso que *monsieur* Choglokov estava tendo, em segredo, com uma das damas de honra de Catarina, Maria Kosheleva, e a jovem estava grávida. Os Choglokov agora se defrontavam com a ruína, possibilidade para a qual os observadores nas janelas superiores do palácio rezavam fervorosamente.

A supervisão constante ordenada por Bestuzhev exigia que *monsieur* Choglokov, principal cão de guarda de Pedro, dormisse num quarto no apartamento do grão-duque. Madame Choglokova, que também estava grávida, e solitária sem o marido, chamou Maria Kosheleva para dormir perto dela. Levava a jovem para o quarto e a obrigava a dormir em sua própria cama ou numa cama pequena ao lado da dela. Segundo Catarina, Kosheleva era "uma moça grande, boba e desastrada, mas tinha lindos cabelos louros e pele muito branca". Todas as manhãs, *monsieur* Choglokov vinha acordar a esposa e achava Maria ao lado dela, de penhoar, a cabeleira loura espalhada nos travesseiros, a pele branca exposta à inspeção. A esposa, jamais duvidando do amor do marido, não notou nada.

Quando Catarina contraiu sarampo, a porta da oportunidade se abriu para *monsieur* Choglokov. Ele convenceu a esposa de que era obrigação dela passar dia e noite junto ao leito de Catarina, atendendo-a e garantindo que nenhum médico, dama de companhia ou qualquer outra pessoa trouxesse à grã-duquesa alguma mensagem proibida. Isso lhe deu tempo de sobra com *mademoiselle* Kosheleva. Meses depois, madame Choglokova deu à luz seu sexto filho, e a gravidez de Maria Kosheleva ficou aparente. Quando Elizabeth soube, mandou chamar a esposa, que ainda não sabia de nada, e a confrontou com o fato de que fora enganada. Se madame Choglokova quisesse se separar do marido, agradaria a ela, Elizabeth; desde o começo, ela nunca aprovara muito aquela escolha da prima. De qualquer maneira, a imperatriz decretou que *monsieur* Choglokov não poderia permanecer com Pedro e Catarina. Ele seria demitido, e madame Choglokova teria o controle absoluto.

A princípio, madame Choglokova, que ainda amava o marido, negou veementemente o envolvimento dele no caso e declarou que a história era uma calúnia. Enquanto ela falava, Maria Kosheleva era interrogada e admitiu tudo. Ao saber disso, madame Choglokova foi procurar o marido, tremendo de ódio. Choglokov caiu de joelhos, implorando perdão. Madame Choglokova voltou à imperatriz e também caiu de joelhos, dizendo que tinha perdoado o marido e queria ficar com ele por causa das crianças. Suplicou à imperatriz que não o demitisse da corte, pois isso seria uma desonra para ela tanto quanto para ele. Seu sofrimento causou tanta piedade que a raiva de Elizabeth cedeu. Madame Choglokova teve permissão para trazer o marido e, ambos ajoelhados diante da imperatriz, imploraram que perdoasse o marido por causa da esposa e dos filhos. A partir de então, embora tenham acalmado a imperatriz, nunca mais tiveram os mesmos sentimentos um pelo outro. A traição dele e a humilhação pública para ela deixaram madame Choglokova com uma irremediável repugnância por ele e só continuaram juntos pelo interesse comum na sobrevivência.

Essas cenas se passaram num espaço de cinco ou seis dias, com a jovem corte sendo informada, hora a hora, do que estava acontecendo. É claro que todos torciam pela demissão do casal de cães de guarda, mas, no fim da história, apenas a grávida Maria Kosheleva foi mandada embora. Os dois Choglokov ficaram, e com os mesmos poderes, porém, como Catarina comentou, "não houve mais essa conversa de casamento exemplar".

O restante do verão foi tranquilo. Partindo de Peterhof, Catarina e Pedro foram para Oranienbaum, perto da costa do golfo. Os Choglokov, ainda se recuperando da desgraça matrimonial, não tentaram impor suas rígidas restrições habituais às movimentações e conversas. Catarina pôde fazer o que gostava:

> Eu tinha a maior liberdade imaginável. Acordava antes do amanhecer, às três da madrugada, e sozinha me vestia da cabeça aos pés com roupas de homem. Um velho caçador já me esperava com armas. Atravessávamos o jardim a pé, rifles nos ombros, e íamos até um barquinho de pesca, junto à costa. Ele, eu, um cão de caça e o pescador, nosso guia, entrávamos no barco, e eu ia caçar patos nos juncos que cresciam nos dois lados do canal de Oranienbaum, que se estende por um quilômetro e meio golfo adentro. Muitas vezes, íamos além do canal e, consequentemente, às vezes éramos apanhados pelas águas turbulentas do mar aberto. O grão-duque vinha nos encontrar uma ou duas horas depois porque não saía sem seu desjejum. Às dez horas, eu ia em casa e me vestia para o almoço. Depois

do almoço, descansávamos e à tarde o grão-duque tinha um concerto ou íamos cavalgar.

Naquele verão, cavalgar tornou-se a "paixão dominante" de Catarina. Era proibida de cavalgar montada, pois Elizabeth achava que isso causava esterilidade nas mulheres, mas Catarina projetou sua própria sela, em que podia se sentar como quisesse. Era uma sela inglesa, de assento lateral, com a parte da frente móvel, que tornava possível à grã-duquesa sair a cavalo recatadamente sentada, sob o olhar de madame Choglokova, e, uma vez fora de vista, mudar a parte dianteira da sela, passar a perna por cima e, contando com a discrição do lacaio, ir montada como um homem. Se alguém perguntasse ao lacaio como a grã-duquesa cavalgava, ele poderia dizer com toda a sinceridade: "Numa sela de mulher", como a imperatriz ordenara a Catarina. Como a grã-duquesa só passava a perna para o outro lado quando tinha certeza de que ninguém estava vendo, e porque nunca se gabou nem falou de sua invenção, Elizabeth nunca soube. Os lacaios gostavam de manter seu segredo. De fato, eles achavam menos arriscado ela cavalgar montada do que sentada numa sela inglesa lateral, o que poderia resultar num acidente, e eles levariam a culpa. "Para dizer a verdade", disse Catarina, "apesar de sempre galopar nas caçadas, o esporte da caça não me interessava, mas eu era apaixonada por cavalgar. Quanto mais violento o exercício, mais eu gostava; por isso, quando um cavalo disparava e saía galopando, era eu quem ia buscá-lo e trazer de volta."

A imperatriz, que quando jovem era ótima amazona, ainda adorava o esporte, apesar de estar muito pesada para cavalgar. Numa ocasião, ela mandou dizer a Catarina que convidasse a esposa do embaixador saxão, madame d'Arnim, para acompanhá-la quando saísse a cavalo. Essa senhora se vangloriava de sua paixão por cavalos e sua excelência como amazona. Elizabeth queria saber o quanto disso era verdade. Catarina convidou madame d'Arnim a acompanhá-la.

Ela era alta, entre 25 e 26, e parecia a todos nós muito esquisita e desajeitada; parecia não saber o que fazer com o chapéu, ou as mãos. Eu sabia que a imperatriz não gostava que eu montasse como homem, por isso usei uma sela lateral inglesa, para mulheres. No momento em que eu estava prestes a subir no meu cavalo, a imperatriz chegou para nos ver partir. Como eu era muito ágil, e acostumada a esse exercício, saltei facilmente para minha sela, deixando minha saia, que tinha fendas, cair dos dois lados. A imperatriz, ao me ver montar com tamanha agilidade, gritou, admirada, que era impossível alguém montar com tanta habilidade. Perguntou que tipo de sela eu estava usando e, ao ouvir que eu usava uma sela de mulher, disse: "Eu poderia jurar que é uma sela de homem."

Quando chegou a vez de madame d'Arnim, sua habilidade nada tinha de notável. Ela havia trazido seu próprio cavalo, um rocim preto, grande, pesado, feio, que nossos criados disseram ser da carruagem dela. Precisou de uma escada para montar, processo que só terminou com a ajuda de várias pessoas e notável espalhafato. Logo que montou, o rocim partiu num trote socado que a sacudia consideravelmente, pois ela não tinha firmeza nem no assento nem nos estribos, e precisou se segurar com as mãos na sela. Disseram-me que a imperatriz morreu de rir.

Depois que madame d'Arnim montou, Catarina tomou a liderança, ultrapassando Pedro, que tinha saído antes, enquanto a convidada e seu cavalo ficavam para trás. "Por fim", Catarina disse, "a certa distância da corte, madame Choglokova, que nos seguia numa carruagem, recolheu a dama, que perdera várias vezes o chapéu e depois os estribos".

A aventura não tinha acabado. Tinha chovido de manhã, os degraus e a entrada do estábulo estavam cheios de poças de água. Ao desmontar, Catarina subiu os degraus e passou pela entrada. Madame d'Arnim a seguiu, mas, como Catarina estava andando depressa, ela teve de correr. A madame resvalou o pé numa poça, escorregou e estatelou-se no chão. As pessoas caíram na gargalhada. Madame d'Arnim se levantou, morta de vergonha, culpando pela queda suas botas novas, estreadas naquele dia, disse ela. O grupo voltou do passeio numa carruagem e, no meio do caminho, madame d'Arnim ainda insistiu em falar sobre as excepcionais qualidades de seu cavalo. "Mordemos os lábios para não dar uma gargalhada", disse Catarina.

❧ 21 ❧
DEMISSÕES NA CORTE

Durante a confusão do caso Kosheleva, madame Krause, que desprezava os Choglokov, mas principalmente a esposa, tinha comemorado prematuramente o que ela supôs ser a queda iminente de sua rival. Como os Choglokov não caíram, a revanche foi inevitável. Madame Choglokov anunciou a Catarina que madame Krause desejava se aposentar e a imperatriz havia encontrado uma substituta. Catarina passara a confiar em madame Krause, e Pedro dependia dela para trazer seus brinquedos à noite. Mas madame Krause partiu e, no dia seguinte, madame Praskovia Vladislavova, uma mulher alta, de 50 anos, chegou para tomar seu lugar. Catarina consultou Timóteo Evreinov, que lhe disse que a recém-chegada era inteligente, espirituosa, bem-educada, mas também com fama de astuta, e Catarina não deveria depositar muita confiança nela até ver como iria se comportar.

Madame Vladislavova começou muito bem, fazendo todo o possível para agradar Catarina. Era sociável, adorava conversar, contava histórias com inteligência e conhecia inúmeras anedotas do passado, inclusive as histórias de todas as grandes famílias russas desde Pedro, o Grande. Catarina escreveu mais tarde: "Ela era um arquivo vivo, aquela mulher." "Aprendi mais com ela do que em qualquer outro lugar o que havia acontecido na Rússia nos últimos cem anos. Quando eu estava entediada, punha-a para falar, o que ela estava sempre pronta a fazer. Descobri que ela desaprovava os Choglokov, tanto as palavras como as ações deles. Por outro lado, como madame Vladislavova ia muito aos apartamentos da imperatriz, e ninguém sabia por quê, todos ficamos cautelosos."

Juntamente com madame Krause, outra figura muito conhecida de Catarina, Armand Lestocq, também sumiu da corte. Era o médico particular de Elizabeth desde sua adolescência, um de seus amigos mais confiáveis, o homem que a aconselhara a tomar o trono e, muitos acreditavam, um de seus ex-amantes. Catarina conhecera o conde Lestocq na noite em que chegou a Moscou, aos 14 anos de idade, quando ele deu boas-vindas a ela e à mãe no palácio Golovin. No fim do verão de 1748, Lestocq ainda gozava de grandes privilégios quando se casou com uma das damas de honra da imperatriz. Elizabeth e toda a corte compareceram ao casamento. Dois meses depois, a sorte dos recém-casados acabou.

Por trás disso estava o constante empenho de Frederico da Prússia para debilitar a política de Bestuzhev a favor da Áustria, com tentativas de suborno de pessoas na corte e no governo russos. Catarina só percebeu que alguma coisa ia mal numa noite, quando a corte estava reunida jogando cartas no apartamento da imperatriz. Sem saber de nada, Catarina foi falar com Lestocq. Em voz baixa, ele disse:

— Não chegue perto de mim! Estou sob suspeita.

Achando que era brincadeira, ela perguntou o que significava aquilo. Ele respondeu:

— Não estou brincando. Repito muito seriamente que você deve ficar longe de mim porque estou sob suspeita.

Vendo que ele estava anormalmente corado, Catarina pensou que estava bêbado e se afastou. Isso aconteceu numa sexta-feira. Na manhã de domingo, Timóteo Evreinov disse a ela:

— Ontem à noite, o conde Lestocq e a esposa foram presos e levados para a fortaleza por crimes contra o Estado.

Depois, Catarina soube que Lestocq tinha sido interrogado pelo conde Bestuzhev e outros, acusado de enviar cartas em código para o embaixador da Prússia, de receber do rei da Prússia 10 mil rublos de propina e de envenenar um homem que poderia testemunhar contra ele. Disseram ainda que ele atentou contra a própria vida na fortaleza, fazendo greve de fome. Passados 11 dias, foi obrigado a comer. Ele não confessou nada e não encontraram provas que o incriminassem. Mesmo assim, todas as suas propriedades foram confiscadas, e ele foi exilado na Sibéria. A desgraça de Lestocq foi um triunfo para Bestuzhev e um aviso para todos na Rússia que dessem algum sinal de simpatia pela Prússia. Catarina, também sob o olhar suspeitoso de Bestuzhev porque era germânica, nunca acreditou que Lestocq fosse culpado. Mais tarde, escreveu: "A imperatriz não tinha coragem de fazer justiça a um homem inocente; ela temia uma vingança daquela pessoa e por isso ninguém em seu reinado, inocente ou culpado, saía da fortaleza, a não ser para o exílio."

A maior preocupação de Catarina era Pedro. Embora o casal ficasse unido na resistência aos Choglokov, e ele sempre recorresse a ela quando precisava de auxílio, Catarina achava difícil a convivência. Às vezes, eram coisas pequenas. Quando jogavam cartas, Pedro gostava de ganhar. Se Catarina ganhava, ele ficava com raiva, e podia passar dias amuado. Quando ela perdia, ele exigia o pagamento imediatamente. "Frequentemente", ela disse, "eu perdia de propósito para evitar a cólera dele."

Às vezes, Pedro fazia tal papel de bobo que Catarina ficava profundamente envergonhada. Em certas ocasiões, a imperatriz permitia que os cavalheiros de sua corte fossem jantar no apartamento de Pedro e Catarina. O jovem casal gostava dessas reuniões, mas Pedro começou a estragá-las com seu comportamento imprudente. Certa vez, quando o general Buturlin estava jantando, ele fez Pedro rir tanto que, se atirando para trás na cadeira, o herdeiro do trono exclamou, em russo: "Esse filho da puta vai me matar de rir!" Catarina corou, sabendo que essa expressão iria ofender Buturlin. O general ficou calado. Depois Buturlin relatou essas palavras a Elizabeth, que ordenou aos cortesãos que não comparecessem mais a reuniões de pessoas tão mal-educadas. Buturlin nunca esqueceu as palavras de Pedro. Em 1767, quando Catarina já estava no trono, ele perguntou a ela: "Lembra-se daquela vez, em Tsarskoe Selo, quando o grão-duque me chamou publicamente de 'filho da puta'?" "Esse é o efeito", escreveu Catarina mais tarde, "que pode resultar de uma palavra boba, dita sem pensar – nunca é esquecida."

Às vezes, o comportamento de Pedro era indesculpável. Durante o verão de 1748, ele reuniu uma matilha de cães e resolveu treiná-los pessoalmente. Naquele outono, Pedro trouxe seis desses cães para o Palácio de Inverno e os instalou atrás de uma divisória de madeira entre o quarto que ele dividia com Catarina e um vestíbulo nos fundos do apartamento. Como a divisória consistia em apenas algumas tábuas para separar o canto dos cachorros, o fedor do canil improvisado enchia o quarto, obrigando-os a dormir imersos numa névoa de ar pútrido. Quando Catarina reclamou, Pedro disse que não tinha escolha; o canil tinha de ser mantido em segredo, e aquele era o único lugar possível. "Assim, a fim de não estragar o prazer dele, tive de aturar aquilo", ela disse.

Dali em diante, Catarina prossegue, Pedro "tinha apenas duas ocupações, e ambas torturavam meus tímpanos da manhã à noite. Uma era arranhar o violino, e a outra era se empenhar em treinar os cães de caça". Estalando violentamente um chicote e dando gritos de caçador, Pedro fazia os cachorros correrem de um lado a outro dos dois cômodos. Se um cachorro se cansava e ficava para trás, era severamente chicoteado, e gania ainda mais. "De sete da manhã até altas horas da noite", Catarina se queixou, "eu tinha de ouvir os sons de estourar os ouvidos, que ele arrancava do violino, ou os horríveis latidos e uivos dos cães que ele espancava com um porrete."

Às vezes, a crueldade de Pedro era puramente sádica:

> Um dia, ouvindo um pobre cão chorar inconsolavelmente por muito tempo, abri a porta. Vi o grão-duque segurando um cão pela coleira, suspendendo-o no ar, com um criado segurando-o pela cauda. Era um cãozinho inglês, um *spaniel King Charles,* e o grão-duque batia nele com toda a força, com o pesado cabo do chicote. Tentei inter-

ceder pelo pobre animal, mas isso só serviu para ele redobrar os golpes. Voltei em lágrimas para meu quarto. Depois do cão, eu era a criatura mais infeliz do mundo.

22
MOSCOU E O CAMPO

EM DEZEMBRO DE 1748, a imperatriz Elizabeth e sua corte viajaram para Moscou, onde ela ficaria por um ano. Ali, antes da Quaresma de 1749, a imperatriz foi acometida de uma misteriosa doença do estômago. Piorou rapidamente. Madame Vladislavova, que tinha conexões na *entourage* direta de Elizabeth, cochichou essa informação a Catarina, implorando que não revelasse que ela tinha dito. Sem dizer quem era a informante, Catarina falou a Pedro sobre a doença da tia. Ele ficou simultaneamente feliz e assustado. Pedro odiava a tia, mas, se ela morresse, seu futuro lhe parecia ainda mais aterrador. E o pior é que nem ele nem Catarina se arriscavam a pedir mais informações. Decidiram não dizer nada a ninguém até que os Choglokov falassem com eles sobre a doença. Mas os Choglokov nada disseram.

Uma noite, Bestuzhev e seu assistente, general Stepan Apraksin, foram ao palácio e passaram horas conversando no apartamento dos Choglokov. Isso parecia indicar que a doença da imperatriz era grave. Catarina pediu a Pedro que mantivesse a calma. Disse-lhe que, embora fossem proibidos de sair do apartamento, se Elizabeth morresse, ela daria um jeito de Pedro fugir dos aposentos. Ressaltou que no andar térreo do apartamento deles a janela era baixa o suficiente para eles pularem na rua. Disse-lhe ainda que o conde Zakhar Chernyshev, em quem ela podia confiar, estava na cidade com seu regimento. Pedro ficou mais calmo e, muitos dias depois, a saúde da imperatriz começou a melhorar.

Durante esse período de estresse, Choglokov e a esposa permaneceram calados. O jovem casal também não tocou no assunto. Se ousassem perguntar se a imperatriz estava melhor, os Choglokov logo iriam querer saber quem dissera que ela estava doente, e a pessoa seria demitida imediatamente.

Enquanto Elizabeth ainda estava de cama, se recuperando, uma de suas damas de honra se casou. No banquete de casamento, Catarina se sentou ao lado da condessa Shuvalova, amiga íntima de Elizabeth. A condessa, sem rodeios, contou a Catarina que a imperatriz ainda estava tão fraca que não tinha podido comparecer à cerimônia de casamento, mas, sentada na cama, cumpriu a função tradicional de coroar a noiva. Como a condessa Shuvalova era a primeira a falar abertamente sobre a doença, Catarina expressou sua preocupação com a condição da imperatriz. A condessa Shuvalova disse que Sua Majestade ficaria feliz ao saber de sua solidariedade. Dois dias depois, madame Choglokova irrompeu no quarto de Catarina e disse que a imperatriz estava zangada com Pedro e Catarina devido à falta de preocupação demonstrada durante sua doença.

Catarina, furiosa, disse que madame Choglokova sabia muito bem qual era a situação, nem ela nem o marido tinham dito uma só palavra sobre a doença da imperatriz e, deixados em total ignorância, ela e Pedro não puderam expressar preocupação.

– Como pode dizer que não sabia nada sobre isso? – madame Choglokova perguntou. – A condessa Shuvalova contou à imperatriz que conversaram no jantar sobre a doença de Sua Majestade.

Catarina retrucou:

– É verdade que falei sobre isso com ela porque ela me disse que Sua Majestade ainda estava fraca e não podia aparecer em público. Foi então que perguntei a ela detalhes da doença.

Mais tarde, Catarina encontrou coragem para dizer a Elizabeth que nem Choglokov nem sua esposa haviam comunicado a ela e ao marido sua doença, e por isso não estava em poder deles expressar preocupação. Elizabeth pareceu apreciar isso e falou: "Eu sei. Não vamos falar nisso novamente." Em retrospecto, Catarina comentou: "Pareceu-me que o prestígio e a credibilidade dos Choglokov haviam diminuído."

Na primavera, a imperatriz começou a visitar os campos em volta de Moscou com Catarina e Pedro. Em Perova, uma propriedade de Alexis Razumovsky, Catarina teve uma forte dor de cabeça. "Foi a pior que tive na vida", ela disse mais tarde. "A dor extrema me deu uma violenta náusea. Vomitei repetidamente e qualquer movimento, até o som de passos em meu quarto, aumentava a dor. Permaneci nesse estado por 24 horas e depois dormi. No dia seguinte, havia passado."

De Perova, o grupo seguiu para um campo de caça pertencente a Elizabeth, 65 quilômetros distante de Moscou. Como não havia casa, todos acamparam em tendas. Na manhã seguinte à chegada, Catarina foi à tenda da imperatriz e encontrou-a gritando com o administrador da propriedade. Viera caçar lebres, ela dizia, e não havia lebres. Ela o acusou de aceitar suborno para permitir que os nobres da vizinhança caçassem em sua propriedade; se não houvesse essas caçadas, certamente haveria muitas lebres. O homem estava mudo, pálido, tremendo. Quando Catarina e Pedro se aproximaram para beijar sua mão, ela os abraçou, e imediatamente lhes deu as costas e recomeçou a diatribe. Devido a sua juventude no campo, ela disse, entendia perfeitamente de administração de propriedades, e isso a habilitava a ver cada detalhe da incompetência do administrador. A invectiva durou três quartos de hora. Por fim, chegou um servo trazendo-lhe um filhote de porco-espinho em seu chapéu. Elizabeth foi olhar, mas, no instante em que viu o animalzinho, deu um grito. Disse que parecia um rato, e entrou correndo na tenda. "Ela sentia um medo mortal de camundongos", Catarina observou. "Não a vimos mais aquele dia."

Naquele verão, o maior prazer de Catarina era cavalgar:

> Eu cavalgava sempre, o dia inteiro. Ninguém me impedia, e eu poderia até quebrar o pescoço, se quisesse. Mas, como eu tinha passado a primavera e parte do verão ao ar livre, fiquei muito queimada de sol. Ao me ver, a imperatriz ficou chocada com meu rosto vermelho, a pele rachada, e disse que ia me mandar um enxágue para me livrar do bronzeado e minha pele voltar a ficar macia. Mandou-me um frasco com um líquido composto de suco de limão, clara de ovo e conhaque francês. Em poucos dias, a queimadura de sol desapareceu, e desde então sempre uso esse preparado.

Certo dia, Catarina e Pedro jantaram com Elizabeth na tenda da imperatriz. Elizabeth sentou-se à cabeceira da longa mesa, Pedro à sua direita, Catarina à sua esquerda, ao lado de Catarina estava a condessa Shuvalova e ao lado de Pedro sentou-se o general Buturlin. Pedro, ajudado pelo general Buturlin – "que também não era inimigo do vinho", disse Catarina –, bebeu tanto que ficou completamente bêbado:

> Ele não sabia o que estava dizendo nem fazendo, enrolava as palavras, fazia caretas horríveis e cabriolas ridículas. Ficou tão desagradável à vista que meus olhos se encheram de lágrimas, pois

naqueles dias eu tentava esconder ou disfarçar tudo o que era repreensível em meu marido. A imperatriz, sensível e grata pela minha reação, levantou-se e saiu da mesa.

Enquanto isso, Catarina, sem saber, atraiu outro admirador. Kyril Razumovsky, irmão mais novo do favorito de Elizabeth, Alexis Razumovsky, morava do outro lado de Moscou, mas vinha todos os dias visitar Catarina e Pedro.

Ele era muito alegre e gostávamos muito dele. Como era irmão do favorito, os Choglokov tinham prazer em recebê-lo. As visitas continuaram durante todo o verão. Ele passava o dia inteiro, almoçava e jantava conosco e depois do jantar sempre voltava para sua propriedade. Consequentemente, viajava 40 ou 50 quilômetros todo dia. Vinte anos depois [em 1769, quando Catarina já estava no trono], por acaso perguntei a ele o que o levava a ir compartilhar o enfado da nossa estada. Ele respondeu sem hesitar: "Amor." "Meu Deus", eu disse, "quem foi que você conseguiu achar para amar em nossa casa?" "Quem? Você, é claro." Dei uma gargalhada porque jamais havia suspeitado. Na verdade, ele era um homem ótimo, muito agradável e muito mais inteligente que o irmão, mas este, contudo, o igualava em beleza e o superava em generosidade e gentileza.

Em meados de setembro, com o tempo frio chegando, Catarina teve uma séria dor de dente. Com febre alta, entrou em delírio e foi levada do campo de volta a Moscou. Ficou de cama durante dez dias. Toda tarde, à mesma hora, a dor de dente voltava. Poucas semanas depois, Catarina caiu novamente doente, dessa vez com a garganta inflamada e outra febre. Madame Vladislavova fazia tudo o que podia para distraí-la. "Ela sentava-se ao lado da minha cama e me contava histórias. Uma era sobre a princesa Dolgoruky, que costumava se levantar à noite e ir até a cama da filha adormecida, que ela idolatrava. Queria ter certeza de que a filha estava dormindo e não tinha morrido. Às vezes, para ter certeza absoluta, sacudia a moça com tanta força que a acordava só para confirmar que aquele torpor não era a morte."

❦23❦
CHOGLOKOV FAZ UM INIMIGO, E PEDRO SOBREVIVE A UMA CONSPIRAÇÃO

Em Moscou, no começo de 1749, parecia a Catarina que *monsieur* Choglokov ainda era íntimo do chanceler, conde Bestuzhev. Estavam constantemente juntos e, a julgar pelo que Choglokov dizia, "podia-se pensar que ele era o melhor conselheiro de Bestuzhev". Para Catarina, era difícil acreditar nisso porque "o conde Bestuzhev tinha muita inteligência para se deixar levar por um idiota arrogante como Choglokov". Em agosto, qualquer intimidade que houvesse cessou bruscamente.

Catarina estava certa de que tinha sido alguma coisa que Pedro dissera. Depois do caso da gravidez de Maria Kosheleva, Choglokov ficara menos flagrantemente ofensivo com a jovem corte. Ele sabia que a imperatriz ainda guardava rancor da história, seu relacionamento com a esposa havia deteriorado, e ele caiu em depressão. Um dia, Pedro, bêbado, encontrou o conde Bestuzhev, que também estava embriagado. Nesse encontro, Pedro queixou-se a Bestuzhev de que Choglokov era sempre grosseiro com ele. Bestuzhev respondeu: "Choglokov é um tolo pretensioso, cheio de si, mas deixe comigo. Vou resolver isso." Quando Pedro contou a Catarina essa conversa, ela o advertiu de que, se Choglokov soubesse o que Bestuzhev dissera, ele nunca perdoaria o chanceler. Contudo, Pedro decidiu que poderia conquistar Choglokov lhe contando como ele havia sido descrito por Bestuzhev. A oportunidade não tardou a se apresentar.

Pouco depois, Bestuzhev convidou Choglokov para jantar. Choglokov aceitou, de má vontade, e permaneceu calado durante a refeição. Bestuzhev, meio bêbado depois do jantar, tentou conversar, mas o convidado continuou impassível. Bestuzhev perdeu a paciência, e a conversa esquentou. Choglokov repreendeu Bestuzhev por tê-lo criticado para Pedro. Bestuzhev o censurou por sua aventura com Maria Kosheleva e lembrou ao convidado o apoio que ele, Bestuzhev, lhe dera para sobreviver àquele escândalo. Choglokov, a última pessoa do mundo a ouvir qualquer crítica, enfureceu-se e disse que tinha sido insultado sem qualquer possibilidade de perdão. O general Stepan Apraksin, lugar-tenente de

Bestuzhev, estava presente e tentou restabelecer a paz, mas Choglokov ficou ainda mais beligerante. Achando que seus serviços tinham um valor único, inestimável, e o que quer que ele fizesse, todos iriam correr atrás dele, jurou nunca mais pôr os pés na casa de Bestuzhev. Desde esse dia, Choglokov e Bestuzhev se tornaram inimigos implacáveis.

Com seus carcereiros brigando, Pedro deveria estar feliz. Em vez disso, no outono de 1749, Catarina achou que ele vivia num estado de intensa ansiedade. Tinha parado de treinar os cães de caça e ia ao quarto dela muitas vezes por dia com um ar ausente, até amedrontado. "Como ele nunca conseguia guardar por muito tempo o que o aborrecia, e não tinha ninguém mais em quem confiar a não ser eu, esperei pacientemente que ele me contasse qual era o problema. Enfim ele me disse, e achei a questão mais séria do que imaginava."

Em todo o verão em Moscou e arredores, Pedro tinha passado a maior parte do tempo caçando. Choglokov havia adquirido duas matilhas, uma de cães russos e outra de cães estrangeiros. Choglokov cuidava dos cães russos, e Pedro assumiu a responsabilidade pelos cães estrangeiros. Vivia atento a todos os detalhes, ia frequentemente ao canil, chamava os caçadores para falar sobre a condição e as necessidades da matilha. Pedro tornou-se íntimo desses homens, e, além de caçar, comia e bebia com eles.

Por essa época, o regimento de Butirsky estava estacionado em Moscou. Nesse regimento, havia um obstinado tenente chamado Yakov Baturin, um jogador altamente endividado. Os caçadores, à disposição de Pedro, moravam perto do acampamento do regimento. Certo dia, um dos caçadores contou a Pedro que tinha conhecido um oficial que expressou grande dedicação ao grão-duque, e todo o seu regimento concordava com ele, com exceção dos oficiais mais graduados. Lisonjeado, Pedro quis saber mais detalhes. Enfim, Baturin pediu ao caçador que lhe arranjasse um encontro com o grão-duque durante uma caçada. Meio a contragosto, Pedro acabou aceitando. No dia marcado, Baturin esperou num lugar isolado na floresta. Quando Pedro chegou em seu cavalo, Baturin caiu de joelhos, jurando não reconhecer nenhum outro senhor e fazer tudo o que o grão-duque ordenasse. Mais tarde, Pedro disse a Catarina que ficou alarmado ao ouvir esse juramento e, temendo ser parte de alguma conspiração, esporeou o cavalo, deixando o homem ajoelhado na floresta; e nenhum dos caçadores tinha ouvido o que Baturin disse.

Desde então, Pedro prosseguiu, ele e seus caçadores não tiveram mais contato com Baturin. Depois Pedro soube que Baturin tinha sido preso para um interrogatório. Pedro temia que seus caçadores, e até mesmo ele, pudessem estar comprometidos. Seu medo aumentou quando soube que vários de seus caçadores também tinham sido presos.

Catarina tentou acalmar o marido, dizendo que, se não tinha havido outras conversas além da que ele estava lhe contando, então, por mais que Baturin fosse culpado, não poderiam acusar a ele, Pedro, de nada além da imprudência de se encontrar com um desconhecido na floresta. Ela não sabia se o marido estava dizendo a verdade. De fato, ela achava que ele estava minimizando a extensão das conversas. Algum tempo depois, Pedro veio lhe dizer que alguns de seus caçadores tinham sido libertados e lhe disseram que nenhum deles mencionou seu nome. Isso o tranquilizou, não se falou mais no assunto. Baturin foi torturado na roda e considerado culpado. Catarina soube que ele admitiu ter planejado matar a imperatriz, atear fogo no palácio e, no meio da confusão, colocar o grão-duque no trono. Foi sentenciado a passar o resto da vida na fortaleza de Schlüsselburg. Em 1770, durante o reinado de Catarina, ele tentou fugir, foi capturado e transferido para a península de Kamchatka, no Pacífico. Fugiu de novo e acabou sendo morto numa briga boba na ilha de Formosa.

Naquele outono, Catarina teve outra terrível dor de dente acompanhada de febre alta. Seu quarto ficava ao lado do apartamento de Pedro, e ela sofria com a barulheira do violino e dos cachorros. "Ele não renunciaria a esses divertimentos, ainda que soubesse que estavam me matando", ela disse. "Então consegui permissão de madame Choglokova para mudar minha cama de lugar, fora do alcance daqueles sons terríveis. O [novo] quarto tinha janelas em três paredes e fortes correntes de ar, mas eram preferíveis aos barulhos do meu marido."

Em 15 de dezembro de 1749, o ano da corte em Moscou chegou ao fim, e Catarina e Pedro partiram num trenó aberto para São Petersburgo. Durante a viagem, voltou a dor de dente de Catarina. Apesar da dor que ela sentia, Pedro não permitiu que fechassem o trenó. Contrariado, deixou apenas que ela fechasse uma cortininha de tafetá verde para cortar o vento gelado batendo diretamente no rosto. Quando finalmente chegaram a Tsarskoe Selo, nos arredores de São Petersburgo, ela estava sofrendo demais. Tão logo chegaram, Catarina mandou chamar o médico-chefe da imperatriz, Dr. Boerhave, implorando-lhe para extrair o dente que a atormentava havia cinco meses. Com extrema relutância, Boerhave acedeu. Mandou chamar o cirurgião francês, *monsieur* Guyon, para fazer a extração. Catarina se sentou no chão, com Boerhave à sua direita e Choglokov à sua esquerda, segurando suas mãos. Guyon veio por trás e torceu o dente com um alicate. Enquanto ele torcia e puxava, Catarina sentia seu osso maxilar se quebrando. "Nunca na vida senti tanta dor quanto naquele momento", ela disse. Na mesma hora, Boerhave gritou para Guyon: "Idiota desastrado!" e, vendo o dente extraído, disse: "Era o que eu temia. Por isso eu não queria que esse dente fosse extraído." Ao puxar o dente, Guyon "tinha arrancado um pedaço do meu maxilar inferior, onde o dente estava enraizado. Naquele momento, a imperatriz entrou no quarto e, vendo meu horrível sofrimento, chorou. Fui levada para a cama e, com dores terríveis durante quatro semanas, não saí do quarto até meados de janeiro. Mesmo então, na parte inferior da face, eu ainda tinha equimoses azuis e amarelas, marcas dos cinco dedos de Guyon."

24

UM BANHO ANTES DA PÁSCOA E O CHICOTE DO COCHEIRO

A TRANSFERÊNCIA DA CORTE PARA MOSCOU durante um ano deixou São Petersburgo social, cultural e politicamente deserta. Como havia poucos cavalos e quase nenhuma carruagem na cidade, o capim crescia nas ruas. A verdade é que a maioria dos residentes da nova capital de Pedro, o Grande, no Báltico vivia lá por necessidade e não por escolha. Uma vez de volta a Moscou, durante alguma das visitas de um ano de duração promovidas pela filha de Pedro, o Grande, as antigas famílias da nobreza tinham relutância em retornar a São Petersburgo. Moscou era o lugar em que seus ancestrais tinham vivido por muitas gerações, e eles tinham forte ligação com suas casas e palácios na velha capital. Quando chegou a hora de voltar à nova cidade, erigida sobre um pântano no nordeste, muitos cortesãos correram a pedir afastamento temporário da corte – por um ano, seis meses ou mesmo algumas semanas – para permanecer em Moscou. Membros do governo fizeram o mesmo e, receando não serem atendidos, houve uma torrente de doenças, fingidas ou verdadeiras, seguidas por uma chuva de ações judiciais e outros compromissos, todos supostamente indispensáveis, que só poderiam ser resolvidos em Moscou. Portanto, o retorno a São Petersburgo foi gradual, e meses se passaram até a corte inteira se arrastar de volta.

Elizabeth, Pedro e Catarina estavam entre os primeiros a retornar. Encontraram a cidade praticamente vazia, e as pessoas por lá estavam solitárias e entediadas. Nesse ambiente sombrio, os Choglokov convidavam Pedro e Catarina para jogar cartas todas as tardes. Chamavam também a princesa de Courland, filha do duque protestante Ernesto João Biron, o ex-amante e ministro da imperatriz Ana. Ao subir ao trono, a imperatriz Elizabeth chamara Biron de volta da Sibéria, onde estivera exilado durante a regência de Ana, mãe do czar infante Ivan VI. Entretanto, Elizabeth não queria Biron totalmente reabilitado; preferia não vê-lo. Em vez de trazê-lo de volta a São Petersburgo ou a Moscou, ela ordenou que ele e a família fossem morar na cidade de Yaroslavl, no Volga.

A princesa de Courland tinha 25 anos. Não era bonita – na verdade, era baixinha e corcunda –, mas tinha, segundo Catarina, "olhos muito lindos, bonitos cabelos castanhos e grande inteligência". O pai e a mãe não gostavam dela, e a princesa se queixava de ser maltratada em casa. Um dia, em Yaroslavl, ela correu para a casa de madame Pushkina, esposa do governador, dizendo que seus pais se recusavam a permitir que ela abraçasse a fé ortodoxa. Madame Pushkina levou a princesa para Moscou e a apresentou à imperatriz. Elizabeth deu apoio à jovem, foi sua madrinha na conversão à Igreja Ortodoxa e lhe deu um apartamento junto a suas damas de honra. *Monsieur* Choglokov cultivou a amizade da princesa porque, em sua juventude, quando o pai dela estava no poder, o irmão mais velho dela tinha impulsionado sua carreira, promovendo-o a uma posição na Guarda da Cavalaria.

Já estabelecida no grupo da corte jovem, jogando cartas horas a fio com Pedro e Catarina, a princesa de Courland se portava com discrição. Ela falava com cada um de maneira cuidadosamente escolhida para agradar à pessoa e, segundo Catarina, "sua inteligência fazia esquecer a natureza desagradável de sua figura". Aos olhos de Pedro, ela possuía o mérito adicional de ser germânica, e não russa. Ela preferia falar em alemão, e os dois só conversavam nessa língua, excluindo as outras pessoas. Isso a tornava ainda mais atraente para ele, e passou a lhe dar uma atenção especial. Quando ela jantava sozinha, Pedro lhe mandava vinho de sua mesa; quando ele adquiria um novo chapéu dos granadeiros ou uma faixa militar, mandava lhe mostrar para que ela admirasse. Nada disso era feito em segredo. "A princesa de Courland cultivava uma atitude impecável com relação a mim e nunca, nem por um momento, havia um deslize", escreveu Catarina. "Portanto, esse relacionamento continuava."

A primavera de 1750 foi excepcionalmente amena. Quando Pedro, Catarina e sua jovem corte – agora incluindo a princesa de Courland – foram para Tsarskoe Selo, em 17 de março, estava tão quente que a neve tinha derretido, e as carruagens levantavam nuvens de poeira da estrada. Nesse ambiente rural, o grupo se divertia cavalgando e caçando durante o dia e jogando cartas à noite. Pedro mostrava abertamente seu interesse pela princesa de Courland. Nunca estava a mais que um passo de distância dela. A certa altura, esse relacionamento, florescendo diante dos olhos de Catarina, feriu sua vaidade. Apesar de sua anterior rejeição do ciúme como algo indigno e improdutivo, ela admitiu que não gostava de "me ver negligenciada em favor daquela figurinha deformada que estava sendo preferida a mim". Uma noite, não conseguiu mais controlar seus sentimentos. Alegando dor de cabeça, ela se levantou e saiu da sala. Em seu quarto, madame Vladislavova, que testemunhava o comportamento de Pedro, lhe disse que "todos estavam chocados e descontentes com aquela corcundinha sendo preferida a mim. Com lágrimas nos olhos, respondi: 'O que posso fazer?'" Madame Vladislavova criticou Pedro por seu mau gosto com mulheres e o tratamento dado a Catarina. Essa fala, embora proferida para o benefício de Catarina, fez a grã-duquesa chorar. Ela se deitou e, assim que adormeceu, Pedro chegou, bêbado. Ele a acordou e começou a despejar uma descrição das qualidades da nova favorita. Catarina, na esperança de escapar daquele monólogo engrolado, fingiu voltar a dormir. Pedro começou a gritar. Como ela não deu sinal de estar ouvindo, ele fechou o punho e bateu nela com força, duas vezes. Em seguida, deitou-se ao lado dela, virou de costas e adormeceu. De manhã, ou ele tinha esquecido ou estava envergonhado, e não mencionou a cena. Para evitar maiores problemas, Catarina fingiu que nada acontecera.

Quando a Quaresma se aproximava, Pedro e madame Choglokova tiveram um embate quanto a tomar banho. A tradição religiosa russa exigia que, na primeira semana da Quaresma, os ortodoxos se banhassem em preparação para a comunhão. Para a maioria da população, os banhos públicos eram coletivos, e homens e mulheres se banhavam nus, todos juntos. Catarina estava preparada para tomar seu banho na casa dos Choglokov. Na véspera, à noite, madame Choglokova veio dizer a Pedro que agradaria à imperatriz se ele também fosse se banhar. Pedro, que detestava todos os costumes russos, especialmente o banho, se recusou. Ele nunca tinha ido a um banho comunal, ele disse; ademais, o banho era uma cerimônia risível à qual ele não dava nenhuma importância. Madame Choglokova disse que ele estaria desobedecendo a um comando de Sua Majestade Imperial. Pedro respondeu que ele ir ou não ao banho nada tinha a ver com o respeito devido à imperatriz, e ele se perguntava como ela, madame Choglokova, ousava lhe dizer esse tipo de coisa, que não se deveria exigir que ele fizesse algo que era repugnante à sua natureza e poderia ser perigoso para sua saúde. Madame Choglokova retorquiu que a imperatriz iria puni-lo pela desobediência. Pedro ficou mais zangado e disse: "Gostaria de ver o que ela pode fazer comigo. Não sou mais criança." Madame Choglokova o ameaçou dizendo que a imperatriz o mandaria para a fortaleza. Pedro perguntou se a governanta estava dizendo isso por conta dela ou em nome da imperatriz. Então, andando de um lado para outro do quarto, disse que nunca imaginaria que ele, um duque de Holstein, um príncipe soberano, ficaria exposto a esse tratamento vergonhoso, e se a imperatriz não estivesse satisfeita, bastava libertá-lo para voltar para a terra dele. Madame Choglokova continuou a gritar, os dois trocaram muitos insultos e, segundo Catarina, "ambos ficaram fora de si". Finalmente madame Choglokova saiu, anunciando que estava indo relatar à imperatriz aquela conversa, palavra por palavra.

O casal não soube o que acontecera em seguida, mas, quando madame Choglokova voltou, o tema da conversa mudou completamente. A governanta agora informava que a imperatriz, voltando à sua primeira reclamação do casal, estava furiosa porque não tinham tido filhos e exigia saber de quem era a culpa. Para determinar isso, ia mandar uma parteira para examinar Catarina e um médico para examinar Pedro. Mais tarde, ao saber disso, madame Vladislavova perguntou a Catarina: "Como você tem culpa por não ter filhos se ainda é virgem? Sua Majestade deveria responsabilizar o sobrinho dela."

Em 1750, na última semana da Quaresma, certa tarde Pedro estava em seu quarto estalando um enorme chicote de cocheiro. Chicoteava para um lado e para outro, com golpes largos, rindo dos servos, correndo de um canto a outro. Acabou dando uma chicotada no próprio rosto. Fez um corte vertical na face esquerda, que sangrava profusamente. Pedro se assustou, temendo que a ferida tornasse impossível aparecer em público na Páscoa, e, se a imperatriz soubesse a causa, ele seria punido. Correu a pedir ajuda a Catarina.

Ao ver a bochecha dele, ela exclamou: "Meu Deus, o que aconteceu?" Ele contou. Ela pensou por um momento e disse: "Vou tentar ajudar. Primeiro, volte ao seu quarto e não deixe ninguém ver seu rosto. Irei lá assim que tiver o que preciso. Espero que ninguém note o que aconteceu." Ela se lembrou de uma ocasião, alguns anos antes, em que caiu no jardim em Peterhof, arranhou o rosto, e *monsieur* Guyon cobriu o arranhão com uma pomada de chumbo branco usada em queimaduras. Funcionou muito bem, e ela continuou aparecendo em público, sem que ninguém notasse o ferimento. Mandou buscar esse bálsamo e levou ao marido. Ela tratou tão bem do corte que, ao se olhar no espelho, nem ele conseguia notá-lo.

No dia seguinte, quando foram receber a comunhão com a imperatriz na capela da corte, um raio de sol iluminou a face de Pedro. *Monsieur* Choglokov viu e se aproximou, dizendo ao grão-duque:

– Limpe o rosto. Tem pomada nele.

Rapidamente, como se fizesse um gracejo, Catarina disse a Pedro:

– E eu, que sou sua esposa, o proíbo de limpar o rosto.

Pedro virou-se para Choglokov e disse:

– Veja como essas mulheres nos tratam. Não podemos nem nos atrever a limpar o rosto quando elas não querem.

Choglokov riu, fez um aceno de cabeça e se afastou.

Pedro ficou grato a Catarina por trazer a pomada e pela presença de espírito para se livrar de Choglokov, que nunca soube o que aconteceu.

25

OSTRAS E UM ATOR

No sábado de Páscoa de 1750, Catarina foi dormir às cinco da tarde, a fim de estar pronta para o tradicional culto ortodoxo, que começava mais tarde naquela noite. Antes que ela adormecesse, Pedro entrou correndo no quarto dizendo-lhe que se levantasse e fosse comer ostras frescas, recém-chegadas de Holstein. Era um duplo prazer para ele. Adorava ostras, e estas tinham vindo de sua terra natal. Catarina sabia que, se não se levantasse, ele ficaria ofendido e haveria uma discussão; levantou-se e foi com ele. Ela comeu uma dúzia e pôde voltar para a cama enquanto ele comia mais e mais. Na verdade, ela percebeu que Pedro achou bom que ela não comesse muito para sobrar mais para ele. Antes da meia-noite, ela se levantou novamente, se vestiu e foi à missa de Páscoa, mas, no meio da longa cerimônia cantada, foi tomada de fortes cólicas no estômago. Voltou para a cama e passou os primeiros dois dias da Páscoa com diarreia, que cedeu com doses de ruibarbo. Pedro não foi afetado.

A imperatriz também saiu da missa de Páscoa padecendo do estômago. As más línguas não atribuíram sua indisposição a alguma coisa que ela tenha comido, mas à ansiedade para lidar com quatro homens: um era Alexis Razumovsky, outro era Ivan Shuvalov, o terceiro era um cantor do coro chamado Kachenevski, e o quarto era um cadete recentemente promovido, chamado Beketov.

Enquanto a imperatriz e a corte estavam fora, o príncipe Yusupov, senador e chefe do Corpo de Cadetes, havia montado peças russas e francesas tendo seus cadetes como atores. As falas eram pronunciadas tão mal quanto era fraca a atuação nas cenas, e as peças eram mutiladas. Mesmo assim, ao retornar a São Petersburgo, a imperatriz ordenou que os rapazes fizessem uma apresentação na corte. Os figurinos foram confeccionados nas cores prediletas da imperatriz e decorados com joias dela. Todos repararam que o protagonista, um belo rapaz de 19 anos, era o mais bem-vestido e o mais adornado. Fora do teatro, ele foi visto usando fivelas de diamantes, anéis, relógios e rendas caras. Era Nikita Beketov.

A carreira de Beketov como ator e como integrante do Corpo de Cadetes terminou rapidamente: o conde Razumovsky fez dele seu ajudante, o que deu ao ex-cadete a patente de capitão do Exército. Diante disso, a corte concluiu que, se Razumovsky tinha posto Beketov sob sua proteção, fora em contrapartida ao interesse imperial demonstrado por Ivan Shuvalov. Entretanto, ninguém na corte se abalou mais com a promoção de Beketov do que a dama de honra de Catarina, princesa Ana Gagarina, que já não era jovem e estava ansiosa para se casar. Embora não fosse bonita, era inteligente e possuía grandes propriedades. Infelizmente, era a segunda vez que sua escolha recaía sobre um homem que seria sugado para a órbita mais próxima da imperatriz. O primeiro fora

Ivan Shuvalov que, segundo diziam, estava pronto a se casar com a princesa Gagarina quando a imperatriz interveio. Agora a mesma coisa parecia estar acontecendo com Beketov.

A corte esperava para ver quem venceria, se Beketov ou Shuvalov. Beketov estava ganhando quando, num impulso, decidiu convidar o coro de meninos da imperatriz, cujas vozes ele admirava, para irem à casa dele. Desenvolveu uma afeição pelos meninos, frequentemente os convidava e compunha canções para eles. Alguns cortesãos, conhecendo a aversão da imperatriz por afeição entre homens, deram a esse procedimento uma interpretação sexual. Beketov, passeando em seu jardim com os meninos, mal sabia que estava se incriminando. Ele adoeceu com febre alta e, delirante, empolgou-se falando de seu amor por Elizabeth. Ninguém sabia mais o que pensar. Quando recobrou a saúde, Beketov se viu caído em desgraça e retirou-se da corte.

Apesar de seus problemas pessoais com Pedro, a posição de Catarina na Rússia se baseava no casamento e, portanto, quando o marido se via em dificuldades, Catarina tentava ajudar. Uma preocupação constante de Pedro era Holstein, o ducado hereditário do qual ele era o duque reinante. Catarina achava aqueles sentimentos pela terra natal exagerados, até mesmo bobos, mas nunca duvidou de que eram fortes. Em suas *Memoirs*, ela escreveu:

> O grão-duque tinha uma paixão extraordinária pelo cantinho da terra onde nasceu. Aquilo constantemente ocupava sua mente, apesar de ter saído de lá com a idade de 13 anos. Sua imaginação se incendiava cada vez que falava naquilo e, como nenhuma das pessoas em torno jamais tinha colocado os pés no que, segundo ele, era um paraíso maravilhoso, dia após dia ele nos contava histórias fantásticas sobre o lugar, que chegavam a dar sono.

A ligação de Pedro com seu pequeno ducado se tornou uma questão diplomática envolvendo Catarina no outono de 1750, quando chegou a São Petersburgo um diplomata dinamarquês, conde Lynar, para negociar a troca de Holstein pelo principado de Oldenburg, um território na costa do Mar do Norte, sob controle da Dinamarca. O conde Bestuzhev desejava urgentemente essa troca a fim de remover um obstáculo à aliança que pretendia fazer entre a Rússia e a Dinamarca. Para Bestuzhev, os sentimentos de Pedro a respeito do ducado não tinham a menor importância.

Quando o conde Lynar anunciou sua missão, Bestuzhev convocou o barão Johan Pechlin, ministro de Pedro, representante de Holstein. Pechlin, baixo, gordo, esperto e depositário da confiança de Bestuzhev, foi autorizado a abrir as negociações com Lynar. Para tranquilizar seu senhor nominal, o grão-duque Pedro, Pechlin falou que ouvir não significava negociar, que a negociação estava longe de ser aceita, e Pedro tinha o poder de cessar as discussões no momento em que desejasse. Pedro deu permissão a Pechlin para começar, mas foi pedir conselhos a Catarina.

> Ouvi a conversa sobre essas negociações com grande apreensão e tentei impedi-las tanto quanto me foi possível. Pedro tinha sido aconselhado a manter estrito segredo, principalmente das mulheres. É claro que essa observação era dirigida a mim, mas estavam iludidos, porque meu marido estava sempre impaciente para me contar tudo o que sabia. Quanto mais as negociações avançavam, mais tentavam apresentar tudo ao grão-duque sob uma luz favorável. Frequentemente eu o encontrava entusiasmado com as expectativas do que iria ganhar, e mais tarde o via se lamentando amargamente do que teria de abrir mão. Quando o viam hesitante, espaçavam as reuniões e só recomeçavam quando inventavam uma nova tentação que pudesse tornar as coisas mais atraentes. E meu marido não sabia o que fazer.

Nessa ocasião, o representante da Áustria na Rússia era o conde de Bernis, um homem de 50 anos, inteligente, amigável e respeitado por Catarina e Pedro. "Se esse homem, ou alguém como ele, fosse colocado a serviço do grão-duque, daria resultados muito bons", Catarina escreveu. Pedro concordou e decidiu consultar Bernis sobre as negociações. Relutante em falar pessoalmente com o embaixador, pediu a Catarina que fosse em lugar dele. Ela se dispôs e, no baile de máscaras seguinte, ela se aproximou do conde. Falou francamente, admitindo que era muito jovem, com falta de experiência e pouco entendimento de assuntos de Estado. No entanto, disse ela, parecia que as questões de Holstein não eram tão desesperadoras como se comentava. Ademais, quanto à troca propriamente dita, parecia ser muito mais lucrativa para a Rússia do que para o grão-duque pessoalmente. Certamente, ela admitia que, como herdeiro do trono russo, ele deveria se preocupar com os interesses do Império Russo. Se, em algum momento, esses interesses tornassem absolutamente necessário abandonar Holstein a fim de dar término às infindáveis disputas com a Dinamarca, o grão-duque deveria consentir. Nesse momento, porém, o caso como um todo tinha um tal ar de intriga que, se fosse bem-sucedido, o grão-duque iria parecer tão fraco que talvez jamais se recuperasse aos olhos do público. Apesar de saberem que ele adorava Holstein, os negociadores persistiam em convencê-lo a fazer a troca sem que realmente soubesse por quê.

O conde de Bernis ouviu e respondeu: "Como embaixador, não tenho instruções quanto a esse assunto, mas, como conde de Bernis, acho que você tem razão." Depois Pedro contou a ela que o embaixador falou: "Só posso lhe dizer que creio que sua esposa tem razão e que você fará bem em ouvir o que ela disser." Como consequência disso, Pedro esfriou com relação àquelas negociações, e a proposta de troca de territórios acabou caindo. E em sua primeira investida no terreno da diplomacia internacional Catarina conseguiu vencer o conde Bestuzhev.

❦26❦
LIVROS, DANÇAS E UMA TRAIÇÃO

O COMPORTAMENTO DE PEDRO era sempre imprevisível. Passou todo o inverno imerso em planos para construir uma casa de campo perto de Oranienbaum no estilo de um monastério capuchinho. Ali ele, Catarina e sua corte vestiriam hábitos marrons como os monges capuchinhos, cada um deles teria seu burrinho e fariam turnos levando o animal para buscar água e provisões para o "monastério". Quanto mais detalhes inventava, mais empolgado ficava com sua criação. Para agradar a ele, Catarina fazia esboços a lápis do prédio e cada dia tinha de mudar alguns traços arquitetônicos. Essas conversas deixavam-na exausta. Sua fala "era de um enfado", ela escreveu, "como nunca vi igual. Quando ele saía, o livro mais tedioso parecia uma delícia".

O refúgio de Catarina eram os livros. Tendo aprendido a língua russa, lia todas as obras em russo que encontrava. Mas o francês era seu idioma preferido, e lia livros franceses indiscriminadamente, pegando qualquer um que suas damas de companhia estivessem lendo. Tinha sempre um livro no quarto e outro no bolso. Descobriu as cartas de madame de Sévigné descrevendo sua vida na corte de Luís XIV. Quando chegou à Rússia a *General History of Germany*, de Father Barre, recém-publicada na França em dez volumes, Catarina leu um volume por semana. Conseguiu o *Dictionnaire Historique et Critique* do filósofo francês do século XVII Pierre Bayle, um livre-pensador e precursor de Montesquieu e de Voltaire. Catarina o leu do princípio ao fim. Gradualmente, guiada por sua própria curiosidade, foi adquirindo uma instrução superior.

À medida que crescia intelectualmente, Catarina também passava a ser considerada mais atraente fisicamente. "Eu tinha cintura fina, só me faltava um pouco de carne porque eu era muito magra. Eu gostava de sair sem me empoar, pois meus cabelos eram de um castanho extremamente bonito, muito grossos e fortes." Tinha admiradores. Em certa época, o mais persistente deles era não outro senão Nicolas Choglokov, que, depois de sua aventura com *mademoiselle* Kosheleva, ficou apaixonado pela grã-duquesa. Catarina o via fazendo acenos de cabeça, sorrindo bobamente para ela, e as atenções dele lhe eram repugnantes. "Ele era louro e afetado, muito gordo, tão grosso de corpo quanto de mente. Era odiado universalmente, todos o consideravam um sapo desagradável. Eu conseguia escapar de todas as suas atenções sem jamais deixar de ser polida. Isso era perfeitamente claro para sua esposa, que me ficava agradecida."

Os encantos de Catarina eram ainda mais visíveis quando dançava. Ela escolhia cuidadosamente o que usar. Se um vestido despertava muitos elogios, ela não o usava mais. Tinha como norma que, se causasse muita admiração na primeira vez, só poderia causar menos daí em diante. Nos bailes privados da corte, vestia-se com a maior simplicidade possível. Isso agradava à imperatriz, que não gostava que as mulheres se vestissem com muito luxo nessas ocasiões. Quando tinham ordens de se vestir como homens, Catarina comparecia com roupas magníficas, ricamente bordadas. Isso também parecia agradar a Elizabeth.

Ao se vestir para um desses bailes de máscaras em que as mulheres competiam em esplendor e elegância, Catarina escolheu apenas um corpete de tecido branco rugoso e uma saia do mesmo tecido cobrindo uma pequena anquinha. Os cabelos, longos e espessos, foram penteados em cachos e presos num simples rabo de cavalo amarrado por uma fita branca. Usou uma única rosa nos cabelos, um tufo de gaze branca ao redor do pescoço, mangas e um aventalzinho da mesma gaze. Chegando ao salão, foi diretamente cumprimentar a imperatriz. "Meu Deus, quanta modéstia!", Elizabeth disse com aprovação. Enlevada ao deixar a imperatriz, dançou a noite inteira. "Em toda a minha vida", ela escreveu mais tarde, "não me lembro de ter recebido tantos elogios por tanta gente como naquela noite. Para dizer a verdade, nunca me achei muito bonita, mas tinha charme, sabia agradar, e acho que essa era a minha força."

Durante os bailes e mascaradas daquele inverno, em 1750-51, o conde Zakhar Chernyshev, que havia sido secretário e era agora coronel do Exército, retornou a São Petersburgo após cinco anos de ausência. Quando ele partiu, Catarina era uma adolescente de 16 anos, e agora era uma mulher de 21.

> Fiquei muito feliz ao vê-lo. Ele, por sua vez, não perdeu nenhuma oportunidade de me dar sinais de seus sentimentos afetuosos. Cabia a mim decidir qual interpretação daria a suas atenções. Ele começou dizendo que eu estava muito mais bonita. Era a primeira vez na vida que alguém me dizia algo assim, e muito me agradou. Eu era tão simples que acreditei nele.

Em todos os bailes, Chernyshev fazia um elogio desse tipo. Um dia, a princesa Gagarina, a dama de companhia, trouxe a Catarina um cartãozinho de amor, uma tirinha de papel impresso com versos sentimentais. Era de Chernyshev. No dia seguinte, Catarina recebeu outro envelope de Chernyshev, mas dessa vez encontrou um bilhete escrito de próprio punho. Na mascarada seguinte, dançando com ela, ele disse que tinha mil coisas a lhe dizer que não podia pôr no papel e pediu que lhe concedesse uma breve audiência nos aposentos dela. Catarina respondeu que era impossível, seus aposentos eram inacessíveis. Ele disse que se disfarçaria de criado, se fosse preciso. Ela disse não. "E assim", Catarina escreveu mais tarde, "as coisas não foram além de bilhetes enfiados em envelopes." No fim do mês de carnaval, o conde Chernyshev retornou ao seu regimento.

Aos 20 e poucos anos de idade, Catarina tinha uma vida de Cinderela Real. Nos dias de verão, galopava pelos campos e caçava patos nos charcos que margeavam o golfo da Finlândia. Nas noites de inverno, era a bela dos bailes da corte, dançando, trocando confidências cochichadas e recebendo bilhetes românticos de jovens enamorados. Essas ocasiões eram elementos de seu mundo de sonhos. A realidade de sua vida diária era diferente, cheia de frustrações, contrariedades e rejeições.

Foi um choque quando madame Choglokova lhe disse que a imperatriz havia demitido Timóteo Evreinov, seu valete de quarto e amigo. Houve uma briga envolvendo Evreinov e um homem que servia café a Catarina e Pedro. No auge da discussão, Pedro entrou inesperadamente e ouviu os insultos que um gritava ao outro. O antagonista de Evreinov foi se queixar a *monsieur* Choglokov de que, sem consideração pela presença do herdeiro do trono, Evreinov o tinha coberto de injúrias. Choglokov correu a relatar o incidente à imperatriz, que, no mesmo instante, demitiu os dois brigões. "A verdade", Catarina escreveu, "é que tanto Evreinov como o outro homem eram profundamente dedicados a nós." No lugar de Evreinov, a imperatriz colocou um homem chamado Vasily Shkurin.

Pouco depois, Catarina e madame Choglokova tiveram um embate sobre uma questão em que Shkurin desempenhou um papel crucial. A princesa Joana, mãe de Catarina, mandou-lhe de Paris dois cortes de belos tecidos. Catarina estava admirando os tecidos em seu quarto de vestir, na presença de Shkurin, e deixou escapar que eram tão lindos que estava tentada a dá-los de presente à imperatriz. Esperaria por uma oportunidade para falar com a monarca, pois queria presentear os tecidos pessoalmente a Elizabeth. E proibiu Shkurin terminantemente de repetir o que ouvira a quem quer que fosse. Ele foi imediatamente contar a madame Choglokova o que ouvira. Dias depois, a governanta foi dizer a Catarina que a imperatriz agradecia os tecidos, que Elizabeth tinha ficado com um e que a grã-duquesa ficasse com o outro. Catarina ficou pasma. "Como assim, madame Choglokova?" Madame Choglokova respondeu que soubera que Catarina pretendia dar os tecidos à imperatriz, e os levara para ela. Catarina, gaguejando tanto que mal conseguia falar, conseguiu dizer a madame Choglokova que estava esperando ansiosamente uma ocasião para entregar os tecidos pessoalmente. Disse à governanta que ela não poderia saber de sua intenção porque não havia contado a ela, e se madame Choglokova estava a par de seus planos, só poderia ser pela boca de um servo traiçoeiro. Madame Choglokova replicou que Catarina sabia que não tinha permissão para falar diretamente com a imperatriz, e sabia também que os servos tinham ordens para relatar a ela, madame Choglokova, tudo o que Catarina dissesse na presença deles. Portanto, o servo tinha apenas cumprido seu dever, e ela o dela ao levar os tecidos para Elizabeth. Em suma, madame Choglokova declarou, tudo havia sido feito conforme as regras. Catarina não conseguiu responder; sua fúria a deixou sem palavras.

Quando madame Choglokova saiu, Catarina foi à pequena antecâmara onde Shkurin passava as manhãs e lhe deu uns tapas com toda a sua força, dizendo que ele era um ingrato, traidor, por ter se atrevido a contar a madame Choglokova o que ela lhe tinha proibido de falar. Lembrou a ele que o tinha enchido de presentes, e mesmo assim ele a traíra. Shkurin caiu de joelhos, implorando perdão. Comovida por seu arrependimento, Catarina lhe disse que sua conduta no futuro iria determinar o tratamento que lhe daria. Nos dias que se seguiram, Catarina se queixou abertamente com todo mundo da atitude de madame Choglokova, para que chegasse aos ouvidos da imperatriz. Deve ter chegado, porque, quando enfim Elizabeth viu a grã-duquesa, agradeceu o presente.

PARTE III
Sedução, maternidade e confronto

❧ 27 ❧
SALTYKOV

EM SETEMBRO DE 1751, a imperatriz designou três jovens nobres como secretários particulares do grão-duque Pedro. Um deles, Lev Naryshkin, vinha da família de Natalya Naryshkina, mãe de Pedro, o Grande. Lev era amável, inteligente, gaiato, de pensamento rápido; todo mundo gostava dele e ninguém o levava a sério. Catarina o descreveu como alguém que a fez rir mais que qualquer outra pessoa em toda a sua vida:

> Era um palhaço nato e, se não fosse nobre de nascença, poderia ter feito uma fortuna como ator cômico. Era espirituoso e sabia de todos os mexericos. Tinha um amplo conhecimento superficial de quase tudo e era capaz de passar um quarto de hora falando continuamente, em termos técnicos, sobre todo tipo de arte ou ciência. No fim, nem ele nem ninguém conseguia ver o menor sentido na torrente de palavras que jorravam de sua boca, e todos simplesmente caíam na gargalhada.

Os outros dois eram os irmãos Saltykov, filhos de uma das famílias mais antigas e nobres da Rússia. Seu pai era ajudante de campo da imperatriz, e sua mãe era muito estimada por Elizabeth por sua lealdade por ocasião da tomada do trono em 1740. Pedro, o mais velho, era um pateta, descrito por Catarina como "um bobo em todos os sentidos da palavra. Tinha a cara mais idiota que já vi: um par de grandes olhos parados, nariz chato, uma boca caída, sempre meio aberta. Era um notório fofoqueiro e, como tal, em excelentes termos com os Choglokov".

O outro irmão, Sergei, era inteiramente diferente. Sergei era bonito e implacável, um homem que fazia da sedução de mulheres a razão de sua vida. Tinha a pele morena, olhos negros, estatura mediana, era musculoso, porém gracioso. Sempre de olho numa nova conquista, lançava-se ao trabalho, empregando charme, promessas e persistência, em qualquer combinação que funcionasse. Os obstáculos só faziam aumentar sua determinação. Na primeira vez que reparou em Catarina, ele tinha 26 anos e estava casado havia dois anos com uma dama de companhia da imperatriz, Matriona Balk. Esse casamento fora resultado de um impulso. Ele a viu num balanço em Tsarskoe Selo e a saia dela, levantada pela brisa, expôs seus tornozelos. Ele a pediu em casamento no dia seguinte. Agora estava cansado de Matriona e pronto para algo novo. Observou que Catarina era ostensivamente ignorada pelo marido e que obviamente se entediava com as pessoas a sua volta. O fato de a grã-duquesa ser sempre vigiada de perto aumentava a fascinação; seu casamento com o grão-duque tornava o prêmio mais valioso e, além disso, os rumores de que Catarina ainda era virgem faziam dela um desafio irresistível.

Catarina notou que o jovem se fez rapidamente amigo íntimo dos Choglokov, e achou estranho: "Como essas pessoas não eram nem inteligentes nem amigáveis, Saltykov devia ter algum propósito secreto com aquelas atenções. Certamente, ninguém com o mínimo de bom senso seria capaz de ficar ouvindo aqueles tolos arrogantes, egoístas, falando bobagens o dia inteiro, sem ter um motivo oculto." Maria Choglokova estava grávida de novo, passava a maior parte do tempo no quarto e pedia que a grã-duquesa fosse visitá-la. Catarina ia e geralmente encontrava Sergei Saltykov, Lev Naryshkin e outros presentes, além de Nicolas Choglokov. Saltykov arquitetou uma ocupação original para *monsieur* Choglokov nessas tardes e noites. Ele descobriu que aquele homem obstinado, sem imaginação, tinha talento para escrever poemas líricos singelos. Saltykov elogiou exageradamente esses versos e pediu para ouvir mais. A partir de então, quando o grupo queria se livrar de Choglokov, Saltykov sugeria um tema e pedia ao lisonjeado versejador que compusesse um poema. Choglokov ia rapidamente para um canto do quarto, sentava-se junto à lareira e escrevia. Depois que começava, ficava tão absorto no trabalho que passava a tarde inteira sentado ali. Diziam que seus versos eram maravilhosos, encantadores, e ele escrevia mais ainda. Lev Naryshkin musicava os versos no clavicórdio e os cantava junto com Choglokov. Ninguém prestava atenção, e todos ficavam livres para conversar sem interrupções.

Foi nesse clima de camaradagem e alegre manipulação que Sergei Saltykov deu início a sua campanha. Uma noite, ele sussurrou coisas de amor para Catarina. Ela ouviu com um misto de alarme e prazer. Nem correspondeu nem desencorajou. Ele persistiu e, na investida seguinte, ela se arriscou a perguntar o que ele estava querendo. Ele descreveu o estado de êxtase que desejava compartilhar com ela. Catarina interrompeu-o: "E sua esposa, com quem você se casou por amor há dois anos?

O que ela dirá?" Dando de ombros, Saltykov descartou Matriona. "Nem tudo o que brilha é ouro", ele respondeu, dizendo que estava pagando um preço muito alto por um instante de paixão. Seus sentimentos por Catarina, assegurou, eram mais profundos, mais permanentes, moldados num metal mais precioso.

Mais tarde, Catarina descreveu o caminho que estava sendo levada a percorrer:

> Ele tinha 26 anos e, por nascimento e por muitas outras qualidades, era um cavalheiro distinto. Sabia esconder seus defeitos, os maiores dos quais eram seu amor pela intriga e sua falta de princípios. Na época, essas faltas não eram claras para mim. Eu o via quase todos os dias, sempre em presença da corte, e não mudei meu comportamento. Eu o tratava como a todos os demais.

A princípio, ela o afastou. Disse a si mesma que seus sentimentos por ele eram de piedade. Como era triste esse homem tão bonito, preso a um mau casamento, estar agora se oferecendo a arriscar tudo por ela, sabendo que ela era inacessível, que era a grã-duquesa e esposa do herdeiro do trono.

> Infelizmente, eu não conseguia deixar de ouvi-lo. Era bonito como o amanhecer e certamente não havia ninguém que se igualasse a ele naquele grau na Corte Imperial, e muito menos na nossa. E nada lhe faltava do verniz de conhecimentos, boas maneiras e estilo que são as qualidades da sociedade, principalmente na corte.

Ela o via todos os dias, e sugeriu que ele estava perdendo tempo. "Como você sabe que meu coração não pertence a outra pessoa?", perguntou-lhe. Ela não era boa atriz, e Saltykov, conhecedor do diálogo amoroso, não levava a sério nenhuma de suas objeções. Mais tarde, Catarina só pôde dizer: "Resisti durante toda a primavera e parte do verão."

Num dia de verão de 1752, Choglokov convidou Catarina, Pedro e sua jovem corte a uma caçada em sua ilha no rio Neva. Ao chegar, a maioria deles saiu cavalgando atrás dos cães, à caça de lebres. Saltykov esperou até que os outros estivessem fora da vista, foi seguindo ao lado de Catarina e, nas palavras dela, "retomou seu tema favorito". Ali, sem precisar baixar a voz, ele falou dos prazeres de um caso de amor secreto. Catarina permaneceu calada. Implorou que ela lhe permitisse pelo menos a esperança de ter uma chance. Catarina conseguiu responder que ele podia ter a esperança que quisesse; ela não podia controlar os pensamentos dele. Saltykov se comparou a outros jovens da corte e perguntou se não era ele seu preferido. Ou, se não, quem era? Ela balançou a cabeça, sem falar nada. Mais tarde, disse: "Eu tinha de admitir que ele me agradava." Passada uma hora e meia desse minueto, uma velha rotina para Saltykov, Catarina lhe disse para ir embora porque essa conversa particular tão longa poderia levantar suspeitas. Saltykov respondeu que só iria depois que ela consentisse. "Sim, sim, mas vá embora", ela falou. "Então está combinado. Tenho sua palavra", ele disse e esporeou o cavalo. "Não, não!", ela gritou, ele respondeu "Sim, sim!" e saiu galopando.

À tardinha, o grupo retornou à casa de Choglokov para jantar. Durante a refeição, uma forte ventania de oeste levantou o mar do golfo da Finlândia, que encheu o delta do rio Neva, e toda a ilha, muito rasa, ficou inundada. Os hóspedes de Choglokov ficaram presos na casa até as três da madrugada. Saltykov usou esse tempo para dizer a Catarina que até o céu estava a seu favor porque a tempestade permitia que ficasse mais com ela. "Ele já se achava triunfante", ela escreveu mais tarde. "Mas isso não acontecia comigo. Mil preocupações me atribulavam. Pensei que seria capaz de governar tanto a paixão dele como a minha, mas percebi que seria difícil, talvez impossível." Foi impossível. Pouco tempo depois, em agosto ou setembro de 1752, Sergei Saltykov atingiu seu objetivo.

Ninguém sabia do caso, mas Pedro deu um palpite certeiro. "Sergei Saltykov e minha esposa estão enganando Choglokov", ele disse à dama de companhia que estava assediando no momento. "Eles o fazem acreditar no que quiserem, e riem pelas costas dele." Pedro não se importava de estar sendo traído, e via aquilo como uma peça pregada ao tolo Choglokov. O mais importante é que nem a imperatriz, nem madame Choglokova sabiam desse relacionamento de Catarina. Naquele verão, em Peterhof e Oranienbaum, Catarina cavalgava todos os dias. Agora, menos preocupada com as aparências, tinha parado de tentar enganar a imperatriz e montava a cavalo como um homem. Certo dia, ao vê-la, Elizabeth disse a madame Choglokova que cavalgar assim era o que impedia a grã-duquesa de ter filhos. Cheia de audácia, madame Choglokova respondeu que montar nada tinha a ver com o fato de Catarina não ter filhos; afinal, filhos não apareciam "sem que alguma coisa acontecesse antes" e, embora o casal ducal estivesse casado havia sete anos, "nada havia acontecido ainda". Diante dessa afirmação, na qual ainda se recusava a acreditar, a raiva de Elizabeth explodiu, culpando madame Choglokova por não persuadir o casal a cumprir seu dever.

Muito aflita, madame Choglokova passou a se esforçar para que o desejo da imperatriz fosse cumprido. Primeiro consultou um valete do grão-duque, um francês chamado Bressan. Ele recomendou que colocassem Pedro na companhia íntima de uma mulher bonita, sexualmente experiente e de classe inferior à dele. Madame Choglokova concordou, e Bressan localizou uma jovem viúva, madame Groot, cujo falecido marido, um pintor de Stuttgart chamado L. F. Groot, era um dos artistas ocidentais trazidos à Rússia por Elizabeth. Levou algum tempo para explicarem a madame Groot o que desejavam dela e a persuadirem a consentir. Logo que a professora assumiu o compromisso, Bressan a apresentou ao aluno. A partir de então, numa atmosfera de música, vinho e gracejos – e muita perseverança da parte dela –, foi conduzida a iniciação sexual de Pedro.

O sucesso do grão-duque com madame Groot significava que a viúva tinha conseguido fazer com que ele superasse quaisquer inibições quanto a sua aparência. Se de fato Pedro tivesse sido incomodado pela fimose, esse problema também deve ter se resolvido com o passar do tempo. E existe outra versão, contada pelo diplomata francês Jean-Henri Castéra, o primeiro a apresentar a teoria da fimose na biografia de Catarina. Segundo Castéra, quando Saltykov teve sucesso na sedução de Catarina, ficou intranquilo por ser amante de uma mulher sabidamente virgem e cujo marido era o herdeiro do trono. E se ela engravidasse, o que seria dele? Decidiu se proteger. Durante um jantar só para homens em que o grão-duque era o convidado de honra, Saltykov dirigiu a conversa para os prazeres do sexo. Pedro, completamente bêbado, admitiu nunca ter tido aquelas sensações. Então, diz a história, Saltykov, Lev Naryshkin e outros presentes pediram ao grão-duque que se submetesse a uma cirurgia corretiva ali mesmo, naquele momento. Completamente tonto, Pedro gaguejou um consentimento. Trouxeram um cirurgião e um médico, já de plantão, e a operação foi realizada imediatamente. Uma vez cicatrizada a incisão, e tendo madame Groot encerrado suas aulas particulares, o grão-duque estava pronto a se tornar um marido completo. E então, se a esposa de Pedro ficasse grávida, quem poderia dizer que Sergei Saltykov era o responsável?

Afinal, a preocupação de Saltykov foi desnecessária. Ao obedecer à ordem da imperatriz no caso de Pedro, madame Choglokova se voltou para o problema de Catarina, que a governanta supunha ser ainda virgem. Não era sabido se o sucesso de Pedro ao se entregar a madame Groot seria o mesmo com Catarina. E ainda que chegasse ao ato físico, nada garantia que resultasse numa concepção. Era preciso ter mais certeza. Talvez até um homem mais confiável.

Compreendendo a vasta latitude da ordem imperial que recebera, madame Choglokova chamou Catarina um dia e disse: "Preciso falar com você muito seriamente." A conversa que se seguiu deixou Catarina estupefata.

> Madame Choglokova começou, como sempre, com um longo preâmbulo sobre o vínculo dela com o marido, sua própria virtude e prudência, o que era necessário e o que não era necessário para garantir o amor mútuo e facilitar as relações conjugais. Mas então, no meio da conversa, ela reverteu o rumo, dizendo que às vezes havia situações em que um interesse mais alto requeria uma exceção a essas regras, quando um dever patriótico tinha precedência sobre o conjugal. Deixei-a falar sem interrupções, não sabendo aonde ela queria chegar, e pensando se não seria uma armadilha para mim. Enquanto eu deliberava, ela disse: "Não duvido que você tenha alguma preferência em seu coração por algum outro homem. Deixo você escolher entre Sergei Saltykov e Lev Naryshkin. Se não me engano, é este último." Gritei: "Não, não, de jeito nenhum!" Madame Choglokova disse: "Se não é Naryshkin, só pode ser Saltykov."
>
> Catarina permaneceu calada e a governanta continuou: "Você verá que não porei dificuldades." E madame Choglokova cumpriu a palavra. A partir de então, ela e o marido saíam de perto quando Saltykov entrava no quarto de Catarina.

Os três personagens principais – Catarina, Pedro e Sergei – se viram numa situação complicada. Ela amava um homem que jurava amá-la e que, descartando sete anos de casamento virginal, lhe ensinava o amor físico. Tinha um marido que jamais a tocara, ainda não a desejava, estava a par da existência do amante dela e achava que tudo era uma grande brincadeira. Sergei considerava a inclusão de Pedro um álibi necessário.

Catarina deveria estar feliz, mas alguma coisa na atitude de Sergei Saltykov estava mudando. No outono, quando a corte voltou para o Palácio de Inverno, ele vivia inquieto. Parecia que sua paixão vinha acabando. Quando ela o acusou, ele enfatizou a necessidade de cautela, explicando que, se ela refletisse um pouco mais, entenderia a sensatez e prudência do comportamento dele.

Catarina e Pedro partiram de São Petersburgo para Moscou em dezembro de 1752, acompanhando a imperatriz e a corte. Catarina já sentia sinais de gravidez. O trenó viajava dia e noite e na última estação de muda antes de Moscou ela teve violentas contrações e muito sangramento. Era um aborto. Pouco depois, Sergei Saltykov chegou a Moscou, mas sua atitude se manteve distante. Todavia, repetiu as razões de seu comportamento: a necessidade de discrição e evitar suspeitas. Ela continuou acreditando nele: "Tão logo o via e falava com ele, minhas preocupações desapareciam", ela disse.

Tendo a confiança restabelecida e esperando agradar, Catarina concordou com uma proposta política de Saltykov. Ele pediu a ela que intercedesse junto ao chanceler Bestuzhev para ajudá-lo em sua carreira, obtendo uma promoção. Não foi fácil para Catarina concordar. Durante sete anos, ela considerara o chanceler seu mais poderoso inimigo na Rússia. Ele a havia submetido a provocações e humilhações, estava por trás da campanha contra a mãe dela, tinha contratado os cães de guarda Choglokov e era o autor da proibição de escrever e receber suas cartas pessoais. Catarina jamais protestou publicamente, tinha o cuidado de evitar se alinhar a qualquer facção da corte. Achava que sua própria posição, incerta, sugeria ser melhor cultivar amizades em todas as direções. Não parecia interessada em manobras políticas. Sua prioridade havia sido apagar sua identidade prussiana e adotar com entusiasmo todas as características dos costumes russos. Agora, influenciada pelo amor ao homem que a engravidara e pelo medo de perdê-lo, deixou de lado essas considerações e fez o que ele pediu.

Seu primeiro passo foi enviar ao conde Bestuzhev "algumas palavras que lhe permitissem acreditar que eu era menos hostil a ele do que havia sido antes". Catarina surpreendeu-se com a reação do chanceler. Ele ficou encantado com essa abertura, declarou que estava à disposição da grã-duquesa e pediu que ela indicasse um canal seguro de comunicação entre eles. Ao saber dessa novidade, Saltykov, impaciente, foi ver o chanceler imediatamente, sob o pretexto de uma visita social. O velho senhor o recebeu calorosamente, e lhe falou, em particular, sobre o mundo interno da corte, enfatizando principalmente a estupidez dos Choglokov. "Sei que você pode ver o interior deles tão bem quanto eu porque é um jovem sensato", disse Bestuzhev, e depois falou sobre Catarina: "Em gratidão à boa vontade que a grã-duquesa me demonstrou, vou prestar a ela um pequeno favor, pelo qual acho que irá me agradecer. Vou deixar madame Vladislavova mansa como um cordeiro, e a grã-duquesa poderá fazer o que quiser. Ela verá que não sou o ogro que ela imagina." Com um único golpe, Catarina transformou o inimigo que temera por tantos anos. Agora aquele homem poderoso lhe oferecia apoio e, de quebra, Saltykov. "Ele lhe deu [a Saltykov] muitos conselhos, tão úteis quanto sábios. Isso o tornou muito chegado a nós, sem que nenhuma alma viva percebesse."

A nova aliança oferecia vantagens para os dois lados. Apesar das humilhações que Bestuzhev infligira a ela e a sua família, Catarina reconhecia a inteligência e a capacidade administrativa dele. Isso poderia ser tão útil a ela quanto a Saltykov. Do ponto de vista de Bestuzhev, a oferta de reconciliação de Catarina vinha numa ocasião extremamente oportuna. A ascensão do novo favorito de Elizabeth, Ivan Shuvalov, ameaçava a posição do chanceler. O novo favorito não era simplesmente amável e indolente, como fora Razumovsky. Shuvalov era inteligente, ambicioso, fortemente a favor da França, e vinha trabalhando ativamente para garantir posições influentes no governo para seus tios e primos. Além disso, Bestuzhev estava preocupado com a saúde de Elizabeth. As doenças dela estavam cada vez mais frequentes e exigindo períodos de recuperação longos demais. Se – ou melhor, quando – a imperatriz morresse, Pedro herdaria o trono. Pedro, que idolatrava Frederico da Prússia, que odiava a aliança com a Áustria – a pedra angular da diplomacia do chanceler – e que estava preparado para sacrificar os interesses do Império Russo pelo minúsculo, insignificante principado de Holstein. Bestuzhev bem sabia que Catarina era muito mais inteligente que o marido e era tão interessada nas questões russas quanto Pedro era indiferente ou hostil. Ter Catarina como aliada significava ter suporte a sua posição no momento e talvez acrescentar mais força no futuro. Quando ela sugeriu trabalharem juntos, ele se apressou em concordar.

Em maio de 1753, cinco meses após o aborto espontâneo, Catarina estava grávida novamente. Passou várias semanas no campo nos arredores de Moscou, onde se restringiu a caminhadas e suaves passeios de carruagem. Ao retornar a Moscou, tinha tanta sonolência que dormia até o meio-dia e era difícil acordá-la para o almoço. Em 28 de junho, ela sentiu dores lombares. A parteira foi chamada, balançou a cabeça e previu outro aborto. Na noite seguinte, a previsão se concretizou. "Eu devia estar grávida de dois ou três meses", ela conjeturou. "Minha vida ficou correndo perigo por 13 dias e havia a suspeita de que uma parte da placenta não havia sido expelida. Finalmente, no 13º dia, saiu sem dores nem esforço."

Pedro passou a maior parte desse tempo em seu próprio quarto, onde os servos mantinham as provisões não só de brinquedos, mas também de álcool. Durante esses dias, o grão-duque frequentemente se via ignorado e até flagrantemente desobedecido pelos servos, tão bêbados quanto ele. Zangado, Pedro brandia a bengala ou a lateral da espada, mas sua *entourage* se esquivava e ria. Após a recuperação de Catarina, Pedro pediu que ela os fizesse se comportar. "Quando isso acontecia", ela disse, "eu ia aos aposentos dele e ralhava com os servos, lembrando a eles seu lugar e seus deveres. Eles sempre voltavam a seu lugar. Aquilo fez o grão-duque me dizer que não entendia como eu conseguia controlar seus servos, pois ele os espancava e não era obedecido, enquanto eu obtinha o que queria com uma única palavra."

Moscou, a maior cidade da Rússia do século XVIII, foi construída basicamente em madeira. Palácios, mansões, casas e casebres foram erguidos com toras e pranchas de madeira, às vezes esculpidas e pintadas para lhes dar a aparência de pedra, com janelas, varandas e frontões em cores fortes e formas variadas. No entanto, construídas às pressas, eram desconfortáveis. As portas e janelas não fechavam bem, as escadas eram bambas e, às vezes, a casa inteira balançava.

O pior de tudo era o flagelo dos incêndios. Nos gélidos invernos russos, tanto os palácios como as casas eram aquecidos por altas lareiras, que iam do chão ao teto, revestidas de ladrilhos, nos cantos dos aposentos. Muitas vezes eram lareiras velhas, os ladrilhos estavam rachados, os cômodos se enchiam de fumaça, o ar ficava irrespirável e muita gente sofria de dores de cabeça, olhos inchados e vermelhos. Às vezes escapavam fagulhas pelas frestas e inflamavam as paredes de madeira que ficavam atrás. No inverno, que durava muitos meses, com as lareiras primitivas acesas em todas as casas, uma fagulha podia criar um verdadeiro inferno. Levadas pelo vento, as labaredas de uma casa em chamas passavam de um telhado a outro, reduzindo a cinzas uma rua inteira. Para os moscovitas, ver uma casa incendiada e bombeiros lutando contra o fogo, destruindo outras construções para chegar ao foco, era parte do cotidiano. "Ninguém viu mais incêndios em Moscou do que em 1753 e 1754", escreveu Catarina. "Vi mais de uma vez, das janelas do meu apartamento, dois, três, quatro, cinco incêndios ao mesmo tempo, em diferentes partes da cidade."

Numa tarde de novembro de 1753, Catarina e madame Choglokova estavam no palácio Golovin quando ouviram gritos. O palácio, todo construído em madeira, estava pegando fogo. Era tarde demais para salvar a imensa estrutura. Correndo ao seu quarto, Catarina viu que a escada no canto do grande salão de recepção já estava em chamas. Em seu apartamento, encontrou muitos soldados e servos carregando mobílias para fora. Ela e madame Choglokova nada podiam fazer para ajudar. Refugiando-se na rua enlameada pela chuva forte, encontraram a carruagem do mestre do coro, que viera para um concerto de Pedro. As duas pularam para dentro da carruagem e lá ficaram vendo o incêndio, até que o calor demasiado obrigou a carruagem a se afastar. Antes, porém, Catarina viu uma cena extraordinária: "Uma quantidade inacreditável de ratos e camundongos vinha descendo a escada numa fila única, ordenada, sem nem parecer estar com pressa." Pouco depois, Choglokov chegou dizendo que a imperatriz ordenava que o jovem casal fosse para a casa dele. Era "um lugar horrível", disse Catarina. "Não havia móveis, o vento entrava por todos os lados, as portas e janelas estavam meio estragadas, o chão era cheio de rachaduras e havia insetos por toda parte. Mesmo assim, estávamos melhor que as crianças e os servos que moravam lá e foram expulsos para nos ceder seus quartos."

No dia seguinte, trouxeram as roupas e os outros pertences deles, recolhidos da lama onde tinham ficado, defronte aos restos ardentes do palácio. Catarina ficou felicíssima quando recebeu a maior parte de sua pequena biblioteca preservada. O que mais a preocupou naquele desastre foi a possibilidade de perder seus livros. Ela acabara de ler o quarto volume do *Dictionnaire historique et critique*, de Bayle, e os volumes chegaram intactos. Foi Elizabeth quem teve a maior perda de objetos pessoais no incêndio. Toda a parcela do enorme guarda-roupa que ela trouxera para Moscou pegou fogo. A imperatriz disse a Catarina que tinha perdido quatrocentos vestidos e, de todos eles, a perda que ela mais lamentava era o vestido feito com o tecido parisiense que Catarina tinha recebido da mãe e dado a ela.

Pedro também sofreu uma grande – e embaraçosa – perda no incêndio. O apartamento do grão-duque era mobiliado com uma quantidade anormal de cômodas com muitas gavetas. Quando foram carregadas para fora, algumas gavetas, não trancadas ou mal fechadas, se abriram, e todo o conteúdo caiu no chão. O que havia lá dentro eram garrafas de vinho e outras bebidas alcoólicas. As cômodas serviam como adega particular do grão-duque.

Quando Catarina e Pedro se mudaram para um outro palácio da imperatriz, madame Choglokova, apresentando várias desculpas, ficou em casa com os filhos. A verdade é que aquela mãe de sete filhos, com fama de virtuosa e dedicada ao marido, tinha se apaixonado pelo príncipe Pedro Repnin. Mantinha encontros secretos com o príncipe, mas, precisando de uma confidente discreta, recorreu a Catarina, a única pessoa em quem confiava, e lhe mostrou as cartas que havia recebido do amante. Quando Nicolas Choglokov suspeitou do caso e perguntou a Catarina, ela fingiu ignorar.

Em fevereiro de 1754, Catarina estava grávida pela terceira vez. Não muito depois, na Páscoa, Nicolas Choglokov teve fortes dores de estômago. Não havia o que aliviasse. Naquela semana, Pedro tinha ido cavalgar, mas Catarina ficou em casa, sem querer arriscar a gravidez. Ela estava sozinha em seu quarto quando Choglokov mandou chamá-la, pedindo que fosse vê-lo. Estirado na cama, recebeu-a soltando uma torrente de queixas contra a esposa. Disse que ela estava envolvida num adultério com o príncipe Repnin, que durante o carnaval tinha tentado se infiltrar na casa deles fantasiado de palhaço. Quando ia prosseguir com mais detalhes, Maria Choglokova entrou no quarto. Ainda na presença de Catarina, Choglokov fez um monte de acusações à esposa, culpando-a de adultério e por abandoná-lo na doença. Maria Choglokova estava tudo, menos arrependida. Disse ao marido que o tinha amado demais, por anos e anos, que havia sofrido quando ele foi infiel a ela e que agora nem ele nem ninguém podiam censurá-la. Para terminar, falou que não era o esposo quem deveria estar reclamando, e sim, ela. Durante a discussão, marido e mulher apelavam o tempo todo para Catarina como testemunha e juíza. Catarina permaneceu calada.

Choglokov piorou. Em 21 de abril, os médicos disseram que não havia esperança de recuperação. A imperatriz mandou que levassem o doente para a casa dele por medo de que morresse no palácio, o que ela considerava má sorte. Catarina se viu, surpreendentemente, preocupada com a doença de Nicolas Choglokov. "Ele estava morrendo justamente quando, após tantos anos de problemas e sofrimentos, havíamos conseguido torná-lo não só menos cruel e malicioso, mas até tratável. Quanto à esposa, agora era sinceramente afeiçoada a mim, transformada de guardiã áspera e despeitada em amiga leal."

Choglokov morreu na tarde de 25 de abril. Nos últimos dias da doença do marido, Maria Choglokova também ficou doente e confinada ao leito, em outra parte da casa. Por acaso, Sergei Saltykov e Lev Naryshkin estavam no quarto dela no momento da morte de Choglokov. As janelas estavam abertas, e um passarinho entrou voando e pousou numa cornija oposta à cama de madame Choglokova. Ela o viu e disse: "Tenho certeza de que meu marido acaba de morrer. Por favor, mandem alguém verificar." Ao saber que de fato ele tinha morrido, madame Choglokova declarou que o passarinho era a alma do marido. As pessoas disseram a ela que era um passarinho comum, que já tinha voado para longe. Ela continuou certa de que a alma do marido tinha vindo procurá-la.

⁂ 28 ⁂
O NASCIMENTO DO HERDEIRO

DEPOIS QUE O MARIDO FOI ENTERRADO, Maria Choglokova quis retomar seus deveres com Catarina, mas a imperatriz liberou a prima do compromisso, dizendo que era impróprio a uma viúva recente reaparecer tão cedo em público. Elizabeth designou o conde Alexander Shuvalov, sobrinho de seu favorito Ivan Shuvalov, para ficar no lugar de Nicolas Choglokov junto à corte jovem. Nessa ocasião, Alexander Shuvalov era muito temido devido a sua posição de chefe do tribunal de crimes contra o Estado. Corriam boatos de que esse trabalho ingrato lhe valera os movimentos convulsivos que entortavam todo o lado direito de sua face, do olho ao queixo, toda vez que ficava ansioso ou com raiva.

Essa foi apenas a primeira das mudanças. Catarina ouvira dizer que a imperatriz planejava designar a condessa Rumyantseva para substituir Maria Choglokova. Sabendo que aquela mulher não gostava de Sergei Saltykov, Catarina recorreu a Alexander Shuvalov, o novo cão de guarda, dizendo-lhe que não queria a condessa Rumyantseva por perto. No passado, disse ela, a condessa havia prejudicado sua mãe ao criticar Joana junto à imperatriz, e agora Catarina temia que acontecesse a mesma coisa com ela. Shuvalov, não querendo ser responsabilizado por qualquer mal causado à criança que Catarina trazia no ventre, disse que faria o que lhe fosse possível. Falou com a imperatriz e voltou dizendo que a condessa Rumyantseva não seria a nova governanta. Quem assumiria o posto seria sua mulher, a condessa Shuvalova.

Nenhum Shuvalov era querido pela jovem corte. Catarina os descrevia como "gente ignorante, ignóbil". Apesar de serem ricos, os Shuvalov tinham pendor para a avareza. A condessa era magrinha, baixinha e empertigada. Catarina a chamava de "pilar de sal". E se manteve distanciada dela devido também a uma descoberta feita depois do incêndio do palácio em novembro de 1753, em Moscou. Alguns objetos da condessa Shuvalova, salvos do fogo, foram enviados por engano para a grã-duquesa. Ao examiná-los, Catarina descobriu que "as anáguas da condessa eram forradas de couro porque ela sofria de incontinência. Com isso, o odor de urina impregnava todas as roupas de baixo. Devolvi para ela o mais rápido possível".

Em maio, quando a corte deixou Moscou para voltar a São Petersburgo, Catarina viajou devagar, a fim de proteger a gravidez. Sua carruagem foi levada a passo, indo a cada dia somente de uma estação de muda a outra, e levou 29 dias na estrada. Na carruagem, seguiam a condessa Shuvalova, madame Vladislavova e uma parteira com instruções para ficar sempre por perto. Catarina chegou a São Petersburgo sofrendo de "uma depressão que eu não conseguia mais controlar. A cada minuto, em todas as ocasiões, eu estava a ponto de chorar. Mil preocupações enchiam minha mente. A pior, que eu não conseguia tirar da mente, era que tudo indicava o afastamento de Sergei Saltykov". Ela foi para Peterhof e dava longas caminhadas, "mas meus problemas me seguiam implacavelmente". Em agosto, de volta a São Petersburgo, ficou consternada ao saber que, no Palácio de Verão, os dois quartos preparados para o trabalho de parto ficavam dentro da suíte da imperatriz. Quando a condessa Shuvalova a levou para ver os quartos, ela entendeu que, por estarem tão perto de Elizabeth, Saltykov não poderia visitá-la. Ela ficaria "isolada, sem companhia".

Sua instalação nesse apartamento foi planejada para uma quarta-feira. Às duas horas da madrugada, ela acordou sentindo dores. A parteira confirmou que era o trabalho de parto, e ela foi colocada no leito tradicional para essas ocasiões: um colchão duro estendido no chão.

Acordaram o grão-duque, o conde Alexander Shuvalov foi notificado e avisou a imperatriz. Elizabeth entrou e se sentou para esperar. O difícil trabalho de parto durou até o meio-dia. Em 20 de setembro de 1754, Catarina deu à luz um menino.

Elizabeth, que passara tanto tempo esperando, ficou exultante. Tão logo o infante foi banhado e enfaixado, ela chamou seu confessor, que deu ao bebê o nome de Paulo, que era o nome do primeiro filho de sua mãe, Catarina I, e seu pai, Pedro, o Grande. A imperatriz saiu do quarto, ordenando à parteira que pegasse o bebê e a seguisse. Pedro também saiu do quarto, e Catarina foi deixada no chão, tendo por companhia apenas madame Vladislavova. Estava banhada em suor e implorou a madame Vladislavova que trocasse suas roupas e a colocasse na cama, a dois passos de distância, mas "para onde eu não tinha forças para me arrastar". Madame Vladislavova respondeu que, sem a permissão da parteira, ela não ousava fazer isso. Catarina pediu água e teve a mesma resposta. Diversas vezes, madame Vladislavova mandou chamar a parteira para ir autorizá-la a atender os pedidos, mas a mulher não vinha. Três horas depois, a condessa Shuvalova chegou. Ao ver Catarina ainda deitada no colchão de parto, disse que aquela negligência poderia matar uma recém-mãe. Saiu imediatamente à procura da parteira, que chegou meia hora depois, explicando que a imperatriz estava tão preocupada com a criança que não permitiu que ela a deixasse para cuidar da grã-duquesa. Finalmente Catarina foi colocada em sua cama.

Ela só viu o bebê quase uma semana depois. Obtinha notícias dele furtivamente, porque perguntar poderia ser interpretado como dúvida da capacidade da imperatriz para cuidar dele. O infante tinha sido instalado no quarto de Elizabeth e, cada vez que ele chorava, a própria monarca corria a atendê-lo. Catarina ouviu – e viu por si mesma – que

> por excesso de cuidados, estavam literalmente sufocando, quase asfixiando a criança. Ele estava num quarto extremamente aquecido, enrolado em flanelas, num berço forrado com pele de raposa negra. Sobre ele havia uma colcha de cetim em matelassê recheado de algodão. Por cima, outra coberta de veludo cor-de-rosa forrado de pele de raposa negra. Depois eu sempre o via assim, o suor brotando em seu rosto e no corpo inteiro, e o resultado foi que, quando mais velho, adoecia com o menor sopro de ar frio.

No sexto dia de vida, Paulo foi batizado. Naquela manhã, a imperatriz foi ao quarto de Catarina trazendo um prato de ouro, no qual colocou uma ordem ao Tesouro imperial para enviar à jovem mãe 100 mil rublos. Elizabeth acrescentou uma pequena caixa de joias, que Catarina só abriu depois que ela saiu do quarto. O dinheiro foi muito bem-vindo: "Eu não possuía nem um copeque, e tinha dívidas pesadas. Mas, quando abri a caixa, meu humor não melhorou muito. Continha apenas um colarzinho bobo com um par de brincos e dois anéis miseráveis que eu teria vergonha de dar para minhas damas. Na caixa inteira não havia uma joia que valesse 100 rublos." Catarina não disse nada, mas a mesquinharia do presente deve ter incomodado o conde Alexander Shuvalov, porque depois ele perguntou se ela havia gostado das joias. Catarina respondeu que "tudo o que vier da imperatriz será sempre de valor inestimável". Mais tarde, quando Shuvalov reparou que ela nunca usava o colar e os brincos, sugeriu que ela os usasse. Catarina respondeu que "para as festas da imperatriz, estou acostumada a usar minhas mais belas joias e o colar e os brincos não pertenciam àquela categoria".

Quatro dias após Catarina receber o dinheiro da imperatriz, o secretário de gabinete foi implorar que ela emprestasse o dinheiro de volta ao tesouro, pois a imperatriz precisava para outro propósito e não tinha fundos suficientes. Catarina enviou o dinheiro de volta, mas devolveram a ela em janeiro. Mais tarde, ela soube que Pedro, tendo ouvido falar do presente da imperatriz para sua esposa, ficou com raiva e reclamou veementemente de não ter recebido nada. Alexander Shuvalov relatou isso à imperatriz, que imediatamente mandou uma ordem de igual valor ao grão-duque – e por isso o dinheiro fora pedido emprestado à beneficiada original.

Enquanto salvas de canhão, bailes, luzes e foguetórios comemoravam o nascimento de seu filho, Catarina permanecia acamada. No 17º dia após o parto, ela soube que a imperatriz havia confiado a Sergei Saltykov uma missão diplomática especial: ele levaria o anúncio formal do nascimento do filho dela à corte real da Suécia. "Isso significava", Catarina escreveu, "que eu iria ser separada imediatamente da única pessoa de quem eu mais gostava. Enfiei-me na cama, onde não fazia nada além de sofrer. Para continuar no leito, eu pretextava ter uma dor constante na perna, que me impedia de me levantar. Mas a verdade é que eu não podia e não queria ver ninguém em minha tristeza."

Quarenta dias depois do parto, a imperatriz voltou ao quarto de Catarina para uma cerimônia que marcava o fim do resguardo. Obedientemente, Catarina se levantou para receber a soberana, mas, quando Elizabeth a viu tão fraca e exaurida, mandou que ficasse sentada na cama enquanto liam as preces. O infante Paulo estava presente, e Catarina teve permissão para vê-lo a distância. "Achei-o lindo, e a visão dele levantou um pouquinho meu ânimo", Catarina disse, "mas no momento em que as preces terminaram a imperatriz mandou que o levassem, e ela também saiu." Em 1º de novembro, Catarina recebeu congratulações formais da corte e dos embaixadores estrangeiros. Para essa ocasião, uma sala foi ricamente decorada durante a noite e ali, num sofá de veludo cor-de-rosa bordado em prata, a jovem mãe se sentou, estendendo a mão para ser beijada. Imediatamente após a cerimônia, a elegante mobília foi recolhida, e Catarina retornou ao isolamento de seu quarto.

Desde o instante do nascimento de Paulo, a imperatriz agiu como se o filho fosse dela, e Catarina um simples veículo para trazê-lo ao mundo. Elizabeth tinha muitas razões para manter esse ponto de vista. Havia trazido os dois adolescentes para a Rússia a fim de gerarem um filho. Durante dez anos, vinha mantendo os dois à custa do Estado. Assim, a criança, exigida por questões de Estado, gerada por ordem dela, agora era efetivamente uma propriedade do Estado, ou seja, da imperatriz.

Além de razões políticas e dinásticas, havia outras, para o amor e os cuidados que Elizabeth derramava sobre Paulo. Não foi só por causa do Estado que ela se apossou fisicamente do bebê. Foi também uma questão de amor brotando de sua natureza emocional, sentimental, de impulsos maternais reprimidos e do desejo de ter uma família. Agora, aos 44 anos e com a saúde em declínio, Elizabeth queria ser a mãe da criança, ainda que essa maternidade fosse de faz de conta. A exclusão de Catarina da vida do bebê foi parte de seu esforço de tornar esse papel verdadeiro para si mesma. A extrema possessividade de Elizabeth era mais que uma expressão de necessidade maternal frustrada, era também uma forma de inveja. De fato, ela simplesmente sequestrou o bebê.

Tudo o que Elizabeth tomou foi negado a Catarina. Não tinha permissão para cuidar do infante, e, na verdade, mal lhe era permitido vê-lo. Perdeu o primeiro sorriso, o crescimento, o desenvolvimento inicial.

Mesmo em meados do século XVIII, quando as mulheres da aristocracia e das classes mais altas pouco cuidavam dos filhos pequenos, deixando a maior parte disso para babás e criadas, a maioria das mães ainda pegava no colo e fazia carinhos em seus bebês recém-nascidos. Catarina jamais esqueceu a penúria emocional associada ao nascimento do primeiro filho. A criança e o amante, seus seres humanos mais queridos, estavam ausentes. Estava desesperada para ver os dois, e nenhum deles dois sentia sua falta. Um não sabia, e o outro não ligava. Naquela temporada, ficou bem claro que, tendo dado à luz o bebê, seu papel na criação de um herdeiro do trono estava concluído. Seu filho, o futuro imperador, pertencia à imperatriz e à Rússia. Como consequência desses meses de separação e sofrimento, os sentimentos de Catarina por Paulo nunca foram normais. Durante seus 42 anos de convivência, ela nunca foi capaz de sentir ou demonstrar o calor de uma afeição de mãe.

Catarina se recusou a se levantar da cama e sair do quarto "até me sentir forte o bastante para superar a depressão". Permaneceu todo o inverno de 1754-55 em seu quartinho estreito, com janelas mal ajustadas por onde penetravam correntes glaciais do vento soprando do rio Neva congelado. Como escudo, para tornar a vida suportável, ela recorreu aos livros. Naquele inverno, leu os *Annals* (Anais) de Tácito, *L'Esprit des Lois* (O espírito das leis) de Montesquieu e o *Essai sur les Moeurs et l'Esprit des Nations* (Ensaio sobre os modos e o espírito das nações) de Voltaire.

Os *Annals*, uma história do Império Romano desde a morte do imperador Augusto, em 14 d.C., passando pelos reinados de Tibério, Calígula e Cláudio, até a morte de Nero, em 68 d.C., trouxeram a Catarina uma das obras mais contundentes da história do mundo antigo. O tema de Tácito é a supressão da liberdade pelo despotismo tirânico. Convencido de que as personalidades fortes, boas e más, é que fazem a história, e não os processos subjacentes mais profundos, Tácito retrata pessoas de caráter brilhante em estilo vago, porém revelador. Catarina se impressionou com as descrições de pessoas, poder, intrigas e corrupção no Império Romano, vendo paralelos em pessoas e eventos de sua própria vida, 16 séculos depois. Essa obra, ela disse, "causou uma revolução singular em meu cérebro, para a qual talvez tenha contribuído o tom melancólico dos meus pensamentos na época. Passei a ter uma visão mais sombria das coisas e a buscar causas mais profundas e mais básicas que realmente permeavam e moldavam os diversos eventos à minha volta".

Montesquieu expôs Catarina a uma filosofia política do início do Iluminismo que analisava as forças e fraquezas da norma despótica. Ela estudou essa tese, de que poderia haver contradições entre uma condenação geral do despotismo e a conduta de déspotas específicos. A partir de então, por muitos anos, ela atribuiu a si mesma uma "alma republicana" do tipo defendido por Montesquieu. Mesmo depois de chegar ao trono russo – em que o autocrata era, por toda e qualquer definição, um déspota –, ela tentou evitar excessos do poder pessoal e criar um governo em que a eficiência fosse guiada pela inteligência. Em suma, um despotismo benevolente. Mais tarde, ela declarou que *L'Esprit des Lois* "deveria ser o breviário de todo soberano sensato".

Voltaire acrescentou clareza, agudeza e sucintos conselhos à leitura dela. Ele havia trabalhado em seu *Essai sur les Moeurs* durante vinte anos (o texto completo foi publicado como *Essai sur L'Histoire Generale*), incluindo não somente modos e moral, mas também costumes, ideias, crenças e leis.* Ele tentava fazer uma história da civilização. Via a história como o lento avanço do homem, por meio de um esforço humano coletivo, saindo da ignorância em direção ao conhecimento. E não conseguia ver o papel de Deus nessa sequência. Voltaire dizia que a razão, e não a religião, deveria governar o mundo, mas certos seres humanos deveriam agir como representantes da razão na Terra. Isso o levou ao papel do despotismo e a concluir que um governo despótico poderia, de fato, ser a melhor forma de governo possível, se fosse razoável. Mas, para ser razoável, precisava ser esclarecido, e, se fosse esclarecido, teria de ser tanto eficiente como benevolente.

Para entender essa filosofia, era preciso muito esforço de uma jovem vulnerável em São Petersburgo se recuperando de um parto, mas Voltaire facilitava, fazendo-a rir. Catarina, como várias de suas contemporâneas, ficou encantada com Voltaire. Ela admirava as ideias humanitárias que faziam dele o apóstolo da tolerância religiosa, mas também adorava suas investidas irreligiosas, irreverentes, contra a ostentação e estupidez que via por toda parte. Ali estava um filósofo que poderia ensiná-la a sobreviver e a rir. E a governar.

---

* Embora o livro de Voltaire tenha sido publicado integralmente em 1756, é possível que Catarina tenha tido acesso a boa parte dos 174 capítulos da obra antes disso. O filósofo francês levou cerca de 15 anos para escrevê-lo, e é provável que parte de seus escritos tenha circulado antes de sua publicação definitiva. (N. do E.)

Catarina reuniu toda a sua força física para assistir à missa na manhã de Natal, mas, ainda na igreja, começou a tremer e a sentir dores em todo o corpo. No dia seguinte, teve febre alta, delirou e continuou em seu quartinho provisório, cheio de frestas e vento gelado. Permaneceu naquele tugúrio, evitando seu próprio apartamento e o quarto de dormir formal, por estarem junto ao apartamento de Pedro, onde ela disse que "o dia inteiro e parte da noite eram uma balbúrdia similar à de uma casa da guarda". Além disso, ele e sua *entourage* "fumavam constantemente e sempre havia nuvens de fumaça e o mau cheiro do tabaco".

Chegando o fim da Quaresma, Sergei Saltykov retornou da Suécia após uma ausência de cinco meses. Mesmo antes de seu retorno, Catarina ficara sabendo que em breve ele iria ser mandado para longe novamente, dessa vez para residir em Hamburgo, como ministro da Rússia. Isso significava que a próxima separação seria permanente. Estava claro que o próprio Saltykov considerava o caso terminado e achava-se com sorte por estar fora daquilo. Ele preferia os namoricos temporários da sociedade cortês a essa ligação cada vez mais perigosa com uma grã-duquesa apaixonada e aborrecidamente possessiva.

Seu próprio ardor já tomara novas direções. Tinha havido uma ironia em sua missão em Estocolmo. Todas as cortes estrangeiras estavam a par de seu romance com Catarina, e Saltykov mal podia evitar se sentir ridículo naquele papel de arauto do nascimento de Paulo. Mas, quando chegou à capital sueca, foi rapidamente aliviado de qualquer constrangimento a esse respeito. Foi recebido como uma celebridade, reconhecido por todos como o amante de Catarina e suposto pai do futuro herdeiro do trono russo. Os homens estavam curiosos e as mulheres, fascinadas. Logo ele pôde escolher seus casos eventuais. Rumores de que ele tinha sido "indiscreto e frívolo com todas as mulheres que encontrou" chegaram a Catarina. "No princípio, eu não quis acreditar", ela disse, mas Bestuzhev recebeu informações do embaixador russo na Suécia, Nikita Panin, e avisou a ela que as histórias pareciam ser verdadeiras. Mesmo assim, quando Saltykov voltou para a Rússia, ela quis vê-lo.

Lev Naryshkin arranjou um encontro. Saltykov ficou de ir à noite ao apartamento dela. Catarina esperou até as três horas da madrugada. Ele não foi. "Fiquei aflita, imaginando o que poderia tê-lo impedido de vir", ela disse mais tarde. No dia seguinte, soube que ele tinha sido convidado para uma reunião de maçons da qual, alegava ele, não pôde escapar. Catarina questionou Lev Naryshkin diretamente:

Vi, claro como o dia, que ele faltou porque não estava mais ansioso por me ver. O próprio Lev Naryshkin, apesar de amigo de Saltykov, não achou desculpa para ele. Escrevi-lhe uma carta, censurando-o severamente. Ele veio me ver e teve pouca dificuldade em me acalmar, pois tudo o que eu queria era aceitar suas desculpas.

Catarina pode ter se acalmado, mas não se deixou enganar. Quando partiu novamente, dessa vez foi para Hamburgo, Sergei Saltykov estava deixando para sempre a vida privada de Catarina. O caso deles durou três anos e causou muita angústia, mas o pior que ela conseguiu falar sobre ele mais tarde foi: "Ele sabia esconder seus defeitos, o maior dos quais era o amor pela intriga e a falta de princípios. Na época, essas faltas não eram claras para mim." Quando se tornou imperatriz, fez dele embaixador em Paris, onde ele continuou a assediar mulheres. Alguns anos depois, quando um diplomata propôs que ele fosse transferido para um posto em Dresden, ela escreveu em resposta: "Ele já não fez loucuras demais? Se você se responsabilizar, mande-o para Dresden, mas ele nunca será mais que uma quinta roda na carruagem."

❖29❖
RETALIAÇÃO

Durante o solitário inverno em que Paulo nasceu, Catarina decidiu mudar de atitude. Havia cumprido sua obrigação ao ir para a Rússia, e tinha dado um herdeiro à nação. Em recompensa, agora se via abandonada num quartinho, e sem o filho. Resolveu se defender. Analisando sua situação, viu-a sob uma nova perspectiva. Tinha perdido a presença física do bebê, mas, devido ao nascimento dele, sua posição na Rússia estava garantida. Essa conclusão levou à decisão de "fazer aqueles que me causaram tanto sofrimento entenderem que não poderiam me ofender e maltratar impunemente".

Em 10 de fevereiro, ela reapareceu em público, num baile em honra do aniversário de Pedro. "Mandei fazer um vestido espetacular para a ocasião, de veludo azul bordado em ouro", ela disse. Naquela noite, ela escolheu os Shuvalov como alvo. Aquela família, acreditando estar segura devido à ligação de Ivan Shuvalov com a imperatriz, era tão poderosa na corte, tão notória e tão temida que um ataque a eles causaria sensação, sem dúvida alguma. Catarina não perdeu nem uma oportunidade de demonstrar seus sentimentos.

> Tratei-os com profundo desprezo. Denunciei a estupidez e malícia deles. Onde quer que eu fosse, os ridicularizava, tinha sempre alguma farpa sarcástica para atirar, que depois circulava pela cidade inteira. Como muitas pessoas os odiavam, encontrei muitos aliados.

Sem saber bem como a mudança de comportamento de Catarina afetaria o futuro deles, os Shuvalov buscaram o apoio de Pedro. Um burocrata de Holstein, chamado Cristiano Brockdorff, tinha acabado de chegar à Rússia para servir de secretário de Pedro, em sua qualidade de duque de Holstein. Brockdorff ouviu os Shuvalov se queixando de Catarina ao grão-duque, e instou com ele para disciplinar a esposa. Quando Pedro tentou, Catarina estava preparada:

> Um dia, Sua Alteza Imperial veio ao meu quarto me dizer que eu estava ficando intoleravelmente soberba e que ele sabia como me trazer de volta ao bom senso. Quando lhe perguntei em que consistia minha soberba, respondeu que eu me mantinha muito ereta. Perguntei se eu precisava andar curvada como uma escrava para agradar a ele. Ficou furioso e repetiu que sabia como me trazer à razão. Perguntei como isso seria feito. Então, ele se encostou na parede, tirou meia espada da bainha e me mostrou. Perguntei o que aquilo significava; se fosse um desafio para um duelo, eu deveria ter uma espada também. Ele enfiou a espada de volta na bainha e me disse que eu estava terrivelmente rancorosa.
> — Em que sentido? — perguntei.
> — Bem, com os Shuvalov — ele gaguejou.
> Diante disso, respondi que estava apenas retaliando pelo que haviam feito comigo, e era melhor ele não se imiscuir em assuntos dos quais não sabia nada e, ainda que soubesse, não entenderia.
> — É isso que acontece quando não se confia nos amigos verdadeiros; tudo dá errado. Se você tivesse confiado em mim, tudo estaria bem — ele disse.
> — E o que eu deveria ter confiado a você? — perguntei.
> Então ele começou a falar de maneira tão extravagante e desprovida de sentido que o deixei continuar sem interrupção, nem tentei responder. Por fim, sugeri que ele fosse dormir, porque estava

claramente bêbado. Ele seguiu meu conselho. Fiquei feliz porque já começava a exalar um perpétuo odor azedo de vinho misturado com tabaco, insuportável para quem estava perto.

Esse encontro deixou Pedro confuso e alarmado. Nunca antes sua esposa o havia enfrentado tão energicamente. Ela sempre o acatava, ouvia suas maquinações e reclamações, tentava manter sua amizade. Essa nova mulher, senhora de si, inflexível, desdenhosa, cheia de repúdio, era uma estranha. A partir de então, suas tentativas de intimidação se tornaram mais hesitantes e menos frequentes. Passaram a viver cada vez mais separados. Pedro continuou a ter relacionamentos com outras mulheres e, por força do hábito, os relatava a Catarina. Ela continuou a ser útil, ajudando-o com deveres que ele achava complicados ou cansativos. Como herdeiro do trono, Pedro ainda lhe oferecia a probabilidade de que, quando fosse imperador, ela seria imperatriz. Mas, como ela percebera, seu destino não mais dependia somente do marido. Ela era mãe de um futuro imperador.

Mais tarde na noite do confronto com Pedro, Catarina estava jogando cartas numa sala quando Alexander Shuvalov se aproximou, relembrando a ela que a imperatriz havia proibido as mulheres de usar o tipo de fitas e rendas que adornavam o vestido de Catarina. Ela respondeu que ele "podia se poupar do trabalho de me informar porque eu nunca usava qualquer coisa que desagradasse a Sua Majestade. Disse-lhe que o mérito não era uma questão de beleza, roupas ou enfeites, pois quando alguém fenece, outras coisas se tornam ridículas, e só o caráter perdura. Ele ouviu, com o rosto repuxando, e saiu".

Dias depois, Pedro passou de provocador a suplicante. Disse a Catarina que Brockdorff o tinha aconselhado a pedir dinheiro à imperatriz para suas despesas com Holstein. Catarina perguntou se não havia outra solução, e Pedro disse que lhe mostraria os papéis. Ela os examinou e disse lhe parecer que ele podia resolver sem pedir dinheiro à tia, que ela provavelmente recusaria, pois, menos de seis meses antes, havia lhe dado 100 mil rublos. Pedro ignorou o conselho e pediu assim mesmo. O resultado, Catarina observou, foi que "não conseguiu nada".

Apesar de terem lhe dito que precisava fazer cortes para reduzir o déficit orçamentário de Holstein, Pedro resolveu levar para a Rússia um destacamento de tropas de lá. Brockdorff, ansioso por agradar o senhor, aprovou. O tamanho do contingente foi escondido da imperatriz, que detestava Holstein. Disseram a ela que era insignificante, não valia a pena discutir e que a supervisão de Alexander Shuvalov impediria que o projeto se tornasse constrangedor. A conselho de Brockdorff, Pedro tentou esconder de sua esposa a chegada iminente dos soldados de Holstein. Quando soube, Catarina "tremeu ao pensar no efeito desastroso que aquilo teria na opinião pública russa, bem como na imperatriz". Quando o batalhão chegou de Kiel, Catarina ficou ao lado de Alexander Shuvalov no palácio Oranienbaum, vendo a infantaria de Holstein passar marchando, em seus uniformes azuis. O rosto de Shuvalov se crispava.

Os problemas não tardaram. A propriedade de Oranienbaum era guardada pelos regimentos russos de Ingerman e Astrakhan. Catarina soube que, quando esses homens viram os soldados de Holstein, disseram: "Esses malditos germânicos são todos marionetes do rei da Prússia." Em São Petersburgo, alguns consideraram a presença de Holstein um escândalo, e outros acharam risível. Catarina considerou "uma palhaçada, mas perigosa". Pedro, que no tempo de Choglokov vestia seu uniforme de Holstein apenas em segredo, agora não usava outra coisa, exceto na presença de Elizabeth. Extasiado com a presença de seus soldados, ficava com eles no acampamento e dedicava seus dias a comandá-los em exercícios militares. Todavia, tinham de ser alimentados. A princípio, o marechal da corte imperial se recusou a aceitar a responsabilidade, mas acabou cedendo e ordenou a servos da corte e soldados do regimento Ingerman que levassem para eles comida da cozinha do palácio. O acampamento ficava a certa distância, e os soldados russos não recebiam nada por esse trabalho extra. Eles reagiram, dizendo: "Agora somos servos desses malditos germânicos." Os criados da corte diziam: "Somos empregados para servir um bando de palhaços." Catarina decidiu ficar "o mais longe possível daquela brincadeira ridícula. As damas e cavalheiros da nossa corte não tinham nada a ver com o acampamento de Holstein, de onde o grão-duque não saía. Eu dava longos passeios com pessoas da corte, sempre na direção oposta ao acampamento de Holstein".

❦30❦
O EMBAIXADOR INGLÊS

Numa noite de fim de junho de 1755, quando as Noites Brancas estavam no auge do brilho leitoso e o sol ainda estava no horizonte às 11 horas da noite, Catarina era anfitriã de um jantar e baile nos jardins de Oranienbaum. Entre os que desembarcaram de uma longa fileira de carruagens estava o novo embaixador inglês, sir Charles Hanbury--Williams. O inglês se viu sentado ao lado de Catarina e, à medida que o jantar progredia, cada um ficava mais encantado com a companhia do outro. "Não era difícil conversar com sir Charles, pois ele era extremamente espirituoso e tinha grande conhecimento do mundo, tendo visitado a maioria das capitais europeias", disse Catarina. Mais tarde, ela soube que ele tinha gostado tanto da noite quanto ela.

Antes do jantar, Hanbury-Williams tinha apresentado a Catarina um jovem nobre polonês, conde Stanislaus Poniatowski, que fora à Rússia como seu secretário. Enquanto conversava com sir Charles, seu olhar se desviava para o segundo visitante, destacado por sua graça e elegância entre os que dançavam. "O embaixador inglês falou muito favoravelmente sobre o conde", Catarina lembrou em suas *Memoirs*, "e me contou que a família da mãe dele, os Czartoryski, era um pilar do partido a favor da Rússia na Polônia." Tinham mandado o filho aos cuidados do embaixador na Rússia a fim de enriquecer seu entendimento do maior vizinho oriental da Polônia. Como o tema de estrangeiros bem-sucedidos da Rússia se aplicava pessoalmente a Catarina, ela ofereceu sua opinião. Disse que, em geral, a Rússia era "uma prova de fogo para estrangeiros", um padrão de medida de habilidade, e quem fosse bem-sucedido na Rússia poderia se dar bem em qualquer lugar da Europa. Ela considerava essa regra infalível, pois "em nenhuma outra parte da Europa as pessoas eram tão rápidas em notar fraquezas, absurdos ou defeitos nos estrangeiros quanto na Rússia. Podia-se ter certeza de que nada escaparia, porque, fundamentalmente, nenhum russo gosta de estrangeiros".

Enquanto Catarina olhava para Poniatowski, ele a observava minuciosamente. Tarde da noite, voltando de Oranienbaum, ele não teve dificuldade em manter uma longa conversa com o embaixador sobre a grã-duquesa, e os dois, um de 47 anos e o outro de 23, trocaram impressões elogiosas.

Aquela noite de verão marcou o começo de um íntimo relacionamento pessoal e político entre os três. Poniatowski tornou-se amante de Catarina, e Hanbury-Williams, um grande amigo. Nos dois anos e meio seguintes, o diplomata inglês ajudou-a a conseguir assistência financeira e depois procurou assegurar a influência dela durante a grande crise diplomática que marcou o começo da Guerra dos Sete Anos, de alcance global.

Sir Charles Hanbury-Williams nasceu numa família rica de Monmouthshire. Passou a juventude numa paisagem inglesa do século XVIII de esplêndidas mansões, jardins formais, verdes gramados aparados e retratos de família pintados por Gainsborough. Depois de Eton, ele se casou, foi pai de duas filhas e entrou para o Parlamento no Partido Liberal, sob a liderança de sir Robert Walpole. Nos salões chiques de Londres, tornou-se uma figura famosa pela elegância, espirituosidade e como um poeta menor, satírico. Aos 30 e muitos anos, sir Charles deixou a esposa e trocou a política pela diplomacia. Em seus dois primeiros postos, em Berlim e Dresden, a espirituosidade, o charme e a elegância inglesa não bastaram. Na corte de Frederico II, não agradou ao monarca intelectual. Em Dresden, o espírito e a sátira eram ainda menos conceituados. As influências políticas em sua terra natal o designaram então para São Petersburgo, onde foi recebido calorosamente, porque dizia-se que ele trazia uma grande quantidade de ouro, destinado a abrir portas e fazer amizades. Na corte de Elizabeth, porém, o elegante inglês encontrou-se mais uma vez num ambiente em que seus talentos pareciam ter pouco valor. Descobriu uma única exceção: uma jovem em quem a chegada de um diplomata polido, vindo de um mundo de cultura e conversas brilhantes, causou uma forte impressão.

Sir Charles foi a São Petersburgo numa missão importante. Um tratado assinado originalmente em 1742, estabelecendo pagamentos em ouro, feitos pela Inglaterra, em troca do compromisso de apoio da Rússia em qualquer guerra continental que envolvesse a Inglaterra, estava a ponto de expirar. Simultaneamente, a fama beligerante de Frederico II despertara preocupações no rei George II quanto a seu pequeno e quase indefeso eleitorado em Hanover, no Norte da Alemanha. A missão de Hanbury-Williams era renovar os termos do tratado, garantindo a intervenção da Rússia caso a Prússia invadisse Hanover. Mais especificamente, o governo britânico queria que a Rússia concentrasse 55 mil homens em Riga para que marchassem para o Oeste, entrando na província da Prússia Ocidental, se houvesse algum movimento dos prussianos na direção de Hanover.

O embaixador inglês anterior, que tinha tentado renovar esse tratado, sentiu-se perdido na corte de Elizabeth, onde as questões diplomáticas muitas vezes eram tratadas numa conversa rápida num baile ou mascarada. A seu próprio pedido, esse afobado diplomata entregou o cargo, e procuraram outro mais adequado para lidar com as nuanças do posto. Charles Hanbury-Williams, que nunca perdia um baile ou uma mascarada, foi considerado uma boa escolha. Sabia-se que era um homem do mundo, ainda suficientemente jovem para atrair as mulheres, e já suficientemente maduro para se manter fiel a seus deveres. Entretanto, pouco depois de chegar em São Petersburgo, viu que não podia ir muito além do que fizera seu predecessor. "A imperatriz está muito mal de saúde", reportou em seu primeiro despacho. "Ela sofre de tosse e falta de ar. Tem água no joelho e hidropisia, mas dançou um minueto comigo." Hanbury-Williams continuou tentando, mas havia subestimado sua presa. Por mais que tivesse divertido Elizabeth com suas conversas de cavalheiro inglês sofisticado, quando tentava falar de questões sérias ela sorria e o deixava sozinho. Como mulher, ela era sensível a qualquer elogio. Como imperatriz, era surda. Desde sua chegada, sir Charles não avançara um passo sequer.

Foi procurar outra pessoa. Quando se dirigiu a Pedro, o futuro governante, foi novamente repelido. Na primeira conversa, ele descobriu a inabalável admiração do herdeiro do trono pelo rei da Prússia. Nada poderia ser feito. Viu que estava perdendo tanto tempo com o sobrinho como perdera com a tia. Compareceu ao jantar em Oranienbaum naquela noite de verão acreditando que sua missão havia fracassado. E então se viu ao lado da grã-duquesa. Descobriu ali uma aliada natural, uma europeia culta, capaz de apreciar uma conversa inteligente, que se interessava muito por livros e nutria certa antipatia pelo rei da Prússia.

Quando sir Charles conheceu Catarina, foi cativado por sua aparência e ficou impressionado com sua erudição. O caso de Catarina com Sergei Saltykov era bem conhecido e marcou-a como jovem suscetível. Ele também tivera seus dias de conquistador na juventude, e talvez tenha pensado por um momento em trilhar um caminho romântico. Contudo, no confronto com a realidade, logo reconheceu que, como viúvo de meia-idade e saúde menos que perfeita, esse caminho não estava mais aberto para ele. "Um homem da minha idade seria um amante medíocre", ele disse a um ministro em Londres que havia sugerido aquela abordagem. "Alas, meu cetro não governa mais." Em vez disso, ele se colocou como uma figura avuncular, até mesmo paterna, a quem Catarina podia recorrer para obter conselhos pessoais e políticos. Deixou o outro caminho aberto para seu jovem secretário, Stanislaus Poniatowski.

Catarina achou Hanbury-Williams estimulante e sofisticado. Quando soube que ele chegara para renegociar a aliança da Rússia com a Inglaterra contra a Prússia, sua admiração aumentou. O embaixador, por sua vez, soube que Catarina era amiga de Bestuzhev e, portanto, uma aliada potencialmente valiosa. A amizade vicejou. Num baile, quando sir Charles elogiou seu vestido, ela mandou fazer um igual para a filha dele, lady Essex. Catarina passou a escrever-lhe cartas, falando sobre a vida dela. Esse contato com um homem mais velho cuja inteligência e sofisticação ela respeitava era, em certo sentido, uma reprise de seu relacionamento de adolescente com o conde Gyllenborg, para quem ela havia escrito seu "Retrato de uma filósofa de 15 anos". Nessas longas trocas epistolares, ela estava ignorando o fato da indiscrição de uma grã-duquesa da Rússia se envolver em correspondência particular com um embaixador estrangeiro.

A correspondência pessoal não foi o único meio empregado por Hanbury-Williams em sua tentativa de influenciar Catarina. Ele descobriu que ela estava atolada em dificuldades financeiras. Novas dívidas tinham se somado às deixadas por sua mãe. Gastava dinheiro livremente em roupas, divertimentos e amigos. Havia descoberto o poder do dinheiro para persuadir e comprar aliados. Jamais se sentia culpada de subornar abertamente; antes, sua generosidade se devia ao desejo de agradar e se ver cercada de rostos sorridentes. Quando Hanbury-Williams lhe ofereceu assistência financeira, com fundos do Tesouro britânico, ela aceitou. A quantia que Catarina tomou emprestada não se sabe, mas foi considerável. Hanbury-Williams tinha recebido carta branca do governo e abriu uma conta de empréstimos para ela com o barão Wolff, cônsul inglês em São Petersburgo e banqueiro. Dois recibos assinados pela grã-duquesa datam de 21 de julho e 11 de novembro de 1756, somando 50 mil rublos. O empréstimo de 21 de julho não foi o primeiro. Ao pedi-lo, Catarina escreveu a Wolff: "Tenho alguma hesitação em procurá-lo novamente."

Catarina sabia que aceitar dinheiro do embaixador inglês envolvia riscos, mas sabia também que esse jogo era comum a todos na corte russa. Se ela se deixava subornar, a fim de agradar a outros, apenas fazia parte de uma corruptibilidade universal que era um traço da política e dos governos em toda a Europa. O dinheiro comprava amizades, lealdades e tratados. Todo mundo em São Petersburgo era corruptível, inclusive a própria imperatriz. Quando Hanbury-Williams deu início a sua missão, tentando convencer a imperatriz a assinar o tratado anglo-russo, informou a Londres que Elizabeth tinha começado a construir dois palácios e faltava dinheiro para terminar a construção. O tratado iria garantir à Rússia um pagamento anual de 100 mil libras, mas sir Charles achou que uma contribuição adicional à bolsa particular de Elizabeth poderia fortalecer o vínculo com a Inglaterra. "Em suma, tudo o que foi dado até agora serviu para comprar tropas russas", ele disse. "Tudo o que for dado daqui por diante servirá para comprar a imperatriz." Londres aprovou a quantia adicional, e sir Charles pôde relatar que as negociações progrediam sem problemas. Ele achava que o mesmo procedimento iria reafirmar a boa vontade e os sentimentos anti-Prússia da charmosa grã-duquesa.

31

UM TERREMOTO DIPLOMÁTICO

A MISSÃO DE SIR CHARLES HANBURY-WILLIAMS na Rússia, em 1755, devia-se à exigência política da Inglaterra defender o eleitorado de Hanover. Em meados do século XVIII, dois fatores constantes ditavam a diplomacia e as estratégias militares britânicas: um deles era a permanente hostilidade da França, quer os dois países estivessem em guerra, quer estivessem num interlúdio de paz; o outro era a necessidade de defender o pequeno território, sem litoral, do Estado eleitoral germânico do Norte. Essa imposição provinha do fato de que o rei da Inglaterra era também o eleitor de Hanover. Em 1714, o eleitor George Lewis, aos 54 anos de idade, foi persuadido pelo Parlamento a aceitar o trono inglês, assegurando, assim, a supremacia da religião protestante nas Ilhas Britânicas. Veio a ser o rei George I da Grã-Bretanha, e manteve o título e o eleitorado germânico. Essa união pessoal do reino nas ilhas com o eleitorado continental, na figura do monarca, continuou até 1837 e então foi silenciosamente deixada de lado, com a coroação da rainha Vitória.

Nunca houve um ajuste fácil. George I e depois seu filho, George II, preferiam seu pequeno eleitorado, sua população de três quartos de milhão de pessoas sorridentes, obedientes, sem nenhum Parlamento falastrão interferindo. George I nunca aprendeu a falar inglês e tanto ele como o filho iam frequentemente a Hanover, sua terra natal, e lá permaneciam por longos períodos.

O eleitorado era sempre uma presa fácil de seus vizinhos continentais. Defender Hanover da vizinhança agressiva era quase impossível para a Inglaterra, com seu poderio marítimo e sem um grande exército. A maioria dos ingleses achava que Hanover era uma mó amarrada no pescoço da Inglaterra e que os interesses maiores da Grã-Bretanha eram constantemente sacrificados em favor do eleitorado. Contudo, não havia escapatória, e Hanover tinha de ser protegida. Como isso só poderia ser feito pelo Exército de um aliado continental, a Inglaterra fez alianças de longo prazo com a Áustria e a Rússia. Esse arranjo funcionou por muitas décadas.

Em 1755, o medo da crescente beligerância da Prússia despertou em George II a preocupação de que o cunhado, Frederico II da Prússia (a esposa de Frederico, Sofia, era irmã de George), poderia ficar tentado a invadir Hanover, como já tinha invadido a Silésia. Foi para impedir essa possível aventura prussiana que a Inglaterra propôs renovar o tratado com a Rússia, que sir Charles Hanbury-Williams foi a São Petersburgo negociar. Quando o conde Bestuzhev assinou o tratado pela Rússia, em setembro de 1755, sir Charles ficou exultante.

A autocongratulação de Hanbury-Williams foi prematura. A notícia de que a Inglaterra e a Rússia estavam prestes a assinar um novo tratado alarmou o rei da Prússia, que, diz-se, tinha mais medo da Rússia do que de Deus. Estarrecido com a ideia de 55 mil russos postados no Norte, prontos a marchar contra ele, instruiu seus diplomatas a chegarem imediatamente a um acordo com a Inglaterra. Assim fizeram, ressuscitando um acordo presumivelmente extinto. Antes de negociar com a Rússia, a Inglaterra havia tentado garantir a integridade de Hanover negociando diretamente com a Prússia. Frederico rejeitou a proposta, mas agora correu a revalidá-la e aceitou. Em 16 de janeiro de 1756, a Grã-Bretanha e a Prússia prometeram mutuamente que nenhuma das duas invadiria ou ameaçaria territórios da outra. E se algum agressor viesse a perturbar "a tranquilidade da Germânia" — uma frase vaga o bastante para cobrir tanto Hanover como a Prússia —, iriam se unir para se opor ao invasor. Os potenciais "invasores" eram a França e a Rússia.

Esse tratado provocou um terremoto diplomático. A aliança com a Prússia custou à Inglaterra a aliança com a Áustria, bem como a implementação de seu novo tratado com a Rússia. E quando a notícia do tratado anglo-prussiano chegou a Versalhes, em fevereiro de 1756, a França repudiou sua aliança com a Prússia, abrindo caminho para uma reaproximação de seu antagonista histórico, a Áustria. Em 1º de maio, diplomatas austríacos e franceses assinaram a Convenção de Versalhes, pela qual a França concordava em ir ao auxílio da Áustria, caso esta fosse atacada.

Seis meses antes, essas reversões eram impensáveis; agora eram realidade. Frederico havia invertido suas próprias alianças, forçando outras potências a realinhar as delas. Quando o fizeram, uma nova estrutura diplomática surgiu na Europa. Uma vez feitos esses arranjos, Frederico estava pronto a agir. Em 30 de agosto de 1756, o magnificamente bem treinado e bem equipado exército prussiano invadiu a Saxônia. Os prussianos dominaram rapidamente o vizinho e incorporaram às suas fileiras todo o Exército saxão. A Saxônia era um satélite da Áustria e, mal tinha secado a tinta em suas páginas, o tratado franco-austríaco levava inexoravelmente Luís XV em socorro de Maria Teresa. E como a Áustria, aliada de longa data da Rússia, estava envolvida, a imperatriz Elizabeth se uniu à Áustria e à França contra a Prússia. Mas essas manobras não aumentaram a segurança de Hanover. Livre da ameaça de anexação pela Prússia, o eleitorado estava agora exposto ao perigo tanto da França como da Áustria.

Quando o conde Bestuzhev enviou uma nota à embaixada britânica informando Hanbury-Williams da adesão russa à nova aliança entre França e Áustria contra a Prússia, o embaixador ficou perplexo. O tratado recém-assinado com a Inglaterra, que ele acabara de negociar com Bestuzhev, teve de ser posto de lado, embora nunca fosse formalmente repudiado.* Hanbury-Williams viu-se na confusa posição de atender às expectativas de Londres e promover os interesses do novo aliado britânico, Frederico da Prússia, a quem ele tinha a missão de prejudicar, quando foi inicialmente enviado à Rússia. Assim, a grande reviravolta

---

* Durante a Guerra dos Sete Anos (1756-63) que se seguiu, a Rússia e a Inglaterra não entraram em conflito armado, apesar de cada uma ser aliada dos inimigos da outra.

nas alianças entre os poderes europeus se refletiu em miniatura na reviravolta que Hanbury-Williams foi forçado a fazer em seus próprios objetivos e esforços em São Petersburgo.

O inglês fez o melhor que pôde. Tornou-se um acrobata diplomático. Frederico não tinha embaixador em São Petersburgo. Hanbury-Williams se ofereceu secretamente para assumir essa função. Usando a mala diplomática destinada a um colega, o embaixador britânico em Berlim, ele se empenharia em manter o rei da Prússia informado do que estava acontecendo na capital russa. Ele tentaria também, por meio de suas conexões em São Petersburgo, garantir que não houvesse qualquer esforço militar sério por parte da Rússia na guerra que estava para acontecer. A mais importante dessas conexões, agora que Bestuzhev estava perdido para ele, era Catarina. Ele e a grã-duquesa mantinham uma correspondência íntima e muitas conversas brilhantes; ele tinha dado a ela milhares de libras, se gabava diante dos prussianos de que ela era sua "querida amiga" e sugeriu que poderia usá-la para adiar algum avanço russo.

O embaixador estava traindo sua confidente. Catarina sabia que o tratado anglo-russo estava moribundo, mas não que seu amigo estava ajudando secretamente o inimigo da Rússia e que tinha usado seu nome como aliada potencial naquela intriga. Estava enganando todo mundo, inclusive a si mesmo. Em janeiro de 1757, Catarina expôs seus verdadeiros sentimentos numa carta a Bestuzhev: "Ouvi dizer, com prazer, que nosso exército logo... [marchará]. Peço-lhe instar com nosso amigo mútuo [Stepan Apraksin], quando houver derrotado o rei da Prússia, para forçá-lo a voltar a suas antigas fronteiras a fim de que não fiquemos eternamente em guarda."

A verdade era que, antes de partir, Apraksin tinha visitado a grã-duquesa com grande frequência, explicando que o mau estado do Exército russo tornava desaconselhável uma campanha no inverno e seria melhor adiar. Essas conversas não tinham um cunho de traição. Apraksin tivera conversas semelhantes com a imperatriz, com Bestuzhev e até com embaixadores estrangeiros. A diferença era que Catarina tinha ordens da imperatriz para evitar se envolver em assuntos políticos e diplomáticos. Talvez a grã-duquesa tenha ignorado a ordem e discutido essas questões com Hanbury-Williams, mas, se assim foi, ela o fez sem saber que estava falando não apenas com seu grande amigo inglês, mas com alguém que faria chegar suas palavras ao rei da Prússia.

32

PONIATOWSKI

Stanislaus Poniatowski, o jovem nobre polonês apresentado a Catarina na noite em que ela conheceu sir Charles Hanbury-Williams, era um dos adornos da aristocracia europeia. Sua mãe era filha dos Czartoryski, uma das altas famílias da Polônia. Ela se casou com um Poniatowski, e Stanislaus era seu filho mais novo. O jovem era adorado pela mãe e protegido pelos irmãos dela, tios dele, dois dos homens mais poderosos da Polônia. Politicamente, a família esperava ter o apoio russo para dar fim ao rei eleito, o saxão Augusto III, e estabelecer uma dinastia polonesa nativa.*

Aos 18 anos, Stanislaus começou a percorrer as capitais europeias, acompanhado por uma comitiva de servos e levando um impressionante portfólio de apresentações. Em Paris, apresentou-se a Luís XV e a madame de Pompadour; em Londres, a George II. Já conhecia sir Charles Hanbury-Williams, e quando o diplomata foi designado embaixador inglês na Rússia, convidou Stanislaus para acompanhá-lo como secretário. A mãe e os tios dele ficaram contentes, pois isso dava aos Czartoryski um meio de reforçar a posição diplomática da família em São Petersburgo e, simultaneamente, dava a Stanislaus a chance de iniciar sua carreira pública. Uma vez na capital russa, Hanbury-Williams confidenciou tudo ao jovem secretário: "Ele me deixou ler seus despachos mais secretos, codificá-los e decodificá-los", disse Stanislaus. Sir Charles alugou uma mansão às margens do rio Neva para funcionar como embaixada, e os dois ficaram morando lá, com vista para a Fortaleza de Pedro e Paulo, do outro lado do rio, com sua catedral cujo pináculo dourado passava de 120 metros de altura.

---

* Durante séculos, o trono polonês foi concedido por eleição, e a maioria da nobreza polonesa preferia se submeter aos governos omissos de um rei estrangeiro a sacrificar seus privilégios dando preferência a alguém do seu próprio sangue. O resultado era uma permanente quase anarquia.

Stanislaus Poniatowski, três anos mais novo que Catarina, não podia competir em beleza com Sergei Saltykov. Era baixo, com rosto em forma de coração, olhos castanhos e míope. Tinha sobrancelhas proeminentes e queixo afilado, mas falava seis línguas, era bem-vindo em toda parte devido a seu charme e conversação e, aos 23 anos, era um modelo do jovem aristocrata europeu sofisticado. Era o primeiro desse tipo a aparecer diante de Catarina e representava, em pessoa, o mundo brilhante para o qual madame de Sévigné e Voltaire haviam despertado seu gosto. Ele falava na linguagem do Iluminismo, sabia brincar com questões abstratas, ser um romântico sonhador um dia e frivolamente infantil no dia seguinte. Catarina ficou intrigada. Duas qualidades, porém, faltavam a Stanislaus. Havia pouca originalidade e pouca seriedade no jovem polaco, deficiências que Catarina reconheceu e aceitou. Na verdade, ninguém reconhecia mais essas limitações do que o próprio Stanislaus. Em suas memórias, ele confessa:

> Uma excelente educação me habilita a esconder minhas falhas mentais, de modo que muita gente espera mais de mim do que sou capaz de dar. Tenho inteligência suficiente para tomar parte em qualquer conversação, mas não o bastante para conversar longamente e em profundidade sobre algum tema. Tenho um pendor natural para as artes. Minha indolência, porém, me impede de evoluir tanto quanto gostaria, seja nas artes, seja na ciência. Ou trabalho demais, ou não trabalho nada. Sei julgar muito bem todos os casos. Vejo imediatamente as falhas de um projeto ou daqueles que o idealizaram, mas tenho muita necessidade de bons conselhos para concretizar meus próprios projetos.

Para um homem de sua sofisticação, ele era, em muitos aspectos, extraordinariamente inocente. Havia prometido a sua mãe não beber vinho nem outras bebidas alcoólicas, não jogar e não se casar antes dos 30 anos. Além disso, por sua própria conta, Stanislaus tinha outra singularidade, muito estranha num homem jovem recém-vindo de sucessos sociais em Paris e outras capitais europeias:

> Uma educação severa me afastou de toda devassidão vulgar. A ambição de conquistar e manter um lugar na alta roda sustentou-me em minhas viagens e um concurso de circunstâncias singulares

em ligações das quais mal participei parece ter me reservado expressamente para ela, que dispôs de todo o meu destino.

Em resumo, ele chegou virgem a Catarina.

Poniatowski tinha outras qualidades atraentes para uma mulher orgulhosa que havia sido rejeitada e descartada. Sua dedicação mostrava que ela lhe inspirava mais que uma simples luxúria. Ele expressava admiração, não apenas pelo título e a beleza, mas também pela mente e o temperamento de Catarina, que ambos reconheciam serem superiores aos dele. Ele era afetuoso, atencioso, discreto e fiel. Ensinou-a a ter contentamento e segurança, além da paixão no amor. E tornou-se parte do processo de cura de Catarina.

No início desse caso de amor, Catarina tinha três aliados. Um era Hanbury-Williams, e os outros eram Bestuzhev e Lev Naryshkin. O chanceler deixou claro sua disposição de ajudar Poniatowski em nome de Catarina. Naryshkin rapidamente assumiu o mesmo papel de amigo, padrinho e guia para o novo favorito, papel que já havia desempenhado no caso de Catarina com Saltykov. Quando Lev ficou acamado, com febre, enviou a Catarina várias cartas elegantemente escritas. Os assuntos eram triviais – pedidos de frutas e compotas –, mas escritos num estilo que logo revelou a Catarina não ser ele o autor. Depois Lev admitiu que as cartas tinham sido escritas por seu novo amigo, o conde Poniatowski. Catarina entendeu que, apesar de todas as suas viagens e aparente sofisticação, Stanislaus ainda era um jovem tímido e sentimental. Mas ele era polonês e romântico, e ela, uma jovem isolada e presa a um casamento infeliz. Foi o bastante para conquistá-lo.

Aos olhos dele, Catarina era assim:

> Tinha 25 anos, nesse momento perfeito em que a mulher com qualquer pretensão à beleza está no auge. Tinha cabelos negros, a pele de uma brancura deslumbrante, grandes olhos azuis, redondos e expressivos, longos cílios negros, nariz grego, uma boca que parecia pedir beijos, mãos, braços e ombros perfeitos, silhueta alta e esguia, porte gracioso, elástico e ao mesmo tempo da mais digna nobreza, a voz suave, agradável, e um riso tão alegre quanto o temperamento. Num momento estava se divertindo com o mais turbulento e infan-

til dos jogos, e no outro estava em sua escrivaninha, lidando com os mais complicados assuntos financeiros e políticos.

Muitos meses se passaram antes que o inexperiente amante tomasse coragem para entrar em ação. Mesmo então, se não fosse a persistência de seu novo amigo Lev, o relutante pretendente se contentaria em adorá-la a distância. A certa altura, porém, deliberadamente, Lev colocou Stanislaus numa situação de onde o polaco não poderia recuar sem criar um grande embaraço para a grã-duquesa. Sem saber que tudo tinha sido combinado, ele foi levado à porta do apartamento dela, que estava totalmente aberta. Catarina estava esperando lá dentro. Anos depois, Poniatowski lembrava: "Não posso me negar o prazer de recordar as roupas dela naquele dia: um vestidinho de cetim branco com um pequeno debrum de rendas, tendo um entremeio de fita rosa como único adorno." A partir daquele momento, Poniatowski escreveu mais tarde, "toda a minha vida ficou dedicada a ela".

O novo amante de Catarina demonstrou estar isento da autoconfiança sorridente que a levara a capitular a Saltykov. Nesse caso, Catarina estava lidando com um garoto – charmoso, viajado e desembaraçado, mas, ainda assim, um garoto. Ela sabia o que precisava ser feito e, uma vez vencida a hesitação dele, guiou o belo polaco virginal no rumo da virilidade.

33

UM RATO MORTO, UM AMANTE AUSENTE E UMA PROPOSTA ARRISCADA

NOTÁVEIS MUDANÇAS DIPLOMÁTICAS ocorriam na Europa, mas no mundo fechado do casamento de Catarina e Pedro permaneciam os arranjos a antagonismos que vinham marcando a vida deles nos últimos dez anos. Catarina encontrara em Stanislaus Poniatowski um novo amante, confiável; Pedro ricocheteava entre as damas de honra de Catarina, fazendo ora de uma, ora de outra objeto de sua atenção. O casal tinha gostos e entusiasmos extravagantemente diferentes. Os de Pedro eram os soldados, os cães e a bebida; os de Catarina eram os livros, a conversação, a dança e as cavalgadas.

No inverno de 1755, a maior parte dos soldados de Holstein tinha sido mandada de volta, Catarina e Pedro voltaram de Oranienbaum para São Petersburgo, e retomaram suas vidas separadas. Estando a cidade totalmente coberta de neve e o rio Neva preso sob lençol de gelo, a obsessão militar de Pedro passou para dentro de casa. Seus soldados agora eram de brinquedo, feitos de madeira, chumbo, *papier-mâché* ou cera. Ele alinhava os bonequinhos em tantas mesas, e tão estreitas, que mal podia se espremer entre elas. Atadas às mesas havia tiras de metal ligadas a cordões e, quando os cordões eram puxados, as tiras de metal vibravam fazendo um ruído que – Pedro disse a Catarina – parecia um tiroteio de mosquetes. Nesse aposento, Pedro comandava uma cerimônia de troca de guarda diária, em que um novo destacamento de soldadinhos de brinquedo designado para montar guarda substituía os que eram tirados das mesas para descansar. Pedro sempre aparecia nessas cerimônias totalmente vestido com o uniforme de Holstein, de botas de cano alto, esporas, colarinho alto e cachecol. Os servos que participavam desse exercício também eram obrigados a usar uniformes de Holstein.

Um dia Catarina entrou no quarto dele e viu um grande rato morto pendurado numa forca de brinquedo. Assustada, ela perguntou por que aquilo estava lá. Pedro explicou que o rato tinha sido julgado por um crime e, segundo as leis da guerra, condenado à pena máxima, ou seja, à forca. O crime do rato foi ter subido nos baluartes de uma fortaleza de papelão montada numa mesa e comido duas sentinelas de *papier-mâché* em seu posto. Um cachorro de Pedro abocanhou o rato, que foi levado à corte marcial e enforcado na mesma hora. Agora, disse Pedro, ficaria exposto ao olhar público durante três dias para servir de exemplo. Ao ouvir aquilo, Catarina deu uma gargalhada. Depois pediu desculpas, alegando ignorância das leis militares. Mesmo assim, ele se ofendeu com aquela atitude jocosa e ficou amuado. A última observação dela sobre o caso foi que cabia o argumento, a favor do rato, de que ele tinha sido enforcado sem ter sido ouvido em defesa própria.

Durante esse inverno de 1755-56, Catarina fez amizade com Ana Naryshkina, cunhada de Lev Naryshkin, casada com o irmão mais velho dele. Lev tinha participação nessa amizade. "Não havia limites para seus absurdos", Catarina observou. Ele tinha o hábito de ficar indo e vindo entre o quarto de Pedro e o de Catarina. Para entrar no quarto dela, Lev ficava diante da porta miando como um gato. Certa vez, entre seis e sete horas de uma noite de dezembro, ela ouviu o miado. Ele entrou dizendo que sua cunhada estava doente e declarou:

— Você precisa ir vê-la.

— Quando? – Catarina perguntou.

— Esta noite – ele respondeu.

— Você sabe que não posso sair sem permissão e não me dariam permissão para ir à casa dela.

— Eu levo você lá.

— Está louco? – disse Catarina. – Você vai ser mandado para a fortaleza e só Deus sabe o problema que vai ser para mim.

— Mas ninguém vai saber – disse Lev. – Venho buscá-la daqui a uma hora mais ou menos. O grão-duque vai estar jantando. Vai continuar à mesa a maior parte da noite, só vai se levantar quando estiver bêbado e pronto para dormir. Por segurança, ponha roupas de homem.

Cansada de ficar sozinha no quarto, Catarina concordou. Lev saiu, e ela, alegando dor de cabeça, foi dormir cedo. Assim que madame Vladislavova se retirou, Catarina levantou-se, vestiu-se de homem e arrumou os cabelos como pôde. Na hora marcada, Lev miou na porta. Saíram do palácio sem que ninguém visse e entraram na carruagem dele, rindo daquela fuga. Quando chegaram à casa em que Lev morava com o irmão e a cunhada, Catarina não se surpreendeu ao encontrar Poniatowski lá. "Passamos a noite", Catarina escreveu, "na maior alegria. Depois de uma hora e meia, voltei ao palácio sem encontrar viva alma. No dia seguinte, de manhã na corte, e no baile à noite, não podíamos olhar um para o outro sem rir da loucura da noite anterior."

Dias depois, Lev organizou uma visita em retribuição e acompanhou seus amigos aos aposentos de Catarina com tanta habilidade que ninguém desconfiou. O grupo se deliciava com essas reuniões secretas. Durante todo o inverno de 1755-56, houve duas ou três dessas reuniões por semana, alternando as casas. "Às vezes, no teatro", Catarina escreveu, "mesmo em camarotes separados ou na orquestra, cada um de nós sabia, por certos sinais, sem dizer uma palavra, aonde ir. Ninguém jamais cometeu um erro, mas por duas vezes tive de voltar ao palácio a pé." A felicidade desses encontros, o amor de Poniatowski e o apoio político de Bestuzhev reforçaram a autoconfiança de Catarina.

Catarina encontrava oposições ocasionais por parte de suas damas de honra, encorajadas pelos comentários depreciativos, às vezes flagrantes, que Pedro fazia sobre seu status e suas qualidades. Agora oficialmente reconhecido como pai de Paulo, ele se esbaldava bancando o macho sem rédeas. Cantoras e dançarinas, consideradas pela sociedade "mulheres perdidas", frequentavam seus jantares privados. A mulher por quem ele mais se interessava era uma dama de honra de Catarina, Elizabeth Vorontsova, sobrinha do rival de Bestuzhev, o vice-chanceler Miguel Vorontsov. Colocada aos 11 anos de idade na *entourage* de Catarina, ela não era particularmente inteligente nem bonita. Ligeiramente corcunda, com o rosto marcado pela varíola, Elizabeth Vorontsova tinha um temperamento ardente, sempre pronta a rir, beber, cantar e gritar. Apesar de pertencer a uma das mais antigas famílias da Rússia, diziam que ela cuspia quando falava, ou então que se comportava como "uma criadinha numa casa de má fama". O interesse de Pedro por ela pode ter sido fruto do próprio sentimento de inferioridade dele. O grão-duque pode ter achado que ela o amava pelo que ele realmente era. A princípio, Elizabeth Vorontsova era apenas uma das muitas. Tinha rivais, e às vezes brigava com Pedro, mas era sempre para Elizabeth que ele voltava.

No verão de 1756, em Oranienbaum, o relacionamento de Catarina com algumas de suas damas de honra levou a uma feroz discussão. Vendo que aquelas jovens vinham demonstrando desrespeito abertamente, Catarina foi ao apartamento delas para dizer que, a não ser que mudassem de atitude, ela iria fazer uma queixa à imperatriz. Algumas tiveram medo e choraram, outras ficaram com raiva. Tão logo Catarina saiu, correram a contar ao grão-duque. Furioso, Pedro irrompeu no quarto de Catarina, dizendo que estava sendo impossível viver com ela, a cada dia ela se tornava mais insuportável, que todas as damas eram jovens de alta classe a quem ela tratava como servas, e que, se ela fosse se queixar à imperatriz, ele se queixaria à tia de sua soberba, sua arrogância e mau gênio.

Catarina ficou ouvindo. E respondeu que ele poderia dizer o que quisesse sobre ela, mas, se o caso fosse levado à tia dele, a imperatriz provavelmente iria decidir que a melhor solução seria demitir todas as jovens a serviço dela que estivessem causando dissensão entre o sobrinho e a esposa. Disse ainda ter certeza de que a imperatriz faria exatamente isso a fim de restabelecer a paz entre os dois e evitar que as brigas deles ficassem lhe enchendo os ouvidos. Esse argumento surpreendeu Pedro. Imaginando que Catarina sabia mais do que ele a respeito da atitude de Elizabeth com relação às damas de honra, e que a tia realmente poderia demiti-las por aquele motivo, ele suavizou o tom e disse: "Diga-

-me o que você sabe. Alguém falou com a imperatriz sobre elas?" Catarina respondeu que, se o caso chegasse até a imperatriz, não havia dúvida de que Sua Majestade lidaria com aquilo da maneira usual, decisiva. Pedro ficou andando de lá para cá, preocupado. Naquela noite, Catarina disse às moças que parassem de reclamar dela, contando à mais sensata delas a cena com o grão-duque e o que poderia acontecer.

Catarina gostava de Stanislaus Poniatowski, e soube o quanto gostava quando ele foi forçado a deixá-la temporariamente. O próprio Poniatowski provocou essa partida involuntária. Ele antipatizava com seu rei nominal, Augusto da Saxônia, cujo eleitorado germânico Frederico da Prússia tinha invadido, e constantemente depreciava Augusto. Alguns tomavam seus ataques como expressão de solidariedade a Frederico, e assim Pedro os interpretava. E não era somente Pedro que via, erroneamente, Poniatowski como admirador da Prússia, mas também a corte saxo-polonesa passou a implorar a Elizabeth que o mandasse para casa. Poniatowski não teve escolha e, em julho de 1756, foi obrigado a partir. Catarina deixou-o ir, determinada a trazê-lo de volta.

Dois dias antes de sua partida, Poniatowski foi a Oranienbaum acompanhado do conde Horn da Suécia para se despedir. Os dois condes ficaram dois dias em Oranienbaum. No primeiro dia, Pedro foi gentil, mas, no segundo, como tinha planejado passar o dia bebendo no casamento de um de seus caçadores, ele simplesmente saiu, deixando Catarina a entreter os visitantes. Depois do almoço, ela mostrou o palácio a Horn. Quando chegaram ao apartamento dela, seu cãozinho galgo italiano começou a latir furiosamente para Horn, e, quando viu Poniatowski, cumprimentou-o, abanando a cauda freneticamente. Horn reparou e disse discretamente a Poniatowski: "Meu amigo, não há maior traidor que um cachorrinho mimado. A primeira coisa que faço quando estou amando uma mulher é dar a ela um desses cãezinhos. Assim, sempre posso saber se existe alguém mais favorecido que eu. O teste é infalível. Como você notou agora mesmo, o cão queria me morder porque sou estranho, mas quando viu você, ficou louco de alegria." Dois dias depois, Poniatowski deixou a Rússia.

Quando Stanislaus Poniatowski partiu, em julho de 1756, supôs que iria retornar em questão de semanas. Quando não voltou no prazo estimado, Catarina começou uma campanha para trazê-lo de volta. Pela primeira vez, Bestuzhev sentiu a força da vontade da futura imperatriz. Durante todo o outono de 1756, ele fez todos os esforços para fazer o que ela pedia e convencer o governo polonês a enviar Poniatowski de volta a São Petersburgo. Escreveu ao conde Heinrich Brühl, ministro das Relações Exteriores da Polônia: "No presente estado de coisas, tão delicado e crítico, julgo ser ainda mais necessário que venha sem demora um enviado extraordinário do reino da Polônia, cuja presença estreitará os laços de amizade entre as duas cortes. Dado que não conheço ninguém mais agradável à minha corte do que o conde Poniatowski, sugiro que seja ele." Brühl acabou concordando.

Agora o caminho parecia estar aberto para o retorno de Poniatowski, mas, para surpresa de Catarina, ele permaneceu na Polônia. Qual seria o obstáculo? Numa carta a Catarina, Poniatowski explicou que era a mãe dele:

> Pressionei-a fortemente para consentir no meu retorno. Ela me disse, com lágrimas nos olhos, que esse caso iria fazer com que ela perdesse minha afeição, da qual ela depende para toda a felicidade de sua vida, que era difícil me recusar qualquer coisa, mas dessa vez ela estava determinada a não permitir. Fiquei fora de mim, me atirei aos pés dela implorando que mudasse de ideia.
>
> Ela disse, novamente em lágrimas: "Isso é o que eu esperava." Ela apertou minha mão e se afastou me deixando com o mais horrível dilema que já tive na vida.

Com a ajuda de seus poderosos tios Czartoryski, Poniatowski finalmente escapou da mãe em dezembro de 1756 e voltou à Rússia como ministro e representante oficial do rei da Polônia. Uma vez em São Petersburgo, retomou seu papel de amante de Catarina. Ele permaneceria mais um ano e meio na Rússia. Durante esse período, se tornaria o pai do segundo filho dela.

A imperatriz Elizabeth adoecia com frequência. Ninguém entendia a natureza exata de seus problemas, alguns atribuíam a complicações menstruais, outros cochichavam que suas indisposições eram causadas por apoplexia ou epilepsia. No verão de 1756, seu estado se agravou tanto que os médicos temeram pela vida dela.

Essas crises de saúde continuaram pelo outono de 1756. Os Shuvalov, apavorados, enchiam o grão-duque de gentilezas. Bestuzhev tomou uma direção diferente. Como todos em São Petersburgo, ele se preocupava com o futuro, e se preocupava mais ainda consigo mesmo. Conhecia muito bem os preconceitos e as limitações da capacidade política do grão-duque, herdeiro do trono, e também a hostilidade despertada na mente de Pedro contra ele, o chanceler. Não podia mais ser abertamente amigável com Hanbury-Williams, já que a Inglaterra era agora aliada da Prússia. Havia outras razões, mais gerais, que o preocupavam. Estava envelhecendo, exaurido pelos anos, e Elizabeth, mesmo quando estava bem, era uma senhora difícil. Agora a saúde instável da imperatriz e a hostilidade do grão-duque deixavam-lhe uma única pessoa da família imperial a quem poderia pedir apoio. Seu relacionamento com Catarina se fortalecera, e a iminência da guerra apressou sua aproximação. No outono de 1756, tanto Catarina como Bestuzhev estavam extremamente preocupados com a transição de poder que se seguiria à morte de Elizabeth.

Bestuzhev começou a fazer planos. Havia apresentado a Catarina seu amigo, general Stepan Apraksin, que ele tinha indicado para ser comandante em chefe das forças russas mobilizadas contra a Prússia. A seguir, enviou a Catarina o rascunho de um ucasse secreto, um decreto imperial a ser divulgado no momento da morte de Elizabeth. Esse documento estabelecia uma reestruturação administrativa do governo russo. Propunha que Pedro fosse declarado imperador imediatamente e, ao mesmo tempo, Catarina fosse oficialmente nomeada corregente. A intenção de Bestuzhev era de que Catarina administrasse os assuntos da Rússia como havia cuidado dos interesses do marido em Holstein. Naturalmente, Bestuzhev não esqueceu de si mesmo nesse novo arranjo. Na verdade, ele queria que a supervisão do império, a cargo de Catarina, fosse orientada pelos conselhos dele, e reservava a si mesmo quase todo o poder de fato. Seus postos continuariam a ser dele, e outros seriam adicionados. Ele permaneceria chanceler e ficaria à frente de três ministérios-chave: das Relações Exteriores, da Guerra e da Marinha, além de ser nomeado coronel de todos os quatro regimentos da Guarda Imperial. Era um documento arriscado, até potencialmente suicida. Ele estava se alçando à condição de tomar decisões relativas à sucessão, uma prerrogativa exclusiva dos monarcas. Se Elizabeth lesse aquele documento, Bestuzhev talvez pagasse com a própria cabeça.

Quando Catarina recebeu a minuta do documento, reagiu com cautela. Não contradisse Bestuzhev diretamente nem desencorajou seu empenho, mas manifestou reservas. Mesmo que depois ela explicitamente julgasse as pretensões dele exageradas e em momento inoportuno, só podia se sentir lisonjeada pelo papel central que lhe era destinado. Agradeceu verbalmente a Bestuzhev por suas boas intenções, mas lhe disse que considerava seu plano prematuro. Bestuzhev continuou escrevendo, fazendo revisões, acréscimos e alterações.

Catarina entendia que aquela iniciativa era muito arriscada. Por um lado, Bestuzhev lhe oferecia um caminho que a levaria a reger o império. Por outro, aquele documento incriminava tanto o chanceler como a ela e, se descoberto, poderia resultar em perigo mortal para ambos. Se Elizabeth o lesse, sua fúria seria assombrosa.

34

CATARINA DESAFIA BROCKDORFF E DÁ UMA FESTA

NA PRIMAVERA DE 1757, Catarina viu aumentar a influência de Brockdorff sobre seu marido. O exemplo mais claro ficou evidente quando Pedro lhe disse que precisava mandar a Holstein uma ordem de prisão contra Elendsheim, um dos mais importantes cidadãos do ducado, que chegara à sua posição por meio da educação e da sua capacidade. Catarina perguntou por que Elendsheim deveria ser preso.

— Disseram-me que ele é suspeito de fraude — Pedro respondeu. Catarina perguntou quem o acusava de fraude.

— Ah, ninguém está acusando porque todo mundo no país tem medo dele e o respeita, e é por isso mesmo que devo mandar prendê-lo — Pedro explicou. — Assim que for preso, com certeza haverá muita gente para acusá-lo.

Catarina estremeceu.

— Se for assim — ela disse —, não restará nenhum inocente no mundo. Qualquer invejoso pode espalhar um boato de tal forma que a vítima seja presa. Quem está lhe dando esse mau conselho?

— Você sempre quer saber mais que os outros — Pedro queixou-se.

Catarina respondeu que tinha perguntado porque não acreditava que ele, o grão-duque, teria a iniciativa de cometer tamanha injustiça. Pedro andou para lá e para cá, e saiu abruptamente. Logo retornou, dizendo:

— Venha ao meu apartamento. Brockdorff vai lhe explicar esse caso do Elendsheim. Você vai entender por que preciso mandar prendê-lo.

Brockdorff estava esperando.

— Fale com a grã-duquesa — disse Pedro.

Brockdorff inclinou-se e obedeceu. — Como Vossa Alteza Imperial me ordena, falarei com Sua Alteza Imperial — e dirigiu-se a Catarina: — Esse caso deve ser tratado com grande sigilo e prudência. Holstein está cheio de rumores sobre fraudes e apropriações indébitas de Elendsheim. Ninguém o acusa porque ele é temido, mas, quando for preso, haverá tantos acusadores quanto se quiser.

Catarina pediu detalhes e ficou sabendo que Elendsheim, chefe do Departamento de Justiça, estava sendo acusado de extorsão a cada julgamento: quem perdia a causa dizia que a outra parte só tinha ganho porque os juízes foram subornados. Catarina disse a Brockdorff que ele estava tentando levar o marido dela a cometer uma óbvia injustiça. Usando essa lógica, o grão-duque poderia mandar prender Brockdorff e dizer que as acusações viriam depois. Quanto aos litígios, era muito fácil entender por que os que perdiam sempre acusavam os juízes de suborno.

Os dois se calaram, e Catarina se retirou. Brockdorff disse ao grão-duque que tudo o que ela dissera era fruto de sua necessidade de dominar, que ela desaprovava tudo o que ela mesma não havia proposto, que ela nada sabia do mundo e de política, que as mulheres sempre queriam se imiscuir em tudo e estragavam tudo em que se metiam, e que qualquer medida séria estava além da capacidade delas. Afinal Brockdorff conseguiu se sobrepor a Catarina, e Pedro enviou a Holstein uma ordem de prisão de Elendsheim.

Irritada, Catarina contra-atacou, recrutando Lev Naryshkin e outros para ir em seu auxílio. Quando Brockdorff passava, eles gritavam "*Baba Ptítsa*" — pelicano —, porque achavam a aparência do pássaro horrorosa, e Brockdorff horroroso também. Em suas *Memoirs*, Catarina escreveu: "Ele tomava dinheiro de todo mundo, e convenceu o grão-duque, que vivia precisando de dinheiro, a fazer o mesmo, vendendo promissórias e títulos de Holstein a quem quer que pagasse."

Apesar de seus esforços, Catarina não foi capaz de enfraquecer a influência de Brockdorff sobre Pedro. Recorreu a Alexander Shuvalov, dizendo que considerava Brockdorff má companhia para um jovem príncipe herdeiro de um império. Aconselhou o conde a advertir a imperatriz. Ele perguntou se podia falar em nome de Catarina, ela disse que sim, acrescentando que, se a imperatriz quisesse conversar pessoalmente, ela falaria com toda a franqueza. Shuvalov concordou. Catarina esperou até o conde lhe dizer que a imperatriz encontraria um momento para falar com ela.

Enquanto esperava pela imperatriz, Catarina acabou se envolvendo com assuntos de Pedro, de maneira positiva. Certa manhã, Pedro entrou no quarto dela seguido de perto por seu secretário, Zeitz, que vinha carregando um documento.

— Olhe o diabo desse homem! — Pedro disse. — Bebi demais ontem, ainda estou meio tonto, e ele me traz esses papéis para examinar. Chegou a me seguir até o seu quarto!

Zeitz explicou a Catarina:

— Tudo aqui só requer um simples "sim" ou "não". Não leva mais que 15 minutos.

— Vamos ver — disse Catarina. — Talvez possamos resolver mais depressa do que você imagina.

Zeitz leu em voz alta e, à medida que lia, Catarina dizia sim ou não. Pedro ficou contente, e Zeitz disse a ele:

— Veja, meu senhor, se me permitisse fazer isso duas vezes por semana, seus assuntos não sofreriam atrasos. São assuntos banais, mas têm de ser solucionados, e a grã-duquesa resolveu todos com seis sim e seis não.

Daquele dia em diante, Pedro mandava Zeitz consultar Catarina cada vez que precisava dizer um sim ou um não. A certa altura, ela pediu a Pedro que lhe desse uma autorização assinada com uma lista de assuntos que ela poderia resolver sem nova permissão dele. Pedro deu.

Depois disso, Catarina comentou com ele que, se achava complicadas as decisões sobre Holstein, deveria entender que eram apenas uma pequena fração do trabalho que ele teria quando viesse a ser responsável pelo Império Russo. Pedro reiterou que não havia nascido para a Rússia e não servia para os russos, da mesma forma que os russos não serviam para ele. Catarina sugeriu que ele pedisse à imperatriz que a familiarizasse com a administração dos assuntos governamentais. E insistiu especificamente que ele pedisse para participar das reuniões do conselho da imperatriz. Pedro falou com Alexander Shuvalov, que aconselhou a imperatriz a admiti-lo nas reuniões administrativas sempre que ela estivesse presente. Elizabeth concordou, mas afinal não adiantou nada, porque a imperatriz só esteve com ele em uma dessas reuniões. Nenhum dos dois foi a outra reunião.

SEDUÇÃO, MATERNIDADE E CONFRONTO | 211

Relembrando aqueles anos, Catarina escreveu: "O grande problema estava no fato de tentar me manter o mais perto possível da verdade, ao passo que ele a deixava cada vez mais para trás." As mais bizarras invenções de Pedro eram muito pessoais e bobas; segundo Catarina, costumavam se originar do desejo de impressionar alguma jovem. Confiando na inocência da moça, ele dizia que, quando era criança, vivendo com seu pai em Holstein, foi posto no comando de um destacamento militar para cercar um acampamento de ciganos ladrões nos campos perto de Kiel. Sempre enfatizando sua própria capacidade e valor, Pedro descrevia as táticas brilhantes que usava para perseguir, cercar, enfrentar e capturar os oponentes. A princípio, tinha o cuidado de contar essas histórias apenas a quem não sabia nada sobre ele. Depois ficou mais ousado e passou a contar casos diante de pessoas que sabiam ser mentira, mas em cuja discrição ele confiava e não iriam contradizê-lo. Quando começou a criar essas ficções na frente de Catarina, ela perguntou quanto tempo antes da morte do pai esses eventos tinham ocorrido. Pelo que ela se lembrava da conversa, Pedro respondeu que havia sido uns três ou quatro anos. "Bem", ela disse, "você começou muito cedo porque três ou quatro anos antes da morte do seu pai você tinha 6 ou 7 anos. Quando seu pai morreu, você tinha 11 anos e ficou sob a guarda do meu tio, o príncipe herdeiro da Suécia. O que me espanta é que seu pai, de quem você era filho único – e uma criança muito delicada –, mandasse você, seu herdeiro, com a idade de 6 ou 7 anos, enfrentar salteadores." Não era ela, Catarina concluiu, mas o calendário que o desacreditava.

Mesmo assim, Pedro continuava pedindo ajuda a Catarina. Como o futuro dela estava atado ao dele, ela fazia o que podia. Ela o tratava mais como um irmão mais novo do que um marido: dava-lhe conselhos, repreendia, ouvia suas confidências de casos de amor e continuava a dar assistência nos assuntos de Holstein. "Cada vez que se sentia meio perdido", Catarina escreveu, "vinha correndo me pedir conselhos e, tão logo os obtinha, saía com toda a rapidez que as pernas lhe permitiam."

Em dado momento, Catarina descobriu que a imperatriz não aprovava suas tentativas de ajudar o marido. Na noite em que Elizabeth finalmente mandou chamar Catarina para a audiência solicitada oito meses antes, a imperatriz estava sozinha. O primeiro assunto foi Brockdorff. Catarina relatou o caso Elendsheim em detalhes, dando à imperatriz sua opinião sobre a má influência de Brockdorff sobre Pedro. Elizabeth ouviu sem fazer comentários, e pediu notícias da vida privada de Pedro. Catarina contou tudo o que sabia. Começou a falar novamente sobre Holstein, e Elizabeth a interrompeu, dizendo secamente: "Você parece estar bem informada sobre esse lugar." Catarina entendeu que sua narrativa estava causando má impressão, e explicou que estava bem informada porque seu marido tinha ordenado que ela o ajudasse com a administração daquele pequeno território. Elizabeth franziu as sobrancelhas, ficou em silêncio e dispensou Catarina abruptamente. A grã-duquesa ficou sem saber o que viria a seguir.

Em pleno verão de 1757, Catarina tentou uma abordagem diferente para apaziguar o marido: deu uma festa em honra a ele. Para o jardim de Oranienbaum, o arquiteto italiano Antonio Rinaldi projetou e construiu um enorme carro de madeira com capacidade para alojar uma orquestra de sessenta músicos e cantores. Catarina encomendou poemas musicados e ao longo de toda a alameda do jardim mandou colocar iluminação e imensas cortinas, atrás das quais foram colocadas as mesas para o jantar.

Ao pôr do sol, Pedro e dezenas de convidados chegaram ao jardim e se sentaram às mesas. Depois do primeiro prato, as cortinas que ocultavam a alameda iluminada se abriram. A distância, via-se a orquestra se aproximando no imenso carro puxado por vinte bois adornados com guirlandas. Dançarinos e dançarinas se apresentavam ao lado do carro em movimento. "O tempo estava magnífico", escreveu Catarina, "e, quando o carro parou, por acaso a lua incidiu diretamente sobre ele, uma circunstância que produziu um efeito maravilhoso e causou grande admiração em todas as pessoas." Os presentes se levantaram das mesas para ver melhor. Então a cortina se fechou, e os convidados voltaram a se sentar para o segundo prato. O soar de trombetas e címbalos anunciou um sofisticado sorteio. Em cada lado da grande cortina, uma cortina pequena foi levantada, revelando quiosques belamente iluminados, contendo objetos de porcelana, flores, fitas, leques, pentes, bolsas, luvas, alças de espada e outros ornamentos finos. Depois que todos os objetos foram distribuídos, foi servida a sobremesa, e todos dançaram até as seis horas da manhã.

A festa foi um sucesso. Pedro e toda a sua *entourage*, incluindo o pessoal de Holstein, elogiaram Catarina. Em suas *Memoirs*, ela se vangloria da realização do evento, registrando que as pessoas diziam: "A grã-duquesa é a bondade em pessoa. Deu presentes para todos, é encantadora, sorria e se comprazia em nos fazer dançar, comer e nos alegrar."

"Em resumo", Catarina se regozijou, "descobriram que eu tinha qualidades não reconhecidas antes e, portanto, desarmei meus inimigos. Era o meu objetivo."

Em junho de 1757, um novo embaixador francês, o marquês de l'Hôpital, tinha chegado a São Petersburgo. Versalhes estava bem informada sobre a doença de Elizabeth e a crescente influência de Catarina. O marquês recebeu instruções para "agradar a imperatriz, mas, ao mesmo tempo, cair nas boas graças da jovem corte". Quando L'Hôpital fez sua primeira visita oficial ao Palácio de Verão, foi Catarina quem o recebeu. Catarina e o visitante esperaram o maior tempo possível pela imperatriz, mas, como ela não chegou, foram juntos ao jantar e depois abriram o baile sem ela. Aconteceu durante as Noites Brancas, e o salão ficava escurecido artificialmente para que os convidados apreciassem o efeito das centenas de velas. Finalmente, à luz mais fraca, Elizabeth apareceu. Seu rosto ainda era bonito, mas as pernas inchadas não permitiam que ela dançasse. Após algumas palavras de cumprimento, ela se retirou para a galeria e dali ficou tristemente assistindo à bela cena.

L'Hôpital deu início a sua missão de estreitar os laços da França com a Rússia. Começou pressionando pela volta de Hanbury-Williams à Inglaterra e de Poniatowski à Polônia. Foi calorosamente recebido pelos Shuvalov, mas repudiado pela corte jovem. Pedro não simpatizava com inimigos da Prússia, e Catarina permanecia ligada a Bestuzhev, Hanbury-Williams e Poniatowski. Incapaz de neutralizar a influência daqueles três, L'Hôpital reportou a seu governo que era inútil tentar influenciar a jovem corte: "O grão-duque é tão completamente prussiano quanto a grã-duquesa é uma inglesa incorrigível."

Entretanto, o embaixador francês atingiu um objetivo maior, ao conseguir se livrar de seu rival diplomático inglês, Hanbury-Williams. Juntamente com seu governo, pressionou Elizabeth a forçar a volta de um enviado cujo rei, ele frisou, era agora aliado de seu inimigo comum, Frederico da Prússia. Elizabeth aceitou essa lógica e, no verão de 1757, o rei George II foi informado de que a presença de seu embaixador não era mais desejada em São Petersburgo. Sir Charles estava querendo partir: seu fígado não aguentava mais. No entanto, quando chegou o momento, ficou hesitante. Em outubro de 1757, ele visitou Catarina pela última vez.

"Eu o amo como a meu pai", ela lhe disse. "Considero-me feliz por ter sido capaz de conquistar sua afeição." A saúde dele piorou. Após uma viagem tormentosa pelo Báltico, ele chegou debilitado a Hamburgo e foi levado às pressas para a Inglaterra, por recomendação médica. Lá, o embaixador elegante e espirituoso degenerou, tornou-se um inválido amargurado, e um ano depois deu fim à vida pelo suicídio. O rei George II, talvez se sentindo responsável por romper a aliança que sir Charles tanto lutou para negociar, ordenou que o enterrassem na abadia de Westminster.

35
A RETIRADA DE APRAKSIN

PRESA À ALIANÇA COM A ÁUSTRIA, a Rússia estava nominalmente em guerra com a Prússia desde setembro de 1756, quando Frederico invadiu a Saxônia. No fim da primavera de 1757, porém, nenhum soldado russo havia sido posto em marcha. Era a primeira guerra do reinado de Elizabeth, e as vitórias de seu pai, Pedro, o Grande, quase quatro décadas atrás, já estavam esmaecidas na memória russa. Nenhum dinheiro tinha sido investido no Exército, as tropas estavam mal equipadas e mal treinadas. O moral andava baixo, não só porque Elizabeth havia prometido enviar seu Exército contra Frederico, o maior general da época, mas também porque a saúde decadente da imperatriz significava que a coroa russa, em breve, poderia ser colocada na cabeça de um fervoroso admirador do rei Frederico da Prússia.

Nos meses que antecederam a guerra, Bestuzhev havia incentivado uma amizade entre seu amigo, o general Stepan Apraksin, e Catarina. Descendente do mais notável almirante de Pedro, o Grande, Apraksin foi descrito por Hanbury-Williams como "um homem muito corpulento, preguiçoso e bem-humorado". Sua amizade com o chanceler, e não suas habilidades militares, lhe tinha valido o comando dos batalhões reunidos para invadir o Leste da Prússia. Uma vez indicado, Apraksin se recusou a embarcar numa campanha de inverno. Tinha razões tanto políticas como militares para essa cautela. A saúde instável da imperatriz e os sentimentos pró-Prússia do grão-duque deixavam óbvio que a guerra iria acabar tão logo Pedro subisse ao trono. Naquelas circunstâncias, até um general mais agressivo deveria ser desculpado por não arriscar seu próprio futuro entrando na guerra. Apraksin deveria ser desculpado também por se sentir pouco à vontade com Catarina. Ela nascera germânica, Frederico tinha auxiliado a arranjar seu casamento, e a mãe dela fora altamente suspeita de ser uma agente prussiana. Nessa linha de raciocínio, ele estava enganado. Agora, enredada na política da corte, Catarina esperava que uma vitória russa restaurasse o prestígio de Bestuzhev e evitasse a vitória final dos inimigos de ambos, os Shuvalov. Antes que Apraksin partisse para invadir o Leste da Prússia, Catarina tentou se certificar de que ele soubesse de sua opinião. Quando a esposa do general foi visitá-la, Catarina falou de sua preocupação com a saúde da imperatriz, e que lamentava muito a partida de Apraksin num momento em que ela supunha não se poder depositar muita confiança nos Shuvalov. A esposa de Apraksin repetiu tudo isso ao marido, que se tranquilizou e fez saber a Bestuzhev as palavras da grã-duquesa.

Em meados de maio de 1757, o corpulento soldado de cara vermelha, fisicamente incapaz de montar um cavalo, subiu em sua carruagem e partiu para o Leste da Prússia liderando 80 mil homens. No final de junho, o Exército russo cercou a cidade fortificada de Memel, na costa do Báltico. Em 17 de agosto, Apraksin venceu uma parte do Exército prussiano numa batalha em Grossjägersdorf, no Leste da Prússia. Não foi uma vitória brilhante. Frederico não estava presente, e o número de russos era o triplo do inimigo. Mesmo assim, elevou as expectativas e o orgulho nacional russo. Então uma coisa estranha aconteceu. Em vez de prosseguir em busca de vitórias, avançando pelo Leste da Prússia e capturando Königsberg, a capital da província, Apraksin permaneceu imóvel por duas semanas, após as quais fez uma retirada em marcha forçada tão precipitada que seu recuo mais parecia ter sido uma derrota. Queimou seus carroções, munição, destruiu as provisões, a pólvora, danificou os canhões, deixando-os abandonados, e queimou cidades inteiras à medida que ia voltando por elas, para não poderem abrigar os inimigos que os perseguissem. Só parou quando chegou em segurança à fortaleza de Memel.

Em São Petersburgo, o júbilo se transformou em choque. O público não conseguiu entender o que tinha acontecido, e os amigos de Apraksin não sabiam como justificar seu comportamento. Catarina não tinha explicação para aquela retirada caótica, mas especulava que ele teria recebido notícias alarmantes da saúde da imperatriz. Se fosse verdade, a morte dela significaria um fim imediato à guerra. A Rússia precisaria dele e, em vez de avançar pela Prússia, seu dever seria voltar às fronteiras russas.

A retirada de Apraksin provocou reclamações iradas dos embaixadores da França e da Áustria. Bestuzhev ficou alarmado. Como Apraksin era seu amigo e tinha recebido dele o comando do Exército, o chanceler sabia que parte da culpa lhe seria atribuída. Diante da necessidade política de uma nova ofensiva, que devolveria o prestígio da Rússia junto a seus aliados, e o seu próprio junto à imperatriz, Bestuzhev pediu a Catarina que escrevesse ao general. Catarina escreveu, pondo Apraksin a par dos rumores correntes em São Petersburgo e da dificuldade de seus amigos para justificar a retirada. Pediu-lhe que reconsiderasse e voltasse a avançar, obedecendo às ordens do governo. Basicamente, ela escreveu três cartas, todas inofensivas, embora mais tarde fossem usadas como provas de intromissão da grã-duquesa em questões que não lhe diziam respeito. Bestuzhev se encarregou de repassar essas cartas a Apraksin. As cartas nunca tiveram resposta.

Enquanto isso, São Petersburgo era um caldeirão de recriminações. Elizabeth, pressionada pelos Shuvalov e pelo embaixador francês, destituiu Apraksin de seu cargo e mandou-o ficar numa das propriedades dele para aguardar um inquérito. O general Guilherme Fermor assumiu o comando do Exército e, apesar do mau tempo, avançou com as tropas e tomou Königsberg em 18 de janeiro de 1758. Fermor tentou defender seu antecessor reportando que, não por culpa de Apraksin, os soldados russos não tinham sido pagos, estavam com muito pouca munição, armas, roupas, e desesperadamente famintos. Com resistência e coragem, haviam vencido os prussianos em Grossjägersdorf, mas aquele esforço fora demasiado, e Apraksin, sem poder suprir as tropas em território inimigo, foi obrigado a recuar.

O relatório de Fermor era apenas parcialmente acurado. A decisão de recuar não fora tomada por Apraksin. Depois da vitória em Grossjägersdorf, o general comunicou ao conselho de guerra, em São Petersburgo, os problemas enfrentados por ele e pelo Exército. O conselho se reuniu três vezes – em 27 de agosto, em 13 e 28 de setembro de 1757 – e ordenou a retirada. Esses fatos foram omitidos de Viena, Paris e do povo de São Petersburgo. Elizabeth participou da decisão, mas nunca admitiu. Catarina não sabia.

Em 8 de setembro, em Tsarskoe Selo, Elizabeth saiu a pé para assistir à missa na igreja paroquial perto do portão do palácio. Logo que a missa começou, ela se sentiu mal e saiu da igreja, desceu um pequeno lance de degraus, cambaleou e caiu desmaiada na grama. As acompanhantes da imperatriz, que seguiam atrás, a encontraram cercada por uma multidão de pessoas que tinham vindo de cidades vizinhas para a missa. A princípio, ninguém sabia qual era o problema. As acompanhantes a cobriram com um xale branco, e membros da corte foram procurar um médico e um cirurgião. O primeiro a chegar foi o cirurgião, um refugiado francês, que lhe fez uma sangria enquanto ela jazia inconsciente no chão, no meio das pessoas. O tratamento não a fez voltar à consciência. O médico, um grego, levou mais tempo para chegar, pois, incapaz de andar, precisou ser carregado numa poltrona para ir até lá. Biombos e um divã foram trazidos do palácio. Colocada no divã cercado por biombos, Elizabeth se espreguiçou e abriu os olhos, mas não reconheceu ninguém e falava palavras ininteligíveis. Duas horas depois, carregaram o divã até o palácio. A consternação da corte, já imensa, aumentou ainda mais pelo fato de que o desmaio tinha ocorrido em público. Até então, o estado de saúde da imperatriz era um segredo guardado a sete chaves. De repente, passou a ser de conhecimento público.

Catarina soube do incidente na manhã seguinte, em Oranienbaum, por um bilhete enviado por Poniatowski, e correu a contar a Pedro. O mensageiro mandado para trazer mais notícias voltou com a informação de que Elizabeth só conseguia falar com dificuldade. Todos perceberam que algo mais sério que um desmaio tinha acontecido. Hoje podemos entender que ela teve um derrame.

Depois do ocorrido, todos em São Petersburgo ligaram a saúde de Elizabeth e a retirada de Apraksin a preocupações com a sucessão ao trono. "Se a imperatriz morrer", escreveu o marquês de l'Hôpital a Versalhes em 1º de novembro, "imediatamente veremos uma revolução no palácio, pois jamais será permitido ao grão-duque reinar." Alguns acreditavam que a imperatriz iria deserdar o sobrinho a favor de Paulo, de 3 anos de idade. Corria um boato de que, com Paulo no trono sob o controle dos Shuvalov, seus pais, Catarina e Pedro, seriam ambos mandados de volta a Holstein.

Em meados de janeiro de 1758, Alexander Shuvalov interrogou Apraksin. Em seu testemunho, o general jurou não ter recebido nenhuma instrução, nem política nem militar, de Catarina. Apraksin admitiu ter recebido correspondência da grã-duquesa e entregou a Shuvalov todos os seus papéis pessoais, inclusive as três cartas que Catarina lhe havia escrito. Catarina iria tornar a ver essas cartas.

Um ano após sua demissão, Apraksin foi levado a um juiz para ouvir sua sentença: "E não temos outro recurso, a não ser..." Apraksin, obeso e apoplético, não chegou a ouvir o fim da sentença. Esperando as palavras "tortura" e "morte", caiu morto ali mesmo. As últimas palavras da sentença teriam sido "deixá-lo em liberdade".

36
A FILHA DE CATARINA

NA PRIMAVERA DE 1757, Catarina descobriu que estava grávida de um filho de Poniatowski. No final de setembro, parou de aparecer em público. Sua ausência aborreceu Pedro, porque, quando sua esposa desejava comparecer a cerimônias oficiais, ele podia ficar em seu apartamento. A imperatriz Elizabeth, ainda não restabelecida, não fazia aparições públicas e, com Catarina indisponível, todo o peso de representação da família imperial recaía agora sobre ele. Irritado, o grão-duque disse a Lev Naryshkin, na presença de outros: "Só Deus sabe onde minha mulher arruma gravidez. Não tenho a menor ideia se essa criança é minha e se vou ter de me responsabilizar por ela."

Lev, sempre leal, foi correndo contar a Catarina essa observação. Alarmada, ela disse a Naryshkin: "Seu tolo! Volte lá e peça ao grão-duque para jurar que nunca dormiu com a esposa dele. Diga que, se ele estiver pronto a fazer esse juramento, você irá imediatamente comunicar a Alexander Shuvalov, a fim de que ele tome as providências cabíveis."

Lev correu de volta e pediu ao grão-duque que fizesse o juramento. Pedro, com medo demais da tia, se recusou. "Vá para o diabo!", ele gritou. "E nunca mais me venha falar desse assunto!"

À meia-noite de 9 de dezembro de 1757, Catarina começou a ter contrações. Madame Vladislavova mandou chamar Pedro, e Alexander

Shuvalov foi comunicar à imperatriz. Pedro chegou ao quarto de Catarina vestindo seu uniforme completo de Holstein, com botas de cano alto, esporas, faixa na cintura e uma espada enorme pendendo do lado. Surpresa, Catarina perguntou o motivo daquela roupa. Pedro respondeu que, com esse uniforme, estava pronto a cumprir seu dever de oficial de Holstein (não de grão-duque da Rússia) para defender sua casa ducal (não o Império Russo). De início, Catarina achou que ele estava brincando, mas depois percebeu que estava bêbado. Disse a ele que saísse rapidamente para poupar sua tia do duplo aborrecimento de vê-lo cambaleando e ainda por cima vestido da cabeça aos pés com a farda germânica de Holstein, que Elizabeth odiava. Com a ajuda da parteira, dizendo-lhe que sua esposa não daria à luz tão cedo, ela o convenceu a se retirar.

Elizabeth chegou. Quando perguntou onde estava o sobrinho, disseram-lhe que ele tinha acabado de sair e voltaria logo. As dores do parto cederam, e a parteira disse que essa pausa poderia durar algumas horas. A imperatriz voltou aos seus aposentos, e Catarina dormiu até de manhã. Acordou sentindo contrações ocasionais, mas livre delas a maior parte do dia. À noite, teve fome e mandou trazerem o jantar. Comeu e, ao se levantar da mesa, sentiu dores agudas. O grão-duque e a imperatriz voltaram, e entraram no quarto justamente no momento em que ela dava à luz uma menina. A jovem mãe perguntou à imperatriz se permitia que a criança se chamasse Elizabeth. A imperatriz declarou que a infanta se chamaria Ana, como sua irmã mais velha, mãe de Pedro, Ana Petrovna. A recém-nascida foi imediatamente levada para o quarto das crianças, no apartamento da imperatriz, onde seu irmão de 3 anos, Paulo, aguardava sua chegada. Seis dias depois, a imperatriz, como madrinha, levou a pequena Ana à pia batismal e trouxe a Catarina um presente de 60 mil rublos. Dessa vez, deu simultaneamente a mesma quantia ao sobrinho.

"Disseram que as comemorações públicas foram esplêndidas", disse Catarina, "mas não vi nenhuma. Fiquei na cama sozinha, sem outra companhia além de madame Vladislavova. Ninguém pôs os pés no meu apartamento nem mandou perguntar como eu estava passando." Isso não é verdade. A solidão de Catarina durou um único dia. É verdade que a recém-nascida foi levada embora, como Paulo havia sido, mas Catarina já esperava que isso acontecesse e sofreu menos. Ela estava mais preparada. Tendo sofrido o isolamento e a negligência quando Paulo nasceu, dessa vez ela tomou certas providências. Seu quarto não estava exposto a correntes de ar devido a janelas mal encaixadas. Sabendo que seus amigos só poderiam visitá-la em segredo, mandou colocar um grande biombo ao lado da cama, ocultando uma alcova com mesas, cadeiras e um canapé confortável. Quando se abria a cortina daquele lado da cama, nada aparecia. Com a cortina aberta e o biombo afastado, Catarina podia ver os rostos sorridentes de seus amigos na alcova. Se alguém perguntasse o que havia por trás daquela barreira, diriam que era a cômoda. A pequena fortaleza, construída com premeditação e astúcia, permaneceu segura.

No dia de Ano-Novo de 1758, as comemorações da corte deveriam se encerrar com outro espetáculo de fogos, e o conde Pedro Shuvalov, grão-mestre de artilharia, foi contar a Catarina o que estava previsto. Na antecâmara, madame Vladislavova disse a Shuvalov que Catarina parecia estar dormindo, mas ela iria ver se ele poderia ser recebido. Na verdade, Catarina não estava nada dormindo. Estava na cama, e na alcova havia um pequeno grupo, inclusive Poniatowski, que continuava resistindo a voltar à Polônia e visitava Catarina todos os dias.

Quando madame Vladislavova bateu à porta, Catarina fechou a cortina que encobria o biombo, recebeu madame Vladislavova e lhe disse para fazer entrar o visitante. Os amigos de Catarina, atrás do biombo e da cortina que o encobria, tiveram de conter as risadas. Quando Pedro Shuvalov entrou, Catarina se desculpou por tê-lo feito esperar, tendo "acabado de acordar", esfregando os olhos para reforçar a mentira. A conversa deles foi longa, e prosseguiu até o conde dizer que precisava ir para não deixar a imperatriz esperando que os fogos começassem.

Quando o conde saiu, Catarina abriu a cortina. O biombo foi afastado, e ela encontrou seus amigos, exaustos, com fome e sede. "Vocês não precisam morrer de fome e sede para me fazer companhia", ela disse. Fechou novamente a cortina e tocou o sino. Madame Vladislavova apareceu, e Catarina pediu um jantar de pelo menos seis bons pratos. Quando o jantar chegou e os servos já tinham ido embora, seus amigos saíram e avançaram na comida. "Foi uma das noites mais felizes da minha vida", disse Catarina. "Quando os servos vieram retirar os pratos, devem ter ficado espantados com meu apetite." Seus convidados saíram muito alegres. Poniatowski colocou a peruca loura e a capa que sempre usava nas visitas noturnas ao palácio. Com esse disfarce, quando as sentinelas perguntavam "Quem vem lá?", ele respondia: "Um dos músicos do grão-duque." Sempre deu certo.

Seis semanas após o nascimento, a cerimônia religiosa para a filha de Catarina foi realizada na pequena capela do palácio. Mas o batizado da pequena Ana foi triste, diferente do celebrado para seu tão aguardado irmão, Paulo. Catarina disse que, de fato, a capela tinha o tamanho suficiente para Ana porque, "à exceção de Alexander Shuvalov, ninguém compareceu". Pedro e Poniatowski não foram. Na verdade, ninguém parecia se importar muito com essa filha que, frágil desde o nascimento, sobreviveu apenas 15 meses. Quando morreu, foi enterrada no monastério Alexander Nevsky, com a presença de Elizabeth e Catarina, mas não de Pedro nem de Poniatowski. Na cerimônia, as duas se curvaram sobre o caixão aberto e, seguindo o rito da Igreja Ortodoxa, beijaram a branca testa da menina morta. Ana foi logo esquecida. Em suas *Memoirs*, Catarina nunca menciona a morte da filha.

37
A QUEDA DE BESTUZHEV

A INFLUÊNCIA DO CHANCELER VINHA DIMINUINDO. A animosidade dos Shuvalov e do vice-chanceler, Miguel Vorontsov, era alimentada pelo embaixador francês, que culpava Bestuzhev pela retirada do general Apraksin. A crise chegou a um momento decisivo quando Vorontsov recebeu uma visita do marquês de L'Hôpital. Abanando um papel, o embaixador francês disse: "Conde, acabei de receber uma mensagem do meu governo. Disseram que se, dentro de 15 dias, o chanceler Bestuzhev não for removido e substituído por você, só com ele eu poderei tratar dali em diante." Assustado, Vorontsov correu a Ivan Shuvalov. Juntos, foram avisar à imperatriz que a sombra do conde Bestuzhev estava afetando o prestígio dela na Europa.

Elizabeth jamais gostara muito do seu chanceler, mas ele era um legado de seu idolatrado pai, e com o passar dos anos tinha aprendido a confiar nele para resolver a maioria dos assuntos cotidianos do governo. Os Shuvalov nunca tinham conseguido persuadir a imperatriz a fazer uma mudança, mas agora ela hesitava. Disseram-lhe que era sabido em Viena e em Versalhes que Bestuzhev vinha recebendo uma polpuda comissão dos ingleses havia muitos anos. Disseram-lhe que as cartas de Catarina para Apraksin haviam passado pelas mãos do chanceler. Disseram que os aliados da Rússia se sentiram traídos pela corruptibilidade dos seus generais e ministros, e pelas maquinações da corte jovem. Se algumas cartas sem importância foram encontradas, por que não outras, de natureza mais perigosa, não teriam sido destruídas ou escondidas? Por que Catarina interferia em questões concernentes à coroa? Disseram que a corte jovem fazia o que bem queria havia muito tempo, desprezando os desejos da imperatriz. Poniatowski não continuava em São Petersburgo simplesmente porque Catarina o queria ali e porque Bestuzhev preferia obedecer à grã-duquesa e não à monarca? Não estavam todos querendo agradar a corte jovem, bajulando os governantes de amanhã? Disseram a Elizabeth que bastava prender Bestuzhev e examinar seus documentos para encontrar provas da cumplicidade do chanceler com a grã-duquesa em questões que beiravam a traição.

Elizabeth ordenou uma reunião do conselho de guerra a se realizar na noite de 14 de fevereiro de 1758. O chanceler foi convocado, mas mandou dizer que estava doente. Sua desculpa não teve aceitação e recebeu ordem de comparecer imediatamente. Bestuzhev obedeceu e foi preso logo ao chegar. Destituído de seus títulos, cargos e ordens, foi mandado para casa como prisioneiro. Ninguém se deu ao trabalho de lhe dizer os crimes de que era acusado. Para garantir que a derrubada do homem mais importante do império não seria contestada, foi acionada uma guarnição da Guarda Imperial. Enquanto marchavam ao longo do canal Moika, onde moravam os condes Alexandre e Pedro Shuvalov, os guardas comentavam, contentes: "Graças a Deus, vamos prender esses malditos Shuvalov!" Quando perceberam que não eram os Shuvalov, e sim Bestuzhev que seria preso, resmungaram: "Não é esse o homem. São os outros que pisoteiam o povo."

No dia seguinte, Catarina soube da prisão por um bilhete de Poniatowski, acrescentando que três outros homens – o joalheiro veneziano Bernardi, o ex-professor de língua russa Adadurov, e Elagin, um ex-ajudante do conde Razumovsky e que se tornara amigo de Poniatowski – também tinham sido presos. Lendo a nota, Catarina compreendeu que poderia estar implicada. Era amiga e aliada de Bestuzhev. Bernardi, o joalheiro, era alguém cuja profissão dava entrada em todas as casas importantes de São Petersburgo. Todos confiavam nele, e Catarina o usava para mandar e receber mensagens de Bestuzhev e Poniatowski. Adadurov, seu professor, tinha permanecido ligado a ela, que depois o recomendara ao conde Bestuzhev. Elagin, disse ela, era "um homem honesto e leal; uma vez tendo sua afeição, ninguém a perdia. Sempre demonstrou acentuado zelo e dedicação a mim".

Ao ler o bilhete de Poniatowski, Catarina ficou alarmada, mas se recompôs para não demonstrar fraqueza. "Com um punhal no coração, por assim dizer", ela escreveu, "me vesti e fui à missa, onde me pareceu que todos estavam tão acabrunhados quanto eu. Ninguém me disse nada." À noite, foi a um baile. Lá, ela se dirigiu ao príncipe Nikita Trubetskoy, um dos indicados para acompanhar Alexander Shuvalov ao interrogatório dos presos.

– O que significam todas essas coisas maravilhosas? – ela cochichou. – Você encontrou mais crimes do que criminosos, ou mais criminosos do que crimes?

– Cumprimos as ordens que recebemos – Trubetskoy respondeu, impassível. – Quanto aos crimes, ainda estamos procurando. Até agora não encontramos nenhum.

Essa resposta encorajou Catarina, que também notou que a imperatriz, tendo acabado de ordenar a prisão de seu principal ministro, não compareceu aquela noite.

No dia seguinte, Gottlieb von Stambke, administrador de Holstein e amigo íntimo de Bestuzhev, trouxe boas notícias a Catarina. Disse que acabara de receber uma mensagem clandestina do conde Bestuzhev pedindo-lhe que dissesse à grã-duquesa que não se preocupasse porque ele tinha tido tempo de queimar todos os documentos. Dentre esses, os mais importantes eram as minutas da proposta de que a grã-duquesa dividisse o poder com Pedro depois da morte de Elizabeth. Além disso, o ex-chanceler mandava dizer que manteria Stambke informado do que aconteceria a ele durante os interrogatórios e lhe passaria as perguntas que seriam feitas. Catarina perguntou a Stambke por qual canal ele recebera a mensagem de Bestuzhev. Stambke disse que o corneteiro de Bestuzhev havia lhe dado e que, no futuro, todas as comunicações seriam colocadas numa pilha de tijolos perto da casa de Bestuzhev.

Alguns dias depois, Stambke voltou ao quarto de Catarina, pálido e assustado, dizendo que a correspondência dele, e a do conde Bestuzhev com o conde Poniatowski haviam sido interceptadas. O corneteiro tinha sido preso. O próprio Stambke esperava ser demitido, senão preso, a qualquer momento, e tinha vindo dizer adeus. Catarina tinha certeza de não ter feito nada errado e sabia que, a não ser Miguel Vorontsov, Ivan Shuvalov e o embaixador francês, todos em São Petersburgo estavam certos de que o conde Bestuzhev era inocente de qualquer crime.

A comissão encarregada de acusar o ex-chanceler já estava tendo problemas. Soube-se que, no dia seguinte à prisão do conde Bestuzhev, um manifesto foi elaborado secretamente na casa de Ivan Shuvalov com a finalidade de informar ao público por que a imperatriz tinha sido obrigada a mandar prender seu antigo servidor. Incapaz de encontrar e definir qualquer delito, os acusadores decidiram que era um crime de lesa-majestade, isto é, ofensa à imperatriz, por "tentar semear a discórdia entre Sua Majestade Imperial e Suas Altezas Imperiais". Em 27 de fevereiro de 1758, o manifesto foi publicado, divulgando a prisão, as acusações, o fato de Bestuzhev ter sido exonerado de seus títulos e medalhas, e que seria interrogado por uma comissão especial. O documento, inconsistente, não convenceu ninguém em São Petersburgo e o público achou absurdo ameaçar o ex-estadista com exílio, confisco de bens e outras penas sem qualquer prova de crime, sem julgamento, sem sentença.

O primeiro passo da comissão foi igualmente absurdo. Ordenaram a todos os embaixadores, enviados e oficiais russos em cortes estrangeiras que encaminhassem cópias de todos os despachos escritos pelo conde Bestuzhev durante os vinte anos em que esteve encarregado das relações exteriores da Rússia. Alegavam que o chanceler escrevia o que lhe aprazia, frequentemente em oposição aos desejos da imperatriz. Mas como Elizabeth nunca escreveu nem assinou coisa nenhuma, era impossível provar que o chanceler agia contrariando ordens dela. Quanto a ordens verbais, a imperatriz dificilmente dera um número significativo delas ao chanceler, que às vezes passava meses à espera de ser recebido pela monarca. Dali, não saiu nada. Nas embaixadas, ninguém se deu ao trabalho de desencavar arquivos de anos e anos a fim de procurar crimes cometidos pelo homem cujas instruções aqueles mesmos subordinados haviam obedecido lealmente. Quem sabe se isso não levaria a dizerem que eles também estavam implicados? Ademais, se esses documentos chegassem a São Petersburgo, levaria anos de pesquisa para localizar e interpretar quaisquer indícios que pudessem conter, favoráveis ou desfavoráveis. A ordem foi ignorada. O inquérito se arrastou por um ano inteiro. Não foram encontradas provas, mas o ex-chanceler foi exilado em uma de suas propriedades e lá permaneceu até que, três anos depois, Catarina se tornou imperatriz.

Com a partida de Stambke para Holstein, o aconselhamento de Catarina nos assuntos do ducado de Pedro terminou. A imperatriz disse ao sobrinho que desaprovava o envolvimento da esposa dele nas questões do seu ducado hereditário. Pedro, que até então encorajava entusiasticamente Catarina a participar daquele trabalho, declarou que concordava com a tia. A imperatriz fez um pedido formal ao rei da Polônia para que chamasse de volta o conde Poniatowski.

Quando soube da demissão de Stambke e da volta de Poniatowski para a Polônia, Catarina reagiu rapidamente. Ordenou ao seu valete Vasily Shkurin que lhe trouxesse todos os documentos e livros de contabilidade dela. Quando tudo estava em seu quarto, ela o dispensou e jogou tudo na lareira: todos os documentos, todos os papéis e cartas que havia recebido. Por isso é que seu manuscrito "Retrato de uma filósofa de 15 anos", escrito em 1744, para o conde Gyllenborg, desapareceu. Quando todo aquele material ficou reduzido a cinzas, ela chamou Shkurin de volta. "Você é testemunha de que todos os meus documentos e contas foram queimados. Se alguém porventura lhe perguntar onde estão, poderá jurar que me viu queimá-los." Shkurin ficou grato por ter sido salvo do envolvimento.

38

UMA APOSTA

NA VÉSPERA DA QUARESMA, no último dia de carnaval de 1758, Catarina decidiu que já era hora de parar com sua discrição e timidez. Nas semanas seguintes ao seu confinamento, ela não havia aparecido em público. Agora resolvera comparecer à apresentação de uma peça russa programada no teatro da corte. Catarina sabia que Pedro não gostava do teatro russo, e que até falar naquilo o aborrecia. Dessa vez Pedro tinha uma razão maior, pessoal, para desejar que ela não fosse: ele não queria se privar da companhia de Elizabeth Vorontsova. Se Catarina fosse ao teatro, suas damas de honra, incluindo Elizabeth Vorontsova, seriam obrigadas a acompanhá-la. Mesmo sabendo disso, Catarina pediu ao conde Alexander Shuvalov que lhe mandasse uma carruagem. Shuvalov se apressou a ir lhe dizer que o grão-duque se opunha aos seus planos de ir ao teatro. Catarina respondeu que, estando excluída do grupo de amigos do marido, para ele não poderia haver diferença entre ela ficar sozinha em seu quarto ou em seu camarote no teatro. Shuvalov fez um aceno de cabeça e saiu.

Instantes depois, Pedro irrompeu no quarto de Catarina "num impulso atemorizador, aos berros, me acusando de ter prazer em enraivecê-lo, dizendo que eu queria ir ao teatro porque sabia que ele não gostava daquelas peças". Gritando, disse que proibia que lhe mandassem uma carruagem. Ela respondeu que, nesse caso, iria a pé. Pedro saiu, pisando duro. Quando se aproximava a hora do espetáculo, ela mandou perguntar ao conde Shuvalov se sua carruagem estava pronta. Ele foi lhe dizer, mais uma vez, que o grão-duque havia proibido que lhe trouxessem uma carruagem. Catarina replicou que iria a pé e, se suas damas e acompanhantes fossem proibidos de ir com ela, iria sozinha. Acrescentou que depois escreveria se queixando à imperatriz.

— E o que vai dizer a ela? — Shuvalov perguntou.

— Vou dizer que, a fim de arranjar um encontro do meu marido com minhas damas de honra, você o encorajou a me impedir de ir ao teatro, onde eu teria o prazer de ver Sua Majestade Imperial. Além disso, vou suplicar a ela que me mande de volta para casa, porque estou cansada e enojada do papel que me deram aqui, sozinha e negligenciada em meu quarto, odiada pelo grão-duque e detestada pela imperatriz. Não quero mais ser um peso para ninguém, nem trazer infortúnios para quem se aproximar de mim, principalmente aos meus pobres servos, muitos dos quais foram exilados só porque fui bondosa para eles. Vou escrever agora mesmo a Sua Majestade Imperial. E veremos se você vai impedir que essa carta chegue até ela.

Foi uma obra-prima de retórica manipulativa.

Shuvalov saiu do quarto, e Catarina pôs-se a escrever a carta. Começou agradecendo a Elizabeth por toda a bondade demonstrada a ela desde sua chegada à Rússia. Disse que, infelizmente, os eventos provavam que não merecia tais favores porque ela havia suscitado não apenas o ódio do grão-duque, como também o desprazer de Sua Majestade Imperial. Considerando esses fracassos, ela implorava à imperatriz que pusesse um fim rápido à sua tristeza, enviando-a de volta para casa, para sua família, da maneira que julgasse mais apropriada. Quanto às crianças, ela disse que nunca as via, apesar de viverem no mesmo prédio, a apenas alguns metros de distância. Assim sendo, pouca diferença fazia se ela estivesse no mesmo lugar ou a centenas de quilômetros de distância. Sabia que a imperatriz lhes dispensava melhores cuidados do que ela seria capaz. Implorava à imperatriz que continuasse a cuidar delas e, confiante em que a imperatriz o faria, ela passaria o resto da vida rezando pela imperatriz, pelo grão-duque, pelas crianças e por todos os que lhe haviam feito tanto o bem quanto o mal. Agora, porém, o sofrimento lhe tinha causado tanto dano que devia se concentrar em preservar a própria vida. Por essa razão, implorava a Elizabeth permissão para partir, primeiro a alguma estação de águas, onde pudesse recuperar a saúde, e depois para a casa de sua família, na Alemanha.

Uma vez escrita a carta, Catarina mandou chamar o conde Shuvalov. Ele chegou anunciando que a carruagem estava pronta. Ela lhe entregou a carta, e falou que ele podia dizer às damas de honra que não quisessem acompanhá-la ao teatro que estavam desculpadas. Ao sair do quarto, Shuvalov comunicou a Pedro que a grã-duquesa dissera que ele devia decidir quais das damas deveriam ficar com ele. Quando Catarina passou pela antecâmara, encontrou Pedro jogando cartas com Elizabeth Vorontsova. Vendo a esposa, Pedro se levantou – o que nunca havia feito antes – e a condessa Vorontsova também. Catarina correspondeu com uma mesura e foi para sua carruagem. Naquela noite, a imperatriz não apareceu no teatro, mas, quando Catarina voltou, o conde Shuvalov lhe disse que Elizabeth concordara em lhe conceder outra audiência.

A atitude de Catarina e a carta para a imperatriz eram uma aposta. Ela não queria sair da Rússia. Tinha investido 16 anos, mais que a metade de sua vida, toda a sua juventude, na ambição de se tornar "uma rainha". Sabia que era uma tática arriscada, mas acreditava que daria certo. Estava convencida de que, se os Shuvalov tivessem alguma intenção de mandá-la embora de fato, ou de intimidá-la com ameaças de exílio, o pedido de permissão para partir era o melhor método de sabotar o plano deles. Catarina sabia que, para Elizabeth, a sucessão era o que havia de mais importante, e com o czar Ivan VI, deposto ainda menino, ainda vivo, a imperatriz não gostaria de reacender essa questão. Catarina entendia que a principal queixa contra ela era o insucesso de seu casamento. Sabia também que a imperatriz concordava totalmente com sua opinião sobre Pedro. Quando escrevia ou falava em particular sobre o sobrinho, Elizabeth ou caía em lágrimas pela infelicidade de ter aquele herdeiro, ou o cobria de desprezo. Depois da morte de Elizabeth, Catarina descobriu, entre os papéis dela, dois desses comentários de próprio punho da imperatriz. Um era endereçado a Ivan Shuvalov, e outro a Alexis Razumovsky. Ao primeiro, ela escreveu: "Hoje, o meu maldito sobrinho me irritou muitíssimo." Ao outro: "Meu sobrinho é um idiota; que o diabo o carregue."

Ao construir o relato dessa situação tensa e intricada, Catarina, já mais velha, suspendeu sua narrativa de eventos para olhar para si mesma, sua vida e seu caráter. O que quer que tenha acontecido, ela escreveu: "Sinto-me com coragem suficiente para enfrentar a ascensão ou a queda, sem ser levada pelo orgulho indevido, por um lado, nem por humilhação e desânimo, pelo outro." Suas intenções, disse a si mesma, sempre tinham sido honestas. Embora tivesse entendido desde o princípio que amar um marido não amável e que não fazia nenhuma tentativa de ser amado era uma tarefa difícil, provavelmente impossível, ela acreditava que havia feito um esforço sincero para se dedicar a ele e aos seus interesses. Seus conselhos eram sempre os melhores que lhe podia dar. Se, quando ela chegou à Rússia, Pedro tivesse sido afetuoso, Catarina teria aberto seu coração para ele. Agora via que, de toda a *entourage*, ela era a mulher a quem ele menos dava atenção. E ela rejeitou esse estado de coisas.

Meu orgulho natural tornava intolerável a ideia de ser uma pessoa sofrida. Eu costumava dizer que a felicidade ou o sofrimento só dependiam de nós mesmos. Se a gente se sente infeliz, supere isso e aja de modo que a felicidade seja independente de todos os eventos externos. Nasci com esse temperamento e um rosto que era pelo menos interessante, que agradava à primeira vista, sem artifícios nem presunção. Meu temperamento era, por natureza, tão conciliatório que ninguém jamais passou um quarto de hora comigo sem se sentir perfeitamente à vontade e falando como se me conhecesse havia muito tempo. Ganhava a confiança de todos que tivessem algo a ver comigo porque todos sentiam que eu demonstrava honestidade e boa vontade. Se me permitem a franqueza, eu diria que era um verdadeiro cavalheiro, com a mente mais masculina que feminina mas, ao mesmo tempo, nada tinha de masculina e, junto com o caráter de um homem, eu possuía os atrativos de uma mulher adorável. Que me perdoem essa franca expressão de meus sentimentos em vez de tentar encobri-los com um véu de falsa modéstia.

Essa avaliação de suas qualidades – autolaudatória e autojustificante – gerou uma discussão geral sobre o conflito entre emoção e moralidade na vida dos seres humanos. É uma declaração apaixonada, quase uma confissão íntima, que confere a Catarina uma solidariedade e uma compreensão que nem sempre ela recebeu:

Acabei de dizer que eu era atraente. Consequentemente, metade da estrada da tentação já havia sido percorrida e, nessas situações, é normal não parar no meio do caminho. Pois tentar e ser tentada se unem intimamente e, a despeito das melhores máximas da moralidade, sempre que a emoção tem qualquer coisa a ver com o assunto, já existe muito mais envolvimento do que se imagina. E ainda não aprendi a evitar que a emoção seja despertada. Talvez a fuga seja o único remédio. Mas existem casos e circunstâncias em que a fuga é impossível. Pois como pode alguém escapar, fugir ou virar as costas no meio de uma corte? Um ato desses daria origem a mexericos. E, caso não se fuja, nada é mais difícil, em minha opinião, do que escapar de algo que nos atrai essencialmente. Todas as argumentações em contrário pareceriam apenas uma pudicícia sem harmonia com os instintos naturais do coração humano. Até porque ninguém pode conter o próprio coração na mão, segurando ou afrouxando ao seu bel-prazer.

No dia seguinte à ida ao teatro, iniciou-se a longa espera de Catarina pela resposta da imperatriz a sua carta. Semanas depois, ela ainda esperava, quando o conde Shuvalov anunciou que a imperatriz havia acabado de demitir madame Vladislavova. Ao fim de muitas lágrimas, Catarina se recompôs e respondeu que Sua Majestade tinha certamente o direito de demitir quem bem lhe aprouvesse, mas se afligia ao saber que, cada vez mais, todos os que se aproximavam dela, Catarina, estavam fadados ao desfavor de Sua Majestade. Para que houvesse menos vítimas, ela pedia a Shuvalov que apelasse à imperatriz para pôr fim àquela situação, em que ela, Catarina, só trazia infelicidade às pessoas. E pediu para retornar a sua família imediatamente.

Naquela noite, após um dia recusando-se a comer, Catarina estava sozinha em seu quarto quando entrou uma de suas damas de honra, mais jovem. Em lágrimas, a menina disse: "Estamos com medo de você não suportar todas essas aflições. Deixe-me falar com meu tio, que é seu confessor, e também o da imperatriz. Direi tudo o que você deseja, e prometo que ele vai falar com a imperatriz a seu favor." Confiando nela, Catarina relatou o que tinha escrito à imperatriz. A jovem falou com o tio, padre Teodoro Dubyansky, e voltou dizendo a Catarina que ele aconselhava a grã-duquesa a anunciar, no meio da noite, que estava gravemente doente e mandasse chamá-lo, seu padre confessor. Assim ele poderia levar à imperatriz o que ouviria dos próprios lábios da grã-duquesa. Catarina aprovou o plano e, entre duas e três horas da madrugada, tocou a campainha. Uma criada entrou, Catarina disse que estava muito doente e precisava se confessar. Em vez do confessor, quem chegou correndo ao seu quarto foi o conde Alexander Shuvalov. Catarina repetiu que queria um padre. Shuvalov mandou buscar os médicos. Quando chegaram, ela lhes disse que precisava de auxílio espiritual, e não médico. Um deles tomou-lhe o pulso e disse que estava fraco. Catarina sussurrou que era sua alma que estava em perigo; seu corpo não precisava mais de médicos.

Por fim, padre Dubyansky chegou e foram deixados a sós. O padre, de batina preta e longa barba branca, sentou-se ao lado da cama e ficaram conversando durante uma hora e meia. Catarina relatou o estado de coisas passado e presente, as atitudes do grão-duque com relação a ela, a hostilidade dos Shuvalov, como estavam envenenando a opinião da imperatriz sobre ela, Catarina, a constante remoção de suas damas e servas, principalmente as que lhe eram mais dedicadas. Por essas razões, disse, tinha escrito à imperatriz, implorando para que a mandasse de volta para casa. E pediu ao padre que a ajudasse. Ele disse que faria o possível. Aconselhou-a a continuar pedindo a volta para casa, o que certamente não iria acontecer porque não poderiam justificar sua partida aos olhos do público. Ele concordava que a imperatriz, tendo escolhido Catarina ainda em tenra idade, a havia abandonado aos inimigos, e seria muito melhor que demitisse Elizabeth Vorontsova e os Shuvalov. Disse ainda que havia muita indignação com a injustiça dos Shuvalov no caso Bestuzhev, de cuja inocência todos estavam convencidos. Concluiu dizendo a Catarina que iria imediatamente ao apartamento da imperatriz, onde ficaria esperando até que Sua Majestade acordasse a fim de insistir para que ela marcasse logo a audiência prometida. Enquanto isso, Catarina deveria permanecer acamada, o que reforçaria seu argumento de que o sofrimento e a mágoa a que estava submetida poderiam lhe causar graves males, a não ser que se achasse uma solução.

O confessor cumpriu a promessa e descreveu o estado de Catarina tão vividamente que Elizabeth mandou chamar Alexander Shuvalov, ordenando-lhe que perguntasse à grã-duquesa se sua saúde permitia que fosse falar com a imperatriz na noite seguinte. Catarina respondeu ao conde Shuvalov que, para esse encontro, reuniria todas as forças que lhe restavam.

❧39❧

CONFRONTO

NA NOITE DO DIA SEGUINTE – era 13 de abril de 1758, uma semana antes do aniversário de Catarina, que faria 29 anos –, Alexander Shuvalov lhe disse que iria buscá-la depois da meia-noite para levá-la ao apartamento da imperatriz. À uma e meia, ele chegou dizendo que a imperatriz estava pronta para recebê-la. Catarina o seguiu, atravessando os salões vazios. De repente, vislumbrou Pedro andando a sua frente, parecendo ir na mesma direção do apartamento da tia. Catarina não o vira desde a noite em que fora sozinha ao teatro.

Ao chegar ao apartamento da imperatriz, Pedro já estava presente. Ao se aproximar de Elizabeth, Catarina caiu de joelhos, implorando para ser mandada de volta para a Alemanha. A imperatriz tentou fazer com que ela se levantasse, mas Catarina permaneceu de joelhos. Elizabeth, parecendo mais triste do que zangada, perguntou:

– Por que você quer que a mande para casa? Lembre-se de que você tem filhos.

Catarina tinha a resposta preparada:

– Meus filhos estão em suas mãos, e não podiam estar melhor. Espero que não os abandone.

Elizabeth perguntou:

– Como vou explicar isso ao povo?

Mais uma vez, Catarina tinha a resposta:

– Vossa Majestade Imperial pode enumerar, se achar conveniente, todos os motivos que me valeram o descontentamento de Vossa Majestade e o ódio do grão-duque.

– Mas como você vai viver na casa de sua família? – a imperatriz persistiu.

– Como sempre vivi antes que Vossa Majestade me concedesse a honra de me escolher e me tirar de lá.

A imperatriz voltou a mandar que Catarina se levantasse, e ela obedeceu. Elizabeth andava para lá e para cá. O grande aposento em que estavam tinha três janelas, e nos espaços entre elas havia penteadeiras com os estojos de ouro da imperatriz. Grandes biombos estavam colocados na frente de cada janela. Desde o momento em que entrou, Catarina desconfiou de que Ivan Shuvalov, e talvez outros, estivessem escondidos atrás deles. Mais tarde, ela soube que, de fato, Ivan Shuvalov estava escondido ali. Catarina reparou também que, nas bacias das penteadeiras, havia cartas dobradas. A imperatriz se aproximou dela e disse:

— Deus é testemunha de como chorei quando você estava tão gravemente doente quando chegou à Rússia. Se eu não a amasse, não teria mantido você aqui.

Catarina agradeceu a bondade da imperatriz, disse que jamais esqueceria aquilo e sempre consideraria uma de suas maiores desventuras ter incorrido no descontentamento de Sua Majestade.

A postura de Elizabeth mudou de repente. Parecia ter revertido para uma lista mental de aborrecimentos preparados para aquela ocasião.

— Você é terrivelmente soberba — ela disse. — E imagina que não há ninguém mais inteligente que você.

Mais uma vez, Catarina estava preparada:

— Se eu tivesse essa presunção, madame, não haveria nada mais apropriado para destruí-la que minha presente situação e esta conversa agora.

Enquanto as duas conversavam, Catarina notou que Pedro cochichava com Alexander Shuvalov. Elizabeth também notou e foi em direção aos dois. Catarina não conseguiu ouvir o que os três diziam, até que seu marido levantou a voz e gritou:

— Ela é extremamente rancorosa e muito obstinada!

Percebendo que falavam dela, Catarina disse a Pedro:

— Se você está falando de mim, fico contente em lhe dizer, na presença de Sua Majestade Imperial, que de fato tenho rancor das pessoas que o induzem a cometer injustiças, que me tornei obstinada ao ver que, me submetendo, não recebi nada de você além de hostilidade.

Pedro apelou para a tia:

— Pelo que ela diz, Vossa Majestade pode ver como é maldosa.

Mas as palavras de Catarina causavam uma impressão diferente na imperatriz. Podia notar que, à medida que a conversa progredia, embora Elizabeth tivesse sido aconselhada — ou tivesse resolvido — a ser severa com ela, a atitude da imperatriz oscilava.

Por algum tempo, Elizabeth continuou a criticar:

— Você se intromete em muitas coisas que não lhe dizem respeito. Por exemplo, como você ousou dar ordens ao general Apraksin?

— Eu, madame? Dar ordens? Essa ideia nunca me passou pela cabeça.

— Como pode negar? Suas cartas estão ali — disse Elizabeth, apontando para uma bacia. — Você sabe que é proibida de escrever.

Catarina sabia que devia admitir alguma coisa.

– É verdade que transgredi a esse respeito e peço perdão a Vossa Majestade. Mas, como minhas cartas estão ali, essas três cartas provarão a Vossa Majestade que nunca enviei outras. Em uma delas, repeti o que estava sendo dito sobre o comportamento dele.

Elizabeth a interrompeu:

– E por que escreveu isso a ele?

Catarina respondeu:

– Porque gosto muito do general, e me interessei pela situação dele. Pedi que seguisse as ordens de Vossa Majestade. As duas outras cartas contêm apenas congratulações pelo nascimento de seu filho e votos de felicidades no Ano-Novo.

– Bestuzhev diz que há muitas outras.

– Se Bestuzhev diz isso, está mentindo – Catarina respondeu.

– Bem, então – disse a imperatriz –, se ele está mentindo a seu respeito, vou mandar torturá-lo.

Catarina respondeu que, como soberana, ela podia fazer o que quisesse, mas ela, Catarina, nunca tinha escrito mais que três cartas a Apraksin.

Elizabeth andava para cá e para lá, às vezes calada, às vezes falando com Catarina, às vezes se dirigindo ao sobrinho ou ao conde Shuvalov.

"O grão-duque demonstrou muita amargura, procurando despertar a raiva da imperatriz sobre mim", Catarina escreveu em suas *Memoirs*. "Mas, como agiu com muita estupidez e mais paixão do que justiça, não teve sucesso. Ela ouvia com uma espécie de aprovação involuntária minhas respostas às observações de meu marido. O comportamento dele se tornou tão ofensivo que a imperatriz veio a mim e disse, em voz baixa: 'Tenho muito mais a lhe dizer, mas não quero piorar as coisas entre vocês dois'." Diante desse sinal de boa vontade, Catarina murmurou de volta: "Eu também acho difícil falar aqui, apesar do meu grande desejo de lhe dizer tudo o que há em meu coração e em minha mente." Com um aceno de cabeça, Elizabeth dispensou todos, dizendo que era muito tarde. Eram três horas da madrugada.

Pedro saiu primeiro, depois Catarina, seguida por Shuvalov. Assim que o conde chegou à porta, a imperatriz o chamou de volta. Catarina voltou a seus aposentos e estava começando a se despir quando bateram na porta. Era Alexander Shuvalov. "Ele falou que a imperatriz havia conversado com ele, dando-lhe instruções para me dizer que não ficasse muito preocupada, ela em breve iria ter outra conversa comigo, a sós." Catarina fez uma mesura, pedindo ao conde Shuvalov que agradecesse a

Sua Majestade Imperial e que apressasse o momento da conversa seguinte. Ele recomendou que ela não comentasse isso com ninguém, especialmente com o grão-duque.

Agora Catarina tinha certeza de que não seria mandada embora. Enquanto aguardava a prometida segunda audiência, passava a maior parte do tempo em seu quarto. De vez em quando, lembrava ao conde Shuvalov que estava ansiosa para que seu destino fosse decidido. Em 21 de abril de 1758, dia de seu aniversário de 29 anos, Catarina jantava sozinha em seu quarto quando a imperatriz mandou dizer que estava bebendo à saúde dela. Catarina respondeu que estava muito grata. Quando soube da mensagem da imperatriz, Pedro enviou seus cumprimentos. Poniatowski relatou que o embaixador francês, o marquês de L'Hôpital, falou com admiração da determinação dela, dizendo que a decisão de não sair do apartamento só poderia lhe ser vantajosa. Entendendo a observação de L'Hôpital como um pérfido elogio de um inimigo, Catarina resolveu fazer o oposto. Um domingo, quando ninguém esperava, ela se vestiu e saiu do apartamento. Ao chegar às antecâmaras onde ficavam suas damas e cavalheiros, viu o espanto no rosto deles. Quando Pedro entrou, ficou igualmente surpreso. Aproximou-se e falou rapidamente com ela.

Em 23 de maio de 1758, quase seis semanas depois do encontro com Elizabeth, Alexander Shuvalov lhe disse que ela deveria pedir permissão à imperatriz, por intermédio dele, para ver as crianças naquela tarde. Em seguida, disse Shuvalov, ela teria a prometida segunda audiência com a monarca. Catarina seguiu as instruções e pediu formalmente permissão para ver seus dois filhos. Shuvalov disse que ela poderia visitá-los às três horas. Catarina foi pontual e ficou com as crianças até Shuvalov ir lhe dizer que a imperatriz estava pronta. Catarina encontrou Elizabeth a sós; dessa vez, não havia nenhum biombo. Catarina expressou sua gratidão, e Elizabeth disse: "Espero que você responda com a verdade a todas as perguntas que eu lhe fizer." Catarina prometeu que Elizabeth não ouviria nada além da clara verdade, e o que ela mais queria era abrir seu coração, sem reservas. Elizabeth perguntou se realmente não havia mais que três cartas escritas para Apraksin. Catarina jurou que só havia três. "Então", escreveu Catarina, "ela pediu detalhes do modo de vida do grão-duque."

Nesse momento de clímax, as memórias de Catarina terminam, súbita e inexplicavelmente. Sua vida continuou por mais 38 anos, e o resto da história é contado por suas cartas, escritos de teor político, documentos oficiais e por outras pessoas – amigos, inimigos e uma multidão de observadores. Mas nenhuma parte dessa história é mais notável que a descrição feita por Stanislaus Poniatowski dos episódios envolvendo Catarina e ele no verão de 1758.

❀40❀
UM *MÉNAGE À QUATRE*

STANISLAUS PONIATOWSKI NÃO DEIXOU A RÚSSIA e Catarina. Resistiu à partida fingindo-se de doente, às vezes passando o dia inteiro na cama. No verão de 1758, quando a corte jovem foi para Oranienbaum, Poniatowski estava com a corte de Elizabeth em Peterhof, a alguns quilômetros de distância. À noite, disfarçado com sua peruca loura, ele visitava Catarina em Oranienbaum, onde ela o recebia em seu pavilhão particular, destacado dos outros.

Pedro, absorto com Elizabeth Vorontsova, nunca interferiu no caso da esposa com Poniatowski. Havia sempre a possibilidade de alguma interferência, mas, quando aconteceu, foi por acaso. Em julho de 1758, segundo conta Poniatowski em suas memórias, os Shuvalov e o embaixador francês vinham pressionando a imperatriz para mandá-lo embora e o governo polonês insistia em seu retorno. Ele sabia que em breve teria de obedecer.

> Saber que eu teria de partir tornava minhas costumeiras visitas noturnas a Oranienbaum ainda mais frequentes. A sorte que sempre me acompanhava nessas visitas me fez perder toda a noção do perigo. Em 6 de julho, peguei uma pequena carruagem com um cocheiro que não me conhecia. Aquela noite – embora não haja noites de verdade na Rússia no período das Noites Brancas – infelizmente encontramos o grão-duque e sua *entourage*, todos meio bêbados, numa estrada nos bosques perto de Oranienbaum. Pararam meu cocheiro e perguntaram quem estava na carruagem. Ele respondeu "um alfaiate" e tivemos permissão para seguir. Mas Elizabeth Vorontsova, que estava com ele, começou a fazer comentários sarcásticos sobre "o alfaiate", que puseram o grão-duque de mau humor. O resultado foi que, quando eu ia saindo, depois de passar algumas

horas com a grã-duquesa, fui assaltado por três homens portando sabres desembainhados. Agarraram-me pela gola, como se eu fosse um ladrão, e me arrastaram até o grão-duque, que, ao me reconhecer, simplesmente ordenou que o seguissem e me trouxessem junto. Levaram-me por um caminho para o mar e pensei que minha hora estava chegando. Mas entramos num pavilhão e o grão-duque me perguntou bruscamente se eu tinha dormido com a esposa dele. Eu disse "Não".

— Diga-me a verdade — Pedro disse a Poniatowski —, porque, se o fizer, tudo pode se arranjar. Senão, você vai passar maus momentos.

— Não posso dizer que fiz algo que não fiz — Poniatowski mentiu.

Pedro foi a outro aposento confabular com Brockdorff. Ao voltar, disse:

— Já que você se recusa a falar, ficará aqui até segunda ordem.

Pedro saiu, deixando um guarda na porta. Passadas duas horas, Alexander Shuvalov apareceu, o rosto em contorções, e pediu uma explicação. Em vez de responder diretamente, Poniatowski tentou outra abordagem:

— Conde, tenho certeza de que entenderá como é importante para a honra da corte, bem como para a minha, que isso termine o mais depressa possível e que me tire daqui rapidamente.

Entendendo que um escândalo de proporções desconhecidas se avizinhava, Shuvalov concordou e disse que ia providenciar. Voltou uma hora depois dizendo que tinha uma carruagem pronta para levá-lo de volta a Peterhof. A carruagem era tão velha que, às seis da manhã, a pouca distância de Peterhof, Poniatowski saltou e foi a pé para o palácio, embuçado em sua capa, com a aba do chapéu cobrindo seus olhos e orelhas. Julgou que assim levantaria menos suspeitas do que se chegasse no veículo vergonhoso que acabara de deixar. Defronte ao prédio, considerando que seu quarto ficava no andar térreo, decidiu não entrar pela porta; havia chance de encontrar alguém. As janelas estavam abertas para a noite de verão, e Poniatowski subiu na que imaginou ser a sua. Viu-se no quarto de seu vizinho, o general Roniker, que estava fazendo a barba. Os dois se encararam, e explodiram numa gargalhada.

— Não pergunte de onde eu vim nem por que entrei pela janela — disse Poniatowski —, mas, como bom compatriota, jure que nunca irá falar nisso.

Roniker jurou.

Os dois dias seguintes foram desconfortáveis para o amante de Catarina. Em 24 horas, a corte inteira sabia de sua aventura. Todos esperavam que seria exigido a Poniatowski deixar o reino imediatamente. A única chance de Catarina adiar a partida do amante era acalmar o marido. Deixando de lado o orgulho, ela procurou Elizabeth Vorontsova, que ficou deliciada ao ver a altiva grã-duquesa diante dela como suplicante. Logo Catarina conseguiu mandar um bilhete a Poniatowski dizendo que havia se harmonizado com a amante do marido, que, por sua vez, iria apaziguar o grão-duque. Isso sugeriu a Poniatowski uma manobra que talvez lhe permitisse ficar mais algum tempo na Rússia. Num baile da corte em Peterhof, ele dançou com Elizabeth Vorontsova e, enquanto volteavam num minueto, sussurrou:

– Você sabe que tem o poder de fazer muitas pessoas felizes.

Vorontsova, enxergando ali uma oportunidade maior de deixar a grã-duquesa lhe devendo favores, disse com um sorriso:

– Vá à vila Mon Plaisir hoje, uma hora depois da meia-noite.

Na hora e lugar determinados, Poniatowski encontrou sua nova benfeitora, que o convidou a entrar. "E lá estava o grão-duque, muito alegre, dando-me boas-vindas num tom amigável, com familiaridade", Poniatowski escreveu mais tarde. "Você não é mesmo um grande tolo por não ter sido franco comigo desde o começo?", disse Pedro. "Se tivesse feito isso, essa confusão toda não teria acontecido."

Poniatowski aceitou o reproche e, mudando de assunto, expressou sua admiração, dando parabéns a Pedro pela disciplina perfeita dos soldados de Holstein guardando o palácio. Pedro ficou tão contente com o elogio que, um quarto de hora depois, disse:

– Bem, agora que somos tão amigos, vejo que está faltando uma pessoa aqui.

Foi ao quarto da esposa, puxou-a para fora da cama, dando-lhe tempo apenas para enfiar um penhoar solto sobre a camisola e uns chinelos nos pés descalços. Trouxe-a e, apontando para Poniatowski, disse:

– Bem, aqui está ele! Agora espero que todos estejam felizes comigo.

Catarina, imperturbável, respondeu ao marido:

– Agora só falta você escrever ao vice-chanceler, conde Vorontsov, para estabelecer o retorno imediato do nosso amigo à Rússia.

Pedro, enormemente feliz consigo mesmo e com sua participação nessa cena, sentou-se, escreveu o memorando e deu-o a Elizabeth Vorontsova para assinar como testemunha.

"Depois", escreveu Poniatowski, "nos sentamos lá, rindo, conversando e fazendo gracejos, ao redor de uma pequena fonte que havia no aposento, como se não tivéssemos nenhuma preocupação na vida. Só nos separamos depois das quatro da madrugada. Por mais louco que possa parecer, juro que é a pura verdade. No dia seguinte, a atitude de todos para comigo foi muito mais simpática. Ivan Shuvalov falou comigo de modo agradável. O vice-chanceler Vorontsov também."

Essa amabilidade não só continuou, como também foi realçada pelo próprio Pedro. "O grão-duque me fez repetir quatro vezes a visita a Oranienbaum", disse Poniatowski. "Eu chegava à noite, subia por uma escada não usada até os aposentos da grã-duquesa, onde encontrava a grã-duquesa, o grão-duque e sua amante. Jantávamos juntos, e depois ele levava a amante embora, dizendo: 'Bem, crianças, acho que não precisam mais de mim.' E eu podia ficar quanto tempo quisesse."

Ninguém parecia mais feliz com essa situação do que Pedro. Era seu momento de triunfo sobre Catarina. Por muitos anos ele se sentiu inferior à esposa. Tentou humilhá-la em público e em particular. Ele a ignorou, gritou com ela, ridicularizou-a e traiu-a com outras mulheres. Deu-se ares de superioridade em comentários, geralmente inexatos, sobre as relações dela com outros homens. Agora tinha chegado o momento em que, com sua amante nos braços, ele podia sorrir de frente para Catarina e seu amante em base de igualdade. Não tinha vergonha de ser corno. Pelo contrário, pela primeira vez na vida sentia-se dominando uma situação. Sua complacência era verdadeira. Sem ter nada a esconder, ele expunha e ajudava a espalhar, até com satisfação, o escândalo. Poniatowski já não precisava usar a peruca loura; nada havia a temer das sentinelas de Pedro. Por que se preocupar? Por que se incomodar? Todo mundo já sabia.

Para Catarina, porém, a situação era diferente. Ela já se dispusera a empreender escapadelas noturnas, fugir do palácio em roupas de homem, mas não apreciava se sentar para jantar com seu marido fofoqueiro e sua insolente amante maliciosa, ouvindo suas conversas fúteis. Não era agradável ver o quanto Elizabeth Vorontsova adorava aquela situação. Catarina não era cínica; ela acreditava no amor. A degradação do amor, que agradava a Pedro, era ofensiva para ela. E não suportava que Pedro considerasse Poniatowski simplesmente um equivalente masculino de Elizabeth Vorontsova. Catarina considerava Poniatowski um cavalheiro; Vorontsova, uma vagabunda. Não demorou para que um sinal de alerta soasse em seu cérebro. Essa camaradagem noturna se baseava num acordo de adultério mútuo, e esses episódios poderiam conjurar no futuro um perigo maior do que a hostilidade dos Shuvalov. Mesmo na permissiva corte de Elizabeth, aquele arranjo entre ela e Pedro poderia ser uma barreira para sua ambição. Como Catarina temia, a propagação do *ménage à quatre* começou a criar um escândalo político. L'Hôpital o citou ao renovar seu pedido de demissão de Poniatowski. Elizabeth compreendeu que a reputação do sobrinho e herdeiro estava sendo corrompida. Poniatowski sabia que precisava partir.

Ao dizer adeus, Catarina chorou. No relacionamento com Poniatowski, ela soube o que era ser cortejada por um europeu gentil e culto. Após a partida, as cartas dela e as dele eram cheias de esperança de um breve reencontro. Muitos anos depois, como imperatriz da Rússia, ela escreveu a Gregório Potemkin, a quem confiou quase todos os detalhes de sua vida pregressa: "Poniatowski foi amoroso e amado de 1755 a 1758, e essa ligação teria durado para sempre se ele não tivesse se cansado dela. No dia da partida, fiquei mais arrasada do que posso dizer. Acho que nunca chorei tanto na vida." Na verdade, culpá-lo de cansaço foi injusto da parte de Catarina. Ambos tinham reconhecido que a situação se tornara impossível.

Muitos anos depois, como rei da Polônia, levado ao trono pela ex-amante, imperatriz Catarina II da Rússia, Poniatowski incluiu em suas memórias uma breve descrição de Pedro. É um retrato condenatório, mas tem também elementos de compreensão, e até de solidariedade:

> A natureza o fez um mero poltrão, um glutão beberrão, um indivíduo cômico em todos os aspectos. Em uma de suas efusivas expansões de sentimentos, ele me disse: "Veja como sou infeliz. Se tivesse entrado para as fileiras do rei da Prússia, eu o teria servido com o melhor das minhas habilidades. Acredito que agora eu deveria ter, com certeza, um regimento e a patente de general, ou mesmo de marechal. Mas nada disso. Trouxeram-me para cá e me fizeram grão-duque desse maldito lugar." E criticou a nação russa em seu costumeiro estilo, baixo, burlesco, e às vezes até muito divertido, pois não lhe faltava uma certa dose de espírito. Não era idiota, mas louco, e como adorava beber, isso fazia uma confusão ainda maior em seu pobre cérebro.

A coroa imperial criada para a coroação de Catarina.
Foi usada na coroação dos seis Romanov seguintes.

(RIA Novosti)

Príncipe Cristiano Augusto de Anhalt-Zerbst, pai da princesa Sofia, que se tornaria Catarina, a Grande.

Princesa Joana Elizabeth de Holstein-Gottorp, mãe de Sofia.

Imperatriz Elizabeth, filha de Pedro, o Grande, que levou
Sofia para a Rússia aos 14 anos e mudou o nome dela para Catarina.
A imperatriz casou a adolescente com seu sobrinho, Pedro, com o encargo de gerar
imediatamente um herdeiro para assegurar a dinastia.

(Foto © Museu Nacional Hermitage; foto de Vladimir Terebenin,
Leonard Kheifets, Yuri Molodkovets)

Catarina aos 16 anos, na corte russa.

(*Retrato da grã-duquesa Ekaterina Alekseyevna, mais tarde Catarina II*, c. 1745, por Georg Christoph Grooth (1716-49), Hermitage, São Petersburgo, Rússia / The Bridgeman Art Library)

Catarina e seu novo marido, que se tornaria o imperador Pedro III.

(Retrato de Catarina, a Grande (1729-96) e o príncipe Petr Fedorovich (1728-62), 1740-45 (óleo sobre tela), por Georg Christoph Grooth (1716-49), © Museu de Belas-Artes de Odessa, Ucrânia/ The Bridgeman Art Library)

Retrato de Pedro III.

Stanislaus Poniatowski, segundo amante de Catarina e mais tarde rei da Polônia, forçado por Catarina a ocupar o trono.

(*Stanislaus Augustus, rei da Polônia*, c. 1790?, por Marcello Bacciarelli, óleo sobre tela, © com permissão dos curadores da Dulwich Picture Gallery)

Sergei Saltykov, primeiro amante de Catarina e possível pai de seu filho Paulo. Em suas memórias, Catarina diz que Saltykov é "belo como o raiar do dia", opinião esta não totalmente confirmada por este retrato.

Gregório Potemkin, cheio de medalhas, títulos, palácios, terras e responsabilidades dados pela muito apaixonada Catarina.

(Foto © Museu Nacional Hermitage; foto de Vladimir Terebenin, Leonard Kheifets, Yuri Molodkovets)

Gregório Orlov, terceiro amante de Catarina, que ficou com ela durante 11 anos e ajudou a colocá-la no trono.

Catarina pronta para marchar para Peterhof, onde obrigaria Pedro III a abdicar.

(*Retrato equestre de Catarina II (1729-96), a Grande da Rússia* (óleo sobre tela), por Vigilius Erichsen (1722-82), Musée des Beaux-Arts, Chartres, França/ The Bridgeman Art Library)

Retrato da coroação de Catarina, usando a nova coroa imperial.
(RIA Novosti)

Paulo, filho de Catarina, vestido num dos uniformes prussianos que ele adorava usar.

(*Retrato de Paulo I, 1796-97*, por Stepan Semenovich)

Voltaire em Ferney, em seus últimos anos de vida,
quando jorrava cartas e elogios para Catarina.

Emelyan Pugachev, o falso Pedro III.

Potemkin, já mais velho, o homem mais importante da vida de Catarina.

(Retrato do príncipe Grigory Aleksandrovich Potemkin (1739-91), c. 1790, por Johann Baptist I Lampi (1751-1830), Hermitage, São Petersburgo, Rússia/ The Bridgeman Art Library)

Imperador Paulo I.

Catarina, idosa, com um dos seus galgos ingleses
no parque de Tsarskoe Selo.

(Passeio no parque em Tsarskoe Selo (com a Coluna Chessmen ao fundo), 1794
(óleo sobre tela),
por Vladimir Lukich Borovikovsky (1757-1825),
Galeria Tretyakov, Moscou, Rússia/ The Bridgeman Art Library)

A estátua de Pedro, o Grande, por Falconet, esculpida por ordem de Catarina
para ressaltar sua identidade com o grande reformador russo.
A inscrição no pedestal, em russo numa lateral e em latim na outra, diz:
Para Pedro Primeiro, de Catarina Segunda.

(*Estátua equestre de Pedro I (1672-1725), o Grande*, 1782, por Etienne-Maurice Falconet (1716-91),
São Petersburgo, Rússia. Foto Giraudon/ The Bridgeman Art Library)

PARTE IV
"Chegou a hora!"

41
PANIN, ORLOV E A MORTE DE ELIZABETH

À MEDIDA QUE A SAÚDE DA IMPERATRIZ PIORAVA, Catarina pensava em seu próprio futuro político. Parecia certo que Elizabeth não faria modificações na sucessão, e Pedro subiria ao trono. Catarina ficaria sozinha, pois seus aliados políticos e amigos tinham sido afastados. O chanceler Bestuzhev havia caído em desgraça e fora exilado. O general Apraksin, também em desgraça, havia morrido. Hanbury-Williams, o embaixador inglês, tinha voltado à pátria, e também estava morto. Seu amante, Stanislaus Poniatowski, tinha ido para a Polônia e trazê-lo de volta era impossível. Agora que a incompetência de Pedro era evidente, Catarina ficava imaginando qual seria seu papel político no novo reinado. Poderia ser a esposa e conselheira de Pedro, continuando a ajudá-lo, como fazia nas questões de Holstein. Mas se Pedro insistisse em sua determinação de se casar com Elizabeth Vorontsova, Catarina não teria papel nenhum. Se, de algum modo, Pedro fosse substituído por Paulo na linha de sucessão, ela poderia ser regente até o menino crescer. Uma possibilidade distante, com que Catarina sonhava às vezes, era ter o papel supremo. Que caminhos se abririam, ainda não era claro, mas uma coisa era certa: o que quer que acontecesse, ela precisaria de aliados.

As pessoas começavam a se aproximar dela. Surpreendentemente, uma delas era Ivan Shuvalov, o favorito da decadente Elizabeth, que passou a bajular a grã-duquesa de modo a levantar a suspeita de que gostaria de desempenhar com a futura imperatriz o mesmo papel que tinha com a vigente. Catarina vinha atraindo outros simpatizantes, menos calculistas e menos óbvios, e, a certa altura, um trio significativo de pessoas diferentes se aproximou dela. Um era diplomata, delicado e sofisticado, outro era um jovem herói de guerra, e a terceira pessoa era uma jovem impetuosa e apaixonada. Vindo de diferentes origens, mostrando diferentes qualidades, tinham um único traço em comum: todos eram russos, o que era muito útil para uma germânica ambiciosa que não possuía sangue russo.

O mais velho desses três era o conde Nikita Panin, diplomata de 42 anos, protegido de Bestuzhev, que tinha sobrevivido à queda do protetor por estar ausente da Rússia quando isso ocorreu. Filho de um general de Pedro, o Grande, e nascido em Danzig em 1718, Panin foi educado no estrangeiro e voltou à Rússia para servir na Guarda. Aos 29 anos, foi designado por Bestuzhev como enviado russo para a Dinamarca. Alguns anos depois, foi transferido para a Suécia, onde serviu por 12 anos como embaixador. Em Estocolmo, Panin era aceito como um russo sofisticado, culto, de mente aberta e, por isso mesmo, uma raridade. Panin acreditara na política de Bestuzhev, de favorecer a Áustria e a Inglaterra em oposição à Prússia. Quando Bestuzhev caiu, e os Shuvalov e Vorontsov firmaram a aliança com a França, Panin, ainda em Estocolmo, resistiu ao pedido de se aliar a eles. Sem apoio, Panin se demitiu e voltou para São Petersburgo no verão de 1760. Elizabeth, reconhecendo seu valor, o protegeu contra a facção Shuvalov-Vorontsov, nomeando-o secretário e chefe dos tutores de seu amado Paulo, colocando-o, assim, num posto politicamente seguro, que lhe dava prestígio na corte e ávido interesse na sucessão. Pedro, como era de esperar, ficou descontente com essa escolha. "Deixe o menino ficar sob a supervisão de Panin, por enquanto", ele resmungou. "Logo vou tomar providências para que tenha um treinamento militar adequado." Sabendo da hostilidade de Pedro, Panin era também, até por uma questão de cultura e de caráter, um aliado natural de Catarina, mas os dois, a grã-duquesa e o tutor, tinham ideias diferentes sobre o futuro. Acreditando que Pedro não servia para governar e deveria ser destituído, Panin desejava que Paulo fosse colocado no trono como imperador infante, tendo Catarina como regente. Catarina fingia concordar: "Eu preferiria ser mãe a ser esposa do imperador", ela lhe disse. Na realidade, ela não queria ser subordinada ao próprio filho. Sua ambição era ocupar pessoalmente o trono. Panin se aliou a Catarina porque ela era ligada a seu benfeitor Bestuzhev, porque mantivera fielmente seu vínculo durante a desgraça do ex-chanceler e porque, no entendimento dele, Panin, qualquer situação era preferível a ver Pedro no trono. Além disso, ele compartilhava o interesse dela na teoria política do Iluminismo, nos atrativos de um governo da monarquia iluminada, conforme defendido por Montesquieu. Panin sabia que Catarina era discreta e não havia perigo em conversar com ela sobre suas ideias. Não tinham traçado nenhum plano de ação – havia muitos fatores desconhecidos –, mas havia um entendimento.

O segundo dos novos aliados de Catarina era Gregório Orlov, herói da guerra contra a Prússia. Em 1758, Frederico da Prússia lutava para defender seu reino contra três grandes potências aliadas: Áustria, França e Rússia. Em agosto daquele ano, o exército russo de 44 mil homens, sob o comando do general Fermor, cruzou a fronteira e, no dia 25, lutou contra 37 mil prussianos perto da cidade de Zorndorf. Essa batalha durou nove horas e foi uma das mais sangrentas do século XVIII. Mais de 10 mil homens foram mortos de cada lado. Frederico admitiu que perdera mais de um terço de seu exército. Na ferocidade do combate, Frederico e seus soldados adquiriram um novo respeito pelos russos. Mais tarde, um oficial prussiano escreveu: "o terror que o inimigo inspirava em nossas tropas é indescritível." Depois da carnificina, os dois lados se declararam vitoriosos e nos dois acampamentos foi cantado o *Te Deum* de ação de graças, mas por dois dias nenhum dos dois exércitos, ensanguentados, cheios de aleijados, pôde se movimentar. Os canhões ainda ribombavam no campo de batalha, e a escaramuça continuava entre a cavalaria, mas Frederico e Fermor haviam lutado até não poderem mais.

Entre os oficiais prussianos capturados em Zorndorf, estava o ajudante pessoal de Frederico, conde Kurt von Schwerin, sobrinho de um marechal de campo prussiano. Quando foi levado como prisioneiro para São Petersburgo, em março de 1760, o protocolo exigia que fosse escoltado durante a viagem por um oficial russo, que agiria tanto como *aide-de-camp* quanto como guarda de segurança. O oficial indicado para essa tarefa foi o tenente Gregório Orlov, que estivera em Zorndorf, onde, apesar de ferido três vezes, continuou a inspirar seus soldados e manteve a posição de combate. Essa coragem e liderança fizeram dele um herói no Exército e escoltar o conde Schwerin foi uma recompensa por sua bravura. Quando o conde Schwerin chegou a São Petersburgo, o grão-duque Pedro, desgostoso ao ver um oficial tão próximo ao rei Frederico, seu herói, em situação embaraçosa, providenciou para que ele fosse tratado com as honras e a hospitalidade geralmente conferidas a importantes aliados visitantes. "Se eu fosse imperador, você não seria prisioneiro de guerra", ele disse ao conde Schwerin. O prisioneiro-hóspede ficou residindo numa mansão, e Pedro jantava lá frequentemente. Além disso, ele deu ao conde Schwerin liberdade de locomoção pela cidade, deixando-o ir e vir como e quando quisesse, sempre escoltado pelo tenente Orlov.

Aos 24 anos de idade, Gregório Orlov era cinco anos mais novo que Catarina. Descendia de uma família de militares profissionais, entre os quais a bravura era uma tradição. Seu avô tinha sido soldado raso no Streltsy, o corpo de lanceiros e mosqueteiros barbados fundado por Ivan, o Terrível, que se revoltaram contra as reformas militares impostas pelo então jovem czar Pedro, o Grande. Como punição, Pedro, o Grande, sentenciou à morte muitos dos Streltsy, entre eles esse Orlov. Quando chegou sua vez de ser degolado no cadafalso da Praça Vermelha, o condenado Orlov caminhou sem hesitação pela plataforma cheia de sangue coagulado, chutou para o lado a cabeça recém-cortada de um seu companheiro e disse: "Vamos abrir espaço para mim aqui." Impressionado por seu desprezo pela morte, Pedro, o Grande, concedeu-lhe o perdão imediatamente e o colocou em um dos regimentos que estavam sendo formados para a iminente guerra contra a Suécia. Orlov virou oficial. Depois seu filho ascendeu a tenente-coronel e, por sua vez, gerou cinco filhos guerreiros: Ivan, Gregório, Alexis, Teodoro e Vladimir. Todos esses eram oficiais da Guarda Imperial, todos eram queridos pelos colegas oficiais e idolatrados pelos soldados sob seu comando. Era um clã muito unido, todos os irmãos comprometidos com a lealdade entre si. Todos possuíam excepcional força física, coragem, total dedicação ao Exército e à Rússia. Eram bebedores, jogadores, mulherengos e tão temerários nas guerras quanto nas brigas em tavernas. Assim como o avô, tinham desprezo pela morte. Alexis, o terceiro dos cinco irmãos, era o mais inteligente. Grandalhão, desfigurado por um profundo corte de sabre no lado esquerdo do rosto, ganhou o apelido de *Scarface*. Alexis é quem iria realizar a façanha que assegurou o trono a Catarina, um feito pelo qual ele sempre assumiu plena responsabilidade e pelo qual Catarina lhe dedicou uma silenciosa gratidão pelo resto da vida.

Mas Gregório, o segundo dos cinco irmãos, é que foi o herói. Era considerado o mais bonito dos Orlov, com "a cabeça de um anjo e o corpo de um atleta". Não tinha medo de nada. Uma de suas proezas foi depois da batalha de Zorndorf, quando, ainda se recuperando de ferimentos, seduziu a princesa Helena Kurakina, amante do conde Pedro Shuvalov, o Grão-Mestre da Artilharia. Essa transgressão no território dos poderosos Shuvalov poderia colocar Orlov em perigo, mas ele escapou porque Pedro Shuvalov morreu de repente, de morte natural. A notícia dessa conquista romântica, adicionada à sua fama militar, fez de Gregório Orlov uma pessoa famosa em São Petersburgo. Foi apresentado à imperatriz Elizabeth, e acabou chamando a atenção da esposa do herdeiro do trono.

Não há registros das circunstâncias em que Catarina conheceu Gregório Orlov. Uma versão muito comum diz que, certo dia, olhando pela janela do palácio, a solitária grã-duquesa viu no pátio um belo oficial, alto, vestindo o uniforme da Guarda. Por acaso, ele olhou para cima, seus olhares se encontraram e a atração foi imediata. Não houve minuetos amorosos, como no caso de Saltykov e depois Poniatowski. Apesar de sua fama militar, Orlov estava muito abaixo do status de Catarina e não tinha posição na corte. Mas ele não era tímido nem hesitante. Seu sucesso com a princesa Kurakina lhe dera coragem para aspirar até a uma grã-duquesa, em especial uma que todos sabiam ser solitária e ardente. Havia precedentes de mesclas de posição social. Pedro, o Grande, tinha se casado com uma camponesa livoniana, elevando-a à condição de imperatriz Catarina I; a filha de Pedro, Elizabeth, passou muitos anos, e talvez tenha se casado, com um camponês ucraniano, o amável cantor de coro Alexis Razumovsky.

No verão de 1761, Catarina e Gregório Orlov se tornaram amantes. O caso foi conduzido em segredo. A imperatriz, Pedro e os amigos de Catarina não sabiam, e os encontros dos amantes tinham lugar numa casinha na ilha Vassilevsky, no rio Neva. Em agosto de 1761, Catarina estava grávida.

Orlov era um novo tipo de homem na vida de Catarina, nem um sentimental europeu sofisticado como Poniatowski, nem um predador dos salões como Sergei Saltykov. Catarina o amava como ele a amava, com uma paixão física descomplicada. Embora os primeiros nove anos de casada de Catarina tivessem sido virginais, ela agora era uma mulher madura. Amara dois homens fora do casamento e tivera um filho de cada um. Agora um terceiro homem aparecia e também este lhe dava um filho.

Os motivos de Orlov eram bem diretos. Catarina era uma mulher desejável e poderosa, desgraçada e abertamente negligenciada e perseguida pelo marido, o grão-duque amante da Prússia, detestado pelos oficiais e soldados do Exército russo. Catarina era extremamente discreta sobre o caso, mas Gregório não tinha segredos para seus quatro irmãos e todos consideraram uma honra para a família. Rumores do relacionamento circulavam entre os soldados dos regimentos da Guarda, e quase todos ficaram impressionados e orgulhosos.

Catarina tinha obtido o apoio de Nikita Panin e, com ajuda dos irmãos Orlov, vinha ganhando a simpatia dos homens da Guarda. E então atraiu uma terceira pessoa, bem diferente, que recrutou para sua causa. Era a princesa Catarina Dashkova, que, estranhamente, era a irmã mais nova, casada, de Elizabeth Vorontsova, amante de Pedro. Catarina Vorontsova – que era o nome de solteira da princesa Dashkova – nasceu em 1744, a mais nova das três filhas do conde Roman Vorontsov, ele também irmão mais novo do ex-chanceler, Miguel Vorontsov. Ela nasceu pouco depois da coroação de Elizabeth, e sendo a família Vorontsov uma das mais antigas da nobreza russa, a criança foi levada à fonte batismal pela própria imperatriz, e o sobrinho da imperatriz, Pedro, recém-chegado de Holstein para ser herdeiro da coroa russa, foi o padrinho da criança. Quando Catarina Vorontsova tinha 2 anos, sua mãe morreu. O pai, o conde Roman, ainda jovem, rapidamente tornou-se, nas palavras das filhas, "um homem de prazeres, não muito ocupado com a criação da prole". A menina foi mandada para a casa do tio, Miguel, que lhe proporcionou educação superior. "Falávamos francês fluentemente; aprendemos um pouco de italiano e tivemos algumas aulas de russo", ela escreveu em suas memórias. Ela demonstrou ter uma inteligência precoce, às vezes passava a noite acordada lendo Bayle, Montaigne, Montesquieu e Voltaire. Catarina conheceu essa pessoa incomum em 1758, quando Dashkova tinha 15 anos. A grã-duquesa, encantada ao encontrar uma menina russa que só falava francês e apreciava filósofos iluministas, fez o máximo para ser agradável, e a jovem fez de Catarina um ídolo.

Em fevereiro de 1760, aos 16 anos, Catarina Vorontsova casou-se com o príncipe Miguel Dashkov, um jovem oficial da Guarda Preobrazhensky, alto, simpático e rico. Seguiu o marido quando ele foi transferido para Moscou, e lá tiveram dois filhos com uma diferença de 11 meses de idade. Ela nunca esqueceu a grã-duquesa. No verão de 1761, a família voltou para São Petersburgo, e ela retomou a amizade com Catarina.

Na capital, a irmã de Dashkova, Elizabeth, e seu amante, o grão-duque Pedro, tentaram incluí-la em seu círculo, mas as duas irmãs diferiam em quase todos os aspectos. Elizabeth, que Pedro havia instalado em seu apartamento e agora tratava mais como futura esposa do que como amante, era deselegante, grosseira e farrista. Mesmo assim, tendo decidido que queria se casar com Pedro, ela perseguia sua meta com paciente e férrea determinação. Ela durou mais que todos os outros passatempos dele, e foi quem arrumou o *ménage à quatre* com Catarina e Stanislaus. No correr dos anos, Pedro viu que ela lhe era tão adequada que não podia abrir mão dela.

Na corte, Dashkova também era diferente. Não dava muita importância a roupas elaboradas, se recusava a usar ruge, conversava sem cessar e era tida como inteligente, franca e arrogante. Além de seu idealismo político, ela era pudica e achava o comportamento da irmã tristemente vergonhoso. Fosse ou não Elizabeth Vorontsova coroada imperatriz, Catarina Dashkova julgava que ela vivia em concubinato público vulgar. Pior ainda, a meta daquela irmã era substituir a mulher que se tornara um ídolo para Dashkova, a grã-duquesa Catarina.

A princesa Dashkova passou o verão de 1761 na dacha de seu pai, no golfo da Finlândia, a meio caminho entre Peterhof, onde estava a imperatriz, e Oranienbaum, onde Pedro e Catarina tinham sua corte de verão. Paulo permanecia com Elizabeth, mas agora a imperatriz permitia que Catarina fosse todos os domingos ver seu filho brincar no jardim do palácio. Ao voltar para casa, Catarina geralmente mandava parar a carruagem na dacha de Vorontsov e convidava a princesa a passar o restante do dia com ela, em Oranienbaum. Ali, nos jardins ou no apartamento de Catarina, as duas conversavam sobre livros e teorias políticas. Dashkova soube que tinha encontrado uma rara sumidade intelectual. "Posso me aventurar a dizer que não havia duas mulheres no império, a não ser a grã-duquesa e eu, que se ocupassem de uma leitura séria", ela escreveu em suas memórias. Durante essas longas conversas, a princesa se convenceu de que Catarina era a única "salvadora possível da nação" e seria essencial que ela, e não Pedro, sucedesse a rainha no trono. Catarina não encorajava essas opiniões. Via Dashkova como uma jovem brilhante, encantadora, cuja adoração era lisonjeira e a companhia, estimulante, mas, realisticamente, via-se chegando ao poder como esposa de Pedro, desde que conseguisse manter sua posição contra Elizabeth Vorontsova. Dashkova, por sua vez, sentia algo próximo à adoração pela grã-duquesa. "Ela cativou meu coração e minha mente, inspirou-me com entusiástica dedicação. Eu sentia um vínculo afetivo sem rival, a não ser o amor por meu marido e por meus filhos."

O grão-duque Pedro e Elizabeth Vorontsova insistiam em atrair a princesa Dashkova para seu círculo. Observando a admiração dela por sua esposa, Pedro a advertiu, dizendo: "Menina, convém você se lembrar de que é muito mais seguro lidar com patetas como sua irmã e eu do que com esses grandes cérebros que espremem o suco da laranja e depois jogam a casca fora." Dashkova não tinha medo de enfrentar Pedro. Certa vez, num jantar para oitenta pessoas em que Pedro e Catarina estavam presentes, o grão-duque, tendo bebido Burgundy demais, falou, enrolando a língua, que, se um jovem oficial fosse suspeito de ser amante de uma parente da imperatriz, deveria ser decapitado por essa impertinência. Desafiando o grão-duque, Dashkova disse que seria um castigo tirânico, pois, "ainda que o crime em questão fosse provado, uma punição tão terrível era altamente desproporcional à ofensa".

— Você é apenas uma criança — Pedro respondeu — ou saberia que poupar da punição com morte é estimular a insubordinação e todo tipo de desordem.

— Mas, senhor — Dashkova replicou —, quase todos que têm a honra de estar sentados em sua presença sempre viveram num reino em que nunca se ouviu falar de tal punição.

— Quanto a isso — declarou o grão-duque — é a própria causa da presente falta de disciplina e ordem. Mas pode acreditar em mim, você é apenas uma criança e nada sabe sobre essa questão.

Os homens de Holstein à mesa ficaram em silêncio, mas Dashkova persistiu:

— Estou pronta a reconhecer, senhor, que não sou capaz de compreender seu raciocínio, mas de uma coisa sei muito bem, que sua augusta tia ainda está viva e ainda ocupa o trono.

Todos os olhos se voltaram, primeiro para a jovem, e depois para o herdeiro do trono. Mas Pedro não respondeu, e pôs fim ao confronto mostrando a língua para a adversária.

O episódio valeu muitos elogios a Dashkova. A grã-duquesa Catarina ficou encantada e lhe deu congratulações. A história se espalhou e "me deu alto grau de notoriedade", escreveu Dashkova. Cada episódio desse tipo aumentava o desprezo que a princesa sentia pelo herdeiro do trono: "Eu via quão pouco meu país podia esperar do grão-duque, afundado como estava na mais degradante ignorância e regido por princípios não melhores que um orgulho vulgar por ser uma criatura do rei da Prússia, a quem ele chamava 'meu rei e senhor'."

A princesa Dashkova estava feliz em concordar com a autodefinição do grão-duque como pateta, pois achava que só mesmo um pateta iria preferir a companhia de sua irmã à da brilhante grã-duquesa. Escandalizada por saber que Pedro tinha prometido repudiar Catarina e se casar com sua irmã, a jovem princesa resolveu proteger sua heroína. Um serviço que podia prestar era relatar cada mínima novidade ou fofoca que pudesse afetar a grã-duquesa. Catarina não encorajou Dashkova a desempenhar esse papel, apesar de ser útil ter uma adepta tão perto das conversas do grão-duque e Vorontsova. Por outro lado, Catarina tinha cuidado no que dizia à sua jovem admiradora. Assim como Dashkova era uma possível fonte de informação, era também uma potencial fonte de vazamentos. Por essa razão, Catarina tinha também o cuidado de manter compartimentados seus relacionamentos com aqueles que a apoiavam. No início, cada uma das três figuras primordiais sabia pouco sobre as outras, e cada uma conhecia uma Catarina diferente. Panin conhecia a mulher da política sofisticada, de alto nível; Orlov, a mulher de sangue quente; Dashkova, a filósofa e admiradora do Iluminismo. Depois, a princesa Dashkova veio a considerar Panin uma espécie de russo europeizado a quem ela admirava. Mas Dashkova desconhecia totalmente a importância de Orlov na vida de Catarina. Teria ficado horrorizada se soubesse que a mulher idolatrada se submetia às carícias de um soldado rude e inculto.

À medida que se acentuava o declínio físico de Elizabeth, aumentava a ansiedade geral sobre Pedro se tornar imperador. Quanto mais a guerra continuava, mais obviamente Pedro manifestava seu ódio e desprezo pela Rússia e sua simpatia pela Prússia. Certo de que a tia agonizante seria incapaz de reunir forças para deserdá-lo, começou a falar abertamente das mudanças que iria fazer quando fosse imperador. Daria término à guerra contra a Prússia. Depois de fazer a paz, iria mudar de lado e se unir a Frederico contra os atuais aliados da Rússia, a Áustria e a França. E mais tarde usaria a força da Rússia a favor de Holstein. Isso significava uma guerra contra a Dinamarca para reconquistar o território tomado de seu ducado em 1721 pelos dinamarqueses. Passou a dizer abertamente que iria se divorciar de Catarina e se casar com Elizabeth Vorontsova.

Pedro já estava fazendo todo o possível para auxiliar Frederico. A fim de manter o rei informado das deliberações secretas do conselho de guerra da imperatriz, ele passava adiante tudo o que sabia sobre os planos do alto-comando russo. Essas informações de Pedro chegavam ao novo embaixador inglês em São Petersburgo, sir Robert Keith, que as incluía ao enviar a Londres seus relatórios diplomáticos. Keith passou a mandar seus correios via Berlim, onde seu colega, o embaixador inglês na Prússia, fazia uma cópia para Frederico antes de despachar o correio para Whitehall. Dessa forma, o rei da Prússia frequentemente sabia das operações planejadas pelo alto escalão russo antes mesmo que fossem comunicadas aos comandantes de campo.

Pedro fazia pouco esforço para manter em segredo sua traição da imperatriz, ao Exército, à nação e aos aliados da Rússia. Os embaixadores da Áustria e da França se queixaram ao chanceler, mas não causaram nenhuma impressão porque Miguel Vorontsov, assim como todo mundo na capital, acreditava que a saúde precária da imperatriz em breve findaria. E o primeiro ato do grão-duque Pedro ao assumir o trono seria pôr fim à guerra, chamar de volta os exércitos e assinar a paz com Frederico. Nesse ínterim, Vorontsov não tinha a menor intenção de arriscar seu futuro, informando Elizabeth da traição do sobrinho. No exército, porém, o desprezo e o ódio pelo herdeiro do trono subiram a tal ponto que até sir Robert Keith declarou: "Ele deve estar louco para agir desse modo."

Se a Guarda e o exército em geral se sentiam desse modo, os irmãos Orlov em particular odiavam aquele homem que estava passando informações para o inimigo. Em Gregório Orlov, esse intenso sentimento ardia ainda com mais vigor. Se Pedro fosse compelido a abdicar, o que seria feito da grã-duquesa? Assim como Pedro, ela nascera alemã, mas vivia na Rússia havia 18 anos, era ortodoxa praticante, mãe do mais jovem herdeiro e dedicava absoluta lealdade à Rússia. Orlov passava essa mensagem aonde quer que fosse, e seus irmãos faziam o mesmo. O ódio dos Orlov a Pedro, a popularidade deles no Exército e sua vontade de agir a favor de Catarina iriam levá-la ao trono.

Elizabeth estava decidida a derrotar a Prússia e Frederico. Havia entrado na guerra para honrar o tratado com a Áustria e queria vencer. O fim da guerra se aproximava, Frederico já não liderava o mais competente exército da Europa, e tanto os austríacos como os russos agora eram veteranos. À medida que diminuía o número dos combatentes de Frederico, aumentavam as probabilidades contra ele. Prova disso foi a batalha de Kunersdorf, em 25 de agosto de 1759, a 80 quilômetros a leste de Berlim, quando 50 mil prussianos munidos de trezentos canhões atacaram 79 mil russos entrincheirados numa posição fortemente defensiva. A infantaria de Frederico se lançou contra as posições russas, firmes e bem defendidas. Ao cair da noite, quando a batalha terminou, Kunersdorf passara a ser a pior derrota de Frederico na Guerra dos Sete Anos. No fim, os prussianos simplesmente largaram seus mosquetes e fugiram. Embora o exército russo tenha sofrido 16 mil baixas entre mortos e feridos, causou 18 mil perdas aos prussianos. O próprio rei teve dois cavalos mortos enquanto montava, e uma bala só foi detida pela caixa de ouro de rapé que ele levava no casaco. Aquela noite, ele escreveu a um grande amigo em Berlim: "De um exército de 48 mil, não restaram mais que 3 mil. Todos fugiram, e não sou mais senhor dos meus homens. Berlim deve cuidar de sua própria segurança. É um terrível revés e não devo sobreviver a isso. Não tenho mais reservas e, para dizer a verdade, acho que tudo está perdido." Pela manhã, 18 mil homens extraviados se arrastaram de volta para encontrar o rei, mas o monarca de 47 anos continuava desesperado. E com dor. "O meu problema", ele escreveu ao seu irmão, príncipe Henrique, "é o reumatismo em meus pés, nos joelhos e na mão esquerda. E também fui tomado de febre constante durante oito dias."

Em São Petersburgo, Elizabeth se regozijava com as boas-novas, e suportava as más. Em 1º de janeiro de 1760, quatro meses depois de Kunersdorf, ela disse ao embaixador austríaco: "Pretendo prosseguir com a guerra e permanecer fiel aos meus aliados, ainda que precise vender metade dos meus diamantes e vestidos." O comandante do exército de Elizabeth na Alemanha, general Pedro Saltykov, retribuiu a dedicação. No verão de 1760, o Exército russo cruzou o rio Oder. A cavalaria dos cossacos entrou em Berlim e ocupou por três dias a capital de Frederico.

À medida que a gravidez avançava, Catarina se isolava. Sua desculpa – de estar mortificada ao ver o marido rendendo honras de nobreza publicamente à amante – era conveniente para proteger sua verdadeira situação. Agora, quando o grão-duque falava em repudiá-la, não havia chance de ele fingir que o filho era dele. Decidida a não lhe dar qualquer justificativa para o repúdio, Catarina escondeu a gravidez, usando grandes saias armadas e passando os dias sentada numa poltrona em seu quarto, sem receber ninguém.

O segredo de Catarina foi mais bem guardado que o de Elizabeth. A imperatriz havia ordenado que qualquer notícia sobre sua saúde fosse mantida em segredo do grão-duque e da grã-duquesa. Tentava esconder os estragos físicos da doença: a mortal palidez da face, a obesidade, as pernas inchadas. Procurava ocultar tudo isso sob o ruge e vestidos prateados. Elizabeth percebia que Pedro esperava impacientemente por sua morte, mas estava exausta demais para quebrar sua palavra e realizar seu verdadeiro desejo, que era transferir a sucessão para Paulo. Só lhe restava energia para se arrastar da cama para um sofá ou uma poltrona. Ivan Shuvalov, seu mais recente favorito, já não era capaz de confortá-la. Ela parecia estar em paz somente quando Alexis Razumovsky, seu ex-amante e talvez marido, ficava ao lado de sua cama acalmando-a com doces canções de ninar ucranianas. Com o passar dos dias, Elizabeth ia perdendo o interesse pelo futuro da Rússia e tinha cada vez menos interesse pelo que se passava a sua volta. Sabia o que estava por vir.

Sua agonia paralisou a Europa. Todos os olhares se voltavam para o quarto da doente, onde o resultado da guerra dependia do drama de uma mulher lutando pela vida. Quando se aproximava o fim de 1761, a grande esperança dos aliados era que os médicos pudessem prolongar a vida da imperatriz por mais seis meses – ou, de preferência, 12 meses –, esperando que durante esse tempo Frederico não tivesse mais possibilidade de se recuperar. Em particular, o próprio Frederico admitia que seu fim estava próximo. A recompensa pela qual a Rússia lutava havia cinco anos estava ao alcance. Bastava que o grão-duque não entrasse na posse de sua herança nos meses seguintes para que seu entusiasmo pelo rei da Prússia e todos os seus planos perdessem o sentido. Isso não aconteceu.

Em meados de dezembro de 1761, todos sabiam que a imperatriz morreria em breve. Quando Pedro comunicou sem rodeios à princesa Dashkova que sua irmã, Elizabeth Vorontsova, logo seria sua esposa, Dashkova decidiu que algo deveria ser feito para impedir. Na noite de 20 de dezembro, apesar de estar tremendo de febre, ela saiu da cama, embrulhou-se em peles e se fez conduzir ao palácio. Entrou por uma portinha dos fundos e mandou que uma serva da grã-duquesa a levasse à sua senhora. Catarina estava deitada. Mal a princesa entrou no quarto, a grã--duquesa disse:

— Antes que me fale qualquer coisa, venha para minha cama se aquecer.

Dashkova relata essa conversa em suas memórias. Disse à grã--duquesa que a imperatriz tinha apenas alguns dias, ou horas, de vida, e ela, Dashkova, não podia suportar a incerteza envolvendo o futuro de Catarina.

— Já tem algum plano, ou tomou algumas precauções para garantir sua segurança? — a princesa perguntou.

Catarina ficou emocionada — e alarmada. Pressionou a mão sobre o coração de Dashkova e disse:

— Sou muito grata a você, mas lhe digo que não tenho nenhum plano e não posso tentar nada. Só posso enfrentar com coragem o que vier a acontecer.

Para Dashkova, essa passividade era inaceitável.

— Se não pode fazer nada, madame, seus amigos devem agir em seu lugar! — ela declarou. — Tenho coragem e ânimo suficiente para levar todos à ação. Dê-me suas ordens! Me oriente!

Para Catarina, essa lealdade estava indo longe demais. Era prematura, precipitada. Naquele estágio, Orlov podia reunir alguns soldados da Guarda, mas, sem preparação, não seria o suficiente. E essa jovem extenuada, irresponsável, poderia expor e colocar em perigo todos eles antes que estivessem prontos. Catarina disse calmamente:

— Em nome de Deus, princesa, nem pense em se colocar em perigo. Se você sofresse qualquer infelicidade por minha causa, isso seria motivo de eterno remorso para mim.

Catarina ainda estava acalmando sua impetuosa visitante quando Dashkova a interrompeu, beijou sua mão, assegurando que não aumentaria o risco prolongando aquela visita. As duas se abraçaram, Dashkova se levantou e saiu tão rapidamente quanto tinha entrado. Em sua ansiedade, nem notou que Catarina estava grávida de seis meses.

Dois dias depois, em 23 de dezembro, a imperatriz Elizabeth teve um derrame fortíssimo. Os médicos reunidos ao seu redor concordaram que dessa vez não haveria recuperação. Pedro e Catarina foram chamados e encontraram Ivan Shuvalov e os irmãos Razumovsky de pé ao lado da cama, olhando para a face pálida no travesseiro. A imperatriz ficou lúcida até o fim. Não deu sinal de querer alterar a sucessão. Pediu a Pedro que jurasse cuidar do pequeno Paulo. O grão-duque, perfeitamente ciente de que a tia que o fizera seu herdeiro poderia desfazê-lo com uma só palavra, prometeu. Encarregou-o também de proteger Alexis Razumovsky e Ivan Shuvalov. Nada disse a Catarina, que permaneceu junto ao leito. Do lado de fora do quarto, as antecâmaras e os corredores estavam lotados. Quando chegou o padre Teodoro Dubyansky, confessor da imperatriz, o forte odor de incenso se misturou ao dos remédios, enquanto o padre se preparava para ministrar os ritos finais. As horas se passavam, e a imperatriz mandou chamar o chanceler, Miguel Vorontsov. Ele respondeu que estava muito doente e não podia ir. O que o mantinha afastado não era doença, e sim o medo de ofender o herdeiro.

Na manhã de Natal, Elizabeth pediu ao padre Teodoro que lesse a oração ortodoxa dos moribundos. Quando ele terminou, ela pediu que lesse novamente. Ela abençoou a todos no quarto e, de acordo com o costume ortodoxo, pediu a cada um que a perdoasse. No Dia de Natal, 25 de dezembro de 1761, perto de quatro horas da tarde, a imperatriz Elizabeth morreu. Minutos depois, o príncipe Nikita Trubetskoy, presidente do Senado, abriu de par em par as portas e anunciou à multidão que aguardava: "Sua Majestade Imperial, Elizabeth Petrovna, adormeceu nos braços do Senhor. Deus salve nosso gracioso soberano, o imperador Pedro III."

❦42❦
O BREVE REINADO DE PEDRO III

O ARCEBISPO DE NOVGOROD ABENÇOOU PEDRO como o novo *gosudar* (autocrata), o Senado e os dirigentes dos Colégios de Estado (ministros do governo) fizeram o juramento de lealdade, e os canhões das fortalezas de São Pedro e São Paulo troaram proclamando a ascensão ao trono do novo monarca. Pedro foi conduzido à praça do palácio para receber os juramentos dos regimentos da Guarda de Infantaria – os Preobrazhensky, Semyonovsky e Izmailovsky –, da Guarda Montada, dos outros regimentos e do Corpo de Cadetes. Quando apareceu a figura do novo imperador, iluminado por tochas, vestindo o uniforme verde-garrafa da Guarda Preobrazhensky, os regimentos explodiram em saudações. Encantado, quando Pedro voltou ao palácio disse ao conde Mercy, o embaixador austríaco:

— Não sabia que me amavam tanto.

Naquela noite, ele presidiu ao jantar para 150 pessoas, que tinham recebido instruções para usar roupas claras a fim de comemorar a posse de Pedro e não o costumeiro preto do luto. À mesa, Catarina sentou-se ao lado do imperador. Ivan Shuvalov, favorito de Elizabeth, em lágrimas junto ao leito da imperatriz, ficou de pé atrás da cadeira de Pedro, rindo e fazendo piadas. Na noite seguinte, Pedro deu outro banquete, para o qual as damas receberam ordens de irem "ricamente vestidas". A princesa Dashkova se recusou a comparecer a essas festividades, alegando doença. Enquanto a noite avançava, ela recebeu uma mensagem da irmã, dizendo que o novo imperador estava aborrecido com sua ausência, não acreditava na desculpa e poderia ser pior para o marido dela, o príncipe Dashkov, se ela não comparecesse. Dashkova obedeceu. Quando ela chegou, Pedro se aproximou e disse em voz baixa:

— Minha amiguinha, siga meu conselho e nos dê mais atenção. Pode chegar um momento em que você terá bons motivos para se arrepender de qualquer negligência com sua irmã. Acredite, falo somente em seu interesse. Não há outra maneira no mundo de você ter importância, a não ser buscando a proteção dela.

Dez dias antes do funeral, o corpo da imperatriz Elizabeth foi levado para a catedral de Kazan, onde, com um vestido em prata bordada, foi colocado num caixão aberto cercado de velas. As pessoas, que passavam em torrentes pelo esquife na semiescuridão, não podiam deixar de ver uma figura toda vestida de preto, o rosto coberto por um véu, sem coroa nem joias, ajoelhada no chão de pedra ao lado do caixão, aparentemente perdida em tristeza. Todos sabiam que era a nova imperatriz, Catarina. Ela estava lá, em parte por respeito mesmo, mas também por entender que não havia melhor meio de apelar diretamente ao povo do que essa demonstração de humildade e aparente devoção. De fato, ela desempenhou tão bem seu papel que o embaixador francês relatou a Paris que "cada vez mais ela conquista o coração dos russos".

O comportamento de Pedro na presença do corpo de Elizabeth era de total contraste. Em todas as semanas de luto coletivo, o novo imperador manifestou sua alegria por estar livre de 18 anos de prisão cultural e política. Embriagado de liberdade, resistiu a agir conforme os ritos da Igreja Ortodoxa ligados à morte. Recusou-se a permanecer em respeitosa vigília e a se ajoelhar ao lado do caixão. Nas poucas ocasiões em que foi à catedral, ficou andando sem parar, falando alto, fazendo piadas, brincadeiras, apontando e até mostrando a língua para os padres. Permanecia a maior parte do tempo em seu apartamento, bebendo e gritando, numa excitação que ele parecia incapaz de controlar.

O clímax dessa demonstração de escárnio foi no dia em que o corpo de Elizabeth foi levado da catedral de Kazan e, atravessando a ponte sobre o rio Neva até a ilha, colocado no mausoléu da fortaleza de São Pedro e São Paulo. Ostensivamente sozinho, Pedro foi caminhando logo atrás do caixão. Vestia um manto preto de luto, com uma longa cauda carregada por nobres idosos. A nova gracinha do imperador era retardar o passo até parar completamente, e quando o caixão estava uns 10 metros à frente, corria em longas passadas para alcançá-lo. Os homens mais velhos, incapazes de acompanhar a corrida do imperador, eram forçados a largar a cauda, que ficava flutuando ao vento. Adorando o embaraço deles, Pedro repetiu várias vezes a sequência. Essa palhaçada grotesca, de um homem de quase 34 anos acompanhando o funeral da mulher que fez dele um imperador, deixou todos chocados: os nobres que seguiam em cortejo, os oficiais e soldados a postos ao longo do caminho e a multidão que assistia.

Apesar desse comportamento exibidamente impróprio, Pedro seguiu uma linha política moderada nas primeiras semanas de reinado. Miguel Vorontsov, que reassumira o posto de chanceler após a queda de Bestuzhev, foi mantido no cargo, embora nos últimos anos de Elizabeth tivesse se alinhado com os Shuvalov, anti-Prússia e pró-França. Pedro chamou de volta imediatamente oficiais banidos havia muito tempo. A Ernesto João Biron, chanceler germânico, amante da imperatriz Ana e pai da princesa de Courland, foi permitido trocar seu exílio em Yaroslavl por uma confortável residência em São Petersburgo. Lestocq, o francês médico e conselheiro de Elizabeth, e o velho marechal de campo Münnich, outro alemão, foram perdoados e trazidos do exílio. Nada foi feito, porém, para amenizar a desgraça de Alexis Bestuzhev, o ex-chanceler que sempre apoiara a Áustria e se opusera à Prússia. Sua exclusão da anistia geral causou uma dolorosa impressão em muitos russos. Parecia que criminosos políticos com nomes estrangeiros tinham permissão para voltar, mas esse estadista russo, que trabalhara tanto tempo para assegurar a posição da nação na Europa, continuava em desgraça.

Uma enxurrada de mudanças administrativas populistas se seguiu a essas anistias. Se as medidas se originavam de um esforço planejado para obter a boa vontade do público ou eram simplesmente uma extensão do comportamento imprevisível de Pedro, não se sabia. Em 17 de janeiro, ele agradou a todo o povo ao reduzir o imposto sobre o sal. Em 18 de fevereiro, encantou a nobreza ao emitir um manifesto pondo fim ao serviço compulsório ao Estado. Essa obrigação era um legado do reinado de Pedro, o Grande: depois de declarar que, como czar, era "o primeiro servidor do Estado", decretou que todos os senhores de terras e outros nobres teriam um dever similar. O resultado foi a criação de um corpo permanente de oficiais do Exército e da Marinha, e uma equipe permanente na administração da burocracia russa. Agora os descendentes desses nobres estavam livres de todas as obrigações civis e militares. Não seriam mais compelidos a prestar anos de serviço público. Receberam também a liberdade para viajar para o exterior e, exceto em tempos de guerra, lá permanecer o quanto quisessem. Em 21 de fevereiro, Pedro aboliu a Chancelaria Secreta, a temida câmara investigativa que lidava com os acusados de traição ou sedição. Ao mesmo tempo, os Raskolniki, líderes de dissensão religiosa, tiveram permissão para voltar, com total liberdade de culto, dos países onde tinham se refugiado para escapar à perseguição pela Igreja Ortodoxa.

Em março, Pedro visitou a sombria fortaleza de Schlüsselburg, onde o ex-imperador Ivan VI, deposto pela imperatriz Elizabeth, estava confinado havia 18 anos. Certo de que seu lugar no trono estava garantido, Pedro pensou em dar a Ivan uma vida melhor, talvez até a liberdade e um posto militar. A condição do homem que ele encontrou tornava esses planos impossíveis. Agora com 22 anos, Ivan era magro, alto, com os cabelos até a cintura. Analfabeto, gaguejava frases desconexas e não tinha certeza de sua própria identidade. Suas roupas estavam rasgadas e sujas, a cama era um catre estreito, o ar na cela era pesado, e a única luz vinha de uma janelinha com barras no alto da parede. Quando Pedro lhe ofereceu ajuda, Ivan perguntou se podia ter mais ar fresco. Pedro lhe deu uma camisola de seda, que o ex-imperador escondeu embaixo do travesseiro. Antes de deixar a fortaleza, Pedro ordenou a construção de uma casa no pátio, onde o prisioneiro pudesse ter mais ar e espaço para caminhar.

Pedro se levantava às sete horas e se vestia com seus ajudantes a postos, lendo relatórios e recebendo ordens. Das oito às 11, ele consultava os ministros e fazia a ronda dos gabinetes, geralmente encontrando apenas funcionários subalternos trabalhando. Às 11, ele aparecia no pátio de manobras, onde fazia uma inspeção rigorosa de armas e uniformes, e conduzia um treinamento das tropas a que os oficiais de Holstein assistiam. Almoçava à uma hora, convidando para sua mesa alguém com quem desejava falar, independentemente do status. As tardes incluíam uma sesta seguida por um concerto em que ele tocava seu violino. Depois vinham o jantar e uma festa, que às vezes se prolongava até tarde da noite. Quase todas essas noites envolviam muita bebida, fumo e farra. Pedro sempre levava um cachimbo e andava seguido por um servo carregando uma grande cesta cheia de cachimbos de cerâmica holandesa e uma variedade de tabacos. A sala se enchia rapidamente de fumaça, e o imperador ficava andando para lá e para cá no meio dessa nuvem, rindo muito e falando alto. Os convidados, sentados a longas mesas cheias de garrafas, sabendo que Pedro detestava cerimônias e gostava de ser tratado como um companheiro, se entregavam. Passado algum tempo, todos se levantavam e cambaleavam até o pátio, onde brincavam de amarelinha como crianças, pulando numa perna só, dando cabeçadas e chutes no traseiro uns dos outros. "Imagine o que sentimos ao ver o homem mais importante do império, coberto de faixas e medalhas, se comportando daquela maneira", disse um convidado ocasional. Quando um dos homens de Holstein caía no chão, os outros ficavam rindo e batendo palmas até que os servos viessem e o levassem embora. Mas, no dia seguinte, Pedro sempre se levantava às sete horas.

Essa energia frenética demonstrava pouca organização e propósito. "A moderação e a clemência dos atos do imperador", escreveu o conde Mercy a Viena, "não indicam nada fixo ou definitivo. Ele tem tino, mas pouca experiência em negociações, é pouco dado a considerações sérias e continuamente tomado por seus preconceitos. Sua disposição natural é arrebatada, violenta e irracional." Dias depois, Mercy acrescentou: "Não vejo ninguém aqui com suficiente zelo e coragem para resistir energicamente ao temperamento veemente e obstinado do monarca. Todos elogiam sua teimosia pensando em seus próprios interesses."

Um grave conflito surgiu quando Pedro tentou impor mudanças em algumas instituições profundamente enraizadas no Império Russo. Sua boa vontade não se estendia à Igreja Ortodoxa. Desde sua chegada à Rússia, 18 anos antes, ele odiava aquela forma de cristianismo. Achava as doutrinas e dogmas pura superstição, os cultos, ridículos, os padres desprezíveis, e sua riqueza, obscena. A religião que trouxe de Holstein era luterana. Agora, como imperador e chefe oficial da Igreja Ortodoxa, decidiu que aquele pilar antiquíssimo da vida e da cultura russas deveria ser reformado nos moldes do protestantismo praticado na Prússia. Se Frederico II era um livre-pensador que zombava de padres e crenças religiosas, por que ele, Pedro, não faria o mesmo? Em 16 de fevereiro, um decreto secularizava todas as propriedades da Igreja, colocando-as nas mãos de um novo departamento do governo. Dignitários da Igreja Ortodoxa passariam a ser funcionários assalariados, pagos pelo Estado. Quando o alto clero manifestou indignação e horror, Pedro anunciou abruptamente que a veneração de ícones era uma prática primitiva que deveria ser eliminada. Todos os ícones, exceto os de Jesus Cristo – todas as imagens de santos, pintadas e esculpidas, que eram parte da história russa –, deveriam ser retirados das igrejas. Depois, num ataque direto ao clero russo, exigiu que todos os padres raspassem a barba e não usassem mais os longos mantos de brocado, que iam até o chão; passariam a usar batinas pretas, como os pastores protestantes. Os arcebispos responderam que, se o clero obedecesse àquelas ordens, seria assassinado pelos fiéis. Naquela Páscoa, as tradicionais procissões religiosas ao ar livre foram proibidas, gerando um falatório entre o povo de que o imperador era pagão ou, pior ainda, protestante. De fato, Pedro disse ao arcebispo de Novgorod que pretendia construir uma capela protestante em seu novo Palácio de Inverno. Quando o arcebispo protestou, Pedro gritou que o prelado era um velho idiota e que uma religião boa para o rei da Prússia tinha de ser boa para a Rússia.

Mudar as crenças e práticas da Igreja Ortodoxa exigiria um esforço contínuo, mas o clero e os milhões de fiéis teriam dificuldade em formar uma oposição efetiva. O exército, outro pilar do Estado e da autocracia da Rússia, apresentava um outro problema. Pedro se considerava um soldado e tinha plena consciência da importância de possuir um Exército leal e eficiente. Entretanto, desde seus primeiros dias no trono, ele conseguiu ofender a instituição de cujo suporte ele mais precisava. Estava decidido a reorganizar o Exército russo segundo o modelo prussiano. Tudo seria remodelado ou substituído – uniformes, disciplina, treinamentos, táticas de batalha, e até seu comandante –, tudo seria prussianizado. Pedro gostava de aparência e elegância e queria que os soldados usassem os uniformes justos dos germânicos. Mandou recolher os longos casacões largos dos soldados russos, tão adequados ao frio do inverno no Norte, e ordenou que vestissem uniformes germânicos, mais leves, mais finos, justinhos. Em breve, muitos mal conseguiam reconhecer os homens da Guarda Imperial Russa, fantasiados e empoados. Os oficiais russos deveriam usar novos uniformes com galardões nos ombros e nós de ouro. O próprio Pedro começou a usar o uniforme azul de coronel prussiano. No início de seu reinado, contentava-se em usar a larga faixa azul da Ordem Russa de Santo André, mas depois mudou para a Ordem Prussiana da Águia Negra. Exibia sempre um anel com o retrato em miniatura de Frederico, proclamando que era seu bem mais precioso.

Pedro nunca tinha chegado perto de um campo de batalha, mas era excelente instrutor e, no pátio de manobras, fazia os soldados russos praticarem exercícios prussianos durante horas, reforçando as ordens com um pequeno bastão. Nenhum oficial ficava isento desses exercícios e até os generais gordos e de meia-idade eram obrigados a se postar à frente de seus regimentos e fazer as manobras, apesar da gota e dos músculos enferrujados.

A cena grotesca dos velhos generais tentando dar conta dos exercícios prussianos era um divertimento para Pedro, mas vestir os soldados russos como germânicos e treiná-los naqueles exercícios foi apenas o começo. Ele substituiu o tradicional corpo de guarda-costas pessoais dos soberanos russos, selecionados do Regimento Preobrazhensky – uma unidade fundada por Pedro, o Grande, da qual Pedro III era coronel honorário –, por um Regimento de Couraceiros de Holstein, ao qual deu o nome de Guarda-Costas da Casa Imperial. Isso criou enorme indignação na Guarda e no exército em geral. Ele anunciou que pretendia dissolver e abolir os regimentos da Guarda Imperial Russa e distribuir os homens entre os regimentos regulares. Para culminar o insulto, colocou seu tio, príncipe Jorge Lewis de Holstein, que não tinha nenhuma experiência militar, no comando do exército russo.

No momento em que Pedro foi proclamado imperador, em dezembro de 1761, Frederico da Prússia se via numa posição precária. Quase um terço de seus domínios estava nas mãos de inimigos. Os russos tinham ocupado o Leste da Prússia e parte da Pomerânia; os austríacos haviam reconquistado a maior parte da Silésia, e Berlim, sua capital, tinha sido saqueada e metade estava em ruínas. A maior parte de seu exército se compunha agora de jovens recrutas, e o próprio rei mais parecia um "espantalho demente". Para se livrar da Rússia como inimiga, ele tinha se preparado para assinar um tratado sacrificando permanentemente o Leste da Prússia. Então veio a morte da imperatriz Elizabeth e a ascensão de Pedro ao trono. Ao saber que o novo imperador tinha ordenado cessar as hostilidades, respondeu mandando libertar imediatamente todos os prisioneiros russos e enviou a São Petersburgo o barão Bernhard von Goltz, um oficial de 26 anos de idade, para negociar a paz. Enquanto isso, os interesses da Prússia continuavam aos cuidados do embaixador inglês, sir Robert Keith, que seguia o exemplo de sir Hanbury-Williams, enviando informações militares a Frederico em Berlim. Com Pedro no trono, a influência de Keith estava no auge. O embaixador austríaco, conde Mercy, chamou-o de "principal instrumento do partido prussiano. Não se passa um dia sem que o imperador veja Mr. Keith, ou que lhe mande frutas, ou lhe dispense outras atenções". Os relatórios de Keith também revelavam essa intimidade. Apenas três dias após a posse, Keith informou a Londres que "num jantar, Sua Majestade Imperial, que sempre me honrou com suas graças, aproximou-se sorridente e sussurrou que eu deveria estar contente com ele, pois na noite anterior enviara correios a diversos corpos do Exército com ordens de não avançar mais em território prussiano e cessar todas as hostilidades". Três semanas depois, quando Keith jantava com o imperador no apartamento de Elizabeth Vorontsova, Pedro lhe disse que queria acertar as coisas com o rei da Prússia o quanto antes e estava "resolvido a se livrar de todos os compromissos com a corte de Viena".

Em 25 de fevereiro, o conde Mercy compareceu a um banquete oferecido pelo chanceler Vorontsov ao imperador e a todos os embaixadores estrangeiros. Havia trezentas pessoas no salão. Mercy achou Pedro inquieto. Às nove horas, todos se sentaram. Durante a refeição, que durou quatro horas, Pedro bebeu Burgundy, ficou empolgado e, elevando ao máximo a voz, propôs um brinde ao rei da Prússia. Às duas da madrugada, os convivas se levantaram, foram trazidas cestas de cachimbos e tabaco, e os homens foram fumar. Pedro, andando para lá e para cá, cachimbo na mão, confrontou o novo embaixador francês, barão de Breteuil:

— Temos de fazer a paz. De minha parte, declaro a paz.

— E nós também, senhor, teremos a paz — o embaixador respondeu, acrescentando: — Com honra, e em acordo com nossos aliados.

Pedro fechou a cara e disse:

— Faça como quiser. De minha parte, declarei a paz. Vocês façam como quiserem. Sou um soldado e não estou para brincadeiras.

— Senhor — respondeu Breteuil —, vou comunicar ao meu rei a declaração que Vossa Majestade teve a satisfação de me fazer.

Pedro deu-lhe as costas e se afastou. No dia seguinte, os embaixadores da Áustria e da França, aliados da Rússia, receberam um documento oficial declarando que a guerra vinha se arrastando havia seis anos, em detrimento de todos. Agora, como imperador da Rússia, ansioso por dar fim a esse tão grande mal, decidira anunciar a todas as cortes em aliança com a Rússia que, a fim de trazer as bênçãos da paz ao seu império e à Europa, estava pronto a sacrificar todas as conquistas feitas pelas forças russas. Acreditava que as cortes aliadas, também preferindo a restauração da tranquilidade geral, concordariam com ele. Depois de ler a declaração, o conde Mercy declarou ao chanceler Vorontsov que achava o documento obscuro e impertinente. À sua corte em Viena, escreveu que a declaração era maldosa, uma tentativa de evitar todas as solenes obrigações dos tratados e uma desculpa para salvar o rei da Prússia de uma destruição iminente.

Para Mercy e a Áustria, o pior estava para acontecer. A declaração de paz de Pedro veio a ser uma preliminar da assinatura de uma aliança formal da Rússia com a Prússia. Em 3 de março, o novo enviado prussiano, o jovem barão Von Goltz, chegando a São Petersburgo, foi recebido entusiasticamente e mal teve tempo de dar congratulações pela ascensão do monarca, pois Pedro já o cobria com avassaladoras expressões de admiração pelo rei da Prússia. Tinha muito a lhe dizer em particular, cochichou. Imediatamente após a audiência, Pedro deu o braço ao novo amigo, falando sem cessar sobre o exército prussiano, deixando Goltz espantado com todo aquele conhecimento do assunto, inclusive os nomes dos altos oficiais de todos os regimentos prussianos. Goltz foi instalado numa mansão, na qual Pedro o visitava duas vezes por dia. Em menos de uma semana, Goltz havia eclipsado totalmente Keith, seu colega inglês, e daí por diante, até o fim do reinado de Pedro, a influência prussiana dominou a corte russa.

A missão de Goltz era apressar o fim da guerra e a separação da Rússia dos aliados vigentes. Com vistas a esse objetivo, disse a Pedro que Frederico estava disposto a concordar com a cessão permanente do Leste da Prússia. Pedro não exigia isso. Pelo contrário, estava disposto a sacrificar tudo para agradar a Frederico. Deixou que Frederico ditasse seus termos. Quando o rei enviou a São Petersburgo uma minuta do tratado de eterna paz entre a Rússia e a Prússia, o texto não passou pelos canais normais. Não foi submetido, nem sequer mostrado, ao chanceler Vorontsov. Goltz simplesmente leu o texto para Pedro, em particular, sem testemunhas, e em 24 de abril Pedro o assinou sem comentários e mandou a Vorontsov para confirmação. Com uma penada num tratado secreto, o imperador não só restituía à Prússia todo o território conquistado pela Rússia em cinco anos de guerra, mas também contraía uma "eterna" aliança com a Prússia.

Seis dias após a assinatura, o imperador comemorou o tratado de paz com um banquete em que cada convidado ocupou seu lugar de acordo com a hierarquia. Pela primeira vez, a ordem de precedência foi observada em seu reinado. Pedro e seu chanceler, Vorontsov, usaram a Ordem Prussiana da Águia Negra. O banquete durou quatro horas e foram erguidos quatro brindes: um brinde de alegria pela restauração da paz com a Prússia, outro de congratulações pessoais a Frederico II, o terceiro à paz perpétua entre as duas potências, e outro à "honra dos valorosos oficiais e soldados do Exército prussiano". Cada brinde foi acompanhado por uma tripla salva de tiros da fortaleza de São Pedro e São Paulo e de cinquenta canhões estacionados na praça em frente ao palácio. Não houve menção à bravura, conquistas e perdas do Exército russo e, disse o conde Mercy, "nada foi omitido em termos de indecência e agravo com relação ao antigo aliado, a Áustria".

Essa sensacional *volte-face* diplomática e militar assustou as chancelarias europeias. Em Viena, quando o governo de Maria Teresa soube que o imperador russo queria sacrificar todas as suas conquistas "no interesse da paz", a reação austríaca foi cautelosa, pedindo detalhes de como isso seria feito. A explicação russa chegou em abril, pretensiosa e petulante. Declarava que, para fazer a paz, um dos beligerantes devia dar o passo inicial, como proponente e agente dessa paz. A Rússia adotava essa atitude "por compaixão pelo sofrimento da humanidade e por amizade pessoal com o rei da Prússia. A corte austríaca, consequentemente, está convidada a seguir nosso exemplo". Para Viena, essa mensagem era ameaçadora. A verdadeira ameaça chegou quando Pedro assinou o tratado de aliança com Frederico. Pedro explicou esse ato dizendo que, como seus auxiliares tinham se mostrado inúteis, ele se viu, lamentavelmente, obrigado a recorrer a medidas extremas no sentido de dar assistência ao rei da Prússia com seu Exército, sendo este o meio mais rápido de trazer as bênçãos da paz à humanidade. Ordenou ao general Zakhar Chernyshev, comandante de tropas russas junto ao Exército austríaco na Silésia (e admirador ardoroso de Catarina, 14 anos antes) que se unisse ao Exército prussiano, com sua força de 16 mil soldados de infantaria e mil cossacos, para lutar contra a Áustria. Diante dessa traição e do colapso de todos os seus anos de serviço na Rússia, o conde Mercy pediu seu retorno a Viena, recomendando que enviassem em seu lugar um diplomata de terceiro escalão.

Visto que a Rússia desfazia a aliança e mudava de lado, a Áustria e a França não tinham alternativa, exceto negociar com a Prússia. Os franceses ficaram indignados. O duque de Choiseul, ministro do Exterior de Luís XV, disse ao embaixador russo: "Senhor, a manutenção de compromissos solenes deveria se sobrepor a qualquer outra consideração." O próprio Luís XV declarou que, embora estivesse disposto a negociar aberturas para uma paz durável e honrosa, precisava agir em total acordo com seus aliados. Ele se julgaria um traidor se tomasse parte em negociações secretas, e mancharia a honra da França se desertasse de seus aliados. O resultado foi uma ruptura das relações diplomáticas russas com a França e a volta dos embaixadores em São Petersburgo e em Paris.

Pedro havia provocado e insultado a Igreja Ortodoxa, enfurecido e alienado o exército, e traído seus aliados. Todavia, uma oposição efetiva ainda precisava de uma causa específica para se manifestar. O próprio Pedro forneceu-a empenhando-se para impor à nação, já exausta, uma nova e frívola guerra – contra a Dinamarca.

Como duque de Holstein, Pedro herdara as queixas de seu ducado contra a monarquia dinamarquesa. Em 1721, a pequena província de Schleswig, então possessão hereditária dos duques de Holstein, havia sido tomada e entregue à Dinamarca pela Inglaterra, França, Áustria e Suécia. Mal subiu ao trono russo, Pedro passou a insistir em seus "direitos". Em 1º de março, antes mesmo que a paz com a Prússia fosse consumada, ele exigiu saber se a Dinamarca estava preparada para atender a sua demanda por Schleswig; caso contrário, seria obrigado a tomar medidas extremas. Os dinamarqueses propuseram uma conferência, e o embaixador inglês recomendou negociar: por que o poderoso imperador da Rússia entraria em guerra com a Dinamarca por uns poucos vilarejos? Mas logo todos viram que, em se tratando de Holstein, Pedro iria fazer o que bem quisesse e até o conselho de seu novo aliado, Frederico da Prússia, era incapaz de contê-lo. Até então, Pedro tinha sido maleável nas mãos prussianas, mas agora, mesmo aqueles germânicos de cabeça dura viam sua obstinação. Por fim, em 3 de junho, Pedro concordou com uma conferência em Berlim, mediada por Frederico, mas estipulou que as propostas da Rússia tinham de ser vistas como um ultimato à Dinamarca e que a rejeição delas significava guerra.

A correção de um erro cometido contra seu ducado era um motivo para provocar a guerra, mas Pedro tinha um segundo motivo. Após idealizar o rei guerreiro prussiano, se vangloriar de que ele, Pedro, havia derrotado os "ciganos" quando criança em Kiel, após pôr em marcha soldadinhos de brinquedo nas mesas de um palácio imperial e comandar soldados de verdade num pátio de manobras, ele queria ser herói num verdadeiro campo de batalha. Pedro acabara de proclamar a seus aliados e à Europa sua paixão pela paz, mas agora se preparava para atacar a Dinamarca. O Exército russo, despojado da sofrida vitória sobre a Prússia, agora deveria derramar seu sangue numa campanha que nada tinha a ver com os interesses da Rússia.

Incapaz de dissuadir Pedro de declarar essa guerra tão pouco depois da subida ao trono, Frederico II instou com seu admirador para que tomasse precauções antes de deixar a Rússia: "Francamente, não confio nesses seus russos", ele disse. "E se, durante sua ausência, houver uma trama para destronar Vossa Majestade?" Aconselhou Pedro a ser coroado e consagrado em Moscou antes de partir, mandar prender todas as pessoas não confiáveis e sair de São Petersburgo com uma guarnição de seus leais homens de Holstein. Pedro recusou-se a ser persuadido; achou que não precisava daquilo. "Se os russos quisessem me fazer mal", escreveu ele a Frederico, "teriam feito isso muito tempo atrás, pois eu não tomava maiores precauções e caminhava livremente pelas ruas. Asseguro a Vossa Majestade que, quando se sabe lidar com os russos, pode-se estar bastante seguro quanto a eles."

Um exército russo de 40 mil veteranos já estava reunido na ocupação da Pomerânia da Prússia. Pedro, sem esperar até ter chegado lá, ordenou o avanço das tropas. Os dinamarqueses se movimentaram primeiro e encontraram os russos em Mecklenburg. Então, para espanto dos comandantes dinamarqueses, os russos a sua frente começaram a recuar.

A charada foi decifrada dias depois. Tinha havido um *coup d'état* em São Petersburgo. Pedro III havia sido derrubado, abdicara e fora feito prisioneiro. Sua esposa, agora com o título de Catarina II, tinha sido proclamada imperatriz da Rússia.

43
"*DURA!*"

NÃO SE SABE EXATAMENTE quando os primeiros passos da conspiração para remover Pedro III do trono vieram à mente de Catarina. Consorte de Pedro, já havia se tornado imperatriz da Rússia. Politicamente, porém, isso nada significava. Desde o início do reinado, ela fora relegada ao isolamento e humilhação. "Parece que a imperatriz não é muito consultada", o embaixador inglês comunicou a Londres, acrescentando que ele e seus colegas diplomatas "pensamos que o melhor meio de obter sucesso não é nos dirigirmos direta ou particularmente à Sua Majestade, a imperatriz". Breteuil, o embaixador francês, escreveu que "a imperatriz está entregue à tristeza e a maus pressentimentos. Quem a conhece diz que está irreconhecível".

A posição de Catarina era particularmente delicada, já que estava grávida. Tendo sua atividade física severamente restrita, pouco havia que ela pudesse fazer para liderar, ou mesmo encorajar, a deposição do marido. Quando mais ponderava sobre sua situação, maiores se assomavam os riscos, e ela concluía que o melhor rumo a tomar era se retirar totalmente da vida na corte e não fazer nada, a não ser esperar para ver como Pedro desempenhava seu papel de imperador. Catarina jamais renunciou a sua ambição, simplesmente se permitia ser guiada pela paciência.

Como ela já imaginava que pudesse acontecer, as injúrias e insultos de Pedro lançados contra ela aumentavam sua popularidade. Em 21 de fevereiro, dia do aniversário de Pedro, Catarina foi obrigada a colocar uma faixa da Ordem de Santa Catarina no vestido de Elizabeth Vorontsova, honraria antes concedida apenas a imperatrizes e grã-duquesas. Todos entenderam a intenção de insultar Catarina publicamente, o que lhe valeu maior solidariedade. Breteuil, o embaixador francês, escreveu: "A imperatriz suporta com nobreza a conduta do imperador e a arrogância de Vorontsova." Um mês depois, seu relato dizia que ela estava "enfrentando suas atribulações com valentia; ela é tão amada e respeitada quanto o imperador é odiado e desprezado". Um fator favorável a Catarina era que toda a corte e todos os embaixadores estrangeiros consideravam a escolha da amante do imperador — agora suposta futura imperatriz — ridícula. Breteuil disse que Elizabeth Vorontsova tinha "a aparência e as maneiras de uma meretriz de taverna". Outro observador descreveu seu "rosto largo, inchado, cheio de marcas e uma silhueta gorda, atarracada, amorfa". Um terceiro relatou que ela era "feia, vulgar e estúpida". Ninguém conseguia entender a atração do imperador por ela.

Em seu apartamento isolado, o terceiro filho de Catarina, gerado por Gregório Orlov, nasceu em segredo no dia 11 de abril. Recebeu o nome de Alexis Gregorovitch (filho de Gregório) e mais tarde o título de conde Bobrinsky. Envolto em macias peles de castor, o bebê foi discretamente retirado do palácio para ficar aos cuidados da esposa de Vasily Shkurin, o fiel valete de Catarina. O próprio Shkurin providenciou uma artimanha e garantiu que o nascimento passasse despercebido. Sabendo que o imperador adorava incêndios, Shkurin esperou até que as contrações de Catarina ficassem muito fortes e então ateou fogo a sua própria casa na cidade, confiante em que Pedro e muitos da corte iriam correr para ver as chamas. Seu palpite foi correto, o fogo se espalhou para outras casas e Catarina ficou a sós com uma parteira para ter o bebê. Ela se recobrou rapidamente. Dez dias depois, gozando de plena saúde, recebeu dignitários que vieram cumprimentá-la pelo aniversário de 33 anos. Livre da gravidez que cerceava suas possibilidades de falar e agir publicamente, ela disse ao conde Mercy, embaixador austríaco, que detestava de todo o coração o novo tratado que seu marido fizera com o inimigo de ambos, a Prússia.

No mês de maio, a tensão aumentou em São Petersburgo. Os preparativos para a campanha de Pedro contra a Dinamarca prosseguiam, e alguns regimentos já tinham partido para Narva, o primeiro estágio na estrada para o campo de batalha. A cada passo na direção dessa guerra indesejada, a resistência se tornava mais intensa. Oficiais e soldados dos regimentos da Guarda, atormentados pela crescente influência prussiana em suas vidas, estavam enfurecidos com a perspectiva de uma campanha distante, sem sentido, contra a Dinamarca. Pedro ignorou essa oposição.

O péssimo relacionamento de Catarina e Pedro ficou inegavelmente óbvio no fim de abril, quando ele presidiu um banquete oficial para celebrar a aliança com a Prússia. Havia quatrocentos convidados no salão. O imperador, usando um uniforme azul prussiano, com a Ordem Prussiana da Águia Negra pendendo de uma faixa laranja à volta do pescoço, sentou-se à cabeceira da mesa. O embaixador prussiano sentou-se à sua direita, e Catarina ficou muito afastada. Pedro começou propondo três brindes. O primeiro, à saúde da família imperial. Os convidados se levantaram e beberam. Catarina permaneceu sentada. Ao colocar o copo de volta na mesa, rubro de raiva, Pedro mandou seu ajudante perguntar por que ela não tinha se levantado. Catarina mandou dizer que, como a família imperial se compunha apenas de seu marido, seu filho e ela mesma, achou que o marido não considerasse necessário ou apropriado ela se levantar. O ajudante retornou a ela para dizer que o imperador falou que ela era uma boba e deveria saber que os dois tios do imperador, ambos príncipes de Holstein e ambos presentes, também eram membros da família imperial. Mesmo assim, temendo que o mensageiro poderia amenizar o recado, Pedro se levantou e berrou uma única palavra: "*Dura!*" ("Boba!") Quando o insulto reverberou no salão, Catarina desfez-se em lágrimas. Para se recuperar, ela se voltou para o conde Stroganov, sentado a seu lado, e lhe pediu que contasse uma história engraçada.

Pedro deixou claro para todos não só seu desprezo pela esposa, mas que mal considerava Catarina ainda sua esposa. Na mesma noite, cambaleando de tanto beber, ele ordenou que Catarina fosse presa e levada para a fortaleza de Schlüsselburg. A ordem foi revogada diante do apelo urgente do tio de Catarina, príncipe Jorge Lewis de Holstein, novo comandante em chefe do exército russo.* Quando se tornou imperador, Pedro trouxe esse primo de Holstein para a Rússia a fim de comandar o exército na campanha contra a Dinamarca. Nessa qualidade, Jorge salientou a Pedro que a prisão da imperatriz geraria uma violenta indignação do exército. Pedro recuou e cancelou a ordem, mas o episódio era um aviso para Catarina. "Foi então", ela escreveu mais tarde a Poniatowski, "que passei a ouvir as propostas [de depor Pedro] que as pessoas me faziam desde a morte da imperatriz." Claro que ela já ouvia muito antes.

---

* Jorge Lewis era o irmão mais novo da mãe de Catarina e primo em segundo grau de Pedro. Foi ele o rapaz que julgou estar apaixonado por Catarina – então Sofia –, quando ela estava com 14 anos.

O episódio *"Dura!"* dirigiu todos os olhares para Catarina. Externamente ela suportava a humilhação pública com dignidade e resignação, mas era só fachada. Catarina nunca se resignou de fato com esse tratamento. Era evidente para ela que a hostilidade de Pedro tinha evoluído para a determinação de acabar com o casamento e tirá-la da vida pública. Entretanto, Catarina mantinha posições fortes. Era a mãe do herdeiro; sua inteligência, competência, coragem e patriotismo eram amplamente conhecidos; e, enquanto Pedro acumulava mancadas em cima de mancadas, a popularidade dela se elevava. O momento de agir se aproximava.

Em 12 de junho, Pedro foi de São Petersburgo para Oranienbaum para dar treinamento aos 1.400 soldados de Holstein antes de mandá-los para a guerra. Rumores de inquietação na capital o alcançaram, mas sua única medida de cautela foi ordenar que Catarina saísse da cidade. Deu-lhe instruções para não se dirigir a Oranienbaum, onde ela havia passado 16 verões (Oranienbaum agora era domínio de Vorontsova, futura imperatriz), mas a Peterhof, 10 quilômetros adiante. Catarina viajou para Peterhof no dia 17 de junho. Por precaução, deixou Paulo na capital com Panin. Enquanto isso, os irmãos Orlov circulavam entre os guardas, distribuindo dinheiro e vinho para os homens nos quartéis, dizendo que tudo aquilo era dado pela imperatriz Catarina.

Panin, os Orlov e Dashkova entendiam que a crise estava próxima. O apoio de Panin era firme. Que afinidade poderia haver entre um monarca papalvo, falastrão, fingindo ser soldado, imitando a linguagem de caserna, e um estadista altamente instruído, elegante, reservado por natureza, de gosto delicado, que passara metade da vida em cortes usando peruca empoada, punhos de renda e elaborados trajes de brocado? Havia mais que a diferença de estilo. Pedro tinha falado em mandar Panin de volta à Suécia, onde sua missão como embaixador da Rússia seria defender os interesses de Frederico e da Prússia, em contradição direta com a visão política de Panin. Esse cauteloso diplomata jamais teve a intenção de ser o principal líder de uma revolução, mas Panin agora tinha se tornado não só o guardião do herdeiro e filho de Catarina, mas também seu principal conselheiro em assuntos ministeriais nesse momento crítico da vida dela. Estava muito bem qualificado.

Outra pessoa poderosa se uniu à imperatriz. Era o conde Kyril Razumovsky, que, 12 anos antes, cavalgava 65 quilômetros todos os dias para ver Catarina. Culto e muito simpático, um homem que todos na corte admiravam, estava penando sob o reinado de Pedro III. Razumovsky, que engordara bastante, sabia como ficava ridículo vestindo o apertado uniforme prussiano, e como sua falta de jeito nos treinamentos tanto irritava quanto divertia o imperador. Quando Pedro se vangloriou de que o rei Frederico lhe dera a patente de coronel do Exército prussiano, Razumovsky replicou causticamente: "Vossa Majestade pode se vingar dando-lhe a patente de marechal de campo do exército russo." Razumovsky já tinha apostado em Catarina, e podia ajudar de muitas maneiras. Além de chefe dos cossacos, era coronel do regimento Izmailovsky da Guarda e presidente da Academia Russa de Ciências. Num momento crítico, Razumovsky disse ao diretor da gráfica da academia para imprimir cópias de um manifesto, redigido por Panin e aprovado por Catarina, declarando que Pedro III tinha abdicado, e Catarina assumira o trono. Apavorado, o diretor protestou, dizendo que aquilo era prematuro e perigoso. Razumovsky encarou-o e falou: "Agora você também sabe demais e sua cabeça está tão em risco quanto a minha. Faça o que eu digo."

Nada, porém, poderia ser feito sem a Guarda. Por acaso, Gregório Orlov tinha sido designado tesoureiro da artilharia da Guarda, o que lhe dava acesso a fundos substanciais, que foram usados para pagar os vinhos distribuídos aos soldados. No final de junho, ele e seus irmãos tinham o apoio de cinquenta oficiais e, supunham, milhares de várias patentes nas fileiras. Um dos oficiais mais entusiásticos era o capitão Passek, da Guarda Preobrazhensky.

Assim, enquanto Pedro estava em Oranienbaum preparando sua campanha militar contra a Dinamarca, os conspiradores planejavam o golpe contra ele. A primeira ideia foi pegar Pedro em seu quarto no palácio, declarando que ele não tinha competência para reinar, como Elizabeth fizera com Ivan VI e a mãe enquanto dormiam, 21 anos antes. A partida para Oranienbaum, onde Pedro estaria rodeado por centenas de leais soldados de Holstein, frustrou esse plano. Em substituição, concordaram com a proposta de Panin, de que Pedro fosse preso quando voltasse à capital para assistir à partida dos regimentos da Guarda para a guerra na Dinamarca. As Guardas, ainda em São Petersburgo e instruídas pelos Orlov, deporiam Pedro e jurariam lealdade a Catarina.

Em 7 de junho, membros do séquito do imperador receberam ordem de estarem prontos em dez dias. A Guarda Preobrazhensky deveria estar preparada para seguir para a Alemanha em 7 de julho. As embaixadas estrangeiras foram informadas de que o imperador desejava que todos os embaixadores estrangeiros o acompanhassem quando ele partisse para comandar o exército. Mas Mercy, da Áustria, já havia ido para Viena, e Breteuil foi às pressas para Paris. De todos os diplomatas importantes na capital, apenas Keith, da Inglaterra, foi arrumar seus baús. A esquadra russa em Kronstadt recebeu ordens de estar pronta para partir. O almirante reportou que, infelizmente, muitos marinheiros estavam doentes. Pedro respondeu com um decreto comandando a todos os marinheiros que "se recuperassem imediatamente".

O clima em Oranienbaum permanecia notavelmente pacífico. Pedro parecia quase relutante em partir. Em 19 de junho, houve a apresentação de uma ópera em que Pedro tocou seu violino junto com a orquestra da corte. Catarina foi convidada e veio de Peterhof. Foi a última vez que marido e mulher se encontraram.

Na noite de 27 de junho, Passek, capitão da Guarda e conspirador, foi abordado por um soldado que lhe perguntou se era verdade o boato de que haviam descoberto uma conspiração, e a imperatriz fora presa. Passek desmentiu a história; o soldado foi procurar outro oficial, que ignorava a conspiração, repetiu a pergunta e a reação de Passek. O oficial imediatamente prendeu o soldado e foi relatar o caso a seu superior. Esse superior mandou prender o capitão Passek e enviou um relatório ao imperador em Oranienbaum. Pedro desconsiderou o aviso. Achou que a presença dos principais ministros de Estado e suas esposas em Oranienbaum era uma garantia de bom comportamento na capital. Descartou a ideia de que os russos prefeririam Catarina a ele como governante. Quando chegou um segundo relatório sobre a crescente inquietação em São Petersburgo, Pedro, que estava tocando violino e detestava interrupções, ficou impaciente e ordenou que deixassem o relatório em cima de uma mesinha ali ao lado para ler depois. E esqueceu.

Na capital, a notícia da prisão de Passek alarmou os líderes da conspiração. Gregório Orlov correu a perguntar a Panin o que deveria ser feito, e o encontrou com a princesa Dashkova. Panin concordou com a possibilidade de Passek ser torturado e, nesse caso, os conspiradores só teriam algumas horas de liberdade. Precisavam agir rapidamente. Era preciso trazer Catarina de volta à capital e proclamá-la imperatriz, sem esperar pela prisão e deposição do imperador. Panin, Dashkova e Orlov concordaram que Alexis, irmão de Gregório, deveria ir correndo a Peterhof e trazer Catarina de volta à cidade. Os outros irmãos Orlov iriam percorrer os quartéis da Guarda avisando que a vida da imperatriz estava em perigo e preparando os regimentos para socorrê-la. Gregório iria em pessoa ao quartel da Guarda Izmailovsky, comandado por Kyril Razumovsky, situado nos limites da cidade, na estrada a oeste para Peterhof e Oranienbaum. Seria a primeira unidade da Guarda aonde Catarina chegaria escoltada desde Peterhof. Alexis Orlov chegou à reunião, contaram o que estava acontecendo, saiu imediatamente, e pegou na rua uma carruagem comum de aluguel. Naquele veículo sem pompa e sem conforto, seguiu através da luminosa noite prateada pela estrada que levava a Peterhof, a 32 quilômetros de distância.

Na manhã seguinte, sexta-feira, 28 de junho, Catarina estava dormindo no pequeno pavilhão Mon Plaisir, construído por Pedro, o Grande, à beira da água, nos jardins de Peterhof. Em estilo holandês, o pequeno prédio se projetava numa varanda estreita a pouco mais de um metro acima das ondas mansas do golfo da Finlândia. Às cinco horas da madrugada, a imperatriz foi despertada por uma criada. Logo em seguida, Alexis Orlov, chegando de São Petersburgo, entrou silenciosamente no quarto e sussurrou: "*Matushka*, mãezinha, acorde! Chegou a hora! Levante-se e venha comigo! Está tudo pronto para sua proclamação!"

Assustada, Catarina se sentou na cama.

— Como assim? — perguntou.

— Passek foi preso — disse Orlov.

Sem uma palavra, a imperatriz se levantou e pôs um vestido preto simples. Sem pentear os cabelos nem se empoar, acompanhou Orlov até os jardins, onde a carruagem alugada estava à espera. Catarina embarcou acompanhada pela serva e o valete Shkurin, enquanto Orlov se instalava na boleia, ao lado do cocheiro. Partiram de volta à capital, a 32 quilômetros de distância, mas os dois cavalos, que já haviam percorrido aqueles 32 quilômetros naquela noite, estavam exaustos. Felizmente, apareceu na estrada uma carroça de um camponês puxada por dois cavalos de fazenda. Persuadido por argumentos e moedas, o camponês concordou em trocar seus cavalos descansados pelos dois cansados e, nesse estilo rústico, a futura imperatriz prosseguiu em direção a seu destino. A meio caminho, cruzaram com o cabeleireiro de Catarina, que vinha pentear-lhe os cabelos naquele dia. A imperatriz o dispensou, dizendo que não precisaria dele. Depois, perto da capital, encontraram uma carruagem trazendo Gregório Orlov e o príncipe Bariatinsky, que vinham ao encontro deles. Gregório levou Alexis e Catarina para sua carruagem e seguiu diretamente para o quartel da Guarda Izmailovsky.

Eram nove horas da manhã do dia 28 quando chegaram ao pátio do quartel. Gregório saltou da carruagem e correu a anunciar a chegada de Catarina. Um tamboreiro apareceu, meio confuso, seguido por uns dez soldados, alguns ainda semivestidos, outros colocando a espada na cinta. Eles se acercaram de Catarina, beijando-lhe as mãos, os pés e a barra do vestido preto. Quando um maior número de soldados se reuniu, Catarina disse que sua vida e a de seu filho estavam ameaçadas pelo imperador, e que não era por sua pessoa, mas por seu amado país e a sagrada Igreja Ortodoxa que ela era compelida a se colocar sob a proteção deles. A reação foi entusiástica. Kyril Razumovsky, o popular coronel do batalhão e aliado de Catarina, chegou, dobrou o joelho diante da imperatriz e beijou sua mão. No mesmo local, o capelão do regimento, segurando uma cruz, fez um juramento de lealdade a "Catarina II da Rússia". Foi só o começo.

Os Izmailovsky, tendo Razumovsky cavalgando à frente com a espada desembainhada, escoltaram Catarina até o quartel da Guarda Semyonovsky, ali perto. Os Semyonovsky acorreram para receber Catarina e jurar lealdade. Ela decidiu entrar logo na capital. Precedida por capelães e outros clérigos, e seguida por uma massa de homens da Guarda aplaudindo, chegou à catedral de Nossa Senhora de Kazan, na avenida Nevsky Prospekt. Ali, flanqueada pelos irmãos Orlov e Razumovsky, ficou de pé diante do iconostasis (painel de ícones) enquanto o arcebispo de Novgorod a proclamava solenemente *gosudarína* (soberana autocrata) Catarina II, e seu filho, Paulo Petrovich, herdeiro do trono.

Cercada pelos aplausos da multidão, com sinos tocando em toda a cidade, a imperatriz foi caminhando pela Nevsky Prospekt até o Palácio de Inverno. Lá surgiu um obstáculo. O regimento de veteranos da Guarda Preobrazhensky havia hesitado. A maioria dos soldados apoiava Catarina, mas alguns oficiais, tendo jurado defender o imperador, estavam indecisos. Após uma discussão entre eles, os soldados afivelaram as espadas, agarraram os mosquetes, arrancaram fora os apertados uniformes prussianos e vestiram tantos de seus velhos casacos verde-garrafa quantos puderam encontrar. Mais parecendo uma turba do que um destacamento militar, correram para o Palácio de Inverno, encontrando-o já cercado e guardado pelos regimentos Izmailovsky e Semyonovsky. Os Preobrazhensky gritaram para Catarina: "*Matushka*, perdoe termos chegado por último. Nossos oficiais nos retiveram e, para mostrar nossa sinceridade, prendemos quatro deles. Queremos o mesmo que nossos irmãos!" A imperatriz respondeu com acenos, sorrisos, e encaminhou o arcebispo de Novgorod para pronunciar o juramento de lealdade dos recém-chegados.

Pouco depois de a imperatriz ter entrado no Palácio de Inverno, lá chegaram um senhor mais velho e um menino, ainda em trajes de dormir. Era Panin, trazendo nos braços o pequeno Paulo. Na varanda do palácio, Catarina apresentou à multidão seu filho, de 8 anos, como herdeiro do trono. Nesse momento, Panin abandonou a ideia de que Catarina deveria atuar como regente. Catarina já era ungida de Deus, a soberana autocrata. Logo chegou mais uma pessoa atrasada. A princesa Dashkova estava em casa quando soube que Catarina havia retornado à cidade em triunfo. Partiu imediatamente para se reunir à sua idolatrada, mas foi forçada a descer da carruagem, imobilizada pela densa multidão na avenida Nevsky Prospekt. Espremendo-se e se acotovelando, conseguiu passar pela massa reunida na praça do palácio. Chegando lá, foi reconhecida por membros do regimento de seu marido, que a levantaram acima de suas cabeças e foram passando a frágil senhorinha de mão em mão, até o alto da magnífica escada branca de mármore, de Rastelli. Aterrissando aos pés de Catarina, ela gritou: "O Céu seja louvado!"

No palácio, membros do Senado e do Sagrado Sínodo esperavam para cumprimentar a nova imperatriz e ouvir seu primeiro manifesto. Este declarava que Catarina, movida pelos perigos que ameaçavam a Rússia e a religião ortodoxa, no afã de resgatar a Rússia de uma vergonhosa dependência de potências estrangeiras, e sustentada pela Divina Providência, cedera ao claro desejo de seus leais súditos de que ela ascendesse ao trono.

À tarde, Catarina estava numa posição de comando na capital. Tinha o apoio das Guardas, do Senado, do Sagrado Sínodo e do povo nas ruas. A calma prevaleceu na cidade e não houve derramamento de sangue. Mas ela bem sabia que, se era a senhora de São Petersburgo, aclamada pelos regimentos e pelos líderes políticos, Pedro não estava a par disso. Ele ainda supunha ser o imperador. Possivelmente, ainda tinha a lealdade do exército na Alemanha e da esquadra em Kronstadt. Os soldados de Holstein em Oranienbaum certamente apoiariam seu senhor. Para confirmar sua vitória, Catarina precisava localizar Pedro e convencê-lo a abdicar, os homens de Holstein precisavam ser desarmados, a frota e todos os soldados russos perto da capital precisavam ser persuadidos a dar a ela seu apoio. A chave do sucesso era o próprio Pedro. Ele continuava em liberdade, sem ter abdicado e sem ter sido deposto. Se ele conseguisse alcançar o exército russo na Alemanha, pedindo apoio ao rei da Prússia, uma guerra civil seria inevitável. Portanto, era preciso ser encontrado, detido e forçado a aceitar o que tinha acontecido.

Ao fim daquele dia tumultuado e triunfal, Catarina estava exausta, mas, sustentada pelo excitamento e a ambição, decidiu concluir o que tinha começado. Uma força valorosa da Guarda comprometida com ela marcharia para Oranienbaum e prenderia Pedro III. Catarina tomou a drástica decisão de liderar a marcha. Primeiro, proclamou-se coronel da Guarda Preobrazhensky, que era uma patente e um privilégio tradicionais dos soberanos na Rússia. Tomando emprestadas várias peças dos uniformes verde-garrafa de jovens oficiais obsequiosos da Preobrazhensky, ela vestiu o uniforme e colocou o chapéu preto de três pontas da Guarda, encimado com folhas de carvalho. Como não estava completo seu equipamento, um subalterno da Guarda da Cavalaria, de 22 anos, saiu das fileiras para entregar à imperatriz a alça de espada que lhe faltava. Os oficiais reagiram com um olhar severo àquela impertinência, mas a atitude altiva e confiante do rapaz agradou à imperatriz, que aceitou o presente com um sorriso. Perguntou o nome dele: era Gregório Potemkin. Seu rosto, seu nome e seu ato jamais seriam esquecidos.

Já eram dez horas da noite. Catarina, montando um corcel branco à frente de três regimentos da Guarda, da cavalaria, além de dois regimentos da infantaria, liderou 14 mil homens de São Petersburgo a Oranienbaum. A cena era dramática, com a figura esguia de Catarina, esplêndida amazona, à frente da longa coluna de homens em marcha. Ao lado dela, seguiam Kyril Razumovsky, coronel da Guarda Semyonovsky, e a princesa Dashkova, também vestindo um uniforme da Preobrazhensky que pegou emprestado de um jovem tenente. Era o momento de glória da princesa, cavalgando ao lado da imperatriz adorada, e parecendo, nas palavras dela, "um menino de 15 anos". Naquela noite, ela se via como a figura central da grande aventura. Essa presunção acabaria levando-a a perder a amizade da imperatriz, que tanto valorizava, mas naquela noite nada turvava seu relacionamento com Catarina. Apesar do entusiasmo com a empreitada, todos – a imperatriz, a princesa, os oficiais e os soldados – estavam exaustos. Quando a coluna chegou a uma cabana de madeira na estrada de Peterhof, Catarina fez uma parada. Os homens deram água aos cavalos e acamparam a céu aberto. Catarina e Dashkova, inteiramente vestidas, se deitaram lado a lado numa cama estreita na cabana, mas ambas estavam agitadas demais para conseguir dormir.

Antes de sair de São Petersburgo, Catarina enviou mensagens. Uma foi para a fortaleza da ilha Kronstadt, e aos navios atracados lá, comunicando sua vitória. Um correio especial foi despachado para o exército na Pomerânia, autorizando o irmão de Nikita Panin, general Pedro Panin, a assumir o cargo de comandante. Outro correio foi mandado para o general Zakhar Chernyshev, na Silésia, ordenando que trouxesse suas tropas de volta à Rússia imediatamente. Se o rei da Prússia tentasse impedir, Chernyshev tinha ordens de "se aliar às tropas de Sua Majestade Imperial Romana, a imperatriz da Áustria, que estiverem nas proximidades". Deixou também um memorando para o Senado, dizendo: "Vou partir com o exército a fim de assegurar e salvaguardar o trono e deixo aos vossos cuidados, como meus mais altos representantes, e com total confiança, a pátria, o povo e meu filho."

Naquela manhã de 28 de junho, ao mesmo tempo que Catarina era proclamada Soberana Autocrata de Todas as Rússias na catedral de Kazan em São Petersburgo, Pedro III, vestindo seu uniforme prussiano azul, treinava seus soldados de Holstein no pátio de manobras em Oranienbaum. Isso feito, mandou vir seis carruagens grandes para levá-lo juntamente com sua *entourage* a Peterhof, onde, como havia informado a Catarina, ele iria comemorar o dia do santo de seu nome na Festa de São Pedro e São Paulo. Na comitiva do imperador, estavam Elizabeth Vorontsova, seu tio, o chanceler Miguel Vorontsov, o embaixador prussiano, barão Von Goltz, o conde Alexander Shuvalov, o veterano marechal de campo conde Münnich e o alto senador príncipe Trubetskoy. Muitos desses dignitários estavam acompanhados das esposas, e havia também 16 jovens damas de honra a serviço da presumível futura imperatriz. A caravana partiu sem a costumeira escolta de hussardos. Pedro tinha esquecido de dar a ordem.

Muito animados, chegaram a Peterhof às duas da tarde. As carruagens estacionaram em frente ao pavilhão Mon Plaisir, onde Catarina deveria estar à espera para cumprimentar o consorte pelo dia do seu padroeiro. Encontraram todas as portas e janelas fechadas e ninguém para recebê-los. De fato, não havia ninguém lá, à exceção de um servo atemorizado que só conseguiu lhes dizer que a imperatriz havia partido de manhã cedo e não sabia para onde ela fora. Recusando-se a acreditar no que via e ouvia, Pedro entrou na casa vazia, saiu correndo de quarto em quarto, espiando embaixo das camas, levantando colchões, sem nada encontrar além do vestido de gala deixado na noite anterior para Catarina usar na cerimônia do dia de seu padroeiro. Enfurecido por Catarina ter estragado seu dia, gritou para Vorontsova: "Eu não disse que ela é capaz de tudo?" Passada uma hora de tumulto e pasmo, o chanceler Miguel Vorontsov se propôs a voltar a São Petersburgo, aonde supunham que Catarina tivesse ido, para obter informações e "falar seriamente com a imperatriz". Alexander Shuvalov e o príncipe Trubetskoy se ofereceram para acompanhá-lo. Às seis horas da tarde, quando chegaram à cidade, Catarina ainda estava lá, e Vorontsov fez o que pôde para convencê-la a não pegar em armas contra seu marido e soberano. A resposta de Catarina foi levá-lo a uma varanda do palácio e apontar para a multidão entusiasmada. "Dê sua mensagem a eles, senhor", ela disse. "São eles que comandam aqui. Eu só obedeço." Vorontsov foi levado à casa dele, e naquela noite escreveu a Catarina como sua "mui graciosa soberana, a quem o inescrutável decreto da Providência elevou ao trono imperial". Pediu dispensa de todos os seus cargos e deveres e permissão para passar o restante de seus dias em retiro. Antes do cair da noite, Alexander Shuvalov jurou lealdade a Catarina.

Às três da tarde, depois que os três emissários haviam partido de Peterhof, Pedro recebeu uma primeira informação, imprecisa, sobre o golpe. Uma barcaça, vindo da cidade, atravessou a baía trazendo fogos de artifício para a celebração da festa do padroeiro de Pedro naquela noite. O tenente a bordo, especialista em fogos, disse a Pedro que às nove da manhã, quando deixou a capital, havia grande agitação nos quartéis e nas ruas porque corria um boato de que Catarina tinha chegado à cidade, e algumas tropas a tinham proclamado imperatriz. Ele não sabia mais que isso porque havia recebido ordens de partir levando os fogos para Peterhof.

Aquela tarde em Peterhof estava quente e ensolarada, e os integrantes menores da corte de Pedro ficaram nos terraços, junto ao frescor das fontes, ou passearam no jardim sob o claro céu de verão. Pedro e seus principais conselheiros se reuniram ao lado do grande canal, onde ele ficou andando de um lado para o outro, enquanto ouvia os conselhos. Um oficial foi enviado a Oranienbaum com ordens de mandar os regimentos lá estacionados marcharem para Peterhof, onde, Pedro declarou, ele se defenderia até a morte. Quando os homens de Holstein chegaram, foram colocados na estrada para a capital, mas, sem entender que talvez recebessem ordens para lutar, haviam trazido apenas seus rifles de madeira usados para exercícios nos campos de manobras. Outro oficial foi enviado a Kronstadt, a oito quilômetros do outro lado da baía, com ordens de trazer de barco, para Peterhof, 3 mil homens da guarnição da ilha. Desencavaram um uniforme da Guarda Preobrazhensky para que Pedro vestisse em vez do azul prussiano. O velho soldado Münnich, numa tentativa de insuflar a virilidade de Pedro, instou com ele para vestir seu uniforme, seguir diretamente para a capital e aparecer diante do povo e da Guarda, lembrando a eles o voto de lealdade. O conselho de Goltz foi diferente: Pedro deveria ir para Narva, 112 quilômetros a oeste, onde parte do Exército destinado à guerra contra a Dinamarca estava estacionada. Ele marcharia à frente desse exército até São Petersburgo e retomaria o trono. Os homens de Holstein, mais conhecedores do caráter do amo, o aconselharam, sem rodeios, a fugir para Holstein, onde estaria em segurança. Pedro não fez nada disso.

Enquanto isso, o oficial enviado a Kronstadt chegou à fortaleza na ilha, onde encontrou o comandante da guarnição sem nada saber das confusões na capital e em Peterhof. Pouco depois, outro mensageiro enviado por Pedro chegou com uma contraordem dizendo que os 3 mil homens não fossem enviados a Peterhof, e simplesmente que o comandante da ilha defendesse a fortaleza de Kronstadt em nome do imperador. Em seguida, o mensageiro retornou a Peterhof informando que a fortaleza estava segura em nome do imperador. Pouco depois, o almirante Ivan Talyzin, comandante da marinha russa, e que naquela manhã havia jurado lealdade a Catarina, chegou a Kronstadt e assumiu o comando da fortaleza em nome da nova imperatriz. Os soldados da guarnição e as tripulações dos navios ancorados juraram lealdade a Catarina.

Às dez da noite, o enviado de Pedro voltou de Kronstadt a Peterhof com notícias que ele julgava serem boas – de que a fortaleza estava segura para o imperador –, mas, àquela altura, já não era verdade. Durante as seis horas de ausência do mensageiro, a situação em Peterhof havia se deteriorado. Membros da comitiva de Pedro deambulavam sem rumo ou dormiam nos bancos do parque. As tropas de Holstein, vindas diretamente de Oranienbaum, mas sem armas, estavam posicionadas para "repelir o ataque". Pedro, avisado de que Kronstadt era um porto seguro, decidiu ir para a ilha. Um enorme galeão ancorado ao largo foi trazido ao cais, onde ele embarcou levando muitos de seus oficiais. Recusou-se a deixar para trás Elizabeth Vorontsova e suas 16 apavoradas damas de honra.

Na baía, sob o brilho prateado das Noites Brancas, a visibilidade era quase tão boa quanto à luz do dia. O vento era favorável e, por volta de uma hora da madrugada, o galeão superlotado aproximou-se do porto de Kronstadt. A entrada do porto estava fechada por uma barreira. O barco lançou âncoras. Pedro embarcou num pequeno bote a remo e foi levado em direção à fortaleza para ordenar a retirada da barreira. O jovem oficial de serviço nos baluartes gritou que o bote parasse ou ele iria atirar. Pedro se levantou e tirou o casaco para expor o uniforme e a larga faixa azul da Ordem de Santo André. "Não me conhece?", ele gritou. "Sou seu imperador!"

"Não temos mais imperador!" foi a resposta. "Longa vida à imperatriz Catarina II! Agora ela é a nossa imperatriz e temos ordem de não deixar ninguém passar por essas barreiras. Qualquer movimento à frente e abrimos fogo!" Amedrontado, Pedro voltou rapidamente ao galeão, subiu a bordo e correu para a cabine do leme, onde desfaleceu nos braços de Elizabeth Vorontsova. Münnich assumiu o comando e deu ordem de voltar ao continente. Às quatro da madrugada, o galeão aportou em Oranienbaum, que ele considerava mais seguro que Peterhof.

Ao desembarcar, Pedro ficou sabendo que a imperatriz vinha marchando na direção dele, à frente de uma grande força militar. Ao ouvir isso, desistiu. Dispensou todos. Desfeito em lágrimas, disse a Goltz que voltasse a São Petersburgo porque ele já não poderia mais protegê-lo. Mandou embora todas as mulheres que coubessem nas carruagens, mas Elizabeth Vorontsova se recusou a abandoná-lo. Ele se deitou num sofá, emudecido. Pouco depois se levantou, mandou trazerem pena e papel, e escreveu a Catarina, em francês, pedindo perdão por seu comportamento com ela, prometendo melhorar, e oferecendo compartilhar o trono com ela. Entregou essa carta ao vice-chanceler, príncipe Alexander Golitsyn, para ser entregue à esposa.

Às cinco da manhã, 24 horas após Alexis Orlov tê-la acordado em Mon Plaisir, Catarina e seu exército retomaram a marcha. Na estrada para Peterhof, o príncipe Golitsyn encontrou Catarina e entregou-lhe a carta de Pedro. Lendo-a, e entendendo que oferecia só metade do que ela já possuía, comentou que para o bem do Estado eram requeridas outras medidas e não enviaria resposta. A reação imediata de Golitsyn foi fazer o juramento de lealdade à imperatriz Catarina.

Após esperar em vão por uma resposta de Catarina, Pedro escreveu uma segunda carta, propondo abdicar se pudesse levar Elizabeth Vorontsova com ele para Holstein. Catarina disse ao mensageiro, general Izmailov: "Aceito a proposta, mas preciso da abdicação por escrito." Izmailov retornou e, encontrando Pedro em desespero, sentado com a cabeça entre as mãos, disse: "Veja, a imperatriz quer ser amigável, e se você renunciar voluntariamente à coroa imperial, pode se retirar para Holstein sem ser molestado." Pedro assinou uma abdicação escrita nos termos mais abjetos. Declarou-se inteiramente responsável pela decadência do reino durante seu reinado e absolutamente incapaz de reinar. "Eu, Pedro, por minha livre vontade, declaro solenemente, não somente a todo o Império Russo, mas a todo o mundo, que renuncio para sempre ao trono da Rússia até o fim dos meus dias. E jamais tentarei reconquistá-lo a qualquer tempo ou com auxílio externo, e juro diante de Deus."

Acabou-se o reinado de seis meses de Pedro III. Anos depois, Frederico, o Grande, falou: "Ele se permitiu ser destronado como uma criança mandada para a cama."

❊44❊
"NÓS NEM SABEMOS O QUE FIZEMOS"

CAVALGANDO ADIANTE DO EXÉRCITO DE CATARINA, um grupo de cavaleiros liderado por Alexis Orlov entrou a galope no parque de Peterhof e rapidamente desarmou os impotentes soldados de Holstein. Ao saber que Pedro tinha saído de Peterhof, indo para Kronstadt e depois para Oranienbaum, Alexis partiu para Oranienbaum, distante 10 quilômetros, a fim de deter o ex-imperador. Lá chegando, encontrou Pedro com Elizabeth Vorontsova. Foi trazida uma pequena carruagem, havia anos sem uso e coberta de poeira. Cercada por uma escolta de guardas montados sob o comando de Alexis Orlov, a carruagem partiu de volta a Peterhof, levando Pedro e Elizabeth Vorontsova.

Simultaneamente, os regimentos de Catarina estavam chegando a Peterhof. Às 11 horas, a imperatriz, montando seu cavalo branco e com o uniforme da Guarda Preobrazhensky, chegou a Peterhof e desmontou em meio a um mar de homens dando vivas. Entre meio-dia e uma hora, a carruagem trazendo Pedro entrou no pátio do palácio. Houve um profundo silêncio. Pedro tinha sido advertido de não se mostrar nem falar uma palavra sequer com os homens enfileirados no caminho da carruagem. Quando Pedro saiu da carruagem, seu primeiro pedido foi ter permissão para ver Catarina. Foi recusado. Sem saber quando tornaria a ver Elizabeth Vorontsova, acreditando que a separação deles seria temporária, voltou-se para lhe dizer adeus. Nunca mais se veriam novamente. O ex-imperador foi conduzido por uma escada para um quartinho no palácio, onde entregou a espada e a faixa azul da Ordem de Santo André. Foram tiradas as altas botas pretas, o uniforme verde da Guarda Preobrazhensky, e lá ficou ele, em roupas de baixo e meias, uma figura trêmula, patética. Depois lhe trouxeram um roupão e chinelos.

Ainda naquela tarde, Nikita Panin chegou de São Petersburgo, e Catarina mandou que fosse ver seu marido. Panin ficou profundamente comovido com a aparência do ex-imperador. Anos depois, Panin disse: "Considero o maior infortúnio da minha vida ter sido obrigado a ver Pedro III naquelas condições." Panin levava a mensagem de que o ex-imperador era agora prisioneiro do Estado, e seu futuro incluía "aposentos decentes e convenientes" na fortaleza de Schlüsselburg – onde ele visitara Ivan VI três meses antes. Ficou implícito que mais tarde acabariam permitindo sua volta ao ducado de Holstein. Enquanto os aposentos eram preparados na fortaleza, Pedro teve permissão para escolher um lugar de confinamento temporário. Ele optou por Ropsha, uma casa de verão solitária, mas agradável, a 22 quilômetros dali.

Catarina não desejava aumentar a humilhação do marido. E não confiava muito em si mesma para vê-lo, sem saber se veria o menino que fora seu amigo 18 anos antes, quando ela chegou à Rússia, ou o bêbado grosseiro que lhe gritou "Boba!" num salão apinhado e a ameaçou com prisão. Sua preocupação era não perder o controle daquilo que, após anos de espera, ela finalmente conseguira. Era preciso deixar Pedro inofensivo. Era impossível deixá-lo voltar a sua terra natal, Kiel, embora ele continuasse duque de Holstein. Lá ele seria sempre um atrativo para quem quisesse usá-lo como ponto de reagrupamento de forças contra ela. O rei da Prússia estaria muito perto. Por que Frederico não usaria Pedro como um títere que poderia voltar a ser rei? Sua conclusão era que Pedro, assim como Ivan VI, teria de ficar prisioneiro na Rússia.

Mesmo no campo, em Ropsha, Pedro ainda seria uma ameaça em potencial. Para ter certeza de que ele seria bem vigiado, ela designou como seu carcereiro-chefe o severo e rude soldado Alexis Orlov, que tanto havia feito para garantir o sucesso do golpe. Junto com Orlov, outros três oficiais e um destacamento de cem soldados receberam ordens de tornar a vida de Pedro "tão agradável quanto possível e providenciar o que ele desejasse". Às seis horas daquela tarde, Pedro saiu de Peterhof para Ropsha numa carruagem grande, puxada por seis cavalos, com as cortinas fechadas, escoltado pela Guarda Montada. Na carruagem, além do ex-imperador, seguiam Alexis Orlov, o tenente príncipe Bariatinsky, o capitão Passek e outro oficial.

Nikita Panin, Alexis e Gregório Orlov, e Kyril Razumovsky, todos tinham desempenhado papéis significativos no golpe que levou Catarina ao poder. A princesa Dashkova, por sua vez, tinha sido supérflua. Tinha cavalgado para Peterhof ao lado da imperatriz e dividido com ela uma cama estreita durante umas poucas horas de descanso, mas não havia tomado parte em nenhuma das ações e decisões críticas. Ela conhecia os Orlov, mas não sabia do papel e status específicos de Gregório. Isso mudou subitamente. Depois que Pedro foi para Ropsha, Dashkova entrou por acaso no apartamento privativo da imperatriz no palácio de Peterhof. Ficou surpresa ao encontrar o tenente Orlov estendido num sofá, apoiando uma perna machucada numa escaramuça com alguns soldados de Holstein. Orlov tinha diante de si uma pilha de papéis com o selo oficial que estava abrindo e lendo. Catarina Dashkova, sem ter a menor ideia do relacionamento da imperatriz com Gregório – que a princesa considerava muito inferior, tanto à imperatriz como a ela mesma em classe social e inteligência –, ficou furiosa ao ver o soldado tão obviamente à vontade, lendo documentos oficiais.

– Com que direito você está lendo papéis que não são da sua competência? – ela perguntou. – Ninguém tem esse direito, a não ser a imperatriz e os autorizados por ela.

– Exatamente – respondeu Orlov sorrindo. – A imperatriz me pediu para abri-los.

– Duvido – Dashkova respondeu. – Isso deveria esperar até Sua Majestade indicar alguém mais qualificado para lê-los. Nem você nem eu temos experiência suficiente nessas questões – disse ela, saindo da sala.

Voltando mais tarde, ela encontrou Orlov ainda reclinado no sofá e, dessa vez, a imperatriz, relaxada e feliz, sentada ao lado dele. Perto do sofá, havia uma mesa de jantar posta para três pessoas. Catarina deu boas-vindas a Dashkova e convidou-a a se reunir a eles. Durante a refeição, a princesa notou a deferência com que a imperatriz tratava o jovem oficial, rindo e concordando com tudo o que ele falava, sem nenhum esforço para esconder a afeição por ele. Foi nesse momento, escreveu Dashkova mais tarde, que "Entendi, com indizível dor e humilhação, que havia uma ligação entre os dois".

O longo dia não havia terminado. Catarina sentia-se exausta, mas os oficiais e soldados da Guarda queriam voltar a São Petersburgo para festejar, e ela desejava agradar-lhes. Então, a vitoriosa imperatriz deixou Peterhof na mesma noite para retornar a São Petersburgo. Fez uma breve interrupção para algumas horas de sono e na manhã de domingo, dia 30 de junho, ainda em uniforme e ainda montando seu cavalo branco, fez uma entrada triunfante na capital. As ruas estavam apinhadas de pessoas animadíssimas, os sinos das igrejas tocavam, tambores rufavam. Catarina assistiu à missa e um *Te Deum* solene – e foi para a cama. Dormiu até meia-noite, quando um boato de que os prussianos estavam vindo se espalhou entre os soldados da Guarda Izmailovsky, muitos já embriagados, dada a generosa quantidade de álcool que tinham bebido. Temendo que ela pudesse ter sido sequestrada ou assassinada, saíram do quartel, marcharam para o palácio e exigiram ver a imperatriz. Ela se levantou, vestiu o uniforme e saiu para assegurar a todos que estava tudo bem. Ela estava em segurança, eles estavam em segurança, o império estava em segurança. Depois ela voltou para a cama e dormiu mais oito horas.

Às oito horas daquela noite, Pedro chegou a Ropsha. A casa de pedra, construída durante o reinado de Pedro, o Grande, era rodeada por um parque com um lago onde a imperatriz Elizabeth gostava de pescar. Ela dera a propriedade a Pedro, seu sobrinho. Alexis Orlov, responsável pelo prisioneiro, acomodou-o num pequeno quarto no andar térreo, com poucos itens além da cama. As cortinas das janelas ficavam bem fechadas, de modo que os soldados a postos em volta da casa não pudessem ver lá dentro. Mesmo ao meio-dia, o quarto permanecia na penumbra. Uma sentinela armada ficou montando guarda na porta. Trancado no quarto, Pedro não tinha permissão para andar pelo parque nem tomar ar no terraço. Teve permissão, entretanto, de escrever para Catarina, e nos dias seguintes lhe escreveu três cartas. A primeira:

> Rogo a Vossa Majestade que tenha confiança em mim e a bondade de ordenar aos guardas que desocupem o segundo quarto, pois o que ocupo é tão pequeno que mal posso me mexer. Como Vossa Majestade sabe, sempre ando pelo quarto e, se não posso fazê-lo, minhas pernas incham. Rogo também que nenhum guarda permaneça no mesmo quarto comigo, dado que preciso me aliviar e não poderia absolutamente fazer isso na frente deles. Por fim, rogo a Vossa Majestade não me tratar como criminoso, pois nunca a ofendi. Entrego-me à magnanimidade de Sua Majestade e imploro para me reunir na Alemanha com a pessoa de nome [Elizabeth Vorontsova]. Deus recompensará Vossa Majestade.
>
> Seu muito humilde e devotado servo,
Pedro
>
> Vossa Majestade pode estar segura de que não pensarei e não farei nada contra a pessoa ou o reino de Vossa Majestade.

A segunda carta:

> Vossa Majestade:
>
> Se não quiser destruir um homem já suficientemente infeliz, tenha piedade de mim e me envie meu único consolo, Elizabeth Romanovna [Vorontsova]. Seria o maior ato de caridade do seu reinado. E também, se Vossa Majestade me concedesse o direito de vê-la por um momento, meus mais elevados desejos seriam realizados.
>
> Seu humilde servo,
Pedro

A terceira carta:

> Vossa Majestade:
>
> Mais uma vez, já que segui seus desejos em tudo, rogo que me deixe partir para a Alemanha com as pessoas a quem pedi a Vossa

Majestade que me concedesse permissão. Espero que a magnanimidade de Vossa Majestade não permita que meu pedido seja em vão.

Seu humilde servo,
Pedro

Catarina deixou todas as cartas sem resposta.

O primeiro dia completo de prisão para Pedro foi domingo, 30 de junho. Na manhã seguinte, ele se queixou de ter passado uma péssima noite e jamais seria capaz de dormir apropriadamente até poder estar em sua cama de Oranienbaum. Catarina imediatamente mandou enviar-lhe numa carroça sua grande cama com dossel, coberta de cetim branco. A seguir, ele pediu seu violino, seu poodle, seu médico alemão e seu servo negro. A imperatriz ordenou que atendessem a todos esses pedidos. Na verdade, só chegou o médico. Sempre que o prisioneiro pedia para tomar ar lá fora, Alexis Orlov abria a porta, apontava para a sentinela barrando a saída e dava de ombros.

Catarina e seus conselheiros ainda não sabiam bem o que fazer com o ex-imperador. O plano original, de prendê-lo em Schlüsselburg, agora parecia inadequado. Schlüsselburg ficava a apenas 65 quilômetros da capital, e ele seria o segundo imperador deposto preso naquele bastião. Mandá-lo de volta para Holstein estava fora de cogitação. Mas se não fosse Schlüsselburg nem Holstein, para onde ele iria?

Não há provas de que Catarina tenha concluído que a morte de Pedro era necessária para sua sobrevivência política – ou até física. Ela concordava com os conselheiros: precisavam torná-lo "inofensivo". Catarina estava decidida a não correr riscos, e seus amigos estavam cientes dessa determinação. Por outro lado, ela era prudente demais para dar qualquer indício da conveniência de uma morte sem causas naturais. Entretanto, é possível que os Orlov tenham adivinhado seus pensamentos secretos e se convencido de que, desde que sua senhora não partilhasse de suas confidências, nem fosse colocada a par dos planos, eles poderiam, com segurança, livrá-la desse perigo. Certamente, os Orlov também tinham um forte motivo para dar fim à vida de Pedro. Gregório Orlov tinha esperanças de se casar com sua imperial senhora, e Pedro era um obstáculo. Mesmo destronado e preso, aos olhos de Deus Pedro ainda era o marido legítimo de Catarina e somente a morte poderia cortar o laço que os unia pela bênção da Igreja Ortodoxa. Se o ex-imperador viesse a falecer, não haveria impedimento religioso para a união de Catarina e Gregório. A imperatriz Elizabeth tinha se casado com Alexis Razumovsky, um camponês ucraniano. Ele, Gregório, oficial da Guarda, era superior a Razumovsky em classe e cargo.

Em Ropsha, a confusão mental e o medo do desconhecido afetavam a saúde de Pedro. Ficava alternadamente prostrado na cama ou andando de um lado para o outro no quartinho. Na terça-feira, seu terceiro dia de cativeiro, foi acometido de diarreia aguda. Na quarta-feira à tarde, teve uma dor de cabeça tão violenta que seu médico de Holstein, Dr. Luders, foi trazido de São Petersburgo. Na manhã de quinta-feira, não parecia melhor, e um segundo médico foi chamado. No mesmo dia, à tarde, os dois médicos declararam que o paciente estava se recuperando e, não desejosos de compartilhar seu encarceramento, retornaram à capital. A sexta-feira foi calma. Sábado de manhãzinha, sétimo dia de Pedro em Ropsha, enquanto o prisioneiro ainda estava dormindo, seu valete francês, Bresson, que tinha permissão de passear no parque, foi abruptamente agarrado, amordaçado, enfiado numa carruagem fechada e levado embora. Pedro não ficou sabendo; ninguém lhe contou. Às duas horas da tarde, ele foi convidado para almoçar com Alexis Orlov, o tenente Bariatinsky e os outros oficiais da sua guarda.

A única testemunha que relatou o evento subsequente confessou à própria imperatriz. Às seis horas da tarde de sábado, um cavaleiro vindo de Ropsha chegou a galope em São Petersburgo, levando um bilhete de Alexis Orlov. Estava escrito em russo, numa folha de papel cinza sujo. A caligrafia, rabiscada, era quase ilegível, e a mensagem beirava a incoerência. Parecia ter sido escrita por alguém trêmulo de bebida ou transtornado de preocupação. Talvez ambos.

> *Matushka*, mãezinha, muito misericordiosa *gosudarina*, senhora soberana, como posso explicar ou descrever o que aconteceu? Não vai acreditar nesse seu fiel servo, mas juro por Deus que digo a verdade, *matushka*. Estou pronto a morrer, mas eu mesmo não sei como veio a acontecer. Estamos perdidos sem a sua misericórdia. *Matushka*, ele se foi. Mas ninguém teve essa intenção. Como algum de nós poderia levantar a mão contra nosso *gosudar*, senhor soberano. Mas, *gosudarina*, aconteceu. No jantar, ele começou a discutir e brigou com o príncipe Bariatinsky sentado à mesa. Antes que pudéssemos

separá-los, ele estava morto. Nós nem sabemos o que fizemos. Mas somos todos igualmente culpados e merecemos morrer. Tenha piedade de mim, ainda que seja em consideração ao meu irmão [Gregório]. Confessei minha culpa e não me resta nada mais a dizer. Perdoe-nos ou me dê um fim rápido. O sol não vai mais brilhar para mim e a vida não vale mais a pena. Nós a irritamos e perdemos nossa alma para sempre.

O que aconteceu? Jamais serão conhecidas as circunstâncias e a causa da morte, nem as intenções e graus de responsabilidade dos envolvidos, mas talvez se possa fundir o que é sabido e o que é imaginado.

No sábado, 6 de julho, Alexis Orlov, o príncipe Teodoro Bariatinsky e outros convidaram o prisioneiro para almoçar com eles. Talvez tenham passado toda aquela semana imaginando quanto tempo ficariam afastados de seus afortunados companheiros que festejavam em São Petersburgo, enquanto eles ficavam tomando conta daquele sujeito desgraçado, desprezível. Todos beberam demais no almoço e, ou porque já tinham planejado tudo, ou porque irrompeu uma briga que fugiu ao controle, caíram sobre Pedro, tentando sufocá-lo debaixo de um colchão. Ele se debateu e fugiu. Foi apanhado, amarrado e estrangulado com um cachecol.

Se a morte de Pedro foi acidental, resultante de uma rixa de bêbados, depois do almoço, que fugiu ao controle, ou se foi um assassinato deliberado, premeditado, jamais se saberá. O tom frenético, semicoerente da carta rabiscada de Orlov, parecendo revelar medo da repercussão, juntamente com horror e remorso, sugere que ele não tinha pretendido chegar tão longe. Quando chegou à capital naquela noite, estava desgrenhado, banhado em suor e coberto de poeira. Alguém que o viu disse: "A expressão do rosto dele era aterrorizante." Os pedidos de Orlov, de misericórdia a Catarina – "Nós nem sabemos o que fizemos" e "Perdoe-nos ou me dê um fim rápido" –, sugerem que, mesmo admitindo estar presente na hora da morte de Pedro, isso não fora o planejado.

De todo modo, se a morte de Pedro foi não intencional ou planejada pelos oficiais, Catarina parecia ser inocente. Contudo, não era isenta de culpa. Havia colocado o marido nas mãos de Alexis Orlov, sabendo que ele era um soldado que não se abalava com mortes violentas e que odiava Pedro. Mas a carta de Alexis Orlov chocou Catarina. Seu fraseado desvairado e pedidos desesperados tornavam impossível acreditar que Catarina tinha conhecimento prévio de qualquer intenção de assassinato e dado seu consentimento. E Alexis Orlov não tinha a sofisticação nem a versatilidade de um escritor capaz de criar um texto tão delirante e abjeto. Na mente da princesa Dashkova, a carta de Orlov exonerava Catarina de qualquer suspeita de cumplicidade. No dia seguinte, quando Dashkova visitou sua amiga, foi recebida com as palavras: "Meu horror diante da morte dele é indizível. Esse golpe me abalou totalmente!" A princesa, ainda se achando em termos de igualdade com a imperatriz nos eventos recentes, não se absteve de dizer: "Foi uma morte muito súbita, madame, para sua glória e para a minha."

Seja como for, Catarina precisava lidar com as consequências. Seu marido, o ex-imperador, fora morto sob a custódia de amigos e correligionários dela. Deveria prender Alexis Orlov e os outros oficiais de Ropsha? Se fizesse isso, qual seria a reação de Gregório, pai de seu filho de três meses? Qual seria a reação dos homens da Guarda? Qual seria a reação do Senado, de São Petersburgo e do povo russo? Sua decisão, talvez tomada por recomendação de Panin, foi tratar a morte como uma fatalidade médica. Para lidar com o conhecimento geral de que os oficiais encarregados de vigiar seu marido o odiavam, ela ordenou um exame *post-mortem*. O corpo foi dissecado por médicos em que ela confiava para isentar Alexis Orlov. Ao abrir o corpo, os médicos obedeceram à ordem de pesquisar apenas envenenamento. Não encontrando provas, relataram que Pedro havia morrido de causa natural, provavelmente um ataque hemorroidal agudo – uma "cólica" – que tinha afetado seu cérebro e causado um ataque apoplético. Catarina emitiu uma proclamação, redigida com o auxílio de Panin:

> No sétimo dia do nosso reinado, recebemos a notícia, para nosso grande pesar e aflição, de que foi a vontade de Deus pôr fim à vida do ex-imperador Pedro III por um grave ataque de cólica hemorroidal. Ordenamos que seus restos mortais fossem levados para o monastério Alexander Nevsky. Pedimos a todos os nossos fiéis súditos que se despeçam de seus restos terrenos sem rancor e ofereçam preces pela salvação de sua alma.

Panin aconselhou também que o corpo fosse exibido da maneira mais normal que se conseguisse. Julgava ser mais prudente mostrar um Pedro morto do que arriscar gerar uma crença de que ele ainda estava vivo, escondido em algum lugar, e pudesse reaparecer. O corpo do ex-imperador, exposto no monastério Alexander Nevsky, em São Petersburgo, havia sido enfiado à força no uniforme azul de oficial da cavalaria de Holstein, traje que Pedro adorava usar, mas que, nessa ocasião, servia para chamar a atenção sobre suas origens e preferências estrangeiras. No peito, não havia medalhas nem faixas. Um chapéu de três pontas, um número maior, cobria a testa, mas a parte visível do rosto estava preta e inchada. Uma gravata larga e comprida cobria o pescoço até o queixo, em torno do qual – caso tivesse sido estrangulado – devia haver uma garganta machucada e descolorada. Suas mãos, que o costume da Igreja Ortodoxa mandava deixar descobertas, e segurando uma cruz, estavam enfiadas em grossas luvas de couro de cavaleiros.

O corpo foi colocado num esquife com velas na cabeça e nos pés. A fila de visitantes, mantida em rápido movimento por soldados, não viu Catarina ajoelhada e rezando pelo marido como fizera para a imperatriz Elizabeth. Foi explicado que sua ausência era resultado de um apelo do Senado para que ela não comparecesse, "de modo que Sua Majestade Imperial possa poupar sua saúde por amor à pátria russa". O local do enterro também foi inusitado. Embora fosse neto de Pedro, o Grande, o falecido Pedro III não fora coroado e, portanto, não poderia ficar na catedral da fortaleza, junto com os restos de imperatrizes e czares consagrados. Em 23 de julho, os restos mortais de Pedro foram colocados no monastério Nevsky, ao lado do corpo da regente Ana Leopoldovna, mãe do deposto e prisioneiro Ivan VI. Ali Pedro ficaria durante os 34 anos de reinado de sua esposa.

A explicação de Catarina sobre essa sequência de eventos foi narrada numa carta a Stanislaus Poniatowski, escrita duas semanas depois da morte do marido:

> Pedro III perdeu o pouco juízo que possuía. Queria mudar de religião, dissolver a Guarda, se casar com Elizabeth Vorontsova e me prender. No dia da celebração da paz com a Prússia, depois de me insultar publicamente durante um jantar, ordenou minha prisão naquela mesma noite. A ordem foi revogada, mas a partir de então dei ouvidos a propostas [de substituir Pedro no trono] que me eram feitas desde a morte da imperatriz Elizabeth. Pudemos contar com muitos capitães da Guarda. O segredo ficou nas mãos dos irmãos Orlov. É uma família extremamente determinada e muito amada pelos soldados. Devo muito a eles.

Mandei o imperador deposto para um lugar remoto e muito agradável, chamado Ropsha, sob o comando de Alexis Orlov, com quatro oficiais e um destacamento de homens escolhidos por sua boa índole, enquanto se preparavam aposentos decentes e convenientes para ele em Schlüsselburg. Mas Deus dispôs de outro modo. O medo lhe causou uma diarreia que durou três dias e terminou no quarto, quando ele bebeu excessivamente. Uma cólica hemorroidal o acometeu e afetou seu cérebro. Ficou delirante por dois dias, e o *delírium* foi seguido de extrema exaustão. Apesar de todo o socorro que os médicos puderam lhe prestar, ele faleceu pedindo um ministro luterano. Receando que tivesse sido envenenado pelos oficiais, mandei que o abrissem, mas não foi encontrado nenhum indício de veneno. O estômago estava saudável, mas as vísceras inferiores estavam muito inflamadas, e um ataque de apoplexia o levou. Seu coração era extraordinariamente pequeno e bastante deteriorado.

Assim, finalmente Deus fez com que tudo se passasse de acordo com Seus desígnios. Tudo isso é mais um milagre do que um plano pré-combinado, pois tantas circunstâncias propícias não teriam coincidido se não fosse pela mão de Deus. O ódio aos estrangeiros foi o principal fator em toda a história, e Pedro III se passou por estrangeiro.

A maior parte da Europa responsabilizou Catarina. Jornais e outras publicações em todo o continente falaram de um retorno aos dias de Ivan, o Terrível. Muitos mostraram cinismo diante da explicação oficial de que o imperador morrera de "cólica". "Todos sabem a natureza da cólica", ironizou Frederico da Prússia. "Quando um bebedor morre de cólica, nos ensina a ser sóbrios", brincou Voltaire. Contudo, Frederico acreditava na inocência de Catarina. Em suas memórias, ele escreveu:

A imperatriz ignorava totalmente esse crime e soube disso com uma indignação e desespero que não eram fingidos. Ela previu corretamente o julgamento que o mundo agora apresenta sobre ela. Uma jovem inexperiente, a ponto de ser divorciada e encerrada num convento, confiou sua causa aos irmãos Orlov. E, mesmo assim, nada sabia da intenção de assassinar o imperador. Por ela, teria mantido Pedro vivo, em parte porque, uma vez coroada, achava que tudo ficaria bem, e que um inimigo tão covarde quanto o marido não seria perigoso. Os Orlov, mais audaciosos e perspicazes, previram que o ex-imperador poderia vir a ser um ponto de reaglutinação contra eles, e como eram feitos de material mais duro, o tiraram do caminho. Ela colheu o fruto do crime e foi obrigada, a fim de assegurar o apoio deles, não apenas a poupar, mas até a manter junto a si os autores daquele crime.

Catarina, por mais que fingisse ignorar os comentários e mexericos estrangeiros, nunca ficou à vontade com a reação europeia à morte do marido. Anos depois, em conversa com uma ilustre figura do Iluminismo francês, o enciclopedista Denis Diderot, seu hóspede em São Petersburgo, ela perguntou: "O que dizem em Paris sobre a morte do meu marido?" Diderot ficou constrangido demais para responder. Para aliviar seu desconforto, ela levou a conversa em outra direção.

Houve outra pessoa interessada na questão do possível envolvimento de Catarina que, anos mais tarde, leu a carta de Alexis Orlov e exonerou a imperatriz de culpa na morte de Pedro III. Quando Catarina leu a carta de Alexis Orlov, trancou-a numa gaveta e a manteve escondida pelo resto da vida. Depois de sua morte, seu filho, o imperador Paulo, soube que a carta havia sido descoberta e a caligrafia fora identificada como de Alexis Orlov. Paulo leu a carta e ficou convencido de que sua mãe era inocente.
Nenhum dos participantes jamais foi punido. Se Catarina os tivesse acusado, poderia ter demonstrado, ou, pelo menos, reforçado bastante sua inocência, porém dificilmente poderia ter lhes dado uma punição. Ela devia o trono a Alexis Orlov e seus irmãos. Foi Alexis quem a acordou de madrugada em Mon Plaisir e a levou a São Petersburgo. Ele e seus irmãos arriscaram a vida por ela; em troca, ela era obrigada a protegê-los. Portanto, declarou que Pedro morrera de causa natural. Alguns na Rússia acreditaram, alguns não, e muitos nem ligaram.

Foi uma morte que ela não planejou, mas que serviu a seus propósitos. Estava livre do marido, mas, por outro lado, ganhou outro fardo: a sombra que caiu sobre seu caráter e sobre a Rússia perdurou o resto de sua vida. Não era a primeira vez na história – nem seria a última – que esse tipo de bênção dúbia agraciava um governante. Henrique II da Inglaterra nomeou seu antigo amigo e protegido Thomas à Becket arcebispo de Canterbury. Quando, mais tarde, Becket o confrontou e se opôs a ele em várias questões relativas à Igreja, Henrique se sentiu traído. "Ninguém vai me livrar desse padre intrometido?", ele explodiu num momento de frustração. Diante disso, quatro cavaleiros da corte esporearam seus cavalos na direção de Canterbury e assassinaram o arcebispo na frente do altar da catedral. Em penitência por esse ato que ele não intencionava especificamente, Henrique caminhou descalço quilômetros de estrada poeirenta até a catedral, onde se ajoelhou diante do altar e pediu perdão. Catarina, menos segura do trono, não podia arriscar um gesto similar.

O sonho da menina em Stettin que queria ser rainha e a ambição da grã-duquesa que sabia ser mais adequada que o marido para governar se realizaram. Catarina estava com 33 anos. Tinha metade da vida pela frente.

PARTE V
Imperatriz da Rússia

45
COROAÇÃO

ELA SE SENTOU NO TRONO DE PEDRO, o Grande, e governou um império, o maior do mundo. Sua assinatura num decreto era lei e, se quisesse, poderia significar vida ou morte para qualquer um de seus 20 milhões de súditos. Era inteligente, culta e sagaz juíza de caráter. Durante o golpe, tinha mostrado determinação e coragem. Uma vez no trono, demonstrava mente aberta, disposição para perdoar e uma moralidade política fundada na racionalidade e na eficiência prática. Suavizava a presença imperial com senso de humor e respostas rápidas. De fato, mais que em qualquer outro monarca de seu tempo, havia sempre em Catarina uma ampla latitude de humor. Havia também uma linha não trespassável, mesmo para seus amigos íntimos.

Havia subido ao trono com o apoio do Exército, da Igreja, da maior parte da nobreza, do povo de São Petersburgo, e todos a ajudaram porque seu caráter e personalidade ofereciam um forte contraste com a inépcia dominadora de seu marido. O golpe em si criou poucos inimigos e nas primeiras semanas de reinado não encontrou oposição. Contudo, uma enorme quantidade de problemas a aguardava. Não tinha chegado ao trono pelo modo tradicional russo. A maioria dos czares anteriores sucediam-se por direito hereditário, eram aceitos e tratados como representantes da divindade. Mas o último czar que reinou à moda divina foi Alexis Mikhailovich, pai de Pedro, o Grande, e morreu em 1676. Pedro, como parte da tentativa de ocidentalizar a Rússia, transformou sua imagem, criando para o autocrata um papel novo, secular, de "primeiro servidor do Estado". Alterou também o direito de sucessão, decretando que o trono não mais passaria para uma linha hereditária de homens, mas cada soberano teria liberdade para escolher seu sucessor. Mesmo por essas novas normas, porém, Catarina não estava qualificada. Nem a imperatriz Elizabeth, que a trouxera para a Rússia, nem Pedro III, que sucedeu a Elizabeth, a tinham nomeado herdeira da coroa russa. Se as antigas leis de sucessão por hereditariedade tivessem sido observadas, o herdeiro de Pedro III teria sido o filho de Catarina, Paulo, de 7 anos. Ou, como alguns russos continuavam a cochichar, o verdadeiro czar era o preso Ivan VI, retirado do trono na infância e trancafiado numa cela a maior parte da vida. Catarina chegou ao poder sem o apoio de qualquer direito ou precedente. Na definição mais crua, ela era uma usurpadora. Na primeira década de reinado, essa nuvem pairou sobre ela, deixando-a vulnerável a desafios, à conspiração e, finalmente, à rebelião. No primeiro verão de seu reinado, esse turbilhão estava no futuro, mas Catarina sabia que poderia chegar. Assim sendo, ela deu início ao reinado com uma reversão das normas tradicionais. Quando os soberanos anteriores queriam favorecer um súdito, podiam cobri-lo de privilégios. Catarina estava na posição oposta; era ela a suplicante de favor. Escrevendo a Stanislaus Poniatowski, ela disse ironicamente: "O último dos soldados da Guarda, quando me vê, pensa que 'isso é obra de minhas próprias mãos'. Sou compelida a fazer mil coisas estranhas. Se eu ceder, vão me adorar; caso contrário, não sei o que vai acontecer."

Catarina começou por tentar obter apoio e boa vontade. Antes mesmo de saber da morte de Pedro em Ropsha, ela foi pródiga na distribuição de condecorações, promoções, dinheiro e propriedades para aqueles que a tinham colocado no trono. Gregório Orlov ganhou 50 mil rublos; Alexis Orlov, 24 mil rublos, e os outros três irmãos receberam metade dessa quantia. Catarina Dashkova ficou com uma pensão anual de 12 mil rublos, mais um presente de 24 mil rublos para pagar as dívidas do marido. Nikita Panin e Kyril Razumovsky receberam pensão vitalícia de 5 mil rublos por ano. Seu fiel valete, Vasily Shkurin, que incendiou a própria casa para distrair Pedro enquanto Catarina dava à luz Alexis Bobrinsky, depois levou o bebê para ser criado por sua família, recebeu um título de nobreza. O jovem oficial da Guarda Montada, Gregório Potemkin, que havia saído das fileiras para dar sua alça de espada a Catarina antes da marcha a Peterhof, foi promovido. Todos os soldados da guarnição de São Petersburgo receberam metade de um ano de salário, totalizando 226 mil rublos.

Ela não esqueceu os velhos amigos e aliados que Elizabeth, no final de seus anos, havia destituído de poder e exilado, em parte porque os considerava chegados demais a Catarina. No dia seguinte à posse, a nova imperatriz enviou uma mensagem a Alexis Bestuzhev, o ex-chanceler que foi o primeiro a imaginá-la no trono e que, durante o interrogatório e quatro anos de exílio, havia ficado calado para protegê-la. Chamado de volta a São Petersburgo, Bestuzhev foi recebido por Gregório Orlov 32 quilômetros antes de chegar à capital e levado num coche imperial ao Palácio de Verão, onde Catarina o abraçou e anunciou a restauração de todos os seus títulos. Deu-lhe um conjunto de aposentos no Palácio de Verão, com todas as refeições fornecidas pela cozinha dela, e, mais tarde, uma carruagem enfeitada e uma mansão com uma magnífica adega. Em 1º de agosto, emitiu um manifesto especial proclamando a inocência dele de todas as acusações levantadas em 1758, e nomeando-o primeiro membro do novo conselho imperial que ela pretendia formar. Sua pensão anual seria de 20 mil rublos.

Catarina foi magnânima com seus ex-oponentes, jamais retaliando quem tinha apoiado seu ex-marido ou outros adversários, pessoais ou oficiais. Elizabeth Vorontsova, amante de Pedro III, que havia insistido no encarceramento de Catarina num convento de modo que ela, Vorontsova, pudesse se tornar esposa de Pedro e imperatriz, foi instalada calmamente em Moscou, onde a imperatriz lhe comprou uma casa. Quando Elizabeth se casou com um nobre moscovita e logo em seguida teve um filho, Catarina foi a madrinha. Os parentes de Pedro em Holstein, inclusive o tio e ex-pretendente de Catarina, o príncipe Jorge de Holstein, foram rapidamente repatriados para a Alemanha. Os soldados de Holstein trazidos por Pedro, também.

Sabendo que precisava da assistência de todas as pessoas com capacidade e experiência administrativa, Catarina reuniu em torno de si vários homens que haviam ajudado seu marido. Muitos auxiliares de alto escalão já haviam se aliado a ela no clímax do golpe. Miguel Vorontsov foi mantido no cargo de chanceler, o príncipe Alexander Golitsyn permaneceu vice-chanceler, e o príncipe Nikita Trubetskoy manteve seu posto de presidente do Colégio de Guerra. Ao marechal de campo Münnich, de 80 anos, que durante o golpe havia instado com Pedro III para se pôr à frente das tropas, marchar para São Petersburgo a fim de prender Catarina e retomar o trono, a imperatriz observou: "Você apenas cumpriu o seu dever."

Ao passo que Catarina ganhava fidelidade e ajuda de ex-oponentes, tinha dificuldade de agradar alguns de seus amigos. Ela mal havia triunfado e começaram os ciúmes entre alguns que reivindicavam crédito. Cada um achava que o reconhecimento ou a recompensa recebida era insuficiente em comparação com os outros. A mais insatisfeita era a princesa Catarina Dashkova, certa de que logo seria a principal conselheira da imperatriz, viajando na carruagem imperial, tendo cadeira cativa na mesa imperial. Suas queixas eram inapropriadas. Catarina tratou Dashkova com invulgar generosidade. Quando de sua ascensão, a imperatriz deu a Dashkova milhares de rublos, além de uma alta pensão anual. Promoveu imediatamente o marido dela a coronel e lhe deu o comando da Guarda Montada, o regimento de elite da cavalaria do Exército. O jovem casal mudou-se para um apartamento no Palácio de Inverno e jantava quase todos os dias com a imperatriz. No entanto, esses favores imperiais não foram suficientes para a mulher que se via como a figura principal naquele capítulo da história russa.

Catarina tentou fazê-la entender que o relacionamento delas tinha mudado, que agora era preciso pôr um limite às pretensões de amizade. A princesa, de 19 anos, continuava a fazer exigências e tentar se colocar em primeiro plano. Nos salões, Dashkova falava abertamente das novas políticas e reformas que tinha em mente. Aos embaixadores estrangeiros, gabava-se de sua influência sobre a imperatriz e o conde Panin, afirmando ser a amiga mais íntima, confidente e fonte de inspiração.

A ambição de Catarina Dashkova se estendeu além de qualquer realização possível, seu atrevimento superou a deferência, a cortesia, o bom senso. Quando a imperatriz a presenteou com a Ordem de Santa Catarina, em vez de se ajoelhar para receber a honraria, Dashkova devolveu a faixa, dizendo com altivez: "Imploro a Vossa Majestade que não me dê essa condecoração. É um ornamento que não aprecio e, como recompensa, não tem valor para mim. Meus serviços, não importa como pareçam aos olhos de alguns indivíduos, nunca foram e nunca poderão ser comprados." Catarina ouviu aquela impertinência e, pacientemente, abraçou Dashkova e colocou a ordem em torno dos ombros dela. "Pelo menos deixe a amizade ter alguns direitos", ela disse, "e não posso eu ter o prazer de dar a uma querida jovem amiga uma lembrança da minha gratidão?" Dashkova caiu de joelhos.

Não demorou para que a amizade se tornasse um fardo. A lenda de Dashkova chegou a Paris por Ivan Shuvalov, que elogiou a princesa numa carta a Voltaire. Escrevendo a Poniatowski, Catarina pediu-lhe que corrigisse o erro e informasse a Voltaire que "a princesa Dashkova teve apenas uma participação menor nos eventos. Não era confiável por causa de sua família, os líderes do golpe não gostavam dela e também não confiavam nela, só lhe diziam o mínimo possível. É certo que tem inteligência, mas seu caráter é prejudicado pela obstinação e a presunção". Alguns meses depois, em outra carta a Poniatowski, ela disse não entender por que Ivan Shuvalov dissera a Voltaire "que uma menina de 19 anos tinha mudado o governo da Rússia". Os Orlov, prosseguiu, "tinham mais o que fazer do que se colocar sob o comando de uma cabecinha de vento. Pelo contrário, até o último momento esconderam dela a parte mais essencial da história".

Foi mais fácil lidar com outro aliado ansioso por um crédito exagerado. O conde Betskoy, um velho secretário e amigo da mãe de Catarina, cujo papel no golpe se limitou a distribuir dinheiro a alguns soldados da Guarda já convencidos pelos Orlov, foi presenteado com 3 mil rublos e a Ordem de Santo André. Na cerimônia, ele se ajoelhou e pediu à imperatriz que declarasse, diante de testemunhas, a quem ela devia a coroa.

Surpresa, ela respondeu:

— Devo minha ascensão a Deus e à vontade do meu povo.

— Então não tenho o direito de usar esse sinal de distinção — disse Betskoy, e começou a tirar a ordem que ela havia colocado em seu ombro.

Catarina perguntou por que ele estava fazendo aquilo.

— Sou o mais infeliz dos homens — ele respondeu. — Sou indigno de usar essa ordem porque Vossa Majestade não me reconhece como o único autor de seu sucesso. Não levantei os guardas e dei dinheiro a eles?

Catarina achou que ele estava brincando. Vendo que falava a sério, recorreu ao senso de humor:

— Admito que devo a coroa a você, Betskoy — ela disse, em tom tranquilizador —, e por isso quero recebê-la somente de suas mãos. Confio a você a tarefa de fazê-la o mais bela possível. Ordeno que mande fazer uma coroa para mim. Ponho à sua disposição todos os joalheiros da Rússia.

Conquistado e radiante, Betskoy se levantou, curvou-se e foi cumprir a tarefa.

Durante o primeiro verão de seu reinado, o que mais dominava a mente de Catarina era a coroação. Entre as muitas mancadas do breve reinado de Pedro, nenhuma foi mais tola e míope do que sua recusa em se fazer coroar no Kremlin, em Moscou, ou mesmo marcar uma data para a cerimônia. Catarina não cometeu esse erro. Ela entendia a importância religiosa e política desse ato solene de consagração em Moscou, o repositório da herança nacional, a cidade sagrada onde todos os czares e imperatrizes foram coroados. Moscou era a cidade que muitos russos ainda viam como a capital. Algo tão significativo não poderia ser realizado na capital ocidentalizada construída e imposta por Pedro, o Grande. Ela sabia que jamais se sentiria em segurança no trono enquanto a coroa não fosse colocada em sua cabeça, no Kremlin, e o povo de Moscou a aceitasse como imperatriz. Além disso, a cerimônia lhe propiciaria distribuir mais títulos, condecorações e presentes, comprando assim mais favores de seus recentes súditos.

Em 7 de julho, o mesmo dia em que foi anunciada a morte de Pedro III, Catarina proclamou que seria coroada em setembro, em Moscou. O príncipe Nikita Trubetskoy foi encarregado dos preparativos e enviou um adiantamento de 50 mil rublos para as despesas iniciais. À medida que a data se aproximava, moedas de prata no valor de 600 mil rublos foram debitadas da bolsa pessoal da imperatriz, acondicionadas em 120 barris de carvalho e enviadas para Moscou, onde seriam usadas como dádivas e atiradas à multidão.

Em 27 de agosto, Catarina colocou o pequeno Paulo, com 7 anos de idade, na estrada para Moscou, aos cuidados de seu tutor, Nikita Panin. Cinco dias depois, ela seguiu. Num posto de muda a meio caminho de Moscou, a imperatriz alcançou o filho, que encontrou acamado, tremendo de febre. No dia seguinte, a febre cedeu, mas Panin insistiu que a imperatriz adiasse a viagem até que o menino estivesse totalmente recuperado. Catarina ficou dividida. Queria ficar com o filho, mas hesitava em quebrar o ritmo do elaborado programa da coroação em Moscou. Afinal, sentindo a importância da cerimônia como confirmação de sua ascensão, ela decidiu seguir adiante e entrar em Moscou sozinha, se necessário, no dia marcado. Panin deveria seguir assim que a saúde do filho permitisse. Tão logo Catarina anunciou essa decisão, Panin declarou que o menino estava bem o suficiente para viajar.

Os moscovitas ladearam as ruas com folhas verdes de abeto, penduraram guirlandas de sempre-vivas nas portas e sedas drapeadas e tapetes persas nas sacadas e janelas. Ao longo dos seis quilômetros do portão da cidade até o Kremlin foram erguidos quatro arcos de triunfo. Mirantes foram construídos nas interseções e nas praças principais de modo a permitir que os moscovitas e as milhares de pessoas vindas de outras partes do reino vissem a passagem da imperatriz. O clima na cidade era de alegria. Além do luxo e das festividades, a coroação significava três dias de feriado, distribuição de dádivas, isenção de taxas e impostos e perdão de crimes menores.

Em 13 de setembro, dia em que Catarina fez sua entrada cerimonial na cidade, os domos dourados resplandeciam à luz do sol. Abriam o desfile esquadrões da Guarda Montada, com os elmos refulgindo ao sol, em seguida vinham membros da alta nobreza a cavalo, usando faixas douradas e cinturões carmesim. A reluzente carruagem dourada de Catarina, puxada por oito cavalos brancos, seguia atrás. Ainda não coroada, a imperatriz recebia os aplausos da multidão com sorrisos e acenos. Quando o povo via Paulo sentado a seu lado, os aplausos eram ainda mais estrondosos.

Em 22 de setembro, dia da coroação, os canhões começaram a troar às cinco da manhã, quando um tapete carmim foi estendido nos degraus da histórica porta cerimonial do Kremlin, a Escadaria Vermelha. Às nove horas, usando um vestido de brocado de prata e um manto debruado de arminho, Catarina apareceu no alto da escada e foi descendo lentamente. No fim da escadaria, fez um aceno de cabeça para a multidão reunida na praça da catedral, e um padre tocou sua testa com água benta. Ela disse uma prece, uma fila de padres veio beijar-lhe as mãos e, caminhando entre as fileiras de soldados da Guarda Imperial, chegou à porta da catedral da Assunção.

Sob os domos de suas cinco cúpulas de ouro, o interior da catedral do século XV rebrilhava de luzes. As quatro maciças colunas internas, as paredes e o teto eram cobertos de afrescos luminosos. Diante do altar destacava-se o grande painel de ouro com os ícones pintados cravejados de joias. Do domo central pendia um lustre gigantesco, pesando mais de uma tonelada. Adiante de Catarina, em frente ao painel iconográfico, se postaram vários membros do alto clero: o metropolita Timofey, arcebispos, bispos, arquimandritas e outros clérigos. Suas mitras cintilavam de diamantes, rubis, safiras e pérolas. A luz, filtrada pelas cúpulas e tremulando em milhares de velas, se refletia nas joias e nos ícones dourados.

Catarina caminhou para o trono revestido de veludo vermelho no centro da catedral, subiu os seis degraus e se sentou no Trono Diamante do czar Alexis. Observando-a nesse momento, o novo embaixador inglês, o duque de Buckinghamshire, viu "uma mulher de estatura mediana, seus lustrosos cabelos de cor castanha se avolumando sob a coroa de joias. Era linda, e os olhos azuis se destacavam pelo brilho. A cabeça bem posta sobre um pescoço longo causava uma impressão de orgulho, poder e vontade".

A cerimônia durou quatro horas. Catarina ouviu o arcebispo de Novgorod descrever a revolução de 28 de junho como obra de Deus e dizer a ela que "o Senhor colocou a coroa em sua cabeça". Em seguida, a própria Catarina se ornamentou com os símbolos do poder imperial.

Tirou o manto de arminho e pôs o manto imperial púrpura sobre os ombros. Tradicionalmente, o soberano da Rússia coroava a si mesmo. Catarina levantou a pesada coroa, de quatro quilos, confeccionada para ela sob a supervisão de Ivan Betskoy, e ajeitou sobre a testa aquele símbolo definitivo de soberania. Na forma de uma mitra bispal, era encimada por uma cruz de diamantes sobre um imenso rubi de 389 quilates. Abaixo, 44 diamantes com mais de dois centímetros cada cobriam a faixa horizontal que envolvia a cabeça e o arco central onde se apoiava o rubi, com as laterais que envolviam toda a coroa repletas de uma massa sólida de diamantes menores. De cada lado do arco central, 38 pérolas rosadas circulavam a coroa, da testa à nuca. Quando essa fulgurante obra de arte estava no lugar, ela pegou o orbe com a mão esquerda, o cetro com a direita, e olhou calmamente para o público na catedral.

A sequência final da cerimônia era o reconhecimento de que a coroação representava um pacto entre Deus e a imperatriz. Ele era o Senhor; ela era a serva, agora a única responsável pela Rússia e seu povo. Uma vez ungida com óleo sagrado na testa, no peito e nas mãos, passou pela porta do grande painel iconográfico para o *sanctum* interno. Ajoelhou-se e, com a própria mão, pegou o pão da comunhão na patena e se ministrou o sacramento.

Uma vez concluída a cerimônia, a recém-coroada e consagrada imperatriz caminhou pela praça do Kremlin, da catedral da Assunção até duas antigas catedrais menores, a do Arcanjo São Miguel e a da Anunciação, para se ajoelhar diante das tumbas dos czares anteriores e uma coleção de relíquias sagradas. Voltou a subir a Escadaria Vermelha, virou-se e se inclinou três vezes para a multidão, ao som de mais troar dos canhões ecoando por toda a cidade. Esse som, amplificado com o bimbalhar de milhares de sinos nas torres de todas as igrejas de Moscou, tornava impossível a alguém conversar com a pessoa ao lado.

No Palácio das Facetas, Catarina recebeu os cumprimentos da nobreza e de embaixadores estrangeiros, e distribuiu presentes e honrarias. Gregório Orlov e seus quatro irmãos receberam o título de conde, e Dashkova virou dama de companhia. Aquela noite, Moscou se iluminou de fogos de artifício e luzes especiais. À meia-noite, achando que ninguém a veria, Catarina caminhou sozinha até o alto da Escadaria Vermelha, a fim de contemplar o Kremlin e a cidade. A multidão, ainda festejando na praça da catedral, a reconheceu e desatou em aplausos. Essa reação continuou, e três dias depois ela escreveu ao embaixador russo em Varsóvia: "Não posso sair nem chegar à janela sem que recomecem as aclamações."

Aparentemente, os oito meses e meio que Catarina passou em Moscou depois da coroação foram um prolongado carnaval, com a nobreza e a corte competindo em esplendor nos bailes e mascaradas. No entanto, não foi uma temporada fácil para Catarina. Alguns problemas já eram conhecidos: a princesa Dashkova reclamou que Gregório Orlov, encarregado dos banquetes, havia determinado a precedência em todas as cerimônias com base na hierarquia militar. Como esposa de um reles coronel, Dashkova foi relegada a um lugar de subordinados, entre pessoas que ela considerava inferiores. Catarina tentou contornar a situação, promovendo o príncipe Dashkov à patente de general, mas a princesa Dashkova continuou resmungando.

Paulo teve febre novamente. Era a terceira doença grave naquele ano, os médicos não sabiam identificar a causa e muito menos o tratamento. Teve uma crise aguda no começo de outubro e, com a notícia se espalhando, Catarina ficou ao seu lado. Sua preocupação não se limitava a Paulo, mas também aos efeitos que a doença poderia ter no futuro dela. Catarina nunca esqueceu a prioridade do direito dele ao trono. Sabia que Panin e outros prefeririam que ela fosse regente em vez de imperatriz; tinha visto a calorosa recepção a Paulo no desfile pelas ruas de Moscou. Se seu filho morresse agora, apenas três meses após a morte de seu marido, ela sabia que iriam culpá-la. Esses receios terminaram em 13 de outubro, quando Paulo se recuperou, e ela pôde sair de Moscou para a esperada peregrinação ao monastério Troitsa (Troitskaya-Sergeeva), aonde iam todos os soberanos recém-coroados. Nessa grande fortaleza cercada por muralhas brancas, famosa em toda a Rússia como um lugar especialmente sagrado, ela recebeu a bênção de monarca.

Enquanto Catarina estava em Moscou, outra nuvem encobriu as celebrações da coroação. No começo de outubro, a imperatriz soube que alguns oficiais da Guarda Izmailovsky andaram falando sobre restituir o trono a Ivan VI. Alarmada, ordenou a Kyril Razumovsky, coronel do regimento, que investigasse, especificando que não deveria usar tortura. Quinze oficiais foram presos e interrogados. A investigação logo identificou três que, como veio a se saber, haviam participado do golpe contra

Pedro III: Ivan e Semyon Gureyev e Peter Khrushchev. Numa bebedeira durante as celebrações, reclamaram de não terem sido recompensados tão generosamente quanto os Orlov, e por isso um verdadeiro czar, Ivan VI, deveria ser levado ao trono. Questionaram também por que o grão-duque Paulo fora deixado de lado em favor de sua mãe estrangeira. Razumovsky, acostumado ao comportamento de oficiais bêbados, recomendou que os culpados fossem simplesmente rebaixados e transferidos para regimentos de guarnições distantes. Catarina, porém, ficou indignada com essa conversa no meio da comemoração de sua coroação triunfal, e imaginou quantos mais poderiam estar se queixando dos Orlov e falando sobre o "imperador legítimo" estar preso. Achava a pena recomendada leve demais. Os investigadores tentaram agradar-lhe, condenando Ivan Gureyev e Khrushchev à morte. O julgamento foi ao Senado para obter confirmação, porém, antes que a questão fosse mais longe, Catarina interveio, moderando a sentença. Poupou a vida dos homens condenados, mas eles foram dispensados do exército e exilados. Tomando essa medida, Catarina esperava deixar claro que não iria perdoar, mas dar punições proporcionais aos crimes. Nesse caso, ela decidiu que bêbados externando mágoas pessoais não mereciam ser decapitados. Em breve, os ciúmes dos Orlov e uma tentativa de restauração do governo de Ivan VI seriam uma ameaça maior que conversas embriagadas.

46
O GOVERNO E A IGREJA

TENDO RECONHECIDO E RECOMPENSADO aqueles que a ajudaram, Catarina voltou-se para as duas poderosas instituições, ambas pilares do Estado, que lhe haviam dado um apoio essencial. Tanto o exército como a Igreja queriam a reversão imediata das ações específicas de Pedro III. No exército, foi fácil. Para consolidar o apoio de oficiais e soldados, exaustos após sete anos de guerra e sofrendo a humilhação da desonrosa paz com a Prússia, ela cancelou a nova aliança com Frederico II. E garantiu aos prussianos não ter intenção de guerrear, nem com eles nem com ninguém. Interrompeu abruptamente a mal começada guerra contra a Dinamarca. Os comandantes do exército russo na Prússia e na Europa central receberam uma ordem simples: Voltem para casa! Recompensar a Igreja era mais complicado. Seu primeiro passo foi ordenar uma suspensão temporária do confisco, precipitadamente decretado por Pedro, das terras e bens do clero. A Igreja a saudou como uma libertadora.

Esses primeiros passos não resolviam outros problemas críticos e urgentes do império. A Guerra dos Sete Anos arruinara o tesouro. Os soldados russos na Prússia não recebiam havia oito meses. Não havia crédito externo. O aumento de preço dos grãos era calamitoso. A corrupção e a extorsão haviam se alastrado por todos os níveis do governo. Nas palavras de Catarina, "havia no tesouro 7 milhões de rublos em títulos não pagos, quase todos os ramos do comércio estavam monopolizados por firmas particulares, um empréstimo de 2 milhões pedido à Holanda pela imperatriz Elizabeth fora negado, não tínhamos crédito nem gozávamos de confiança no estrangeiro".

Quem esperava que a derrubada do marido de Catarina com suas políticas a favor da Prússia trariam o restabelecimento da aliança com a Áustria ficou decepcionado. Nos primeiros dias de reinado, Catarina tinha encorajado esses entusiastas com um manifesto mencionando "uma paz ignominiosa" com o "velho inimigo", referindo-se à Prússia. Quando os embaixadores estrangeiros foram convidados para a primeira recepção oficial, o embaixador prussiano – barão Bernhard von Goltz, ex-confidente de Pedro III – rogou ser dispensado, alegando não ter "um traje adequado". Mas a contínua hostilidade com a Prússia não estava nos planos de Catarina. Durante sua primeira semana no trono, correios percorreram as capitais europeias assegurando que a imperatriz desejava viver em paz com todas as potências estrangeiras. Sua carta para o embaixador russo em Berlim dizia: "Quanto à paz recentemente firmada com Sua Majestade, o rei da Prússia, ordenamos comunicar a Sua Majestade nossa solene intenção de manter a mesma enquanto Sua Majestade não nos der motivo para rompê-la." Sua única condição era o retorno imediato, sem obstruções, de todos os soldados russos na zona de guerra. Eles não iriam lutar a favor ou contra a Prússia, nem a favor ou contra a Áustria. Deveriam simplesmente retornar. Quatro dias depois da recepção à qual Goltz não compareceu, ele já estava de volta à corte jogando cartas com Catarina.

Confrontada por essa série de problemas, Catarina às vezes parecia se encolher diante da imensidão da tarefa. O embaixador francês ouviu-a dizer, não com orgulho, mas com nostalgia: "Meu império é tão vasto e ilimitado." Ela começou seu reinado sem experiência na administração de um império nem de uma vasta burocracia, mas estava ansiosa por aprender e preparada para pesquisar. Quando propuseram que, seguindo o costume dos reinados de Elizabeth e Pedro III, lhe fossem enviados apenas resumos dos despachos diplomáticos e relatórios ministeriais, para lhe poupar o pesado trabalho de ler todos, Catarina recusou. Ela queria saber todos os detalhes dos problemas que a Rússia enfrentava e todos os detalhes das decisões que precisava tomar. "Relatórios completos devem ser trazidos a mim todas as manhãs", ela declarou.

Catarina foi igualmente enérgica com o Senado. Desde os tempos de Pedro, o Grande, cabia ao Senado administrar as leis do império, garantindo que os decretos do autocrata eram seguidos. Sem o poder de fazer as leis, a função do Senado era administrar o Estado com base nas leis existentes, não importando se eram inúteis ou ultrapassadas. Durante o golpe, Catarina tinha se associado estreitamente com esse órgão. Foi por intermédio do Senado que ela enviou as primeiras ordens a tropas russas no estrangeiro, e foi aos cuidados do Senado que ela confiou seu filho, Paulo, quando partiu para Peterhof à frente das Guardas. Uma vez no trono, ela transferiu as reuniões do Senado para o Palácio de Verão, a fim de facilitar seu comparecimento. No quarto dia como imperatriz, Catarina estava presente numa sessão do Senado iniciada com relatos de que o Tesouro estava vazio, e o preço dos grãos havia dobrado. Catarina respondeu que sua pensão imperial, de 1/13 da receita nacional, deveria ser usada pelo governo. "Pertencendo pessoalmente à nação", disse ela, considerava tudo o que possuía como pertencente à nação. E acrescentou que no futuro não haveria distinção entre seus interesses pessoais e os do império. Para lidar com a escassez de grãos, ela ordenou que essas exportações fossem proibidas; em dois meses, o preço caiu. Aboliu vários monopólios privados mantidos por grandes famílias da nobreza, como os Shuvalov, que controlavam e lucravam com todo o sal e o tabaco vendidos na Rússia.

Nessas reuniões, ela descobriu rapidamente que havia no Senado grossas camadas de ignorância. Certo dia, quando os senadores falavam sobre uma distante parte do império, ficou claro que nenhum deles tinha a menor ideia de onde ficava aquela região. Catarina sugeriu que procurassem no mapa. Não havia mapa. Sem hesitar, mandou chamar um mensageiro, tirou 5 rublos da bolsa e mandou-o à Academia de Ciências, que havia publicado um atlas da Rússia. Quando o mensageiro voltou, a região foi identificada, e a imperatriz deu o atlas de presente para o Senado. Na esperança de melhorar o desempenho deles, ela escreveu aos senadores, em 6 de junho de 1763: "Não posso dizer que lhes falta preocupação patriótica pelo meu bem-estar e o bem-estar geral, mas lamento dizer que as coisas não estão progredindo em direção às metas com tanto êxito quanto se deseja." A causa da demora, disse ela, era a existência de "discordâncias e inimizades internas, levando à formação de partidos que procuram se ferir mutuamente, e a um comportamento indigno de pessoas respeitáveis, sensatas e desejosas de fazer o bem".

Seu agente no Senado era o procurador-geral, um cargo criado por Pedro, o Grande, para servir de ligação entre o autocrata e o Senado – ele o chamava de "o olho do soberano" – e para supervisioná-lo. A tarefa específica desse funcionário era estabelecer e acompanhar a agenda do Senado, relatá-la ao monarca e receber e repassar suas ordens. O procurador geral recém-nomeado por Catarina, A. A. Vyazemsky, recebeu a análise feita por ela:

> No Senado, você encontrará dois partidos. Cada um desses partidos tentará atraí-lo para seu lado. Num deles, você encontrará pessoas honestas, ainda que de inteligência limitada. No outro, acho que existem planos de mais longo alcance. O Senado foi criado para fazer cumprir as leis prescritas. Mas frequentemente tem expedido leis próprias, concedido títulos, honrarias, dinheiro e terras; em suma... quase tudo. Tendo excedido seus limites, o Senado agora acha difícil se adaptar à nova ordem dentro da qual deve se manter.

Mais importante que essa advertência quanto ao comportamento do Senado foi a mensagem a Vyazemsky sobre o relacionamento pessoal que esperava ter com ele:

> Você deve saber com quem irá lidar. Verá que não tenho outro objetivo senão o maior bem-estar e glória da pátria, e só desejo a felicidade dos meus súditos. Gosto muito da verdade; você pode me falar a verdade sem medo e discutir comigo sem qualquer perigo, se for para levar a bons resultados nas questões. Soube que você é considerado por todos um homem honesto. Espero lhe mostrar, por ex-

periência, que pessoas com essas qualidades se situam bem na corte. E posso acrescentar que não exijo elogios de sua parte, mas apenas comportamento honesto e firmeza no trabalho.

Vyazemsky correspondeu às expectativas de Catarina e foi "o olho da soberana" durante 28 anos, até se aposentar, em 1792.

Poucos dias depois de sua posse, Catarina mandou chamar os dois estadistas mais experientes da Rússia, Nikita Panin e Alexis Bestuzhev. Ambos a tinham apoiado em momentos críticos da vida, mas nunca tinham trabalhado juntos. Quando Bestuzhev voltou do exílio e recuperou seus títulos e propriedades, imaginou recuperar também seu lugar de principal ministro da imperatriz. Mas ele estava com mais de 70 anos, esgotado pela humilhação e isolamento, e Catarina não tinha a intenção de elevá-lo à Chancelaria.

Nikita Panin tornou-se a principal figura política no novo governo. Reunindo uma inteligência aguda e ampla experiência europeia, Panin, tutor do filho de Catarina e o conselheiro que ajudou a direcioná-la durante o planejamento e a execução do golpe, tornou-se imediatamente seu principal conselheiro ministerial. Em 1762, aos 44 anos, Panin era um solteirão baixinho, rechonchudo e perfeitamente bem-educado. Acordava tarde, trabalhava de manhã e depois de um lauto almoço dormia um pouquinho ou jogava cartas. Catarina o admirava por sua inteligência e lealdade, mas começou o reinado com certas reservas a respeito dele. Sabia que seus 12 anos como embaixador na Suécia haviam lhe instilado um respeito pela monarquia constitucional que, na opinião dela, seria impossível funcionar na Rússia. Sabia também que Panin esperava que ela se satisfizesse em ser regente do filho. A ideia de regência certamente não atraía Catarina. Ela jamais tinha dito, nem sequer insinuado, que estaria disposta a governar apenas como guardiã de Paulo.

Catarina sabia também que Panin desaprovava a grande proeminência dada aos irmãos Orlov. Ele temia que o relacionamento de Catarina e Gregório Orlov viesse a ser tão prejudicial à ordem e eficiência do governo quanto tinha sido a influência de alguns bonitões favoritos de Elizabeth. Contudo, Panin era realista. Ele reconhecia que Catarina tinha sido elevada ao poder primordialmente pela influência dos Orlov nas Guardas, e entendia que a gratidão dela, aliada à continuidade de seu vínculo pessoal com Gregório, não permitiria uma diminuição do papel dos irmãos. Adaptando-se à situação, Panin modificou sua abordagem.

Antes de ajudar Catarina a derrubar Pedro, Panin tinha conversado em particular com ela sobre as esperanças dele quanto a uma estrutura de governo mais liberal na Rússia, algo no estilo do sistema que ele passou a admirar em seus anos na Suécia. Vendo que Catarina, agora soberana, procurava fazer um governo imperial mais eficiente e de acordo com as necessidades da Rússia, ele começou a se empenhar em persuadi-la a concordar com uma redução de sua própria autoridade. Ele precisava ir com cautela. Não podia propor abertamente limitações ao poder absoluto de uma autocrata. Assim sendo, ele sugeriu a criação de uma instituição executiva permanente, um conselho imperial com funções e poderes precisamente definidos de "assistência" à autocracia. Nessa nova estrutura, o conselho dele iria colocar limites organizacionais à autoridade da monarca.

Catarina, tendo chegado ao poder supremo, não tinha a intenção de dividi-lo nem permitir que fosse reduzido. A tática de Catarina, uma vez no trono, foi pedir a Panin que colocasse suas ideias por escrito. Panin o fez rapidamente e, antes do final de julho de 1762, entregou a ela seu plano para estabelecer um conselho imperial permanente. Nessa nova estrutura, a autocrata ainda manteria a principal regência do Estado, mas, a bem da eficiência, a soberana dividiria o poder com um grupo de oito conselheiros imperiais. Panin não esclarecia como ou por quem esses conselheiros seriam escolhidos, embora quatro devessem ser secretários de Estado representando os colégios da Guerra, Marinha, Relações Exteriores e Assuntos Internos. (Para tornar a sugestão mais palatável a Catarina, Panin incluiu Gregório Orlov em sua lista de candidatos a um dos demais lugares no conselho.) Todas as questões fora da responsabilidade administrativa do Senado seriam assumidas pelo conselho, "como se pela própria imperatriz". Nenhum decreto ou regulamento emitido pelo conselho imperial seria válido sem endosso pela assinatura da autocrata.

Panin sabia que, ao fazer essa proposta, estava pisando em terreno perigoso: seu plano violava a prerrogativa da soberania. O cargo de conselheiro seria vitalício; não poderiam ser demitidos pelo soberano, e exonerados apenas em caso de má conduta, e apenas por uma assembleia completa do Senado. Quando Catarina leu a proposta, entendeu imediatamente que se destinava a limitar sua autoridade, infringindo seu direito de escolher e demitir seus principais funcionários públicos. Desde o primeiro momento da leitura, o plano de Panin estava condenado. Ela não tinha esperado todos esses anos pelo trono para aceitar limitações.

Durante toda a vida, Catarina nunca oscilou em sua convicção de que a monarquia absoluta era mais adequada às necessidades do Império Russo do que ser governado por um pequeno grupo de funcionários permanentes. E não estava sozinha na oposição à ideia de um conselho imperial. A maioria da nobreza se opunha, achando que um conselho desse tipo colocaria o governo imperial nas mãos de um pequeno grupo de burocratas permanentemente estabelecidos, em vez de ficar nas mãos do autocrata, arranjo que era mais familiar. A oposição da nobreza reforçou a posição de Catarina e, no início de fevereiro de 1763, ficou claro que não haveria conselho. Catarina teve o cuidado de não ofender Panin com uma rejeição direta. Fez uma encenação, fingindo interesse no plano, depois deixou-o de lado e nunca mais falou nisso.

A decisão de Catarina, de enterrar seu plano de um conselho imperial, foi um revés para Panin, mas em agosto de 1763 a imperatriz o compensou, dando-lhe o cargo de membro sênior do Colégio de Relações Exteriores. Bestuzhev, derrotado e fatigado, preferiu se aposentar. Pelos 18 anos seguintes – até 1781 –, Nikita Panin permaneceu ministro-chefe das Relações Exteriores.

Enquanto resolvia a crise financeira, satisfazia o Exército, reorientava a política externa russa e tentava aumentar a eficiência da administração governamental, Catarina ainda tinha de lidar com a Igreja Ortodoxa. Convertida à ortodoxia, ela aceitara seus dogmas e observava suas práticas, tudo em contraste gritante com seu marido, Pedro. No segundo mês de seu breve reinado, Pedro decretou a secularização de todos os bens da Igreja e anunciou que a ortodoxia russa deveria se transformar numa fé semelhante ao protestantismo do Norte da Alemanha. Como o alto clero acreditava que Catarina se opunha a isso e iria reverter as decisões do marido, a Igreja apoiou entusiasticamente sua tomada do poder. Uma vez ocorrido o fato, os líderes da Igreja se apressaram a reivindicar sua recompensa, exigindo o retorno permanente de todas as suas propriedades. Ao tomar posse, Catarina pagou seu débito político com a Igreja, revogando todos os decretos de Pedro. Mas, por dentro, ela hesitava. Apesar de suas demonstrações públicas de fé convencional, ela considerava a enorme fortuna da Igreja um escândalo e se recusava a aceitar o que via como esbanjamento de uma parte tão grande das riquezas da nação. Como Pedro, o Grande, ela achava que essa fortuna deveria ser usada para suprir necessidades de Estado. E também, como o grande czar, Catarina queria que a Igreja assumisse, sob a orientação do Estado, um papel social ativo para o bem-estar e a educação. A disparidade entre a enorme riqueza, representada pelas terras e servos pertencentes à Igreja, e a pobreza e as necessidades do Estado, ainda era um problema a ser resolvido.

Na ocasião da posse de Catarina, a população russa incluía 10 milhões de servos, sendo que a maior parte era de camponeses, que forneciam a esmagadora maioria da mão de obra agrícola, numa nação essencialmente agrícola. Desde o início do reinado, Catarina quis lidar com o problema fundamental da servidão, mas essa instituição era entremeada demais no tecido social e econômico da vida russa para que ela interviesse nos primeiros meses. Todavia, se precisava adiar uma solução global e permanente desse problema, ela não podia protelar a questão das grandes extensões de terras da Igreja, e de um milhão de servos homens que cultivavam essas terras com suas famílias. Ela revogou o decreto de Pedro III que secularizava os bens da Igreja, mas esse ato, devolvendo temporariamente à Igreja todas as terras e servos, não era a solução que ela desejava. A meta de Catarina estava na direção oposta.

Confrontando os problemas do poder e riqueza da Igreja e das relações desta com o Estado, Catarina andava a passos largos. Meio século antes, Pedro, o Grande, estava menos interessado na salvação espiritual do que no bem-estar material de seu povo. Desdenhando a preocupação religiosa com o outro mundo, desejava que a Igreja atendesse ao propósito dele neste mundo: dar educação a uma população de cidadãos honestos e confiáveis. Com essa finalidade, Pedro, o Grande, diminuiu o poder da hierarquia da Igreja Ortodoxa russa, suprimindo o posto do chefe supremo religioso, o Patriarca, que detinha poderes quase iguais aos do czar. No lugar dessa figura poderosa, Pedro criou o Sínodo Sagrado, composto por 11 ou 12 membros, não necessariamente pertencentes à Igreja, para administrar assuntos temporais e as finanças da Igreja. Em 1722, ele indicou um civil como procurador do Sínodo Sagrado, encarregado de supervisionar a administração da Igreja e exercer jurisdição sobre o clero. Assim o czar Pedro tornou a Igreja subordinada ao Estado, e Catarina queria seguir seu exemplo. Entretanto, depois de Pedro, o Grande, sua filha Elizabeth reverteu parcialmente essa relação.

A imperatriz Elizabeth, extravagante, hedonista e também profundamente religiosa, buscava a absolvição dos excessos de sua vida privada despejando riquezas e privilégios sobre a Igreja. Em seu reinado, a hierarquia da Igreja recuperou a autoridade para administrar suas terras e servos. Quando Elizabeth foi sucedida pelo sobrinho, Pedro III, o pêndulo voltou atrás. Ao tomar o trono, Catarina reverteu novamente essa posição, revogando imediatamente as disposições do finado marido e garantindo à Igreja a posse e administração de suas terras e servos. Meses depois, ela mudou novamente o curso.

O desenrolar desse drama político e religioso foi marcado por indecisão, oposição e finalmente por um sério confronto. Em julho de 1762, Catarina ordenou ao Senado que investigasse e catalogasse a imensa fortuna da Igreja Ortodoxa, e recomendasse uma nova política ao governo. A primeira resposta do Senado foi uma proposta de conciliação: as terras seriam devolvidas à Igreja, mas os impostos sobre os camponeses a serviço dela seriam aumentados. Isso criou uma cisão dentro da hierarquia clerical. Quase todos, liderados pelo arcebispo Dimitry de Novgorod, aceitaram a ideia geral de entregarem ao Estado o fardo de administrar suas propriedades agrícolas, e se tornarem servidores pagos pelo Estado, em pé de igualdade com o Exército e a burocracia. Para estudar o problema em detalhes, Dimitry propôs a criação de uma comissão mista, composta por religiosos e seculares. Catarina concordou e, em 12 de agosto de 1762, assinou um manifesto confirmando a anulação temporária do decreto de Pedro III e devolvendo as terras da Igreja à administração eclesiástica. Ao mesmo tempo, criou a comissão idealizada por Dimitry, de representantes eclesiásticos e civis (três clérigos e cinco laicos), para analisar a questão.

Catarina precisava tratar a hierarquia da Igreja com muito cuidado. Ela sempre tivera uma flexibilidade racional em questões de políticas e dogmas religiosos. Quando criança, crescendo numa atmosfera de estrito luteranismo, manifestava tanto ceticismo sobre a religião que preocupava extremamente seu pai, um homem muito convencional. Aos 14 anos de idade, na Rússia, foi-lhe exigido mudar para a religião ortodoxa. Em público, ela cumpria escrupulosamente todas as práticas da fé ortodoxa, comparecendo aos ritos, guardando dias santos e fazendo peregrinações. Durante todo seu reinado, nunca subestimou a importância da religião. Sabia que o nome da autocrata e o poder do trono eram incorporados às preces diárias dos fiéis, e que a visão do clero e a devoção das massas tinham um poder que precisava ser reconhecido. Ela compreendia que a soberana podia ter qualquer visão pessoal sobre a religião, mas era necessário conciliar de algum modo. Quando perguntaram a Voltaire, já que ele negava a existência de Deus, como podia receber a sagrada comunhão, ele respondeu que tomava "o café da manhã conforme o costume da terra". Após testemunhar o efeito desastroso da rejeição pública de seu marido com relação à Igreja Ortodoxa, Catarina escolheu imitar Voltaire.

Seus principais conselheiros discordavam quanto ao modo de lidar com a Igreja. Bestuzhev preferia deixar a hierarquia religiosa controlar os assuntos da Igreja. Panin, mais afeito às crenças iluministas, era a favor de que o Estado administrasse a Igreja e suas propriedades. Naquela forma, o manifesto de 12 de agosto de 1762, insinuando que seria desejável aliviar a religião da carga dos assuntos terrenos, trazia maus presságios para o futuro da Igreja. Quando a comissão deu início aos trabalhos, a ameaça de secularização despertou a ansiedade do clero, mas a maioria dos padres estava em dúvida sobre o que deveria ser feito. Poucos estavam preparados para lutar.

Uma arrebatada exceção a essa atitude submissa era Arseniy Matseyevich, metropolita de Rostov, um feroz oponente à interferência do Estado nas questões da Igreja, especialmente na secularização de suas propriedades. Aos 65 anos, ucraniano nobre de nascimento, membro do Sínodo Sagrado, ele presidia a mais rica diocese (que possuía 16.340 servos) e acreditava firmemente que a Igreja não havia recebido suas propriedades com finalidades seculares, mas espirituais. Destemido, veemente e equipado com profundo conhecimento de teologia, ele preparou a pena e a voz para desafiar a imperatriz. Esperava que uma reunião face a face com a nova autocrata lhe desse a oportunidade de convencê-la de que ele estava certo, e ela, errada.

No começo de 1763, Catarina faria uma peregrinação de Moscou a Rostov para a consagração dos ossos do recém-canonizado São Dimitri Rostovsky, conhecido como São Dimitri, o Milagreiro, que havia sido predecessor de Arseniy Matseyevich. Os ossos seriam colocados num relicário de prata na presença da imperatriz, após o que Arseniy tinha a intenção de falar com ela. Mas, quando a data marcada se aproximou, Catarina adiou a visita.

Ao saber do adiamento, Arseniy tomou a iniciativa. Em 6 de março de 1763, ele encaminhou ao Sínodo Sagrado uma denúncia violenta da política de secularização que, segundo ele, iria destruir tanto a Igreja como o Estado. Lembrou ao Sínodo que, ao tomar posse, Catarina tinha prometido proteger a religião ortodoxa. Ele atacou a sugestão de que a Igreja fosse responsável pelo ensino de filosofia, teologia, matemática e astronomia. Seu único dever cristão, vociferava, era pregar a palavra de Deus. Os bispos não deviam ser responsáveis pela fundação de escolas; isso era dever do Estado. Se a Igreja fosse secularizada, os bispos e os padres não mais seriam pastores dos fiéis, mas "servos pagos, tendo de prestar contas de cada pedaço de pão". Lançou palavras ásperas a seus colegas, os quais, naquela crise, "ficaram quietos como cachorros mudos, sem latir".

Arseniy levantou-se na assembleia do clero de Rostov e condenou os que desafiavam o direito de propriedade de terras e servos da Igreja: esses eram "inimigos da Igreja... [que] estendem as mãos para agarrar o que é consagrado a Deus. Querem se apropriar das riquezas doadas à Igreja pelas crianças de Deus e monarcas piedosos".

Arseniy calculou mal. Subestimou a força de Catarina e a de outros poderosos elementos do Estado russo alinhados contra ele. A alta nobreza era profundamente secular; os senhores de terras locais queriam ter mais acesso às terras e à mão de obra pertencentes à Igreja; e funcionários do governo, atribulados com a condição financeira do Estado, todos concordavam com Catarina que as riquezas e rendas da Igreja deveriam ser usadas com finalidades seculares.

Quando Catarina leu a petição de Arseniy ao Sínodo, entendeu que visava diretamente a ela. Descrevendo os argumentos do metropolita como "distorções perversas e inflamatórias", ela insistiu que o "mentiroso e embusteiro" fosse punido para servir de exemplo. Ordenando que o Sínodo Sagrado agisse, ela assinou um decreto entregando Arseniy a julgamento. Em 17 de março, o clérigo infrator foi preso e escoltado por guardas de Rostov a um monastério em Moscou para verificação. Numa série de sessões noturnas, os membros do Sínodo interrogaram o ex--colega. Catarina, presente às sessões, viu Arseniy levantar questões sobre seu direito ao trono e a morte de Pedro III. "Nossa soberana atual não é nativa e não tem firmeza na fé!", o arcebispo gritou. "Ela não deveria ter tomado o trono, que deveria ter ido para Ivan Antonovich [Ivan VI]." A imperatriz, cobrindo os ouvidos com as mãos, gritou: "Fechem essa boca!"

O Sínodo não teve dúvidas quanto ao veredicto. Em 7 de abril, Arseniy foi julgado culpado, sentenciado a perder o título eclesiástico, afastado da diocese e exilado num monastério remoto no Mar Branco. Perdeu o direito de usar pena e tinta, e foi condenado a trabalhos pesados três dias por semana, carregando água, cortando lenha e limpando celas. Sua degradação eclesiástica foi realizada numa cerimônia pública no Kremlin. Arseniy apareceu vestindo mantos esvoaçantes e foi desonrado segundo o ritual: um a um, seus trajes eclesiásticos foram retirados. Mesmo durante esse procedimento, recusou se calar, gritando insultos aos colegas religiosos e vaticinando que todos teriam morte violenta. Quatro anos depois, encarcerado no Norte distante, ainda denunciava Catarina como herege e espoliadora da Igreja, contestando seu direito ao trono. A imperatriz então o destituiu de toda condição religiosa e o transferiu para confinamento solitário numa cela na fortaleza de Reval, no Báltico. Ali, sua voz ardente finalmente se calou. Até sua morte, em 1772, seus guardas, que não falavam russo, o conheciam somente pelo nome de André Mentiroso.

Assim Catarina estabeleceu a supremacia do Estado sobre a Igreja. Um mês depois da sentença de Arseniy, ela compareceu ao Sínodo para explicar suas razões:

> Vocês são os sucessores dos apóstolos, a quem Deus ordenou que ensinassem à humanidade desprezar riquezas, e que eram todos pobres. Seu reino não era deste mundo. Escuto frequentemente essas palavras dos lábios de vocês. Como ousam possuir tantas riquezas, tantas propriedades vastas? Se querem obedecer às leis de sua própria ordem, se querem ser meus mais fiéis súditos, não vão hesitar em devolver ao Estado o que possuem injustamente.

Nenhum outro Arseniy se levantou para contestar.

Por um manifesto imperial emitido em 26 de fevereiro de 1764, todas as terras e propriedades do clero passaram para o Estado, e a própria Igreja passou a ser uma instituição do Estado. Todos os seus servos foram elevados à condição de camponeses do Estado. Em consequência, um milhão de camponeses homens – mais de 2 milhões de pessoas, contando as esposas e filhos – ficaram sob o controle do Estado, pagando impostos. Despojado de qualquer poder e autonomia administrativa, todo o clero, alto e baixo, e todos os padres se tornaram assalariados do Estado. Junto com a autonomia administrativa, a Igreja perdeu sua base econômica. Centenas de igrejas foram obrigadas a fechar. Dos 572 monastérios, apenas 161 sobreviveram. A essa varredura que mudou a vida religiosa, social, cultural e econômica russa não houve oposição verbal.

47
SERVIDÃO

CATARINA HAVIA AFIRMADO E CONFIRMADO a estrutura administrativa do governo imperial e lidado com as demandas da Igreja Ortodoxa. Nos primeiros meses de reinado, ela enfrentou também uma crise em uma instituição básica, e de instabilidade crônica, na vida econômica e social do império: a servidão. Foi um levante envolvendo servos da indústria, que trabalhavam em minas e fundições nos Urais, que ensinou à aluna de Montesquieu e Voltaire que era impossível curar injustiças estabelecidas havia longa data simplesmente invocando a filosofia, por mais bela e persuasiva que pareça no papel.

Em 1762, a população russa, de aproximadamente 20 milhões, era constituída em camadas hierárquicas: a soberana, a nobreza, a Igreja, mercadores e citadinos e, na base, 10 milhões de camponeses. Alguns camponeses eram parcialmente livres, uns poucos completamente livres, e a maioria não tinha liberdade nenhuma. Os servos eram os camponeses em regime de escravidão, trabalhando em terras pertencentes à coroa, ao Estado, à Igreja, a senhores de terras – quase todos da nobreza – ou em diversas empresas industriais e de mineração. Segundo um censo realizado entre 1762 e 1764, a coroa possuía 500 mil servos trabalhando nas terras do governante e de sua família. Dois milhões e oitocentos mil servos eram classificados como camponeses do Estado, propriedade do Estado e vivendo em terras ou vilas pertencentes ao Estado, mas com permissão para cumprir suas obrigações pagando em dinheiro ou em trabalho para o Estado. Um milhão tinha sido propriedade da Igreja Ortodoxa. Eram os servos que Catarina havia tirado da Igreja e transferido para o Estado. O maior número dos servos russos – 5,5 milhões ou 56% do total – pertencia a membros da nobreza. Todos os nobres russos tinham, por lei, direito a ter servos. Alguns desses nobres eram extraordinariamente ricos (uns poucos tinham milhares de servos), mas a grande maioria era de fidalgos menores, proprietários de terras que requeriam menos de 100 – às vezes menos de 20 – trabalhadores para cultivar. Por fim, havia uma quarta categoria de mão de obra não livre, os servos industriais, que trabalhavam nas minas e fundições dos Urais. Esses não pertenciam aos donos nem aos gerentes dessas empresas; eram propriedade das minas ou das fundições.

A servidão apareceu na Rússia no fim do século XVI, a fim de manter trabalhadores no preparo e no cultivo da enorme extensão de terras aráveis. Após os 51 anos de reinado de Ivan, o Terrível (1533-84), seguiu-se o Tempo de Problemas e o governo do tenente de Ivan, Boris Godunov. Quando três anos de fome se abateram sobre a Rússia, os camponeses saíram dos campos áridos e afluíram para as cidades à procura de comida. Para fixá-los nos campos, Boris decretou uma servidão permanente às terras, sob a responsabilidade dos senhores. Nos anos seguintes, a lei de vinculação dos trabalhadores às terras foi necessária para restringir os instintos nomádicos dos russos. Muitos deles, se não gostavam de um trabalho, simplesmente iam embora.

No correr dos anos, a situação dos servos deteriorou. No início, quando foram fixados nos campos, os lavradores possuíam alguns direitos, e o sistema se baseava em obrigações e pagamentos com trabalho. Com o tempo, porém, aumentaram os poderes dos senhores de terras, e os direitos dos servos foram sendo cortados. Em meados do século XVIII, a maioria dos servos russos tinha se tornado propriedade, bem móveis; na verdade, escravos. Originalmente – e supostamente ainda – ligados à terra, os servos passaram a ser vistos pelos senhores como propriedade pessoal que podia ser vendida independentemente das terras. Famílias podiam ser desfeitas: esposas, maridos, filhos e filhas eram levados separadamente e vendidos no mercado. A venda de servos talentosos geralmente se dava nas cidades, onde suas habilidades eram exaltadas em anúncios nas *Notícias de Moscou* ou na *Gazeta de São Petersburgo*:

> Vendo um barbeiro e também quatro suportes de baldaquim e outras peças de mobília. Vendo duas toalhas de banquete e também duas meninas treinadas para o serviço e uma camponesa. Vendo uma menina de 16 anos, de bom comportamento, e uma carruagem de gala pouco usada. Vendo uma menina de 16 anos que sabe tecer

renda, sabe costurar lençóis e toalhas, passar e engomar, vestir a senhora, além de ter um rosto bonito e boa constituição.

Quem quiser comprar uma família inteira ou um rapaz e uma moça separadamente pode se informar no lavador de prata em frente à igreja de Kazan. O rapaz, chamado Ivan, tem 21 anos, é saudável, robusto e sabe cortar cabelos de senhoras. A moça, bem-feita e saudável, chamada Marfa, tem 15 anos e sabe costurar e bordar. Podem ser examinados e vendo por um preço razoável.

À venda: domésticas e hábeis artesãos de bom comportamento. Dois alfaiates, um sapateiro, um relojoeiro, um cozinheiro, um fabricante de coches, um fabricante de rodas, um gravador, um dourador e dois cocheiros, que podem ser inspecionados e o preço confirmado... na casa do proprietário. Também à venda: três cavalos jovens de corrida, um potro e dois eunucos e uma matilha de cães de caça, cinquenta ao todo. Vendo uma criada de 16 anos que sabe tecer renda, costurar lençóis e toalhas, passar e engomar e vestir a senhora; além disso, é agradável de rosto e de corpo.

Um servo, mesmo um com grandes habilidades, geralmente custava menos que um cão de caça premiado. Em geral, um servo homem valia entre 200 e 500 rublos; uma menina ou mulher custava de 50 a 200 rublos, dependendo da idade, dos talentos e da beleza. Às vezes os servos trocavam de dono, de graça. Podiam ser permutados por um cavalo ou um cachorro, e uma família inteira podia ser ganha ou perdida num jogo de cartas.

Quase todos os servos eram lavradores. Mas foram as condições e as queixas dos servos industriais nas minas, fundições e fábricas nos Urais que constituíram o primeiro desafio de Catarina. Originalmente, muitos dos trabalhadores nos Urais tinham sido camponeses do Estado. Para estimular a industrialização da Rússia, em 1721, Pedro, o Grande, pôs esses camponeses à venda a empresários não nobres para tirá-los dos campos, convertê-los em servos industriais e fixá-los permanentemente em uma empresa industrial. Esses servos não se tornaram propriedade privada dos donos, mas eram propriedade da empresa, vendidos com ela, como peças do maquinário. Suas condições de vida eram horrendas, com horas de trabalho ilimitadas e custo de manutenção irrisório. Os gerentes tinham o poder de infligir castigos corporais. A taxa de mortalidade era alta e poucos chegavam à meia-idade. Muitos simplesmente morriam de tanto trabalhar. Não é de admirar que houvesse conflitos agudos envolvendo servos da indústria. No reinado de Elizabeth, houve motins, sufocados pelo Exército. A fuga dos camponeses russos sempre foi sua principal defesa contra a opressão, e os servos industriais tentavam fugir pelas regiões de baixa população e pelos desertos além do Baixo Volga. Nem todos os fugitivos escapavam com vida, mas o número de tentativas vinha subindo.

Catarina se defrontou com essa situação em seu primeiro verão como imperatriz. Sua reação foi emitir um decreto, em 8 de agosto de 1762, declarando que, no futuro, os donos de fábricas e minas estavam proibidos de comprar servos para o trabalho industrial sem que comprassem também as terras a que eles pertenciam. O decreto dizia ainda que os servos assim adquiridos receberiam salários previamente combinados.

A notícia desse decreto reverberou nas regiões industriais e de mineração. Ao ouvir falar em salários previamente combinados, os servos nos Urais e ao longo do Volga prontamente largaram as ferramentas e entraram em greve. A produção das minas e fábricas ficou paralisada. Catarina reconheceu que o decreto fora prematuro. Para forçar os servos da indústria a voltar ao trabalho, ela foi obrigada a seguir os passos de Elizabeth e enviar tropas. O general A. A. Vyazemsky, futuro procurador geral, foi despachado para pacificar os Urais. Em locais onde antigas revoltas tinham sido reprimidas à força de chibata, Vyazemsky recorreu a canhões.

Antes que ele partisse em missão, porém, Catarina lhe deu instruções adicionais. Uma vez suprimidas as greves, Vyazemsky deveria examinar a situação nas minas, investigar as razões de insatisfação dos trabalhadores e determinar as medidas necessárias para contentá-los. Estava autorizado a demitir e, se preciso fosse, punir gerentes de servos:

> Em suma, faça tudo o que julgar apropriado para a satisfação dos camponeses, mas tome as precauções adequadas para que os camponeses não imaginem que os gerentes terão medo deles no futuro. Se você encontrar gerentes culpados de grande desumanidade, pode castigá-los publicamente, mas, se alguém tiver exigido mais trabalho

do que o correto, pode puni-lo secretamente. Assim você não dará ao povo fundamentos para perder a devida obediência.

Vyazemsky percorreu os Urais e o Baixo Volga punindo líderes grevistas com surras e sentenças de trabalhos forçados. Mas também levou a sério a segunda parte da missão, ou seja, investigar as queixas e aplicar punição a gerentes culpados de crueldade ou péssima administração.

Dizem que Catarina leu o relatório de Vyazemsky com compaixão, mas, tendo recorrido à força para debelar as greves, foi apanhada entre dois extremos. Os servos industriais, sentindo o seu novo poder, ficaram desconfiados de qualquer proposta que ela pudesse fazer para melhor atender às reclamações deles. Ao mesmo tempo, os donos de minas e agentes regionais do governo argumentaram que era cedo demais para oferecer reformas, ou mesmo leniência, a um povo selvagem, primitivo que só podia andar na linha na base do chicote. Assim, à exceção da mudança nos termos de aquisição de servos do decreto inicial, as condições dos servos da indústria permaneceram inalteradas. Os problemas continuaram, a violência era frequente, e alguns anos depois a rebelião de Pugachev varreu toda a região dos Urais e do Baixo Volga. Para Catarina, a lição foi que era preciso mais que inteligência e boa vontade para quebrar tradições, preconceitos e ignorância, tanto de proprietários como de servos.

Mas continuou tentando. Em julho de 1765, ela nomeou uma comissão especial para "buscar meios de melhorar as fundições, tendo em mente o alívio da opressão do povo e sua paz de espírito, bem como o bem-estar da nação". Em 1767, falou em ação necessária para evitar um levante geral dos servos querendo se livrar de "um jugo insuportável". "Se não concordarmos em reduzir a crueldade e moderar uma situação intolerável para seres humanos", disse, "eles mesmos irão tomar o controle da situação."

Conhecedora das ideias iluministas dos Direitos do Homem, Catarina era intelectualmente contra a servidão. Ainda quando grã-duquesa, ela havia sugerido um modo de reformar e acabar abolindo a instituição, embora pudesse levar cem anos para se concretizar. Esse plano tinha como ponto crucial determinar que, cada vez que uma propriedade fosse vendida, todos os servos de lá seriam libertados. Dado que em um século uma grande quantidade de propriedades seria provavelmente vendida, ela disse: "Pronto! O povo está livre!"

Se enxergava a iniquidade da servidão, por que Catarina, quando chegou ao trono, deu milhares de servos aos que a apoiaram? No primeiro mês de reinado, Catarina deu de presente não menos que 18 mil camponeses da coroa e do Estado que gozavam de certa liberdade. Vendo com bons olhos, ela deve ter pensado que essa reversão de sua crença era temporária. Precisava lidar com uma situação imediata. A nobreza latifundiária, somada ao exército e à Igreja, tinha levado Catarina ao trono. Ela quis recompensá-los. Na Rússia de 1762, a riqueza era medida em servos, e não em terras. Além de títulos e joias, para premiar a quem lhe dera apoio, ela deu riqueza. E riqueza significava servos.

Devido a compromissos impostos pelas exigências de sua função de imperatriz, Catarina precisava conciliar a servidão russa com o conceito iluminista de Direitos do Homem. Ela não tinha um exemplo europeu contemporâneo a seguir. Os enciclopedistas condenavam a servidão por princípio, sem jamais terem precisado enfrentá-la. Remanescente do feudalismo, a servidão continuava a existir apenas em enclaves espalhados pela Europa. Na Inglaterra de George III, o rei, o Parlamento e o povo faziam vista grossa para a participação inglesa no comércio de escravos africanos, que resultou em 20 mil homens e mulheres embarcados, por ano, em seus navios para as Índias Ocidentais. As colônias americanas — e em breve a república da América do Norte, cujos líderes usavam frequentemente a linguagem do Iluminismo — ofereciam exemplos flagrantes de hipocrisia. Os cavalheiros e fazendeiros da Virgínia que defendiam a independência americana eram, em sua maior parte, senhores de escravos. George Washington ainda era dono de escravos em Mount Vernon quando morreu, em 1799. Thomas Jefferson, que escreveu na Declaração da Independência que "todos os homens são criados iguais" e têm direito à "vida, à liberdade e à busca da felicidade", teve escravos a vida inteira. Durante 38 anos, Jefferson viveu com sua escrava Sally Hemings, que lhe deu sete filhos. Washington e Jefferson não estavam nada isolados nessa hipocrisia presidencial. Doze presidentes norte-americanos tiveram escravos, oito deles enquanto ocupavam o cargo.

A condição dos servos russos lembrava, em muitos aspectos, a dos escravos negros na América. Eram considerados pelos donos uma subespécie humana, e acreditava-se que esse abismo entre servos e senhores era sancionado por Deus. Eram comprados e vendidos como animais, submetidos a tratamento arbitrário, privações e, muito frequentemente, a crueldade. Na Rússia, entretanto, não havia barreira de cor entre senhor e escravo. Os servos russos não eram estrangeiros numa terra estranha, não tinham sido violentamente sequestrados para o outro lado do oceano, a milhares de quilômetros de sua terra natal, despojados de sua língua e religião. Os servos russos eram descendentes de gente pobre e analfabeta da mesma raça, mesmo sangue e mesma língua de seus donos. Não obstante, assim como os donos de escravos na América, os donos de servos russos tinham controle absoluto sobre a vida de sua propriedade humana. Um servo não podia se casar sem a permissão do seu senhor. As leis não impunham limites ao direito de ministrar castigo corporal aos servos. Desobediência, preguiça, bebedeira, furto, brigas e resistência à autoridade eram motivos para apanhar de chicote, porrete e chibata. O único limite imposto ao poder de um nobre era não ser permitido executar um servo, mas ele podia infligir castigos que levariam à morte. Um viajante francês na Rússia escreveu: "O que me repugna é ver homens de cabelos grisalhos e barba de patriarca deitados de cara no chão, com as calças abaixadas, espancados como crianças. Ainda mais horrível – e me envergonho ao escrever isso – é que alguns senhores obrigam filhos a infligir esse castigo aos pais."

A maioria dos servos russos era de camponeses agrícolas, que aravam, plantavam e colhiam nas terras desbastadas das florestas. Dependendo da época do ano e dos caprichos do senhor, podiam também ser aproveitados como lenhadores, jardineiros, carpinteiros, fabricantes de velas, pintores e curtidores de couro. Os servos cuidavam do gado, ou trabalhavam em coudelarias, criando cavalos para tração de carruagens ou para montaria. As mulheres servas viviam em labuta constante. Frequentemente grávidas, trabalhavam sem descanso nos campos ao lado do marido, faziam a comida, lavavam a roupa e tinham filhos, criados como pequenos servos para aumentar a fortuna do senhor. Quando essas mulheres ficavam livres de suas obrigações, eram mandadas a colher cogumelos e frutinhas nas florestas, mas não tinham permissão de guardar nem de comer nenhuma.

Era um sinistro mundo, patriarcal. A vida doméstica da maioria dos servos seguia a regra universal que se aplica a toda cultura e sociedade desde tempos imemoriais: o homem, brutalizado por seus superiores, transferia a brutalidade para aqueles sob seu poder, geralmente a mulher e os filhos. O chefe de uma família de servos tinha autoridade quase absoluta em sua casa. Isso às vezes lhe permitia até usar as esposas dos filhos para seus prazeres sexuais.

A vida dos servos variava conforme a quantidade que o senhor de terras possuía. Um nobre latifundiário rico podia ter dezenas de milhares de servos. Esses próceres da nobreza russa empregavam seis vezes mais servos e pessoal doméstico do que as pessoas da mesma classe na Europa. A equipe de serviço doméstico de um grande nobre podia chegar a muitas centenas, e de um nobre menos rico podia ser de vinte, ou menos. Em geral, os servos domésticos eram tirados de suas famílias ainda quando crianças. Escolhidos pela inteligência, boa aparência e maior adaptabilidade, eles eram treinados no ofício ou trabalho que o senhor escolhesse. Um grande nobre tinha seus próprios sapateiros, ourives, alfaiates e costureiras. Na mansão, servos homens e mulheres, todos vestidos em veludo bordado com fio de ouro, se alinhavam no saguão e diante das portas dos quartos, à espera das ordens do senhor ou de seus hóspedes. O dever de um servo podia ser simplesmente abrir e fechar uma determinada porta, outro podia ficar a postos somente para trazer o cachimbo ou o copo de vinho do senhor, e outro só para trazer um livro ou um lenço limpo.

Como os russos adoravam espetáculos elaborados, os mais ricos da nobreza tinham seus próprios teatros, companhias de ópera, orquestras de cem músicos e grandes balés. Para complementar, o grande nobre podia também ter seus próprios compositores, maestros, cantores, atores, pintores e contrarregras – todas as pessoas necessárias para as apresentações nos palcos. Os nobres enviavam seus servos músicos, pintores ou escultores ao estrangeiro para aperfeiçoarem suas técnicas com mestres franceses e italianos. Os servos também podiam se tornar engenheiros, matemáticos, astrônomos e arquitetos. A vida desses homens e mulheres talentosos era mais fácil que a dos servos campesinos, que talvez fossem seus pais ou avós; às vezes o senhor passava a gostar muito deles. Contudo, nenhum servo, por mais inteligente ou talentoso que fosse, tinha permissão para esquecer que continuava sendo uma espécie de propriedade, talvez um favorito temporariamente, mas sempre vulnerável a ser separado de sua família, proibido de se casar com quem quisesse ou forçado a se casar com quem não queria. Além de dançar ou tocar um instrumento, esperava-se que cozinhasse, limpasse e servisse as mesas; estava sempre sujeito a abusos de humilhações, sempre uma presa da luxúria do predador. Não havia protestos contra esse tratamento. O servo sempre podia ser mandado de volta aos campos. Ou vendido.

A história do teatro dos servos na Rússia é repleta de episódios de crueldade. Um nobre agarrou de repente uma cantora que estava fazendo o papel de Dido. Deu-lhe um tapa no rosto, dizendo que, quando sua performance acabasse, ela seria devidamente espancada no estábulo. Com a face vermelha do tapa, a moça tinha de continuar cantando. Um convidado, visitando os bastidores do teatro de um príncipe, encontrou um ator usando uma pesada coleira de metal pontilhada de pregos. Ao menor movimento, ele sofria dores horríveis. "É punição", o príncipe explicou, "para que ele faça melhor o papel do rei Édipo na próxima vez. Vou deixá-lo assim por algumas horas. Certamente a atuação dele vai melhorar." Nos mesmos bastidores, um visitante viu um homem acorrentado pelo pescoço, sem poder se mexer. "É um dos meus violinistas", disse o anfitrião. "Desafinou, então tive de puni-lo." Esse príncipe anotava os menores erros dos atores, e nos intervalos ia aos bastidores chicoteá-los.

A propriedade de moças e rapazes, meninos e meninas dava total liberdade aos donos de servos para realizar suas fantasias eróticas. Algumas servas artistas eram obrigadas a trabalhar como criadas num jantar, depois subir ao palco para representar e em seguida ir para o quarto de um hóspede do senhor. Certo anfitrião deixava uma jovem serva à disposição de cada hóspede durante toda a estada. O príncipe Nicolau Yusupov brindava seus convidados com orgias que começavam no palco. Quando ele batia a bengala, todas as dançarinas tiravam as roupas e dançavam nuas.

Em contraponto a esse pano de fundo de exploração e crueldade, um romântico conto de fadas se destaca. Inevitavelmente, acabou em vergonha, tragédia e morte.

Durante muitas gerações, a família Sheremetev foi uma das mais importantes da nobreza russa. Haviam servido os grandes príncipes de Moscou, predecessores dos czares. Uma Sheremetev foi casada com o filho de Ivan, o Terrível, também chamado Ivan, e que foi assassinado pelo pai. O marechal de campo Boris Sheremetev comandou o Exército russo de Pedro, o Grande, na histórica vitória de 1709, sobre Carlos XII da Suécia, em Poltava. Em meados do século XVIII, a família Sheremetev era a mais rica da nobreza russa, com propriedades totalizando 2 milhões de acres espalhados pelo império. Algumas consistiam em dezenas de cidades, cada uma com mais de cem casas. Os Sheremetev possuíam selas, mesas de bilhar e cães de caça importados da Inglaterra, presunto da Westfália e roupas, cremes, tabaco e navalhas de Paris. O conde Nicolau Sheremetev, chefe da família durante a maior parte do reinado de Catarina, possuía 210 mil servos, mais que a população total de São Petersburgo.

Kuskovo, uma das mais ricas propriedades dos Sheremetev, ficava apenas oito quilômetros a leste do Kremlin, em Moscou. Ali, num palácio em estilo italiano, as paredes das galerias e salões exibiam obras de Rembrandt e Van Dyke. Na biblioteca, bustos de Voltaire e Benjamin Franklin miravam estantes de 20 mil livros, incluindo obras de Voltaire, Montesquieu, Diderot, Rousseau, Corneille, Molière, Cervantes, além de traduções francesas de Milton, Pope e Fielding. Fora do palácio, num lago artificial cavado pelos servos, flutuavam uma nau de guerra totalmente equipada e um junco chinês.

Nicolau Sheremetev, neto do marechal de campo e herdeiro de sua fortuna, cresceu num mundo de luxo e privilégios. Aprendeu russo, francês e alemão, violino e cravo, e teve aulas de pintura, escultura, arquitetura, esgrima e equitação. Quando criança, foi escolhido pela imperatriz Catarina para ser companheiro de brincadeiras de seu filho e herdeiro, o grão-duque Paulo.

Dezenove anos depois do nascimento de Nicolau, uma jovem serva chamada Praskovia nasceu numa propriedade dos Sheremetev. Seu pai era um ferreiro analfabeto, com um fraco pela garrafa. Costumava ficar violento e surrar a mulher na frente dos filhos. Aos 8 anos de idade, Praskovia foi levada ao palácio. Nem ela nem seus pais tiveram escolha. Os servos eram rotineiramente obrigados a entregar os filhos quando e para a finalidade que seu dono quisesse. Ela aprendeu a ler e escrever e conheceu Nicolau quando ele tinha 26 anos, e ela, 9. Ainda solteiro, Nicolau gostava de mulheres, e as mulheres que lhe eram mais atraentes — ou talvez simplesmente estivessem mais à mão e fossem menos exigentes – eram suas servas. Ele e Praskovia se tornaram amantes na década de 1780, quando ela estava com 17 anos, e ele chegando aos 35. Seu relacionamento se estreitou, unidos não só porque ele era o senhor e ela a serva, mas por sua paixão pela música. Ela exibia um raro talento como cantora, e ele perseguia o sonho de criar a melhor companhia de ópera da Rússia. Ainda adolescente, ela estreou no palco do novo teatro de ópera Sheremetev e imediatamente se consagrou como estrela. Tinha olhos escuros e expressivos, a pele clara, cabelos ruivos e uma silhueta esbelta, quase frágil; seu nome artístico era "a Pérola". A voz de soprano foi descrita por seu biógrafo como "um milagre de cor e beleza, com extraordinário alcance, emoção, força, precisão e clareza".

Entre 1784 e 1788, Nicolau levou ao palco mais de quarenta produções diversas, entre grandes óperas, óperas cômicas, comédias e balés. A nobreza russa acorria para ver e ouvir Praskovia cantar. A imperatriz Catarina, retornando de uma viagem à Crimeia em 1787, foi a Kuskovo e, a despeito de sua falta de ouvido musical, ficou profundamente emocionada com Praskovia. Nas palavras da imperatriz, foi "a performance mais magnífica" que já tinha visto. Terminada a ópera, Catarina quis conhecer Praskovia, que foi trazida à sua presença. A imperatriz falou ligeiramente com a cantora e depois lhe enviou um anel de brilhantes no valor de 350 rublos – numa época em que presentear servos não tinha precedentes.

Em 1796, porém, Praskovia adoeceu com sintomas de fortes dores de cabeça, tontura, tosse e dores no peito. Forçada a deixar o palco, cantou pela última vez em 25 de abril, no ano em que completou 28 anos. Nicolau fechou o teatro e em 1798 deu a liberdade a Praskovia. Mais tarde, ele explicou:

> Eu tive por ela os sentimentos mais ternos, mais apaixonados. Mesmo assim, perscrutei meu coração. Estaria eu invadido por um mero desejo apaixonado ou enxergava suas outras qualidades além da beleza? Vendo que meu coração ansiava por algo mais que amor e amizade, mais que o mero prazer físico, observei por muito tempo o caráter e as qualidades daquele desejo do meu coração, e encontrei nela a mente adornada de virtude, sinceridade, um verdadeiro amor pela humanidade, constância, fidelidade e uma inabalável fé em Deus. Essas qualidades me conquistaram mais que sua beleza, pois são mais poderosas que os encantos externos, e muito mais raras.

Ele propôs que se casassem. Essa ideia era revolucionária. Nenhum nobre da classe de Nicolau jamais havia se casado com uma mulher nascida serva. O que significava isso? Um casamento do mais rico aristocrata da Rússia com uma serva, mesmo emancipada? Nicolau ignorou as consequências e foi adiante. Em 4 de novembro de 1801, casou-se com Praskovia. Em 3 de fevereiro de 1803, aos 34 anos, ela deu à luz seu único filho, Dmitry. Três semanas depois, na manhã de 23 de fevereiro, Praskovia morreu. Os nobres da cidade, ainda irritados por Nicolau ter desposado uma ex-serva, não compareceram ao funeral. Nicolau também não compareceu. Esmagado pelo pesar, não foi capaz de se levantar da cama. Seis anos mais tarde, com a idade de 57, ele morreu e foi enterrado ao lado dela, no monastério Alexander Nevsky, em São Petersburgo. Dmitry, seu único filho legítimo, herdou a fortuna dos Sheremetev.

Essa história virou lenda. Dizem que em 1855 o czar Alexander II, neto de Catarina, estava passeando com Dmitry em Kuskovo, ouvindo as histórias sobre a mãe dele, Praskovia. Logo depois, segundo a história da família, o czar assinou o decreto inicial que levaria à emancipação dos servos russos em 1861. Em 1863, a Proclamação da Emancipação, de Abraham Lincoln, libertou os escravos negros nos Estados Unidos.

❦48❦
"MADAME ORLOV JAMAIS PODERIA SER IMPERATRIZ DA RÚSSIA"

NOS PRIMEIROS ANOS DO REINADO DE CATARINA, Gregório Orlov estava sempre ao lado dela, em seu uniforme escarlate, trazendo no peito o emblema da proteção da imperatriz: o retrato dela emoldurado com diamantes. A imperatriz o amava como homem e como o herói que, juntamente com os irmãos, a levara ao trono. Ele era também, dos quatro homens com quem tinha dormido, o que lhe dava maior satisfação física. Gregório viajava na carruagem imperial, ao lado da soberana, enquanto homens das famílias da alta aristocracia iam na escolta a cavalo. As pessoas que desejavam subir na corte iam falar com ele.

Nem todo mundo gostava de Orlov. Alguns, como a princesa Dashkova, reclamavam de sua origem humilde, sua ascensão repentina, suas maneiras indelicadas. Catarina via que membros importantes da nobreza o evitavam e a seus irmãos. Sabendo disso, ela fazia todo o possível para amainar sua rudeza e transformá-lo num *grand seigneur*. Deu-lhe um tutor francês para ensinar a língua usada pelos russos cultos, mas a iniciativa teve pouco sucesso. Em carta para Poniatowski, ela tentou explicar a situação: "Os homens ao meu redor são desprovidos de cultura, mas devo a eles minha atual situação. São corajosos, honestos, e sei que jamais me trairão."

Sua posição no trono complicava o relacionamento com Orlov. Embora ela cobrisse os Orlov de títulos, honrarias e riquezas, Gregório queria algo mais. Agora Catarina era viúva, e ele queria o prêmio que considerava merecido por seus serviços: queria que ela fosse esposa dele. Era mais que ambição política. Orlov era um soldado destemido, o homem que com três balas no corpo permaneceu ao lado do canhão em Kunersdorf, e que mais tarde se atreveu a fugir com a amante do general. A vaidade teve seu papel quando ele cortejou Catarina enquanto grã-duquesa, mas havia paixão também. A coragem era desnecessária; não havia perigo em ser amante dela. Essas relações, quando discretas – e às vezes mesmo quando indiscretas –, eram aceitas na corte russa. A imperatriz Ana teve João Biron; a imperatriz Elizabeth teve Alexis Razumovsky; o marido de Catarina, Pedro III, teve Elizabeth Vorontsova; e Catarina já havia sido amante de Sergei Saltykov e de Stanislaus Poniatowski. Na Europa Ocidental, essas ligações reais eram comuns. Carlos II, George I e George II da Inglaterra, assim como Luís XIV e Luís XV da França, tiveram amantes reconhecidas oficialmente. Orlov, portanto, não corria perigo por seu relacionamento com Catarina, até se envolver com ela numa conspiração para derrubar o soberano. Para ele e os irmãos, isso era crime capital. Por outro lado, nos meses em que a conspiração ia tomando forma, ele e Catarina estavam igualmente em perigo. O fato de estar arriscando a vida por ela nivelava as diferenças de condição. Na verdade, ele estava numa posição de fazer mais por ela do que ela por ele.

A situação atraíra Orlov. Os homens podem ser seduzidos por mulheres que, segundo eles acreditam, estão precisando de auxílio. Orlov pode ter se equivocado ao considerar Catarina uma mulher com necessidade de ajuda. Não era. Catarina era valente, orgulhosa e confiante. Enquanto ainda era grã-duquesa, pode ter parecido, e até ter se sentido política e emocionalmente vulnerável, mas disfarçava bem. Era amante de Orlov e tinha um filho dele, e ele tinha se arriscado a morrer por ela. Catarina estava no trono graças à ajuda dele. Ele sabia disso tudo, achava que a situação tinha se equilibrado, e não estava disposto a ficar no papel de subordinado. Queria que Catarina lhe pertencesse durante o dia, em público, e não meramente algumas horas por noite, detrás de cortinas de seda.

Para Catarina, isso era impossível. Ela já não era uma grã-duquesa, e não podia continuar sendo simplesmente a amante apaixonada. Era imperatriz da Rússia. O papel, na interpretação dela, exigia muito. Acordava diariamente às cinco ou seis da manhã e trabalhava 15 horas por dia. Isso deixava talvez uma hora apenas entre o término de seus deveres oficiais – geralmente tarde da noite – e o momento em que adormecia, exausta. Era o único horário de que dispunha para virar um brinquedinho de homem. Não tinha tempo para jogos de amor elaborados, fazer ciúmes, imaginar e compartilhar sonhos do futuro. Ela sabia que o privava do que ele queria, mas, a seu ver, não tinha escolha. Isso acarretava um sentimento de culpa, e era para aliviar essa culpa que ela o cumulava de títulos, joias e propriedades. Eram uma compensação por não estar pronta a se casar com ele.

Mas não eram essas recompensas que Gregório desejava. Ele queria se casar com ela, não por ambicionar a posição de príncipe consorte, mas para assumir o papel conjugal dominante de um marido na Rússia do século XVIII. Gregório se ressentia das horas roubadas pelo trabalho dela enquanto ele ardia com o desejo de manifestar e satisfazer sua paixão. Zangava-se porque aquelas horas eram passadas com homens como Nikita Panin e Kyril Razumovsky, cuja educação superior parecia agora eclipsar a paixão e coragem militar dele. Eles a aconselhavam sobre assuntos em que ele era absolutamente ignorante. A sensação de que Catarina estava se distanciando levou-o a fazer desastradas tentativas de forçá-la a se lembrar da dívida para com ele e os irmãos. Às vezes explodia em público com Catarina, fazendo valer seus direitos com deliberada grosseria. Uma noite, antes de sair para a coroação em Moscou, num jantar com amigos íntimos de Catarina no Palácio de Verão, a conversa chegou ao golpe, de poucos meses antes. Gregório começou a se gabar de sua influência sobre as Guardas. Dirigindo-se a Catarina, falou da facilidade com que a tinha posto no trono e, se ele quisesse, poderia tirá-la de lá com a mesma facilidade no prazo de um mês. Todos à mesa ficaram chocados. Ninguém, a não ser Orlov, ousaria falar dessa maneira com a imperatriz. Nesse momento, Kyril Razumovsky levantou a voz: "Talvez tenha razão, meu amigo", ele disse com um sorriso frio, "mas bem antes do fim desse mês nós o teríamos pendurado pelo pescoço." Foi um impacto para Gregório, um lembrete de que, essencialmente, ele não passava de um amante de Catarina, um peão bonito e musculoso.

Catarina procurava um meio de reestruturar e manter o relacionamento. Quando subiu ao trono, achava que podia continuar para sempre feliz da vida com Gregório Orlov. Era seu amante havia três anos, era o pai de seu filho pequeno, Alexis Bobrinsky, e ele e seus irmãos tinham arriscado a vida por ela. Além disso, no pináculo a que a ambição a alçara, sentia a solidão do poder. Precisava tanto de companhia e afeição como de paixão. E por isso Catarina pensou em se casar com ele.

Orlov se tornou insistente, exigente. Declarou que preferia voltar a ser um subalterno no Exército a ficar no papel de "macho Pompadour". Catarina examinou seus próprios sentimentos. Não se atrevia a recusar diretamente. Não era cega aos defeitos de Orlov. Exagerava as qualidades dele na frente dos outros, mas sabia exatamente como ele era. Sabia que ele não tinha nada de intelectual nem de culto, e não era qualificado para tomar parte na grave questão de governar.

Orlov não entendia, ou não aceitava, a hesitação de Catarina. Não conhecia seus anos de ambição, iniciados na infância, os anos de espera, de fome de poder, de sempre saber que ela era superior a todos à sua volta em intelecto, cultura, conhecimento e força de vontade. Todo esse tempo ela fora obrigada a esperar. Agora a espera tinha chegado ao fim. Se precisasse escolher entre Orlov como marido ou o poder imperial – se pudesse ter só um –, não seria Orlov.

No entanto, a ideia de casamento ainda a apoquentava. Em certos momentos, pensava que poderia ter Orlov e o trono. Chegou a pensar em dizer sim. Depois, não sabia como dizer não. Não podia se dar ao luxo de alijar os Orlov, e ao mesmo tempo podia imaginar a consternação e a raiva que tal união causaria em outros círculos, principalmente em Nikita Panin, que era essencial à sua administração no governo. Para todos os russos, mas especialmente Panin, o casamento com um Orlov equivaleria a pôr em risco o direito de Paulo à sucessão em favor de seu filho mais novo, com Orlov. De fato, exercendo seu direito de falar francamente com Catarina, Panin reagiu a essa conversa de casamento dizendo friamente: "Uma madame Orlov jamais poderia ser imperatriz da Rússia."

A certa altura, na esperança de achar um precedente para o casamento com Orlov, Catarina decidiu investigar os boatos de que a imperatriz Elizabeth tinha se casado com seu amante camponês, Alexis Razumovsky. Enviou o chanceler Miguel Vorontsov para visitar Razumovsky e lhe dizer que, se tivesse provas do casamento com Elizabeth, teria direito, como príncipe consorte viúvo, a todas as honrarias devidas a um membro da família imperial, posição que lhe renderia uma pensão substancial. O chanceler encontrou Razumovsky diante da lareira, lendo a Bíblia. Mais velho, Razumovsky ouviu calado o que o visitante tinha a dizer e balançou a cabeça. Já era um dos homens mais ricos da Rússia, não estava interessado em honrarias, nem precisava de dinheiro. Levantou-se, abriu um escaninho de mármore e de lá tirou um rolo de pergaminho atado com fita cor-de-rosa. Fez o sinal da cruz, levou o pergaminho aos lábios, retirou a fita e atirou o documento ao fogo. "Diga a Sua Majestade Imperial que nunca fui mais que o humilde escravo da finada imperatriz Elizabeth Petrovna", falou.

Orlov se recusava a considerar isso um sério contratempo. Razumovsky não passava de um camponês bonito com uma voz maravilhosa, enquanto ele, Gregório Orlov, e seus irmãos tinham levado sua amante ao trono imperial. E continuou tentando providenciar o casamento. No inverno de 1763, Alexis Bestuzhev, agora alinhado com os Orlov contra Panin, fez circular uma petição a fim de angariar o apoio da alta nobreza, dos membros do Senado e do clero, solicitando que a imperatriz se casasse de novo. Na petição, ele argumentava que, dada a fragilidade e doenças frequentes do grão-duque Paulo, a Rússia precisava de outro herdeiro. Se era ideia apenas de Bestuzhev ou se os Orlov, e até Catarina, estavam por trás disso, ninguém sabia. Mas a petição suscitou forte oposição, e quando Panin pôs as mãos no documento, levou-o a Catarina, que se recusou a deixar Bestuzhev continuar a divulgá-lo.

Quando Catarina chegou ao trono, não tardou para que o relacionamento de Gregório Orlov com a nova imperatriz despertasse inveja na instituição de onde viera o soldado. Gregório achava que sua popularidade no Exército seria perpétua. Agora, enquanto ele e seus irmãos conquistavam cada vez mais favores imperiais, vinham perdendo prestígio no Exército, até com seus velhos amigos nas Guardas. A ascensão dos Orlov tinha sido rápida demais. O sucesso levou ao orgulho, o orgulho nutriu a arrogância, e a arrogância gerou a inveja. Foi em outubro, apenas um mês depois da coroação em Moscou, que o relacionamento de Orlov com Catarina despertou a insatisfação de um grupo de jovens oficiais que haviam tomado parte no golpe, e daí veio a conversa de destroná-la em favor do imperador deposto, Ivan VI. Embora essa miniconspiração tenha sido debelada rapidamente, algum antagonismo remanesceu. E se a imperatriz decidisse se casar com o alto e belo soldado? A resposta veio seis meses depois.

Em maio de 1763, Catarina viajou de Moscou para o monastério da Ressurreição, em Rostov, no Alto Volga, fazendo a peregrinação que fora adiada quando a contenda com o arcebispo Arseniy Matseyevich estava chegando ao clímax. Infelizmente para Orlov, essa viagem coincidiu com a circulação da petição de Bestuzhev para Catarina se casar de novo. Em consequência, circulou o boato de que a imperatriz teria ido ao monastério para se casar em segredo com Orlov. O boato foi espalhado em Moscou e recebido a princípio com incredulidade, depois com consternação, e despertou uma fervente reação de um jovem oficial da Guarda, o capitão Fedor Khitrovo.

A imperatriz ainda estava em Rostov quando soube que Khitrovo estava tramando o assassinato de todos os Orlov a fim de eliminá-los da vida dela. Khitrovo foi preso. Como havia também rumores de que Nikita Panin e a princesa Dashkova estariam envolvidos, a imperatriz quis saber quem havia criado aquela conspiração, e quem mais estava implicado. O general Vasily Suvorov foi encarregado de investigar.

Catarina ficou surpresa ao saber que Khitrovo era um dos quarenta oficiais da Guarda recompensados pelos serviços no golpe que a pusera no trono. No interrogatório, o jovem oficial declarou que havia se aliado ao golpe acreditando que Catarina seria proclamada regente do filho, e não imperatriz reinante. De todo modo, ele e seus companheiros tinham feito por Catarina o mesmo que os irmãos Orlov fizeram: todos arriscaram a vida para destronar Pedro III. Em troca, cada um dos quarenta recebeu uns poucos milhares de rublos e uma condecoração. Mas Gregório Orlov tinha virado nobre, com uma pensão anual de 150 mil rublos, tinha se tornado favorito da imperatriz e se pavoneava como se já fosse o príncipe consorte. Khitrovo acreditava que a peregrinação de Catarina a Rostov era para se casar com o amante. Achava que seria uma calamidade nacional, e deveria ser evitada.

Ainda no interrogatório, Khitrovo disse que seu plano fora inspirado somente por seu amor à nação. Insistiu que tinha agido de livre e espontânea vontade, e jurou que não tinha cúmplices. Ao mesmo tempo, declarou que não se opunha a um novo casamento da imperatriz; na verdade, era sinceramente a favor, desde que fosse com alguém à altura do trono. À medida que a investigação prosseguia, ficou fora de dúvida que Khitrovo não era um maluco, excêntrico, mas expressava a opinião de muitos da Guarda e do Exército. Sua conduta e suas respostas causaram profunda impressão. Ele conquistou o apoio dos interrogadores, que viram estar lidando com um patriota honesto, determinado, cujo interesse era salvar a Rússia da desgraça.

Quando ficou evidente que os investigadores tinham tomado o partido do prisioneiro, não se podia mais acusar Khitrovo. Longe de ser um assassino em potencial, ele era visto agora como um herói desejando salvar sua soberana. Embora a investigação tivesse sido conduzida num tribunal supostamente secreto, todo mundo em Moscou sabia o que estava acontecendo. Todos culparam os Orlov e isentaram Khitrovo. Diante da óbvia simpatia pública por Khitrovo, nem mesmo os Orlov tiveram a audácia de insistir no caso. O interrogatório foi suspenso e não houve julgamento. A própria Catarina reconheceu que Khitrovo não era seu inimigo, mas um oficial honrado emitindo a opinião da corte, das Guardas, do Exército e da cidade inteira. Internamente, se sentia grata ao jovem capitão. Uma vez divulgada a oposição geral ao casamento, até Gregório se viu obrigado a reconhecer que aquilo estava fora de questão. Catarina podia escapar à penosa situação de rejeitá-lo pessoalmente.

O processo, longe de ficar em segredo, despertou uma intensa discussão pública — tão grande que desagradou a Catarina. Para dar fim ao falatório, em 4 de junho de 1763 ela emitiu o que foi chamado de Manifesto do Silêncio. Ao som de tambores, em todo o império o povo foi chamado às praças, onde um arauto lia a proclamação de que "cada pessoa deve se ocupar de sua própria vida, abstendo-se de críticas e comentários inúteis e indevidos sobre o governo". Essa iniciativa surtiu o efeito desejado, e o caso Khitrovo foi sendo esquecido. Como o capitão pertencia a uma família rica, sua punição foi apenas perder a patente militar, ser desligado do Exército e exilado em sua propriedade rural perto de Orel. Morreu 11 anos depois.

Entretanto, antes de desaparecer completamente, o caso Khitrovo teve repercussões. Na primeira fase das investigações, o nome da princesa Dashkova foi mencionado como participante do grupo de cúmplices de Khitrovo. Não era verdade, como ele mesmo esclareceu, mas os Orlov, sabendo o quanto Dashkova os desprezava, solicitaram que ela fosse interrogada. A imperatriz cancelou o pedido, mas nada que envolvesse Catarina Dashkova jamais permaneceria em segredo. A princesa declarou publicamente que não sabia nada acerca da conspiração, mas acrescentou que, se soubesse, não contaria a quem quer que fosse. Então, como era do seu feitio, declarou: "Se a imperatriz quiser mandar cortar minha cabeça em retribuição por ter colocado uma coroa na dela, estou bem preparada para morrer." Era o tipo de observação floreada, exibicionista que a imperatriz achava intolerável. Quando Dashkova conseguiu espalhar essa declaração pela cidade inteira de Moscou, a imperatriz, exasperada, escreveu ao príncipe Dashkov, pedindo-lhe que exercesse autoridade sobre a esposa: "É meu desejo expresso não ser obrigada a esquecer os serviços prestados pela princesa Dashkova devido a ela mesma se esquecer das próprias obrigações. Lembre isso a ela, caro príncipe, já que ela se permite, pelo que sei, a indiscreta liberdade de me ameaçar em suas conversas."

O fim do caso Khitrovo aquietou um problema muito maior: não se falaria mais em casamento com Orlov. A demonstração aberta do quanto os Orlov eram detestados abalou Catarina, e ela não queria inflamar ainda mais a opinião pública. Não se falou mais em casamento, mas Catarina manteve Gregório a seu lado por mais nove anos, aguentando as variações de humor, os ciúmes e as pequenas infidelidades. Mais tarde, Catarina diria a Potemkin: "Não teria havido mais ninguém, se ele não tivesse se cansado." O relacionamento atingiu um equilíbrio psicológico singular. Ela mandava nele porque era sua soberana e muito superior em inteligência e cultura. Ele, por sua vez, tinha poder sobre ela porque sabia que ela gostava dele, tinha a dívida de gratidão e se sentia sempre culpada por não poder se casar com ele. Por quase uma década, ele foi o único homem na Rússia capaz de fazê-la sofrer. Mas o fato é que Catarina não tinha tempo para ficar sofrendo, e pouquíssimo tempo para a paixão: simplesmente, era ocupada demais. Para compensar, fez de Gregório Orlov um príncipe do império, deu-lhe um palácio em São Petersburgo e outro em Gatchina, no centro de um enorme parque. Orlov tornou-se senhor de vastas extensões de terras na Rússia e na Livônia. Como sempre, só ele tinha o privilégio de usar o retrato da imperatriz emoldurado de diamantes. Oficialmente, continuava a ser um dos conselheiros da imperatriz. Para agradar a Catarina, ele tentou entrar no mundo do saber e do intelecto, que ela admirava. Financiou o cientista Mikhail Lomonosov; interessado pela astronomia, mandou construir um observatório no telhado do Palácio de Verão. Ofereceu-se para patrocinar o filósofo iluminista Jean-Jacques Rousseau, e escreveu tentando convencer Rousseau a ir à Rússia:

> Você não se surpreenderá ao receber minha carta, pois sabe que todos têm suas peculiaridades. Você tem as suas, eu tenho as minhas. É natural, assim como é natural o motivo da minha carta. Sei que você está há muito tempo vivendo no estrangeiro, mudando-se de um lugar para outro. Acredito que neste momento esteja na Inglaterra, com o duque de Richmond, que sem dúvida lhe proporciona grande conforto. Mas tenho uma propriedade [em Gatchina] que fica... [a 65 quilômetros]... de São Petersburgo, onde o ar é saudável e a água é boa, onde os montes e lagos se prestam à meditação, e onde os habitantes não falam nem inglês nem francês, e muito menos grego ou latim. O padre é incapaz de discutir ou pregar, e seu rebanho acha que cumpriu o dever só fazendo o sinal da cruz. Se achar que o lugar é conveniente, você é bem-vindo para morar aqui. Terá supridas as necessidades da vida e encontrará pesca e caça em abundância.

Provavelmente, Catarina ficou aliviada quando Rousseau recusou. Sua preferência pelos filósofos do Iluminismo passava por Montesquieu, Voltaire e Diderot, que acreditavam no despotismo benevolente, mas não Rousseau, que defendia um governo administrado pela *volonté générale* – a "vontade geral" – de toda a população.

❧49❧
A MORTE DE IVAN VI

UMA FIGURA SOMBRIA, potencialmente mais ameaçadora que qualquer outra que quisesse disputar o trono, assomou nos dois primeiros anos do reinado de Catarina. Era o silencioso prisioneiro, o ex-czar Ivan VI, deposto na infância. Sua existência assombrava Catarina, assim como tinha assombrado a imperatriz Elizabeth. Após a ascensão de Catarina, alguns a censuravam por não aceitar o direito dinástico de seu filho Paulo e não se contentar com o papel de regente; outros falavam discretamente em tirar Ivan da cela em que passara a maior parte de sua vida. Depois do caso Khitrovo, Catarina tinha emitido o Manifesto do Silêncio, mas era impossível calar por decreto as conversas e boatos sobre o ex-czar preso.

Durante os vinte anos de reinado de Elizabeth, Ivan jamais saiu de seus pensamentos. Por causa dele, a imperatriz tinha medo de dormir à noite. Quando Elizabeth morreu, Pedro III assumiu o trono sem disputas. Pedro era um Romanov, neto de Pedro, o Grande, e havia sido nomeado herdeiro conforme a lei estabelecida pelo imponente avô, isto é, foi designado pela soberana, sua tia Elizabeth. Catarina não tinha essas credenciais. Era estrangeira, havia tomado o trono com um golpe de Estado, e alguns acreditavam que tinha implicação na morte do marido. Por essas razões, Catarina se preocupava com qualquer notícia de oposição, conspiração ou rebelião. No caso Khitrovo, ela manteve a calma e administrou a situação com eficiência. Mas nada antes fora parecido com o caso envolvendo Vasily Mirovich e o czar preso, Ivan VI.

Em junho de 1764, Catarina deixou São Petersburgo para fazer um *tour* pelas províncias do Báltico. Em 9 de julho, estava em Riga quando recebeu a notícia de que houvera uma tentativa de libertar o ex-czar, que culminara na morte do jovem.

Ivan tinha 18 meses de idade em 1740, quando Elizabeth o tirou do trono. Aos 4 anos, foi separado dos pais. Não teve educação formal, mas na infância aprendeu o alfabeto russo com um padre. Agora, aos 24, havia passado 18 anos em confinamento solitário numa cela isolada na fortaleza de Schlüsselburg, a 80 quilômetros de São Petersburgo, junto ao rio Neva. Ali, designado Prisioneiro Nº.1, não lhe era permitido ver ninguém além de seus carcereiros. Há relatos de que ele estava ciente de sua identidade. Diz-se que uma vez, provocado por seus guardas até se enfurecer, ele gritou: "Cuidado! Eu sou um príncipe do império. Eu sou seu soberano!" A notícia dessa explosão suscitou uma resposta severa de Alexander Shuvalov, chefe da Chancelaria secreta de Elizabeth: "Se o prisioneiro ficar insubordinado ou fizer declarações impróprias, deve ser colocado a ferros até que obedeça, e, se ainda resistir, deve ser espancado com um bastão ou chicote." Algum tempo depois, os guardas reportaram: "O prisioneiro está mais quieto. Não fala mais mentiras sobre sua identidade." Elizabeth continuou preocupada e, por ordem da imperatriz, Shuvalov deu instruções adicionais: caso houvesse qualquer tentativa de libertar o Prisioneiro Nº 1 com probabilidade de sucesso, os carcereiros de Ivan deveriam matá-lo.

Na agitação que se seguiu à sua posse, Catarina fez uma visita a Ivan, a fim de julgá-lo por si mesma. Encontrou um jovem alto e magro, com cabelos louros e barba ruiva, a pele pálida por anos escondido do sol. Sua expressão era inocente, mas a inteligência fora atrofiada pelos anos de solidão. Catarina escreveu: "Afora seus balbucios dolorosos e quase ininteligíveis, ele estava privado de razão e entendimento humanos."

Contudo, assim como Pedro III, ele era um Romanov, descendente direto do irmão mais velho de Pedro, o Grande, o coczar Ivan V, e seu direito à coroa era dinasticamente impecável. Se Catarina o tivesse considerado insano ou idiota, nada teria a temer. Citando sua óbvia inaptidão para governar, ela poderia proclamar sua incapacidade e, demonstrando misericórdia, libertá-lo da prisão e lhe proporcionar uma existência calma e confortável. Mas, se esse nível de incapacidade não fosse real, era possível que Ivan pudesse de algum modo ser reabilitado física e intelectualmente. Mesmo se fosse obviamente inapto para governar, ele permanecia perigoso como símbolo. Para se proteger, ela ordenou a continuação das condições severas em que ele se encontrava. Nikita Panin foi encarregado de supervisionar a prisão.

Em dado momento, Catarina teve a esperança de que o jovem poderia ser persuadido a escolher uma vida monástica, em clausura, que o desqualificaria para voltar ao trono. Se ele aceitasse a tonsura de monge, isso significaria a saída definitiva do mundo político, e os oficiais encarregados de sua guarda foram orientados a guiá-lo nesse caminho. Outra solução possível era que Ivan morresse na prisão, de causas genuinamente naturais. Para reforçar essa possibilidade, Panin ordenou que lhe negassem tratamento médico. Se ele ficasse gravemente doente, deveriam chamar um padre, mas não um médico. Enquanto isso, Panin assinou também uma ordem específica renovando as instruções anteriores: se alguém, fosse quem fosse, procurasse tirar o prisioneiro sem ordem expressa escrita e assinada, na caligrafia da própria imperatriz, não deveriam entregar Ivan. Ao contrário, se alguma tentativa de libertá-lo tivesse chance de êxito, os guardas tinham ordem de matar o prisioneiro. O comando reiterava a instrução de Shuvalov: "O prisioneiro não poderá sair vivo nas mãos de quaisquer libertadores."

Dois oficiais, o capitão Danilo Vlasev e o tenente Luca Chekin, foram encarregados da guarda de Ivan. Somente eles e o diretor da fortaleza teriam acesso ao prisioneiro. Como os dois oficiais também não tinham permissão para sair de Schlüsselburg, estavam efetivamente trancados com o preso sem nome. A situação, portanto, era que Ivan se encontrava nas mãos de dois homens autorizados a matá-lo em certas circunstâncias, e cuja meta era se livrar dele para que pudessem retomar sua vida normal.

Os guardas faziam relatórios bimestrais a Panin. Com o tempo, esses relatórios iam refletindo o crescente tédio, frustração e a ânsia de liberdade dos guardas. A cada vez, os apelos ficavam mais fortes. Em agosto de 1763, Panin respondeu aconselhando-os a ter paciência, prometendo que a missão deles terminaria em breve. Em novembro, cada vez mais desesperados, enviaram a Panin uma petição urgente: "Liberte-nos, pois chegamos ao fim de nossas forças." A resposta de Panin, em 28 de dezembro de 1763, foi enviar mil rublos a cada um – uma quantia enorme para eles – com a promessa de que não iriam esperar muito tempo. "O deferimento do seu pedido não será adiado além dos primeiros meses de verão."

Em meados do inverno de 1764, um jovem oficial, tenente Vasily Mirovich, do regimento de Smolensk, foi transferido para a guarnição de Schlüsselburg. Orgulhoso, solitário, amargo, cheio de dívidas e dado ao jogo e à bebida, o jovem tenente nutria um profundo e tormentoso sentimento de injustiça e perseguição. Vasily Mirovich tinha 24 anos e pertencia a uma família aristocrática de origem ucraniana. As propriedades da família tinham sido confiscadas em 1709 por Pedro, o Grande, porque o avô do jovem havia se aliado ao chefe cossaco ucraniano Ivan Mazeppa, contra o czar, durante a invasão sueca na Rússia, em 1708. Despojado de sua herança, Mirovich cresceu na pobreza. Sem dinheiro, tentava ganhar nas cartas, mas não tinha sorte. Os credores faziam pressão contínua. Suas três irmãs, vivendo em Moscou, estavam à beira de passar fome, e ele não podia ajudar. Ele orava a Deus, mas não obtinha resposta. Na esperança de recuperar as terras da família, foi para São Petersburgo, pediu a restauração duas vezes ao Senado, mas as petições foram negadas. Apelou duas vezes a Catarina, que o rejeitou. Quando se aproximou de Kyril Razumovsky, nomeado chefe cossaco ucraniano por Catarina, Razumovsky lhe disse que não tivesse esperanças. O único conselho de Razumovsky foi: "Vá fazer sua própria carreira, rapaz. Agarre a fortuna pelo pescoço, como outros fizeram." Mirovich arquivou essas palavras na memória.

Ressentido, sem dinheiro e sem conhecidos importantes, ele entrou para o exército e foi colocado em Schlüsselburg. Seus colegas oficiais o achavam temperamental e difícil. Seu posto era na parte externa da fortaleza, onde ninguém podia saber o que se passava no interior. Ele se perguntava quem seria o Prisioneiro Nº 1, sem nome, sepultado nos labirintos de celas na cidadela interna, vigiado por guardas especiais que nunca tinham folga. Quando soube, por acaso, que o prisioneiro era "Ivanushka", o czar infante ungido, Mirovich lembrou a recomendação de Razumovsky: "Agarre a fortuna pelo pescoço." Esse conselho lhe lembrou a recente história de outro jovem oficial, Gregório Orlov, que ajudou Catarina a destronar um soberano e alcançou poder e riquezas espetaculares. Por que ele, Vasily Mirovich, não faria o mesmo por Ivan? Por que não fazer como os irmãos Orlov, e ganhar fama e fortuna, providenciando o resgate do verdadeiro czar?

A partir desse começo ambicioso, o horizonte de Mirovich se expandiu. Seu motivo original para a restituição de Ivan ao trono era sair da miséria, tornando-se outro Orlov. Logo o sonho ficou mais grandioso. Além de jogador e bebedor, Mirovich era muito religioso, e se convenceu de que Deus lhe havia confiado aquela missão sagrada. Certamente o próprio Deus veria com bons olhos e abençoaria a derrubada de uma usurpadora e a restauração de um czar ungido. Empolgado com a ideia, Mirovich achou um companheiro em Schlüsselburg, Appolon Ushakov. Juntos, ponderaram sobre a planta da fortaleza e um meio de convencer ou vencer a guarnição da parte interna. No início de maio de 1764,

Mirovich elaborou um manifesto – uma confusão de alegações falsas e queixas – para Ivan assinar e proclamar assim que fosse libertado:

> Não muito depois de Pedro III assumir o trono, por intrigas de sua esposa e pelas mãos dela lhe foi dado veneno para beber, e por esse meio e pela força, a fútil e perdulária Catarina tomou meu trono hereditário. Até o dia da nossa ascensão, ela enviou para fora do meu país 25 milhões em ouro e prata. Além disso, suas fraquezas inatas a levaram a tomar como marido seu súdito Gregório Orlov, pelo que não poderá ser perdoada no Juízo Final.

O plano era que Ushakov se apresentasse em Schlüsselburg, dizendo ser um correio de Catarina, trazendo uma ordem de soltura de Ivan. Mirovich leria a ordem para a guarnição, prenderia o comandante, libertaria o preso e o levaria de barco, descendo o rio Neva, até São Petersburgo, onde Ivan proclamaria às tropas na capital sua ascensão ao trono. Para selar o acordo, os dois conspiradores foram à igreja e fizeram um juramento. O momento de agir viria quando a imperatriz partisse na já anunciada viagem às províncias bálticas. O que Mirovich e Ushakov não sabiam – somente Catarina, Panin e dois guardas, Vlasev e Chekin, tinham conhecimento disso – era que qualquer tentativa de soltar o prisioneiro resultaria na morte dele.

Logo antes da partida de Catarina de São Petersburgo para o Báltico, Ushakov desapareceu. Havia recebido ordem do Colégio de Guerra para levar fundos a Smolensk e entregar ao comandante de seu regimento lá. Mirovich esperou a volta do colaborador – que não voltou. Seu chapéu e sua espada foram encontrados na beira do rio. Um camponês das redondezas contou que o corpo de um oficial afogado tinha sido arrastado para a margem do rio, e eles o haviam enterrado. As circunstâncias da morte eram desconhecidas.

Foi um desalento para Mirovich, mas, levado pela compulsão – e, talvez tenha acreditado, para cumprir seu juramento –, ele decidiu prosseguir sozinho. Reuniu um grupo de soldados na fortaleza, contou-lhes o plano e pediu que o acompanhassem. Com certa apreensão, cada um respondeu: "Se os outros concordarem, não me recuso." À uma e meia da madrugada de 4 de julho, Mirovich reuniu seus seguidores. Quando, despertado pelo barulho, o comandante da fortaleza chegou lá fora, ainda de camisolão, Mirovich o deixou inconsciente com uma pancada do cabo do mosquete. Mais de cem tiros foram trocados entre os homens nos bastiões externos e internos; ninguém foi morto nem ferido. Impaciente para vencer os oponentes da parte interna, Mirovich veio arrastando um velho canhão. Imediatamente surgiu uma bandeira branca. Mirovich cruzou o fosso para entrar e, à luz de uma tocha, chegou até a cela de Ivan. Encontrou os dois guardas, Vlasev e Chekin, à porta. Mirovich agarrou Chekin e perguntou:

– Onde está o imperador?

– Não temos imperador, temos imperatriz – Chekin respondeu.

Empurrando-o para o lado, Mirovich entrou na cela. O corpo de Ivan jazia no chão, numa poça de sangue. Os dois oficiais tinham obedecido à ordem de Panin e cumprido seu dever. Quando ouviram os tiros, tiraram o prisioneiro da cama e o atravessaram oito vezes com as espadas. Ivan morreu, meio dormindo e meio acordado, porque um homem que ele nunca vira quis colocá-lo no trono da Rússia.

Derrotado por aquela cena, Mirovich caiu de joelhos, abraçou o corpo e beijou-lhe a mão ensanguentada. Sua tentativa de golpe tinha fracassado, e ele se rendeu. Enquanto o corpo de Ivan era carregado para a fortaleza externa, Mirovich gritou: "Vejam, meus irmãos, esse é nosso imperador, Ivan Antonovich. Vocês são inocentes porque ignoravam minhas intenções. Assumo toda a responsabilidade e terei todo o castigo."

Ao recobrar a consciência, o comandante de Schlüsselburg mandou imediatamente um relatório a Nikita Panin, que estava em Tsarskoe Selo com o grão-duque Paulo. Panin repassou a notícia pelo mais rápido mensageiro a Catarina, em Riga. Ela ficou pasmada, mas logo sua surpresa deu lugar a um imenso alívio, que ela não se preocupou em esconder. Escreveu a Panin: "Os caminhos de Deus são maravilhosos, inescrutáveis. A Providência me enviou um claro sinal de Sua proteção ao dar fim a essa história vergonhosa." O embaixador prussiano que fazia parte de sua comitiva relatou a Frederico II que "ela saiu daqui [Riga] com um ar de grande serenidade e uma fisionomia da maior compostura".

Foi difícil para ela acreditar que o breve levante havia sido o ato desesperado de um único homem; diante do que estava em jogo, deveria ter sido obra de uma conspiração. Ordenou imediatamente uma investigação. Cinquenta oficiais e soldados da fortaleza foram presos. Interrogado por uma comissão especial, Mirovich confessou francamente sua culpa e se negou a incriminar os outros. Apesar dessa franqueza, depois que Catarina examinou os documentos no dossiê e leu o manifesto de Mirovich acusando-a de usurpadora, de envenenar o marido e se casar com Gregório Orlov, deixou de lado toda a complacência. Em 17 de agosto, um manifesto imperial anunciou que os investigadores tinham descoberto que Ivan era louco e que Mirovich iria ser julgado por um tribunal especial, composto pelo Senado, o Sínodo Sagrado, os presidentes dos colégios de Guerra, Marinha e Relações Exteriores, e membros da alta nobreza. Quando Mirovich foi levado ao tribunal, Catarina anunciou: "Quanto aos insultos à minha pessoa, perdoo o acusado. Mas quanto ao ataque à paz geral e bem-estar da nação, que a leal assembleia o julgue."

Os dois homens que tiraram a vida de Ivan nunca foram levados a julgamento. O tribunal foi encarregado de julgar o ato cometido por Mirovich, e a questão da culpa pela morte de Ivan foi desviada daqueles que de fato mataram o prisioneiro para o homem que tentou libertá-lo. Mirovich foi levado três vezes ao tribunal e exortado a implicar outros, mas teimou em afirmar que havia agido sozinho. Durante o julgamento, Catarina fez uma única intervenção. Um membro do tribunal exigiu que Mirovich fosse torturado para confessar os nomes dos cúmplices, e Catarina ordenou que a investigação prosseguisse sem tortura. Ironicamente, em alguns círculos, essa decisão prejudicou sua reputação, porque despertou a suspeita de que ela temia revelações incriminadoras confessadas pela dor. Na verdade, Catarina tentou eliminar todas as referências à ordem secreta de Panin autorizando os guardas de Ivan a matá-lo caso houvesse tentativa de libertação. Os poucos cientes dessa ordem só ficaram sabendo que se baseava em instruções da imperatriz Elizabeth.

O destino de Mirovich não deixava dúvidas. Em 9 de setembro, foi condenado à morte por decapitação. Durante todo o julgamento, Mirovich manteve uma atitude digna. Isso também depôs contra Catarina. Dizia-se que somente a certeza de que escaparia à punição daria a um culpado tanta calma e compostura. Sabendo disso, Catarina debelou essa ideia assinando, pela primeira vez em seu reinado, a sentença de morte proferida pelo tribunal. Assim, Mirovich seria o primeiro russo a ser executado em 22 anos, desde que Elizabeth jurou nunca assinar uma sentença de morte.

Quando chegou a hora, Mirovich encarou a morte com serenidade, e tanta que muitas testemunhas tinham certeza de um perdão no último minuto. A atitude de Mirovich em seus minutos finais também sugeria que ele pensava da mesma forma. De pé no cadafalso, ele transmitia calma, enquanto a multidão esperava a chegada de um mensageiro da imperatriz com a ordem de comutação da sentença. Como não chegou nenhum mensageiro, Mirovich colocou a cabeça no cepo. O carrasco ergueu o machado e parou. Ninguém chegou. O machado desceu. Os restos mortais de Mirovich foram expostos em praça pública até o cair da noite, quando foram queimados.

Os detalhes da conspiração de Mirovich nunca vieram a público. Os dois guardas, Vlasev e Chekin, foram recompensados com promoção e 7 mil rublos para cada um pelo "leal cumprimento do dever". Cada um dos 16 soldados sob o comando deles na vigilância a Ivan, na cidadela interna de Schlüsselburg, recebeu 100 rublos. Em troca, se comprometeram a não falar o que tinham visto e ouvido.

Na Rússia, dúvidas quanto ao papel da imperatriz na morte de Ivan eram administráveis. No governo, na corte, na nobreza e no Exército, vigorava a opinião de que, se Catarina tinha ou não alguma responsabilidade, ela fez o que devia ser feito. Na Europa, porém, onde Catarina se esforçava para ser vista como filha do Iluminismo, não era tão fácil. Alguns aprovavam o que ela havia feito, outros desaprovavam, e alguns aprovavam e desaprovavam. Madame Geoffrin, líder e anfitriã da mais importante galeria de arte e literatura de Paris, escreveu a Stanislaus Poniatowski, na Polônia, criticando Catarina por ter se envolvido demais no julgamento e na sentença: "O manifesto que ela [Catarina] emitiu sobre a morte de Ivan é ridículo. Não havia necessidade de dizer coisa alguma. O julgamento de Mirovich era totalmente suficiente." À própria Catarina, com quem se correspondia eventualmente, madame Geoffrin escreveu: "Parece-me que, se eu estivesse no trono, desejaria que minhas ações falassem por mim e imporia silêncio à minha pena."

Ofendida por essas críticas vindas de longe, Catarina revidou:

> Estou tentada a lhe dizer que você fala do manifesto como um cego fala de cores. Não foi composto para potências estrangeiras, e sim para comunicar ao povo russo a morte de Ivan. Foi necessário dizer como ele morreu. Não fazê-lo teria sido confirmar rumores maliciosos difundidos por ministros de cortes que me invejam e demonstram má vontade para comigo. Em seu país, as pessoas criticam esse manifesto, em seu país criticam também o bom Senhor, e aqui as pessoas às vezes criticam os franceses. Não obstante, a verdade é

que esse manifesto e a cabeça do criminoso puseram fim a todas as críticas aqui. Portanto, o propósito foi alcançado, e meu manifesto não falhou em seu objetivo. Logo, foi bom.

Depois da morte de Ivan, não havia mais um adulto para reivindicar legitimamente o trono, portanto não havia um ponto focal para uma crise de sucessão. Até nove anos depois, em 1772, quando Paulo atingiu a maioridade aos 18 anos, a coroa de Catarina estava firme.

50
CATARINA E O ILUMINISMO

EM MEADOS DO SÉCULO XVIII, a maioria dos europeus ainda via a Rússia como um país semiasiático, culturalmente atrasado. Catarina estava decidida a mudar isso. A vida artística e intelectual do século era dominada pela França, e a governanta de Catarina em Stettin fizera do francês sua segunda língua. Durante os 16 anos sofridos e solitários de grã-duquesa, Catarina leu muitas obras dos grandes pensadores iluministas europeus. Desses, o escritor que mais a influenciou foi François-Marie Arouet, que se apresentava como Voltaire. Em outubro de 1763, após 15 meses no trono, ela escreveu a ele pela primeira vez, declarando-se sua entusiástica discípula: "Se possuo algum estilo, se possuo algum poder de raciocínio, foi adquirido na leitura de Voltaire."

Voltaire tinha 61 anos quando, em 1755, resolveu sossegar. Prisão na Bastilha por duas vezes; exílio voluntário na Inglaterra; uma temporada inicialmente eufórica na corte de Frederico da Prússia seguida de equívocos, desavenças e finalmente uma dolorosa ruptura; uma relação complicada, calorosa e fria com Luís XV e madame Pompadour, tudo isso ficou para trás. Voltaire estava pronto a mergulhar no trabalho e supôs encontrar um mar de tranquilidade na república independente de Genebra, governada por um conselho de aristocratas calvinistas. Já milionário como escritor, comprou uma vila com uma vista esplêndida do lago e chamou-a

Les Délices. Não tardou a ter mais problemas. Muitos habitantes de Genebra desaprovavam um verbete sobre a cidade na *Encyclopédia* de Diderot, que parecia acusar o clero calvinista de Genebra de rejeição da divindade de Cristo. Na verdade, quem escreveu o verbete foi o matemático e físico Jean d'Alembert, mas achavam que tinha se inspirado em Voltaire, e ele teve de arcar com a violência das acusações do conselho. Em 1758, Voltaire se mudou para Ferney.

Parecia um mar mais tranquilo. O *château* de Ferney ficava em território francês, mas por pouco: Genebra ficava a quase 5 quilômetros de distância, e Paris e Versalhes, a quase 500. Se as autoridades francesas voltassem a lhe criar problemas, bastava uma hora para cruzar a fronteira e chegar a Genebra, onde ainda tinha muitos admiradores. E em Genebra morava o editor que estava imprimindo *Candide*.

Voltaire não tinha mudado de residência para viver na ociosidade. Pelo contrário, ele achou que Ferney era um bom lugar para firmar seu posto de comando e intensificar seu violento combate intelectual. As guerras filosóficas do Iluminismo eram levadas a sério. Luís XV tinha proibido Voltaire de retornar a Paris. O homem de letras estava ansioso para revidar, e Ferney tornou-se a trincheira de sua fuzilaria filosófica, intelectual, política e social. Escreveu livros, folhetos, histórias, biografias, peças, contos, tratados, poemas e mais de 50 mil cartas, hoje reunidas em 98 volumes. Quando a Guerra dos Sete Anos terminou, a França tinha perdido o Canadá e a Índia para a Inglaterra. Voltaire jogou sal nas feridas, denunciando a guerra como uma "grande ilusão": "A nação vencedora jamais tem lucro com o espólio dos conquistados, e paga tudo. Sofre da mesma forma quando seus exércitos são vitoriosos e quando são derrotados. Vença quem vencer, a humanidade perde." Disparou uma rajada polêmica contra a cristandade, a Bíblia e a Igreja Católica. A certa altura, disse que Jesus era um excêntrico iludido, *un fou*. Aos 80 anos, acordou cedo numa manhã de maio e subiu uma colina com um amigo para ver o nascer do sol. No alto do morro, maravilhado com o esplêndido panorama de ouro e carmesim, ajoelhou-se e disse:

— Deus Todo-poderoso, eu acredito! — Levantando-se, disse ao amigo: — Quanto ao Senhor, o filho, e à Senhora sua mãe, isso é outra questão!

Outra vantagem de Ferney era que as estradas mais diretas entre o norte e o sul da Europa passavam pela Suíça, e por essas estradas seguiam muitas pessoas da irmandade intelectual e artística europeia. Em seu castelo de Ferney, Voltaire morava no coração geográfico da Europa e, portanto, tinha sempre muitos visitantes – até demais. De todos os quadrantes, multidões chegavam: duques franceses, lordes ingleses, Casanova, um chefe cossaco. Muitos eram ingleses, e Voltaire conversava no idioma deles, como o parlamentar Charles James Fox, o historiador Edward Gibbon, o biógrafo James Boswell. Quando chegavam pessoas indesejáveis, Voltaire dizia aos criados:

– Mandem embora. Digam que estou muito doente.

Boswell implorou para pernoitar e ver o patriarca pela manhã, dizendo que poderia dormir até no "sótão mais alto e gelado". Voltaire instalou-o num quarto agradável.

Voltaire também não se confinou em questões intelectuais. Em 1762 e nos anos seguintes, ele se tornou "o homem de Calas". O pano de fundo desse caso foi a perseguição aos protestantes na França. Os protestantes eram excluídos do serviço público, considerava-se que as pessoas não casadas na Igreja Católica viviam em pecado, e seus filhos eram ilegítimos. Nas províncias do Sul e sudoeste da França, essas leis eram aplicadas com severidade.

Em março de 1762, Voltaire soube que um protestante de 64 anos, um huguenote chamado Jean Calas, comerciante de linho em Toulouse, havia sido executado sob tortura. Antes, seu filho mais velho, sofrendo de depressão, tinha cometido suicídio na casa da família. O pai, Jean, sabendo que a lei exigia que o corpo de um suicida fosse arrastado nu pelas ruas, com as pessoas atirando pedras e lama, e depois ainda teria de ficar pendurado, convenceu a família a dizer que tinha sido morte natural. Mas a polícia viu a marca da corda no pescoço do suicida e acusou Calas de ter assassinado o filho para impedi-lo de se converter ao catolicismo. O superior tribunal condenou Calas a ser torturado até confessar. Foi atado na roda e teve os braços e pernas destroncados. Em agonia, admitiu que a morte do filho fora suicídio. Não era a confissão desejada pelas autoridades; ordenaram que confessasse o assassinato. Despejaram-lhe 7 litros de água garganta abaixo, e ele continuou jurando inocência. Enfiaram mais 7 litros de água. Ele se sentiu afogar, mas ainda assim gritou que era inocente. Foi pendurado, esticado, numa cruz na praça defronte à catedral de Toulouse. O carrasco pegou uma barra de ferro e quebrou seus braços e pernas, cada um em duas partes. O velho ainda jurava inocência. Foi estrangulado e morreu.

Donat Calas, o mais novo de seis irmãos, foi a Ferney e implorou a Voltaire que defendesse a inocência do pai. Voltaire, horrorizado e enfurecido com aquela crueldade, encarregou-se de exigir a reabilitação legal da vítima. Por três anos, de 1762 a 1765, contratou advogados e mobilizou a opinião pública europeia. No verão de 1763, escreveu o *Traité sur la Tolérance*, mostrando que a perseguição romana aos cristãos nos primeiros anos da cristandade havia sido sobrepujada pela perseguição cristã a outros cristãos, que eram "enforcados, afogados, quebrados na roda ou queimados por amor a Deus". A certa altura, Voltaire apelou para o Alto Conselho do reino, presidido pelo rei, e Jean Calas acabou sendo isentado postumamente e sua reputação foi reabilitada.

Esse triunfo foi acompanhado por outro. Elizabeth, filha de um protestante que morava perto de Toulouse, chamado Pierre Paul Sirven, queria se converter ao catolicismo, e um bispo católico a mandou para um convento. Lá chegando, ela tirou as roupas e pediu que fosse açoitada. O bispo, prudentemente, mandou-a de volta para a família. Meses depois, Elizabeth desapareceu. Foi encontrada afogada no fundo de um poço. Quarenta e cinco testemunhas depuseram que a moça tinha cometido suicídio, mas o promotor ordenou a prisão do pai dela, acusado de ter matado a filha para impedir sua conversão. Em 19 de março de 1764, Sirven e sua mulher foram condenados à forca, e as duas filhas restantes do casal, uma delas grávida, obrigadas a assistir. A família fugiu para Genebra e foi a Ferney pedir ajuda a Voltaire. O filósofo voltou a pegar a pena. Apelou a Frederico da Prússia, Catarina da Rússia, Stanislaus da Polônia e outros monarcas para dar apoio à causa. Passados nove anos de infindáveis discussões, Sirven foi absolvido. "Foram só duas horas para condenar esse homem à morte", disse Voltaire com amargura, "mas nove anos para provar sua inocência."

Estando Voltaire em perpétuos combates, sua sobrinha viúva, madame Denis, fazia as vezes de dona de casa – e de sua cama também. Voltaire não via nada errado em irregularidades sexuais e definia moralidade como "fazer o bem à humanidade". Era mesmo uma época de irregularidades sexuais, e o relacionamento com madame Denis era assumido. Não escondia nada, ela era sua amante, e ele a chamava de "minha amada". Em 1748, nos primeiros anos do relacionamento – que continuou até ele morrer –, escreveu a ela: "Irei a Paris somente por você. Entrementes dou mil beijos em seus seios redondos, em sua bunda maravilhosa, em toda a sua pessoa, que tantas vezes me deu ereção e mergulhou-me numa torrente de prazer."

Em Ferney, Voltaire não costumava aparecer até a hora do almoço. Durante o dia, ele lia e escrevia, e continuava noite adentro, permitindo-se apenas cinco ou seis horas de sono. Bebia rios de café. Sofria de fortes dores de cabeça. Para ajudar os habitantes da cidade, ele construiu uma fábrica de relógios e persuadiu todos os seus amigos na Europa a comprar seus produtos. De São Petersburgo, Catarina mandou um pedido no valor de 39 mil libras. Em 1777, aquela aldeia pobrezinha, de 49 pessoas, havia se tornado uma próspera cidade de 1.200 habitantes. Todos os domingos, Voltaire abria o castelo para um baile. Em 4 de outubro de 1777, Ferney homenageou seu benfeitor no pátio do castelo com danças, cantos e fogos. Foi a última festa em Ferney. Em 5 de fevereiro de 1778, Voltaire foi para Paris, prometendo voltar em seis semanas. Em Paris, onde ele não aparecia havia vinte anos, era ovacionado pelo povo em toda parte. Maria Antonieta quis conhecê-lo e lhe dar um abraço, mas ele não pôde comparecer porque ainda estava banido da corte pelo marido dela, Luís XVI. Quem Voltaire conheceu e abraçou foi Benjamin Franklin. Nunca mais voltou ao *château*. Morreu em Paris, no dia 30 de maio de 1778.

Enquanto Voltaire viveu, Frederico da Prússia lhe dizia: "Depois que você morrer, não haverá ninguém que o substitua." Quando o filósofo se foi, o rei disse: "Por mim, tenho o consolo de ter vivido na época de Voltaire." Mais tarde, Goethe diria: "Ele governou todo o mundo civilizado." O lamento de Catarina foi mais específico. Não teve pesar pela sabedoria, mas pela alegria dele. "Desde que Voltaire morreu", ela escreveu a seu amigo Friedrich Melchior Grimm, "parece-me que a honra não mais se liga ao bom humor. Ele era a divindade da alegria. Envie-me uma edição, ou melhor, as obras completas dele para me renovar internamente e confirmar meu amor inato pelo riso."

Depois da morte de Voltaire, a imperatriz contou a Grimm que tencionava construir uma réplica do *château* de Ferney no parque de Tsarskoe Selo. Esse "Novo Ferney" seria um museu contendo a biblioteca de Voltaire, que Catarina comprou de madame Denis por 135 mil libras. Os livros chegaram à Rússia, mas o projeto de construção foi abandonado, e a biblioteca de mais de 6 mil volumes, com anotações de Voltaire nas margens de cada página, foi instalada num salão do museu Hermitage, em São Petersburgo. No centro desse espaço, no lugar de honra, foi colocada uma cópia exata da famosa estátua de Voltaire sentado, feita por Houdon. Está lá até hoje.

Voltaire se interessava pela Rússia. Em 1757, havia persuadido a imperatriz Elizabeth a encarregá-lo de escrever uma história da Rússia no reinado de sei pai, Pedro, o Grande. O primeiro volume foi publicado em 1760. Ele ainda estava trabalhando no segundo volume quando Elizabeth morreu, e Catarina destronou Pedro III. Sabendo que os rumores do acontecido em Ropsha reverberavam pela Europa, Catarina pensou em recorrer a Voltaire para ajudar a limpar seu nome. Na época, um de seus secretários, François-Pierre Pictet, era nativo de Genebra, discípulo de Voltaire e ex-ator em sua companhia de teatro amador de *Les Délices*. A pedido de Catarina, Pictet enviou a Voltaire um longo relato explicando a situação intolerável em que ela se encontrava depois do golpe, e sua inocência no assassinato em si. Voltaire aceitou o relato, e deixou-o de lado, dizendo:

— Sei que... [Catarina] está sendo acusada por alguma *bagatelle* sobre seu marido, mas isso é assunto de família, e não me meto.

A princípio, Voltaire manteve certa reserva com a nova imperatriz. Na opinião europeia, era improvável que Catarina ficasse no trono por muito tempo, e Voltaire relutava em assumir uma relação epistolar com ela. Sua relutância aumentou com a notícia da morte súbita de Ivan VI. "Acredito que devemos moderar um pouco nosso entusiasmo pelo Norte", ele escreveu a D'Alembert. Quando se tornou claro que a princesa germânica tinha se firmado no trono russo, Voltaire passou a ver nela uma monarca iluminista, que poderia aplicar os princípios de justiça e tolerância que ele proclamava. A partir de então, a correspondência entre eles floresceu, enfeitada com elogios de parte a parte, até a morte dele. A ideologia política de ambos era semelhante: concordavam que a monarquia era a única forma racional de governo, desde que o monarca fosse iluminista. "Por que a maior parte do mundo é governada por monarcas?", Voltaire perguntava. "A resposta franca é que os homens raramente são capazes de governar a si mesmos. Quase nada de grandioso foi feito no mundo, exceto pelo gênio e a firmeza de um único homem combatendo os preconceitos da turba. Não gosto de governo da ralé."

O relacionamento da mulher ambiciosa, de grande poder político, com o mais famoso escritor da época trouxe benefícios mútuos. Ambos estavam cientes de atuarem diante de um público imenso e influente. Catarina reconhecia que uma carta escrita a Voltaire, que poderia passá-la aos amigos, era uma mensagem em potencial para a *intelligentsia* europeia. Para Voltaire, o que poderia ser mais lisonjeiro do que ter mais uma soberana como sua discípula na realeza? Ele se referia a ela como "a Semíramis do Norte", "Santa Catarina" e "Nossa Senhora de São Petersburgo". Em retribuição, ela o enchia de peles de zibelina e caixinhas de rapé incrustadas de pedras preciosas e diamantes para madame Denis. Mas foi uma relação cultivada a distância. Apesar da intimidade da correspondência, a imperatriz e o patriarca nunca se encontraram. Pouco antes de morrer, Voltaire brincava com a ideia de cumprimentar Santa Catarina pessoalmente, mas parecia ser o que ela menos desejava. Talvez nervosa por expor seu país, ou a si mesma, ao olhar analítico de Voltaire, ela escreveu com urgência a Grimm: "Pelo amor de Deus, tente persuadir esse octogenário a ficar em casa. O que ele viria fazer aqui? Vai morrer aqui ou a caminho, de frio, fadiga e estradas péssimas. Diga-lhe que *Catau* é mais bonita a distância."

Mesmo antes da primeira carta a Voltaire, em 1763, Catarina tinha feito contato com outro expoente do Iluminismo, Denis Diderot. Nascido numa cidadezinha perto de Dijon, em 1713, Diderot era tão afetuoso quanto Voltaire era cínico, tão tosco quanto Voltaire era sofisticado e polido, e manteve durante toda a vida a inocência de uma criança e o entusiasmo de um adolescente. Segundo Catarina, Diderot tinha de idade "em certos aspectos... 100, e em outros, não chegava a 10". Quando menino, Diderot queria ser padre e passou sete anos estudando num colégio jesuíta (o irmão dele se tornou padre), depois foi para a universidade de Paris e se tornou tradutor de livros em inglês para o francês. Ficou cada vez mais fascinado pelo universo do conhecimento: matemática, biologia, química, física, anatomia, latim, grego, história, literatura, arte, política e filosofia. Quando jovem, rejeitou o Deus bíblico como um monstro de crueldade e a Igreja Católica como uma fonte de ignorância. Observou que a natureza não fazia distinção entre o bem e o mal, e era a única realidade permanente. Foi detido e encarcerado. Libertado, veio a ser o fundador e editor-chefe da nova *Encyclopedia*, "a Bíblia dos iluministas". Trabalhando com D'Alembert, publicou o primeiro volume em junho de 1751; dez outros volumes se seguiriam. A filosofia da *Encyclopedia* era humanista. O homem era parte da natureza, equipado com a razão. A ênfase ficava na importância do conhecimento científico e na dignidade do trabalho do homem. A licença de publicação foi revogada porque a enciclopédia denunciava "os mitos da Igreja Católica". Essa atenção negativa estimulou enormemente o desejo de adquirir e ler cada um dos 11 volumes tão logo era publicado.

Desde o começo, Voltaire elogiou e encorajou a publicação. A D'Alembert ele escreveu: "Você e M. Diderot estão realizando uma obra que será a glória da França e a vergonha daqueles que os perseguem. Como filósofos eloquentes, só reconheço você e ele." Seis anos depois, quando o projeto estava tendo problemas novamente, Voltaire incitou: "Vão em frente, bravo Diderot, intrépido D'Alembert. Esmaguem os patifes, destruam suas declarações vazias, seus sofismas infelizes, suas mentiras históricas, suas contradições e absurdos inumeráveis."

Entre os que observavam essas manifestações estava a nova imperatriz da Rússia. Logo depois de sua posse, ciente da influência de Diderot e D'Alembert, Catarina decidiu obter o apoio deles. Em agosto de 1762, dois meses depois de tomar o trono, as dificuldades de publicar a *Encyclopedia* na França lhe deram uma oportunidade. Ela ofereceu imprimir todos os volumes subsequentes em Riga, a cidade mais ocidental do império. Mas a oferta chegou muito pouco tempo depois da morte de Pedro III em Ropsha, e os editores da *Encyclopedia* hesitaram em confiar seu trabalho a uma governante cuja posse parecia incerta. Por fim, o governo francês, ao saber da oferta de Catarina, cedeu e autorizou a continuação da publicação na França.

Em 1765, Catarina teve para Diderot um gesto grandioso, que se tornou o assunto das conversas na Europa. Diderot e sua esposa tiveram três filhos, e todos morreram. Então, aos 43 anos, madame Diderot teve uma filha, Marie Angélique. Diderot idolatrava essa menina, dava grande valor ao tempo que passava com ela, e sabia que ele deveria lhe fornecer um dote. Mas não tinha dinheiro, pois tudo estava indo para a *Encyclopedia*. Decidiu, então, vender seu único bem de valor: sua biblioteca. Catarina ouviu falar da decisão por um amigo de Diderot, o embaixador da Rússia na França e Holanda, príncipe Dmitry Golitsyn. Diderot pedia 15 mil libras pelos livros. Catarina ofereceu 16 mil libras, mas com uma condição: os livros permaneceriam na posse de Diderot enquanto ele vivesse. "Seria cruel separar um intelectual de seus livros", ela explicou. Assim, Diderot se tornou, sem que ele e seus livros nunca tivessem saído de Paris, bibliotecário de Catarina. Pela prestação desse serviço, ela lhe pagava um salário de mil libras por ano. No ano seguinte, quando o salário foi esquecido e não pago, Catarina, constrangida, enviou a Diderot

50 mil libras – como pagamento adiantado dos próximos cinquenta anos, ela disse.

A compra da biblioteca de Diderot pela imperatriz inflamou a imaginação da Europa literária. Diderot, pasmo, escreveu à benfeitora: "Grande princesa, prostro-me a seus pés. Estendo-lhe meus braços, e lhe falaria, mas minha alma desfalece, minha mente se turva. Oh, Catarina, creia que seu reinado não é mais poderoso em São Petersburgo que em Paris." Voltaire acompanhou: "Diderot, D'Alembert e eu somos três que lhe ergueríamos altares. Quem iria suspeitar, há cinquenta anos, que um dia os citas [russos] premiariam tão nobremente em Paris a virtude, a ciência e a filosofia, tratadas tão vergonhosamente entre nós." E Grimm: "Trinta anos de trabalho não trouxeram a Diderot a menor recompensa. Agradou à imperatriz da Rússia pagar o débito da França." A resposta de Catarina foi: "Nunca pensei que comprar a biblioteca de Diderot me valesse tantos cumprimentos."

Sem dúvida, havia um propósito maior por trás da generosidade. Se assim foi, o presente atingiu o objetivo, pois os europeus passaram a entender que havia outras coisas no Leste além de neve e lobos. Diderot se atirou à tarefa de recrutar talentos na arte e na arquitetura para Catarina. Sua casa se tornou uma agência de empregos para ela. Escritores, artistas, cientistas, arquitetos, engenheiros, todos acorriam a solicitar nomeações para São Petersburgo.

Em 1773, Diderot, que detestava viajar e nunca tinha saído da França, reuniu forças para tomar a resolução de embarcar na viagem à Rússia que ele entendeu dever a Catarina. Ele estava com 60 anos, era suscetível a cólicas de estômago e a correntes de ar frio, e tinha medo da comida russa. A perspectiva de atravessar a Europa para chegar a um país famoso pela violência e as temperaturas enregelantes era assustadora; contudo, ele se sentia na obrigação de agradecer pessoalmente à benfeitora. Em maio de 1773, ele partiu. Chegou apenas até Haia, onde parou por três meses para descansar na companhia de seu amigo, o príncipe Dmitry Golitsyn.

Quando o outono se aproximava, o filósofo partiu para a segunda etapa da viagem. Encolhido e tossindo numa pequena e veloz carruagem fechada, esperava chegar ao destino antes que viesse o frio extremo. Infelizmente, nevava na capital russa quando Diderot chegou, em 8 de outubro, e ele caiu de cama. No dia seguinte à chegada, ele foi despertado pelo repicar dos sinos e o troar dos canhões celebrando o casamento do herdeiro do trono, grão-duque Paulo, de 19 anos de idade, com a princesa Wilhelmina de Hesse-Darmstadt. Diderot, indiferente a cerimônias, evitou as festividades. Essa propensão foi reforçada por não ter o que vestir além de roupas pretas simples e por ter esquecido sua peruca em algum lugar durante a viagem.

Catarina recebeu calorosamente o famoso editor da *Encyclopedia*. O homem que ela viu diante de si tinha "uma testa alta recuando para a cabeça semicalva, grandes orelhas rústicas e um grande nariz curvo, boca firme [e] olhos castanhos, pesados e tristes, como se recordando erros não recordáveis, ou entendendo a indestrutibilidade da superstição, ou notando a alta taxa de natalidade de simplórios". A imperatriz apresentou o hóspede na Academia de Ciências e teve início uma série de conversas em seu escritório particular. No primeiro encontro, ela disse:

— *Monsieur* Diderot, veja a porta por onde você entrou. Esta porta estará aberta para você todos os dias entre três e cinco da tarde.

Diderot encantou-se com a simplicidade dela e a total informalidade de suas longas reuniões. Catarina sentava-se num sofá, às vezes com um trabalho de agulha nas mãos, e o convidado se acomodava numa poltrona confortável diante dela. Diderot, completamente à vontade, falava interminavelmente, a contradizia, gritava, gesticulava e a chamava "minha boa senhora". A imperatriz achava graça nessas exuberâncias e familiaridades. Ele tomava-lhe as mãos, sacudia seu braço e lhe dava tapinhas nas pernas enfatizando seus argumentos. "Seu Diderot é um homem extraordinário", Catarina escreveu a madame Geoffrin. "Saio das nossas reuniões com as coxas machucadas e bastante roxas. Fui obrigada a colocar uma mesa entre nós para me proteger e aos meus membros."

Seus assuntos eram amplamente variados. Tendo alguma ideia do tema provável a ser discutido, Diderot preparava anotações e lembretes que lia para a imperatriz. Depois dessa preliminar, ambos falavam livremente. Ele trazia suas opiniões sobre tolerância, o processo legislativo, o valor da competição no comércio, divórcio (aprovado por ele em casos de incompatibilidade intelectual) e jogatina. Pediu a ela que fizesse uma lei definitiva de sucessão na Rússia. Insistiu para que o estudo de anatomia fosse introduzido nas escolas de meninas, para que fossem melhores mães e esposas, e para ajudá-las a se livrar das artimanhas de sedutores.

A cordialidade do relacionamento encorajou Diderot a ter esperanças de que encontrara uma soberana desejosa de aplicar os princípios do Iluminismo em seu governo. Ele acreditava ser mais fácil reformar a

Rússia que a França, já que a Rússia lhe parecia uma página em branco na qual a história não tinha escrito nada. Deu-lhe conselhos sobre a educação do grão-duque Paulo: depois de servir como aprendiz de estadista em diversos colégios administrativos, o jovem deveria viajar por toda a Rússia, acompanhado por economistas, geólogos e juristas, para se familiarizar com diferentes aspectos da nação que um dia iria governar. A seguir, depois de engravidar a esposa para assegurar a sucessão, deveria visitar a Alemanha, Inglaterra, Itália e França.

Se Diderot se restringisse a sugestões mais específicas, talvez tivesse tido um impacto mais expressivo. Mas, tendo editado uma imensa enciclopédia que tentava incluir todo o conhecimento humano, ele se considerava uma autoridade e, portanto, apto a dar conselhos em todos os aspectos da vida, cultura e governo da humanidade. Julgou que era seu dever ensinar à imperatriz como governar o império. Citou exemplos dos gregos e dos romanos, instou com ela para reformar as instituições russas enquanto podia, e para estabelecer um parlamento no estilo inglês. Submeteu Catarina a um questionário de 88 itens, incluindo a qualidade do alcatrão produzido em cada província, o cultivo de uvas, a organização de escolas veterinárias, o número de padres e freiras na Rússia, o número e a condição de judeus vivendo no império e as relações entre amo e servo.

Se a extroversão de Diderot fazia Catarina rir, suas perguntas investigativas provavelmente a desconcertavam. Ao ouvi-lo, ela chegou à conclusão de que seu erudito e loquaz convidado não tinha noção da realidade na Rússia. Finalmente, disse a ele:

> *Monsieur* Diderot, ouvi atentamente e com o maior prazer todas as inspirações de sua mente brilhante. Mas todos os seus princípios grandiosos, que compreendo muito bem, funcionam esplendidamente nos livros e muito mal na prática. Em seus planos de reforma, você se esquece da diferença entre nossas duas posições: você trabalha apenas no papel, que aceita tudo, é suave e flexível, e não oferece obstáculo, nem à imaginação nem à pena, ao passo que eu, pobre imperatriz, trabalho na pele humana, muito mais sensível e melindrosa.

Diderot acabou por entender que a imperatriz não tinha a intenção de colocar em prática nenhum dos conselhos que ele vinha pregando havia meses, e o brilho de suas conversas começou a enfraquecer. A piora da saúde, a solidão numa corte estranha, a hostilidade aberta dos cortesãos enciumados do seu fácil acesso à imperatriz, tudo contribuiu para seu crescente desejo de voltar para casa. Ele conheceu muito bem Catarina, mas quase nada da Rússia. Quando ele falou em partir, Catarina não insistiu para que ficasse. Era seu hóspede havia cinco meses, e ela passou sessenta tardes com ele. Era o único dos *philosophes* que chegaria a conhecer.

Diderot deixou a Rússia em 4 de março de 1774. Estava apavorado com a perspectiva da viagem de volta e, para amenizar a jornada, Catarina providenciou uma carruagem especial, em que ele podia se deitar. Ao dizer adeus, a imperatriz lhe deu um anel, um casaco de pele e três bolsas, cada uma contendo mil rublos. A travessia foi ainda mais difícil do que ele temia. O gelo estava se partindo nos rios da costa do Báltico e, quando a carruagem vinha cruzando o rio Dvina, o gelo quebrou e a carruagem começou a afundar. O velho senhor foi salvo, mas os cavalos se afogaram, e três quartos da bagagem dele se perderam. Diderot teve febre alta. Depois conseguiu chegar a Haia e se recuperar, sob os cuidados do príncipe Golitsyn.

Do ponto de vista de Catarina, a visita foi menos que um sucesso. As ideias de Diderot não constituíam um programa aplicável à Rússia; um *philosophe* nobre e idealista não era um político ou administrador prático. Mas, quando se recuperou fisicamente, Diderot concluiu que tinha sido um verdadeiro triunfo. De Paris, ele escreveu a Catarina: "Agora você está sentada ao lado de César, de seu amigo [José da Áustria], e um pouco acima de Frederico [da Prússia], seu perigoso vizinho."

As exuberantes histórias de Diderot sobre sua longa estada com Catarina irritaram tanto Voltaire que ele ficou doente de ciúmes. Havia meses não recebia uma carta de São Petersburgo. Claramente, Catarina o rejeitara em favor de outro. Em 9 de agosto de 1774, quatro meses após Diderot deixar a Rússia, Voltaire não aguentou mais:

> Madame,
>
> Estou positivamente em desgraça em sua corte. Vossa Majestade Imperial me trocou por Diderot, ou por Grimm, ou por algum outro favorito. A senhora não tem consideração por minha idade avançada. Tudo muito bem se Vossa Majestade fosse uma *coquette* francesa, mas como é possível uma imperatriz vitoriosa, ditadora de

leis, ser tão inconstante? Tento encontrar crimes cometidos por mim que justifiquem sua indiferença. Vejo que, de fato, não há paixão que não tenha fim. Esse pensamento me levaria a morrer de tristeza, já não estivesse eu tão perto de morrer de velhice.
>Assinado,
>Aquele que a senhora abandonou,
>seu admirador, seu velho russo de Ferney

A resposta de Catarina foi leve: "Viva, *monsieur*, e vamos nos reconciliar, pois seja como for não há motivo de discórdia entre nós. Você é tão bom russo que não poderia ser inimigo de Catarina." Acalmado, Voltaire declarou que aceitava a derrota e "voltava acorrentado para ela".

Voltaire tinha exercido a maior influência intelectual sobre Catarina, e Diderot tinha sido o único dos grandes *philosophes* que ela conhecera pessoalmente, mas foi em Friedrich Melchoir Grimm que ela encontrou um amigo para toda a vida. Nascido luterano em Regensburg, em 1723, e educado em Leipzig, Grimm foi fazer carreira em Paris. Frequentando os salões literários, tornou-se amigo íntimo de Diderot. Em 1754, assumiu a *Correspondance Littéraire*, um boletim informativo quinzenal, exclusivamente cultural, sobre o que acontecia em Paris em termos de livros, poesia, teatro, pintura e escultura. Os cerca de 15 assinantes, todos cabeças coroadas ou príncipes do Sagrado Império Romano, recebiam seus exemplares por meio das embaixadas em Paris, evitando, assim, a censura, e deixando Grimm escrever com toda a liberdade. Uma vez no trono, Catarina assinou a publicação, mas só veio a conhecer Grimm pessoalmente em setembro de 1773, quando ele chegou em São Petersburgo, um mês antes de Diderot, para o casamento do grão-duque Paulo com a princesa Wilhelmina de Hesse-Darmstadt. Grimm fez parte do cortejo da noiva.

Catarina conhecia Grimm por sua fama e pelo boletim. Seis anos mais velho que Catarina, ele possuía muitas das características da imperatriz: origem germânica, educação francesa, ambição, interesses cosmopolitas, amor à literatura e paixão por fofocas. Além disso, Grimm deve ter atraído Catarina por seu sólido bom senso, a discrição aliada à inteligência e um charme tranquilo. De setembro de 1773 a abril de 1774, ele foi recebido frequentemente por Catarina no mesmo escritório particular que Diderot. Ela o convidou a permanecer em São Petersburgo, a serviço dela, mas ele recusou, alegando sua idade, o desconhecimento da língua russa e a não familiaridade com a corte. Todavia, quando ele partiu para a Itália, em abril, teve início uma correspondência que continuou até a última carta de Catarina, em 1796, um mês antes de morrer. Grimm retornou a São Petersburgo em setembro de 1776 e lá ficou por quase um ano, durante o qual ela lhe propôs chefiar uma comissão para escolas públicas. Mais uma vez ele recusou, porém mais tarde concordou em ser agente cultural oficial dela em Paris, gerenciando seus contatos e interesses artísticos e intelectuais.

A amizade de Catarina com Grimm veio a ser um dos mais importantes relacionamentos da vida dela. Foi um bom confidente e porta-voz – também funcionando como válvula de escape –, e nele ela depositou total confiança. Ela lhe escrevia com toda a liberdade, falava francamente de sua vida pessoal, e até de seus pensamentos sobre os amantes. À exceção de seu filho Paulo, e mais tarde de seus netos, Catarina não tinha família, e somente em Grimm ela podia despejar seus sentimentos e pensamentos, como teria feito com um tio querido ou um irmão mais velho.

51

O NAKAZ

EM 1776, CATARINA ESCREVEU a Voltaire dizendo estar trabalhando num projeto especial. Era o *Nakaz*, ou *Instrução*, com o objetivo de ser um manual para rever totalmente o código das leis russas. Se tudo corresse bem, Catarina acreditava que elevaria os níveis da administração governamental, da justiça e da tolerância no império. Esperava também anunciar à Europa que uma nova era se iniciava na Rússia, inspirada pelos princípios do Iluminismo.

Quando Catarina tomou o trono, o código russo de leis, promulgado em 1649 pelo czar Alexis, pai de Pedro, o Grande, era uma grande confusão obsoleta. Desde sua promulgação tinham surgido milhares de novas leis, muitas sem referência às anteriores sobre os mesmos temas. Não havia nenhuma coleção completa de livros do estatuto. Os decretos imperiais de sucessivos monarcas conflitavam, os ministros e altos funcionários emitiam novas leis que contradiziam as anteriores sem que estas fossem revogadas. Como consequência disso, os departamentos do governo eram desorganizados, a administração em todo o império era ineficiente e corrupta, e a falta de definição da autoridade dos governantes locais levava os senhores de terras a ter poderes cada vez maiores à custa dos camponeses.

O longo reinado de Pedro, o Grande (1689-1725), havia agravado esse caos. A ênfase de Pedro se concentrara na reforma por meio da ação; metade dos decretos nunca foi registrada. Nenhum sucessor teria mais respeito pelas reformas do grande czar do que Catarina. Pedro, o Grande, fez da Rússia uma potência europeia, criou uma capital ocidental com acesso à Europa, equipou a marinha, mobilizou um exército vitorioso, incluiu as mulheres na sociedade, impôs a tolerância religiosa e promoveu a indústria e o comércio da nação. Mas morreu aos 52 anos e, nos quarenta anos seguintes à sua morte, governantes preguiçosos e incompetentes pioraram a confusão nas leis russas. Catarina tomou a si a tarefa de esclarecer e completar o que Pedro, o Grande, tinha começado. Tendo absorvido a teoria política liberal do século XVIII, que enfatizava o poder de boas leis para mudar a sociedade, Catarina concluiu que a solução para as falhas em seu império estaria em um novo código legal. Como tinha chegado ao trono impregnada das ideias de um iluminista europeu, decidiu que as novas leis se baseariam nos princípios do Iluminismo.

Seu plano era convocar uma assembleia nacional, eleita por todos os grupos étnicos e classes sociais livres do império. Ela ouviria as reclamações e os convidaria a propor novas leis para corrigir as falhas. Antes de se reunirem em assembleia, porém, Catarina decidiu fornecer aos membros um conjunto de princípios gerais para basear as novas leis como ela desejava. O resultado foi o *Nakaz*, publicado com o título completo de *Instruções de Sua Majestade Imperial Catarina II para a comissão encarregada de preparar um projeto de um novo código de leis*. Foi a obra que Catarina considerou a realização intelectual mais significativa de sua vida, e sua maior contribuição para a Rússia.

Começou a trabalhar no *Nakaz* em janeiro de 1765 e dedicou duas a três horas de trabalho por dia durante dois anos. O documento, publicado em 30 de julho de 1767, foi, na visão de Isabel de Madariaga, a maior historiadora de Catarina da Rússia, "um dos mais notáveis tratados políticos jamais compilados e publicados por uma soberana". Nos 526 artigos agrupados em 20 capítulos, ela apresentou sua visão da natureza do Estado russo e de como deveria ser governado. Começou citando a ideia de Locke para uma sociedade ordenada, em que a lei e a liberdade são mutuamente necessárias, dado que esta última não pode existir sem a primeira. Catarina apoiou-se muito no livro O *espírito das leis*, de Montesquieu, publicado em 1748, que analisa a estrutura das sociedades e os direitos políticos dos homens em suas relações com o Estado. Do total de 526 artigos no *Nakaz*, 294 foram tirados ou adaptados de Montesquieu. Outros 108 artigos foram tirados do erudito em leis e jurista italiano Cesare Beccaria, cujo ensaio *Dos delitos e das penas* acabara de ser publicado, em 1764. Tratava-se de um ataque veemente à relação entre crime e castigo na maioria dos Estados da Europa contemporânea. Beccaria propunha que as leis, a justiça e o encarceramento penal deveriam ter por finalidade a recuperação, e não o castigo do criminoso. Acima de tudo, Beccaria se revoltava com o uso quase universal da tortura. Impressionada com sua obra, Catarina imediatamente convidou o autor a ir à Rússia. Beccaria preferiu ficar em Milão.

O *Nakaz* de Catarina abrange uma série imensa de questões políticas, judiciais, sociais e econômicas. Discute como a Rússia estava no momento e como deveria estar, como a sociedade deveria ser organizada, e como o governo e a administração da justiça deveriam ser conduzidos. O tom é mais de uma professora que de uma autocrata. O preâmbulo lembra a delegados e leitores que a religião cristã ensina as pessoas a fazer o bem umas às outras sempre que possível. Ela expressa a certeza de que todos querem ver seu país feliz, glorioso, tranquilo e em segurança, querem viver sob leis que os protejam, mas sem opressão. A partir desses princípios e opiniões, ela passa ao que acredita serem os fatos básicos sobre seu império. "A Rússia é um Estado europeu", ela afirma, com a intenção de eliminar a noção tradicional de isolamento geográfico e cultural, bem como o desdém de europeus que julgavam a Rússia apenas uma vastidão remota e primitiva. Daí ela prossegue com uma explanação direta da necessidade do absolutismo na Rússia, dizendo que o soberano é absoluto "porque não há outra autoridade senão aquela centralizada numa única pessoa que possa agir com vigor proporcional à tamanha extensão desse território". Qualquer outra forma de governo traria o risco de enfraquecimento.

Aceitou de Montesquieu um abrandamento de sua defesa do absolutismo; isso ficou incorporado em sua aceitação da limitação do poder supremo do autocrata russo por meio de certas "leis fundamentais".

Essas "leis" eram definidas como tradições, hábitos e instituições tão profundamente enraizadas na história e na vida de uma sociedade que nenhum monarca, por mais absoluto, poderia ou iria agir em oposição a elas. Incluíam o respeito pela permanência da religião dominante, pela lei de sucessão ao trono e pelos direitos e privilégios existentes em grupos sociais influentes, como a nobreza. Montesquieu definia esse tipo de Estado, com esse tipo de governante, como "monarquia moderada". Nesse sentido, Catarina estava definindo e apresentando a Rússia como uma autocracia moderada.

Abordando o papel das leis na regulamentação da vida e das relações do povo, Catarina escreveu: "As leis devem ser estruturadas de modo a garantir a segurança de todo cidadão tanto quanto possível. A liberdade política não consiste na noção de que alguém pode fazer tudo o que desejar; a liberdade é o direito de fazer tudo o que a lei permite. A igualdade dos cidadãos consiste em que todos estão sujeitos às mesmas leis." Ao abordar o complexo tema de crime e castigo, ela aceitou totalmente a visão de Montesquieu e Beccaria, concordando que "é muito melhor prevenir do que punir o crime". E frisou que a pena capital só deve ser aplicada em casos envolvendo assassinato político, sedição ou traição política e guerra civil. "A experiência mostra que o uso frequente de punições severas nunca tornou um povo melhor. A morte de um criminoso é um meio menos eficaz de impedir os crimes do que o exemplo permanente de alguém privado da liberdade durante toda a vida, para reparar o dano causado ao público." Até a sedição e a traição foram definidas com exatidão. Há uma distinção entre sacrilégio e lesa-majestade. Pode-se dizer que um soberano governa por direito divino, mas o soberano não é divino e, portanto, não é sacrilégio nem traição cometer um delito não físico contra ele. Palavras não podem ser consideradas criminosas, a não ser quando acompanhadas por atos. Escritos satíricos sobre a monarquia, mesmo aqueles relativos ao monarca vigente – e aqui ela deveria estar pensando nas contendas de Voltaire na França –, deveriam ser vistos como delinquências, e não crimes. Mesmo nesses casos era preciso ter cuidado porque a censura consegue "produzir nada mais que ignorância, certamente restringindo o surgimento de trabalhos de gênio e destruindo até a vontade de escrever".

Catarina rejeitava a tortura, usada tradicionalmente na Rússia para extrair confissões, obter provas e determinar a culpa. "O uso da tortura é contrário ao bom juízo e ao bom senso", ela declarou. "A própria humanidade clama contra a tortura e requer que seja totalmente abolida." Ela dava o exemplo da Grã-Bretanha, que proibiu a tortura "sem grandes inconvenientes". Catarina se inflamava particularmente contra o uso da tortura para obter confissões:

> Que direito pode dar a alguém autoridade para infligir tortura a um cidadão quando ainda não se sabe se é inocente ou culpado? Por lei, toda pessoa é inocente até que haja provas de seu crime. O acusado, na roda, sofrendo as agonias da tortura, não é senhor de si o bastante para ser capaz de declarar a verdade. A sensação de dor pode chegar a tal ponto que não lhe deixará a liberdade de ter qualquer ato de vontade coerente, exceto o que naquele momento ele acredita que o livrará da dor. Em tal situação extrema, até uma pessoa inocente gritará "Culpado!", desde que parem de torturá-lo. E então os juízes ficarão em dúvida, se têm ali uma pessoa inocente ou culpada. A roda, portanto, é um método seguro de condenar um inocente de constituição fraca, e absolver um culpado que conta com a força física.

Catarina também condenava a tortura por motivos puramente humanitários. "Todas as punições pelas quais o corpo humano possa ser mutilado são barbarismos", ela escreveu.

Ela queria determinar a pena conforme o crime, e o *Nakaz* traz análises detalhadas de diferentes categorias de crimes, com as penas apropriadas. Crimes contra a propriedade seriam punidos com a perda da propriedade, embora ela soubesse que os culpados de roubo de propriedades eram geralmente pessoas que não as tinham. Insistia que normas apropriadas governassem os procedimentos penais e judiciários. Exigia atenção ao papel dos juízes, à veracidade dos testemunhos e à qualidade das provas necessárias para se chegar aos veredictos.

> Alguns juízes devem ter o mesmo nível de cidadania que o réu, ou seja, seus iguais, de modo que [o réu] não deve pensar que caiu nas mãos de pessoas que irão decidir automaticamente contra ele. Os juízes não devem ter o direito de interpretar a lei. Somente o soberano, que cria a lei, pode fazer isso. Os juízes devem julgar de

acordo com a letra da lei, pois esse é o único meio de garantir que um mesmo crime seja julgado da mesma maneira em todos os lugares e em todas as épocas. Se a adesão à lei levar a injustiças, o soberano, sendo o legislador, decretará novas leis.

A tentativa de tratar dos problemas da servidão é a parte menos bem-sucedida do *Nakaz*. Catarina começa o Capítulo II, sobre a questão da servidão, dizendo que "uma sociedade civil requer uma certa ordem estabelecida; há que se ter alguns para governar e outros para obedecer". Nesse contexto, ela acreditava que até o mais humilde dos homens tinha o direito de ser tratado como um ser humano, mas aqui suas palavras colidiam com a crença geral russa de que os servos eram propriedade. Qualquer insinuação de libertar os servos encontrava protestos, às vezes de pessoas que se orgulhavam do próprio liberalismo. A princesa Dashkova tinha tanta certeza do direito da nobreza de possuir servos que tentou convencer Denis Diderot da necessidade da servidão na Rússia. Moralmente, Catarina rejeitava a servidão, mas era politicamente impotente para mudar aquela situação. Quando Diderot, em São Petersburgo, criticou a imundície dos camponeses russos, a imperatriz respondeu com amargura: "Por que se preocupariam com a limpeza se a alma deles não lhes pertence?"

Catarina escreveu o *Nakaz* em francês. Um secretário traduziu o manuscrito para o russo e outras línguas. Ela trabalhou sozinha até setembro de 1776, quando começou a mostrar esboços, primeiro a Orlov e depois a Panin. A opinião de Orlov, como era de esperar, foi elogiosa. Panin foi cauteloso, vendo no *Nakaz* uma ameaça a toda a ordem política, econômica e social. "Esses axiomas podem derrubar muralhas", ele avisou. Panin pensava no impacto que as ideias de Montesquieu e Beccaria teriam em delegados incultos da Comissão Legislativa. Ficava mais preocupado ainda porque os impostos cobrados diretamente dos camponeses e o recrutamento militar se baseavam na instituição da servidão, e temia que, sem esses dois requisitos essenciais, o Estado enfraquecesse econômica e militarmente. Além disso, ele pensava em como os servos livres iriam viver, já que não possuíam terras. E perguntava onde o Estado arrumaria dinheiro para compensar os latifundiários pelos servos perdidos, e para as terras que os servos precisariam para cultivar a fim de sobreviver.

Catarina não desprezou a reação de Panin. Ele não era um grande senhor de terras com muitos servos a perder; havia passado 12 anos na Suécia e em geral era a favor de reformas. Ela também percebeu que ele estava longe de ser o único a se opor. Quando terminou a minuta do *Nakaz*, no início de 1767, submeteu-a à revisão pelos membros do Senado. "Todas as partes suscitaram divisão", ela escreveu mais tarde. "Deixei que apagassem o que quisessem, e riscaram mais da metade do que eu tinha escrito." A seguir, mandou a minuta a alguns nobres cultos, que riscaram metade dos itens restantes. Finalmente, depois dessas excisões, o *Nakaz* foi publicado com apenas um quarto do texto que Catarina labutou dois anos para concluir. Esse era o limite da monarquia absoluta: nem mesmo uma autocrata podia desprezar as opiniões de quem lhe dava o suporte necessário para se manter no poder.

Na versão final impressa do *Nakaz*, a frustração de Catarina quanto à servidão transparece no modo como usa a linguagem. Ela escreve com hesitação, quase se desculpando, depois recua rapidamente, se contradiz e abafa a mensagem. Assim, sua tentativa de dizer que a servidão deveria ser uma instituição temporária, que o governante deveria evitar reduzir as pessoas à escravidão e que as leis civis deveriam prevenir contra o abuso de escravos, é publicada com uma torrente desordenada de palavras confusas:

> Dado que a Lei da Natureza nos ordena labutar ao máximo de Nosso poder pela felicidade de todo o povo, Nós somos obrigados a deixar a situação daqueles que são subjugados tão facilitada quanto a razão permitir. Portanto, para evitar reduzir as pessoas a um estado de escravidão, a não ser que ocasiões de urgência nos obriguem indispensavelmente a fazê-lo; e nesse caso não deverá ser feito por interesses particulares, mas para o benefício público. Entretanto, tais ocasiões raramente ou nunca ocorrem. Qualquer que seja o tipo de sujeição, as leis civis devem impedir o abuso da escravidão e se guardar contra os perigos que daí possam surgir.

Dois artigos que Catarina copiou de Montesquieu foram omitidos no documento final. Um declarava que os servos deveriam ter direito a acumular propriedades suficientes para comprar a liberdade, e o outro dizia que a servidão deveria ser limitada a seis anos. A esses artigos,

Catarina tinha acrescentado sua opinião de que, uma vez libertado, um servo não deveria voltar jamais à servidão. Essa opinião também foi omitida, e nem a Comissão Legislativa, nem o povo russo chegaram a ouvir, ler, discutir ou agir com base nessas palavras.

Catarina não teve a pretensão de autoria do texto. Ao enviar uma cópia do *Nakaz* a Frederico da Prússia, ela escreveu com toda a franqueza: "Você verá que, como o corvo da fábula, me escondi sob as plumas do pavão. Nesse trabalho, apenas o arranjo do material e aqui e ali uma linha ou palavra pertencem a mim." A D'Alembert, ela admitiu: "Por meu império, roubei Montesquieu sem fazer menção ao nome dele. Se, lá do outro mundo, ele vir meu trabalho, espero que perdoe meu plágio pelo bem de 20 milhões de pessoas. Ele amava demais a humanidade para se ofender. O livro dele é meu 'breviário'."

O *Nakaz* foi escrito na esperança de que um código de leis mais atualizado pudesse levar a Rússia a uma situação de maior avanço político, mais sofisticação cultural e produtividade mais eficiente. Isso não aconteceu. Entretanto, Catarina enviou o *Nakaz* não somente à Comissão Legislativa que ela pretendia convocar, mas também às pessoas de educação superior na Rússia e no estrangeiro. Quando as traduções apareceram fora da Rússia, mesmo com todas as exclusões, incoerências e trechos obviamente copiados, ainda assim foi um documento impactante o suficiente para valer a Catarina grande aprovação. Traduções em alemão, inglês e latim surgiram quase imediatamente. Em dezembro de 1768, ela enviou uma cópia a Ferney. Voltaire fingiu acreditar que o *Nakaz* era um código de leis completo e detalhado, e declarou que nem Licurgo nem Sólon "teriam sido capazes de tal criação". Seus elogios exagerados chegaram às raias do absurdo quando ele definiu o *Nakaz* como "o mais excelente monumento desta época, que irá lhe trazer maior glória do que dez batalhas, dado que foi concebido por seu próprio gênio e escrito por sua própria mãozinha delicada".

O governo da França não concordava com isso. A monarquia viu o documento como um perigo tão grande que, por ordem do rei, a publicação foi proibida em todo o país, e 2 mil exemplares foram barrados nas fronteiras entre São Petersburgo e Paris. Voltaire escarneceu dos censores franceses pela proibição do documento, dizendo a Catarina que era um cumprimento e iria garantir a popularidade dela. Diderot escreveu: "A justiça e a humanidade guiaram a pena de Catarina II. Ela fez uma reforma total." Frederico da Prússia chamou o *Nakaz* de "uma realização masculina, vigorosa, digna de um grande homem", e fez da imperatriz membro da Academia de Berlim.

O *Nakaz* não era, como Voltaire declarou com entusiasmo, um código de leis, e sim uma coletânea de princípios que Catarina acreditava serem a base de um bom governo e da boa ordem de uma sociedade. Em carta a Frederico, Catarina sugeriu estar muito ciente das discrepâncias entre a Rússia da realidade e a nação que ela almejava: "Devo advertir a Vossa Majestade que encontrará várias partes do documento que talvez pareçam estranhas. Rogo lembrar-se que frequentemente tenho me acomodado ao presente, sem fechar os caminhos para um futuro mais favorável."

52
"TODOS OS ESTADOS LIVRES DO REINO"

CATARINA ESCREVERA O *NAKAZ* como preliminar à convocação de uma assembleia para auxiliar na criação de um novo código de leis para o império. Uma vez publicado, mesmo em sua forma gravemente truncada, em dezembro de 1766 Catarina deu início ao segundo estágio, lançando um manifesto imperial para que "todos os Estados livres da Rússia" – isto é, todos os russos, exceto os servos – nomeassem delegados para uma comissão legislativa. Durante a primavera de 1767, foram escolhidos delegados representantes de muitos credos, categorias, ocupações e classes sociais do Império Russo. Entre eles, havia funcionários do governo, membros da nobreza, moradores das cidades, mercadores, camponeses livres e habitantes de regiões periféricas do império cujos povos nem eram cristãos nem de raça russa. A função de todos seria informar à imperatriz das queixas, necessidades e desejos das populações que representavam, provendo-a, assim, de material a ser usado num novo código de leis.

Os critérios eleitorais básicos eram o território geográfico e a classe. Os escritórios do governo central enviaram 29 delegados. Todos os nobres residentes num determinado distrito deveriam eleger um único delegado daquele distrito, o que resultou em 142 delegados nobres (entre eles, três irmãos Orlov, inclusive Gregório e Alexis). Todos os proprietários residentes nas cidades deveriam escolher um deputado que representasse sua cidade, independentemente do tamanho da população. Em consequência disso, as cidades, com 209 delegados, tiveram a maior representação na assembleia. Os camponeses que trabalhavam nas terras do Estado, mas eram legalmente livres, enviaram um delegado de cada província, num total de 56. Os cossacos do Don, do Volga, do Yaik [Ural] e da Sibéria poderiam mandar quantos delegados seus chefes determinassem, e 44 foram enviados. Outros 54 delegados vieram de tribos não russas, cristãs, muçulmanas e até budistas, sendo um delegado de cada tribo. Os servos, a imensa maioria da população russa, eram considerados propriedade e não tiveram representação. Presumivelmente, seus interesses seriam representados por seus proprietários. Ao término das eleições, a Comissão Legislativa seria composta por 564 delegados.

Estava entendido que a assembleia se limitaria a fornecer informações e alguma assistência, mas todas as decisões finais ainda caberiam à imperatriz. Catarina jamais teve a intenção de que a Comissão Legislativa viesse a discutir como a Rússia deveria ser governada. Não tinha o menor desejo de criar uma comissão que limitasse o poder absoluto da autocrata russa, e deixou muito claro no *Nakaz* que considerava o absolutismo a única forma de governo possível na Rússia. Além disso, a Comissão Legislativa não deveria aspirar a ter um papel político permanente. Não haveria restrições à apresentação de diferentes visões políticas, queixas locais e nacionais; tudo poderia ser apresentado, mas a função da comissão era puramente informativa. E realmente os delegados não deram mostras de querer ampliar a própria autoridade. O status e o poder supremo da soberana foram entendidos e aceitos.

Quase todos os delegados ficaram confusos a respeito do que se esperava exatamente deles. Todas as convocações anteriores envolvendo participação no governo central foram vistas com desconfiança pela nobreza, que considerava um chamado à capital para cumprir dever de Estado um serviço a ser evitado tanto quanto possível. Catarina se empenhou em reverter essa percepção, trazendo atrativos à função dos delegados, como privilégios e prêmios pelos trabalhos. Todas as despesas seriam pagas pelo Tesouro russo. Os delegados receberiam um salário anual, de 400 rublos para os nobres, 122 rublos para os delegados das cidades e 37 rublos para os camponeses livres. Todos os delegados estariam isentos, pelo resto da vida, de pena capital, tortura e castigos corporais, e suas propriedades estariam protegidas contra confisco. Cada delegado deveria usar um distintivo de serviço ao governo, que seria devolvido ao Estado após a morte do portador. Os nobres teriam direito a incorporar esse distintivo ao brasão da família, para que seus descendentes soubessem que haviam tomado parte nesse momento histórico. O manifesto de Catarina concluía: "Por meio dessa instituição, damos ao nosso povo um exemplo de nossa sinceridade, nossa grande fé nele e de nosso verdadeiro amor materno."

Catarina anunciou que a Comissão Legislativa se reuniria em Moscou e ela abriria as sessões pessoalmente. Ao situar a assembleia na antiga capital, ela esperava provar à grande e conservadora população da cidade que ela, o *Nakaz* e o novo código de leis estavam destinados a servir tanto à velha Rússia quanto à nova. Antes da reunião dos delegados, ela reforçou essa mensagem anunciando que faria uma viagem descendo o Volga, atravessando o coração da velha Rússia. Além de aumentar seu conhecimento pessoal do império, ela queria se mostrar entre o povo, a fim de impressionar os observadores dentro e fora do reino. Na verdade, Catarina estava animada com a perspectiva dessa viagem. Em 26 de março de 1767, ela escreveu a Voltaire: "Talvez, no momento em que você menos esperar, receba uma carta de algum recanto da Ásia."

Foi uma viagem em grande escala. Mais de mil pessoas embarcaram numa flotilha de grandes barcaças em Tver, no Alto Volga, em 28 de abril de 1767. Aportaram em Yaroslavl e depois em Kostrama, onde, em 1613, uma delegação representando "todas as classes e cidades da Rússia" tinha feito uma petição ao primeiro da dinastia dos Romanov, Miguel, com 16 anos de idade, para aceitar o trono russo. Partindo de Kostrama, foram descendo o Volga até Nizhny, Novgorod, Kazan e Simbirsk. Catarina adorou aquele método de viajar. "Nada há de mais prazeroso do que viajar como uma casa inteira, sem fadiga", ela escreveu a Nikita Panin.

Em Kazan, onde ficou durante uma semana, Catarina se sentiu num mundo diferente. Cercada por uma variedade étnica e cultural, reconsiderou a aplicabilidade dos princípios que ela havia escrito no *Nakaz*. Em 29 de maio, escreveu a Voltaire:

> Essas leis sobre as quais tanto se falou... ainda não entraram em vigor, e quem pode garantir sua utilidade? É a posteridade, e não nós, que irá decidir. Considere, por favor, que devem ser aplicadas tanto na Ásia quanto na Europa, e quanta diferença de clima, povos, costumes e até de ideias!... Nesta cidade, existem vinte povos diferentes, que não se parecem em nada. Todavia, temos de esboçar um modelo que sirva a todos. Eles podem concordar com os princípios gerais, mas e quanto aos detalhes?

Dois dias depois, em outra carta a Ferney, ela voltou ao tema:

> Há tantos objetos que merecem um olhar, que se poderia coletar ideias suficientes por dez anos aqui. Este império é voltado para si mesmo e somente aqui se pode ver como é imenso o empreendimento no que concerne às nossas leis, e quão pouco elas são adequadas à situação do império em geral.

Ao descer o grande rio rumo ao Sul, Catarina se maravilhou com a rica natureza ao longo das margens. Escreveu a Panin:

> Aqui, as pessoas ao longo do Volga são ricas e extremamente bem alimentadas. Todos os tipos de grãos são muito bons e não há madeiras senão carvalhos e tílias. A terra é de material tão escuro que não se vê em nenhum outro lugar. Em suma, essas pessoas são mimadas por Deus. Desde que nasci, eu não tinha comido peixes tão saborosos como aqui; tudo existe em tamanha abundância que nem se pode imaginar, e não sei de que mais podem precisar; aqui tem tudo.

Catarina e a comitiva desembarcaram em Simbirsk para retornar a Moscou. Um século e meio depois, Alexander Kerensky, primeiro-ministro do governo provisório da Rússia em 1917, descreveu Simbirsk, seu local de nascimento, assim:

A cidade se elevava sobre um monte, com vista para o rio e os campos de ricas relvas perfumadas que se estendiam para o leste até o horizonte. Do cume da montanha até a beira da água, estendiam-se luxuriantes pomares de macieiras e cerejeiras. Na primavera, toda a encosta ficava branca com a floração, perfumada, e à noite a música dos rouxinóis era magnífica.

De volta a Moscou, Catarina se preparou para abrir a Comissão Legislativa. Na chegada dos delegados à cidade, ela decidiu impressioná-los com a importância do trabalho que estavam prestes a assumir. Na manhã de domingo, 30 de julho, Catarina embarcou sozinha numa carruagem dourada e seguiu pelas ruas até o Kremlin. Depois de uma cerimônia religiosa na catedral da Assunção, caminhou até o Palácio das Facetas, onde os delegados lhe foram apresentados diante do trono elevado em que se sentou. À sua direita, sobre uma mesa coberta de veludo vermelho, havia exemplares do *Nakaz* encadernados em couro vermelho. À sua esquerda, estavam o grão-duque Paulo, os ministros, membros da corte e embaixadores estrangeiros. Um discurso de boas-vindas comparou Catarina a Justiniano. Em resposta, ela disse aos delegados que eles tinham uma oportunidade inigualável de "glorificar a si mesmos e à nação, de conquistar para vocês o respeito e a gratidão de séculos futuros". Presenteou cada delegado com um exemplar do *Nakaz* e uma medalha de ouro pendente de um cordão. A medalha trazia a imagem da imperatriz e a inscrição: "Pelo bem-estar de um e de todos." As medalhas ganharam fama, e muitas foram vendidas rapidamente.

Na manhã seguinte, começaram os trabalhos da comissão. Durante vários dias, o vice-chanceler, príncipe Alexander Golitsyn, leu em voz alta o *Nakaz* de Catarina. Foi a primeira de muitas leituras, necessárias, porque muitos delegados não sabiam ler. O impacto do documento em nobres moderadamente instruídos, mercadores das cidades, camponeses cujos horizontes se limitavam à sua própria província, quando não à sua aldeia, sem falar nos chefes tribais do Volga, só pode ser imaginado. A dificuldade estava em saber o que um cossaco do Don, ou um mongol das estepes, iria fazer com princípios largamente emprestados de Montesquieu, selecionados e organizados por uma princesa nascida alemã. Aforismos como "A liberdade é o direito de fazer tudo o que não seja proibido por lei" eram ideias tão estranhas à maioria dos russos que chegavam a ser incompreensíveis.

No salão de reuniões, os delegados se sentavam em bancos conforme o distrito de onde tinham vindo. A nobreza se sentava na frente, atrás deles os representantes das cidades, dos cossacos e dos camponeses. Para a importante função de marechal (ou presidente) da comissão, Catarina nomeou o general Alexander Bibikov, um soldado, que ficou encarregado de organizar e dirigir os trabalhos. Antes de dar início à tarefa, os delegados insistiram em discutir o título que dariam à imperatriz em gratidão por tê-los convocado. Os mais votados foram "A Grande" e "Todo-sábia Mãe da Pátria". Esse debate durou várias sessões, até a imperatriz dizer com impaciência a Bibikov: "Eu os convoquei para estudar as leis, e eles se ocupam em discutir minhas virtudes." Afinal, ela recusou todos os títulos, explicando que não fazia jus a nenhum deles, somente a posteridade poderia julgar imparcialmente suas realizações, e somente Deus poderia ser chamado de "Todo-sábio". No entanto, ficou longe de mostrar desagrado quando o título "Catarina, a Grande" obteve o maior número de votos. Ela estava no trono havia apenas cinco anos, ao passo que Pedro, o Grande, só recebera esse título do Senado em sua quarta década como czar. E não havia dúvida de que o oferecimento desse título, por uma assembleia eleita dos Estados livres, fortalecia a legitimidade de sua posição. Eliminava maiores discussões sobre uma reversão ao papel de regente e qualquer conversa de ascensão de Paulo quando fosse maior de idade.

Foram estabelecidas regras para os procedimentos e a nomeação de comitês. A assembleia geral deveria agir como uma arena de debates, e o trabalho principal de análise, coordenação e elaboração de novas leis seria distribuído entre 19 comitês. A assembleia começou a tratar dos relatórios trazidos pelos delegados. Catarina acreditava que a discussão de queixas e sugestões, demonstrando as necessidades de todas as regiões e classes, seria uma das mais importantes funções da Comissão Legislativa, e esperava obter daí um valioso panorama das condições sociais da Rússia. Cada delegado tinha certeza de que suas próprias reclamações teriam a atenção primordial da assembleia. Havia centenas de listas e petições. Os seis delegados camponeses da região de Arcangel trouxeram uma pilha de 73 petições. Algumas eram meras listas, geralmente desconexas e contraditórias, mas outras eram propostas de reformas relativamente sensatas. No total, mais de mil petições de camponeses foram submetidas à Comissão Legislativa. Naturalmente, os camponeses eram menos capazes que nobres e citadinos de expor claramente suas questões, e se limitavam a descrever seus problemas: cercas derrubadas, plantações pisoteadas pelo gado solto, escassez de madeira, custo do sal, demora da justiça, insolência de funcionários do governo. Como eram muito vulneráveis às pressões de nobres ou funcionários do governo regionais, era também difícil para eles explicitar suas queixas. Na tentativa de que todos fossem ouvidos, foram se multiplicando os subcomitês, onde muitas coisas eram iniciadas e poucas concluídas. A certa altura, Catarina viu que a missão de encontrar leis adequadas a todos os habitantes do império estava fora do alcance dos delegados. Contudo, algo extraordinário estava acontecendo: pela primeira vez na Rússia, representantes do povo estavam reunidos para falar francamente, publicamente, sem medo de sérias retaliações, sobre o que os atribulava e ao povo que representavam.

Catarina estava quase sempre presente, mas isolada numa plataforma atrás de uma cortina fechada. Aprendeu bastante sobre as condições do império, mas o passo hesitante e os tropeços da comissão a irritavam, e a tal ponto que uma vez saiu de trás da cortina e foi embora. Não somente as sessões plenas a decepcionavam, mas alguns comitês a deixavam com raiva. Numa ocasião, ao saber que o comitê das cidades havia adiado os trabalhos enquanto esperava novos exemplares do *Nakaz*, ela explodiu: "Eles já perderam mesmo aqueles exemplares que já receberam?" Em dezembro, passados cinco meses de conversas, ela decidiu que tinha ouvido o suficiente e interrompeu as sessões em Moscou. Na esperança de que uma mudança de local pudesse revitalizar os delegados, ela ordenou que voltassem a se reunir daí a dois meses em São Petersburgo. Em meados de janeiro, ela partiu de trenó pela estrada coberta de gelo. Uma longa fileira de trenós seguia atrás, levando os delegados.

Quando a Comissão Legislativa se reuniu em São Petersburgo, em 18 de fevereiro de 1768, começou por discutir a situação da nobreza, dos citadinos, dos mercadores e dos camponeses livres. Os nobres queriam que suas prerrogativas fossem estendidas na forma de maior poder no governo local e provincial, e também queriam o direito de estabelecer comércio e indústria nas cidades. Além disso, os nobres discutiam entre si as definições de status e direitos das diferentes camadas da nobreza. A velha faixa da nobreza hereditária exigia uma rígida demarcação entre nobres de berço e homens recentemente elevados à classe por mérito ou serviços prestados – como os Orlov.

Outro debate amargo colocava os nobres senhores de terras contra os mercadores nas cidades. A nobreza queria o direito exclusivo de propriedade sobre mão de obra de servos e total liberdade para tratar do problema da servidão, econômica e administrativamente. Os mercadores, ouvindo falar que o *Nakaz* pregava que todos os homens eram iguais perante a lei, exigiam os mesmos privilégios da nobreza, inclusive o direito de ter servos. Os senhores de terras lutavam para impedir isso, tanto quanto os mercadores lutavam para impedir que os senhores de terras entrassem no ramo do comércio e da indústria. No final, as duas iniciativas fracassaram.

No decorrer desses debates entre nobres e mercadores quanto ao direito de ter servos surgiu o assunto muito maior e mais explosivo, a própria servidão. A assembleia ficou dividida entre dois pontos de vista fundamentalmente opostos. Aqueles que apoiavam a servidão declaravam que a instituição deveria ser permanente, que era a única solução para um problema econômico mais profundo do que status social e privilégio dos proprietários; a saber, a servidão era essencial para o suprimento e o controle de mão de obra numa nação imensa e primordialmente agrícola. Os oponentes falavam dos males e da miséria humana causados por uma forma de escravidão próxima ao cativeiro. Assim, tendo a economia e a tradição de um lado, e a filosofia e a compaixão de outro, não havia uma ponte para cruzar o abismo.

Catarina não era mais capaz que qualquer outra pessoa para encontrar uma solução. Na versão original, o *Nakaz* chegara ao limite de defender a abolição gradual da servidão na Rússia, dando aos servos o direito, com a permissão dos proprietários, de comprar a liberdade. A totalidade da nobreza russa se opunha a ideias desse tipo, que foram retiradas do documento antes da publicação. A questão de servos poderem ou não ter propriedades particulares à parte da terra chegou à assembleia. Isso gerou discussões acaloradas sobre a relação entre senhores de terras e servos, e sobre os poderes administrativos e punitivos dos senhores sobre os servos. À acusação de que os camponeses eram bêbados e preguiçosos, um delegado liberal respondeu: "O camponês também tem sentimentos. Ele sabe que tudo o que tem pertence ao seu senhor. Como pode ser virtuoso se é privado de todos os meios de sê-lo? Ele bebe não por preguiça, mas por desânimo. O mais dedicado trabalhador fica descuidado quando é oprimido todo o tempo e nada possui." Outros senhores de terras esclarecidos falaram em favor de limitações legais aos poderes dos senhores sobre os servos. Bibikov, o presidente da Comissão Legislativa, instou para que os nobres que torturavam servos fossem declarados loucos, o que permitiria à lei tomar suas propriedades. Mas, quando propuseram melhorias específicas das condições dos servos e a possível abolição da servidão, os defensores foram vencidos. Os liberais entre os delegados nobres foram vilipendiados e até ameaçados de morte por extremistas da maioria conservadora.

Catarina esperava apoio do conde Alexander Stroganov. Educado em Genebra e Paris, foi ele quem a apoiou no momento em que Pedro III gritou "*Dura!*" no apinhado salão de banquete. Mas quando Stroganov se levantou na Comissão Legislativa, foi para defender apaixonadamente a instituição da servidão. O príncipe Miguel Scherbatov, que considerava a nobreza hereditária uma instituição ordenada por Deus, argumentou que a Rússia era um frio país do Norte, e os camponeses não trabalhariam se não fossem obrigados. O Estado não poderia forçá-los porque a Rússia era muito grande. Somente a nobreza poderia fazer isso, e teria de ser à maneira tradicional, sem a intervenção do Estado.

O poeta e dramaturgo Alexander Sumarokov fez objeção aos privilégios sociais, como a imunidade contra castigos corporais pela vida inteira, dada como garantia preliminar aos delegados camponeses presentes na Comissão Legislativa. Sumarokov objetava também ao princípio da maioria de votos, dizendo que "A maioria dos votos não confirma a verdade, mas apenas indica os desejos da maioria. A verdade é confirmada pela razão profunda e a imparcialidade". Depois reclamou que, "se os servos fossem libertados, os nobres, coitados, não teriam mais cozinheiros, nem cocheiros, nem lacaios; seus cabeleireiros e cozinheiros treinados iriam embora atrás de empregos mais bem pagos e haveria distúrbios frequentes, exigindo a força militar para abafá-los. Tal como está, os senhores de terras vivem sossegadamente em suas propriedades". ("E de vez em quando aparece um com a garganta cortada", comentou Catarina.) Era sabido, concluiu Sumarokov, que os senhores amavam seus servos e eram amados por eles. De todo modo, as pessoas comuns não tinham os mesmos sentimentos que um nobre. ("Nem podem ter, nas circunstâncias atuais", Catarina observou.) No final, a imperatriz reagiu à oposição de Sumarokov dizendo: "M. Sumarokov é um bom poeta... mas não tem clareza mental suficiente para ser um bom legislador."

Apesar das crenças pessoais e apreensões de Catarina quanto à servidão, dadas as reações dos nobres presentes na assembleia, ela se absteve de maiores confrontações. O reconhecimento do perigo inerente a manter a imensa maioria da população em servidão permanente aparece numa carta ao procurador-geral Vyazemsky:

> A emancipação geral desse cruel e insuportável jugo não irá suceder,. [mas] se não concordarmos em diminuir a crueldade e amenizar a intolerável posição da espécie humana, então, mesmo contra nossa vontade, eles irão se apoderar dela, mais cedo ou mais tarde.

Como seus princípios iluministas foram derrotados na assembleia, Catarina, ciente de que governava principalmente com o apoio da nobreza, decidiu não insistir. Mais tarde, ela comentou:

> O que não sofri com a voz de uma opinião pública irracional e cruel quando essa questão foi levantada na Comissão Legislativa? A turba de nobres passou a suspeitar que essas discussões pudessem trazer melhoria na posição dos camponeses. Acredito que não havia ali vinte seres humanos que refletissem sobre essa questão com humanidade.

As discussões em São Petersburgo se mostravam ainda mais improdutivas e com mais dissidências do que em Moscou. A comissão continuava aos tropeços, sobrecarregada pelos procedimentos, por conflitos de classes e pela natureza, de modo geral, impossível da tarefa. Os 29 delegados camponeses mal tomavam parte nos debates, exceto por um infatigável delegado do campesinato de Arcangel, que falou 15 vezes. Vários delegados camponeses simplesmente transferiam seus limitados direitos à palavra para os nobres de seu distrito. Os poucos camponeses livres que falavam se concentravam em agarrar a chance de fazer suas reclamações diante da própria imperatriz. Catarina, ouvindo as queixas embaralhadas de abusos, sobrecargas e medo do futuro, via como eles estavam longe – e agora ela também – de Montesquieu. No outono de 1768, ainda sem quaisquer resultados concretos, a imperatriz estava cansada. A comissão se arrastava por 18 meses, em mais de duzentas sessões, e nenhuma lei nova fora escrita.

No verão e outono de 1768, a atenção da imperatriz e dos ministros voltava-se para uma direção diferente. O envolvimento da Rússia na vizinha Polônia e o espectro de uma guerra com a Turquia pairavam sobre as sessões da Comissão Legislativa. O entusiasmo de Catarina por um novo código de leis enfraquecia, e, quando a Turquia declarou guerra, em outubro de 1768, seus pensamentos e energia foram tomados por esse novo desafio. Muitos delegados nobres já se retiravam da assembleia para servir no Exército como oficiais. Em 18 de dezembro de 1768, o conde Bibikov anunciou que, por ordem da imperatriz, a Comissão Legislativa integral estava adiada indefinidamente, embora um comitê devesse continuar se reunindo. A última sessão da assembleia plena teve lugar em 12 de janeiro de 1769, e em seguida os delegados retornaram cada um à sua terra, onde deveriam aguardar nova convocação. O comitê continuou a se reunir intermitentemente, mas em setembro de 1771 também suspendeu as atividades. Entre 1772 e 1773, de vez em quando o procurador-geral era informado de que a imperatriz tinha a intenção de reunir a Comissão Legislativa integral após o término da guerra russo--turca. Mas a convocação nunca foi feita. A Comissão Legislativa nunca mais se reuniu.

Não foi editado nenhum código novo de leis russas. A distância entre a definição de um filósofo iluminista de uma monarquia ideal e os problemas imediatos da vida diária na Rússia rural simplesmente era grande demais. Catarina acreditava em Montesquieu, mas os nobres queriam confirmação da extensão de status e privilégios, e os camponeses queriam indenização por cercas quebradas, lavoura pisoteada e madeira cortada ilegalmente. Contudo, o empenho em 18 meses e 203 sessões não foi totalmente em vão. Os documentos levados e discutidos pelos delegados nas assembleias gerais e nos comitês continham um tesouro de informações muito valiosas. A análise daquela massa de detalhes – as centenas de queixas, reclamações e reivindicações em discordância – reforçou a convicção de Catarina de que a estabilidade da Rússia dependia da manutenção da autoridade absoluta da autocracia.

Além de reforçar a crença de Catarina no absolutismo, algo mais aconteceu. Sob o estímulo e a cobertura protetora do *Nakaz*, as discussões nas assembleias gerais e nos vários comitês proveram os delegados com novas ideias, que nunca antes tinham sido faladas publicamente na Rússia. Em alguns casos, eles chegaram a citar passagens específicas do *Nakaz*, usando a autoridade da imperatriz para introduzir e sustentar suas próprias ideias. No fim das contas, apesar do fracasso em criar um novo código de leis, a Comissão Legislativa deu uma contribuição à história da nação. Em conjunto, as convocações, as eleições e as 203 sessões da assembleia estabeleceram o precedente da participação popular no governo. Na Rússia imperial, foi a primeira tentativa de dar voz ao povo em seu destino político.

Alguns acharam que a Comissão Legislativa não conseguiu nada, que desde o começo tanto ela como o *Nakaz* tinham sido criados por pura ostentação, e não passavam de propaganda para impressionar os amigos iluministas de Catarina nos outros países. Esse julgamento é muito superficial. Naturalmente, Catarina apreciou o inflamado elogio de Voltaire ao *Nakaz*, mas isso não significa que ela o tenha escrito simplesmente para chamar a atenção de Voltaire e obter suas bênçãos. De fato, a estudiosa da vida de Catarina, Isabel de Madariaga, diz:

> A ideia de que o objetivo principal de uma operação tão cara e prolongada foi apenas para jogar areia nos olhos de intelectuais ocidentais é difícil de aceitar. Era possível a Catarina conquistar suas opiniões de ouro apenas se correspondendo, como fez com Voltaire; comprando a biblioteca de Diderot e deixando-a na posse dele; convidando D'Alembert e Beccaria para irem à Rússia [embora ambos tivessem recusado]; nomeando Grimm seu agente pessoal em Paris. Foram provas suficientes de suas credenciais iluministas. Não havia necessidade de embarcar num empreendimento de dimensões tão grandes e demoradas como a Comissão Legislativa.

Vale notar que a publicação do *Nakaz* e a convocação da Comissão Legislativa aconteceram nove anos antes de Thomas Jefferson escrever, e o Congresso Continental aprovar, a Declaração da Independência norte-americana. E antecedeu em 21 anos a convocação dos Estados Gerais por Luís XVI. Nenhum sucessor do trono russo ousou convocar uma assembleia desse nível até 1905, quando Nicolau II foi obrigado pelos revolucionários a assinar um documento transformando a Rússia de autocracia absoluta em monarquia semiconstitucional e depois, em 1906, a convocar o primeiro parlamento eleito, a Duma Estatal.

❧53❧
"O REI QUE NÓS FIZEMOS"

Um novo código de leis adequado às necessidades da Rússia contemporânea era importante para Catarina, mas a condução da política externa ocupava o primeiro lugar em suas preocupações. Desde o início do reinado, Catarina procurava manter uma estratégia ativa, direta, na tradição de Pedro, o Grande. Assim que tomou o trono, ela assumiu o controle absoluto das relações internacionais da Rússia. Para demonstrar seu uso da autoridade autocrática, ordenou imediatamente que lhe mostrassem todos os despachos diplomáticos recebidos pelo Colégio de Relações Exteriores.

Havia muito a ser feito. Quando Pedro, o Grande, se apossou do trono, em 1694, a Rússia era um gigante continental, sem ter um porto marítimo descongelado o ano inteiro. A Suécia dominava o norte do Báltico, e o mar Negro era controlado pelos turcos otomanos. Depois, em consequência da vitória na Grande Guerra do Norte, Pedro rompeu o domínio sueco, estendendo as possessões russas até a costa do Báltico para incluir o grande porto de Riga, e construiu a nova capital, São Petersburgo, no golfo da Finlândia. Ao sul, combateu os turcos para tentar chegar ao mar Negro, teve um sucesso inicial na foz do rio Don, em Azov, mas perdeu esse prêmio quando os turcos o derrotaram no rio Pruth. Em 1725, quando Pedro, o Grande, morreu, a Rússia ainda não tinha uma abertura ao sul para o mar e o mundo externo. Ao longo da fronteira ocidental, estava o enorme reino da Polônia, de governo caótico, que em tempos idos havia despojado a Rússia e a Ucrânia de grandes faixas de território. Portanto, se Catarina queria imitar Pedro expandindo o império e criando novos caminhos para o mundo, precisava olhar para o sul e o oeste. Ao sul, estava a Turquia, e a oeste, a Polônia.

A doença fatal de um rei determinou que o primeiro alvo de Catarina fosse a Polônia. A Comunidade Polaco-Lituana, constituída pela fusão do reino da Polônia com o grão-ducado da Lituânia, era tão grande quanto a França. Estendia-se de leste a oeste entre os rios Dnieper e Oder, e de norte a sul, do Báltico aos Cárpatos e às províncias turcas balcânicas do rio Danúbio. A fronteira da Polônia com a Rússia ao norte e ao sul seguia uma linha sinuosa de quase 1.500 quilômetros. Em séculos anteriores, sob o governo de reis nativos, a Polônia tinha sido um dos Estados mais poderosos da Europa. Em 1611, o Exército polonês ocupou o Kremlin. Depois os czares recuperaram algumas terras – Smolensk, Kiev e a Ucrânia ocidental voltaram ao domínio russo –, mas grandes áreas da Rússia ocidental, habitadas por eslavos ortodoxos, ainda faziam parte da Polônia.

Em meados do século XVIII, a Polônia estava em franco declínio. A Dieta polonesa era um corpo fraco, quase parlamentar, eleito pela nobreza polonesa e lituana, em que cada um dos mil membros da aristocracia tinha um único voto, e todos os votos tinham o mesmo peso. O posto de rei da Polônia – não por direito hereditário, mas eleito por unanimidade de votos da Dieta – era ainda mais fraco. O rei só era eleito por unanimidade e, portanto, devia favores a todos os membros da Dieta. Além disso, a Dieta se viu forçada a eleger um rei estrangeiro porque os nobres mais proeminentes da Polônia não chegavam a um acordo para apoiar um entre eles mesmos. Desde 1736, a coroa pertencia ao eleitor Augusto da Saxônia, que simultaneamente reinava como Augusto III da Polônia. Agora Augusto estava morrendo e precisavam de um sucessor.

Além da fraqueza de ser uma república governada por um rei eleito, a Polônia sofria com outros arranjos políticos singularmente perniciosos. Qualquer membro da Dieta podia interromper e terminar uma sessão, exercendo o direito de *liberum veto*. Esse procedimento dava a cada membro o poder de vetar qualquer decisão da assembleia, mesmo se a decisão já tivesse sido aprovada por todos os outros membros. Um único voto contra invalidava todas as decisões anteriores tomadas naquela sessão da Dieta. Como os votos sempre podiam ser comprados, o *liberum veto* tornava impossíveis as reformas. O governo polonês cambaleava de crise em crise, enquanto os senhores de terras, imensamente ricos e poderosos, ditavam as regras da nação.

Havia, porém, um procedimento político que poderia neutralizar o *liberum veto*. Era estabelecer uma "confederação" temporária, a reunião de um grupo de nobres para atingir um objetivo específico. Uma vez convocada, a Dieta confederada podia tomar decisões por votos da maioria (e não por unanimidade) e, tendo chegado à solução desejada, podia ser dissolvida, deixando a Polônia recair na rotina da anarquia política.

Não é de surpreender que essa repetitiva convergência de dissensão e incompetência escancarasse as portas a interferências externas. De fato, era um sistema excelente para capacitar potências vizinhas a intervir nos assuntos internos da nação. A intervenção nunca foi mais propícia do que em 1762, quando o rei da Polônia estava no leito de morte. Supunha-se que seu filho o sucederia, tanto como eleitor saxão quanto como rei da Polônia. Era o candidato apoiado pela Áustria, França e por muitos poloneses.

Não era apoiado por Catarina. Sem esperar pela morte de Augusto, ela escolheu outro sucessor. O mais forte candidato polonês nativo era o príncipe-chanceler Adam Czartoryski, um homem rico e influente, de personalidade firme, líder do partido russófilo na Polônia. Mas a força, a experiência e a riqueza não eram as qualidades que Catarina desejava no novo rei. Ela queria alguém mais fraco, mais flexível — e precisando de dinheiro — e tinha um candidato que servia admiravelmente ao seu objetivo. Era o sobrinho de Adam Czartoryski — e ex-amante dela —, Stanislaus Poniatowski. Já em 2 de agosto de 1762, um mês depois da ascensão de Catarina, ela escreveu a Stanislaus: "Estou enviando como embaixador o conde Keyserling, imediatamente, para fazer de você o rei da Polônia após a morte de Augusto III." Catarina disse a Hermann Keyserling que estava autorizado a subornar a quem quer que fosse, sempre que necessário, e poderia dispor de 100 mil rublos. Para acrescentar o aço ao ouro, ela enviou 30 mil soldados para a fronteira da Rússia com a Polônia.

Não desejando que a eleição de seu candidato fosse vista como um ato baseado puramente em dinheiro e baionetas russas, Catarina procurou outro monarca que desse suporte a sua escolha. Ela sabia que a Áustria e a França prefeririam um saxão, e que Frederico da Prússia recusava enfaticamente outro saxão; na verdade, Frederico se oporia a qualquer escolha de Maria Teresa da Áustria. Catarina acreditava que Frederico apoiaria um polonês nativo, e, se a Prússia se unisse à Rússia, a Polônia seria pressionada pelo leste e o oeste, e aquela nação atabalhoada se veria num torniquete diplomático e militar.

Frederico considerou cuidadosamente a proposta de Catarina. A situação diplomática dele também era fraca. Tendo escapado por pouco da derrota na Guerra dos Sete Anos, a Prússia estava exausta, empobrecida e isolada diplomaticamente. Frederico precisava de um aliado, e a Rússia parecia ser a melhor — talvez a única — possibilidade. Mas Frederico era um político muito hábil para aceitar de imediato uma proposta em que somente a coroa polonesa estava na mesa de negociação. Assim como Catarina, ele também preferia um candidato polonês a um saxão, mas sabia que o interesse de Catarina na continuação da "feliz anarquia" na Polônia era maior que a dele. Portanto, declarou astutamente que cooperaria, mas apenas em troca do que ele mais queria: uma aliança Prússia-Rússia. Inicialmente, esse contrato não interessava em nada a Catarina. Ela sabia que uma nova aliança com a Prússia lembraria aos russos a breve e altamente impopular aliança de Pedro III com Frederico, a quem ele chamava "meu rei e senhor".

Ela demorou a dar uma resposta definitiva, tentando apaziguar e agradar Frederico com presentes exóticos. Em vez do tratado, o rei recebia melões de Astrakhan, uvas da Ucrânia, dromedários da Ásia central, caviar, esturjão, peles de raposa e de marta. Frederico agradeceu os presentes, observando ironicamente: "Há uma grande diferença entre melões de Astrakhan e a assembleia de deputados na Polônia, mas tudo se encaixa no escopo de sua atividade. A mesma mão que dá frutas pode distribuir coroas e garantir a paz na Europa, pela qual eu e todos os interessados nos assuntos da Polônia iremos bendizê-la eternamente."

O interesse mútuo prevaleceu. Frederico fez um gesto de aprovação à escolha de Catarina, conferindo a Stanislaus Poniatowski a Ordem da Águia Negra, a mais alta condecoração militar da Prússia. Catarina se permitiu esquecer que, não muito tempo antes, Frederico havia concedido a mesma distinção ao marido dela, Pedro III, que não era mais soldado que Stanislaus. Mas Frederico obteve a aliança que queria, um tratado de defesa recíproca válido por oito anos. Os dois lados prometiam se auxiliar mutuamente na eventualidade de um ataque de uma única potência, enviando um subsídio financeiro anual de 400 mil rublos. Caso duas potências hostis atacassem uma das partes, o aliado se comprometeria a mandar uma tropa de 10 mil homens da infantaria e 2 mil da cavalaria. Ficava ainda entendido que a Rússia e a Prússia iriam cooperar em todas as questões pertinentes às dificuldades políticas polonesas. Na situação imediata, isso significava o apoio da Prússia à candidatura de Stanislaus. Não haveria sutileza nem hesitação. Num corolário secreto, os dois monarcas declararam que ambas as partes estavam decididas a garantir "uma eleição livre e sem influências", e "a recorrer, caso necessário, à força de armas, se alguém tentasse impedir uma eleição livre do rei da Polônia ou intervir na Constituição vigente". Se alguns poloneses se opusessem ao novo "rei legalmente eleito", proclamando uma confederação de oposição, os aliados concordavam em empregar "severidade militar contra eles e suas terras, sem qualquer misericórdia".

As negociações do tratado ainda estavam incompletas quando, em setembro de 1763, Augusto III morreu. Àquela altura, o momento da morte dele era politicamente irrelevante, pois o acordo de Catarina e Frederico estava firmado, e o candidato da Rússia-Prússia fora escolhido. A imperatriz recebeu a notícia com humor cáustico: "Não ria de mim por ter pulado da cadeira quando recebi a notícia da morte do rei da Polônia", ela escreveu a Panin. "O rei da Prússia pulou de trás da escrivaninha quando soube."

Até dois anos depois de Stanislaus Poniatowski ser mandado embora sumariamente pela imperatriz Elizabeth, em 1758, Catarina continuou ligada emocionalmente ao nobre polonês. Escrevia frequentemente a ele, como pai de sua filha pequena, Ana, e tentou garantir seu retorno a São Petersburgo como embaixador. Então conheceu Gregório Orlov, um homem menos polido, mas com maior autoconfiança, força e energia. Catarina e Stanislaus ainda se correspondiam, e suas cartas eram repletas de expressões afetuosas, de parte a parte. De fato, o fraseado carinhoso levou Stanislaus Poniatowski a se considerar permanentemente ligado a Catarina. A grã-duquesa, porém, não lhe dizia toda a verdade. Conseguiu omitir nas cartas detalhes de seu caso com Gregório Orlov, inclusive a gravidez e o nascimento de seu filho com ele. Se Stanislaus soube de Gregório por outras fontes, convenceu-se de que um soldado, bruto, inculto não seria mais que um entusiasmo passageiro. Quando Catarina subiu ao trono e o marido dela morreu, ele tirou Orlov do pensamento e contava os dias para que ela o chamasse de volta.

Catarina, sabendo ou pressentindo os sentimentos de Stanislaus, tentou alertá-lo. Em 2 de julho de 1762, ela escreveu:

> Rogo-lhe com a maior urgência que não venha aqui, pois sua chegada nas atuais circunstâncias seria perigosa para você e muito prejudicial para mim. A revolução que acabou de acontecer a meu favor foi um milagre. A unanimidade foi inacreditável. Estou profundamente empenhada no trabalho e seria incapaz de me dedicar a você. Por toda a minha vida respeitarei e servirei a sua família, mas no momento é importante não levantar críticas. Não durmo há três noites e comi duas vezes em quatro dias. Adeus. Passe bem, Catarina.

A mensagem era afetuosa, mas escrita num tom de inegável afastamento emocional. A carta seguinte, redigida um mês depois, era um relato do golpe e da morte de Pedro III, e incluía o anúncio de que estava enviando o conde Keyserling para fazer de Stanislaus um rei. Em vista dos acontecimentos, era imprescindível suprimir qualquer esperança dele de voltar a ser seu amante e futuro marido:

> Rogo-lhe que não venha agora. Recebi sua carta. Uma correspondência regular seria alvo de mil inconveniências. Tenho 20 mil precauções a tomar e não tenho tempo para cartinhas de amor perigosas. Tenho milhares de cânones sociais a considerar e o fardo do governo. Adeus; o mundo é cheio de situações estranhas.

Ela ainda não dizia nada sobre seu relacionamento íntimo com Gregório Orlov, mas o elogiou e aos seus quatro irmãos:

> [O golpe ficou] nas mãos dos irmãos Orlov [que] foram brilhantes na arte da liderança, na ousadia prudente, no cuidado com pequenos detalhes, presença de espírito e autoridade. Patriotas entusiastas e honestos, apaixonadamente ligados a mim e a meus amigos, são cinco ao todo, o mais velho dos quais [na verdade Gregório era o segundo] me acompanhou por toda parte e cometeu inúmeras loucuras. Sua paixão por mim foi abertamente reconhecida e foi por isso que ele fez o que fez. Devo grandes favores a eles.

Essas cartas deixaram Stanislaus estupefato. Jamais tivera o desejo de usar a coroa polonesa. Não queria ser rei, nem ao menos morar na Polônia. Considerava-se um europeu sofisticado, tinha pouco em comum com a aristocracia rude e desregrada da Polônia, que rejeitava toda autoridade, exceto a própria, e se voltaria contra qualquer rei eleito ao menor sinal de ameaça aos seus privilégios. Se fosse para estar junto a um trono, que fosse como príncipe consorte, ajudando uma imperatriz a civilizar seu império, e não como governante de uma nação onde sempre se sentira estrangeiro. Assim, o plano de Catarina, que lhe abriria o caminho para o trono da Polônia, nada tinha de atraente.

Catarina, por sua vez, tinha três razões para terminar o relacionamento e fazer dele um rei. Ela queria ter certeza de se desvencilhar dele em sua vida pessoal e, uma vez conseguido isso, recompensá-lo por tirá-la da vida dele. E o mais importante, queria dominar a Polônia através dele.

Suas cartas ao ex-amante ficaram cada vez mais frias. Ela parou de fazer segredo sobre seu relacionamento com Orlov. Stanislaus ainda acreditava que sua presença física iria reacender a paixão dela por ele. Implorou permissão para ir à Rússia, pelo menos por alguns meses ou semanas. Catarina disse não.

Stanislaus se recusou a aceitar, e nem mesmo compreendeu essa rejeição. Ele ainda trazia na mente a imagem da mulher solitária, lidando com problemas de um império enorme, uma mulher que precisava desesperadamente de sua ajuda. Um homem mais racional entenderia que Catarina estava lhe dizendo que havia outro amante em seu lugar, cuja contribuição ao seu sucesso e em sua vida o elevara muito acima de Stanislaus. Gradualmente, Stanislaus foi engolindo esse amargo fato e vendo que a coroa da Polônia seria seu prêmio de consolação. E respondeu com um grito final de desespero:

> Imploro que me escute: você, entre todas as mulheres, nunca pensei que fosse mudar. Deixe-me estar junto de você em qualquer função que deseje, mas não me faça rei. Leve-me de volta a você. Serei capaz de prestar muito melhor serviço como um cidadão comum. Que qualquer outra mulher pudesse mudar, eu acreditaria, mas você, nunca! O que resta para mim? A vida sem você nada mais é que uma concha vazia, o aterrorizante enfado do coração vazio. Imploro que me escute. Sofia, Sofia, você me faz sofrer terrivelmente! Eu preferiria mil vezes ser um embaixador perto de você do que um rei aqui.

Esse apelo foi em vão. Catarina já tinha resolvido que seria útil ter um homem que a amava no trono polonês e era ainda mais conveniente que esse homem fosse pobre, e que a coroa polonesa lhe pagasse apenas uma quantia insignificante. Isso garantiria que ele sempre precisaria de dinheiro, e ficaria dependente dela. Stanislaus, embora usando o manto real, seria sempre um peão no tabuleiro de xadrez da Polônia. A peça mais poderosa seria uma rainha, e, nesse caso, uma imperatriz. Dado o caráter submisso do ex-amante e seu desinteresse pelas injúrias da política da realeza, Catarina tinha certeza de que era uma questão de tempo para que a Polônia caísse inteiramente sob a influência russa.

Quando o anúncio da parceria Rússia-Prússia a favor de Stanislaus percorreu as capitais europeias, a suposição geral foi de que a imperatriz queria fazer do ex-amante um rei para depois se casar com ele e incorporar seu reino ao Império Russo. Embora a notícia despertasse o perigo de antagonismo tanto da Áustria como da França, esses dois Estados – ambos, como a Prússia, enfraquecidos pela guerra – não estavam preparados para lutar pela sucessão polonesa. Isso não significava que aprovassem o plano de Catarina. A França manifestou seu protesto por meio da Turquia, sua aliada, vizinha meridional da Polônia. Os diplomatas franceses em Constantinopla não perderam tempo em apontar ao sultão e ao grão-vizir o perigo de ter no trono da Polônia um jovem solteiro, ex-amante da imperatriz da Rússia, alguém com quem ela poderia muito bem se casar, se o casamento estendesse o território dela até o oeste do Dnieper. Uma vez bem plantadas, essas ansiedades criaram raízes rapidamente. Em junho de 1764, o grão-vizir enviou uma mensagem a São Petersburgo, declarando que seu país estava pronto a reconhecer a aliança Rússia-Prússia e também a aprovar a eleição de um rei nativo ao trono polonês, mas fazia objeção à pessoa de Stanislaus Poniatowski, dado que ele era muito jovem, inexperiente e, acima de tudo, solteiro.

Na Polônia, os parentes de Stanislaus, os Czartoryski, aceitavam a lógica das objeções turcas, e propuseram uma solução: o futuro rei deveria se casar, de preferência com uma polonesa católica. Aos 32 anos, ele já havia passado da idade da maioria dos jovens nobres casadoiros, e foi pressionado pela família a se casar antes do dia da eleição na Dieta. Todas as partes – Catarina, a família dele, os turcos e, por trás dos turcos, a França – agora tinham um objetivo em comum: forçar Stanislaus Poniatowski a prometer que só se casaria com a aprovação da Dieta, e com uma polonesa católica. Stanislaus se recusou, declarando que ninguém o obrigaria a se tornar rei naqueles termos e preferiria dispensar a coroa.

Afinal, foi Catarina que o forçou a tomar uma decisão. Stanislaus recebeu uma mensagem oficial do Ministério das Relações Exteriores da Rússia, dizendo ser essencial que ele se casasse, ou pelo menos escolhesse uma noiva, antes da abertura da eleição na Dieta. Sabendo que a mensagem tinha sido aprovada por Catarina, ele entendeu, finalmente, que tinha perdido a mulher que amava e concordou em assinar uma declaração de que nunca se casaria com uma mulher que não fosse católica romana, e somente com a aprovação da Dieta polonesa. Teve espírito prático suficiente, porém, para escrever a Catarina dizendo que, se ela queria fazer dele um rei, deveria mandar dinheiro para que ele vivesse de acordo com sua posição. Ela mandou o dinheiro. A promessa de Stanislaus de se casar acalmou os temores turcos, e a eleição pôde prosseguir.

Tendo a aprovação de Stanislaus, Catarina enviou o Exército russo para ajudá-lo a cumprir a promessa. Catorze mil tropas russas cercaram Varsóvia para "manter a paz" e "garantir uma eleição livre e tranquila". Alguns poloneses falaram em resistência armada e pedidos de ajuda externa, mas a maioria dos membros da Dieta estava tão contente com a perspectiva de um rei nativo que não fazia oposição a uma intervenção russa.

A "eleição livre", por voto ostensivo, em voz alta, aconteceu num dia de verão, 26 de agosto de 1764, num campo aberto na periferia de Varsóvia onde os membros da Dieta, de pé na relva, tinham uma boa visão do grande acampamento militar russo ali perto. Stanislaus foi eleito e, como ele escreveu mais tarde, "A eleição foi por unanimidade e tranquila". Era agora o rei Stanislaus II Augustus, e, como se veria, o último rei da Polônia. O ex-amante de Catarina, que sonhou ser seu marido, tornou-se seu real vassalo. Em São Petersburgo, a imperatriz da Rússia, aliviada, saudou o evento com uma mensagem a Panin: "Meus parabéns pelo novo rei que nós fizemos."

54
A PRIMEIRA PARTILHA DA POLÔNIA E A PRIMEIRA GUERRA DA TURQUIA

CATARINA ESTAVA SATISFEITA. A eleição de Stanislaus foi um triunfo para ela, ainda que não fosse para Stanislaus nem para a Polônia. Essa vitória, porém, levou-a a ter uma visão otimista de sua capacidade de influenciar os assuntos da Polônia. Dois anos mais tarde, tentando forçar a Dieta a alterar políticas na questão dos "dissidentes" poloneses, ela abriu a porta para a adversidade e a guerra.

A "questão dos dissidentes" era o termo oficial aplicado ao status conflituoso de várias minorias religiosas numa Polônia predominantemente católica romana. Essas minorias – ortodoxos russos na terça parte oriental do país e centenas de milhares de protestantes luteranos no Norte – haviam sido perseguidas em suas práticas religiosas e acabaram por perder quase todos os direitos políticos. Não tinham direito de eleger deputados para a Dieta, nem de ocupar altos postos administrativos e militares. Durante anos, seus líderes vinham pedindo ajuda externa. Os ortodoxos recorriam à Rússia, e os protestantes, à Prússia. Suas constantes atribulações e pedidos recorrentes de proteção davam à Rússia e à Prússia outro interesse em comum e mais um pretexto para interferir nos assuntos internos da Polônia.

Desde o começo de seu reinado, Catarina ouvia falar que os crentes ortodoxos na Polônia eram proibidos de construir novas igrejas, e muitas vezes impedidos de frequentar as existentes. A imperatriz tinha motivos para intervir. Ela havia secularizado as terras e servos da Igreja na Rússia, e desejava fazer alguma coisa para recuperar a boa vontade dos ortodoxos em seu país. Além disso, qualquer restrição à autoridade da Igreja Católica estaria de acordo com os princípios do Iluminismo quanto à tolerância religiosa.

Três meses depois da eleição de Stanislaus ao trono polonês, o embaixador russo, príncipe Nicolau Repnin, comunicou ao novo rei que a imperatriz não iria permitir as reformas pretendidas pelos Czartoryski e outros nobres poderosos – abolição do *liberum veto*, hereditariedade da coroa e aumento das Forças Armadas –, a não ser que se fizessem concessões às minorias religiosas. Os ortodoxos e protestantes deveriam poder frequentar suas igrejas e ter participação na vida pública e no governo da comunidade. Stanislaus concordou em levar a questão dos dissidentes à próxima Dieta. Imediatamente irrompeu um movimento antidissidente, insuflado por ardorosos membros do clero católico. Nenhum dos dois lados cedia. Ao exigir direitos políticos para as minorias religiosas, Catarina fazia uma imposição a um povo de tal fervor católico que preferiria lutar a sofrer a mínima alteração em sua fé ou redução de seus privilégios. A religião era uma questão nacional primordial. Qualquer ameaça à fé católica despertava o patriotismo de cada polonês. A Dieta reunida em 1766 recusou-se firmemente a atender a quaisquer solicitações dos dissidentes. Catarina reiterou sua posição, de que não haveria reformas, até que a Polônia admitisse os direitos dos dissidentes.

Stanislaus ficou numa enrascada. Conhecendo o fervor de seus compatriotas católicos, implorou à imperatriz que não se intrometesse em questões religiosas. A seu embaixador em São Petersburgo, o rei escreveu: "[Essa exigência] é um verdadeiro raio caindo sobre o país e sobre mim pessoalmente. Se ainda for humanamente possível, tente fazer ver à imperatriz que a coroa providenciada para mim se tornaria uma túnica de Nessus. Serei queimado vivo e meu fim será terrível."

Catarina ignorou esse apelo, julgando que a posição moral dela era inatacável, pois estava defendendo os direitos de uma minoria perseguida pela Igreja Católica. Além disso, como dera dinheiro a Stanislaus, achava que tinha comprado o apoio dele, e instruiu seu embaixador a reforçar essa posição.

Frederico da Prússia achou bem melhor ficar de fora da briga de Catarina com o rei e a Dieta, e se dedicar a fomentar o descontentamento nas áreas protestantes do Norte da Polônia. Isso serviu para fortalecer a resistência dos católicos poloneses a toda intervenção externa e tornar mais difíceis os esforços de Catarina. Com os membros da Dieta emburrados e renitentes, com os bispos católicos trovejando contra a perversidade dos dissidentes, com alguns membros da nobreza armando seus seguidores, Catarina não viu alternativa, exceto enviar mais tropas russas para a Polônia. Quando a Dieta voltou a se reunir, em outubro de 1767, Varsóvia estava ocupada pelo Exército russo. Repnin cercou o prédio da Dieta e colocou alguns soldados dentro da sala de reunião para garantir que os membros votassem conforme as instruções que lhes dera. A princípio, a Dieta não se deixou intimidar. Quando os bispos falaram contra direitos dos dissidentes, os membros aclamaram vigorosamente. Repnin então prendeu os dois bispos líderes, inclusive o idoso bispo da Cracóvia, e os mandou para o exílio na Rússia. Os membros se voltaram para o rei, em protesto, mas Stanislaus aceitou as exigências de Repnin, e foi acusado de traição do país em prol da Rússia. Em 7 de novembro de 1767, a Dieta, com muitos membros ausentes, com baionetas russas brilhando por toda parte e sem apoio de ninguém, se rendeu muito a contragosto, e concordou em dar direitos iguais aos "dissidentes". Catarina e Repnin, porém, ainda não estavam satisfeitos. Em fevereiro de 1768, eles forçaram a assinatura de um tratado russo-polonês que confirmava a garantia de liberdade de culto a minorias dissidentes, e fazia o rei se comprometer a não tentar nenhuma mudança na Constituição polonesa sem o consentimento da Rússia.

Dois dias após a Dieta de Varsóvia se dispersar, um grupo de nobres católicos conservadores se reuniu na cidade de Bar, no Sul da Polônia, perto da fronteira com a Turquia, e se declarou uma Dieta Confederada cujo propósito seria defender a independência da Polônia e a religião católica. O patriotismo polonês levou a uma rebelião mal preparada e descoordenada. As tropas russas marcharam para o Sul e dispersaram facilmente o grupo de confederados, mas outras confederações anti-Rússia surgiram em outras partes da Polônia, e Catarina se viu forçada a mandar mais tropas. Os confederados apelaram para a Áustria católica e a França, que enviaram dinheiro e oficiais conselheiros. Catarina respondeu enchendo a Polônia com mais e mais tropas russas. Ela percebeu que havia subestimado a força do catolicismo e o orgulho nacional dos poloneses e, para sua surpresa, se viu enredada numa séria campanha militar. Os poloneses estavam lutando, ela escreveu a Voltaire, "a fim de impedir que um quarto da nação possa usufruir de direitos civis".

Catarina tinha conseguido fazer da Polônia um país vassalo por meio de um rei marionete, mas também conseguira despertar ódio nos poloneses, alarme na Turquia, ansiedade na Áustria e até nervosismo na Prússia. Frederico não havia assinado um tratado com a Rússia para ver a Polônia inteira cair sob o controle russo.

A apreensão causada pelos acontecimentos na Polônia se alastrou pela Europa. Monarcas e estadistas, já atônitos pelo sucesso da princesa de Anhalt-Zerbst em se fazer imperatriz, agora viam que ela transformara o amante em rei e estendia a influência russa sobre um novo reino. Os turcos, vizinhos da Polônia e da Rússia, estavam muito alarmados com o acelerado aumento do poder militar russo na Polônia, que a Turquia julgava ser um Estado-tampão permanentemente fraco. As tropas russas agora estavam em posição de avançar descendo o Dnieper, o Bug, o Dniester e ameaçar as províncias balcânicas turcas de Valáquia e Moldávia. Se atingissem e cruzassem o Danúbio, a própria cidade de Constantinopla estaria ameaçada. A França, aliada tradicional da Turquia, também estava ansiosa para cercear a crescente influência russa na Polônia. Portanto, os diplomatas franceses em Constantinopla não tiveram dificuldade em convencer o sultão e o grão-vizir de que a expansão russa deveria ser restringida e o mais indicado seria declarar guerra antes que os russos estivessem preparados. As propinas francesas foram persuasivas em Constantinopla, e a Turquia agora só precisava de um pretexto.

Um *casus belli* ideal se apresentou em outubro de 1768. As tropas russas que já lutavam no sudeste da Polônia perseguiram os poloneses pela fronteira e entraram em território turco. O Império Otomano respondeu dando um ultimato ao embaixador russo, exigindo que todas as tropas russas fossem retiradas não só do território turco, mas de toda a Polônia. Quando o embaixador russo se recusou sequer a comunicar essa exigência a São Petersburgo, os turcos o levaram para as Sete Torres e o prenderam lá. Era o protocolo otomano de declaração de guerra. Frederico II, acompanhando esses eventos em Berlim, bateu a mão na cabeça, resmungando: "Meu Deus do céu, o quanto a gente tem de aguentar para fazer um rei da Polônia?"

Catarina não desanimou com a declaração de guerra da Turquia. Na verdade, via ali uma oportunidade de partir para conquistas significativas para a Rússia. Certamente, ela iria entrar na guerra sem um aliado. Enquanto a Rússia estivesse em conflito armado com apenas uma potência hostil, o tratado não obrigava Frederico da Prússia a mobilizar nem um único granadeiro. Ele se limitava ao pagamento de subsídios anuais à Rússia, como exigia o tratado Rússia-Prússia. Intimamente, ele desdenhava aquela guerra como uma disputa entre "o cego e o caolho", mas deixou de pensar assim em 1769 e 1770, quando as brilhantes vitórias dos generais de Catarina provaram que estava enganado.

Na primavera de 1769, as tropas russas ocuparam e fortificaram Azov e Taganrog, que Pedro, o Grande, havia conquistado e subsequentemente, em 1711, fora obrigado a devolver aos turcos. O controle desses portos e de suas fortalezas significava o comando da foz do Don, onde o rio chega ao mar de Azov. Depois os russos tomaram Kerch, no ponto em que o mar de Azov encontra o mar Negro, dando acesso ao mar Negro propriamente dito. Enquanto isso, um exército de 80 mil russos, usando a Polônia como base, avançava para o Sul, entrando nas províncias da Moldávia e Valáquia. As forças do general Pedro Rumyantsev ocuparam toda a Moldávia e muito da Valáquia, subindo o Danúbio. Em 1770, Rumyantsev liderou 40 mil homens atravessando o Dniester e infligiu duas derrotas devastadoras em Exércitos turcos maiores. Na batalha de Larga, em 7 de julho, ele derrotou 70 mil turcos, e na batalha de Kagul, em 21 de julho, desbaratou 150 mil. Rumyantsev foi promovido a marechal de campo. Catarina, acompanhando de São Petersburgo, radiante, gabou-se a Voltaire: "... correndo o risco de me repetir ou me tornar entediante, nada tenho a relatar senão vitórias." A imperatriz se reunia quase diariamente com o conselho de guerra e enviava longas cartas de elogios e encorajamento aos generais. Oficiais em licença eram recebidos no Palácio de Inverno, e, a cada parada militar na capital, a imperatriz comparecia vestindo o uniforme de um dos regimentos dos quais era coronel honorária.

Desde os primeiros meses da guerra, Catarina buscava meios de acrescentar a marinha na luta contra os turcos. A Rússia não possuía frota no Mar Negro porque o Império Russo não tinha uma base de operações naquelas águas. Pedro, o Grande, havia construído uma frota no Báltico, mas que entrara em decadência nas mãos de seus sucessores. No início de seu reinado, Catarina tinha começado a recuperar essa frota, consertando navios velhos, construindo novos e pedindo ao governo britânico permissão para contratar oficiais experientes da marinha real inglesa. Vários oficiais foram então recrutados, entre eles os capitães Samuel Greig e John Elphinstone. Ambos receberam a patente de contra-almirante e o dobro do salário que recebiam na marinha britânica.

Catarina queria colocar em ação essa frota e os oficiais contratados. Numa reunião do conselho de guerra, quando Gregório Orlov devaneou em voz alta se essa esquadra poderia ser usada no Mediterrâneo para atacar os turcos pela retaguarda, Catarina se interessou. Era uma ideia audaciosa, que envolvia mandar grande parte da Marinha russa contornar toda a periferia do continente europeu. A frota teria de descer o Báltico, atravessar o Mar do Norte, passar pelo Canal da Mancha, seguir costeando a França, Espanha e Portugal, e, passando pelo estreito de Gibraltar, navegar para o leste do Mediterrâneo, levando a bandeira da imperatriz russa, até entrar no mar Egeu. Para que essa estratégia desse certo, porém, Catarina precisava do suporte de uma potência europeia amiga. Mais uma vez, ela recorreu à Inglaterra, e mais uma vez Whitehall consentiu. Se os russos estavam combatendo os turcos – o governo britânico ponderou –, estavam combatendo também a França, aliada tradicional da Turquia. E tudo o que pudesse prejudicar a França, inimiga eterna da Inglaterra, era aprovado em Londres. Assim sendo, a Inglaterra ofereceu instalações para a frota russa fazer os reparos necessários, descansar e reabastecer nos portos marítimos ingleses de Hull e Portsmouth, e também nas possessões de Gibraltar e Minorca, no Mediterrâneo.

Em 6 de agosto de 1769, Catarina viu a primeira esquadra russa zarpar de Kronstadt para a etapa inicial da longa viagem. Os navios foram reabastecidos em Hull e depois atracaram para o inverno na base britânica em Minorca, no Mediterrâneo ocidental. Uma segunda esquadra, comandada pelo almirante John Elphinston, zarpou em outubro, navegando através do Mar do Norte para passar o inverno em Spithead, ao largo da ilha de Wight. Em abril, lançaram-se novamente ao mar e chegaram a Leghorn, onde o grão-duque da Toscana os reabasteceu. Em maio de 1770, as duas frotas russas reunidas estavam ao largo da ponta do Peloponeso, no cabo Matapan, que marca a entrada ocidental do mar Egeu. A essa altura, o comando supremo da esquadra estava a cargo do irmão de Gregório, Alexis Orlov, que tinha embarcado em Leghorn. Aquele russo alto, de cara marcada por uma cicatriz, instrumento fundamental no golpe de Estado de Catarina e na morte de Pedro III, esbanjava em determinação o que lhe faltava em experiência náutica, e manteve Samuel Greig como seu consultor técnico. Reunindo as frotas, ele singrou as águas azuis do Egeu na caça ao inimigo. Quase no final de junho, este foi encontrado.

A ilha de Quios fica ao largo da Anatólia, na Turquia, e em suas águas, em 25 de junho, um almirante turco comandando 16 navios avistou algo inesperado: 14 grandes embarcações ostentando o pavilhão branco com a cruz de Santo André — a bandeira naval da Rússia — se aproximando da linha de batalha. Orlov aproou imediatamente para a extremidade norte da enseada de Cesme. Um navio russo abalroou uma nau de bandeira turca, e marinheiros russos e turcos se engalfinharam no convés, em combate corporal. Os canhões fizeram fogo, e os dois navios explodiram. Os navios turcos restantes fugiram precipitadamente para a enseada de Cesme, onde o almirante turco supunha estar a salvo no estreito de águas rasas, já que ali os vasos russos teriam pouco espaço de manobra. Na manhã seguinte, Orlov voltou a atacar. Greig adentrou a enseada com três navios e fez a abordagem de um navio turco de 96 canhões. Atrás deles, encobertos pela fumaça e a confusão do embate, três antigas galés gregas convertidas em navios de guerra e abarrotadas de combustíveis avançaram na frota turca ancorada. Os marinheiros turcos vislumbraram uma enorme muralha de fogo indo em sua direção. Levadas pelo vento naquele espaço exíguo, as chamas se espalharam rapidamente, os navios turcos se incendiaram um após o outro e explodiram. O resultado foi aniquilação. Quinze navios turcos foram destruídos, e apenas um escapou. Nove mil marinheiros turcos — e trinta russos — morreram.

A enseada de Cesme foi uma conquista impressionante para uma nação que não tinha tradição naval. A vitória permitiu a Orlov, que agora se via como libertador dos gregos ortodoxos, navegar à vontade pelo mar Egeu, tentando convencer os gregos a se rebelarem contra os suseranos turcos. Mas fracassou por falta de um aliado com um exército em terra. Orlov ainda ficou algum tempo bloqueando o estreito de Dardanelos e no outono, com as tripulações russas sofrendo de disenteria, a esquadra se retirou para passar o inverno em Leghorn. Na primavera, ordenaram-lhe voltar à Rússia. Foi recepcionado como herói. Ajoelhado aos pés de Catarina, recebeu a Ordem de São Jorge.

As surpreendentes vitórias da Rússia em 1770 – o avanço do Exército no mar Negro e no Danúbio, a presença da esquadra no Mediterrâneo e a total destruição da frota turca em Cesme – encheram a Europa de um assombro carregado de medo. A rápida expansão do poderio russo afligiu tanto as nações amigas como as inimigas. Um dos preocupados era o aliado de Catarina, Frederico da Prússia, que não gostou nada de imaginar o domínio permanente de Catarina sobre a Polônia inteira. Nem a Prússia nem a Áustria gostavam da ideia da Rússia adentrar os Bálcãs ou tomar Constantinopla. Por outro lado, nem Frederico nem Maria Teresa sabiam como impedir a Rússia de atingir esses objetivos. Assim, embora Frederico desse congratulações a Catarina ("Não posso lhe escrever a cada vitória; tenho de esperar cada meia dúzia"), a última coisa que ele desejava era uma expansão da guerra, que poderia levar a França e a Áustria a combater a Rússia, exigindo a participação da Prússia, aliada de Catarina. No tratado de 1764, a Prússia se comprometera a vir em socorro de Catarina se a Rússia fosse atacada. Na guerra em andamento, a Turquia era claramente a nação agressora, e por isso a Prússia já estava enviando subsídios financeiros à Rússia. Mas agora a Áustria, alarmada com a penetração da Rússia nos Bálcãs, ameaçava se aliar aos turcos. Se isso levasse à guerra, a Rússia exigiria o cumprimento da outra cláusula do tratado com a Prússia, e Frederico teria de enfrentar a Áustria, pela terceira vez na vida. Àquela altura, Frederico já tivera guerras suficientes. Aos 55 anos, já fizera duas guerras contra a Áustria para anexar a Silésia a seu reino, e agora que a província lhe pertencia não tinha a menor vontade de lutar por ela de novo. Preferia os meios diplomáticos. A independência da Polônia estava cambaleante, o embaixador russo já era o governante *de facto* do reino, e era só uma questão de tempo para Catarina engolir completamente o país. Para impedir isso, mantendo a paz, Frederico se esforçou para encontrar uma solução satisfatória a todos os três vizinhos poderosos da Polônia. E se a Prússia, a Áustria e a Rússia fossem apaziguadas dividindo entre si aquele Estado desmoronado? Se Catarina consentisse em ficar apenas com a parte oriental da Polônia, predominantemente ortodoxa, e Frederico pegasse só o que quisesse no noroeste protestante, a Áustria poderia se satisfazer com o extenso território católico do Sul. Ele tinha certeza de que, se as três potências concordassem com seu plano, ninguém na Europa poderia resistir a tamanha combinação de poderes – nem os turcos, nem os franceses, e muito menos os poloneses.

No fundo desse apelo cínico aos vizinhos da Polônia para cooperação com o engrandecimento conjunto estava o prêmio territorial que Frederico realmente desejava. O Leste da Prússia era separado fisicamente do restante de suas possessões no território de Hohenzollern. Por muitos anos, Frederico teve esperanças de remediar essa falha se apossando dos territórios bálticos poloneses que dividiam seu reino. No outono de 1770, as maquinações diplomáticas de Frederico tiveram a assistência de seu irmão mais novo, príncipe Henrique da Prússia, que estava em visita oficial a São Petersburgo. Aquele homem baixo, de conduta inexpressiva, tinha ido com relutância à capital russa, a pedido do irmão, a fim de promover o plano de Frederico para dividir a Polônia. Henrique estava tão pouco interessado nos aparatos cerimoniais quanto seu irmão, mas tinha o mesmo olhar penetrante e a mesma percepção aguda. Catarina lhe ofereceu banquetes, concertos e bailes. Henrique circulava com desconforto no fausto da corte russa. Mantinha-se pontual e meticuloso, mas não se divertia. Sua postura fleumática e curtos acenos de cabeça prussianos também não agradavam a muitos na corte. Mas com Catarina, também germânica, ele se dava bem.

Em dezembro, o príncipe e a imperatriz discutiam seriamente a partilha da Polônia proposta por Frederico. Será que Catarina concordaria em baixar suas demandas por cessões territoriais da Turquia derrotada em troca de ganhos territoriais permanentes da Polônia? Catarina ponderou a questão. Saboreando as vitórias do Exército e da Marinha, relutava em se comprometer. Afinal, a Rússia era a única potência em guerra com a Turquia, era ela quem havia lutado e derrotado os turcos. Além do mais, tendo investido tanto em esforço e dinheiro nos assuntos da Polônia, ela preferiria, por meio de Stanislaus, fazer da Polônia inteira um país-satélite da Rússia definitivamente. À medida que considerava a situação, porém, ia ficando mais dócil. Percebeu que nem sua aliada, a Prússia, nem a Áustria, cada vez mais hostil, permitiriam que ela fizesse aquisições balcânicas muito extensas à custa da Turquia. Em seu íntimo, temia que a Áustria e a França entrassem na guerra como aliadas da Turquia. Havia meses que a Áustria e a França vinham ajudando os confederados da Polônia, na forma de dinheiro e conselheiros militares. Além disso, ela percebia que o profundo ódio imutável entre poloneses católicos e ortodoxos iria fazer da Polônia um infindável sorvedouro militar e financeiro. Por fim, sabia que para muitos russos, inclusive líderes e fiéis da Igreja Ortodoxa, deixar a população ortodoxa da Polônia sob a proteção russa seria recebido com entusiasmo, e que isso seria suficiente para sossegar aqueles que tinham desejado mais.

Em janeiro de 1771, enquanto o príncipe Henrique se portava cautelosamente no Natal e Ano-Novo russos, tropas austríacas subitamente atravessaram os Cárpatos e ocuparam uma área no Sul da Polônia. A notícia chegou à imperatriz e ao príncipe Henrique durante um concerto no Palácio de Inverno. Ao ouvir a novidade, o príncipe balançou a cabeça, observando: "Parece que na Polônia é só alguém chegar e se servir." Catarina pegou a deixa e replicou: "Por que não pegarmos a nossa parte?" Henrique relatou esse diálogo a Frederico com o comentário: "Embora tenha sido apenas um gracejo de ocasião, é certo que não foi dito à toa e não duvido que seja muito possível a você lucrar com a brincadeira."

Em março, pouco depois do retorno de seu irmão a Berlim, Frederico escreveu a Catarina sugerindo que, em vista da agressão da Áustria, talvez fosse apropriado que a Prússia e a Rússia simplesmente seguissem o exemplo e pegassem o que queriam. Em meados de maio, o ministro prussiano em São Petersburgo relatou a Berlim que a imperatriz consentia numa partilha da Polônia.

Um ano de negociação se passou até que se alcançasse um acordo de partilha com a Áustria. Durante esse ano, o foco diplomático se manteve em Maria Teresa. Já alarmada com as vitórias russas nos Bálcãs, e objetando especialmente qualquer sugestão de que os turcos fossem substituídos pelos russos no Danúbio, em julho de 1771 a imperatriz austríaca fez um acordo secreto com a Turquia, de ajuda a esse antigo inimigo muçulmano dos Habsburgo. Mas, como os segredos têm vida curta, quando Frederico e Catarina souberam, deixaram a Áustria de fora e assinaram um acordo, em 17 de fevereiro de 1772, de partilha da Polônia. Enquanto isso, o filho de Maria Teresa e corregente da Áustria, o imperador José II, tentava convencer a mãe de que era de seu interesse se unir a Frederico e Catarina. Foi um momento doloroso para a imperatriz austríaca. Ela odiava e desprezava os dois monarcas. Frederico era um protestante que tinha roubado a Silésia, e Catarina era uma usurpadora que tinha amantes. Maria Teresa era uma católica devota, e tremia ante a ideia de ajudar na pilhagem de um Estado católico vizinho.

Levou tempo para superar esses escrúpulos, e o filho se esforçou muito para fixar sua decisão num contexto maior que os sentimentos pessoais dela. A imperatriz austríaca precisou escolher entre manter o tratado recém-assinado com a Turquia e entrar em guerra com a Rússia sem ajuda de outra potência europeia, ou abandonar os turcos e se aliar à Prússia e à Rússia para se servir de outra fatia, maior, da Polônia. No fim, Maria Teresa abandonou os turcos. Em 5 de agosto de 1772, o imperador José II, representando sua mãe, acrescentou sua assinatura no acordo da partilha da Polônia.

Os três poderes enviaram tropas para os territórios reivindicados e exigiram a reunião de uma nova Dieta polonesa para ratificar a agressão. No verão de 1773, Stanislaus convocou obedientemente a Dieta. Muitos nobres poloneses e religiosos católicos se recusaram a comparecer. Alguns que compareceram foram presos, outros aceitaram suborno e ficaram calados. A Dieta forçada então se transformou numa confederação que não exigia mais uma decisão da maioria. Assim, em 30 de setembro de 1773, a Polônia assinou o tratado da partilha, cedendo formalmente a terra que já havia perdido.

No que veio a se chamar Primeira Partilha da Polônia, o Estado fracionado perdeu quase um terço do território e mais de um terço da população. O quinhão da Rússia foi o maior, com 58 mil quilômetros quadrados, abrangendo todo o Leste do país até o rio Dnieper, e todo o curso do rio Dvina, seguindo para o Norte na direção do Báltico. Essa área, conhecida como Rússia Branca (hoje parte da Bielorrússia, nação independente), tinha uma população de 1,8 milhão de pessoas, primordialmente de ancestralidade russa, com identidade, tradições e religião russas. A fatia da Prússia foi a menor, tanto em área como em população: 21 mil quilômetros quadrados, com 600 mil pessoas, predominantemente germânicas e protestantes. Frederico ficou satisfeito, pelo menos na ocasião. Ao tomar os enclaves bálticos da Prússia ocidental e da Pomerânia polonesa, ele atingiu o objetivo de unir seu reino geograficamente, costurando as províncias separadas na Prússia oriental com Brandenburgo, a Silésia e outros territórios prussianos nas terras germânicas. A Áustria pegou uma parte substancial do Sul da Polônia, de quase 44 mil quilômetros quadrados, inclusive a maior parte da Galícia. Maria Teresa recebeu o maior número de súditos: 2,7 milhões de poloneses, com maioria esmagadora de católicos. Uns poucos poloneses resistiram à agressão, mas contra o poderio de três grandes nações não tiveram grande sucesso. Inglaterra, França, Espanha, Suécia e o papa condenaram a partilha, mas nenhum Estado europeu estava preparado para uma guerra em defesa da Polônia.

A intervenção de Catarina na Polônia foi bem-sucedida. Havia recolocado a fronteira russa na grande rota comercial do Dnieper. Dois milhões de ortodoxos poderiam praticar a fé sem embaraços. Mas ainda havia objetivos importantes na guerra com a Turquia. O fato de a fronteira ocidental russa ter voltado ao Dnieper não significava a abertura da grande rota aquática para o mar Negro, porque os turcos ainda controlavam o estuário do rio. Catarina queria libertar essa foz. A guerra com a Turquia continuava.

O ano de 1771 havia trazido um dissabor nos campos de batalha. No Danúbio, os generais russos não conseguiram dar continuidade às vitórias de 1770. Apesar da forte investida do general Vasily Dolgoruky na Crimeia invadindo a península, o sultão não se dispôs a fazer a paz. Seguiram-se três anos de frustração num beco sem saída. Só no fim de 1773 as perspectivas russas se iluminaram. Em dezembro, o sultão Mustafá III morreu e foi sucedido pelo irmão, Abdul Hamid. O novo sultão, reconhecendo a desvantagem e o perigo da continuação da guerra, decidiu pôr fim às lutas. Catarina apressou a decisão com uma nova ofensiva no Danúbio. Em junho de 1774, Rumyantsev cruzou o Danúbio com 55 mil homens. Em 9 de junho, 80 quilômetros ao sul do rio, um ataque noturno das baionetas de 8 mil russos a 40 mil turcos rompeu as linhas turcas e levou a uma vitória esmagadora em Kozludzhi. O grão-vizir, receando que nada pudesse impedir os russos de chegar a Constantinopla, pediu a paz. Rumyantsev abriu negociações diretas em campo, e chegou a um acordo com o grão-vizir. Em 10 de julho de 1774, numa obscura cidadezinha búlgara, foi assinado o tratado de Kuchuk Kainardzhi. Rumyantsev mandou imediatamente seu filho levar as notícias a São Petersburgo e, em 23 de julho, Catarina saiu às pressas de um concerto para recebê-las.

O tratado trouxe à Rússia maiores ganhos do que Catarina ousara esperar. Ela negociou as conquistas no Danúbio para obter aquisições mais importantes na costa do mar Negro. As províncias de Moldávia e Valáquia, nos Bálcãs, foram devolvidas à Turquia. Em troca, Catarina ganhou a transferência de Azov, Taganrog e Kerch para a Rússia, o que proporcionava acesso irrestrito ao Mar Negro. Mais para o ocidente, ela ficou com o delta do rio Dnieper, ao sul, e a foz do rio propriamente dita, dando ao império outra saída vital para o Mar Negro. Embora a margem oeste do largo estuário do Dnieper ainda abrigasse a grande fortaleza turca em Ochakov, os russos tinham agora um forte e um porto em Kinburn, na margem leste, e o estuário era grande o suficiente para permitir a navegação comercial e facilitar a construção de navios de guerra russos. Os termos de paz incluíam ainda o fim da soberania política turca sobre a península da Crimeia, onde por muitos séculos imperava um canato tártaro sob a proteção dos turcos. Os tártaros da Crimeia foram declarados independentes da Turquia. Todos sabiam que a independência da Crimeia teria pouca duração; de fato, nove anos mais tarde, Catarina anexou definitivamente a península.

As conquistas da Rússia não foram puramente territoriais. O tratado abriu o Mar Negro ao comércio russo, garantindo total liberdade de navegação. Ele também incluía o direito de navios mercantes russos ao tráfego irrestrito pelo Bósforo e o Dardanelos até o Mediterrâneo. A Turquia ainda teria de pagar à Rússia uma indenização de guerra no valor de meio milhão de rublos. A perseguição aos cristãos na Moldávia e Valáquia deveria ser abolida, e os ortodoxos que viviam em Constantinopla deveriam poder professar a religião numa igreja pertencente a eles. Numa escala maior, a guerra tinha pendido a favor da Rússia a balança do poder na região. Agora a Europa estava ciente de que a predominância no Mar Negro havia passado para a Rússia. Na visão de Catarina, eram conquistas à altura de seu predecessor, Pedro, o Grande, que havia aberto no longínquo Báltico um caminho russo para o mundo.

55
MÉDICOS, VARÍOLA E PESTE

O POVO RUSSO SE CONSIDERAVA uma família nacional. O czar, ou imperador, era o Paizinho, *batushka*. Sua esposa, a czarina, ou uma imperatriz como Catarina I, Ana, Elizabeth e Catarina II, eram chamadas de Mãezinha, *matushka*. Catarina gostava de se ver assim e levava a sério a responsabilidade de amor materno pelo povo. Se não podia lhe dar um novo código de leis, pelo menos podia se dedicar ao problema da saúde dele. "Chegando a um vilarejo e perguntando a um camponês quantos filhos ele teve, ele dirá que teve dez, 12, às vezes vinte", ela disse. "Se perguntar quantos estão vivos, ele dirá um, dois, três, raramente quatro. Essa mortalidade deveria ser combatida."

Em 1763, no segundo ano de reinado, Catarina fundou a primeira Faculdade de Medicina para graduar médicos, cirurgiões e farmacêuticos. Enquanto não se formavam médicos russos em um número suficiente, ela tentou contratar clínicos europeus ocidentais, oferecendo salários e pensões generosos. No mesmo ano, para desencorajar infanticídios por parte das mães solteiras e pobres, ela financiou pessoalmente a fundação de um hospital para crianças abandonadas ligado a uma maternidade em Moscou. O anonimato da mãe era garantido por um sistema de cestas, roldanas e sinos. Quando o sino tocava na rua, de um andar superior baixavam a cesta, onde o bebê rejeitado era colocado, e subiam de volta. Toda criança, legítima ou ilegítima, de qualquer classe social, era aceita, cuidada e educada, com precauções para que, quando saísse, fosse livre. O hospital tinha cinco andares e duzentos leitos. Os dormitórios eram grandes e arejados. Cada criança tinha sua própria cama, camisolas e lençóis limpos, e uma mesinha de cabeceira com um jarro de água, um copo e uma campainha para pedir ajuda. Um visitante inglês disse desejar que "os hospitais ingleses tivessem o mesmo cuidado com a limpeza". O hospital era um modelo para outras instituições do mesmo gênero em São Petersburgo e outros lugares. A imperatriz atacou outro problema ao criar um hospital para doenças venéreas, onde eram atendidos tanto homens como mulheres. Em 1775, Catarina decretou que as capitais de todas as províncias teriam um hospital geral, e que todos os condados de cada província deveriam ter um médico clínico, um cirurgião, dois assistentes do cirurgião, dois aprendizes e um farmacêutico. Dado que 23 mil pessoas viviam em alguns condados, essa cobertura era fraca, mas, antes disso, não havia nada.

Pessoalmente, Catarina não ligava para médicos. Já havia adoecido, sim; quando grã-duquesa, sua saúde era sempre uma preocupação para a imperatriz Elizabeth. Agora no trono, as atitudes de Catarina tinham uma significância política. Ela sentia o peso do poder absoluto, tendo de fazer análises de relatórios, ouvir opiniões de consultores, tomar decisões. Tentava se manter saudável com descanso adequado, contenção alimentar, ar fresco e passeios a pé. Contudo, em particular se queixava de dores de cabeça e nas costas. Em 1768, escreveu a Nikita Panin: "Estou bastante doente, minhas costas doem mais do que senti desde o parto. A noite passada, tive um pouco de febre com a dor, e não sei a que atribuir. Engulo e faço tudo o que eles [os médicos] querem." De novo a Panin: "Faz quatro anos que a dor de cabeça me deixou. Ontem não comi nada o dia inteiro."

Apesar de acreditar que era mais saudável porque ignorava os médicos, Catarina acabou concordando em ter um particular na corte. Escolheu um jovem escocês, o Dr. John Rogerson, da Universidade de Edimburgo. Ainda convencida de não ter necessidade dele, fazia do médico alvo de brincadeiras sobre a medicina moderna, e gostava de descrevê-lo como o tipo de charlatão encontrado em Molière. "Você não cura nem picada de pulga", dizia-lhe ela. Rogerson ria e continuava a insistir que ela tomasse a pílula que estava lhe oferecendo. Quando conseguia que ela obedecesse, dava um tapinha nas costas da imperatriz, dizendo jovialmente: "Muito bem, madame! Muito bem!"

Não foi brincadeira, porém, quando Catarina enfrentou uma das mais sérias doenças que afligiam o mundo na época: a varíola. Contra isso, a família imperial não tinha mais proteção que o mais pobre dos camponeses. O menino imperador Pedro II havia morrido da doença aos 15 anos. O noivo da imperatriz Elizabeth, de Holstein, tio de Catarina, foi levado às vésperas do casamento. E Catarina não poderia esquecer o sofrimento e o rosto desfigurado de seu marido, quando ainda seria o futuro Pedro III. Ela se considerava afortunada por ter chegado à idade adulta sem contrair varíola, mas sabia que essa isenção poderia não ser para sempre.

A devastação da varíola nos Habsburgo apavorava Catarina. Em maio de 1767, a imperatriz Maria Teresa e a nora Maria Josefa, esposa de seu filho e herdeiro José, contraíram a doença. Cinco dias depois, Maria Josefa morreu. Maria Teresa se recuperou, mas ficaram as marcas. O filho viúvo, José II, não quis mais se casar e não teve filhos. Em outubro daquele ano, a filha de Maria Teresa, também chamada Maria Josefa, morreu de varíola; duas outras filhas Habsburgo tiveram a doença e sobreviveram, mas com o rosto muito marcado. A sucessão de tragédias convenceu Maria Teresa a mandar vacinar seus três filhos menores.

Ciente dessas desgraças pessoais e dinásticas, Catarina temia a ameaça da varíola, tanto em seu filho Paulo como nela mesma. Sabia que a corte não deixava de falar na incerteza da sucessão do grão-duque, já que ele ainda não tinha contraído e vencido a doença. Ela e Panin se preocupavam constantemente com uma possível exposição do menino ao mal. Procuravam afastar Paulo de multidões e de quem quer que estivesse ou pudesse estar contagiado. Paulo se irritava com essas restrições. Aos 12 anos, quando perguntaram se ele iria comparecer a uma mascarada, ele respondeu:

> Você sabe que ainda sou criança e não se pode esperar que eu julgue se poderei ir lá ou não, mas aposto que não irei. O senhor Panin me dirá que tem um grande monstro chamado Varíola andando para lá e para cá no salão. Esse mesmo monstro sabe prever muito bem meus movimentos, pois costuma ser encontrado exatamente nos lugares aonde estou mais inclinado a ir.

A doença chegou perto de Catarina e Paulo na primavera de 1768, quando a noiva de Nikita Panin, condessa Ana Sheremeteva, descrita por um diplomata inglês como uma mulher de "mérito incomum, linda e imensamente rica", foi atacada de varíola. Em Tsarskoe Selo, a imperatriz aguardou ansiosamente. Quando, em 5 de maio, soube que o próprio Panin tinha sido colocado em quarentena por duas semanas, ela ordenou secretamente que trouxessem Paulo para ficar com ela. "Estou muito preocupada", ela disse, "e incapaz de me concentrar em nada melhor, pois tudo é horrível nesta situação crítica." Paulo chegou a Tsarskoe Selo em 6 de maio; mãe e filho aguardaram juntos. Catarina ficou adoentada em 14 de maio, mas estava melhor na manhã seguinte. Informou rapidamente a Panin de sua recuperação durante a noite e comunicou a ele a garantia do médico de que "esses dias difíceis de sua noiva vão passar". Dois dias depois, ela soube que a condessa Sheremeteva tinha morrido. "Sabendo agora do falecimento da condessa Ana Petrovna, não posso deixar de lhe dizer da minha verdadeira tristeza", escreveu ela a Panin em 17 de maio. "Estou tão triste por você nesse penoso infortúnio que não consigo explicar o suficiente. Por favor, cuide de sua saúde." Catarina passou sete semanas em Tsarskoe Selo, e o restante do verão viajando com Paulo pelas propriedades rurais para evitar multidões.

O medo – por si mesma, pelo filho e pela nação – levou a imperatriz a investigar um novo método, ainda controverso, de vacinação, que assegurava imunidade permanente. Era uma injeção de material retirado das pústulas da varíola nos pacientes em recuperação de casos leves. Essa técnica medicinal vinha sendo usada na Inglaterra e nas colônias inglesas da América do Norte (Thomas Jefferson foi vacinado em 1766), mas era repelida na Europa Continental por ser considerada muito perigosa.

O Dr. Thomas Dimsdale era um escocês, quacre, cujo avô tinha acompanhado William Penn à América em 1684. Thomas Dimsdale tinha agora 56 anos, era formado pela Universidade de Edimburgo e acabara de publicar *The Present Method of Inoculating for the Small Pox*, descrevendo o sucesso da vacina e afirmando ter minimizado os riscos. Seu livro já estava na quarta edição na Inglaterra e, ao ouvir falar nisso, Catarina convidou o autor para ir a São Petersburgo. Dimsdale chegou à Rússia no fim de agosto de 1768, trazendo consigo seu filho e assistente, Nathaniel. Catarina logo os recebeu para um jantar em particular.

Dimsdale ficou encantado com Catarina, achando-a "de todas as que vi de seu sexo, a mais cativante". Ficou admirado por sua "extrema penetração e propriedade nas perguntas relativas à prática e ao sucesso da vacinação". A imperatriz, por sua vez, gostou da sensatez dele, mas era cauteloso demais, na opinião dela. Ela sorria ouvindo o francês titubeante e tentou entender o inglês. Disse a ele que passara a vida temendo a varíola e agora queria ser vacinada, pensando ser o melhor meio de superar o medo geral da doença e da vacina. Queria ser vacinada o quanto antes. Dimsdale pediu para consultar antes seus médicos da corte, mas Catarina disse que não era necessário. Dimsdale sugeriu então que, como medida de precaução, outras mulheres da idade dela fossem vacinadas primeiro; novamente Catarina disse não. Oprimido pela responsabilidade, Dimsdale rogou que ela esperasse algumas semanas enquanto ele experimentava em diversos jovens da localidade. Relutante, ela acabou concordando, com a condição de que ele guardasse segredo desses preparativos. O registro oficial da corte ignorou totalmente a presença de Dimsdale, embora o embaixador britânico, em 29 de agosto, reportasse que a intenção da imperatriz "era um segredo que todos conheciam. E não parece ocasionar muita especulação". Por fim, a imperatriz e o médico concordaram numa data para a vacinação: 12 de outubro.

Catarina parou de comer carne e tomar vinho dez dias antes dessa data e começou a tomar calomelano, pó de pata de caranguejo e um emético tartárico. Às nove da noite de 12 de outubro, Dimsdale inoculou nos dois braços de Catarina material retirado de um menino camponês chamado Alexander Markov, a quem ela mais tarde deu um título de nobreza. No dia seguinte, Catarina foi para Tsarskoe Selo para descansar em retiro. Sentia-se saudável, "exceto por um leve mal-estar", e fazia exercícios ao ar livre duas a três horas por dia. Desenvolveu um número moderado de pústulas, que secaram em uma semana. Dimsdale anunciou que a vacina fora um sucesso, e três semanas depois Catarina retomou seus afazeres. Voltou a São Petersburgo em 1º de novembro, e Paulo foi vacinado sem problemas no dia seguinte. Congratulada pelo Senado e pela Comissão Legislativa, ela respondeu: "Meu objetivo foi, através do meu exemplo, salvar da morte meus muitos súditos que, não conhecendo o valor dessa técnica, amedrontados, estavam em perigo."

O exemplo de Catarina foi seguido por 140 nobres de São Petersburgo, inclusive Gregório Orlov, Kyril Razumovsky e um arcebispo. Dimsdale seguiu para Moscou, onde vacinou mais cinquenta pessoas. Uma versão russa de seu tratado explicando a técnica foi publicada em São Petersburgo, e aí foram instaladas clínicas de vacinação, como também em Moscou, Kazan, Irkutsk e outras cidades. Em 1780, 20 mil russos tinham sido vacinados, e em 1800, 2 milhões. Em recompensa por seus serviços, Catarina deu a Dimsdale o título de Barão do Império Russo, 10 mil libras e uma pensão vitalícia de 500 libras anuais. Em 1781, Dimsdale voltou à Rússia para vacinar o primeiro neto de Catarina, Alexander.

A disposição de Catarina a ser vacinada despertou elogios na Europa Ocidental. O que ela permitiu a Dimsdale fazer, Voltaire comparou com as ridículas opiniões e práticas dos "críticos charlatães em nossas escolas de medicina". Na época, a atitude dominante com relação à doença era fatalista. As pessoas acreditavam que, mais cedo ou mais tarde, todos teriam varíola e que alguns iriam sobreviver e outros, morrer. A maioria recusava a vacina. Frederico da Prússia tinha escrito a Catarina insistindo que ela não corresse o risco. Ela respondeu que sempre tivera medo da varíola e queria, acima de tudo, se livrar desse medo. Em maio de 1774, quase seis anos depois da vacina de Catarina, a varíola matou o rei da França. Luís XV levou para a cama uma menina que mal chegara à puberdade, portadora da doença. Ele morreu pouco depois, terminando um reinado de 59 anos. Luís XVI, seu sucessor aos 19 anos, foi vacinado imediatamente.

O confronto pessoal de Catarina com a varíola ocorreu três anos antes que a Rússia se visse imersa numa luta desesperada contra uma doença ainda mais terrível: a peste bubônica. A peste era uma ameaça perene nas fronteiras ao sul com a Turquia ocidental. Acreditava-se que ocorria apenas em climas quentes. A relação com pulgas e ratos era desconhecida. A defesa tradicional era o isolamento, desde a quarentena de indivíduos portadores até cordões de isolamento feitos por tropas vedando regiões inteiras.

Em março de 1770, a peste apareceu nas tropas russas que ocupavam a província balcânica turca da Valáquia. Em setembro, chegou a Kiev, na Ucrânia. O frio do outono retardou o avanço da doença, mas já havia refugiados indo para o Norte. Em meados de janeiro de 1771, o susto tinha passado, mas com o primeiro degelo da primavera os moscovitas começaram a apresentar as manchas escuras e as glândulas inchadas características da peste. Cento e sessenta operários morreram numa única semana numa fábrica têxtil da cidade. Em 17 de março, Catarina decretou medidas de quarentena de emergência em Moscou. Foram suspensos todos os bailes, representações teatrais e todas as grandes aglomerações públicas. Uma súbita queda da temperatura no fim de março provocou uma redução abrupta da taxa de mortalidade. Catarina e as autoridades municipais diminuíram as restrições. Ao fim de junho, porém, a peste ressurgiu. Em agosto, devastava a cidade. Soldados que removiam corpos nas ruas caíam doentes e morriam. O chefe do departamento médico de Moscou solicitou licença médica de um mês para se tratar da doença. Em 5 de setembro, Catarina foi informada de que o número de mortes diárias estava entre trezentos e quatrocentos; corpos largados enchiam as ruas, a rede de pontos de inspeção em torno da cidade estava inoperante, e o povo estava passando fome porque não havia entrega de suprimentos. Homens, mulheres e crianças doentes eram orientados a dar entrada nos centros de quarentena.

A imposição de precauções médicas resultou em tumulto. Na população aterrorizada de Moscou, muitos passaram a crer que os médicos e seus remédios é que tinham trazido a peste à cidade. Recusavam-se a obedecer às proibições de se reunir nos mercados e nas igrejas, e de beijar ícones supostamente milagrosos na esperança de ter proteção. Pelo contrário, se reuniam em torno desses ícones em busca de consolo e salvação. Uma famosa imagem da Virgem no Portão de Varvarsky era um verdadeiro ímã. Dia após dia, uma multidão de doentes se amontoava aos seus pés. Ela se tornou o mais mortífero centro de contágio em Moscou.

Os médicos sabiam o que estava acontecendo, mas não se atreviam a interferir. O arcebispo de Moscou, padre Ambrósio, um homem esclarecido, viu que os médicos não tinham saída. Numa tentativa de reduzir a contaminação devida à formação de multidões, e confiando em sua autoridade religiosa, mandou retirar a Virgem de Varvarsky do portão, na escuridão da noite, e escondê-la. Imaginou que, quando o povo soubesse que a responsabilidade era dele, todos iriam embora, e aquele foco de contágio seria eliminado. Mas sua melhor das intenções provocou um motim. Em vez de se dispersar, a multidão se enfureceu. Ambrósio refugiou-se num monastério e se escondeu no porão, mas a turba o encontrou, arrastou-o para fora e o fez em pedaços. O motim foi debelado pelas tropas, que mataram cem pessoas e prenderam trezentas.

Catarina viu que Moscou e sua população estavam fugindo ao controle. Os nobres tinham deixado a cidade, seguindo para suas propriedades rurais. As fábricas e as oficinas estavam fechadas. Os operários, os servos e os camponeses urbanos, morando amontoados em casas de madeira cheias de ratos e infestadas de pulgas transmissoras da peste, foram deixados ao deus-dará. No fim de setembro, a imperatriz recebeu uma mensagem do governador de Moscou, o general Pedro Saltykov, de 72 anos, dizendo que o número de mortes passava de oitocentas por dia, e ele não sabia o que fazer. A situação estava totalmente fora de controle e ele pedia autorização para sair da cidade até a chegada do inverno. A imperatriz ficou chocada. O crescente número de mortes, o assassinato violento de Ambrósio, a deserção de Saltykov... Como lidar com isso? A quem recorrer?

Gregório Orlov se apresentou, pedindo permissão para ir a Moscou dar fim à epidemia e restaurar a ordem. Era o tipo de desafio de que ele precisava. Após anos de ócio, queria se redimir aos olhos de Catarina e aos próprios. A imperatriz aceitou seu oferecimento "belo e dedicado", como disse a Voltaire, "não sem um sentimento de aguda ansiedade pelo risco que ele correria". Ela conhecia bem a inquietude e a avidez de Gregório pela ação, a frustração por estar em São Petersburgo enquanto o irmão Alexis e outros oficiais conquistavam vitórias e louvores em terra e mar. Catarina deu-lhe plena autoridade. Orlov reuniu médicos, militares e administradores, e partiu para Moscou na noite de 21 de setembro.

Orlov assumiu o controle da cidade. A mortalidade era de seiscentas a setecentas pessoas por dia. Orlov perguntou aos médicos o que deveria ser feito e obrigou o povo a obedecer. Foi enérgico e eficiente, mas também humano. Acompanhou os médicos em visitas aos leitos dos pacientes, supervisionou a distribuição de remédios e a remoção dos corpos apodrecidos nas casas e nas ruas. Prometeu liberdade aos servos que fizessem trabalho voluntário em hospitais, abriu orfanatos, distribuiu comida e dinheiro. Num período de dois meses e meio, ele gastou 100 mil rublos em alimentação, roupas e abrigo para os sobreviventes. Mandou queimar as roupas das vítimas e mais de trezentas casas velhas de madeira. Tornou a impor a quarentena compulsória, política que tinha provocado os motins. Mal dormia, e sua dedicação, sua coragem e esforço foram inspiração para outros. A mortalidade, que chegou a 21 mil em setembro, caiu para 17.561 em outubro, 5.255 em novembro e 805 em dezembro. Em parte, foi resultado das ações de Orlov, e em parte consequência da chegada do inverno.

A confiança em Gregório, além da esperança na chegada prematura do inverno, sustentou a imperatriz durante aquelas semanas. Ela receava que a epidemia subisse para noroeste, na direção de São Petersburgo. Já tinham ocorrido surtos suspeitos em Pskov e Novgorod. Foram tomadas precauções para proteger a capital no Neva, com pontos de inspeção bloqueando todas as estradas, cuidados extremos na manipulação das correspondências e exames médicos obrigatórios após cada morte suspeita. Catarina se preocupava com os efeitos de relatórios e boatos no país e no exterior. A princípio, tentou abafar histórias sobre peste avassaladora, terror e violência. Depois, no pico da epidemia, para conter o alastramento de boatos adicionais – por exemplo, que estavam queimando pessoas vivas –, Catarina autorizou a publicação de um comunicado oficial sobre os tumultos em Moscou. Os jornais estrangeiros puseram a versão dela em circulação. Intimamente, porém, estava muito receosa devido ao que vinha acontecendo. Com Voltaire, ela comentou o que achava da morte de Ambrósio: "O famoso século XVIII realmente tem do que se vangloriar por aqui. Veja só como progredimos!" A Alexander Bibikov, ex-presidente da Comissão Legislativa, ela escreveu: "Passamos um mês nas circunstâncias em que Pedro, o Grande, viveu por trinta anos. Ele venceu todas as dificuldades com glória. Esperamos sair delas com honra."

Em meados de novembro de 1772, a crise estava amainando, e Catarina permitiu orações públicas de graças a Deus. Quando Orlov retornou a São Petersburgo, em 4 de dezembro, ela o cobriu de honrarias. Deu-lhe uma medalha de ouro gravada com uma imagem de um herói romano mítico de um lado e uma imagem de Orlov do outro lado. A inscrição era "A Rússia também tem esses filhos". Encomendou um arco de triunfo para o parque de Tsarskoe Selo, com o dístico: "Ao herói que salvou Moscou da peste."

"Salvou" estava correto apenas no sentido de que as perdas poderiam ter sido maiores. Uma estimativa contemporânea aponta 55 mil pessoas mortas pela peste em Moscou, um quinto da população da cidade. Em outra estimativa, 100 mil morreram em Moscou e 120 mil em todo o império. Para evitar a recorrência, a quarentena foi mantida ao longo da fronteira sul da Rússia por mais dois anos, até o fim da guerra com a Turquia, em 1774.

❊56❊
O RETORNO DE "PEDRO TERCEIRO"

DURANTE O ÚLTIMO ANO DE LUTAS com a Turquia (1773-74), quando a guerra estava no clímax, outra crise, mais ameaçadora que a guerra turca, surgiu no interior da Rússia. Foi a rebelião conhecida como Pugachevshchina, devido ao nome do líder, Emelyan Pugachev, cossaco do Don. Num único ano, reunindo cossacos, servos fugidos, camponeses, basquires, calmucos e outros grupos tribais descontentes e rebeldes, Pugachev gerou uma tempestade de violência que varreu as estepes, chegando a ponto de ameaçar Moscou. A guerra civil e a revolução social degeneraram em anarquia, e a rebelião foi um desafio a muitos princípios iluministas de Catarina, deixando-lhe lembranças que a perseguiram pelo resto da vida. Em revoluções palacianas, ela possuía experiência. Esse levante, porém, ocorreu nos vastos territórios quase desabitados da Rússia, estendendo-se muito além de São Petersburgo e Moscou, no Don, no Volga e nos Urais. Despertou Catarina para as paixões que fervilhavam nos campos, levando-a a decidir que seu primeiro dever como imperatriz era reforçar a autoridade da coroa. Ela o fez chamando soldados, e não filósofos.

Quase todos os russos ainda viviam num mundo de opressão e descontentamento. Tinha havido rebeliões anteriores, de mineiros que atacaram supervisores, de habitantes de vilas que resistiram a coletores de impostos e agentes de recrutamento. A revolta de Pugachev, porém, era a primeira explosão em massa do que poderia ser descrito como uma luta de classes. Nem o *Nakaz* de Catarina, nem as discussões da Comissão Legislativa haviam trazido mudanças significativas. Os servos e camponeses nas terras e nas minas ainda viviam num sistema de trabalho forçado. A imperatriz tentara mudar essa situação, e descobriu que não podia. A pesada maquinaria do governo imperial, sua dependência da nobreza, a vastidão da Rússia — tudo isso era obstáculo à mudança. Afinal, ela havia sido forçada a deixar as coisas como estavam. Agora, no quinto ano de guerra com a Turquia, a Rússia explodia.

Em 5 de outubro de 1773, Catarina compareceu a uma reunião de rotina com o conselho de guerra, em São Petersburgo. Presidindo a sessão, estava o general, conde Zakhar Chernyshev, o belo oficial com quem Catarina tinha ensaiado um flerte 22 anos antes, e cuja competência militar o tinha alçado à liderança do Colégio de Guerra. Catarina ouviu atentamente a leitura de relatórios da guarnição da cidade de Orenburg, 480 quilômetros a sudeste de Kazan, descrevendo o bando de cossacos rebeldes. As agitações entre os cossacos não eram novidade na Rússia, mas esse distúrbio diferia dos anteriores. Era liderado por um homem que se proclamava czar Pedro III, marido de Catarina, milagrosamente salvo do assassinato. Agora, cavalgando pelas fronteiras do sudeste da Rússia, distribuía manifestos incendiários, prometendo liberdade ao povo, se o ajudassem a recobrar o trono.

Os cossacos tradicionalmente eram aventureiros que se ressentiam da enxurrada de decretos imperiais cerceando sua liberdade. Para escapar, tinham fugido para a fronteira, onde, com o correr do tempo, estabeleceram seus próprios acampamentos, escolhendo seus próprios líderes e vivendo em comunidades conforme suas próprias leis e costumes. Alguns eram Velhos Crentes, que tinham fugido do alcance da tradicional Igreja Ortodoxa e agora rezavam somente em suas próprias igrejas. Os homens eram excelentes cavaleiros que, uma vez recrutados à força pelo Exército, eram designados para cavalaria avulsa e, como tal, aterrorizavam os inimigos. As guerras da Polônia e da Turquia ocasionaram a presença cada vez mais frequente de coletores de impostos e recrutadores do Exército. Em agosto de 1773, as comunidades cossacas estavam muito agitadas, precisando apenas de um líder para se levantarem em protesto.

Nesse clima, nenhum líder poderia ser melhor que um homem que despertava boatos de ser um czar.

O surgimento de impostores não era incomum na Rússia. A turbulenta história da nação tinha produzido muitos falsos czares que a população, ignorante e crédula, estava sempre pronta a aceitar. Em 1605, um impostor que dizia ser o filho de Ivan, o Terrível, Dmitry (que de fato havia morrido quando criança), tomou o trono do czar Boris Godunov. O cossaco Stenka Razin desafiou o pai de Pedro, o Grande, o czar Alexis, durante dois anos e, depois de capturado e executado, tornou-se um herói lendário entre o povo. O próprio Pedro, o Grande, teve de lidar com a deserção dos cossacos ucranianos sob a chefia de Ivan Mazeppa, na Grande Guerra do Norte contra a Suécia. Em seguida à morte de Pedro, em 1725, as incertezas sobre a sucessão dos Romanov criaram uma série de pretendentes ao trono alegando ser Pedro II ou Ivan VI. Durante os primeiros dez anos de reinado de Catarina, já tinham aparecido impostores dizendo ser Pedro III. Todos foram presos antes de criar problemas. Catarina não se interessava por eles, só ficava alerta porque alguma potência estrangeira poderia tentar patrocinar um deles. Mas as promessas desses primeiros impostores de seu reinado eram localizadas e específicas. Os seguidores, geralmente poucos, protestavam contra funcionários do governo local, e não contra o czar e nem mesmo contra a nobreza. O que distinguia a rebelião de Pugachev era estar dirigida à própria imperatriz.

O berço da revolta se situava na região entre os rios Don e Ural, cortada pelo Volga. Era uma terra desabitada, com ricos relvados, densas florestas, solo fértil, banhada pelos três grandes rios. A oeste viviam os cossacos do Don, que haviam progredido gradualmente de uma vida indisciplinada, itinerante para uma existência mais ordenada e estabelecida. Apesar de ainda mandarem muitos recrutas para o exército, tinham prosperado com o desenvolvimento da agricultura e do comércio. O distrito do Volga, mais a leste, com uma população mista de tribos russas e não cristãs, era menos disciplinado e organizado; nos anos 1770, era uma terra de postos de comércio, aventureiros perambulantes e vagabundos. Ainda mais a leste, onde o rio Yaik descia dos montes Urais, correndo para oeste, ficava a verdadeira fronteira, a província de Orenburg, uma área pouco povoada onde os rios tinham peixes em abundância, a terra era repleta de minas de sal e as florestas eram uma fonte lucrativa de madeira e peles. A cidade principal, também chamada Orenburg, era uma fortaleza e centro de comércio situada na junção dos rios Yaik e Orel.

Ali, na província de Orenburg, na cidade de Yaitsk, Pugachev apareceu em setembro de 1773, afirmando que era o czar Pedro III e tinha escapado do assassinato ordenado por sua esposa usurpadora. Agora retornava para reclamar o trono, punir os inimigos, salvar a Rússia e libertar seu povo. Segundo Pugachev, Catarina, com a ajuda da nobreza, o tinha expulsado do trono e tentado matá-lo porque ele estava planejando libertar os servos. Houve quem acreditasse na conversa; por muitos anos correra um boato de que, depois do decreto de Pedro III liberando a nobreza do serviço militar compulsório, sua próxima medida seria libertar os servos, e a imperatriz tinha impedido. Alguns chegaram a dizer que esse decreto já estava escrito, mas foi omitido pela imperatriz quando usurpou o trono. Para os que aceitavam essa história, Pedro III, que em seu breve reinado fora imensamente impopular, agora era um herói, enquanto Catarina se tornava sua esposa tirânica.

Pugachev não tinha a menor semelhança com Pedro III, que era alto, de ombros estreitos, falava quase só alemão, um soldado de quintal que nunca tinha visto uma batalha. Esse novo "Pedro" era baixo, atarracado e musculoso. Seus cabelos negros emaranhados desciam numa franja espessa sobre a testa, tinha uma barba negra, curta e cacheada, e lhe faltavam vários dentes. Entretanto, essas dessemelhanças físicas não o desqualificaram porque o verdadeiro Pedro III reinou por tão pouco tempo que a maioria dos russos nem sabia como ele era. O novo Pedro, percorrendo os campos à frente de um exército de cossacos e homens das tribos, cercados de oficiais barbados e agitando bandeiras, era uma figura carismática, um soldado experiente que anunciava um luminoso futuro de liberdade para todos os russos. Teve pouca dificuldade em atrair seguidores. Para os povos das províncias do sudeste, que nunca tinham visto um czar, aquele sujeito baixo, robusto, magnético, com aquela barba negra, vestindo um caftan carmesim e gorro de pele, satisfazia a imaginação.

Na realidade, Emelyan Pugachev era um cossaco nascido por volta de 1742, numa das comunidades do Baixo Don. Possuía uma pequena fazenda, casou-se com uma moça de lá e teve três filhos. Foi convocado pelo exército russo e serviu na cavalaria dos cossacos na Polônia e depois nas tropas de Rumyantsev, nas campanhas de 1769 e 1770 contra os turcos. Desertou em 1771, foi capturado, açoitado e fugiu. Cruzou as estepes do Leste, mas não voltou para sua terra natal e sua família no Don. Seguiu na direção do Baixo Volga, passando de uma comunidade de Velhos Crentes a outra. Em novembro de 1772, chegou à margem do rio Yaik, esperando ficar a salvo entre os cossacos da região.

Em suas andanças, Pugachev ficou conhecendo o estado de espírito das pessoas no Baixo Volga, que era de um antagonismo à autoridade tão intenso quanto o dele. Esse ódio em comum, agregado à sua experiência militar, fez dele uma figura capaz de arregimentar os cossacos do Yaik. Quando Pugachev propôs liderar os descontentes contra os agentes do governo e outros opressores, eles aceitaram. Seus planos foram adiados porque Pugachev foi identificado, preso e levado a Kazan para ser interrogado. Seis meses depois, ele fugiu de novo e, em maio de 1773, voltou a Yaitsk. Em setembro, quando o governador de Yaitsk soube onde ele se escondia e mandou recapturá-lo, Pugachev e os cossacos dissidentes se apressaram a anunciar sua revolta. Foi então que ele, repentinamente, se proclamou Pedro III.

Pugachev prometeu a liberdade daquele governo hostil e a volta ao antigo estilo de vida. Prometeu dar fim à perseguição dos Velhos Crentes cossacos, "perdão de todos os crimes prévios" e "liberdade nos rios, desde a nascente até a foz, e na terra e pastagens nas duas margens, e nas árvores e animais selvagens que cresciam por ali". Prometeu sal de graça, armas, chumbo, pólvora, comida e um prêmio de 12 mil rublos anuais a cada cossaco. Num "manifesto imperial", distribuído em 17 de setembro de 1773, ele declarou: "Dou liberdade eterna a vocês e aos seus filhos e netos. Não vão mais trabalhar para um senhor, nem pagarão mais impostos. Damos de presente a cruz e as antigas preces, as barbas e cabelos longos." E deu nome aos inimigos: "Se Deus permitir que eu chegue a São Petersburgo, mandarei minha malvada esposa Catarina para um convento. Então vou libertar todos os camponeses e exterminar todos os nobres, até o último deles."

A mensagem passou além dos cossacos do Yaik. Os basquires se aliaram a Pugachev e foram seguidos pelos calmucos, os quirguizes e outras tribos seminômades do Baixo Volga. Não tardou para que camponeses e servos das plantações partissem para se unir a ele. Poucos chegaram a cavalo, trazendo espadas e lanças, mas a maioria trouxe apenas as ferramentas usadas nas fazendas – foices, machados, forcados. Antes do inverno, os servos das minas e fundições dos Urais também foram se reunindo a ele.

Pugachev começou por atacar o pequeno forte de Yaitsk, no alto da margem do rio. Tinha apenas trezentos homens, e o comandante do forte tinha mil, mas muitos deles eram cossacos. Quando eles correram para desertar, o comandante recuou para dentro do forte, deixando o resto da área entregue aos rebeldes. Pugachev o largou lá e subiu o rio. Em 5 de outubro, chegou a Orenburg, uma cidade bem maior e fortaleza do governo. As forças de Pugachev haviam crescido para mais de 3 mil homens, superando o número da guarnição da fortaleza, exceto na artilharia. Mais uma vez, os soldados recuaram para dentro da fortaleza, defendida por setenta canhões. E mais uma vez os rebeldes não tiveram força suficiente para tomá-la de assalto. Dessa vez, Pugachev montou um acampamento para levar os soldados a se render pela fome e estabeleceu seu quartel-general em Berda, a quase 5 quilômetros de distância.

Em novembro, o cortejo do impostor engrossava cada vez mais com a chegada de voluntários. A atração exercida por Pugachev agora atravessava a área entre o Volga, o Yaik e a Sibéria ocidental. Em dezembro, mil outros basquires se juntaram ao seu exército, e em janeiro de 1774 chegaram 2 mil tártaros. Camponeses e servos das fábricas tomaram fundições de cobre e outras metalúrgicas nos Urais. Em breve, 44 fundições e minas estavam fornecendo armas e munições para o exército rebelde. Havia uma exceção interessante nesse apoio eclético: a flagrante ausência dos cossacos do Don, terra natal de Pugachev.

As notícias da revolta no Yaik demoraram a chegar a São Petersburgo. Quando chegaram, a imperatriz e seus conselheiros não se preocuparam. Parecia ser uma ocorrência localizada, numa região sempre conturbada. Catarina e o conselho de guerra se ocupavam da ação na Polônia e no Danúbio, onde os exércitos russos estavam concentrados, e onde esperavam, no verão que se aproximava, forçar o fim da guerra com a Turquia, que já entrava no sexto ano. Como o exército estava tentando bravamente montar uma nova ofensiva, poucas tropas podiam ser dispensadas. O máximo que se podia fazer era enviar o general Vasily Kar, de Kazan, com um pequeno destacamento de soldados. Além disso, para conter a sedução de Pugachev, Catarina lançou um manifesto distribuído apenas nas áreas afetadas pela revolta. Em outras localidades, o caso deveria ser mantido em segredo. Ela denunciou a impostura de Pugachev como "loucura", "um tumulto maldito entre o povo", e pediu a cooperação do general Kar para derrotar e capturar aquele "salteador, amotinador e impostor". Infelizmente, Catarina e seus conselheiros subestimaram grosseiramente a força do inimigo que Kar teria pela frente. Ao se aproximar de Orenburg, Kar encontrou um exército rebelde muito mais numeroso do que esperava. Ademais, era reforçado diariamente por novos recrutas. Liderados por Pugachev, logo derrotaram a pequena tropa. Kar escapou e, quando voltou para relatar o acontecido, foi dispensado. Outra pequena expedição foi enviada imediatamente de Simbirsk. Pugachev venceu a tropa rapidamente e enforcou seu coronel.

Em seu quartel-general em Berda, Pugachev gostava de encarnar o papel de czar. Vestido num caftan escarlate com um gorro de veludo, portando um cetro numa das mãos e um machado de prata na outra, olhava de cima os suplicantes que se ajoelhavam diante dele. Sem saber ler nem escrever, ditava as ordens para seu secretário, assinadas "O grande soberano, czar russo, imperador Pedro III". Declarou que só se dignaria a escrever seu nome quando retomasse o trono. Foram cunhadas medalhas com sua imagem e a inscrição "Pedro III".

Todos os dias, ele comia fartamente, bebia continuamente e berrava canções cossacas com seus camaradas. Muitos desses agora eram "nobres". Tendo jurado exterminar a nobreza genuína, Pugachev distribuía títulos a seus amigos mais próximos, dando-lhes os nomes dos principais membros da corte de Catarina. Havia um conde Panin, um conde Orlov, um conde Vorontsov, um marechal de campo conde Chernyshev. Esses novos próceres eram adornados com medalhas arrancadas dos uniformes de oficiais mortos. Pugachev lhes prometia futuras propriedades na costa do Báltico, algumas até anunciadas com servos incluídos no presente. Em fevereiro de 1774, Pugachev, que havia abandonado a esposa e três filhos no Don, "casou-se" com Yustina Kuznetsova, filha de um cossaco do Yaik, e cercou-a de 12 damas de honra cossacas. Diariamente faziam preces pelo imperador e por Yustina, que recebia o tratamento de "Sua Majestade Imperial".

Os tenentes de Pugachev nunca duvidaram que o homem sentado a seu lado, se dizendo imperador, era de fato um cossaco analfabeto, e a "imperatriz" era uma cossaca dos Urais, que não era a esposa legítima. A esposa verdadeira estava no Don, e sua outra suposta esposa, a usurpadora imperatriz Catarina, estava em São Petersburgo. Nesse breve "reinado", ele e seu círculo de amigos viviam quase o tempo todo em mundos sobrepostos de realidade e faz de conta. Ninguém reclamava desse teatro amador, e Pugachev se aproveitava do acordo silencioso de mútua encenação. Acreditando que o crescente ímpeto da revolta lhe permitia tudo, o cossaco analfabeto não conseguia se controlar.

Seu faz de conta fantasiado tinha um pano de fundo de sangue e terror. Os decretos imperiais de Pugachev, proclamando que a nobreza tinha de ser exterminada, desencadearam um frenesi de ódio. Camponeses mataram senhores de terras e suas famílias, e seus odiados supervisores. Servos que sempre tinham sido vistos como resignados, obedientes a Deus, ao czar e ao senhor agora se lançavam em orgias de crueldade. Nobres eram arrastados para fora de seus esconderijos e esfolados, queimados vivos, esquartejados ou enforcados numa árvore. Crianças eram mutiladas e chacinadas na frente dos pais. As mulheres eram poupadas o tempo suficiente para serem estupradas na frente dos maridos, e depois tinham a garganta cortada ou eram jogadas numa carroça e levadas como prêmios. Em breve, o acampamento de Pugachev estava cheio de viúvas e filhas, que eram distribuídas entre os rebeldes. Aldeões que persistiam em reconhecer a "usurpadora Catarina" eram enforcados em fileiras. As ravinas das redondezas estavam cheias de corpos. As pessoas das cidades, desesperadas sem saber o que os interrogadores queriam ouvir, quando perguntadas quem consideravam o soberano legítimo, davam respostas prontas: "Quem você estiver representando."

À medida que o exército de Pugachev, já uma verdadeira torrente, percorria as longas estradas, as chamas das mansões incendiadas dos senhores brilhavam na noite, e a fumaça cobria o horizonte como uma cortina. Cidades e aldeias abriam os portões para se render. Padres corriam a dar boas-vindas aos rebeldes, oferecendo pão e sal. Oficiais de pequenas guarnições eram enforcados. Os soldados tinham uma escolha: mudar de lado ou morrer.

A princípio, antes de entender a gravidade do levante, Catarina tentou minimizar sua importância aos olhos da Europa Ocidental. Em janeiro de 1774, escreveu a Voltaire que "esse impudente Pugachev" não passava de "um assaltante ordinário". Pessoalmente, ela não tinha a intenção de deixar que a ação grotesca de Pugachev perturbasse as estimulantes conversas que vinha tendo em São Petersburgo com seu famoso visitante, Denis Diderot, editor da *Encyclopedia*. Voltaire concordava que os diálogos de Catarina com um dos líderes do Iluminismo não deveriam ser interrompidos pelas "façanhas de um salteador". Ela se queixou de que a imprensa europeia estava fazendo muito barulho por causa do "marquês de Pugachev, que está me dando uns probleminhas nos Urais". Quando ela passou a Voltaire a informação de que o sujeito impertinente estava de fato alegando ser Pedro III, ele aproveitou o tom leve que ela usou para destituir o sujeito, mencionando a D'Alembert "esse novo marido que apareceu na província de Orenburg". Mas o "novo marido" e "salteador cossaco" estava dando a Catarina mais problemas do que ela admitia. Na primavera de 1774, quando o exército de Pugachev já contava com mais de 15 mil homens, ela entendeu que a revolta cossaca estava se tornando uma revolução nacional. Depois que o general Kar não conseguiu capturar o "canalha" e que o governador de Orenburg, sob cerco, relatou grave escassez de comida e munição, ela confessou a Voltaire que "por mais de seis semanas tenho sido obrigada a dispensar atenção ininterrupta a esse caso".

Determinada a esmagar os rebeldes, Catarina convocou o experiente general Alexander Bibikov e lhe deu plenos poderes sobre todas as autoridades civis e militares no sudeste da Rússia. Bibikov era veterano das guerras na Prússia e na Polônia, e ganhara prestígio nacional como marechal-presidente da Comissão Legislativa. Embora a guerra com a Turquia ainda impedisse a retirada de qualquer parcela significativa do Exército, Bibikov reuniu todas as tropas que conseguiu. Chegando a Kazan em 26 de dezembro, montou lá seu quartel-general e tomou providências imediatas para estabilizar a situação. Convenceu os nobres a formarem uma milícia de voluntários e darem armas aos camponeses que considerassem leais. Catarina ordenou que Bibikov estabelecesse em Kazan uma comissão de inquérito para investigar a fonte da revolta dessa "turba misturada, movida apenas pelo fanatismo ou por inspiração e obscurantismo político". Ele deveria interrogar os rebeldes capturados para averiguar se havia alguma influência estrangeira em ação. A Turquia estava implicada? A França? Quem ou o que levou Pugachev a assumir o nome de Pedro III? Havia algum indício de conspiração envolvendo os próprios súditos de Catarina? Quais eram as conexões dele com os Velhos Crentes? E com nobres descontentes? Bibikov recebeu instruções de não usar tortura. "Qual é a necessidade do açoite durante as investigações?", ela escreveu. "Por 12 anos o serviço secreto, sob meus próprios olhos, não açoitou uma única pessoa durante os interrogatórios, e mesmo assim cada caso foi devidamente resolvido, e sempre apareceu mais do que precisávamos saber." Se a culpa fosse comprovada, Bibikov estava autorizado a dar sentença de morte, embora em casos de nobres e oficiais culpados o julgamento devesse ser encaminhado à imperatriz para confirmação.

Antes da partida de Bibikov para cumprir a missão, Catarina lançou outro manifesto para uso somente na região da revolta:

> Um desertor e fugitivo vem reunindo uma tropa de outros vagabundos como ele e tem a insolência de se arrogar o nome do falecido imperador Pedro III. Como velamos com infatigável cuidado a tranquilidade de nossos fiéis súditos, tomamos tais medidas para aniquilar completamente os ambiciosos projetos de Pugachev e exterminar esse bando de ladrões que teve o atrevimento de atacar os pequenos destacamentos militares distribuídos por essas terras e de massacrar os oficiais que fizeram prisioneiros.

Duas semanas mais tarde, depois que relatórios confirmaram a expansão do levante, Catarina viu que a notícia da rebelião não podia mais ser escondida do público. Para explicar sua decisão, ela escreveu ao governador da região de Novgorod:

> Orenburg já está cercada há dois meses inteiros pela malta de um bandido que vem cometendo crueldades e devastação aterrorizantes. O general Bibikov está partindo com tropas que passarão pela sua *gubernia* a fim de inibir esse destempero, que não trará nem glória nem proveito para a Rússia. Espero que, com a ajuda de Deus, possamos vencer. Essa gentalha é uma turba de canalhas que tem à frente um velhaco tão descarado quanto ignorante. Provavelmente, vão todos terminar na forca, mas que tipo de perspectiva há para mim, que não tenho amor nenhum pela forca? A opinião europeia irá nos relegar aos tempos do czar Ivan, o Terrível. Essa é a honra que devemos esperar por essa desprezível leviandade.

Ao chegar a Kazan, no final de dezembro, Bibikov viu que a situação era mais grave do que se pensava em São Petersburgo. Sua avaliação era de que, como indivíduo, Pugachev não era temível, mas, como símbolo de um descontentamento popular generalizado, ele tinha muita importância. As forças de Bibikov atacaram rapidamente para libertar Orenburg, que já estava sob cerco havia seis meses e onde a escassez de alimentos era muito séria. Pugachev se defendeu com 9 mil homens e 36 canhões, mas a batalha foi decidida pela artilharia profissional do exército russo. Os rebeldes foram derrotados, 4 mil deles foram capturados e "Pedro III" fugiu a galope para Berda. O cerco de Orenburg chegara ao fim.

No quartel-general de Pugachev, em Berda, seus tenentes e seguidores estavam prontos para fugir, mas todos sabiam que somente a cavalo poderiam escapar. "Deixe os camponeses entregues a seu destino" era a lógica reinante. "A ralé não sabe lutar, são só carneiros." Em 23 de março, Pugachev deixou seu quartel-general levando dois mil homens e abandonando o restante de seu exército. A guarda avançada de Bibikov entrou em Berda no mesmo dia. A balança estava equilibrada, mas Bibikov, o arquiteto da vitória, subitamente teve uma febre e morreu. Entristecida, Catarina supôs que seus oficiais iriam completar a missão. Pugachev desapareceu nos Urais.

Antes de morrer, Bibikov havia garantido a Catarina que "a suspeita de estrangeiros é totalmente infundada". A imperatriz escreveu a Voltaire, atribuindo "esse evento grotesco" ao fato de a região de Orenburg ser "habitada por todos os vagabundos de que a Rússia julgava correto se livrar nos últimos quarenta anos, no mesmo espírito com que as colônias americanas foram populadas". E defendeu sua política de leniência no tratamento de rebeldes prisioneiros, escrevendo a sua amiga *frau* Bielcke, de Hamburgo, que reclamara que as medidas tomadas não foram suficientemente severas: "Já que você gosta tanto do patíbulo, posso lhe dizer que quatro ou cinco infelizes já foram enforcados. E a raridade dessas punições tem um efeito mil vezes maior sobre nós aqui do que sobre aqueles onde enforcamentos ocorrem todos os dias."

Catarina acreditava que a rebelião havia terminado. Nos três meses seguintes, esqueceu Pugachev e voltou sua atenção para a ofensiva russa no Danúbio. Continuou a seguir as investigações sobre as causas do levante. O relatório de uma comissão emitido em 21 de maio de 1774 confirmava a avaliação de Bibikov, descartando a possibilidade de conspiração doméstica ou intervenção externa. A culpa da revolta foi atribuída à exploração, por Pugachev, do descontentamento entre os cossacos do Yaik, os povos tribais e os servos metalúrgicos dos Urais. Pugachev foi descrito como rude e analfabeto, mas os investigadores alertavam que ele era também astuto, engenhoso e persuasivo – um homem perigoso que não deveria ser ignorado nem esquecido até que fosse morto ou entregue acorrentado nas mãos dos oficiais do império.

❦57❦
OS ÚLTIMOS DIAS DO "MARQUÊS DE PUGACHEV"

QUANDO CATARINA LEU O RELATÓRIO da comissão secreta, no fim de maio de 1774, imaginou que fosse uma espécie de *postmortem* da revolta de Pugachev. Depois, em 11 de julho, ficou perplexa ao saber que Pugachev ressurgiu em Kazan, no Volga, à frente de um exército de 20 mil homens. No dia seguinte, ele atacou, capturou e incendiou a cidade, que estava praticamente indefesa. E anunciou que seu próximo objetivo era Moscou. Ele já havia prometido que "Se Deus me der poder sobre o Estado, quando eu tiver capturado Moscou vou ordenar que todo mundo siga a Velha Crença e use roupas russas. Vou proibir que cortem a barba e vão cortar os cabelos à moda cossaca".

Em julho de 1768, em visita a Kazan, Catarina havia ficado fascinada com sua população etnicamente diversificada de 11 mil habitantes. Agora Pugachev tinha subjugado rapidamente seus defensores, menos numerosos, e reduzido a cinzas a cidade construída quase toda em madeira. Às chamas seguiu-se um turbilhão de matança, estupros e pilhagem. Homens barbeados, vestidos com roupas europeias, eram mortos imediatamente; mulheres com roupas estrangeiras eram levadas para o acampamento de Pugachev. Dois terços das 290 construções foram destruídos. Os nobres e suas famílias que conseguiram sair fugiram para Moscou.

A antiga capital começou a preparar suas defesas, mas Pugachev não chegou lá. Um exército russo acorreu a Kazan e chegou tarde demais para salvar a cidade, mas, em 15 de julho, atacou e derrotou as forças de Pugachev. No dia seguinte, o falso czar reapareceu com 15 mil homens. Numa batalha que durou quatro horas, o exército rebelde foi desbaratado, 2 mil revoltosos morreram e 5 mil foram feitos prisioneiros. Depois da luta, 10 mil homens e mulheres mantidos em cativeiro no acampamento dos rebeldes foram libertados. O líder fugiu para o Sul, descendo o Volga, com o que restou de seu exército.

A invasão e queima de Kazan foi o ponto alto da revolta de Pugachev. Se não tivesse sido vencido lá, poderia ter marchado para Moscou, levando a rebelião ao centro da servidão na Rússia. Logo depois, sabendo do tratado de paz com a Turquia, viu que o governo teria muitas tropas disponíveis. Em agosto, um exército de veteranos liderado pelo general Vasily Suvorov, liberado da campanha no Danúbio, avançava em sua direção. Os homens de Pugachev, desmoralizados pela derrota e a retirada, e preocupados com as consequências da rebelião, começaram a desertar cada vez mais.

Pugachev agora ia entrando numa área de fazendas pequenas, com poucos servos. Tentando armar um novo exército, incitou os servos a se insurgirem contra seus senhores, prometendo a liberdade de serem "sempre cossacos, livres de impostos, tributos, recrutamentos, senhores maldosos e juízes corruptos". Alguns servos fugiram dos donos, mas, mesmo assim, o número de homens estava caindo. A revolta esmorecia, perdendo energia e propósito. Ao cavalgar para o Sul, Pugachev retornava à terra de sua infância, a terra dos cossacos do Don, e os impostores dificilmente convencem aqueles que o viram nascer. "Por que ele diz que é o czar Pedro?", perguntavam os cossacos do Don. "Ele é Emelyan Pugachev, o fazendeiro que largou a mulher – a Sofia – e seus filhos."

Quando Pugachev reapareceu em Kazan, Catarina viu que o governo tinha relaxado cedo demais. Numa sessão do conselho em 14 de julho, ela declarara que as vitórias de Rumyantsev no Danúbio haviam aproximado a Rússia da paz. Pouco depois, em 21 de julho, a notícia da destruição de Kazan chegou a São Petersburgo, dois dias antes da chegada do filho de Rumyantsev com a notícia da paz com os turcos. Na reunião do conselho naquela manhã, Catarina ainda não sabia da derrota de Pugachev após o saque de Kazan, nem da paz com a Turquia. "Extremamente abalada" com a notícia de Kazan, ela interrompeu a sessão, anunciando que iria a Moscou imediatamente para restaurar a confiança do povo. Os conselheiros se abstiveram de dar opiniões, até que Nikita Panin observou que sua chegada inesperada poderia mais afligir do que tranquilizar as pessoas. Ficou decidido que o irmão mais novo de Panin,

Pedro Panin, o general mais experiente disponível, reservista do exército e residindo perto de Moscou, seria indicado para assumir o comando contra Pugachev.

Catarina aprovou com relutância. Reconhecia a competência militar de Pedro, mas, pessoalmente, não gostava dele. Ele vivia dizendo que a Rússia deveria ser governada por um homem, e sua preferência era pelo grão-duque Paulo. Catarina não gostava também de sua reputação de militar autoritário, nem de seu comportamento não convencional. Às vezes, ele aparecia no quartel vestindo um camisolão de cetim prateado e com uma touca fofa francesa enfeitada com fitinhas cor-de-rosa. Ela não tinha gostado de seu pedido de aposentadoria feito de modo abrupto e histriônico, com a alegação de que se sentia pouco recompensado por seus sucessos na guerra turca. No outono de 1773, ela autorizou uma vigilância desse "boquirroto insolente". Agora, vendo a necessidade de indicar Pedro Panin, Catarina confessou a seu novo admirador, Gregório Potemkin: "Diante do mundo inteiro, por medo de Pugachev, eu recomendo e elevo acima de todos os mortais do império um linguarudo empertigado que me insulta pessoalmente." No entanto, a imperatriz Catarina teve prioridade sobre a mulher afrontada Catarina, e em 22 de julho Pedro Panin foi nomeado general em chefe. No dia seguinte, 23 de julho, a notícia do tratado de paz com a Turquia chegou a São Petersburgo. Catarina ficou duplamente satisfeita. Os ganhos territoriais do Tratado de Kuchuk Kainardzhi eram substanciais, e seu exército estava livre para combater Pugachev.

Pedro Panin exigiu autoridade sobre todas as forças militares enviadas para lidar com a rebelião e sobre todos os oficiais e civis nas áreas afetadas. A Potemkin, ela escreveu: "Veja, meu amigo, que o conde [Nikita] Panin quer fazer de seu irmão um governante com poderes ilimitados na melhor parte do império. Se eu assinar isso, não só o príncipe Volkonsky [governador-geral de Moscou] ficará ofendido e farei papel de boba, mas também serei vista publicamente a enaltecer um mentiroso de primeira linha e que me ofendeu pessoalmente."

Catarina não se rendeu totalmente a Pedro Panin. Estimulada pela brilhante vitória sobre os turcos e pela derrota de Pugachev em Kazan, ela restringiu a autoridade dele às regiões diretamente afetadas e declarou que a comissão investigativa continuaria sob a supervisão pessoal da imperatriz. Pedro Panin ainda ficou limitado pela nomeação de Suvorov como o segundo no comando. Assim como Bibikov, Panin foi encorajado a alistar a nobreza das províncias rebeldes. Em recompensa a eles, todos os privilégios da aristocracia, inclusive poder absoluto sobre os servos, seriam garantidos pela coroa. A tática deu resultado: os nobres forneceram homens, dinheiro e suprimentos.

No campo, os métodos de retaliação usados por Panin eram apenas ligeiramente menos cruéis que os de Pugachev. Antes, sob Bibikov, o exército lidava com leniência com os rebeldes capturados. Após a libertação de Orenbourg, a grande maioria dos seguidores de Pugachev feitos prisioneiros foi solta com um salvo-conduto para voltar para casa. Muitos dos capturados nas batalhas externas a Kazan receberam 15 copeques para a viagem. Agora, à medida que a revolta entrava em fase final, com a destrutiva retirada de Pugachev descendo o Volga, Panin impôs represálias severas. Em 24 de agosto, ele lançou uma proclamação ameaçando esquartejar todos os que tinham tomado parte na rebelião. Panin sabia que excedia a autoridade que lhe fora conferida por Catarina, mas ela estava longe, e ele a ignorou.

Catarina passou o mês de agosto em Tsarskoe Selo, acompanhando ansiosamente as violências de Pugachev ao longo do Volga. No fim do mês, ela disse a Voltaire que estava esperando "algo decisivo" porque havia dez dias que não recebia notícias de Panin, e como "as notícias ruins chegam mais rápido que as boas, estou esperando pelas boas". Enquanto os veteranos de Suvorov avançavam, o exército de Pugachev começava a se desfazer, mas, mesmo chegando ao fim, ainda inspirava medo. Em 26 de julho, em Saransk, Pugachev jantou na casa da viúva do governador e depois a enforcou na janela. Os nobres eram pendurados em grupos, pelas pernas, com a cabeça, as mãos e os pés cortados. Em 1º de agosto, cavaleiros anunciaram no mercado de Penza que "Pedro III" estava chegando e, se não fosse recebido com os tradicionais pão e sal, todos ali, inclusive os bebês, seriam massacrados. Pugachev chegou, foi bem recebido, duzentos homens foram recrutados à força e a casa do governador foi queimada, com o governador e mais vinte pessoas da aristocracia trancados dentro. Em outro vilarejo, um astrônomo que lá residia foi enforcado para ficar "mais perto das estrelas".

As tentativas de Pugachev de recrutar homens entre seus conterrâneos do Don eram amplamente ignoradas. Todos sabiam que havia uma recompensa de 20 mil rublos por sua captura e que tropas governamentais de veteranos se aproximavam. E muitos sabiam que Pugachev não era Pedro III. Quando ele apareceu cavalgando em Tsaritsyn (mais tarde

Stalingrado e hoje Volgogrado) para falar com um grupo de líderes de cossacos do Don, foi reconhecido e denunciado como impostor. Dois dias depois, sofreu a derrota final em Sarepta, ao sul de Tsaritsyn. Essa derrota gerou a debandada. Pugachev escapou nadando no Volga, com trinta seguidores. Mas a derrota, o medo e a fome enfraqueciam a lealdade de todos à sua volta.

Em 15 de setembro de 1774, quase um ano depois do início da revolta, Pugachev estava de volta ao ponto de partida, em Yaitsk, no rio Yaik. Ali, um grupo de tenentes atemorizados, na esperança de serem salvos por meio da traição, caíram sobre o chefe adormecido. "Como se atrevem a levantar a mão contra o imperador?", ele gritou. "Não vão conseguir nada com isso!" Imperturbáveis, entregaram Pugachev acorrentado a Pedro Panin.

Em 30 de setembro, Panin escreveu a Catarina dizendo que tinha visto o "monstro infernal". Pugachev nem tentou sustentar a impostura. Caiu de joelhos declarando que era Emelyan Pugachev e admitindo que, se passando por Pedro III, tinha pecado contra Deus e Sua Majestade Imperial. Pugachev foi colocado numa jaula de ferro, sem espaço para que ficasse de pé, atrelada a uma carroça. Assim ele foi sacolejando por centenas de quilômetros até Moscou, passando por cidades e aldeias onde fora aclamado como herói libertador.

Em 4 de novembro de 1774, Pugachev chegou enjaulado a Moscou. Foi o início de seis semanas de interrogatório. A imperatriz queria tirar dúvidas sobre a rebelião. Ela ainda não podia acreditar que um cossaco analfabeto havia instigado a revolta sozinho. Em tom desinteressado, Voltaire propôs que perguntassem a ele: "O senhor é senhor ou servo? Não estou perguntando quem é seu patrão, mas simplesmente se você é empregado." A imperatriz desejava mais que isso. Se havia patrões, ela queria saber quem eram. Catarina monitorou o procedimento com o maior cuidado, mas, apesar de sua curiosidade, proibiu que usassem tortura. Antes do começo da investigação, ela havia escrito ao príncipe Volkonsky, governador-geral de Moscou: "Pelo amor de Deus, evite torturas nos interrogatórios, que sempre obscurecem a verdade." Por trás dessa ordem, havia não só a oposição à barbárie, mas também um calculismo político. A rebelião parecia ter se desgastado, mas parecia ter sido assim também antes do ataque surpresa a Kazan. Mesmo agora, talvez ainda pudesse surgir um novo líder à espera de reavivar o levante. A tortura de um homem que tantos camponeses acreditaram ser um czar poderia acender uma nova fagulha. Embora intrigada com os motivos e o caráter do impostor, Catarina não desejava vê-lo. Já havia planejado passar uma temporada em Moscou para comemorar a paz com a Turquia, e queria que toda a história com Pugachev estivesse terminada quando chegasse lá. Quanto à influência estrangeira, mesmo antes do término do interrogatório, Catarina concluiu que não havia. A Voltaire, ela escreveu: "O marquês de Pugachev viveu como um patife e vai morrer como um covarde. Não sabe ler nem escrever, mas é um homem ousado e determinado. Até agora não há o menor indício de que ele tenha sido instrumento de alguma potência estrangeira. É de supor que *monsieur* Pugachev seja um mestre salteador e servo de ninguém. Desde Tamerlão, ninguém causou tanto mal quanto ele."

Em 5 de dezembro, o trabalho da comissão de interrogatório foi finalizado. Pugachev confessou e manifestou ter esperança de perdão, mas a sentença de morte era inevitável. Ainda assim, Catarina escreveu a Voltaire: "Se ele tivesse feito mal apenas a mim, sua esperança poderia ser justificada, e eu poderia perdoá-lo, mas seu julgamento envolve o império e nossas leis." Para se dissociar publicamente do julgamento e da execução, ela mandou discretamente o general Vyazemsky a Moscou com instruções de encerrar o caso rapidamente. Em seguida, escreveu ao governador de Moscou, príncipe Volkonsky: "Por favor, ajude a inspirar moderação a todos, tanto no número como na punição dos criminosos. O oposto seria deplorável para meu amor pela humanidade. Não precisamos ser inteligentes para lidar com bárbaros."

Vyazemsky fez o possível para obedecer. No clima vingativo de Moscou, a fim de evitar a pressão pública, ele montou um tribunal especial constituído por oficiais de alto escalão e membros do Sínodo Sagrado. O julgamento foi realizado secretamente no Kremlim, em 30 e 31 de dezembro. Pugachev foi levado ao tribunal no segundo dia. Ele caiu de joelhos, admitiu novamente ser Emelyan Pugachev, reconheceu seus crimes e declarou que se arrependia diante de Deus e da muito misericordiosa imperatriz. Quando o retiraram, os juízes decidiram que seria esquartejado vivo e depois decapitado. Mas, como a mesma sentença tinha sido dada a um de seus tenentes, vários juízes protestaram, dizendo que a sentença de Pugachev deveria ser mais severa e dolorosa que a de outros. "Por isso queriam quebrar Pugachev na roda", Vyazemsky escreveu a Catarina, "para distingui-lo do resto." Por fim, o procurador-geral convenceu os juízes a deixarem a sentença como estava. Sabendo que a imperatriz jamais aceitaria o espetáculo público de Pugachev sendo esquartejado vivo, Vyazemsky combinou em segredo com o chefe de polícia que o carrasco cortasse "acidentalmente" a cabeça de Pugachev primeiro e depois cortasse suas mãos e pés. A execução aconteceu diante de uma enorme multidão numa praça de Moscou, em 10 de janeiro de 1775. Pugachev fez o sinal da cruz e colocou a cabeça no cepo. Então, para a raiva indignada dos espectadores, que incluíam nobres querendo saborear a vingança, o carrasco pareceu confundir o serviço e decapitou Pugachev imediatamente. Muitos acharam que, ou o carrasco era incompetente, ou havia sido subornado. Quatro tenentes de Pugachev foram esquartejados e depois decapitados. Os tenentes que traíram e entregaram o chefe foram perdoados.

Dias depois da morte de Pugachev, Catarina partiu para Moscou a fim de comemorar a vitória da Rússia sobre a Turquia. Enquanto estava lá, ela começou a apagar os traços da rebelião. As duas mulheres e os três filhos de Pugachev foram encarcerados no forte de Kexholm, na Finlândia russa. Sua casa no Don foi destruída. Foi proibido dizer o nome dele, e seu irmão, que não tinha participado da revolta, teve ordem de não mais usar o nome da família. Os cossacos do Yaik foram rebatizados de cossacos do Ural, e Yaitsk, sua capital, e o rio foram renomeados Uralsk e Ural respectivamente. Em 17 de março de 1775, a imperatriz concedeu anistia geral a todos os envolvidos "nos motins, levantes, agitação e desordem internos nos anos de 1773 e 1774", condenando "tudo o que se passou ao eterno esquecimento e profundo silêncio". Todas as sentenças de morte foram comutadas por trabalhos forçados; sentenças mais leves foram reduzidas para exílio na Sibéria; desertores do exército rebelde e camponeses fugitivos foram perdoados. Pedro Panin recebeu agradecimentos e permissão para se retirar, e ficou emburrado em Moscou pelo resto da vida.

No campo, poucos entre a nobreza compartilhavam a crença de Catarina em contenção. Em represália ao massacre de suas famílias e amigos, os senhores estavam decididos a fazer justiça. Uma vez restabelecida a ordem pelo exército, os senhores se mostraram implacáveis. Servos considerados culpados foram condenados à morte sem julgamento. Com poucas exceções, os donos de propriedades nem sequer pensaram em melhorar as condições que levaram o campesinato àquela temível violência.

O *Pugachevshchína* (tempos de Pugachev) foi o maior de todos os levantes violentos na Rússia. Cento e trinta e quatro anos mais tarde, em 1905, a revolução produziu greves de alcance nacional, violência urbana, o Domingo Sangrento em São Petersburgo, a chegada do amotinado couraçado *Potemkin* ao porto de Odessa, a onda de barricadas em Moscou e, por fim, a criação de uma Duma parlamentar, que tinha o direito de falar, mas não de agir. A Revolução Russa de 1917, comparada em termos de violência, não passou de um golpe de Estado pacífico, tirando do poder os ministros da Duma que haviam substituído o czar Nicolau II, depois de sua abdicação.

A revolta de Pugachev foi também o mais sério desafio à autoridade de Catarina durante seu reinado. Ela não se orgulhou da derrota e execução de Pugachev. Estava ciente de que muitos, na Rússia e na Europa, a consideravam responsável – alguns pelo que ela fez, e outros pelo que não fez. Ela sabia das críticas, seguiu em frente e nunca voltou atrás. Jamais esqueceu, porém, que após 11 anos de reinado, seu povo, cuja vida ela esperava melhorar, se levantara contra ela, participando dos ataques arrasadores de "Pedro III". Também não se esqueceu de que, mais uma vez, seu apoio tinha vindo da nobreza. Não se falou mais em acabar com a servidão. Os senhores eram estimulados a tratar seus servos com humanidade, mas a imperatriz agora estava convencida de que o Iluminismo não podia ser imposto a uma nação de analfabetos, antes que o povo estivesse preparado pela educação. O *Nakaz*, que incorporava os princípios iluministas, os ideais e aspirações de sua juventude, tornou-se apenas uma lembrança. Depois de Pugachev, ela se concentrou no que acreditava serem os interesses russos que ela possuía o poder de mudar: a expansão do império e o enriquecimento da cultura.

PARTE VI
Potemkin e favoritismo

58

VASILCHIKOV

Durante 11 anos, de 1761 a 1772, Catarina foi fiel a Gregório Orlov. Tinha imenso orgulho dele, elogiava sua bravura, generosidade e lealdade à coroa. Embora a suas façanhas não correspondesse uma inteligência brilhante, e seus defeitos de caráter incluíssem egoísmo, vaidade e indolência, ele ainda ostentava a coragem e o charme masculino que a atraíram desde o princípio. Após fracassar em persuadi-la a se casar com ele, e se vendo incapaz de dominá-la, Orlov encontrou outras mulheres. Catarina sofria, mas fingia não perceber. Em 1771, ele se reabilitou devido a seu comportamento heroico durante a peste em Moscou. Impressionada, ela lhe confiou outra missão, a fim de aumentar seu prestígio. O impasse nos campos de batalha do Sul da Rússia tinha levado a uma tentativa de negociar a paz com os turcos. Catarina indicou Gregório para chefiar as negociações e, em março de 1772, ele foi para o Danúbio. Quando ele partiu, Catarina escreveu a *frau* Bielcke, em Hamburgo: "Ele deve aparecer para os turcos como um anjo da paz em toda a sua grande beleza." Todavia, nas conversações de paz, desastrado e egocêntrico, Orlov pôs tudo a perder. Ele insistiu que as exigências da Rússia fossem tratadas como as de um conquistador e se firmou nessa posição com tamanha arrogância que os emissários turcos, ofendidos, suspenderam a negociação. Antes desse desfecho, a situação dele em São Petersburgo já estava totalmente abalada. No dia em que ele partiu para o Sul, disseram a Catarina que seu "anjo" tinha começado um novo *affair*. O reinado de Orlov durou 13 anos e ela havia perdoado muito; isso já era demais. Cansada desse comportamento recorrente, Catarina resolveu pôr fim ao relacionamento. Não chegou com facilidade a essa decisão, mas, uma vez decidida, quis fazer de uma forma que tornasse impossível a reconciliação. Esperou até que ele estivesse bem longe.

Nikita Panin, nada amigo dos Orlov, ao ver a imperatriz oscilando entre a raiva e o desespero, forçou a substituição de Gregório por um oficial da Guarda Montada, de 28 anos, chamado Alexander Vasilchikov. Catarina admitia que não podia "viver um só dia sem amor", mas com aquele candidato dificilmente se trataria de um caso de amor. Alexander Vasilchikov parecia inofensivo. Vinha de uma família nobre, era modesto, de temperamento calmo, boas maneiras e falava perfeitamente o francês. Num jantar na corte, Catarina observou essas qualidades, além de seu belo rosto e lindos olhos negros. O ministro prussiano notou o bom humor da imperatriz na presença do jovem e a correspondente inquietação dos parentes de Orlov. Quando Vasilchikov foi presenteado com uma caixa de rapé, sua relutância em aceitar intensificou o desejo da doadora de lhe conceder mais. Em agosto, foi promovido a camarista e, em setembro, a camareiro da corte. De repente, o jovem foi instalado no apartamento de Orlov no Palácio de Inverno, com seus aposentos ligados aos de Catarina por uma escada privativa. Nomeado ajudante geral, ganhou 100 mil rublos e um salário anual de 12 mil rublos, além de joias, um guarda-roupa novo, servos e uma propriedade rural. Essa extraordinária ascensão deixou a corte embasbacada, mas a opinião geral era de que, quando Orlov retornasse, Vasilchikov não duraria nem uma semana.

Gregório ainda aguardava o andamento das negociações nos Bálcãs quando recebeu uma mensagem urgente de seu irmão Alexis, de São Petersburgo, dizendo que a imperatriz tinha arrumado um novo amante, um jovem oficial da Guarda Montada, "bonito, amável e uma completa nulidade". O delegado-chefe da Rússia abandonou imediatamente as conversações de paz e correu de volta a São Petersburgo. Nos subúrbios da cidade, foi mandado parar abruptamente. Por ordem de Catarina, ele deveria se retirar para sua propriedade em Gatchina. O pretexto era de que, devido à peste no ano anterior, todos os viajantes vindos do Sul teriam de passar um período de quarentena antes de entrar na capital. A verdade era que Catarina estava com medo de Gregório. Mandou trocar todas as fechaduras das portas e colocou guardas leais em volta de seu apartamento. Mesmo com todas essas precauções, ao menor barulhinho ela imaginava que Gregório vinha chegando, e estava sempre pronta a fugir. "Vocês não o conhecem", ela disse. "Ele é capaz de me matar e matar o grão-duque Paulo."

De Gatchina, Gregório implorou que o recebesse. Ela recusou, mas enviou uma mensagem dizendo que ele precisava ser razoável, ir embora e cuidar da saúde. Gregório replicou que estava se sentindo muito bem. Ela lhe pediu que devolvesse o retrato em miniatura cravejado de brilhantes que ele usava no peito. Ele devolveu os diamantes da moldura, mas ficou com o retrato.

Ao fim de quatro semanas de "quarentena", Orlov reapareceu subitamente na sociedade, como se nada tivesse acontecido. Fingiu não perceber que Vasilchikov estava desempenhando as funções que eram dele e permitiu-se até, em seu estilo de humor, fazer amizade com o novo favorito, elogiando-o em voz alta e fazendo chacotas sobre si mesmo. Foi Vasilchikov que enrubesceu de vergonha quando, à noite, na presença de toda a corte, inclusive Orlov, a imperatriz lhe deu o braço para acompanhá-la ao apartamento. Ninguém sabia como reagir. Orlov viu então que o "nulidade" bonitinho tinha vencido. Ele sabia que Catarina não estava apaixonada, e tinha aceitado esse jovem pela mesma razão que ele colecionava amantes: a necessidade de uma companhia submissa e sempre à mão. Vendo que tinha ficado numa posição ridícula, ele pediu permissão para viajar. Catarina concordou, sem uma palavra de recriminação. Antes de partir, Orlov ainda aceitou ser premiado com uns rublos adicionais e ter direito de usar o título de Príncipe do Sagrado Império Romano.

A partida de Gregório Orlov trouxe paz à corte, mas, para Catarina, o preço da paz era o tédio. Vasilchikov era bonito, mas seu intelecto e personalidade eram tão limitados que tornavam a conversa impossível. Cansada após um dia de administração do império, Catarina desejava estimulação intelectual, diversão e distrações nas horas de relaxamento. Vasilchikov não tinha nenhuma dessas aptidões, e ela logo viu que estava com uma criatura maçante, incapaz de dizer ou fazer alguma coisa interessante ou engraçada. Ele era atencioso, respeitador, bem-intencionado e decorativo. Nada disso adiantava. Ela o achava cada vez mais maçante, até que insuportavelmente chato. Amantes posteriores, escolhidos pela imperatriz por sua aparência física, tinham de ser admirados por suas qualidades mentais superiores, ou pelo menos pela rapidez com que aprendiam. Vasilchikov não possuía nenhuma dessas aptidões, nem perspectivas. Os 22 meses de seu desfrute como favorito foram concomitantes a alguns dos eventos mais traumáticos, desafiadores e angustiosos do reinado de Catarina: a partilha da Polônia, a guerra com a Turquia e a rebelião de Pugachev. Ela precisava de alguém com quem conversar, alguém que pudesse lhe oferecer apoio e consolo, quando não conselhos políticos e militares. Que Vasilchikov não era capaz de nada disso era óbvio para todos.

Assim Vasilchikov, e não Orlov, veio a ser a primeira vítima da sua rebelião de *boudoir*, e ninguém foi capaz de entender melhor o que acontecia do que o desventurado favorito. Ele tinha sensibilidade suficiente para ver que entediava a amante e que ela o considerava apenas um tapa-buraco. O jeito tímido, dócil que era um dos seus pontos fortes, tomou um aspecto impertinente e amargo. O relato que ele faz da vida com a imperatriz é um queixume de criança abandonada:

> Eu não era nada mais que uma espécie de *cocotte* masculino, e tratado como tal. Não tinha permissão de receber convidados, nem de sair. Se eu pedia alguma coisa para mim ou para outra pessoa, ela não respondia. Quando eu quis ter a Ordem de Santa Ana, falei com a imperatriz. No dia seguinte, encontrei um cheque de 30 mil rublos no meu bolso. Era assim que ela sempre me calava a boca e me mandava para o quarto. Nunca condescendeu em conversar comigo sobre as coisas mais perto do meu coração.

Catarina o mantinha porque, tendo feito a infeliz escolha daquele obscuro guardinha, achava que seria cruel dispensá-lo por faltas de que ele não tinha culpa. Finalmente, quando não aguentava mais, escreveu a Potemkin: "Diga a Panin que mande Vasilchikov a algum lugar, para se tratar. Sinto-me sufocada, e ele se queixa de dores no peito. Depois ele pode ser indicado como embaixador para algum lugar, onde não haja muito trabalho. Ele é um chato. Me dei mal e jamais farei isso novamente."

Apesar do desempenho de Vasilchikov no papel de favorito ter sido provavelmente o mais fraco de todos os amantes de Catarina, ela aceitou a maior parte da culpa. Ele foi uma reposição rápida, instalada quando ela estava zangada com as infidelidades flagrantes e frequentes de Gregório. "Foi uma escolha casual", ela admitiu mais tarde, "feita no desespero. Na ocasião, eu estava sofrendo mais do que se pode imaginar."

O desditoso Vasilchikov partiu, generosamente recompensado por seus esforços e boas intenções. Retirou-se para uma grande propriedade no campo, perto de Moscou — presente da imperatriz. No correr dos anos, envelheceu como um tranquilo aristocrata rural, ignorado e esquecido pela soberana.

Depois que ele foi embora, ela trocou a mediocridade pelo gênio, e o tédio por um foguetório intelectual. Mandou chamar Potemkin.

※ 59 ※
CATARINA E POTEMKIN: PAIXÃO

A FIGURA MAIS MARCANTE NO REINADO DE CATARINA, além da própria imperatriz, foi Gregório Potemkin. Durante 17 anos, de 1774 a 1791, ele foi o homem mais poderoso da Rússia. Ninguém foi tão íntimo de Catarina em toda a sua vida. Foi amante, conselheiro, comandante em chefe, governador e vice-rei de metade do império, criador de novas cidades, portos, palácios, exércitos e frotas marítimas. Talvez tenha sido até seu marido.

A família de Gregório Potemkin vinha servindo os soberanos russos havia muitas gerações. Seu ancestral do século XVII, Pedro Potemkin, tinha sido enviado pelo czar Alexis, pai de Pedro, o Grande, em missões diplomáticas na Espanha e na França. Decidido a reafirmar a supremacia e a dignidade de seu senhor, ele exigia que o rei da Espanha tirasse o chapéu cada vez que fosse mencionado o nome do czar. Em Paris, recusou-se a falar com o Rei Sol, Luís XIV, devido a um erro que o rei cometeu sobre os títulos do czar. Depois, em Copenhague, foi recebido pelo rei da Dinamarca, já doente e acamado. Potemkin mandou que trouxessem outra cama e colocassem ao lado do leito do rei para que pudessem negociar em posição de absoluta igualdade. Esse Potemkin, avô de Gregório, morreu em 1700, aos 83 anos, exigente e excêntrico até o fim.

O pai de Gregório, Alexander Potemkin, não era muito diferente. Quando jovem, em 1709, lutou na batalha de Poltava contra Carlos II da Suécia. Reformado com a patente de coronel, morando numa pequena propriedade perto de Smolensk, Alexander Potemkin conheceu numa viagem uma bela viúva, jovem e indigente, chamada Daria Skouratova. Ele tinha 50 anos, e ela, 20, mas se casou com ela ali mesmo, esquecendo-se de dizer que já era casado. Daria engravidou antes de descobrir que tinha se casado com um bígamo. Sua reação foi procurar a esposa de Potemkin para pedir orientação. A esposa mais velha, cuja vida com o marido era infeliz, resolveu a situação entrando para um convento; na verdade, se divorciando do coronel. Daria continuou vivendo com o marido cinquentão, não mais feliz que a antecessora, e teve seis filhos, cinco meninas e um menino, Gregório.

O menino nasceu em 13 de setembro de 1739, e chegou ao mundo mimado pela mãe amorosa e as cinco irmãs. Como a família não podia pagar um tutor, sua educação teve início com o diácono da aldeia. Gregório adorava música, o diácono tinha uma voz magnífica e impunha disciplina ao seu turbulento e precoce aluno com ameaças de não cantar mais para ele. Aos 5 anos, Gregório foi morar com seu padrinho, um alto funcionário público em Moscou. Tendo um bom ouvido, tanto para música como para línguas, aprendeu grego, latim, francês e alemão. Na adolescência, foi atraído pela teologia e também pelo exército, mas em qualquer das profissões que escolhesse, queria estar no comando. "Se eu for general", ele disse aos amigos, "terei soldados às minhas ordens; se for bispo, terei monges." Quando entrou para a recém-inaugurada Universidade de Moscou, recebeu medalha de ouro em teologia. Depois perdeu o interesse, deixou de ir às aulas, e foi expulso. Entrou para o exército como soldado na Guarda Montada, foi promovido a cabo e, em 1759, a capitão. Em 1762, acompanhou os irmãos Orlov e Nikita Panin no golpe que levou Catarina ao trono. Foi durante esse tumulto que ele arrumou a alça de espada que faltava a Catarina na marcha para Peterhof. Depois, quando Catarina estava distribuindo recompensas pela ajuda no golpe, o capitão Potemkin recebeu uma promoção e 10 mil rublos.

Aos 22 anos, Potemkin era alto, magro, com cabelos ruivos. Era inteligente, culto e de espírito vivaz. Quando chegou à corte, sua apresentação a Catarina foi apadrinhada pelos Orlov, que admiravam o jovem soldado, sua conversa interessante e talento para a mímica, imitando perfeitamente a voz das pessoas. Uma noite, Catarina pediu que a imitasse. Sem hesitar, ele falou com a voz dela, reproduzindo com exatidão seu estilo e sotaque germânicos. Catarina, sempre pronta a apreciar a inteligência e o humor, não conteve as risadas. A impertinência era arriscada, mas Potemkin julgou que a imperatriz iria se divertir, perdoar e não se esquecer dele. Seu julgamento foi correto. A partir de então, ele era sempre convidado para as reuniões íntimas de Catarina, de não mais que vinte pessoas, que aconteciam sem cerimônias e formalidades. Ela decretava que seus convidados tivessem bom humor e não falassem mal de ninguém. Mentiras e gabolices eram proibidas, e todos os pensamentos desagradáveis deviam ser deixados na porta, junto com os chapéus e as espadas. Nessa atmosfera desinibida, Gregório Potemkin — sagaz, artístico, musical e capaz de fazer a imperatriz rir — era sempre bem-vindo.

Outros na corte notaram que uma forte admiração mútua vinha se desenvolvendo, e começaram os mexericos. Diziam que Potemkin, encontrando a imperatriz num corredor do palácio, se ajoelhou, beijou-lhe a mão e não foi repreendido. Os Orlov não gostavam dessas histórias. Gregório Orlov era o favorito fixo e pai do filho dela, Bobrinsky. Ele e seus irmãos tinham sido agraciados com enorme fortuna e poder. Parecia-lhes que Potemkin estava começando a se insinuar demais. Segundo alguns relatos, Potemkin foi chamado ao quarto de Gregório Orlov, onde os dois irmãos, Gregório e Alexis, lhe deram uma surra para que aprendesse a lição. Posteriormente, houve rumores de que foi nessa briga que Potemkin perdeu a visão do olho esquerdo (uma explicação mais plausível é que ele ficou cego devido a um tratamento incorreto de uma infecção por um médico incompetente). Seja qual for a causa, essa deformidade aborreceu tanto Potemkin que ele desapareceu da corte. Quando a imperatriz perguntou por ele e disseram que estava com uma deformidade física, ela mandou dizer que isso não era motivo, e que Potemkin retornasse. Ele obedeceu.

Catarina passou a usar os talentos administrativos de Potemkin em 1763, quando, sabendo de seu interesse por religião, o nomeou assistente do procurador do Sínodo Sagrado, que fiscalizava a administração e as finanças da Igreja. Ao mesmo tempo, deu impulso à sua carreira militar e, em 1767, ele era comandante sênior do regimento da Guarda Montada. No ano seguinte, tornou-se camareiro da corte. Quando a Comissão Legislativa se reuniu, foi nomeado curador dos tártaros e de outras minorias étnicas do Império Russo. Desde então, Potemkin passou a ter um interesse especial pelos súditos não russos de Catarina. Em anos posteriores, tendo o poder supremo no Sul, sempre houve chefes tribais de todos os credos em sua comitiva. Seu amor inicial pelas controvérsias eclesiásticas permanecia. Raramente perdia uma oportunidade de discutir pontos de crenças religiosas com líderes de todos os credos. Quando começou a Primeira Guerra da Turquia, em 1769, ele foi imediatamente para o *front* como voluntário. Com a permissão de Catarina, uniu-se ao exército do general Rumyantsev, onde serviu a princípio como *aide-de--camp* do general e depois como um destacado líder da cavalaria. Em reconhecimento por seus serviços, foi promovido a major-general e, em novembro de 1769, escolhido para levar os relatórios da campanha de Rumyantsev à imperatriz. Em São Petersburgo, ele foi recebido como um comandante prestigioso e convidado a jantar com a imperatriz.

Quando voltou ao exército no Sul, trazia permissão de Catarina para escrever a ela em particular. Ela ficou surpresa quando ele demorou a fazer uso desse privilégio. Em 4 de dezembro de 1773, ela o admoestou:

Senhor Tenente Geral e Chevalier: suponho que tenha seus olhos tão completamente absorvidos em Silestra [uma fortaleza turca no Danúbio sob cerco do Exército russo] que não tem tempo de ler cartas. Não obstante, estou certa de que tudo o que você toma a seu cargo pode ser atribuído a nada além do seu ardente zelo por mim pessoalmente e pela querida pátria à qual você ama servir. Mas dado que desejo muito preservar indivíduos fervorosos, bravos, inteligentes e hábeis, peço que não se coloque em perigo. Ao ler esta carta, você bem pode perguntar: Por que foi escrita? Ao que posso oferecer a seguinte resposta: para que tenha confirmação de minha opinião sobre você, pois sou sempre muito benevolente com você. Catarina.

Potemkin dificilmente deixaria de reconhecer um convite nessa linguagem. Em janeiro de 1774, quando o exército estava no alojamento de inverno, ele saiu em licença e correu a São Petersburgo.

Quando chegou, encontrou o governo e Catarina se debatendo com múltiplas crises. A guerra com a Turquia entrava no sexto ano, a rebelião de Pugachev se alastrava e o relacionamento íntimo de Catarina com Alexander Vasilchikov chegava ao estágio final. Potemkin, acreditando que havia sido chamado por motivos pessoais, ficou consternado ao ver que Vasilchikov continuava firme em sua posição. Pediu uma audiência particular com Catarina e, em 4 de fevereiro, foi a Tsarskoe Selo. Ela lhe disse que o queria por perto. Ele parecia estar feliz nesse retorno à corte. Continuou fazendo Catarina rir e era geralmente reconhecido como herdeiro presuntivo da função de favorito. Um dia, dizem, ele ia subindo a escadaria do palácio e encontrou Gregório Orlov descendo.

– Alguma novidade na corte? – Potemkin perguntou.

– Nada em particular – respondeu Orlov –, exceto que você está subindo e eu estou descendo.

Vasilchikov ainda conseguiu se agarrar ao seu posto privilegiado durante algumas semanas, dado que Catarina se preocupava com a impressão que uma mudança iria causar em São Petersburgo e no exterior. Tinha receio também de ficar mal com Panin ao repudiar seu nomeado, e o mais importante era seu desejo de fazer a escolha certa.

Frustrado com a procrastinação de Catarina, Potemkin resolveu forçar a situação. Passou a ir à corte raramente e, quando ia, não dizia nada.

Depois desapareceu completamente. Disseram a Catarina que Potemkin estava sofrendo com um caso de amor infeliz porque uma certa mulher não correspondia ao seu sentimento, que o desespero dele era tão profundo que andava pensando em entrar para um monastério. Catarina disse: "Não entendo o que o reduziu a tanto desespero. Pensei que minha amizade o tivesse levado a saber que seu fervor não me era desagradável." Quando essas palavras chegaram aos ouvidos de Potemkin, ele soube que Vasilchikov estava de saída.

Lançando mão de seu pendor para o drama, Potemkin decidiu aumentar a pressão. No fim de janeiro, entrou para o monastério Alexander Nevsky, na periferia de São Petersburgo. Ali, aparentando melancolia, deixou crescer a barba e cumpria a rotina dos monges. Panin entendeu o jogo de Potemkin. O conselheiro pediu uma audiência e disse à imperatriz que, embora os méritos do general Potemkin fossem universalmente reconhecidos, ele fora suficientemente recompensado e nada mais precisaria ser concedido ao cavalheiro. Caso mais promoções fossem consideradas, ela deveria compreender que "o Estado e a senhora, madame, logo sentirão a ambição, o orgulho e as excentricidades desse homem. Temo que sua escolha lhe cause muitos dissabores". Catarina respondeu que era prematuro levantar essa questão. Dadas as capacidades de Potemkin, ele poderia ser útil como soldado e como diplomata. Era corajoso, inteligente e educado. Homens assim não eram tão numerosos na Rússia para que ela permitisse que ele se escondesse num monastério. Assim sendo, ela faria tudo em seu poder para evitar que o general Potemkin recebesse a ordenação sagrada.

Catarina não queria correr o risco de Potemkin fazer de sua ausência uma retirada permanente. Segundo uma versão, ela enviou sua amiga e dama de companhia condessa Prascovia Bruce ao monastério para dizer a Potemkin que, se retornasse à corte, poderia contar com a proteção da imperatriz. Potemkin não aliviou a incumbência da emissária. Quando ela chegou ao monastério, pediu-lhe que esperasse, dizendo que estava na hora das orações e não podia ser interrompido. Vestindo o hábito monástico, ele se uniu à procissão dos monges, participou do culto e se prostrou murmurando preces diante da imagem de Santa Catarina. Finalmente se levantou, fez o sinal da cruz e foi falar com a enviada. A mensagem trazida pela condessa tinha um toque convincente. Ademais, Potemkin ficou impressionado com a posição da mensageira. Persuadido, largou a batina, fez a barba e voltou para São Petersburgo numa carruagem da corte.

Tornou-se amante de Catarina e, imediatamente, ciumento demais. Afora ter se deitado ao lado do seu infeliz marido, Pedro, Catarina tinha dormido com quatro homens antes de Potemkin: Saltykov, Poniatowski, Orlov e Vasilchikov. A existência desses predecessores e imagens dela como parceira sexual de outros homens atormentavam Potemkin. Ele acusava a imperatriz de ter tido 15 amantes anteriores. Numa tentativa de acalmá-lo, Catarina se trancou no apartamento em 21 de fevereiro e escreveu uma carta intitulada "Uma confissão sincera", narrando suas experiências românticas prévias. Nos anais das confissões reais por escrito, é o único caso de uma rainha onipotente tentar obter o perdão de um amante exigente por ações anteriores.

Contando os detalhes de sua vida amorosa, ela começou com as circunstâncias do casamento e as dolorosas decepções devidas aos casos de amor dele. Seu tom sincero, se desculpando, quase implorando, revela o quão desesperadamente ela desejava Potemkin. Explicou como a ansiedade da imperatriz Elizabeth em vista do fracasso dela em dar à luz um herdeiro do trono a levou ao primeiro caso de amor. Admitiu que, sob pressão da imperatriz e de Maria Choglokova, ela escolheu Saltykov, "principalmente por causa de sua óbvia inclinação". Depois Saltykov foi mandado embora, "pois se conduzia indiscretamente".

>Após um ano de intensa tristeza, o atual rei da Polônia [Stanislaus Poniatowski] apareceu. Não reparamos nele, mas boas pessoas me forçaram a notar que ele existia, que seus olhos eram de uma beleza incomparável e que ele os dirigia (apesar de tão míope que não enxergava um palmo adiante do nariz) mais frequentemente em uma direção do que em outra. Ele foi tão amoroso quanto amado de 1755 a 1761, [que incluíram] três anos de ausência. Depois o empenho do príncipe Gregório Orlov, que também boas pessoas me forçaram a notar, mudou meu estado de espírito. Este teria ficado pelo resto da vida se ele mesmo não tivesse se cansado. Eu soube de [sua nova infidelidade] no próprio dia de sua partida para [fazer a paz com os turcos] e, em consequência disso, decidi que não podia mais confiar nele. Esse pensamento me atormentou cruelmente e me obrigou, por força do desespero, a fazer uma escolha [Vasilchikov], que me afligiu então e ainda me aflige mais do que se pode dizer.

>Então chegou um certo cavalheiro [Potemkin]. Por seus méritos e gentileza, esse herói era tão charmoso que as pessoas já diziam que

deveria residir aqui. Mas elas não sabiam que eu já o tinha chamado para cá.

Agora, Senhor Cavalheiro, depois dessa confissão, posso esperar absolvição dos meus pecados? Você gostará de saber que não foram 15, mas um terço disso. O primeiro [Saltykov], escolhido por necessidade, e o quarto [Vasilchikov], por desespero, a meu ver não podem ser atribuídos a frivolidades. Quanto aos outros três [Poniatowski, Orlov e o próprio Potemkin], se você olhar atentamente, Deus sabe que não foram resultado de devassidão, à qual não tenho a menor tendência, e se o destino tivesse me dado na juventude um marido a quem pudesse amar, eu teria sido fiel a ele por toda a minha vida. O problema é que meu coração reluta em ficar sem amor, mesmo durante uma única hora. Se me quiser ter para sempre, demonstre tanta amizade quanto demonstra amor e, acima de tudo, me ame e me diga a verdade.

Juntamente com a interpretação de sua história romântica, essa carta de Catarina mostra o impacto da personalidade de Potemkin sobre ela. Potemkin entendeu bem. Seguro de que ele eclipsava todos os anteriores, escreveu a Catarina exigindo o que achava que lhe era devido:

Permaneço desmotivado pela inveja daqueles que, embora mais jovens que eu, receberam mais signos do favor imperial, e me desagrada unicamente a possibilidade de que, no pensamento de Vossa Majestade Imperial, eu seja considerado de menos valor que os outros. Afligido por isso, tenho a audácia de pedir que meus serviços sejam dignos de seu favor; minha dúvida seria esclarecida com a recompensa do título de general ajudante de Vossa Majestade Imperial. Isso não [iria] desagradar ninguém, e eu o teria como o zênite da felicidade.

A função de general ajudante era o status oficial dos favoritos de Catarina, mas a ideia de que não iria desagradar a ninguém era absurda. Além de Vasilchikov, que já não contava, desagradaria os Orlov, Panin, a maioria da corte e o filho de Catarina, o grão-duque Paulo, herdeiro do trono. Catarina desconsiderou tudo isso e respondeu no dia seguinte, numa carta que misturava o fraseado oficial e uma ironia ao pé do ouvido:

Senhor Tenente Geral: sua carta me foi entregue pela manhã. Julguei sua solicitação tão razoável em vista de seus serviços prestados a mim e à pátria que ordenei a redação de um édito lhe concedendo o título de General Ajudante. Admito também estar muito contente por sua confiança em mim ser tão grande que seu pedido me foi escrito diretamente, e não a intermediários. Tenha a certeza de que permaneço sempre sua benevolente, Catarina.

Depois Catarina escreveu ao general Alexander Bibikov, então comandante das tropas em combate a Pugachev, dizendo ter nomeado Potemkin ajudante pessoal dela "e como ele acha que você, sendo amigo dele, iria gostar da notícia, estou lhe comunicando. Parece-me que, considerando sua dedicação a mim e seus bons serviços, não fiz muito por ele, mas é difícil descrever sua alegria. E, olhando para ele, me alegro ao ver junto a mim pelo menos uma pessoa totalmente feliz". Ela ainda promoveu Potemkin a tenente-coronel da Guarda Preobrazhensky, o mais famoso regimento da Guarda Imperial, do qual ela também, como soberana, era coronel. Dias depois, o ministro britânico, sir Robert Gunning, informou a Londres:

Sr. Vasilchikov, o favorito, cujo entendimento era muito limitado para se supor que tivesse qualquer influência nos assuntos ou fosse alvo de confidências da amante, foi agora sucedido por um homem que preenche esses dois quesitos na forma mais suprema. Uma vez inteirada Vossa Senhoria de que a escolha da imperatriz é igualmente desaprovada pelo partido do grão-duque [inclusive Panin] e pelos Orlov, pode-se imaginar que ocasionou uma grande surpresa geral.

Quando a notícia se espalhou na corte, a condessa Rumyantseva escreveu a seu marido, o general que até meses antes era o superior de Potemkin na guerra da Turquia: "Agora, meu bem, tem de prestar contas a Potemkin."

Panin, apesar da advertência a Catarina sobre Potemkin, gostou da mudança porque prometia diminuir a influência dos Orlov. Quanto ao pobre Vasilchikov, ainda morando no palácio, passou a ser simplesmente uma inconveniência. Catarina estava fascinada pelo novo favorito, e até orgulhosa de sua fama de conquistador. "Não me surpreende que toda a cidade lhe atribua um número incontável de amantes", escreveu a ele. "Acho que ninguém no mundo é melhor com as mulheres do que você." No entanto, queria Potemkin exclusivamente para ela. Menos de uma semana depois de escrever a "Confissão sincera", ela ficou esperando por ele e, no dia seguinte, escreveu:

> Não entendi o que o impediu. E você não veio. Por favor, não tema. Somos sensatos demais. Mal me deitei, levantei, me vesti e fui à porta da biblioteca esperar por você, onde fiquei sob o vento frio por duas horas. E não antes de meia-noite voltei, por tristeza, a me deitar na cama onde, graças a você, passei [uma] noite sem dormir. Quero ver você e preciso ver você, sem falta!

Potemkin continuava com ciúmes de todo mundo, explodindo cada vez que ela dava atenção a outra pessoa. Uma noite no teatro, quando ela disse palavras amigáveis a Gregório Orlov, ele se levantou e saiu intempestivamente do camarote imperial. Catarina o advertiu para moderar suas atitudes com relação ao ex-amante:

> Só lhe peço que não faça uma coisa: não prejudique, nem mesmo tente prejudicar, minha opinião sobre o príncipe Orlov, pois eu consideraria uma ingratidão de sua parte. Não há ninguém que ele [Orlov] tenha elogiado mais a mim e a quem ele tenha amado mais no passado e agora, até a sua chegada, do que você. E, se ele tem suas faltas, não cabe a mim nem a você julgá-las e fazer com que outros saibam. Ele ama você e eles [os irmãos Orlov] são meus amigos, e não me separarei deles. Aprenda a lição. Se você for sensato, tenha cautela. Não seria sensato contradizer, dado que é a verdade absoluta.

Em abril, Potemkin mudou-se para o apartamento logo abaixo daquele ocupado pela imperatriz. Seus aposentos eram ligados pela escada privativa em espiral, acarpetada de verde. Como tinham horários diferentes – Catarina normalmente acordava para trabalhar às seis e se recolhia às dez da noite, e Potemkin ficava conversando e jogando cartas até a madrugada e acordava ao meio-dia –, não costumavam dormir juntos na mesma cama. À noite, ele subia ou ela descia a escada em espiral a fim de ficarem algum tempo juntos.

Quando se tornaram amantes, Catarina tinha 44 anos, dez mais que ele. Mostrava certa tendência a engordar, mas sua vitalidade e acuidade mental continuavam excepcionais. Potemkin via que sua paixão por aquela mulher era fortemente correspondida, o que só aumentava sua atração por ela. Ele podia ter se acomodado na vida luxuosa de favorito imperial, desfrutando das vantagens que acompanhavam a posição. Mas Potemkin não tinha interesse em ser simplesmente o provedor de prazeres íntimos da imperatriz. Ele queria uma vida de ação, responsabilidades, e estava disposto a tê-la com o apoio da mulher que personificava a Rússia.

Catarina estava desejosa de aceitá-lo nessas condições. Achava-o o homem mais lindo que jamais conhecera e mal notava o olho cego. Aos 34 anos, ele tinha ganho peso, e seu corpo já não era esbelto. Nada disso tinha importância. A Grimm, ela escreveu: "Separei-me de um certo cidadão excelente, mas muito entediante [Vasilchikov] que foi imediatamente substituído – eu mesma não sei bem como – pelo maior, mais bizarro e mais divertido excêntrico da Idade do Ferro."

Desde o começo, houve brigas. Dificilmente se passava um dia em que não houvesse uma cena, e quase sempre era Potemkin quem começava a discussão, e Catarina quem dava o primeiro passo para a reconciliação. Ele questionava a permanência dos sentimentos dela por ele e se aborrecia, e a ela, com desconfianças e acusações. Como a maior parte de suas cartas e anotações foram perdidas, existe apenas um curto registro do que ele escreveu a ela, mas as cartas dela para ele dão uma ideia do que ele lhe dizia. Todas as vezes ela precisava acalmá-lo com elogios, como a uma criança mimada:

> Não, Grishenka, é impossível que meus sentimentos por você se modifiquem. Seja razoável consigo mesmo: como eu poderia amar alguém mais depois de você? Acho que não existe ninguém como você e não ligo a mínima para outras pessoas. Odeio mudanças.
>
> Não há motivo para se zangar. Mas não, já é tempo de parar de lhe dar certezas. Agora você já tem de estar muito, muito, muito certo de que te amo. Quero que você me ame. Quero parecer dese-

jável a você. Se quiser, posso parafrasear esta folha em três palavras e riscar todo o resto. São elas: eu te amo.

Oh, meu querido, você deveria se envergonhar. Que necessidade há de dizer que aquele que tomar o seu lugar não viverá muito? Usar o medo para compelir o coração de alguém lhe parece correto? Esse método repugnante é totalmente contrário ao seu modo de pensar, que não abriga mal algum.

Não só o ciúme, mas a suscetibilidade a uma possível instabilidade de seu lugar davam motivo para discussão. Ele se recusava a ser tratado meramente como o favorito da imperatriz. Há uma carta dele com anotações nas margens feitas por Catarina e devolvida a ele, que mostra uma das discussões e a reconciliação:

ESCRITO POR POTEMKIN	ESCRITO POR CATARINA
Permita-me, amada preciosa, dizer estas palavras finais que penso encerrar nossa briga.	Tem permissão.
	Quanto antes, melhor.
Não se surpreenda por eu estar inquieto sobre nosso amor.	Fique calmo.
Além dos inumeráveis presentes com que você me agraciou, você me colocou no seu coração.	Uma mão lava a outra. Firme e solidamente.
Quero estar aí sozinho, preferido a todos os anteriores, pois ninguém a amou tanto quanto eu. E sou	Está e estará.
obra de suas mãos, por isso desejo que você garanta meu lugar, que	Vejo e acredito.
encontre alegria em me fazer o bem, que imagine tudo para meu conforto e encontre assim repouso dos grandes trabalhos que ocupam sua elevada posição. Amém.	Sou feliz de todo coração. O prazer é todo meu. Virá por si. Acalme seus pensamentos. Seus sentimentos são ternos e encontrarão o melhor caminho. Fim da briga. Amém.

Assim começou o período na vida de Catarina em que tinha um amante e parceiro que lhe dava quase tudo que ela queria. Sua intimidade permitia a Potemkin entrar no quarto dela de manhã vestindo apenas um roupão sobre o corpo nu, mesmo com o quarto cheio de visitantes e de funcionários da corte. Ele mal os via porque seus pensamentos ainda estavam na conversa fascinante interrompida poucas horas antes, quando Catarina, dizendo que precisava dormir um pouco, tinha saído do apartamento de baixo e subido para o dela.

Como trabalhavam em partes separadas do palácio durante o dia, escreviam bilhetes um para o outro, continuando as conversas. Eram protestos de amor misturados com assuntos de Estado, fofocas da corte, censuras queixosas e comentários sobre a saúde de cada um. Os nomes carinhosos que Catarina lhe dava eram "meu faisão dourado", "querido pombinho", "gatinho", "cachorrinho", "papá", "alma gêmea", "papagaiozinho", "grisha" e "grishenka". E também "cossaco", "moscovita", "leão na selva", "tigre", "*giaour* (infiel)", "meu bom senhor", "príncipe", "Sua Excelência", "Sua Alteza serena", "general" e "minha doce beleza a quem nenhum rei se compara". As expressões usadas por Potemkin eram mais formais, enfatizando a diferença de posição: "*matushka*", "madame", "Sua Graciosa Majestade Imperial". Catarina se preocupava porque ele levava os bilhetes no bolso e frequentemente os tirava para reler. Ela temia que algum caísse e fosse apanhado por alguém.

Para a mulher com uma ordenada mente germânica, que exercia perfeito autocontrole, a intensidade emocional que Catarina vivia com Potemkin ao mesmo tempo a libertava e confundia. Ela precisava escolher entre o prazer sexual, que a relaxava e esgotava, e os deveres de governante. Tentava ter ambos, e ambos afluíam à sua mente. Ela não era livre para estar com ele sempre que quisesse, e compensava a falta se cercando de pensamentos sobre Potemkin enquanto lia documentos ou escutava a leitura de relatórios, durante horas e horas. Como não era livre para passar esses dias de lua de mel sozinha com ele, Catarina jorrava palavras de amor nessas tirinhas de papel escritas às pressas.

Potemkin também estava imerso em paixão, mas intranquilo com outra coisa. Sabia que devia sua importância exclusivamente à imperatriz e, assim como ela havia tido e descartado Vasilchikov, poderia a qualquer momento substituí-lo igualmente. Houve um momento de clímax que mudou seu status. Seu plano era extravagante, talvez impraticável, ou apenas um devaneio. Ele queria legalizar a união por meio do casamento. Tocou no assunto logo depois de ter se tornado o favorito oficial, e o fato de Catarina ter considerado a proposta era uma medida do seu poder sobre ela. Não era fácil para Catarina, cautelosa quanto a abrir mão do poder. Dessa vez, por amor a Potemkin, ela pode ter concordado.

Se houve casamento, eis a versão mais amplamente aceita de como aconteceu:

Ninguém podia saber. Mas, para uma cerimônia ortodoxa, era preciso uma igreja, um padre e testemunhas. Foram tomadas essas providências. Em 8 de junho de 1774, depois de um jantar em homenagem à Guarda Izmailovsky, Catarina, vestindo o uniforme do regimento e acompanhada apenas por sua dama predileta, pegou um barco no canal Fontanka, cruzou o rio Neva para o lado de Vyborg e entrou numa carruagem sem identificação, que a levou à igreja de São Sampsonovsky. Lá Potemkin a esperava, vestindo seu uniforme de general. Somente cinco pessoas estavam presentes: Potemkin, Catarina, sua dama, seu camareiro e o sobrinho de Potemkin, Alexander Samoilov. O casamento foi realizado.

A história é verdadeira? Nunca se viram documentos, mas há outras formas de evidências. Em 1782, sir Robert Keith, embaixador na Áustria, passeando com o imperador José II, perguntou sobre os boatos:

— Parece, senhor, que o peso e a influência do príncipe Potemkin vêm diminuindo?

— Absolutamente — respondeu o imperador —, mas nunca foram o que o mundo imagina. A imperatriz da Rússia não deseja se separar dele e, por uma série de razões, e por uma série de conexões de todo tipo, ela não poderia se livrar facilmente dele, mesmo que quisesse.

Se Potemkin fosse um mero favorito, por que Catarina não podia se livrar dele? Tinha se livrado de Orlov, que, junto com seus irmãos, havia posto Catarina no trono e era pai de seu filho Bobrinsky. Um casamento, porém, criava uma situação diferente. Talvez o imperador estivesse dizendo isso.

Os embaixadores, assim como os imperadores, gostam de posar como quem está por dentro das coisas. Philippe de Ségur, embaixador em São Petersburgo, comunicou a Versalhes em 1778 que Potemkin tinha "certos direitos sagrados e inalienáveis que asseguram a continuação de seus privilégios. Um golpe de sorte levou-me a descobrir e, após ter pesquisado extensamente, informarei ao rei na primeira ocasião". Essa ocasião nunca se apresentou. A Revolução Francesa estourou um ano depois, Ségur voltou para a França, e cinco anos mais tarde o rei Luís XVI morreu na guilhotina.

A evidência mais forte aparece na linguagem das mensagens diárias de Catarina a Potemkin, escritas no fim da primavera de 1774. Ela se refere a ele como "querido marido", "meu senhor e terno esposo" e assina "sua devotada esposa". Ela nunca chamou outro amante, antes ou depois de Potemkin, de "marido", nem referiu a si mesma como "esposa". Em junho e julho de 1774, logo após o casamento – se é que ocorreu –, ela escreveu: "Receba meu beijo e meu abraço de corpo e alma, querido marido." E dias depois: "Amor amado, querido esposo, suplico que venha me afagar. Suas carícias são tão doces e prazerosas."

A história da Rússia oferece a mais forte de todas as evidências. Depois que a paixão física esfriou, Catarina e Gregório Potemkin continuaram a ter um relacionamento especial, muitas vezes incompreensível. O casamento poderia ser uma explicação. Se eram casados secretamente e ainda gostavam muito um do outro, mas concordavam em ter um *modus vivendi* peculiar, isso pode justificar a autoridade singular de Potemkin exercida sobre a Rússia de Catarina pelo resto da vida. Nesse período – mais de 15 anos –, ele teve e retribuiu a lealdade e afeição de Catarina. Isso permaneceu mesmo depois que ambos vieram a dormir com outras pessoas.

❦ 60 ❦
A ASCENSÃO DE POTEMKIN

POTEMKIN SE ELEVOU EM POSIÇÃO E PODER. Sua nomeação para general ajudante da imperatriz e tenente-coronel da Guarda Preobrazhensky foi o primeiro sinal visível de sua ascensão, seguida por uma torrente de títulos, honrarias e privilégios. Em 6 de maio de 1774, sir Robert Gunning relatou a Whitehall: "Não houve um caso de progresso tão rápido como esse. Ontem foi concedido ao general Potemkin o direito de ter um lugar no Conselho Secreto." Um mês depois, foi nomeado vice-presidente do Colégio de Guerra e governador-geral da Nova Rússia, uma enorme extensão de terras ao norte da Crimeia e do mar Negro. Pelos seus serviços na Turquia, foi presenteado com a miniatura de uma espada cravejada de brilhantes e com um retrato da imperatriz também emoldurado em brilhantes, para ser usado no peito, presente anteriormente dado apenas a Gregório Orlov. Recebeu as mais altas honrarias russas, uma após outra, e condecorações estrangeiras. Primeiro foi no Natal de 1774, a Ordem de Santo André, a maior honraria do Império Russo, depois vieram a Águia Negra, da Prússia, a Águia Branca, da Polônia, o Elefante Branco, da Dinamarca, e o Serafim Sagrado, da Suécia. Catarina não teve sucesso mundial nas condecorações de seu herói. A Áustria recusou fazer dele um Cavaleiro do Velocino de Ouro porque ele não era católico romano, e tentativas de obter a Ordem da Jarreteira, da Grã-Bretanha, foram recusadas laconicamente pelo rei George III. A Universidade de Moscou, de onde fora expulso por ser preguiçoso, lhe deu um diploma honorário. Quando Potemkin falou com um dos professores que tinham pedido sua expulsão, perguntou:

– Você se lembra de que me chutou para fora?
– Você mereceu – respondeu o professor.
Potemkin riu e deu um tapa nas costas do velho.

Catarina lhe dava joias, peles, porcelanas e mobílias. A comida e os vinhos de Potemkin eram pagos por ela, ao custo de 100 mil rublos por ano. As cinco filhas da irmã viúva dele, Maria Engelhardt, foram trazidas para a corte e criadas como damas de honra. Catarina era amável com a mãe dele: "Vi que sua mãe estava muito elegante, mas não tinha relógio. Peço que lhe dê este, em meu nome."

Quando Potemkin pediu para fazer parte do Conselho Imperial, foi rejeitado. Narrando o que aconteceu depois, um diplomata francês escreveu:

> No domingo, sentado ao lado de [Potemkin] e da imperatriz, vi que ele não só não falava com ela, mas também não respondia às suas perguntas. Ela ficou fora de si, e nós, totalmente desconcertados. Ao se levantar da mesa, a imperatriz se retirou sozinha, e, quando voltou, seus olhos estavam vermelhos. Na segunda-feira, ela estava mais animada. Ele entrou para o Conselho no mesmo dia.

Potemkin sabia que sua ascensão despertava inveja, e seu futuro dependia não somente de seu relacionamento com Catarina, mas também dos resultados do seu trabalho. A corte entendeu rapidamente que aquele favorito não seria nem um fantoche como Vasilchikov nem um bonachão amigável e indolente como Gregório Orlov. Os cortesãos ficaram divididos entre os que tentavam cair nas boas graças de Potemkin e os que se opunham a ele.

Nikita Panin ficou entre esses dois grupos. Havia se oposto aos rápidos avanços de Potemkin, mas seu ódio aos Orlov era maior que sua prudência com relação ao ambicioso recém-chegado. Potemkin, a princípio, procurou ganhar a simpatia de Panin, pelo valor desse apoio e também porque era um caminho de conciliação com o grão-duque Paulo. Panin devia sua longa influência aos anos em que tinha sido tutor do infante Paulo e a seu papel na ascensão de Catarina ao trono. Isso, e não a posição atual de Panin no Colégio de Assuntos Externos, era o que o mantinha morando no palácio. "Enquanto tiver minha cama no palácio, não perderei a influência", ele dizia. As tentativas de Potemkin chegar a Paulo e ao velho conselheiro tiveram resultados diferentes. Potemkin respeitava o domínio privilegiado de Panin nas relações exteriores e o relacionamento dos dois corria bem. Paulo, no entanto, se opunha tão fortemente a qualquer pessoa chegada a sua mãe que todos os esforços em sua direção eram infrutíferos.

Na primavera de 1774, com a continuação da guerra da Turquia e a rebelião de Pugachev ainda não resolvidas, Potemkin recebeu outras tarefas. Catarina ordenou que todos os documentos e correspondências com relação à rebelião fossem encaminhados a ele. Potemkin passou a se ocupar com minutas de documentos, redação de cartas e ajudava Catarina a pensar nas decisões a serem tomadas. Ela o consultava sobre qualquer coisa, desde importantes assuntos de Estado até a questões pessoais mais triviais. Ele corrigia a pronúncia, a gramática e o estilo dela na língua russa, não só em documentos do governo, mas também em cartas pessoais: "Se não tiver erros", escreveu a ele, "por favor me devolva a carta para colocar o selo. Se houver alguns, tenha a bondade de corrigir. Se quiser mudar alguma coisa, escreva. Ou a *ukase* [proclamação] e a carta estão perfeitamente claras, ou estou burra hoje." Enquanto isso, fora do palácio, Potemkin lidava com questões militares, financeiras e administrativas no Colégio de Guerra. Envolveu-se em decisões de estratégias, estabeleceu cotas de recrutamento, desenhou uniformes dos soldados, comprou cavalos para o exército, fez listas de candidatos para receberem honrarias e condecorações militares. Comparecia a reuniões do Conselho Imperial, onde passou a questionar cada vez mais os argumentos e decisões dos conselheiros mais velhos.

Catarina ficava impressionada e contente com todo esse empenho, mas reclamava porque tomavam muito tempo dele. "Isso já é demais!", ela protestou. "Nem às nove horas posso te achar sozinho. Fui ao seu apartamento e encontrei um monte de gente andando por todo lado, tossindo e fazendo um barulhão. E fui lá só para dizer que te amo excessivamente." Em outra ocasião, ela escreveu: "Faz cem anos que não te vejo. Não me importa o que você faz, mas, por favor, dê um jeito para que não tenha ninguém aí quando eu chegar. Senão, será insuportável; já é bem triste como está."

Apesar do amor, da guerra e da rebelião, a teologia e a Igreja ainda absorviam muito o interesse de Potemkin. Deixava de comparecer a importantes reuniões políticas e militares para participar de um encontro teológico. Recebia qualquer clérigo, eminente ou obscuro, ortodoxos russos, padres católicos, rabinos ou religiosos da Velha Crença. Gostava de ter à sua volta pessoas interessantes, não perdia a chance de conversar com homens e mulheres que tinham viajado, e guardava o que lhe contavam. Suas relações com diplomatas estrangeiros eram menos estreitas porque era importante estar em bons termos com Panin. Ao mesmo tempo, não deixava de se envolver. No aniversário da ascensão de Catarina ao trono, foi oferecido um banquete ao corpo diplomático em Peterhof. Potemkin, e não Panin, foi o anfitrião.

A primeira oportunidade de revelar seu grande talento de *showman* surgiu em 1775, quando Catarina comemorava o fim da guerra com a Turquia. Potemkin convenceu Catarina a fazer as comemorações em Moscou, antiga capital da Rússia e coração do império, e foi ele o produtor e mestre de cerimônias de desfiles, fogos, iluminação, bailes e banquetes. Foi nessa ocasião que Potemkin teve uma séria altercação com Nikita Panin. Catarina tinha dado a Potemkin instruções sobre as honrarias a serem concedidas aos heróis do Exército, e Nikita Panin achou insuficiente o reconhecimento de seu irmão, o general Pedro Panin. Potemkin se viu obrigado a admitir que a própria imperatriz havia tomado as decisões e que ele fora encarregado de levá-las a cabo. A questão se agravou, levando Potemkin a incursões cada vez mais frequentes nos domínios tradicionais de Panin, as relações exteriores. Panin se irritava nas reuniões do conselho porque Potemkin questionava suas opiniões e, às vezes, se contrapunha a elas. Quando chegou um relatório a respeito de distúrbios na Pérsia, e Potemkin sugeriu que seria do interesse da Rússia estimulá-los, Panin disse que não tomaria parte nessa política. Potemkin se levantou e saiu da sala.

Nessa ocasião, Catarina tomou uma decisão de política externa da qual Potemkin não participou. No verão de 1775, o rei George III, da Inglaterra, pediu um empréstimo – na verdade, um aluguel – de tropas russas para lutar contra seus súditos rebeldes nas colônias da América. A primeira instrução de Londres nessa questão chegou em 30 de junho de 1775, enviada pelo conde de Suffolk, do Ministério das Relações Exteriores, a sir Robert Gunning, o embaixador britânico:

> A rebelião em grande parte das colônias americanas de Sua Majestade é de tal ordem que se faz prudente lançar mão de todos os esforços possíveis. Você deve se empenhar em saber se, caso seja oportuno fazer uso de tropas estrangeiras na América do Norte, Sua Majestade pode confiar na imperatriz da Rússia para lhe fornecer tropas de infantaria suficientes para essa finalidade. Não preciso obsevar que essa incumbência é de natureza muito delicada. Qualquer que seja o método usado para iniciar a conversação, seja com o senhor Panin, seja com a imperatriz, você deverá ter o cuidado de fazer parecer natural, dando um ar de uma especulação casual, como se fosse ideia sua e de maneira alguma uma proposta nossa.

Não tardou para que o governo britânico fosse mais específico. Queria uma força russa de 20 mil homens da infantaria e mil cossacos da cavalaria, pelos quais a Inglaterra se dispunha a pagar todas as despesas – transporte para a América, manutenção e soldos. Catarina ponderou. Estava em débito com o rei da Inglaterra pelo auxílio prestado cinco anos antes, quando as frotas russas fizeram a passagem do Báltico para o Mediterrâneo, na viagem que levou a Rússia à vitória sobre os turcos, em Chesme. Ficara lisonjeada pelo respeito da Inglaterra aos soldados russos. E tinha plena compreensão das dificuldades do rei George III, pois ela também tivera de debelar a grande revolta de Pugachev, pouco tempo antes. Contudo, negou o pedido do rei. Gunning apelou para Panin e depois tentou convencer Potemkin, mas Catarina foi inflexível. Nem uma carta de próprio punho do rei George a persuadiu. Escreveu uma resposta amigável, desejando sucesso ao rei, mas ainda dizendo não. Uma razão importante, embora não dita, era prever que o futuro da Rússia se situava no Sul, na costa do Mar Negro. Apesar do tratado de paz com a Turquia, ela achava que o acordo não seria permanente e outra guerra aconteceria. Quando veio essa guerra, Catarina confirmou que precisaria dos 20 mil soldados.*

❧ 61 ❧
CATARINA E POTEMKIN: SEPARAÇÃO

APESAR DA INTENSIDADE DA PAIXÃO INICIAL, o relacionamento de Catarina e Potemkin nunca foi suave. Depois do primeiro inverno e primavera juntos, os bilhetes dela passaram a expressar sua jornada emocional da paixão para a decepção, desilusão, frustração, exasperação e sofrimento. Catarina queimou a maioria dos bilhetes dele para ela, mas, nos que ela lhe escreveu, há mostras dos dois lados das discussões.

Meu caro amigo, não sei por que, mas parece que você está bravo comigo hoje. Caso não esteja, tanto melhor. Para provar, corra para mim. Estou esperando por você no quarto. Minha alma anseia por você.

Sua longa carta e histórias são excelentes, mas é tolo não haver uma única palavra de afeição por mim. Que necessidade tenho eu de ouvir as enormes mentiras [ditas por] outras pessoas que você me relatou com tantos detalhes? Parece-me que, ao repetir todas essas bobagens, você foi obrigado a lembrar que existe uma mulher neste mundo que o ama e que eu também tenho direito a uma palavra de ternura.

Você estava a fim de brigar. Por favor, me informe assim que essa tendência passar.

---

* No século XVIII, esse tipo de pedido não era raro. Os reis e os príncipes, mormente os germânicos, alugavam facilmente seus soldados pela oferta mais alta. A Inglaterra acabou por contratar mil hessianos, que ficaram odiados nas colônias americanas. Pode-se imaginar o impacto que 20 mil russos teriam na América do Norte do século XVIII.

Precioso amor, passei uma corda amarrada a uma pedra em torno do pescoço de todas as nossas brigas e atirei num buraco no gelo. Se for do seu agrado, por favor faça o mesmo.

Hoje de manhã, escrevi-lhe uma carta desprovida de todo bom senso. Você a devolveu a mim, rasguei em pedaços e queimei na sua frente. Que outra satisfação você deseja? Até a Igreja aspira a não mais queimar um único herege. Minha carta foi queimada. Você não deve querer me queimar também. Paz, meu amigo. Estendo-lhe a mão. Quer pegá-la?

Faça-me esse favor, por mim: fique calmo. Estou um pouquinho mais feliz após as lágrimas, e apenas sua agitação me aflige. Meu caro amigo, meu querido, pare de se atormentar, nós dois precisamos de paz a fim de que nossos pensamentos se acalmem e se tornem suportáveis, senão vamos acabar como bolas num jogo de tênis.

Foi em 13 de janeiro de 1776 que Catarina escreveu a seu embaixador em Viena dando-lhe instruções para pedir ao imperador José II que concedesse a seu favorito o título de Príncipe do Sagrado Império Romano. Este título, que não exigia ao portador que professasse o catolicismo, foi dado a Potemkin em março de 1776. A partir de então, era tratado por "Príncipe" e "Vossa Alteza Serena".

Em 21 de março, ela assinou um decreto permitindo a ele usar o título. Mas alguma coisa não deu certo entre eles, e passados alguns dias, ao lhe enviar um bilhete muito irritado, ela fez um apelo:

Essa raiva deve ser esperada de Vossa Alteza caso queira provar ao público, bem como a mim, quão grande é a extensão de sua rebeldia. Certamente isso será um sinal inequívoco de sua ingratidão a mim, bem como de sua desconsideração por mim. Pois essa fúria é contrária tanto ao meu desejo como à diferença entre nossos assuntos e posição. A corte vienense é incomparável e agora estará apta a julgar se sou confiável ao recomendar pessoas para receber suas mais altas honrarias. E é assim que você demonstra seu interesse pela minha reputação.

Depois ela inverteu a abordagem e fez outro apelo:

Meu querido senhor e marido! Começarei minha resposta com o que mais me toca, acima de tudo: quem lhe ordenou que gritasse? Por que você dá maior autoridade à sua fértil imaginação do que às provas que falam em favor de sua esposa? Ela não se uniu a você há dois anos pelos laços do Sagrado Matrimônio? Meu querido, você suspeita o impossível de mim. Tivesse eu mudado de atitude, você poderia ter meu desamor? Agora considere por si mesmo: minhas palavras e ações eram mais fortes há dois anos do que hoje?

Se você não tivesse prazer em brigas constantes, eu lhe imploraria para amortecer seu temperamento explosivo. Sou realmente alguém que ama não só palavras e atitudes afetuosas, mas também uma face afetuosa. Continuo cheia de esperança, sem a qual, como todas as pessoas, eu não poderia viver.

Que Deus o perdoe pelas injustiças que me faz. Catarina nunca foi insensível. Mesmo agora, continua ligada a você, de corpo e alma. Não entendo por que você se diz não amado e repugnante, e que sou graciosa com todos, menos com você. Repugnante e não amado você jamais poderá ser. Acredito que você me ame, embora muito frequentemente falte a suas palavras qualquer traço de amor. Quem, mais que eu, deseja paz e tranquilidade?

Em maio de 1776, Potemkin respondeu a uma carta dela a respeito de falta de supervisão na Guarda Preobrazhensky. A carta falava de um "olho cego" voltado para os assuntos do regimento. Profundamente ofendido pela referência, provavelmente não intencional, a seu defeito físico, Potemkin escreveu:

Vossa Mui Graciosa Majestade, quando dirijo meu olhar em qualquer direção, não é com um olho cego. Renuncio a qualquer posição em que as questões sejam retiradas de minha supervisão. Todavia, caso meus talentos e desejo venham a cessar, alguém melhor deverá ser selecionado, no que consinto total e prontamente.

Catarina respondeu:

Li sua carta. Pelo amor de Deus, recupere o juízo. Não está em seu poder acabar com essa discórdia? Até a opinião do público idiota depende da maneira com que você pretende tratar a questão.

Para Catarina, Potemkin parecia estar sempre irritado, ao passo que o tema recorrente nas cartas dela era o desejo de paz e harmonia. Havia momentos de reconciliação e juras de eterna afeição. Com o passar do tempo, porém, ela cansou dos acessos de Potemkin. Chegou a um ponto em que ela avisou que, se ele não modificasse seu comportamento, ela não teria outra escolha senão retirar seu amor, como meio de autopreservação. Estava simplesmente fatigada demais com aquele nunca acabar de brigas. Catarina havia buscado em Potemkin um refúgio das pressões e solidão do exercício do poder, mas agora o relacionamento se tornava um peso a mais. A raiva resultante do mau gênio começava a se tornar pública. Ele passou a falar com seus parentes, chegando a descrever suas querelas com Catarina. Ela lhe escreveu:

> Apresentar essa comédia à sociedade é altamente lamentável, pois é um triunfo para os seus inimigos e para os meus. Eu não sabia até agora que eles estavam tão bem informados do que se passa entre nós. Não tenho confidentes em questões que dizem respeito a você, pois guardo nossos segredos e não os revelo nem comento com ninguém. Repito, como já repeti cem vezes: pare com essa raiva para que minha ternura natural possa retornar, ou será a morte para mim.

Potemkin respondeu:

> *Matushka*, eis o resultado do seu tratamento agradável nos últimos dias. Vejo claramente sua inclinação para continuar comigo. Mas você deixou as coisas irem tão longe que lhe tornou impossível ser amável comigo. Vim aqui para vê-la, já que a vida sem você é tediosa e insuportável. Notei que se incomodou com a minha chegada. Não sei a quem ou o que você está querendo agradar; só sei que não é necessário e não tem objetivo. Parece-me que você nunca antes se sentiu tão pouco à vontade. Vossa Mui Graciosa Majestade, eu morreria por você. Mas se finalmente está decidido que serei apartado de você, pelo menos que não seja aos olhos de todo o público. Não tardarei a me retirar, embora isso seja equivalente a perder minha vida.

Quando a ligação de Potemkin com Catarina já durava dois anos e meio, as tormentas vinham piorando. Ele vivia acusando-a de estimular intrigas contra ele e permitir que os inimigos dele continuassem a fazer parte da *entourage* dela. Catarina se queixava de que ele não era mais amoroso, terno e exuberante. Aos momentos de trégua seguiam-se as brigas constantes. Às vezes, o comportamento truculento dele a exasperava tanto que ela, normalmente rápida em perdoar e dar o primeiro passo para a reconciliação, se permitia explodir também. Mas a raiva dela não durava e, quando Potemkin continuava amuado dias e dias, e ela não o via, ficava inconsolável. O ponto de virada no relacionamento se aproximava, e Catarina entendeu:

> Seus atos tolos permanecem iguais. No momento mesmo em que me sinto segura, uma montanha despenca sobre mim. Para um maluco como você a tranquilidade é um estado de espírito insuportável. A gratidão que lhe devo não desapareceu, e suponho que nunca houve um instante em que você não tenha recebido sinais disso. Mas agora você me tira todas as forças, me atormentando com outras invencionices. Por favor, me diga se devo ser grata a você por isso. Até agora, sempre pensei que boa saúde e dias tranquilos serviam para alguma coisa neste mundo, mas gostaria de saber como isso seria possível com você.

Num esforço amargo para analisar a discórdia, ela apelou para o sarcasmo:

> Ouvindo você falar, muitos pensariam que sou um monstro, com todas as faltas possíveis. Sou atemorizante, tendo duas caras quando estou sofrendo. Quando choro, não é devido à minha sensibilidade, mas algo inteiramente diferente. E por isso você deve me desprezar e tratar com desdém. Essa atitude de extrema ternura só pode ter um efeito positivo em minha mente. No entanto, essa mente, maldosa e horrível como é, não conhece outro meio de amar senão fazer feliz o ser amado. Diga, por favor, o que você faria se eu o censurasse todo o tempo pelas faltas de todos os seus amigos, de todos os que você respeita e cujos serviços emprega, se eu o responsabilizasse pelos tolos erros deles? Você seria paciente ou impaciente? E se, vendo você impaciente, eu saísse ofendida, pisando duro e batendo as portas, e depois o tratasse com frieza, me recusasse a olhar para você, e ainda por cima lhe fizesse ameaças?... Pelo amor de Deus, faça tudo o que estiver ao seu alcance para evitar que

briguemos novamente, pois nossas brigas sempre surgem de nada mais que bagatelas. Brigamos por poder, não por amor. Essa é a verdade.

De fato, essa era a verdade, o xis do problema. A questão do poder era uma tortura para Potemkin. Ele sempre almejara o poder, que sempre lhe chegou com facilidade. Aconteceu quando ele era menino, filho único e ídolo da mãe e de cinco irmãs. Foi sua meta quando estava na universidade e resolveu que ia comandar soldados ou monges. Foi para obter reconhecimento que presenteou a imperatriz com o laço de espada e imitou a voz e o sotaque de Catarina, fazendo-a rir. Era seu objetivo quando deixou o Exército e correu a São Petersburgo na esperança de se tornar seu favorito. Agora tinha títulos, riquezas, terras e altos cargos. A imperatriz o levou a alturas sem precedentes, e é possível até que tenha selado a união com o casamento. O que mais ele queria? Quanto mais poder Catarina poderia lhe conceder? Ele era o primeiro homem no império e continuava infeliz e insatisfeito. Deixava claro que todas as gratificações costumeiras à sua posição — títulos, condecorações, dinheiro — não bastavam. Queria o poder supremo numa esfera irrestrita.

O problema era que, a despeito de tudo o que ele fez e de tudo o que obteve, sua posição dependia inteiramente de Catarina. Ele sabia disso. E sabia que, se as brigas continuassem, havia a possibilidade de algum dia a imperatriz triunfar sobre a mulher Catarina, se voltar contra ele e repudiá-lo. Então ele seria mais um Orlov titubeante ou um desprezível Vasilchikov. Não queria arriscar. Era chegado o momento de escolher entre o amor e o poder. Escolheu o poder. Isso significava o abandono do amor e de Catarina. No entanto, não um abandono completo. Misteriosamente para todos os observadores, mesmo quando a natureza do relacionamento físico mudou, os laços entre os dois permaneceram fortes, tão fortes que o poder político de Potemkin não diminuiu. Pelo contrário, cresceu.

A corte, vendo a mudança nas relações dos amantes, supôs que Potemkin logo seria mandado embora. Em 22 de junho de 1776, quando se soube que a imperatriz lhe deu de presente o Palácio Anichkov, construído pela imperatriz Elizabeth na Nevsky Prospekt para Alexander Razumovsky, imaginou-se que seria para Potemkin ter uma residência na cidade quando se mudasse do Palácio de Inverno. Em parte, era verdade. Nos preparativos da separação física, surgiu a questão de onde Potemkin iria morar. Catarina lhe disse para continuar no Palácio de Inverno, mas ao mesmo tempo procurou outro lugar, caso ele preferisse se mudar. Potemkin, que tantas vezes tinha ameaçado ir embora, reclamou quando ela o levou a sério. Ela respondeu:

> Deus sabe que não tenho a intenção de tirar você do palácio. Por favor, more aqui e fique calmo. Se quiser se distrair viajando pelas províncias, não vou tentar impedir. Em seu retorno, volte a ocupar seus aposentos no palácio. Deus é testemunha de que meu afeto por você permanece firme e ilimitado, e não estou zangada. Só me faça um favor: poupe meus nervos.

Potemkin agradeceu, mas com um jogo de palavras:

> Vossa Mui Graciosa Majestade: vindo a saber que fui presenteado com a casa de Anichkov, beijo seus pés. Expresso minha mais humilde gratidão. Mui misericordiosa mãe, Deus, tendo lhe dado todos os poderes e recursos, não lhe deu, para minha desdita, o conhecimento do coração humano. Deus Todo-poderoso! Faça saber à minha soberana e benfeitora o quanto lhe sou grato, o quanto lhe sou dedicado e que minha vida é dedicada a servi-la. Vossa Mui Graciosa Majestade, mantenha sob sua proteção e cuidados uma pessoa que lhe é devotada de corpo e alma, e que assim permanece da maneira mais sincera até a morte.
> O mais leal e dedicado servo de Vossa Majestade,
> Príncipe Potemkin

Potemkin nunca morou no Palácio Anichkov. Depois de restaurado, ele o usou para noitadas quando estava em São Petersburgo. Dois anos mais tarde, vendeu o palácio.

Os Orlov, que tinham apresentado Potemkin a Catarina, passaram a odiá-lo. Acreditando que a destituição do favorito era iminente, Alexis Orlov aproveitou a vantagem de seu privilégio de falar francamente com a imperatriz para lhe dizer que devia perceber o mal que o favorito estava causando, e mandá-lo embora. Orlov foi mais além: "A senhora sabe, madame, que sou seu escravo. Minha vida está a seu serviço. Se Potemkin lhe tirar a paz de espírito, basta me dar ordens, e ele desaparecerá. Nunca mais ouvirá falar nele." Catarina contou essa conversa a Potemkin, e o resultado, bastante inesperado, foi que, sob o pretexto de uma doença, Alexis Orlov se aposentou e se retirou da corte.

62
NOVOS RELACIONAMENTOS

No inverno e primavera de 1776, à medida que a paixão de Catarina e Potemkin se esvaía, e o rancor entre os dois aumentava, ela conheceu o sucessor dele. Era Pedro Zavadovsky, protegido do marechal de campo Razumovsky, comandante do vitorioso exército russo na guerra da Turquia. Quando Razumovsky voltou para São Petersburgo, trouxe dois jovens ucranianos, Zavadovsky e Alexander Bezborodko. Ambos eram cultos e tinham servido com Razumovsky na guerra e nas negociações de paz. Quando Catarina pediu a Razumovsky que indicasse oficiais talentosos para seu secretariado pessoal, o marechal de campo recomendou os dois. Ambos foram aceitos e tiveram carreiras brilhantes.

A princípio, Zavadovsky parecia possuir mais das qualidades necessárias para ter sucesso. Nascido em boa família, havia acompanhado o marechal nos campos de batalha, onde sua coragem lhe valeu a patente de tenente-coronel. Tinha 37 anos, a mesma idade de Potemkin, uma bonita estampa, educação clássica, boa cabeça e um jeito modesto e cortês. Bezborodko, por sua vez, tinha aparência vulgar e maneiras rudes, mas, no final das contas, fez uma carreira mais espetacular. Zavadovsky passou uma breve temporada sob as luzes do favor imperial e depois se acomodou como funcionário civil altamente respeitável, ao passo que Bezborodko, devido a sua inteligência excepcional e muito trabalho, acabou virando príncipe e chanceler do império.

Não foi por acaso que Catarina reparou em Zavadovsky. Moreno, bonito, com 1,80m de altura, sua calma dedicação encantou a imperatriz e, dentro de um mês, com o consentimento de Potemkin, ele era secretário pessoal de Catarina. Bezborodko continuou como funcionário da Chancelaria.

O surgimento de Zavadovsky no meio da relação tempestuosa de Catarina e Potemkin foi um sucesso, com o consentimento dos dois personagens principais. Ambos estavam ansiosos para resolver a situação sem maiores danos, e Zavadovsky ajudou, servindo como amortecedor. A princípio, o arranjo funcionou. A presença do ucraniano calmo e discreto aliviava Catarina das loucas exigências e súbitas mudanças de humor de Potemkin. Ela precisava desse alívio para governar o império. Por outro lado, não queria perder o apoio emocional, a rara energia e as grandes qualidades políticas e administrativas de Potemkin. Ele também precisava de alguém como Zavadovsky. Andava impaciente, quase desesperado, para encontrar uma solução que garantisse sua posição de homem mais importante na vida da imperatriz e que ao mesmo tempo lhe desse autonomia para agir com liberdade, sem o temor de acordar um dia e descobrir que tinha sido substituído. Ambos queriam uma solução que preservasse o valioso núcleo do relacionamento. Potemkin queria manter o poder livre de inseguranças, e Catarina queria um homem para amar, mas precisava de estabilidade e previsibilidade. Acreditava que tinha encontrado em Zavadovsky o homem certo. No começo, Potemkin concordou.

Em março de 1776, ainda não tendo resolvido o relacionamento com Potemkin, Catarina já estava envolvida sexualmente com Zavadovsky. A corte e o corpo diplomático ficaram totalmente aturdidos. Exceto pelo fato de que agora era Zavadovsky, e não Potemkin, quem acompanhava Catarina ao quarto dela no fim da noite, nada parecia ter mudado. Potemkin continuou morando no Palácio de Inverno e estava sempre presente quando Catarina aparecia. Ele e a imperatriz não pareciam menos afetuosos em público, e não havia nenhum sinal de ciúme ou tensão entre o favorito recém-chegado e o recém-saído. De fato, a atitude de Potemkin com relação a Zavadovsky era de alegria, quase como um irmão mais velho.

Zavadovsky fazia a Catarina os agrados que ela esperava dele. Era ardoroso e o único entre seus amantes que não ambicionava honrarias nem riquezas. As palavras deles eram apaixonadas. Catarina se dirigia a ele com diminutivos carinhosos, e ele a chamava de Katya e Katyusha. Quando Zavadovsky se mudou para o Palácio de Inverno, tudo teria corrido muito bem, se ele não tivesse revelado um amor obsessivo por Catarina e um consequente ciúme feroz de Potemkin. Ele queria – depois passou a exigir – intimidade exclusiva, reclamando que a sombra do predecessor estava sempre cruzando seu caminho. Catarina explicava sua situação e seus sentimentos, mas Zavadovsky se recusava a aceitar. Foi o que resultou em sua queda.

Em 28 de junho, sua posição de favorito tornou-se oficial. Dias antes, Potemkin tinha partido da capital para Novgorod e não voltaria antes de um mês. Durante sua ausência, Zavadovsky continuou infeliz. Ele não era um cortesão, a vida na corte o aborrecia e seu francês era pobre demais para que participasse da vida social. Potemkin também estava infeliz. No fim de julho, quando retornou, queixou-se de estar sozinho e não ter para onde ir. Catarina respondeu: "Meu caro marido me escreveu 'Para onde irei? Onde irei encontrar um lugar apropriado?'. Meu querido marido muito amado, venha para mim. Será recebido de braços abertos."

Potemkin, tendo aprovado inicialmente seu sucessor, via agora que Zavadovsky tinha se tornado uma ameaça, tanto para sua posição particular como para a pública. Queixou-se a Catarina. Ela, que esperava alcançar a paz doméstica, viu-se às voltas com cenas de ciúme de Zavadovsky e de Potemkin. Na primavera de 1777, Potemkin não compareceu às comemorações do aniversário de Catarina, retirando-se para uma propriedade no campo. De lá, enviou um ultimato exigindo a destituição de Zavadovsky. Catarina recusou:

> Você pede o afastamento de Zavadovsky. Minha reputação sofreria grandemente, se eu atendesse a esse pedido. Nossa discórdia estaria firmemente estabelecida, e eu seria considerada a parte mais fraca. Acrescento que isso seria uma injustiça com uma pessoa inocente. Não me peça injustiças, não dê ouvidos a caluniadores, guarde minhas palavras. Nossa paz será restaurada. Caso seja sensível a minhas aflições, disperse até o pensamento de se afastar de mim. Pelo amor de Deus, só imaginar isso me é intolerável, o que torna a provar que minha ligação a você é maior que a sua [a mim].

Potemkin não cedeu; Zavadovsky tinha de ir embora. No verão de 1777, depois de menos de 18 meses como favorito, ele partiu, amargo e desconsolado, levando seu presente de despedida – 80 mil rublos e uma pensão anual de 5 mil rublos – e se fechou em sua propriedade na Ucrânia. No outono, Catarina fez uma fraca tentativa de trazê-lo de volta, mas 1777 foi um ano de crise política. Na época, Potemkin governava como vice-rei todo o sul do império, e seu apoio era importante demais para que ela o pusesse em risco devido a perturbações em sua vida privada. Zavadovsky ficou longe da corte durante três anos e voltou a São Petersburgo em 1780, quando foi nomeado conselheiro particular. Em 1781, tornou-se diretor do banco nacional, fundado a partir de um projeto dele. Depois foi senador e terminou a carreira como ministro da Educação do neto mais velho de Catarina, Alexander I.

O relacionamento de Catarina com Zavadovsky aconteceu porque tanto ela como Potemkin haviam dado liberdade recíproca para terem outros parceiros sexuais, desde que preservassem a afeição e uma estreita colaboração política entre si. Catarina costumava sentir muita falta dele. "Estou ardendo de impaciência para estar de novo com você. Parece que não o vejo há um ano. Volte feliz e em boa saúde, e vamos nos amar. Receba meu beijo, meu amigo, e quero tanto vê-lo, porque o amo de todo o coração." Em suas cartas, ela fazia questão de dizer que seu novo favorito – fosse quem fosse no momento – lhe enviava sua estima e alta consideração. Ela fazia os amantes escreverem diretamente a Potemkin, na maioria das vezes como bajulação, declarando que eles também lastimavam sua ausência, o admiravam ou o adoravam. Os jovens obedeciam porque sabiam que, em comparação com a influência de Potemkin, a deles era inexistente.

Enquanto isso, Potemkin continuava a amar Catarina, à sua maneira. A paixão física por ela havia se esgotado, mas a afeição e a lealdade permaneciam. Na ocasião, ele vinha transferindo seus desejos sexuais de uma jovem a outra. Entre essas, havia três de suas cinco sobrinhas, Alexandra, Varvara e Ekaterina, filhas de sua irmã, Maria Engelhardt.

Varvara (Bárbara) foi a primeira a atrair o tio. Loura de cabelos dourados, desfrutável e exigente, ela sabia que, aos 20 anos de idade, podia controlar o príncipe, que então estava com 37. Ele fazia esforços hercúleos para agradar a ela. Suas cartas eram ardorosas, muito mais do que as escritas a Catarina:

> Varinka, eu te amo, minha querida, como jamais amei alguém. Beijo seu corpo inteiro, minha deusa adorada. Adeus, doçura dos meus lábios. Você estava profundamente adormecida quando eu a beijei e saí. Diga-me, minha linda, minha deusa, que me ama. Minha doçura, não ouse adoecer; eu lhe daria umas palmadas. Vinte milhões de beijos.

Varvara não teve dificuldade em impor sua vontade ao tio apaixonado. Ela era provocadora e mentirosa. Quando Potemkin foi para o Sul, fingiu estar solitária e doente, o que levou a imperatriz a escrever para ele: "Ouça, meu querido, Varinka está muito doente, e a causa é a sua ausência. Você está errado. Vai matá-la, enquanto eu cada vez gosto mais dela." Na verdade, a jovem estava enganando os dois. Tinha se apaixonado pelo jovem príncipe Sergei Golitsyn e tentava achar um meio de obter a permissão de Potemkin e Catarina para se casar com ele. Conseguiu, casou-se com Sergei e tiveram três filhos.

Depois foi a vez de sua irmã, Alexandra ("Sashenka"). Era dois anos mais velha que Varvara, e sua ligação com Potemkin foi menos apaixonada, porém mais séria e duradoura. Permaneceram dedicados um ao outro pelo resto da vida e, mesmo depois que se casou com um influente nobre polonês, conde Xavier Branitsky, Sashenka estava frequentemente ao lado de Potemkin. Quando não estava com ele, ficava junto da imperatriz, tendo se tornado uma das damas de companhia preferidas de Catarina. Ela era esbelta, com cabelos castanhos e olhos azuis, malares altos e dignidade impecável. De todas as sobrinhas, foi Sashenka quem significou mais para Potemkin, e ele lhe deixou a maior parte de suas riquezas. Quando idosa, ela estimou sua fortuna em 28 milhões de rublos. Entretanto, até a morte de Catarina, Sashenka passou a maioria dos invernos no Palácio de Inverno e, quando a imperatriz faleceu, ela se retirou para uma vida pacata numa casa de madeira no campo.

A mais bonita e preguiçosa das irmãs Engelhardt era Ekaterina (Catarina), que se rendeu a Potemkin para não se dar ao trabalho de recusá-lo. Esse relacionamento foi menos turbulento do que o que tivera com Varvara e menos afetuoso do que com Sashenka. Ekaterina casou-se com o conde Paulo Skavronsky, mas, quando Catarina o indicou como ministro em Nápoles, ela se recusou a acompanhá-lo e ficou em São Petersburgo porque o tio quis. Ao finalmente partir para a Itália, encontrou o marido acamado, com uma doença crônica. Ela o deixou lá e passava dias e noites reclinada num sofá, envolvida apenas num casaco de peles preto, jogando cartas. Recusava-se a usar os grandes diamantes que Potemkin lhe dera e os vestidos parisienses comprados pelo marido. "Para que tudo isso? Quem quer isso?", ela dizia. Enquanto ela estava na Itália, Potemkin morreu, e quando o marido também morreu, ela voltou para a Rússia, casou-se com um conde italiano e viveu com ele pelo resto da vida.

Na época havia, sim, desaprovação de ligações amorosas entre tio e sobrinha, mas era silenciosa, e uma condenação direta era praticamente inexistente. Na Rússia, assim como em outros lugares da Europa do século XVIII, o mundo resplandecente e muito fechado da realeza e da aristocracia facilitava a atração física entre parentes e limitava mais as críticas. Aos 13 anos, a própria Catarina (então Sofia de Anhalt-Zerbst) foi galanteada por seu tio George antes de partir para a Rússia e se casar com o primo Pedro. Na Rússia, porém, havia uma exceção à atitude displicente generalizada quanto aos casos de Potemkin com as sobrinhas. A mãe dele, Daria Potemkina, desaprovava enfaticamente as relações do filho com as netas. Ninguém lhe dava ouvidos. Potemkin ria das censuras, amassava as cartas dela e jogava na lareira.

Catarina não tinha ciúmes das jovens pelo fato de estarem dormindo com Potemkin. O que ela invejava era a juventude delas. Sua própria juventude havia sido desperdiçada. Tinha 16 anos quando se casou com um rapazinho miserável. Era uma mulher madura aos 21 anos, quando teve sua primeira experiência sexual, e foi com um libertino desalmado. Agora, chegando aos 50, via nas sobrinhas de Potemkin a mocinha ardorosa que ela poderia ter sido. Seu aniversário, tão comemorado publicamente, era para ela um dia de luto. Numa carta a Grimm, ela escreveu: "Não seria fascinante se uma imperatriz pudesse ter sempre 15 anos?"

❦ 63 ❦

FAVORITOS

QUANDO CATARINA – ENTÃO SOFIA – chegou à Rússia, com a idade de 14 anos, soube que "favorito" era o termo usado para designar um amante formalmente reconhecido da mulher que ocupava o trono, a imperatriz Elizabeth. Enquanto ainda era uma grã-duquesa casada, Catarina teve três amantes: Saltykov, Poniatowski e Gregório Orlov. Nenhum desses era seu "favorito", pois ela ainda não era imperatriz. Orlov, é claro, continuou a ser seu amante depois que ela subiu ao trono, tornando-se, assim, seu primeiro favorito. Durante a vida, Catarina teve 12 amantes, sendo os três primeiros, mencionados acima, antes de subir ao trono – aos 33 anos –, e os outros nove durante seus 34 anos como imperatriz. Desses 12, ela amou cinco: Poniatowski, Orlov, Potemkin, Zavadovsky e Alexander Lanskoy. Pelos outros três – Saltykov, Ivan

Rimsky-Korsakov e Alexander Mamonov — ela teve paixão. Três outros — Vasilchikov, Simon Zorich e Alexander Yermolov — foram escolhidos rapidamente e rapidamente descartados. O décimo segundo, e último, Platon Zubov, foi situado numa categoria especial.

Geralmente havia apenas um breve intervalo entre a saída de um favorito e a entrada de outro. Muitos não tiveram influência nas políticas do governo, mas todos estavam sempre perto do ouvido de Catarina e, durante todo o seu reinado, notícias da ascensão e queda dos favoritos enchiam os relatórios de embaixadores estrangeiros, tentando interpretar o significado de cada mudança. Vários amantes de Catarina tiveram somente um papel decorativo na vida da mulher que os tirou da obscuridade e depois os mandou de volta ao nada. Havia sempre uma acirrada competição pelo lugar. O escolhido era presenteado com joias, dinheiro, palácios e propriedades rurais. Quando ela os mandava embora, evitava que a partida envolvesse lágrimas e recriminações. De vez em quando, um ex reaparecia na corte.

A maioria dos favoritos de Catarina era de jovens oficiais, selecionados inicialmente pelo rosto bonito, mas essa seleção e presença não se deviam somente, nem mesmo primariamente, à sensualidade de Catarina. Ela queria amar e ser amada. Tinha vivido num vácuo emocional com um marido impossível. A leitura de suas cartas a Potemkin mostra que, tanto quanto a satisfação física, ela desejava um companheiro amoroso e inteligente.

Ao aceitar que não era mais o favorito da imperatriz, Gregório Orlov se consolou com o amor de sua prima em segundo grau, de 15 anos, Catarina Zinovieva, com quem se casou e passou uma longa temporada viajando pela Europa Ocidental. A imperatriz, embora despeitada por ter sido substituída com tanta rapidez, intercedeu por ele junto ao Sínodo Sagrado para que o isentassem da proibição do casamento entre pessoas da mesma família. Em 1777, Orlov pôde se casar. Mas sua noiva tinha tuberculose, e a saúde dela piorou cada vez mais. Apesar dos pródigos cuidados de Orlov, levando-a a todos os lugares para se tratar, ela morreu quatro anos depois, em Lausanne. Orlov voltou a São Petersburgo, onde sua saúde também declinou. Sofria de alucinações e demência precoce. Em 12 de abril de 1783, aos 46 anos, Orlov morreu. Em testamento, deixou sua enorme fortuna para Alexis Bobrinsky, seu filho com Catarina.

Por mais impetuosa que Catarina fosse nos primeiros estágios de um novo caso de amor, sempre manteve a compostura em público. Nunca tentou se justificar por ter favoritos, nem deu indicações de considerar o fato inadequado. Todos os seus favoritos eram abertamente reconhecidos. Na verdade, nada parecia mais natural do que a atitude pragmática da corte e da sociedade com relação a esses homens. A presença deles na corte era constante. Ela era a governante sobrecarregada de um grande império, além de ser uma mulher orgulhosa e passional, e não tinha tempo nem disposição para explicações ou evasivas. Solitária, precisava de um parceiro, alguém com quem pudesse compartilhar não o poder, mas conversas, risos e calor humano. Aí jazia um dos problemas: o amor ao poder e o poder de atrair o amor não eram facilmente conciliáveis.

À exceção de Zavadovsky, todos os seus favoritos eram oficiais da Guarda e muitos vinham de famílias da nobreza inferior. Quando um novo favorito era eleito, ganhava um apartamento perto do dela no palácio imperial. Ao se instalar, encontrava na penteadeira um gordo maço de rublos, como presente de boas-vindas da imperatriz. E sua vida passava a ter uma regularidade estupeficante. Às dez da manhã, ele começava o dia indo visitar a imperatriz em seu apartamento. Em público, era tratado como um alto oficial da corte. Acompanhava Catarina a todos os lugares, sempre alerta e respeitosamente atento aos desejos dela durante todo o seu longo dia. Seu braço estava sempre pronto para acompanhá-la na corte, ao jantar e ao lugar dela no teatro do palácio. Na carruagem, sentava-se ao seu lado. Ficava junto dela nas recepções, sentava-se com ela à mesa de jogo, e às dez da noite oferecia o braço para acompanhá-la ao apartamento. Afora esses deveres, ele vivia próximo ao isolamento. Depois de Potemkin e Zavadovsky, a maioria dos favoritos de Catarina não tinha permissão para receber visitas. Ela era pródiga em presentes e honrarias para os rapazes, mas essa existência na gaiola de ouro não costumava se prolongar por mais que dois anos. Ao partir, recebiam presentes extravagantes, e nenhum foi alvo de vingança.

A maioria era de homens cuja juventude e inexperiência social ofereciam um surpreendente contraste com a conduta digna de sua *patronesse* imperial. As diferenças de idade e posição confundiam a corte e criavam um turbilhão de fofocas na Europa. Mas a maneira específica e as práticas íntimas com que esses favoritos satisfaziam Catarina são desconhecidas. Só nos casos de Potemkin e Zavadovsky foi possível recuperar alguma correspondência particular, e não é explícita nesse aspecto. Quem procurar saber detalhes físicos das ligações românticas de Catarina não vai encontrar nada. Nem nas palavras dela, nem nas palavras de outros existem referências a seu comportamento e preferências sexuais. As portas de seu quarto permanecem fechadas.

À exceção de seus relacionamentos com Potemkin, Zavadovsky e, no fim, Zubov, Catarina compartimentou sua vida, mantendo a política, administração e diplomacia separadas da vida privada. Temendo que um amante pudesse querer tirar partido de seus sentimentos e tentar alcançar poder político, ela não permitia que seus favoritos desempenhassem algum papel no governo. À medida que envelhecia, sua necessidade de relações íntimas e de apoio a tornava mais vulnerável, e os favoritos que compartilhavam seus interesses intelectuais e artísticos em geral duravam mais. Lanskoy (1780-84) e Mamonov (1786-89) foram exemplo disso. Mas Lanskoy morreu, e Mamonov a traiu, apaixonando-se por outra pessoa.

Até a procissão de guardas começar, os casos de amor de Catarina não chocavam a Europa. O exemplo dado pelos monarcas contemporâneos dela dava escassa margem para críticas. Monarcas de toda parte tinham amantes. Na Rússia, Pedro, o Grande, teve filhos com sua amante antes de se casar e fazer dela imperatriz. Depois as imperatrizes Ana e Elizabeth abriram o caminho para a aceitação do favoritismo. As realizações políticas de Catarina também facilitaram relevar e não levar em conta as falhas de sua vida privada. Além disso, ela se conduzia na corte "com a maior dignidade e decoro externo", disse sir James Harris, embaixador britânico nos anos 1780.

O problema, com o passar dos anos, não era o favoritismo, mas a extrema juventude dos rapazes e a discrepância de idade entre eles e Catarina. Já que as atenções se concentravam cada vez mais na questão da idade, Catarina explicou que esses relacionamentos tinham uma importante função pedagógica. Seus jovens aprendiam a adornar uma corte sofisticada, cosmopolita, se aprimoravam e viriam a ser úteis, não apenas à pessoa do monarca, mas, em última análise, ao império. Em cartas a

Grimm, ela explicou que esses jovens eram tão extraordinários que ela se via obrigada a lhes dar a oportunidade de desenvolver seus talentos.

Quando Zavadovsky caiu, Potemkin procurou um candidato que Catarina aceitasse e em cuja lealdade ele pudesse confiar. Sua escolha recaiu em Simon Zorich, um oficial russo de 32 anos, descendente de sérvios. Zorich era alto, bonito e bem-educado, embora lhe faltasse uma inteligência digna de nota. Possuía um honroso currículo de guerra, tendo demonstrado coragem na batalha contra a Turquia e em cinco anos como prisioneiro de guerra. Na volta à Rússia, em 1774, tornou-se assistente de Potemkin. Em maio de 1777, com a saída de Zavadovsky, ficou como favorito.

A temporada de Zorich foi ainda mais curta que a de Zavadovsky. A posição lhe subiu à cabeça. Catarina lhe deu o título de conde, mas ele queria ser príncipe, como Orlov e Potemkin. Suas queixas ofenderam a imperatriz, e ele estava como favorito havia apenas dez meses quando ela disse a Potemkin: "Ontem à noite eu o amava; hoje já não o aguento mais." Potemkin havia ignorado o fato de que Catarina precisava de alguém com quem falar. Quando a relação deteriorou, Zorich não entendeu por que a mulher que o cobrira de riquezas tinha recuado subitamente. Culpando Potemkin, ele decidiu lutar para manter o lugar. Desafiou Potemkin. O príncipe lhe virou as costas com desdém e foi embora. Em maio de 1778, apenas um ano após sua chegada, Zorich foi dispensado com uma pensão. Jogador compulsivo, mais tarde foi descoberto se apropriando de fundos do Exército e morreu em desgraça.

Zorich foi substituído por um oficial da guarda, de 24 anos, Ivan Rimsky-Korsakov, cujo período foi de dois anos. O novo favorito era bonito, tocava violino e tinha uma bela voz de tenor. Aos olhos de Catarina, ele evocava os heróis da Grécia antiga, e em carta a Grimm se refere ao amante como "Piro, rei de Epiro, que todo pintor deveria retratar, todo escultor deveria esculpir e todo poeta, cantar. Ele não faz um gesto, um movimento que não seja gracioso e nobre."

Contudo, seu brilho não abrangia o intelecto. Quando Catarina lhe deu uma mansão em São Petersburgo, ele disse precisar de uma biblioteca para proclamar seu novo status. Mandou instalar prateleiras e chamou o melhor livreiro da capital. Perguntado quais livros ele queria, o novo bibliófilo respondeu: "Você entende melhor que eu. Livros grandes embaixo, menores logo acima e assim por diante, até o alto." O livreiro se desfez de várias fileiras de comentários alemães sobre a Bíblia, que estavam encalhados, encadernados em couro de ótima qualidade. Pouco depois, o embaixador britânico foi sondar o passado do favorito e descobriu que ele "mudou seu nome, de Ivan Korsack, muito comum, para o mais altivo e ressonante Ivan Rimsky-Korsakov".*

Apesar dos louvores de Catarina, muitos na corte russa esperavam que Rimsky-Korsakov durasse pouco porque todos, à exceção da imperatriz, viam que seu coração não estava ali. Esperava-se que ele lhe desse atenção constante, era proibido de sair do palácio e começou a ficar enfastiado e irrequieto. Escapou para os braços da condessa Bruce, principal dama de companhia de Catarina havia anos, e uma de suas melhores amigas. Tolamente, o casal achou que poderia manter a relação amorosa dentro do palácio. Conseguiram por quase um ano, e o caso terminou abruptamente, quando, certo dia, a imperatriz abriu a porta e os descobriu fazendo amor. Catarina enviou uma mensagem a Rimsky-Korsakov, informando que seria generosa desde que ele deixasse o palácio imediatamente. A condessa Bruce foi devolvida ao marido.

O enredo era mais complexo. Catarina, a corte e a condessa Bruce logo vieram a saber que Rimsky-Korsakov vinha usando a condessa como um atrativo para passar o tempo e amenizar o tédio. Seu verdadeiro alvo era uma linda jovem, a condessa Catarina Stroganova, casada com um dos homens mais ricos da Rússia. Os Stroganov eram recém-chegados, após seis anos em Paris, e a jovem condessa se apaixonou à primeira vista pelo lindo "rei do Epiro". Somente quando o desonrado Rimsky-Korsakov partiu para Moscou e a condessa Stroganova foi imediatamente atrás dele é que foi revelado o alcance labiríntico dessa dupla traição, digna de uma ópera. O conde Stroganov se conduziu com dignidade aristocrática. Para preservar o filho pequeno de um escândalo, instalou a esposa num palácio em Moscou, onde ela e o amante viveram felizes durante 30 anos. Ali criaram os três filhos que tiveram.

Por seis meses após a debacle de Rimsky-Korsakov, Catarina ficou sozinha. Na Páscoa de 1780, apareceu um novo favorito, Alexander Lanskoy.

---

* A família manteve o sobrenome, e o compositor Nicholas Rimsky-Korsakov, do século XIX, era descendente de um ramo colateral.

Aos 22 anos, vinha de uma família de poucos recursos, da nobreza provincial, e tinha servido como oficial da Guarda Montada. Ao ver que não tinha meios suficientes para acompanhar seus colegas oficiais, pediu transferência para uma guarnição na província, onde suas despesas seriam menores. Sua solicitação foi rejeitada no Colégio de Guerra pelo próprio Potemkin, que, em seguida, para surpresa geral, nomeou o jovem seu *aide-de-camp* e o apresentou a Catarina. Lanskoy tinha um porte elegante e rosto delicado. Catarina o descreveu como "gentil, alegre, honesto e cheio de delicadezas". Em novembro de 1779, foi oficialmente instalado no apartamento vago de Rimsky-Korsakov. Os presentes costumeiros jorraram: 100 mil rublos, joias e uma propriedade rural. Dois primos dele foram nomeados oficiais da Guarda Preobrazhensky, três irmãs foram para a corte como damas de honra, desposaram nobres e se tornaram damas de quarto da imperatriz.

A admiração de Catarina por esse acólito adorador estimulou sua crença pedagógica em que mais russos deveriam ser preparados para servir ao império. Lanskoy reagiu entusiasticamente a essa abordagem. Sua formação era modesta, e sua dedicação a Catarina se baseava tanto em seu papel de professora como em sua posição de imperatriz. Quando ela descobriu nele o desejo de aprender, ajudou-o a escrever em francês a Grimm.

Lanskoy não despertou em Catarina a paixão que ela tivera por Orlov e Potemkin, mas sua gentileza e dedicação lhe inspiravam uma afeição quase maternal. Ele era inteligente, tinha tato, recusava-se a tomar parte em assuntos públicos, tinha bom gosto, pendor artístico e muito interesse em literatura, pintura e arquitetura. Era um companheiro ideal, que a acompanhava aos concertos, ao teatro, escutava calado o que ela dizia e até ajudou a projetar novos jardins para Tsarskoe Selo.

À medida que os meses se alongavam em anos, o jovem amante se tornava indispensável a Catarina. Até o cínico Bezborodko admitia que, "comparado aos outros, ele era um anjo. Tinha amigos, não tentava prejudicar ninguém e se oferecia para ajudar as pessoas". De tempos em tempos, corriam boatos de que Potemkin tinha ciúmes desse inócuo rapaz e, por isso, ele estava prestes a ser destituído. Nada mais longe da verdade. Potemkin estava totalmente satisfeito, e Catarina era livre para se dedicar a Lanskoy, cujo bom humor, dizia ela, tinha transformado Tsarskoe Selo "no mais encantador e agradável dos lugares, onde os dias passavam tão depressa que não se sabia o que tinha acontecido com eles".

Quatro anos se passaram, o período mais longo que Catarina já ficara com qualquer amante desde a separação de Orlov, 12 anos antes. Em 19 de junho de 1784, Lanskoy se queixou de dor de garganta. Piorou. Teve febre alta. Cinco dias depois, morreu de inflamação na garganta. Dizem que foi difteria.

A morte repentina de Lanskoy foi esmagadora, e a reação da mulher abandonada foi uma tristeza incontrolável. Ficou de cama e recusou-se a sair do quarto durante três semanas. Seu filho, a esposa dele e até os amados netos não tiveram permissão para entrar. Do lado de fora da porta, eles ouviam soluços infindáveis. Potemkin voltou do Sul imediatamente. Ele e outros tentaram socorrê-la, porém, como Catarina disse mais tarde a Grimm, "eles ajudaram, mas eu não conseguia suportar nenhuma ajuda. Ninguém era capaz de falar, de pensar de acordo com meus sentimentos. Foi preciso dar um passo de cada vez, e cada passo era uma batalha; uma vencida, uma perdida". A certa altura, Potemkin conseguiu acalmar e distrair Catarina. "Ele conseguiu nos despertar do sono dos mortos", ela disse.

O choro parou, mas a depressão continuou, como ela disse a Grimm:

> Estou mergulhada no mais profundo pesar e minha felicidade não existe mais. Achei que eu também iria morrer com a perda irreparável do meu maior amigo. Eu tinha a esperança de que ele seria meu apoio na velhice. Era um jovem que eu estava educando, era grato, gentil e honesto, compartilhava minhas dores e se regozijava com minhas alegrias. Tornei-me uma criatura desesperada, monossilábica. Arrasto-me como uma sombra. Não posso pôr os olhos num rosto humano sem me engasgar com as lágrimas. Não sei o que será de mim, mas sei que em toda a minha vida nunca fui tão infeliz como agora que meu melhor, mais querido e bondoso amigo me abandonou assim.

Lanskoy deixou para Catarina a fortuna adquirida enquanto favorito. Ela a dividiu em partes iguais entre a mãe, o irmão e as irmãs dele. Não conseguiu passar o resto do verão em Tsarskoe Selo sem ele, não apareceu em público até setembro e só retornou ao Palácio de Inverno em fevereiro. Mais tarde, quando ela voltou a Tsarskoe Selo, foi para colocar uma urna grega no jardim que tinham projetado juntos, dedicada à memória dele. A inscrição dizia: "De Catarina para meu querido amigo."

Na procissão de favoritos de Catarina, parece que o fim de uma relação significativa era sempre seguida pela chegada de uma figura menor. A Orlov tinha se seguido Vasilchikov, e a Zavadovsky se seguiu Zorich. A sequência se repetiu: após a morte de Lanskoy, veio Alexander Yermolov, mas não imediatamente. A profunda ferida causada pela morte de Lanskoy cicatrizou muito lentamente, e o apartamento do favorito ficou vago durante um ano. Quando retomou a vida, Catarina encontrou um consolo apenas tépido em Yermolov.

Como a maioria dos outros, ele era oficial da Guarda, tinha 30 anos e, como Lanskoy, era assistente de Potemkin. O príncipe aprovou Yermolov, sabendo que ele era idôneo, apesar de ignorante e sem o menor interesse em aprender coisa alguma. Era bonito e parecia ser honesto, o que era adequado a Catarina naquele momento. Ela não tinha disposição para ensinar a outro aluno, mesmo interessado. Em seu estado de espírito, achava que ninguém seria capaz de competir com o charme, o brilhantismo e a dedicação de Lanskoy. Na primavera de 1785, ela escreveu a Grimm: "Mais uma vez, estou internamente calma e serena. Encontrei um amigo muito capaz."

Durante seus 17 meses como favorito, Yermolov pouco tomou o tempo e o interesse de Catarina. Acabou engendrando sua própria saída. Ele tinha sido protegido de Potemkin, mas começou a se portar como um igual. Seguro de sua posição, passou a criticar o príncipe, contando a Catarina todos os casos escandalosos dele, verdadeiros e falsos, que chegavam a seus ouvidos, e que Potemkin era acusado de estar embolsando a pensão concedida ao deposto *khan* da Crimeia. O desfecho era previsível. Em junho de 1786, Potemkin, furioso, foi em cima de Yermolov em plena corte, gritando: "Seu vira-lata, seu macaco, que tem o atrevimento de me salpicar com a lama da sarjeta de onde tirei você!" Yermolov, que era orgulhoso, levou a mão ao punho da espada, mas um soco rápido de Potemkin o atirou longe, fazendo-o cambalear. Potemkin irrompeu no apartamento de Catarina, berrando: "Um de nós dois tem de sair! Ele ou eu! Se essa nulidade das nulidades permanecer na corte, largo os serviços do Estado hoje mesmo." Yermolov foi dispensado imediatamente, com 130 mil rublos e a permissão para passar cinco anos no exterior. Catarina nunca mais o viu.

Depois da saída de Yermolov, foi mantido o padrão de substituição de uma nulidade por um suposto tipo ideal, um jovem que ela pensou ser outro Lanskoy. Alexander Mamonov, então com 26 anos, era outro oficial da Guarda, bonito, educado, fluente em francês e italiano, sobrinho do generoso conde Stroganov, cuja esposa tinha fugido com Rimsky-Korsakov. Uma noite depois da partida de Yermolov, Mamonov acompanhou Catarina ao apartamento dela. "Eles dormiram até as nove horas", escreveu o secretário de Catarina em seu caderno de anotações na manhã seguinte. O novo favorito logo recebeu uma alta patente na Guarda Preobrazhensky e, em maio de 1788, foi promovido a tenente--general. No mesmo mês, Catarina lhe deu o título de conde. Ela o chamava de *l'habit rouge* (casaca vermelha) devido à cor do uniforme preferido dele. Como era mais inteligente do que muitos dos seus predecessores, às vezes ela lhe pedia opinião sobre questões políticas. Embora o tratasse com seriedade quando estavam juntos, se referia a ele como uma mãe coruja falaria do filho. "Temos uma inteligência dos diabos. Adoramos música e escondemos nosso amor pela poesia como se fosse um crime", escreveu ela a Grimm. A Potemkin, ela disse com entusiasmo: "Sasha não tem preço, uma fonte inesgotável de alegria, com pontos de vista originais e excepcionalmente bem-informado. Nosso tom é o da melhor sociedade. Escrevemos em russo e francês com perfeição; nossas feições são muito regulares; temos olhos e sobrancelhas negros e um porte nobre e descontraído."

A despeito do entusiasmo inicial de Catarina, seu relacionamento com Mamonov começou a esfriar depois de 18 meses. Em janeiro de 1788, o favorito dava sinais de enfado e corriam rumores de que ele tentava se evadir das obrigações íntimas. De fato, Mamonov achava pesadas as restrições na vida com Catarina. Em São Petersburgo, raramente lhe era permitido sair da vista dela, e ele odiava viagens para fora da capital, onde ficava trancado dias a fio num barco ou numa carruagem. Queixava-se de que viajar na carruagem dela era "asfixiante".

Na primavera de 1788, ele começou a ter um caso clandestino com a princesa Darya Scherbatova, de 25 anos. Pouco depois, escreveu a Potemkin, pedindo que fosse dispensado do relacionamento com Catarina. Potemkin respondeu com severidade: "É seu dever permanecer no posto. Não seja bobo de arruinar sua carreira." Em dezembro de 1788, Mamonov se viu num estado de decadência, advertindo que não tinha mais condições de desempenho. No entanto, no começo de 1789, ele ainda era o favorito oficial, e Catarina continuava surda a sugestões de substituição. Na noite de 11 de fevereiro, eles tiveram uma briga, ele pediu demissão, e ela passou o dia seguinte inteiro chorando. Potemkin consertou as coisas temporariamente, mas Mamonov confessou a um amigo que sua vida era "uma prisão". Em 21 de fevereiro, Catarina, chorosa, se queixou de que Mamonov estava "frio e preocupado". Nas semanas seguintes, a imperatriz o viu com pouca frequência. Em 21 de abril, seu aniversário de 60 anos, ela passou o dia isolada. O caso de Mamonov com Scherbatova já era conhecido por muitos na corte, embora Catarina ainda não soubesse. Em 1º de junho, Pedro Zavadovsky, o ex-favorito, soube que Mamonov estava decidido a se casar com Scherbatova, descrita por Zavadovsky como "uma garota muito comum, que não possuía nem beleza nem outras qualidades". Em 18 de junho, Mamonov finalmente confessou à imperatriz. Começou a argumentar com certa dissimulação, reclamando que ela estava fria com ele e pedindo seu conselho sobre o que ele deveria fazer. Ela compreendeu que ele estava pedindo para ser liberado, mas, para mantê-lo na corte, sugeriu que se casasse com a filha da condessa Bruce, de 13 anos, uma das mais ricas herdeiras na Rússia. Catarina ficou surpresa quando ele recusou e, de repente, toda a verdade veio à tona. Trêmulo, Mamonov admitiu que estava apaixonado por Scherbatova havia um ano, e seis meses antes havia prometido se casar com ela. Catarina ficou chocada, mas era orgulhosa demais para não ser magnânima. Mandou chamar Mamonov e Scherbatova, e viu imediatamente que a moça estava grávida. Perdoou Mamonov, deu permissão para o casamento e até mandou que a cerimônia fosse realizada na capela do palácio. Catarina não compareceu, mas os presenteou com 100 mil rublos e uma propriedade no campo. "Que Deus lhes dê felicidade", disse ela, estipulando apenas que saíssem de São Petersburgo.

Catarina foi generosa, mas, por trás dessa generosidade, havia uma mulher gravemente ferida. "Não posso expressar o quanto sofri", escreveu a Potemkin. "Você pode imaginar?" Mamonov era culpado de "mil contradições, ideias absurdas e comportamento irracional". Que alguém pudesse pensar que ela o mantinha contra a vontade a deixava indignada. "Nunca fui tirana de ninguém e detesto coação."

O maior infortúnio foi de Mamonov. Ele confundiu a generosidade de despedida da imperatriz com brasas ainda acesas da paixão. Em 1792, cansado da esposa, começou a escrever para Catarina, de Moscou, suplicando por uma renovação da ligação imperial, lamentando sua "loucura" juvenil ao precipitar a perda dos favores dela, uma lembrança, disse ele, que "sempre me tortura a alma". Ela não respondeu.

O que Catarina buscava nesse jovem ornamental? Ela sugere que era amor. "Não posso passar um dia sem amor", escreveu em suas *Memoirs*. Todavia, o amor tem muitas formas, e ela não falava somente em amor sexual, mas também em companhia, ternura, apoio, inteligência e, se possível, humor. E respeito. Não só o respeito automaticamente devido a uma imperatriz, mas a admiração de um homem por uma mulher atraente. Já mais velha, ela desejava a garantia de que ainda era capaz de atrair e manter o amor de um homem. Tão realista quanto romântica, Catarina sabia e aceitava o fato de que, como era a soberana, os jovens se sentiam atraídos por motivos e objetivos diferentes dos dela. O desejo de amor e sexo pouco interessava aos seus amantes. Eles eram motivados pela ambição, anseio de prestígio, de riqueza e, em alguns casos, de poder. Catarina sabia disso. E lhes pedia coisas diferentes de um mero congraçamento sexual. Queria sinais de prazer na companhia dela, um desejo de entender seus pontos de vista, de aprender com sua inteligência e experiência, uma valorização do seu senso de humor, a capacidade de fazê-la rir. O lado físico dos relacionamentos lhe oferecia apenas uma breve distração. Quando Catarina dispensava um amante, não era porque faltava a ele virilidade, e sim porque a aborrecia. Não é preciso ser imperatriz para acordar de manhã e ver que é impossível conversar com quem passou a noite.

A história de sua juventude ajuda a explicar suas relações com favoritos. Aos 14 anos, foi levada para uma terra estranha. Aos 16, casou-se com um adolescente psicologicamente estropiado e fisicamente deformado. Passou nove anos intocada por esse rapaz no leito nupcial. Não tinha família; sua mãe e seu pai estavam mortos, e os três filhos foram afastados no momento do nascimento. Com o passar dos anos, caiu na armadilha da busca de uma Fonte da Juventude. Hoje há vários meios de prolongar a ilusão de juventude, mas nos tempos de Catarina não existiam. Ela tentou preservá-la identificando a mocidade com a afeição – estimulada, se necessário – de homens jovens. Quando o jovem se via incapaz de prolongar essa ilusão, um dos dois punha fim à farsa, e ela tentava retomar com outro.

Catarina teve 12 amantes. O que deixava chocados seus contemporâneos não era o número deles, mas a diferença de idade entre ela e seus últimos favoritos. Ela montou uma explicação, colocando esses jovens na categoria de estudantes que ela desejava transformar em companheiros intelectuais. Se eles não correspondiam à expectativa – e Catarina nunca achou que algum deles viesse a ser um Voltaire, um Diderot, ou mesmo um Potemkin –, pelo menos ela podia dizer que estava ajudando a prepará-los para futuros cargos administrativos no império.

Com quanta severidade se pode julgar esses jovens favoritos por permitirem ser usados, ou, mais especificamente, por se submeterem a uma ligação sexual com alguém que não amavam? Essa questão não pertence somente ao século XVIII, nem diz respeito somente a rapazes. As mulheres sempre se submeteram a relacionamentos sexuais com homens que não amavam. Além da força física e pressão da família, elas geralmente têm razões semelhantes às de Catarina: ambição, desejo de riqueza, de alguma forma de poder e de uma possível independência no futuro. Nem todos os jovens de Catarina aspiravam a ser favoritos. Vindos de uma nobreza inferior, eram frequentemente empurrados pelos parentes, na esperança de que a chuva de benevolência imperial caísse também sobre eles. E isso não era muito visto como imoral. Na verdade, não há nenhum caso de a família de um favorito de Catarina levantar o dedo dizendo: "Não faça isso; é errado!"

Catarina tratava o lado social de sua vida romântica como um livro aberto. Confidencialmente, em suas memórias ou em cartas a Potemkin e outros correspondentes, ela fazia ardentes descrições dos jovens que se tornavam favoritos. Essas descrições pecavam por erros de julgamento e excesso de sentimentalismo, nada mais. A respeito de si mesma, ela era honesta. Admitiu para Potemkin que tivera quatro amantes antes dele e, em suas memórias, falou sobre a dificuldade de resistir às tentações num cenário como a corte russa. Quem ela era e de onde viera são fatores que contribuíram para determinar seus relacionamentos com homens. Talvez, se fosse filha de um grande rei, como era Elizabeth I da Inglaterra, talvez se, como Elizabeth, tivesse sido capaz de usar a virgindade e abstinência como galardão para seduzir e manipular homens poderosos, a vida dessas duas importantes rainhas da história da monarquia europeia tivesse sido mais parecida.

PARTE VII
"Meu nome é Catarina Segunda"

64

CATARINA, PAULO E NATÁLIA

CATARINA FOI LEVADA PARA A RÚSSIA com a finalidade de gerar um herdeiro e assegurar a sucessão. A obrigação de conceber um filho de seu marido, Pedro, se estendeu por nove anos desperdiçados. O fracasso levou a imperatriz Elizabeth a insistir que Catarina escolhesse entre dois possíveis pais suplentes, Sergei Saltykov e Lev Naryshkin. No momento mesmo em que o objetivo foi alcançado, Elizabeth arrebatou o recém-nascido e o levou embora.

A trama cruel afetou para sempre a vida de Catarina e a de seu filho Paulo. Não foi permitido a Catarina efetivar completamente a experiência da maternidade, e suas lembranças do nascimento e da infância do filho eram dolorosas. É quase certo que o pai de Paulo tenha sido Saltykov, que a abandonou para se gabar da conquista. Assim, Paulo se tornou uma lembrança do homem que desertou sem piedade. Pedro, seu marido, era pior. Pedro a humilhou durante anos, chegando a ameaçar trancá-la num convento. Ambos – o pai dinástico e o pai biológico de seu filho – lhe deixaram amargas lembranças de tristeza, desilusão e solidão.

Em 1762, quando Catarina subiu ao trono e recuperou o filho, era tarde demais para reaver o relacionamento mãe-filho. Paulo tinha 7 anos, era pequeno para a idade, frágil e adoecia com frequência. A princípio, sentiu saudades de Elizabeth, a mulher alta e dominadora que o mimou com turmas de enfermeiras e mulheres que não o deixavam fazer nada por si mesmo. Quando Catarina teve permissão para estar com o filho, ela ia, mas geralmente acompanhada pela figura colossal de Gregório Orlov, que roubava a atenção que Paulo achava que deveria ser dirigida a ele.

No relacionamento de Catarina com Paulo, a questão da sucessão era o problema mais difícil em termos pessoais, políticos e psicológicos de seu reinado. Desde o começo, Catarina sabia que, se quisessem conspirar contra ela, sempre poderiam eleger um herdeiro Romanov na pessoa de seu filho. O assunto era encoberto pelo fato de não se saber ao certo se Paulo era filho de Pedro III ou do amante, Sergei Saltykov. Em suas memórias, Catarina deixa fortemente implícito que era filho de Saltykov e, quando Paulo nasceu, ninguém na corte acreditava que ele fosse filho de Pedro. Havia um conhecimento geral da incapacidade sexual de Pedro, do abismo emocional e físico existente entre o casal, e do caso amoroso de Catarina com Saltykov. A massa do povo russo, porém, que não tinha acesso a essas informações, acreditava que o herdeiro do trono era filho do marido de Catarina, o então futuro czar Pedro III. Na coroação dela, em Moscou, a multidão aclamou Paulo como neto legítimo de Pedro, o Grande. Ao ouvir os aplausos no desfile do dia da coroação, Catarina entendeu seu significado: Paulo era seu rival. Oficialmente, porém, o status de Paulo como herdeiro não dependia da questão da paternidade. Uma vez proclamada imperatriz, Catarina conferiu ao filho o direito de sucessão. Baseando-se no decreto de Pedro, o Grande, de que o soberano poderia nomear o sucessor, ela declarou oficialmente que Paulo era seu herdeiro. Ninguém jamais contestou seu direito a essa decisão.

Depois, uma coisa estranha aconteceu: a fisionomia de Paulo começou a mudar. Quando ele tinha 9 anos, uma doença prolongada corroeu sua beleza infantil, suas feições agradáveis ficaram distorcidas de modo mais acentuado que a assimetria típica da adolescência. Ficou com os cabelos castanhos ralos, queixo recessivo e o lábio inferior protuberante. Parecia-se mais com Pedro que com Sergei, e tinha os mesmos movimentos abruptos e desastrados do primeiro. Quem tinha conhecido Pedro passou a acreditar que ele era realmente o filho do czar morto.

Ao chegar à adolescência, pelo menos ele estava convencido de que era filho de Pedro, e esta foi a figura paterna que passou a respeitar. Começou a perguntar às pessoas sobre a morte do pai, e por que o trono tinha ficado com sua mãe, e não com ele. Se hesitavam em responder, ele dizia que, quando crescesse, iria descobrir. Quando perguntava sobre suas chances de governar, se deparava com longos silêncios desconfortáveis. Havia outras lacunas em suas informações. Ouvia rumores de que o irmão de Gregório Orlov, favorito da mãe, era suspeito de ter sido responsável pela morte de seu pai. Ao tomar conhecimento disso, e sabendo do relacionamento de sua mãe com Gregório, a presença dos irmãos

Orlov na corte o atormentava. Ao mesmo tempo ele ia construindo uma imagem idealizada de Pedro, mirava-se nele, imitando seus modos e comportamento. Ciente de que Pedro tinha sido apaixonado por tudo quanto era relacionado ao Exército, Paulo começou a brincar com soldados. Primeiro de brinquedo, depois de verdade, tal como Pedro fizera. E, tal como Pedro, passou a admirar o maior soldado da época, Frederico da Prússia.

Desde 1760, quando Paulo tinha 6 anos, Nikita Panin era seu mestre e tutor principal. As aulas do menino incluíam idiomas, história, geografia, matemática, ciência, astronomia, religião, desenho e música. Aprendeu a dançar, a cavalgar e esgrimar. Era inteligente, impaciente e muito nervoso. "Sua Alteza tem o mau hábito de apressar a coisas; ele corre ao se levantar, para comer, para ir dormir", disse um de seus tutores. "Na hora do jantar, faz todo tipo de manha para ganhar alguns minutos e se sentar mais cedo. Come depressa demais, não mastiga o suficiente e assim sobrecarrega o estômago com uma tarefa impossível."

Aos 10 anos, Paulo começou a estudar as obras de Jean d'Alembert, o matemático e coeditor da *Encyclopedía* de Diderot. Catarina convidou D'Alembert para ir à Rússia ensinar matemática a seu filho. O francês recusou, e ela tentou de novo, oferecendo-lhe uma casa, salário alto, status e privilégios de um embaixador.

Infelizmente, essa abordagem provocou uma resposta humilhante, pois D'Alembert não só reiterou sua recusa a ir à Rússia, como fez um comentário que correu o mundo. Referindo-se à razão dada oficialmente por Catarina para a morte de Pedro III, ele disse: "Tenho grande tendência a hemorroidas, que é um grave problema na Rússia. Prefiro ficar com o traseiro dolorido no conforto da minha casa." A imperatriz nunca o perdoou.

No verão de 1771, Paulo, aos 17 anos, enfrentou uma batalha de cinco semanas contra a gripe. Catarina e Panin viam com ansiedade o rapaz se debatendo com febre alta e uma diarreia debilitante. Quando ele começou a se recuperar, voltou à baila a questão da sucessão. Catarina não podia adiar a maioridade do filho para além do aniversário de 18 anos, em setembro de 1772. Nesse contexto, Panin sugeriu que Paulo se casasse com uma jovem bem saudável, que ajudasse a amadurecer aquele menino difícil. Assim, disse o tutor, Sua Majestade teria em breve um neto que poderia criar de acordo com suas ideias.

Três anos antes, em 1768, quando Paulo tinha 14 anos, Catarina já pensava em arrumar uma noiva que lhe conviesse, e fez uma lista de candidatas. Como era de esperar, procurou alguém semelhante à sua própria imagem: uma princesa germânica, de uma corte inferior. A mais indicada seria Sofia de Württemburg, mas tinha só 14 anos, jovem demais para se casar. O olhar da imperatriz se voltou para as filhas do *landgrave* de Hesse-Darmstad, e planejou convidar a esposa dele e suas três filhas ainda solteiras, Amalie, Wilhelmina e Louise, para irem à Rússia. As moças tinham 18, 17 e 15 anos, respectivamente. Paulo deveria escolher uma das três. Como ocorreu anos antes com ela, Catarina, o pai não foi incluído no convite.

Durante o verão de 1772, após a substituição de Gregório Orlov, as relações de Catarina com o filho melhoraram. Passando esse verão em Tsarskoe Selo, Catarina fez de Paulo um companheiro, e o longo distanciamento entre os dois parecia ter chegado ao fim. "Nunca tivemos uma temporada mais divertida em Tsarskoe Selo do que essas nove semanas que passei lá com meu filho, que está se tornando um belo rapaz. Ele parece apreciar realmente a minha companhia", escreveu ela a sua amiga de Hamburgo, *frau* Bielcke. "Volto à cidade na terça-feira com meu filho, que não quer sair do meu lado e a quem tenho a honra de agradar tanto que ele às vezes troca de lugar à mesa para se sentar perto de mim." Quando Paulo já estava certo do desaparecimento total de Gregório Orlov, ele reapareceu na corte. Paulo ficou desolado.

Na primavera de 1773, as três princesas de Hesse foram convidadas a ir à Rússia. Acompanhadas da mãe, pararam primeiro em Berlim, onde, como fizera com Sofia 31 anos antes, Frederico lhes disse para se lembrarem sempre de que eram germânicas. No fim de junho, quatro navios russos chegaram a Lübeck para levá-las, subindo o Báltico. O comandante da fragata que as conduzia era o melhor amigo de Paulo, Andrei Razumovsky, filho do velho amigo de Catarina, Kyril Razumovsky. Andrei se encantou com a filha do meio, Wilhelmina, e ela com ele.

Em São Petersburgo, Paulo levou só dois dias para fazer sua escolha, que foi a mesma de Andrei Razumovsky: a princesa Wilhelmina. Infelizmente, a reação dela àquele homenzinho esquisito que deveria vir a ser seu marido não foi entusiástica. Catarina notou sua hesitação, e a mãe também. Mas a maquinação da diplomacia e do protocolo falou mais alto. Tal como no caso de Catarina e sua mãe, tanto a futura noiva quanto a mãe dela eram indiferentes à exigência de conversão religiosa. Como era de esperar, quando a data do casamento se aproximava, o pai escreveu, fazendo objeção à mudança de religião da filha. E também como era de esperar, rendeu-se à decisão da esposa. Em 15 de agosto de 1773, Wilhelmina foi recebida na Igreja Ortodoxa com o nome de Natalia Alekseyevna. No dia seguinte, ficou noiva de Paulo, com o título de grã-duquesa russa.

Numa sucessão de banquetes, bailes e piqueniques, Catarina gostou da companhia da mãe das princesas, uma mulher enérgica, que era amiga de Goethe. O príncipe Orlov convidou-as, e à corte, para irem a Gatchina, onde lhes ofereceu uma recepção suntuosa. Quinhentos convidados jantaram em porcelana de Sèvres e baixelas de ouro. Orlov, a fim de irritar Catarina, que tinha trazido seu novo amante, Vasilchikov, logo começou a flertar com Louise, a mais nova das princesas de Hesse. O ministro prussiano escreveu a Berlim, falando das "extraordinárias atenções que o príncipe dá à senhora e a liberdade de maneiras com que trata as princesas, especialmente a mais jovem".

O casamento de Paulo, então com 19 anos, com Natália, de 17, aconteceu em 29 de setembro de 1773. Seguiram-se dez dias de bailes, peças teatrais e mascaradas na corte, enquanto o povo nas ruas bebia cerveja e comia tortas de carne de graça, vendo os fogos espocando sobre a fortaleza de São Pedro e São Paulo. Paulo estava exultante; uma nova vida e uma nova liberdade se apresentavam. Natália se consolava porque Andrei Razumovsky estava sempre por perto.

Enquanto a data do casamento se aproximava, Nikita Panin travava uma batalha para manter sua influência sobre Paulo e a futura esposa. Catarina viu que, depois de casado, Paulo ficaria mais independente dela. E ela estava decidida que ele ficasse também mais independente de Panin. O casamento seria o pretexto e o momento para cortar seu vínculo com ele. Ao perder a função de tutor, Panin não teria sua base na corte, nem o direito de morar no palácio e estar diariamente com seu pupilo. Não poderia mais influenciar as ideias políticas de Paulo, o que, na opinião de Catarina, tinha levado o filho na direção de uma excessiva admiração pela Prússia e Frederico II.

Panin, que havia ocupado o cargo por 13 anos, não estava preparado para essa manobra. A função de mestre e tutor principal do herdeiro lhe dava uma posição de comando no governo e na sociedade. Como guardião do bem-estar físico e da educação do futuro soberano, ele tinha o poder de escolher, dirigir e demitir professores, bibliotecários, médicos e qualquer ajudante da corte do grão-duque. A instituição presidida por ele tinha seu próprio gabinete, famoso por ser um dos melhores da cidade. Ali Panin recebia convidados todos os dias – supostamente no interesse do grão-duque, que estava sempre presente para aprender –, inclusive ministros de Estado, dignitários da corte, visitantes estrangeiros, escritores, cientistas e seus próprios parentes. Em suma, a posição de tutor era a base da influência política de Panin. Para não se arriscar a perder essa situação, ele sempre recusou outras funções oficiais. Ao assumir a liderança de fato do Colégio de Relações Exteriores em 1763, ficou no segundo escalão, deixando que o titular continuasse a ser o muito ausente chanceler, Miguel Vorontsov. Como estava sempre em contato com a imperatriz, Panin podia lhe dar conselhos em questões pessoais. Um ano antes, em 1772, ajudou Catarina a romper com Orlov, apresentando-lhe Vasilchikov. Em vista de tantos deveres e serviços, ele acreditava ter um valor inestimável, e ser invulnerável.

Infelizmente para Panin, em maio de 1773, Orlov voltou à capital e foi readmitido no conselho. Orlov, disposto à retaliação, passou a ajudar Catarina a tirar de Panin o domínio sobre o grão-duque. Assim, quando Paulo estava para se casar, Panin foi informado de que a educação do grão-duque tinha se completado e sua missão de tutor fora cumprida. Ele reagiu ameaçando se retirar para sua propriedade perto de Smolensk, se fosse separado de Paulo. Catarina, que não queria perdê-lo totalmente, pensou numa solução. Ele iria deixar de ser tutor de Paulo e renunciar à administração da corte do grão-duque. Panin se negou a desocupar seus aposentos no palácio, e Catarina disse que precisavam ser remodelados. Para apaziguar Panin, ela o promoveu a um escalão equivalente a chanceler ou marechal de campo, e lhe deu o título de ministro das Relações Exteriores. Ele recebeu uma gratificação de 100 mil rublos, uma pensão anual de 30 mil e um salário de 10 mil rublos. Paulo lamentou a separação, mas, entusiasmado com o casamento com Natália, não reclamou.

Depois do casamento, Catarina disse à mãe da princesa que a grã-duquesa era "uma menina de ouro", por quem seu filho estava profundamente apaixonado. Algum tempo depois, e com um exame mais atento, porém, os elogios de Catarina se transformaram em irritação, e ela se queixou a Grimm:

> Tudo é excessivo com essa dama. Se ela sai para passear, anda 20 quilômetros; quando dança, são vinte quadrilhas e outros tantos minuetos; para que o apartamento não fique superaquecido, ela não deixa acender nenhum fogo; em resumo, o meio-termo é desconhecido aqui. Não tem graça, nem prudência, nem sensatez em nada disso, e só Deus sabe o que vai ser dela. Imagine que depois de mais de um ano e meio, ela não fala uma palavra da língua.

A Potemkin ela fez outra queixa:

> O grão-duque veio me dizer pessoalmente que ele e a grã-duquesa estão com dívidas novamente. Disse-me que a dívida dela era disso e daquilo, ao que respondi que ela tem uma pensão, assim como ele, como ninguém mais na Europa, que essa pensão é simplesmente para roupas e desejos ocasionais, mas o resto — servos, refeições, carruagem —, tudo lhes é dado. Receio que não haja um fim disso. Se contar tudo, mais de 500 mil rublos foram gastos com eles durante o ano, e ainda assim estão em dificuldades financeiras. E nem um simples obrigado, nem uma palavra de gratidão.

Catarina ouvia também rumores de que as relações de Natália com Andrei Razumovsky vinham se tornando excessivamente calorosas. Às repreensões sobre as extravagâncias da esposa, ela acrescentou que Paulo vigiasse o comportamento dela. Paulo sabia que alguma coisa não andava bem. O casamento fora uma decepção. Sua frívola esposa nunca encorajava a afeição dele. Mas, quando sua mãe falou em mandar Razumovsky embora, Paulo retrucou que jamais se separaria de Andrei, seu melhor amigo, a pessoa de quem ele mais gostava, depois de Natália.

O verdadeiro descontentamento de Catarina quanto a Natália não era financeiro. Passados dois anos e meio de casamento, sua nora ainda não tinha gerado um herdeiro. Entretanto, essas queixas foram esquecidas quando, no outono de 1775, a grã-duquesa achou que estava grávida. "Os amigos dela estão, com razão, muito ansiosos para que ela comprove", relatou o embaixador britânico. Um mês depois, foi anunciado oficialmente que Natália estava grávida. O bebê era esperado para a primavera. Em março de 1776, a gravidez corria tão bem que a imperatriz mandou vir amas de leite. O irmão de Frederico II, príncipe Henrique da Prússia, estava vindo de Berlim para presenciar o importante evento dinástico.

Às quatro da madrugada de domingo, dia 10 de abril, Paulo acordou a mãe, dizendo que Natália estava em trabalho de parto desde a meia--noite. Catarina se levantou, vestiu um robe, correu para o leito da nora e, apesar de não haver ainda fortes contrações, ficou com o casal até as dez da manhã. Foi se vestir e voltou ao meio-dia, quando as contrações aumentaram, e Natália sentia tanta dor que o parto parecia ser iminente. Mas a tarde e a noite se passaram sem resultado, e as dores se alternavam com um sono de exaustão. Na segunda-feira, aconteceu a mesma coisa. Terça-feira, a parteira e os médicos anunciaram que não havia possibilidade de salvar o bebê; todos concordavam que a criança provavelmente já estava morta. Quarta-feira, dia 13, perderam também a esperança de salvar a mãe, e Natália recebeu a extrema-unção. Perto das seis horas da tarde de sexta-feira, 15 de abril, depois de cinco dias de agonia, Natália morreu.

Catarina e Paulo passaram os cinco dias com ela. "Nunca em minha vida me vi numa posição tão difícil, tão hedionda, tão dolorosa", a imperatriz disse a Grimm. "Durante três dias, não comi nem bebi nada. Houve momentos em que o sofrimento dela me fez sentir que meu próprio corpo estava se despedaçando. Depois fiquei como uma pedra. Eu, que sou chorosa por natureza, vi-a morrer e não derramei uma lágrima. Disse a mim mesma: 'Se você chorar, outros vão soluçar; se você soluçar, outros vão desmaiar.'" A angústia de Catarina foi ampliada pelo conhecimento de que seu neto morto era um menino "perfeitamente formado". A autópsia revelou que o bebê era grande demais para passar pelo canal vaginal. A causa era uma má formação inoperável dos ossos, e disseram a Catarina que Natália jamais poderia dar à luz uma criança viva. Quando fizeram a autópsia de Natália, "viram que só havia quatro dedos de largura, e os ombros da criança mediam oito", disse Catarina.

Apesar da fadiga, Catarina manteve a presença de espírito. Era preciso. Paulo, enlouquecido de dor, não deixava que levassem o corpo da esposa e teimava em ficar ao lado dela. Ele não compareceu ao enterro, no monastério Alexander Nevsky. Sua mãe foi acompanhada por Potemkin e Orlov.

Além da morte de Natália e do pesar incontrolável de Paulo, Catarina se deparava com o fato de que três anos de casamento não haviam produzido um herdeiro. Além do mais, o estado emocional do grão-duque era de tal ordem que ninguém podia prever se ele estaria disposto e em condições de cumprir seu dever dinástico. Num momento, enrijecido pela dor, e no momento seguinte, chorando, gritando, se atirando pelo quarto, quebrando móveis e ameaçando se matar pulando pela janela, não admitia sequer pensar em se casar de novo.

Para reprimir aquela tempestade emocional, Catarina escolheu um remédio cruel. Arrombou a fechadura da escrivaninha de Natália e, como esperava, encontrou as cartas de amor trocadas com Andrei Razumovsky. Furiosa ao ver o filho chorando pela mulher que o traía com seu melhor amigo, Catarina decidiu usá-las para sacudi-lo de volta à realidade. Pôs as cartas diante dos olhos de Paulo. Ele leu a prova de que tinha sido enganado pelas duas pessoas que mais amava. Nem sabia se o filho morto era dele. Gemeu, chorou, gritou e depois se enfureceu. Exigiu que o ex-amigo fosse mandado para a Sibéria, mas a imperatriz, leal ao pai de Andrei, recusou e simplesmente ordenou que ele saísse imediatamente da capital. Exaurido, incapaz de reagir, Paulo concordou com todas as decisões da mãe. Estava pronto a se casar logo, muito antes que terminasse o ano de luto oficial. Catarina escreveu a Grimm: "Não perdi tempo. Na mesma hora, pus os ferros no fogo para consertar a perda e, assim fazendo, consegui dissipar a dor profunda que se abateu sobre nós. Os mortos estão mortos e temos de pensar nos vivos."

Catarina ficou muito triste com a morte de Natália, não por ter perdido a nora, mas por ter perdido o neto. Numa carta a *frau* Bielcke, ela comentou a situação com uma gélida ausência de compaixão: "Bem, já que ficou provado que ela não podia dar à luz uma criança viva, não precisamos mais pensar nela." O essencial agora era substituir rapidamente a falecida. O futuro da dinastia e do império estava em jogo; garanti-lo era dever da soberana. No mesmo dia em que Natália morreu, Catarina já começou a pensar em possíveis substitutas.

65

PAULO, MARIA E A SUCESSÃO

Três anos antes, a princesa Sofia de Württemburg tinha sido a primeira escolhida para se casar com Paulo, mas foi excluída por ter apenas 14 anos. Agora Sofia tinha quase 17 e era em todos os aspectos o que Catarina procurava: uma princesa germânica, de família aristocrática, de situação econômica modesta, prolífica, com nove filhos – três homens altos e fortes e seis mulheres bonitas e de ancas largas. A presença do príncipe Henrique da Prússia em São Petersburgo facilitou a execução do plano. Sofia de Württemburg era sobrinha-neta de Frederico II e, obviamente, do príncipe Henrique. Como Paulo idealizava a Prússia e o monarca prussiano, Catarina esperava que o príncipe Henrique pudesse ajudá-la a convencer o arrasado grão-duque a se casar com alguém da família de seu herói. Henrique, sabendo que seu irmão estava sempre propenso a estreitar os laços com a Rússia, enviou-lhe uma mensagem pelo correio mais rápido.

Frederico fez tudo o que pôde para contentar Catarina. Insistiu com Sofia e seus pais para aceitarem o casamento, enfatizando as vantagens políticas para a Prússia, os potenciais benefícios financeiros para a casa de Württemburg, esclarecendo que Catarina já se comprometera a dar dotes para as outras filhas. Havia um obstáculo a ser superado: Sofia estava noiva de Ludwig, príncipe de Hesse-Darmstadt, que era irmão da finada Natália e, portanto, ex-cunhado de Paulo. Por ordem do rei, o noivado foi desfeito e, com a promessa de uma pensão concedida por Catarina e a mão de outra filha Württemburg, o príncipe Ludwig ficou satisfeito.

O passo seguinte foi providenciar o encontro dos noivos. Frederico mandou que Sofia fosse a Berlim, onde Paulo iria encontrá-la. Esse plano era bom para todos. Uma viagem ao estrangeiro vinha a calhar para Paulo distrair seus pensamentos da morte e da pungente humilhação pela traição de Natália. Ademais, a perspectiva de uma viagem a Berlim deveria alegrar o jovem viúvo, que nunca havia saído da Rússia. E a oportunidade de conhecer Frederico II era um forte incentivo.

A viagem a Berlim teve início em 13 de junho de 1776, numa grande carruagem em que Paulo e o príncipe Henrique foram sentados lado a lado. Enquanto Paulo estava ausente, Catarina lhe escrevia frequentemente, elogiando suas cartas e interessada na saúde dele. Encorajado por ela, Paulo inspecionou agências do governo, guarnições e empresas comerciais russas ao longo do trajeto até a fronteira. Ela respondeu aos elogios dele à ordem e à conduta em Livônia, dizendo: "Espero que, com o tempo, a maior parte da Rússia não tenha nada a dever à [Livônia] nem em ordem, nem em correção de conduta e que seu tempo de vida seja suficiente para efetuar essa mudança." Enquanto Paulo viajava, Frederico dava a Sofia de Württemburg informações sobre a corte russa, tal como dera a Sofia de Anhalt-Zerbst 32 anos antes. E tal como fizera com a primeira Sofia, insistia que a conversão à Igreja Ortodoxa não era grave, principalmente quando estavam envolvidas altas questões de Estado.

Quando Paulo chegou em Berlim, Frederico se empenhou em impressionar o grão-duque, então com 23 anos. Paulo foi recebido com salvas de canhões, passou por arcos de triunfo e entre fileiras duplas de soldados. Compareceu a recepções, bailes, jantares. Poucos eram mais competentes e experientes que o rei na arte da lisonja política. Paulo, acostumado a um papel insignificante na corte de sua mãe, viu-se honrado e festejado pelo grande rei Frederico. Pela primeira vez na vida, foi alvo da consideração devida ao herdeiro de um trono importante. "Nada excede as atenções que Sua Majestade da Prússia concede ao grão-duque, nem os esforços que envida para cativar e agradar a ele", relatou o embaixador britânico em Berlim. Paulo se deliciava com essas atenções, que consolidavam sua visão de que o rei da Prússia era o maior homem e o maior monarca da Europa. Escreveu à mãe que o nível de civilização da Prússia estava dois séculos à frente do da Rússia.

A recepção de Paulo em Berlim não só o reconciliou totalmente com a ideia de um segundo casamento, como também ajudou a criar uma vinculação imediata com Sofia. Ela era alta, loura, sadia, amigável e sentimental. E, por ter sido recomendada por Frederico, parecia a Paulo duas vezes mais desejável. Quanto a Sofia, não protestou por ter seu noivado com o belo Ludwig de Hesse rompido, e seus tios-avós lhe terem apresentado o pequeno e feinho Paulo. Fossem quais fossem seus sentimentos mais secretos quando conheceu Paulo, ela o aceitou obedientemente. "O grão-duque é extremamente amável", ela escreveu à mãe. "Possui todos os encantos."

Catarina ficava contente com as cartas de Paulo falando sobre a aparência e o bom senso de Sofia, sua determinação em ser uma boa esposa e aprender o idioma russo. A imperatriz lhe enviou bênçãos, mas, a fim de manter o controle absoluto, insistia que a princesa deixasse a mãe em Berlim e fosse sozinha para a Rússia. Escreveu a Sofia, elogiando sua vontade de vir a ser "minha filha. Tenha certeza de que não deixarei passar nenhuma ocasião em que possa provar a Vossa Alteza os ternos sentimentos de uma mãe". Disse ainda desejar que o casamento fosse realizado o mais cedo possível. Escreveu a Grimm:

> Teremos a princesa aqui dentro de dez dias. Tão logo ela chegue, procederemos a sua conversão. Penso que levará uns 15 dias para convencê-la. Não sei quanto tempo será necessário para ensiná-la a ler de maneira inteligível e correta a confissão de fé em russo. Mas o quanto pudermos correr, melhor. Para acelerar [um secretário de gabinete] foi enviado a Memel para lhe ensinar o alfabeto e a confissão durante a viagem; a convicção virá mais tarde. Oito dias depois disso, marco a data do casamento. Se você quiser vir dançar na festa, tem de se apressar.

A imperatriz mandou um colar e brincos de brilhantes para a futura noiva, e uma caixa de rapé incrustada de joias e uma espada para seus pais. Em 24 de agosto, Sofia cruzou a fronteira russa em Riga, e, em 31 de agosto, ela e Paulo foram recebidos por Catarina em Tsarskoe Selo. A imperatriz acolheu Sofia calorosamente e, dias depois, escreveu a *frau* Bielcke:

> Meu filho voltou muito encantado com sua princesa. Confesso que também estou encantada com ela. É precisamente o desejado, tem formas de ninfa, a compleição da cor do lírio e da rosa, a mais bela pele do mundo, é alta, porém graciosa; a modéstia, a doçura e a bondade se refletem em sua face. O mundo inteiro está encantado com ela, que faz tudo para agradar. Numa palavra, essa princesa é tudo o que eu desejava. Estou muito satisfeita.

Em 6 de setembro, Catarina, Paulo e Sofia viajaram de Tsarskoe Selo para São Petersburgo. Um pastor luterano e um resignado padre ortodoxo confirmaram a opinião de Frederico da Prússia de que as diferenças entre as religiões luterana e ortodoxa eram mínimas. Em 14 de setembro, teve lugar a conversão oficial de Sofia Doroteia. Ao aceitar a nova religião, passou a se chamar Maria Fyodorovna. No dia seguinte, foi realizado o noivado oficial, ocasião em que ela escreveu a Paulo: "Juro amar e adorar você por toda a minha vida, estar sempre junto a você, e nada no mundo me fará mudar em relação a você. Esses são os sentimentos da sua sempre afetuosa e leal noiva."

Em 26 de setembro de 1776, apenas cinco meses após a morte de Natália, Paulo e Maria se casaram, e a grã-duquesa cumpriu seu dever. Catorze meses e meio depois, em 12 de dezembro de 1777, em poucas horas de trabalho de parto sem complicações, Maria deu à luz um menino saudável, o primeiro neto de Catarina, futuro imperador. Esfuziante, Catarina lhe deu o nome de Alexander. Um segundo filho chegou 18 meses depois, garantindo a dinastia. Mais uma vez, Catarina exultou. Deu-lhe o nome de Constantino.

O segundo casamento de Paulo deve ter dado a ele a maior felicidade de sua vida. "Esse marido adorado é um anjo, a pérola dos maridos. Estou loucamente apaixonada por ele, e totalmente feliz", Maria escreveu a uma amiga na Alemanha. Ela era uma excelente esposa. Fazia o possível para deixá-lo feliz, acalmar suas ansiedades, tornando-se não só a esposa, mas também a amiga. Em casa, estimulava as melhores qualidades de Paulo, e o tratava com respeito e deferência em público. Paulo lhe era grato e escreveu a Henrique da Prússia: "Aonde quer que ela vá, tem o dom de alegrar e se portar com naturalidade. E tem a arte de não só afastar meus pensamentos melancólicos, mas até de me devolver o bom humor perdido completamente nesses últimos três anos infelizes." Paulo e Maria tiveram nove filhos saudáveis.

Em 1781, querendo convencer seu prussófilo filho das vantagens de sua recente amizade com José II da Áustria, Catarina programou um *tour* de Paulo e Maria pela Europa. Passariam um ano em viagem, passando por Viena, Itália, Württemburg – a terra natal de Maria – e Paris, evitando nitidamente Berlim. Maria Fyodorovna queria muito ver sua família, mas o prazer se foi quando soube que seus filhos não iriam acompanhá-los na viagem. A decepção de Paulo foi política. A recusa de sua mãe em deixá-lo voltar a Berlim significava que não poderia se reencontrar com Frederico. A tensão entre mãe e filho aumentou devido à quase simultânea remoção de Nikita Panin da liderança do Colégio de Relações Exteriores. Na verdade, havia uma ligação entre a proibição de Paulo ir a Berlim e a demissão de Panin. As boas relações da Rússia com a Prússia iam enfraquecendo à medida que a amizade de Catarina com José II da Áustria se fortalecia. Um ano antes, José tinha visitado Catarina em São Petersburgo, e a imperatriz queria a Áustria como aliada contra os turcos.

Em 1º de outubro de 1781, a viagem começou com o casal incógnito, sob o pseudônimo de conde e condessa Du Nord. Maria, transtornada por deixar os filhos, desfaleceu três vezes antes que a carruagem partisse. Já na estrada, ela se recompôs, e a viagem foi um sucesso. Catarina foi generosa, doando 300 mil rublos para as despesas. Escreveu cartas carinhosas a "meus filhos queridos", dizendo que voltassem para casa se sentissem muitas saudades, e que tinha dado "um mapa da Europa para Alexander" – de três anos de idade – "a fim de que ele acompanhe o itinerário dos pais".

A primeira escala foi na Polônia, onde Stanislaus deixou Maria Fyodorovna fascinada. Catarina, curiosa para saber do ex-amante, perguntou a Paulo "se Sua Majestade polonesa ainda era deliciosamente loquaz ou se os assuntos da realeza tinham destruído essa qualidade". E acrescentou: "Meu velho amigo deve ter tido dificuldade em traçar alguma semelhança entre meus retratos atuais e o rosto de que ele se lembra."

A entusiástica recepção na Polônia foi uma amostra do que estava por vir. José II viajou até a fronteira austríaca para recepcionar o herdeiro russo. Viena comemorou a presença do casal, e Maria adorou a elegância da corte e da aristocracia austríacas. A estada, prevista para durar 15 dias, se estendeu por um mês, durante o qual Paulo moderou seus sentimentos pró-Prússia e gravitou em torno de José II. Na partida dos hóspedes para o sul, José II avisou a seus parentes na Toscana e em Nápoles que a grã-duquesa "prefere compotas de frutas a sobremesas sofisticadas, e nem ela nem o marido tomam vinho. Ela tem predileção por água mineral".

Na Itália, os príncipes Habsburgo deram continuidade às recepções calorosas, mas o auge da longa viagem foi Paris. Multidões aclamavam o casal aonde quer que fosse, no teatro, no hipódromo ou passeando no Jardim das Tulherias. Em Versalhes, Maria Antonieta, irmã de José II, se concentrou em agradar Paulo, e comentou: "O grão-duque tem o ar de um homem ardente e impetuoso que sabe se conter." A rainha tratou a grã-duquesa como se fosse uma velha amiga muito querida. Presenteada com um serviço de jantar em rara porcelana de Sèvres, Maria achou que era destinado a sua sogra, a imperatriz, até que, com espanto, viu estampados nos pratos os brasões da Rússia e de Württemburg entrelaçados.

O retorno à Rússia foi um penoso anticlímax. O conde e a condessa Du Nord estiveram ausentes por 14 meses e, ao encontrarem os filhos, os meninos os olharam como se fossem estranhos e se agarraram às saias da avó. A imperatriz parecia determinada a esvaziar a sensação de sucesso do casal. As recepções que Paulo teve em todos os lugares elevaram sua autoestima, e agora Catarina lhe dizia que as viagens o tinham mimado demais. A grã-duquesa foi recebida com uma rejeição mais específica. Ela fora à modista de Maria Antonieta, a famosa *mademoiselle* Bertin, onde fez muitas compras. Os baús vindos de Paris ainda não tinham sido desempacotados em São Petersburgo quando Catarina proibiu que fossem usados na corte os chapéus altos adornados com plumas, exatamente como os que Maria trouxera para imitar a rainha da França. Foi obrigada a devolver as compras e a ouvir que uma mulher alta tinha melhor aparência usando os trajes simples russos do que os adornos espalhafatosos parisienses. Paulo, por sua vez, soube que a saúde de Nikita Panin havia piorado muito. Em 1783, o grão-duque e a esposa ficaram ao lado do leito de morte do homem que foi professor, conselheiro, protetor e amigo de Paulo durante 23 anos.

Paulo foi feliz no segundo casamento, mas na maioria das outras áreas da vida sofreu frustrações constantes. Conforme a ocasião, Paulo apresentava duas personalidades distintas, e muitas vezes as pessoas que lhe eram apresentadas tinham imagens inteiramente opostas do herdeiro russo. Em 1780, quando o imperador José II da Áustria foi pela primeira vez à Rússia, relatou suas impressões à mãe, Maria Teresa. Como todos, admirou muito Maria Fyodorovna. Ao falar de Paulo, o mais surpreendente foi seu veredicto, amplamente favorável:

> O grão-duque é grandemente subvalorizado. Sua esposa é muito bela e parece ter sido criada para a posição que ocupa. Eles se entendem perfeitamente bem. São inteligentes, vivazes e muito educados, têm altos princípios, são abertos e justos. Para eles, a felicidade dos outros tem mais valor que a riqueza. Não ficam à vontade com a imperatriz, especialmente o grão-duque. Há uma falta de intimidade [entre Paulo e a mãe] sem a qual eu não poderia viver. A grã-duquesa é mais natural. Tem grande influência sobre o marido, a quem ama e domina. Certamente terá um grande papel algum dia. O grão-duque tem muitas qualidades que merecem respeito, mas é

muito difícil ter o segundo lugar aqui, onde Catarina II é dominante. Quanto mais sei sobre a grã-duquesa, maior é minha admiração. Ela tem a mente e o coração excepcionais, bonita aparência e sua conduta é impecável. Se eu tivesse conhecido uma princesa como ela há dez anos, teria ficado muito feliz em me casar com ela.

O embaixador francês, conde de Ségur, que chegou a São Petersburgo em 1784, também teve uma opinião positiva sobre Paulo, embora matizada com qualificações:

> Quando me admitiram na sociedade, vim a conhecer todas as raras qualidades que ganham a afeição geral nessa época. Seu círculo, embora muito grande, parece, especialmente no campo, mais uma reunião de amigos do que uma corte empertigada. Nenhuma família fez as honras da casa com mais naturalidade e elegância; tudo traz a marca do bom tom e do mais delicado gosto. A grã-duquesa, majestosa, afável e natural, bonita sem coquetismo, amável sem afetação, criou uma impressão de virtude sem pose. Paulo procurou me agradar e mostrou ser bem informado. Sua grande vivacidade e nobreza de caráter são impressionantes. Essas, porém, foram apenas primeiras impressões. Logo depois, principalmente quando ele falou de sua posição e de seu futuro, notei uma intranquilidade, um receio, uma suscetibilidade extrema; na verdade, singularidades que iriam ser a causa de suas faltas, suas injustiças e desventuras. Em qualquer outra categoria que tivesse na vida, ele poderia ser feliz e fazer os outros felizes, mas o trono, para um homem como ele, sobretudo o trono russo, não deixa de ser perigoso.

Anos mais tarde, depois de seu retorno à França e depois que o reinado de Paulo terminou em assassinato, Ségur teve mais a dizer sobre o imperador. Dessa vez, foi menos favorável:

> Ele aliava inteligência e informação em abundância ao mais inquieto e suspeitoso temperamento, e ao mais instável caráter. Embora geralmente afável a ponto da familiaridade, na maioria das vezes era arrogante, despótico e áspero. Nunca se viu um homem mais atemorizado, inconstante, mais incapaz de ser feliz e de fazer os outros felizes. Não era maldade, era uma doença da mente. Ele atormentava todos que se aproximavam porque atormentava incessan-

temente a si mesmo. O medo prejudicava seu julgamento. Os perigos imaginários davam margem a perigos reais.

Depois da morte de Gregório Orlov, em 1783, Catarina comprou o palácio em Gatchina, cerca de 50 quilômetros ao sul da capital, dado por ela ao então favorito, e o deu para Paulo. Morando lá com a família, ele se queixava amargamente de sua exclusão do poder e de responsabilidades. "Você me acusa de hipocondria e melancolia", ele escreveu ao príncipe Henrique. "Talvez seja verdade. Mas a inação a que fui condenado torna essa parte desculpável." Em outra ocasião, escreveu-lhe também: "Permita-me escrever-lhe com frequência; meu coração tem necessidade de desabafar, especialmente na vida triste que levo." A carta é interrompida abruptamente: "As lágrimas me impedem de continuar."

Em Gatchina, Paulo tinha liberdade para se comprazer em sua versão da compulsão militar de Pedro III. Para se consolar da humilhação de ser impedido do comando de um exército nacional, contratou um senhor de armas prussiano para formar um pequeno exército particular. Em 1788, ele contava com cinco companhias de soldados em uniformes prussianos ajustados com botões e perucas empoadas. Todos os dias, usando botas altas e luvas longas até os cotovelos, Paulo vinha pôr os homens em exercício até chegarem à exaustão, exatamente como Pedro III fazia. Era impaciente e, quando desagradado, os corrigia a bengaladas. O conde Fyodor Rostopchin escreveu a um amigo:

> Não se pode ver tudo o que o grão-duque faz sem sentirmos piedade e horror. Pode-se pensar que quer inventar meios de se fazer odiado, detestado. Ele enfiou na cabeça que as pessoas o desprezam e querem lhe mostrar desrespeito. A partir dessa concepção, usa qualquer coisa para castigar indiscriminadamente. À menor demora, à menor contrariedade, ele se enfurece.

Uma humilhação que Paulo jamais conseguiu superar, e que o afastou da corte, foi a presença dos favoritos. Ele os tornava automaticamente seus inimigos. Quando criança, odiava Orlov. Depois, Orlov foi trocado por Vasilchikov e outros insignificantes como Zorich, Yermolov, Rimsky-Korsakov e Zubov. As enormes somas de dinheiro continuamente concedidas a esses jovens ressaltavam para Paulo, que estava sempre em dívidas, a diferença de tratamento que Catarina dava a eles e a ele. Potemkin, depois que se tornou todo-poderoso, nem se dava mais ao trabalho de ser cortês com o grão-duque, e o tratava abertamente como um tolo.

Quando subiu ao trono, Catarina proclamou Paulo seu herdeiro. Era de supor que, quando atingisse a maioridade, ele deveria também ser empossado como comonarca, com responsabilidades significativas, tal como Maria Teresa fizera com seu filho José. Em Viena, Paulo viu os resultados daquela mãe soberana dando ao filho oportunidades de aprender enquanto ele a ajudava no governo. Não havia a menor chance de Catarina fazer o mesmo. Ela via o filho como rival, não como colaborador, e jamais deu a Paulo a chance de participar do governo. Ele e a esposa eram obrigados a estar presentes nas cerimônias oficiais. Afora essas ocasiões, mãe e filho pouco se encontravam.

Para manter Paulo em seu lugar de zero político, Catarina vivia apontando as faltas dele: às vezes, era muito infantil, às vezes, independente demais. Em um momento, ela o acusava de dar pouca atenção a questões importantes, e no momento seguinte reclamava que ele estava se imiscuindo em assuntos além da competência dele. Incapaz de decidir como e onde poderia fazer uso do filho, ela desistiu e resolveu não usá-lo para nada. Quando Paulo pediu para fazer parte do Conselho Imperial, foi rejeitado. "Já disse que sua solicitação requer uma ponderação mais madura", foi a resposta da mãe. "Acho que sua participação no Conselho não é desejável. Tenha paciência até que eu mude de ideia." Na eclosão da segunda guerra com a Turquia, em 1787, Paulo tinha 33 anos e quis se alistar como voluntário. A princípio, Catarina negou a permissão, depois cedeu, mas voltou atrás ao saber que Maria estava grávida. Justificou a decisão dizendo que, se ele se afastasse da esposa no momento do parto, sua ausência poderia pôr em risco a preciosa vida de um Romanov. Paulo se ressentiu amargamente desse veto ao serviço militar. Um ano depois, quando eclodiu a repentina guerra com a Suécia, Catarina se compadeceu o suficiente para permitir que o filho fosse visitar o Exército russo na Finlândia. A paixão de Paulo pelo dever era proporcional à preocupação da esposa pela segurança dele, achando que o marido iria entrar na luta. "Ficarei separada do meu adorado marido", Maria escreveu. "Meu coração dói de ansiedade pela vida dele, por quem eu sacrificaria de bom grado a minha própria vida." Paulo vestiu o uniforme e partiu de São Petersburgo em 1º de julho de 1788, mas sua participação durou pouco.

Ele criticou os soldados russos reunidos às pressas na Finlândia porque não seguiam os padrões da milícia de Gatchina, brigou com o comandante em chefe e não teve permissão para ver os mapas nem discutir operações militares. Em meados de setembro, estava de volta à capital e nunca mais foi a guerra nenhuma.

Durante a infância de Alexander, primeiro filho de Paulo e Maria, Catarina pensou seriamente em deserdar Paulo e passar a sucessão diretamente para o neto. Não havia barreira constitucional, pois a lei de sucessão decretada por Pedro, o Grande, garantia a todo soberano da Rússia o poder de escolher seu sucessor ou sucessora. Catarina poderia tomar essa decisão até mesmo no momento de sua morte. Muitos suspeitavam, principalmente Paulo, que Catarina pensava em nomear sucessor seu lindo e talentoso neto. E Paulo tinha mais uma razão para odiar a mãe: além de impedi-lo de adquirir experiência para ocupar o trono, ela agora se interpunha entre ele e o filho – precoce, bonito e adorado pela imperatriz –, tornando-o um rival na obtenção do que Paulo tinha esperado a vida inteira.

Anos de frustração iam deformando o caráter de Paulo, e suas excentricidades ficavam cada vez mais pronunciadas. Sempre melancólico e pessimista, agora parecia mais desequilibrado. Seu comportamento preocupava até a leal esposa. "Todo dia vem alguém falar da desordem de suas faculdades mentais", disse ela. Ironicamente, a reputação abalada e o comportamento estranho de Paulo reforçavam a posição de Catarina no trono. Todos desejavam que as rédeas do governo continuassem nas mãos fortes da imperatriz o maior tempo possível. Mesmo quando Catarina sentiu suas forças enfraquecerem, preocupada com o futuro da Rússia, nunca falou em seu filho, mas sim em Alexander como herdeiro. Ou então dizia, com tristeza: "Imagino nas mãos de quem o império vai parar quando eu me for". Numa carta a Grimm, em 1791, referindo-se aos sangrentos tumultos na França, ela previu a chegada de um Gengis Khan ou de um Tamerlão à Europa: "Isso não virá no meu tempo, e espero que não seja no tempo de Alexander." Em seus últimos meses de vida, deve ter pensado em mudar a sucessão. Trinta anos depois, Maria, já viúva de Paulo, confidenciou a sua filha Ana que, semanas antes de morrer, a imperatriz lhe pediu que assinasse um documento exigindo que Paulo renunciasse a seu direito ao trono. Indignada, Maria se recusou. O mesmo apelo de Catarina a Alexander, para salvar o país de ser governado por seu pai, foi igualmente em vão.

Paulo não sabia como iria acabar aquele longo pesadelo. Passou anos ciente de que a mãe pensava em deserdá-lo. Em 1788, quando partiu para se reunir ao Exército na Finlândia, deixou por escrito instruções a sua esposa para encontrar e reter quaisquer documentos da imperatriz no caso da morte dela. Ele queria ter certeza de que nenhum testamento afetasse seu direito ao trono. Até às horas finais da vida da imperatriz, muitos na corte achavam que ela tinha a intenção de deserdar Paulo. Esperava-se que um manifesto fosse divulgado em 1º de janeiro de 1797, anunciando a proclamação de seu neto como sucessor. Se ela deixou esse testamento e Paulo o destruiu, ninguém sabe. É mais provável que ainda estivesse indecisa quando morreu.

A cisão de mãe e filho se estendeu para além do túmulo. Quando finalmente subiu ao trono, em 1796, Paulo restaurou imediatamente a primogenitura como base da sucessão. A partir de então, até a queda da dinastia dos Romanov e da monarquia, em 1917, o primogênito seria o sucessor, ou, na falta de um filho do soberano, o parente homem mais próximo herdaria a coroa. Nunca mais um herdeiro viria a passar o que Paulo passou. E nunca mais a Rússia viria a ser governada por uma mulher.

❦66❦

POTEMKIN: CONSTRUTOR E DIPLOMATA

GREGÓRIO POTEMKIN LUTOU NA PRIMEIRA GUERRA contra a Turquia, de 1769 a 1774, o que levou a fronteira russa até o mar Negro. Potemkin compreendeu que a aquisição de novo território não bastava, ele precisava ser defendido e desenvolvido. O trabalho mais duradouro de sua vida teve lugar nessas regiões do Sul, onde tornou realidade os sonhos e planos compartilhados com Catarina.

Catarina lhe deu poder – submetido apenas ao poder dela – em muitas áreas. Potemkin mostrou o que era capaz de fazer em termos de organização, administração e construção. Em qualquer questão de governo, diplomacia, campanha militar, fosse o planejamento de uma viagem, ou simplesmente de uma peça teatral, conserto, parada, era Gregório quem mandava, gerenciava, negociava, produzia e dirigia. O foco primário de seu trabalho estava no Sul, onde a soma de suas realizações durante os 13 anos que separaram a primeira e a segunda guerra com a Turquia foi extraordinária.

Potemkin governou o Sul da Rússia como um imperador, embora sempre em nome da imperatriz. Seus empreendimentos mais visíveis e permanentes foram as vilas e cidades que construiu. A primeira foi Kherson, no Baixo Dnieper. Concebida como porto e local para construir navios de guerra, sua edificação teve início em 1778, com docas e um estaleiro. Trinta quilômetros rio acima, saindo do Mar Negro, o acesso a Kherson ficava no estuário chamado Liman. Os russos controlavam a margem oriental, onde uma estreita faixa de areia chamada Kinburn se alongava pelas águas, e os turcos controlavam a margem ocidental com a sólida fortaleza de Ochakov. Apesar daquele formidável obstáculo, Potemkin decidiu construir ali. Milhares de trabalhadores foram levados a Kherson, e os primeiros vasos de guerra ficaram prontos em 1779. Em 1780, ele lançou um navio de 64 canhões e cinco fragatas. Quando Kyril Razumovsky foi a Kherson, em 1782, encontrou prédios de pedra, uma fortaleza, quartéis com 10 mil soldados e vários navios gregos ancorados no porto. Em 1783, depois que Catarina anexou a Crimeia, Potemkin começou a construir uma segunda base naval no sul da península. Chamada Sebastopol, foi situada numa baía bem protegida, com espaço para ancorar muitos navios.

 Em 1786, Potemkin projetou e deu início à construção de uma nova capital desse império no Sul. O local escolhido foi uma curva do Dnieper, num ponto em que o rio tinha cerca de um quilômetro de largura. Chamou-a de Ekaterinoslav (Glória de Catarina). Projetou uma catedral, uma universidade, tribunais, um conservatório de música, parques e jardins, e 12 fábricas de seda e lã. Em 1789, fundou Nicolaev, outro porto e estaleiro 30 quilômetros rio acima a partir de Kherson. E quando a guerra com a Turquia terminou, Potemkin escolheu um local para construir a cidade que hoje é Odessa. Morreu antes que começassem os trabalhos.

Ao mesmo tempo que transformava as províncias do Sul, Potemkin reformava o exército e controlava as relações exteriores da Rússia. Em fevereiro de 1784, Catarina o promoveu à presidência do Colégio de

Guerra, com a patente de marechal de campo. Potemkin introduziu mudanças práticas imediatas. Os soldados deveriam usar os uniformes mais simples e confortáveis, com túnicas largas, calças folgadas, botas que não apertassem e elmos fáceis de colocar. Ordenou que os soldados parassem de cortar, cachear e empoar os cabelos. "Isso é coisa de soldado?", exclamou. "Eles não têm valetes!" Um ano depois, assumiu o controle do pessoal da frota do mar Negro. Assim, passou a ter autoridade total sobre tudo concernente às relações da Rússia com a Turquia, exceto a decisão final de guerra ou paz.

Quanto mais a influência russa se ampliava na Europa Central e Oriental, mais os outros Estados se esforçavam para ganhar a amizade e o apoio da Rússia. A Inglaterra tentou alugar soldados russos para ajudar a vencer as colônias rebeldes na América, e Catarina negou o pedido. Na primavera de 1778, a Inglaterra sofreu um forte golpe quando a França, ansiosa para vingar a perda de possessões coloniais na Guerra dos Sete Anos, reconheceu a independência das colônias americanas. Em junho, a Inglaterra e a França entraram em guerra novamente. Londres enviou um embaixador a São Petersburgo, James Harris, mais tarde sir James Harris, e mais tarde ainda duque de Malmesbury. Nascido em 1746, filho de um notável acadêmico grego, Harris tinha apenas 32 anos, mas sua vasta cabeleira prematuramente branca lhe dava um ar de confiável maturidade. Ele já havia servido como chefe de missão em Madri e como ministro em Berlim, onde negociou muito bem com Frederico II. Agora tinha sido designado para levar a Rússia a fazer uma aliança ofensiva e defensiva com a Grã-Bretanha. Em São Petersburgo, Harris conheceu Catarina e Panin. Ambos foram amáveis, mas diplomaticamente evasivos. De fato, Panin se opunha fortemente a uma aliança com a Inglaterra, e Catarina não desejava envolver a Rússia numa guerra dos ingleses contra a França e a Espanha, aliada da França. Harris recebeu instruções para voltar a solicitar o apoio russo na luta contra os "súditos equivocados de Sua Majestade na América". Para abrir o caminho, ele foi autorizado a dar uma garantia formal de que a Inglaterra não tinha objeções à expansão da Rússia ao longo do mar Negro.

Harris vinha negociando com Panin, mas, em agosto de 1779, 18 meses após sua chegada a São Petersburgo, o embaixador concluiu que a estatura de Panin na corte estava tão reduzida que pouco se podia esperar dele. Harris chegou cauteloso quanto a Potemkin, mas transferiu sua aproximação para o príncipe, que ele descreveu como "uma mistura de inteligência, frivolidade, conhecimentos e humor como nunca encontrei num homem só". Em julho de 1789, Potemkin promoveu um encontro informal de Harris com a imperatriz depois de um jogo de cartas à noite. Depois dessa conversa, Harris relatou:

> Ela mostrou um forte desejo de nos ajudar. Havia se refreado por relutância a lançar o império em novos problemas e provavelmente terminar seu reinado em estado de guerra. Tinha a mais alta opinião sobre nosso espírito e força nacional e não duvidava de que iríamos vencer os franceses e espanhóis. Sua Majestade Imperial dissertou sobre a guerra americana, lamentando não termos conseguido impedi-la logo no início e insinuou a possibilidade de restaurarmos a paz com a renúncia a guerrearmos com nossas colônias. Perguntei-lhe se pertencessem a ela e uma potência estrangeira propusesse a paz naqueles termos, se ela aceitaria. "Preferiria perder minha cabeça", respondeu com grande veemência.

Harris entendeu o conflito de Catarina. Ela admirava a Inglaterra, mas não lamentava ver o governo britânico ocupado com uma nova guerra com a França. Uma Inglaterra superpoderosa não era do interesse do Império Russo; a imperatriz temia que a Inglaterra alterasse sua política e se opusesse à ininterrupta expansão russa no Mar Negro. Harris não relatou isso a Londres, mas entendeu também que, se Catarina levasse a Rússia à guerra novamente, não seria contra a França, mas contra a Turquia.

O imperador José II da Áustria nutria suas próprias ambições com relação aos turcos. Desejoso de reparar o dano e a humilhação infligidos a seu país e a sua mãe pela anexação da Silésia por Frederico II, sua meta era a aquisição de territórios nos Bálcãs e no leste do Mediterrâneo. O meio de conseguir isso seria uma aliança da Áustria com a Rússia. Buscando alcançar seu objetivo, o imperador solicitou uma visita pessoal a Catarina em Mogilev, uma cidadezinha russa perto da fronteira austríaca. Catarina, sabendo que numa futura guerra com a Turquia a Áustria seria uma aliada muito mais útil que a Prússia, deu instruções a Potemkin para tomar as providências.

Em maio de 1789, os dois monarcas se encontraram em Mogilev. Catarina teve prazer em receber aquele hóspede. Viajando incógnito, sob o pseudônimo de conde Falkenstein, José compartilhava com sua mãe o governo das possessões da tradicional casa dos Habsburgo, além de ser o Sagrado Imperador Romano. Sua atitude de ir à Rússia não tinha precedente entre os soberanos estrangeiros, pois nenhum jamais fora lá em toda a história do Império Russo. A convite de Catarina, o imperador a acompanhou de Mogilev a São Petersburgo, onde permaneceu por três semanas, sendo cinco dias em Tsarskoe Selo. Como ele estava viajando incógnito, sem comitiva de cortesãos e atendentes, e porque preferia dormir em hospedarias comuns, um palácio anexo foi transformado em hospedaria e os servos vestidos de acordo. O jardineiro de Catarina, o inglês-hanoverano John Busch, cuja língua materna era o alemão, assumiu o papel de hospedeiro. Quando José partiu, o imperador e a imperatriz combinaram manter uma correspondência regular, lançando as bases de uma aliança militar. O tema das conversações foi o desmembramento e a partilha de territórios do Império Otomano. A ideia de Catarina era a restauração de um império grego sob o governo de seu sobrinho Constantino, sendo Constantinopla a capital. José cobiçava as províncias otomanas nos Bálcãs, e o quanto fosse possível do Egeu e do leste do Mediterrâneo.

A ida de José II a Mogilev e a São Petersburgo ocorreu em maio e junho de 1780. Em novembro daquele ano, sua mãe, Maria Teresa, morreu, aos 63 anos de idade, e José, aos 39, tornou-se o único soberano da Áustria e do império Habsburgo. Em maio de 1781, José II e Catarina assinaram um tratado de ajuda da Áustria à Rússia no caso de uma guerra com a Turquia. A assinatura desse tratado marcou o fim da influência de Nikita Panin na política externa russa. Sempre defensor de uma aliança com a Prússia contra a Áustria, ele declarou que "não podia sujar a mão" colocando seu nome naquele tratado e pediu permissão a Catarina para se aposentar e ir morar no campo.

Potemkin se adiantou para ocupar o lugar de Panin. O embaixador britânico, James Harris, ainda às voltas com a missão de fazer uma aliança da Rússia com a Inglaterra, persuadiu o rei George III a escrever uma carta pessoal e amistosa a Catarina, mas nem isso a persuadiu. Quando Harris pressionou Potemkin, ele respondeu: "Você escolheu um mau momento. O favorito [Lanskoy] está gravemente doente. A causa da doença e a incerteza da recuperação transtornaram de tal forma a imperatriz que ela se acha incapaz de empregar seus pensamentos em qualquer outro assunto, e todas as ideias de ambição, glória, dignidade estão absorvidas por essa única paixão. Está exausta, evitando tudo o que envolva atividade e esforço."

Lanskoy piorou. O próprio Harris teve gripe e icterícia, e depois Potemkin também ficou doente por três semanas. Quando a maré de doença começou a baixar, Potemkin disse a Harris que a imperatriz ainda era simpática à Inglaterra. Catarina falou pessoalmente com Harris: "Meu interesse por tudo que concerne ao seu país levou-me a refletir sobre todos os meios de ajuda que possa lhes oferecer. Eu faria tudo para auxiliar, menos me envolver numa guerra. Eu seria responsável perante meus súditos, meu sucessor, e talvez perante toda a Europa, pelas consequências de tal conduta." Sua posição quanto à aliança com a Inglaterra permaneceu inabalável.

A Inglaterra não desistiu. Em outubro de 1780, lorde Stormont, do Ministério das Relações Exteriores, deu instruções a Harris para oferecer a Catarina "algum objeto digno de atenção, uma cessão de territórios que aumente sua força naval e de comércio, que convença a imperatriz a concluir uma aliança com o rei, auxiliando-nos contra a França, a Espanha e os colonos revoltados". Harris respondeu: "O príncipe Potemkin, embora não tenha falado diretamente, me deu a entender claramente que a única possessão que poderia induzir a imperatriz a se tornar nossa aliada seria Minorca." Essa ilha encravada no Mediterrâneo ocidental, com um porto fortificado e uma base naval, Port Mahon, era uma possessão muito valiosa para os ingleses. Harris pediu uma audiência com Catarina. Potemkin marcou-a e avisou: "Elogie a imperatriz o quanto você puder. Não deve bajular muito, mas elogiar pelo que ela pode ser, e não pelo que é."

Ao se encontrar com a imperatriz, Harris disse: "Pode exigir o que quiser. Não recusaremos nada a Vossa Majestade Imperial, se soubermos o que deseja." Catarina permaneceu decidida a não se envolver na guerra da Inglaterra contra a França, a Espanha e a América.

O diálogo então ficou entre Harris e Potemkin, ambos esperançosos de que se pudesse salvar alguma coisa.

— O que vocês podem nos ceder? — Potemkin perguntou.

— Temos vastas possessões na América, nas Índias Ocidentais e nas Ilhas de Açúcar [no Caribe] — respondeu Harris.

Potemkin não aceitou.

— Ficaremos arruinados com colônias distantes. Nossos navios mal conseguem sair do Báltico. Como atravessariam o Atlântico? Só podemos aceitar alguma coisa mais perto... Se nos ceder Minorca, prometo que posso convencer a imperatriz a lhes dar muita ajuda.

Harris escreveu a Londres: "Eu disse a ele... que considerava impossível a cessão solicitada."

Potemkin respondeu:

"Tanto pior. Estaríamos para sempre ao seu dispor."

Apesar da magnitude do presente solicitado e da relutância em concedê-lo, o governo britânico foi em frente e preparou uma pauta dos termos da aliança desejada: "A imperatriz da Rússia deve efetuar a restauração da paz entre a Grã-Bretanha, a França e a Espanha. É condição expressa que a França proceda à evacuação imediata de Rhode Island e de todas as outras regiões das colônias de Sua Majestade na América do Norte. Não haverá qualquer acordo quanto aos súditos rebeldes de Sua Majestade."

Ainda assim, Catarina não aceitou. Continuava achando que a aliança era uma tentativa de arrastar seus súditos a uma guerra europeia. Quando Potemkin voltou a falar no assunto, ela respondeu: *"La mariée est trop belle; on veut me tromper"* ("A noiva está bonita demais; estão querendo me enganar"). Ela reafirmou sua simpatia pela Inglaterra, mas rejeitou a proposta. No fim de 1781, a aliança ainda estava em discussão. Em dezembro daquele ano, o exército britânico na América do Norte se rendeu quando lorde Cornwallis entregou a espada a George Washington em Yorktown. Em março de 1782, o primeiro-ministro inglês, lorde North, caiu e foi substituído por um ministro conservador. A ideia de uma aliança com a Rússia foi posta de lado.

Catarina tinha outro motivo para rejeitar o tratado com a Inglaterra: sua reaproximação da Áustria tinha levado a uma aliança formal. Baseando-se na força dessa aliança, ela e Potemkin preparavam a anexação da Crimeia, que ambos consideravam muito mais importante que a aquisição de Minorca. Foi Potemkin quem propôs e administrou essa anexação pacífica. O tratado de Kuchuk Kainardzhi, que pôs término à primeira guerra turca, em 1774, estabelecia a independência da Crimeia, mas o *khanato* ainda permanecia nominalmente um Estado vassalo do sultão otomano. Potemkin se preocupava, dado que a península cortava as possessões russas no mar Negro, e explicou a Catarina as dificuldades de guardar a fronteira do Sul enquanto a Crimeia não pertencesse ao império. "A aquisição da Crimeia não nos fará mais fortes nem mais ricos, mas vai assegurar a paz", disse ele. Em julho de 1783, Catarina anunciou a anexação da península da Crimeia ao Império Russo. Potemkin conseguiu fazer essa aquisição sem guerras nem batalhas, mas a um custo pessoal de longo prazo: um caso grave de malária que nunca o deixou em paz até o fim de sua vida.

67

VIAGEM À CRIMEIA E ÀS "CIDADES POTEMKIN"

AO LONGO DO TEMPO, a história da viagem de Catarina, a Grande, descendo o rio Dnieper até a Crimeia, na primavera de 1787, virou lenda. Foi a jornada mais extraordinária jamais empreendida por um monarca, e descrita como o maior triunfo de Potemkin. Tentaram desmerecer esse triunfo, alegando que era um enorme engodo: diziam que as prósperas cidades visitadas por Catarina eram feitas de papelão pintado, e os alegres habitantes eram servos vestidos como cidadãos que iam de vila em vila aplaudindo a passagem da imperatriz. Essas acusações geraram o mito das "cidades Potemkin", uma colonização supostamente inventada por Potemkin ao longo do Dnieper para enganar Catarina e seus convidados quanto ao verdadeiro estado dos territórios do Sul. A expressão "cidade Potemkin" passou a ter o significado de logro, ou algo fraudulento, construído ou falado para esconder uma verdade desagradável. Tornou-se um clichê e hoje é parte da linguagem. Para avaliar essa alegação, dois fatos devem ser considerados. Em primeiro lugar, os que zombaram e condenaram não estavam presentes na viagem. O outro fato é que os resultados do trabalho de Potemkin foram observados por muitas testemunhas, inclusive três estrangeiros sofisticados e de olhar muito atento: o imperador austríaco, José II, o embaixador francês, conde de Ségur, e o marechal de campo austríaco, príncipe Carlos de Ligne. Em duzentos anos, ninguém teve provas de que o que foi escrito e falado sobre a viagem por esses três tenha sido incorreto.

Durante nove anos, Potemkin trabalhou para transformar aquela parte do Sul da Rússia numa área próspera do império. Orgulhoso de suas realizações, insistiu para que a imperatriz fosse ver sua obra. Finalmente ela concordou em ir na primavera e verão de 1787, ano de seu jubileu de prata, quando fazia 25 anos que subira ao trono. Começaram os planos e preparativos para a viagem que seria a mais longa da vida de Catarina e o maior espetáculo público de seu reinado. Por mais de seis meses e mais de 600 quilômetros, ela viajou por terra e água, de trenó, de galera fluvial e carruagem, e confirmou o futuro daquela vasta região. Desde o ano dessa viagem até a invasão alemã, em 1941, e a independência da Ucrânia em 1991, essas terras nunca saíram das mãos russas.

A península da Crimeia, que Potemkin tanto queria mostrar à imperatriz, tem uma história que abrange muitos povos e culturas. No quinto e quarto séculos a.C., os gregos estabeleceram colônias ao longo da costa. Então chamado Taurus, foi o lugar onde dizem que Efigênia, filha de Agamêmnon e Clitemnestra, foi sacerdotisa do templo de Ártemis. Trezentos anos mais tarde, essas colônias gregas se tornaram parte do Império Romano. Depois a Crimeia foi conquistada e ocupada pelos mongóis. Quando Catarina anexou a península, em 1783, disse a Potemkin que construísse estradas, cidades, portos, desenvolvesse a agricultura e integrasse a população islâmica ao império sem destruir sua cultura e religião. Potemkin construiu cidades, criou parques, plantou videiras e jardins botânicos. Mandou vir gado, bichos-da-seda, amoreiras e sementes de melão. Construiu navios de guerra, e em Kherson, Nikolaev e na baía de Sebastopol, construiu bases navais para a frota russa no mar Negro.

Catarina tinha um grande desejo de conhecer aquelas terras de que tanto ouvia falar e onde tinha investido tantos rublos. Tinha também razões diplomáticas, pois queria impressionar a Europa e intimidar os turcos. Na viagem, ela deveria encontrar um rei e um imperador: Stanislaus da Polônia e José II da Áustria. Stanislaus, seu ex-amante, iria se reunir a ela num ponto em que o Dnieper fazia a fronteira da Rússia com a Polônia. José, seu aliado, foi persuadido a ir a fim de anunciarem a força da aliança russo-austríaca. Portanto, seria ao mesmo tempo uma viagem de prazer, uma inspeção real e uma forte declaração diplomática.

Catarina tinha 58 anos no início da viagem e era um esforço inusitado para uma mulher de sua idade. Demonstrava não só sua vitalidade e entusiasmo, mas também sua confiança no mentor que por três anos vinha planejando a jornada. A caminho, ela disse a Ségur:

> Tudo foi feito para impedir essa viagem. Garantiram-me que meu progresso seria cheio de obstáculos e desconforto. Quiseram me assustar com histórias da fadiga na viagem. As pessoas me conhecem muito pouco. Não sabem que se opor a mim é o mesmo que me encorajar, e que cada dificuldade que colocam no meu caminho é um incentivo a mais.

Em primeiro lugar, ela queria endossar a obra, colocando o selo imperial nas realizações de Potemkin. Durante anos, seus inimigos na corte tinham depreciado o trabalho dele, alegando que Potemkin tinha desperdiçado ou roubado grandes somas, e agora milhões de rublos investidos no desenvolvimento dos novos territórios. Potemkin sabia que o sucesso da viagem de Catarina o tornaria inatacável – e que o fracasso seria sua ruína. Sabia também que as cortes europeias estariam observando. Por isso, instou com ela para que levasse embaixadores estrangeiros servindo em São Petersburgo, para que relatassem a seus governos o que tinham visto.

Potemkin investiu todos os seus talentos de organização e liderança naquele imenso empreendimento. Planejou onde a enorme caravana iria parar e dormir cada noite, construiu ou tomou emprestadas casas, mansões e palácios para hospedar os viajantes. Escolheu locais para bailes, fogos e comemorações, ordenou a construção de uma frota de grandes galeras de luxo para conduzir a imperatriz e seus convidados pelo rio Dnieper. Mandou imprimir guias com descrições detalhadas das vilas e cidades por onde passariam e com a distância que a frota percorreria a cada dia.

Catarina fez a lista de convidados. Houve omissões. O embaixador austríaco não foi incluído porque a morte de Frederico, o Grande, um ano antes, tinha levado seu sobrinho, Frederico Guilherme, ao trono em Berlim, e a antipatia desse sobrinho por Catarina era vivamente retribuída. O embaixador saxão, Georg von Helbig, também não foi convidado porque tinha o hábito de difamar Potemkin e suas realizações.

Mais ostensiva foi a ausência de membros da família de Catarina. Até a última hora, ela pretendia levar os netos mais velhos, Alexander, de

10 anos, e Constantino, de 8. Queria que eles vissem os territórios, as cidades e a frota que ela estava adicionando à herança deles. Mas, à medida que a partida se aproximava, os protestos dos pais dos meninos ficaram estrondosos. Geralmente serena, Maria Fyodorovna ficou histérica ao imaginar os filhos viajando para uma região em que as epidemias e a malária eram perigos constantes. O médico, Dr. Rogerson, lhe deu razão. Catarina ainda insistiu, alegando que era cruel deixar uma avó partir numa longa viagem sem que um único membro da família a acompanhasse. A Paulo e Maria, ela escreveu: "Seus filhos pertencem a vocês, pertencem a mim, pertencem ao Estado. Desde sua mais tenra infância, foi meu dever e meu prazer lhes dedicar os mais ternos cuidados. Argumento o seguinte: será um consolo, estando longe de vocês, tê-los perto de mim. Serei eu a única a estar privada, em minha avançada idade, durante seis meses, do prazer de ter algum membro da família comigo?" Receber essa carta só deixou Maria mais desesperada. Paulo então sugeriu que ele e Maria, além dos filhos, poderiam acompanhar a mãe. Ou, se isso não fosse aceitável, ele se oferecia para ser o único a acompanhá-la. Afinal, ele era o herdeiro; presumivelmente, um dia caberia a ele governar aquelas terras. Por que não ir conhecê-las? Essa sugestão, assim como a outra, foi friamente rejeitada. "Sua última proposta iria causar a maior das preocupações", ela escreveu. Na verdade, ela não queria a "mala" da presença de Paulo para estragar seu prazer com o sucesso de Potemkin.

Afinal, o assunto foi resolvido por si só. Na véspera da partida, os dois netos apareceram com catapora. Seis médicos tiveram de ser chamados para confirmar o diagnóstico antes que Catarina se rendesse e concordasse que os meninos ficassem em casa. Paulo também ficou, aborrecido porque ela não lhe delegou nenhuma autoridade sobre coisa nenhuma durante sua ausência.

No dia de Ano-Novo de 1787, Catarina recebeu o corpo diplomático no Palácio de Inverno e depois foram para Tsarskoe Selo. Às 11 da manhã de 7 de janeiro, sob um sol brilhante e um frio tremendo, ela deixou Tsarskoe Selo na primeira das 14 carruagens grandes e confortáveis colocadas sobre enormes esquis, convertidas em trenós. A carruagem de Catarina tinha lugar para seis pessoas. Ela começou a viagem em companhia do favorito do momento, Alexander Mamonov, Lev Naryshkin, Ivan Shuvalov e uma dama de companhia, todos envoltos em peles macias e o colo coberto por peles de urso. Atrás, outras carruagens-trenó levavam embaixadores estrangeiros, membros da corte, do governo e o *staff* pessoal de Catarina. Sabendo que, apesar da tradicional hostilidade entre os dois países, os embaixadores francês e inglês, Philippe de Ségur e Alleyne Fitzherbert (mais tarde lorde St. Helens), simpatizavam um com o outro, ela os colocou na mesma carruagem. Por último, 24 trenós menores levavam médicos, farmacêuticos, músicos, cozinheiros, engenheiros, cabeleireiros, polidores de prata, lavadeiras e grande número de servos e servas.

No Norte da Rússia, em janeiro, tudo some sob um espesso lençol branco. Rios, campos, árvores, estradas e casas desaparecem, e a paisagem é um mar de brancura, onde só se veem elevações e concavidades. Em dias mais cinzentos, é difícil ver onde a terra se encontra com o céu. Nos dias claros, quando o céu é muito azul, o sol é ofuscante, como se houvesse milhões de diamantes espalhados sobre a neve, refratando a luz. Nos tempos de Catarina, as estradas pavimentadas com madeira no verão ficavam cobertas por uma fina camada de neve e gelo que permitia aos trenós deslizarem com suavidade a uma velocidade impressionante. Às vezes, a caravana cobria 160 quilômetros em um dia. "Era um tempo", escreveu Ségur, "em que todo animal ficava no estábulo, todo camponês junto ao fogão, e o único sinal de vida humana era o comboio de trenós passando como barquinhos sobre um mar congelado." Nessa época do ano, a luz do dia não dura mais que seis horas nas latitudes nórdicas, mas isso não impediu o avanço de Catarina. Quando caía a tarde e vinha a escuridão – às três da tarde nos primeiros dias da viagem –, a estrada era iluminada por fogueiras e tochas.

A viagem não alterou a rotina de Catarina. Ela acordava às seis da manhã, como fazia em São Petersburgo, tomava um café e trabalhava sozinha ou com seus secretários durante duas horas. Às oito, chamava seus amigos mais íntimos para a refeição da manhã e às nove embarcava na carruagem para continuar a viagem. Às duas da tarde, parava para almoçar, e retomava a jornada uma hora depois. Às sete da noite, já em plena escuridão, parava para passar a noite. Habitualmente Catarina não estava cansada e voltava a trabalhar, ou encontrava os amigos para conversar ou para um jogo de cartas, até as dez da noite.

Deslizando velozmente sobre a neve, Catarina trocava os passageiros de sua carruagem-trenó a fim de diversificar os tópicos de conversa e variar seu divertimento. Frequentemente Ségur e Fitzherbert eram trocados por Naryshkin e Shuvalov. Ségur, sofisticado e inteligente, inato contador de histórias, era seu preferido. Catarina ria de tudo o que ele falava, mas, a certa altura, ele descobriu os limites da tolerância dela:

Um dia, eu estava sentado defronte da imperatriz na carruagem, e ela me demonstrou o desejo de ouvir trechos de uns versinhos que eu havia composto. A amável familiaridade que ela permitia a quem viajava em sua companhia, a presença de seu jovem favorito, sua alegria, sua correspondência com Voltaire e Diderot levaram-me a pensar que não ficaria chocada com a liberdade de uma história de amor, e recitei-a, o que foi certamente um pouquinho arriscado, mas era decente o bastante para ser bem recebida pelas damas em Paris.

Para minha grande surpresa, de repente vi minha risonha companheira de viagem assumir uma expressão majestática, me interromper com uma questão inteiramente diferente e mudar o assunto da conversa. Pouco depois, para que ela soubesse que eu tinha aprendido a lição, pedi-lhe que ouvisse outro verso, de natureza muito diferente, ao qual ela prestou a mais gentil atenção.

Em Smolensk, a viagem foi interrompida durante quatro dias por altos montes de neve e uma inflamação de garganta que deixou Mamonov febril. Mas uma carta de Potemkin, ainda na Crimeia, apressou Catarina: "Aqui os campos estão começando a ficar verdes. Acho que as flores não tardarão a brotar."

Em 29 de janeiro, a caravana chegou a Kiev, na alta margem oeste do rio Dnieper. A imperatriz, cuja única ida a Kiev tinha sido 43 anos antes, quando ainda era uma grã-duquesa de 15 anos, acompanhando a imperatriz Elizabeth, foi recebida com salvas de canhões e repicar de sinos. Para cada embaixador havia um palácio ou mansão com belas mobílias, criadagem e excelentes vinhos. À noite, havia jogos, música e danças. Catarina jogava *whist* com Ségur e Mamonov.

Potemkin chegou da Crimeia. A princípio, ficou em retiro, longe de toda a animação que havia criado, dizendo que preferia observar a quaresma em companhia dos monges a conviver com a corte e diplomatas. Ficou no Pecherskaya Lavra, o famoso monastério das cavernas, encravado no penhasco que se eleva sobre o rio. Ali, num labirinto de grutas e túneis estreitos, há 73 santos mumificados expostos em nichos abertos, ao alcance da mão dos visitantes. Catarina, conhecendo os humores de Potemkin, avisou: "Evitem o príncipe quando ele estiver parecendo um lobo bravo." A causa do comportamento do príncipe era a preocupação. Ao organizar aquela viagem, ele havia assumido uma enorme responsabilidade, e a parte mais difícil ainda estava por vir.

Além de Potemkin, outro viajante se reuniu ao grupo em Kiev. Foi o príncipe Carlos de Ligne, de 50 anos, nascido na Bélgica e então marechal de campo austríaco a serviço do imperador José II. Chegando de Viena, Carlos foi um companheiro bem-vindo. Europeu cosmopolita, correspondente de Voltaire e Maria Antonieta, ele era espirituoso, erudito, sofisticado, cínico, sentimental e, ao mesmo tempo, diplomático e discreto. Amigo de reis e príncipes, popular entre os inferiores, punha todos à vontade. Ficou encantado com o convite de Catarina, que ele mais tarde descreveu como "O maior gênio de seu tempo". De todos os convidados, Ligne foi o mais simpático, não só com Catarina, mas com todos os demais. A própria Catarina o descreveu como "a mais agradável companhia e a pessoa de mais fácil convivência que já conheci". Quando chegou José II, seu soberano, amigo e confidente, Ligne foi chamado a viajar na carruagem imperial e ouvir a conversa dos dois monarcas. Ligne participava da conversa quando solicitado, e o outro passageiro, Alexander Mamonov, entediado demais para ouvir, dormia.

Catarina e seus convidados ficaram seis semanas em Kiev. De lá, iriam prosseguir descendo o rio nas grandes galeras construídas para a ocasião. Em 22 de abril, canhões deram o sinal de que o gelo no rio já estava se partindo. Ao meio-dia, todos embarcaram em sete galeras decoradas com opulência em estilo romano, pintadas em vermelho e ouro, com as duas águias do brasão imperial russo nas laterais. A galera de Catarina, chamada *Dnieper*, tinha um quarto coberto de brocado escarlate e ouro, uma sala de estar, biblioteca, sala de música e sala de jantar. Um convés exclusivo da imperatriz, coberto com um pálio, lhe propiciava tomar ar evitando o sol. As outras seis galeras eram quase tão luxuosas quanto a da imperatriz, também pintadas em vermelho e ouro e com o interior forrado de brocados caros. Na galera de Potemkin, iam o príncipe, não mais um "lobo bravo", duas sobrinhas com os maridos e seu novo amigo, um soldado aventureiro de má fama, príncipe Carlos de Nassau-Siegen. Esse franco-alemão de 42 anos, herdeiro empobrecido de um pequeno principado, havia navegado pelo mundo inteiro, lutado em terra e mar, se casado com uma polonesa e ido para a Rússia, onde conheceu Potemkin. Catarina teve dúvidas. "É estranho que você goste do príncipe Nassau, considerando sua fama universal de destemperado", ela disse a Potemkin. "Mesmo assim, sabe-se que ele é corajoso."

No dia do embarque, com os barcos ainda atracados, Catarina convidou cinquenta pessoas para almoçar a bordo. Às três da tarde, as galeras zarparam, descendo o rio seguidas por oitenta barcos menores levando 3 mil pessoas a serviço daquela excepcional flotilha. Às seis da tarde, um número menor de convidados voltou num bote à galera da imperatriz para jantar, e assim sucedeu todo o tempo em que navegaram.

Sob o céu azul, o rio brilhando ao sol, os remos coloridos imergiam ritmicamente no rio, e a "frota de Cleópatra", como Ligne a batizou, ia descendo o Dnieper. Viajar pelo grande rio navegável era normal na Rússia, mas ninguém jamais vira nada parecido, e as pessoas se aglomeravam nas margens, acenando. Das galeras, viam-se campinas atapetadas de flores silvestres, rebanhos de gado e ovelhas, cidades com igrejas e casas reluzindo, recém-pintadas. Enquanto navegavam, um enxame de barquinhos ia e vinha entre as galeras, levando e trazendo visitantes, transportando vinhos, comidas e músicos para tocar nas refeições e nos concertos noturnos. Durante o dia, Catarina descansava no convés, sob o toldo de seda. Para os passageiros que não estavam a serviço da imperatriz, as manhãs eram livres e eles se visitavam, falavam de negócios, fofocavam e jogavam cartas. Ao meio-dia, um tiro disparado da galera da imperatriz anunciava o almoço. Às vezes, eram apenas dez convidados, às vezes, cinquenta, em jantares especiais. Frequentemente os barcos ancoravam para os passageiros irem fazer um piquenique ou apenas caminhar pelas margens.

Em seis dias, a frota aportou em Kaniev, no ponto em que a margem leste do Dnieper pertencia à Rússia, e a margem oeste, à Polônia. Ali Catarina iria encontrar Stanislaus Poniatowski, que ela havia feito rei da Polônia. Eles não se viam desde 1759, 28 anos antes. Mesmo agora, aos 56 anos, Stanislaus continuava bonito, sensível, culto – e também bem-intencionado e fraco. Mas Catarina estava apreensiva. Aos 59, bem sabia como os anos tinham afetado sua aparência, e não estava impaciente para se expor ao olhar do ex-amante.

Quando a frota ancorou, Stanislaus foi levado de bote à galera de Catarina. Foi num dia de rajadas de vento e chuva, e o rei subiu a bordo com as roupas encharcadas. Catarina o recebeu com honras de Estado, ao que ele respondeu com sua habitual sofisticação. Pela Constituição polonesa, o rei era proibido de deixar o solo pátrio. Assim sendo, ele viajava incógnito. Curvando-se diante dos que o receberam no convés, ele disse: "Senhores, o rei da Polônia pediu-me que confiasse o conde Poniatowski aos seus cuidados."

Catarina demonstrou frieza. Stanislaus agora lhe parecia insípido, suas maneiras muito pretensiosas, excessivamente elegante e prolixo. Catarina escreveu a Grimm: "Passaram-se trinta anos desde que nos vimos, e você pode imaginar que nos achamos mudados." Ela o apresentou aos ministros e convidados estrangeiros e em seguida, empertigada, retirou-se com ele para meia hora de conversa particular. Quando voltou, estava tensa e com o olhar triste. No almoço, Ségur sentou-se de frente para a imperatriz e o rei, e mais tarde disse: "Eles falaram pouco, mas ficaram observando um ao outro. Ouvimos uma excelente orquestra e bebemos à saúde do rei com uma salva da artilharia." Ao se levantar da mesa, já de partida, o rei não conseguia achar seu chapéu. Catarina o entregou a ele. Stanislaus agradeceu e disse, sorrindo, que era o segundo artigo que ela punha em sua cabeça; o primeiro fora a coroa da Polônia.

Stanislaus tentou, mas não conseguiu persuadir Catarina a prolongar a estada como sua convidada por alguns dias. Ele havia programado jantares e bailes num palácio construído especialmente para a ocasião. Ela recusou, já tendo resolvido que o encontro deles se resumiria a um único dia. Disse a Stanislaus que precisava encontrar José II em Kherson, rio abaixo, que o imperador estaria à espera dela e a programação não poderia ser mudada. Potemkin, que gostava de Stanislaus, se aborreceu e advertiu que a recusa dela poderia debilitar a posição do rei na Polônia. Catarina foi intransigente: "Sei que nosso convidado deseja que eu permaneça aqui por um ou dois dias, mas você sabe muito bem que isso é impossível. Por favor, leve ao conhecimento dele, de maneira cortês, que não há possibilidade de fazer mudanças em minha viagem. Acho quaisquer mudanças nos meus planos muito desagradáveis." Potemkin insistiu, e ela se irritou: "O jantar proposto para amanhã foi sugerido sem que considerassem se era possível. Quando tomo uma decisão, tenho razões para isso e, portanto, vou partir amanhã, como planejado. Realmente, estou cansada disso!" Para acalmar Potemkin, ela permitiu que seus convidados fossem ao primeiro baile programado por Stanislaus, naquela noite, mas ela ficou no barco, vendo os fogos do convés, com Mamonov. Catarina disse a Potemkin: "O rei me aborrece." E nunca mais viu Stanislaus.

Enquanto isso, José II tinha chegado e a esperava em Kherson. O rei, que gostava de viajar livre e desimpedido, mais uma vez estava usando o pseudônimo de conde Falkenstein. Levando pouca bagagem e acompanhado apenas por um estribeiro e dois criados, ele costumava chegar com antecedência. Cansado de esperar em Kherson, decidiu subir o rio, por terra, e encontrar Catarina em Kaidek, onde a frota faria uma parada ao chegar às primeiras corredeiras do Dnieper. Quando as galeras aportaram em Kaidek, Catarina recebeu a informação de que o conde Falkenstein a esperava em Kherson. Logo depois recebeu a notícia de que ele estava na estrada, indo ao encontro dela. Decidida a não ser suplantada, Catarina desembarcou rapidamente, pegou a carruagem e foi correndo interceptar o aliado. Encontraram-se na estrada e voltaram juntos a Kaidek na carruagem dela. Ao se reunir aos outros viajantes, José preferiu manter o anonimato, comparecendo aos eventos junto com os cortesãos e sendo apresentado como conde Falkenstein. Adorou reencontrar seu amigo e comandante militar Ligne, e fazer amizade com Ségur. Em conversa com o embaixador francês, comentou com admiração a vitalidade da mulher extraordinária, dez anos mais velha que ele, que se tornara sua aliada, mas teve poucos elogios para Mamonov. "O novo favorito é bonito", escreveu ele, "mas parece não ser muito brilhante, e perplexo ao se ver na posição em que está. Realmente, não passa de um menino mimado."

Após 24 horas em Kaidek, Catarina e José deixaram para os cortesãos e diplomatas o prazer de enfrentar as corredeiras nos barcos e seguiram juntos, de carruagem, para o local onde Potemkin pretendia construir a cidade de Ekaterinoslav. Ali, em companhia de José, Catarina lançou a pedra fundamental da catedral. O imperador, em dúvida quanto à construção de uma grande igreja antes que houvesse sequer uma vila e uma população, escreveu a um amigo em Viena: "Fiz uma grande proeza hoje. A imperatriz colocou a primeira pedra de uma igreja, e eu coloquei – a última."

Depois que as galeras passaram em segurança pelas corredeiras e os dois soberanos voltaram a embarcar, chegaram a Kherson. Nove anos antes, quando Potemkin escolheu aquele local, 30 quilômetros acima do estuário no mar Negro, Kherson não era mais que algumas cabanas num lodaçal. Agora era uma cidade fortificada, com 2 mil casas brancas, ruas retas, árvores de sombra, jardins floridos, igrejas e prédios públicos, alojamentos para 20 mil soldados, muita gente nas ruas, lojas cheias de mercadorias, um estaleiro com armazéns ao longo do cais, dois navios de guerra e uma fragata prontos para ser postos a navegar. Mais de cem navios, muitos dos quais russos, vinham chegando ao porto. Em 15 de maio, Catarina e José lançaram ao mar os três navios, inclusive o *Vladímir* e um poderoso vaso de guerra equipado com oitenta canhões, diplomaticamente batizado *São José*.

A proximidade dos turcos pairava na mente dos dois soberanos. Viram o arco erigido por Potemkin na entrada da cidade com a provocativa inscrição, em grego: "Este é o caminho de Bizâncio." Tiveram uma reunião com Yakov Bulgakov, ministro russo em Constantinopla, que confirmou o que a imperatriz e Potemkin já sabiam: o Império Otomano nunca aceitara totalmente a anexação da Crimeia nem a presença russa no mar Negro. Os turcos estavam apenas ganhando tempo, disse Bulgakov. Catarina e Potemkin entenderam bem e, como a Rússia não estaria pronta para a guerra em menos de dois anos, no mínimo, instruíram Bulgakov a manter uma atitude conciliatória.

Catarina também precisava ter cautela. Seu plano original era percorrer todo o estuário do Dnieper, o que significava continuar descendo o rio, de Kherson até o Mar Negro. Os turcos impediram esse estágio final da viagem, mandando quatro navios de guerra e dez fragatas cruzarem o estuário. Era um lembrete de que o Dnieper não estava totalmente aberto.

Apesar desse desapontamento, Catarina não desistiu de impressionar seu imperial aliado e os embaixadores, levando-os a fazer um *tour* pela Crimeia. Saíram de Kherson em 21 de maio e viajaram de carruagem, percorrendo as terras. Na estepe, José ficou admirado quando 120 cavaleiros tártaros surgiram de repente, levantando uma nuvem de poeira. Eram homens das tribos recentemente conquistadas, agora consideradas suficientemente leais para servir na guarda de honra imperial. Impressionado, José II saiu do acampamento ao cair da noite para caminhar com Ségur pelos planos relvados que se estendiam até o horizonte. "Que terra peculiar", disse o imperador. "E quem poderia imaginar me ver com Catarina Segunda e os embaixadores francês e inglês perambulando por um deserto tártaro? Que página da história!"

Passando pelo istmo de Perekop, que liga a península da Crimeia à Ucrânia e à Rússia na direção norte, a procissão de carruagens desceu pela escarpa pedregosa que leva a Bakhchirasai, antiga capital da Crimeia dos tempos dos *khans*. Ali, o antigo palácio dos *khans* tornou-se a residência temporária de Catarina e José II. Meses antes, Catarina tinha enviado seu arquiteto escocês, Charles Cameron, para restaurar e redecorar o palácio. Cameron preservou a atmosfera islâmica, com pátios internos e jardins secretos guardados por altos muros e sebes de murta, salas ornamentadas com mosaicos coloridos, tapetes grossos no chão, finas tapeçarias nas paredes e uma fonte de mármore no centro de cada aposento. Pelas janelas abertas, Catarina via os minaretes se elevando acima dos muros e sentia o perfume das rosas, jasmins, laranjeiras e romãs. A cidade ao redor do palácio era dominada por 19 mesquitas, com seus altos minaretes, de onde vinham os chamados às preces cinco vezes por dia. Enquanto Catarina esteve lá, ordenou a construção de mais duas mesquitas. Lá fora também havia cenas, sons e cheiros do Islã: feiras apinhadas, príncipes tártaros, homens em túnicas flutuantes, mulheres com trajes que só lhes deixavam os olhos descobertos.

Como Potemkin estava ansioso para mostrar a Catarina e ao imperador o que ele considerava sua maior realização no Sul, passaram apenas três dias e duas noites em Bakhchisarai. Em 22 de maio, seguiram pelas montanhas, atravessando florestas de pinheiros e ciprestes a caminho das acidentadas terras da costa sul do Mar Negro na Crimeia. Ali entraram numa luxuriante região, parecida com a Riviera, de temperatura amena o ano todo, com oliveiras, pomares, vinhedos, pastagens e jardins de jasmins, loureiros, lilases, glicínias, rosas e violetas. Na primavera, a súbita floração maciça das árvores frutíferas, arbustos, videiras e flores do campo, num turbilhão de cores e odores, transformava a costa num enorme jardim perfumado.

O destino da caravana era Inkerman, nos montes a cavaleiro do mar Negro, onde pararam para almoçar num pavilhão novo. Depois de um banquete ao meio-dia, Potemkin abriu as cortinas no fundo do salão. Diante deles, sob o céu azul sem nuvens, surgiu um anfiteatro de montanhas escarpadas se elevando das águas azuis cristalinas. Era a grande baía de Sebastopol, refulgindo à luz do sol, onde estavam os navios da frota, cada vez maior, construída por Potemkin. A um sinal enviado do pavilhão, os navios dispararam uma salva em honra dos monarcas. Para finalizar, um dos navios hasteou a bandeira do imperador e deu uma salva em sua homenagem.

Catarina conduziu José à carruagem e desceram juntos até o porto para conhecer a cidade e o cais. Passaram por novas docas e atracadouros, fortificações, prédios do Almirantado, arsenais, quartéis, igrejas, dois hospitais, lojas, casas e escolas. José, que havia demonstrado ceticismo e feito críticas a Kherson, ficou deslumbrado com Sebastopol, e disse ser "o mais belo porto que já vi". Impressionado com a qualidade e velocidade dos navios, ele acrescentou: "A verdade é que preciso estar aqui para acreditar no que estou vendo."

De Sebastopol, Catarina tinha a intenção de atravessar a Crimeia, levando os convidados até Taganrog, no Mar de Azov, mas o calor do verão e o desejo de José de voltar para Viena a convenceram de que todos já tinham visto bastante. Retornaram ao Dnieper na carruagem dela, ainda falando de política e fazendo planos. Em 2 de junho, se separaram. Catarina continuou seguindo para Poltava, ao norte, onde Potemkin montou uma recriação da Batalha de Poltava, de 1709, quando Pedro, o Grande, aniquilou o exército invasor de Carlos XII da Suécia. Cinquenta mil soldados, alguns vestidos como russos e outros como suecos, fizeram a encenação da batalha.

Em 10 de junho, em Khartov, Catarina e Potemkin se separaram. Ele a presenteou com um magnífico colar de pérolas que mandara comprar em Viena. Ela lhe concedeu o título de príncipe de Tauris. Depois, seguindo para o norte através de Kursk, Orel e Tula, a carruagem de Catarina foi sacolejando pelas estradas, que já não permitiam o deslizar suave de trenós sobre a neve. Ao chegar em Moscou, em 27 de junho, ficou muito feliz ao rever os netos Alexander e Constantino, que os pais consentiram que viajassem para receber a avó. Foi a última visita de Catarina à antiga capital. Quando chegou a Tsarskoe Selo, em 11 de julho, estava exausta.

Estava imensamente orgulhosa das proezas de Potemkin. Após deixá-lo em Khartov, escreveu-lhe cartas agradecidas, emotivas, durante a viagem: "Amo você e o seu serviço, que é fruto de puro zelo. Por favor, tenha cuidado. Com o intenso calor que você tem ao meio-dia, imploro muito humildemente: faça-me o favor de cuidar da sua saúde, pelo amor de Deus e de si mesmo, e seja tão grato a mim quanto sou a você."

Potemkin respondeu com gratidão e amor quase filiais:

> Vossa Majestade! Como agradeço os sentimentos que expressou, só Deus sabe! Você é mais que uma verdadeira mãe para mim. Quanto lhe devo, quantas honrarias recebi, quanto você estendeu seus favores aos que me são próximos, mas, acima de tudo, o fato de que a malícia e a inveja não me prejudicaram aos seus olhos, e toda a perfídia foi isenta de sucesso! Isso é de fato muito raro neste mundo; essa firmeza só é dada a você. Este país jamais esquecerá esta felicidade. Adeus, minha benfeitora e mãe. Serei seu fiel escravo até a morte.

Sobre a "malícia e a inveja" de seus inimigos, ela escreveu: "Aqui entre nós, meu amigo, vou lhe contar em poucas palavras o estado de coisas:

você me serve e eu lhe sou grata. E é só isso. Com seu zelo por mim e seu fervor pelos assuntos do império, você deu uma surra em seus inimigos."

Potemkin construiu cidades e portos de mar, criou indústrias, uma frota, importou e plantou espécies agrícolas e deu à Rússia acesso a outros mares. Uma parte interessada não acreditou que aquelas cidades, vilas, estaleiros e navios de guerra que Potemkin mostrou a Catarina fossem feitos de papelão. Os turcos estavam perfeitamente cientes da força do Império Russo se alastrando pelo litoral norte do Mar Negro. Não esperaram muito para reagir. Catarina tinha voltado a Tsarskoe Selo para descansar, mas teria pouco descanso. Logo em seguida a seu retorno do Sul, chegou a notícia de que a Turquia havia declarado guerra.

❦ 68 ❦

A SEGUNDA GUERRA TURCA E A MORTE DE POTEMKIN

A PAZ ENTRE A RÚSSIA E A TURQUIA assinada em 1774 era precária. Os turcos nunca se conformaram com a perda do território no Sul e a abertura do mar Negro aos navios mercantes russos. Quando Potemkin começou a construção da frota no mar Negro, a preocupação da Turquia aumentou. Depois, Catarina anexou a Crimeia. Fez a excursão triunfal, acompanhada pelo imperador austríaco, culminando com a inspeção da base naval em Sebastopol, cheia de navios de guerra a apenas dois dias de viagem de Constantinopla. Parecia uma provocação deliberada. O sultão declarou guerra.

Esse movimento súbito pegou a Rússia de surpresa. Catarina e Potemkin estavam a par da permanente hostilidade da Turquia, mas ambos imaginavam que a jornada triunfante pelo Sul fosse intimidar, e não provocar, os turcos. Certamente, não esperavam que fosse deflagrar uma guerra. Para os turcos, porém, havia um preço a pagar pela vantagem de atacar primeiro: a declaração turca acionou o tratado secreto da Rússia com a Áustria, obrigando José a ir em socorro de Catarina. Duas semanas após a declaração dos turcos, o imperador disse a Catarina que honraria o tratado e, em fevereiro de 1788, a Áustria declarou guerra ao Império Otomano.

Os objetivos da Turquia eram simples: recuperar a Crimeia e eliminar a frota russa do mar Negro. Os objetivos de Catarina abrangiam mais etapas. Seu propósito final ainda era expulsar os turcos da Europa e tomar Constantinopla, mas a investida inicial seria para tomar a grande fortaleza de Ochakov, que controlava o estuário do Dnieper. Uma vez conquistado esse ponto estratégico, guarnecido por 20 mil homens, Catarina e Potemkin fariam o exército avançar a oeste pelo litoral norte do mar Negro para ocupar as terras entre os rios Bug e Dniester. Quando chegassem lá, iriam analisar os planos de invadir Constantinopla.

Estava claro que Potemkin teria o comando supremo de toda a ação russa. As rédeas do poder militar estavam em suas mãos. Ele tinha sido vice-rei e comandante em chefe das Forças Armadas nas províncias do Sul durante duas décadas. Havia criado as cidades e a frota. Ademais, era presidente do Colégio de Guerra e conhecia bem os recursos militares, a disposição das forças e os detalhes políticos e administrativos envolvidos. Tinha sido promovido a comandante em chefe por mérito, e até o mais antigo general russo, Pedro Rumyantsev, concordou em servir sob seu comando. Suvorov, o mais famoso comandante de batalhas na época, já estava sob as ordens de Potemkin.

Ambos, Potemkin e Suvorov, eram excêntricos. Em genialidade militar, Suvorov suplantava Potemkin. O príncipe era um soldado cheio de expedientes, mas cauteloso e muito envolvido nas questões políticas. Era excelente estadista, administrador e estrategista militar, mas lhe faltava a aptidão de Suvorov para tomar decisões rápidas, intuitivas no campo de batalha. Eles se complementavam. Potemkin dava a Suvorov a estratégia, as tropas, os suprimentos, e Suvorov dava a Potemkin e à Rússia as vitórias. Potemkin sempre defendeu que as mais altas recompensas fossem concedidas a Suvorov, ao requerer, por exemplo, que ele recebesse a Ordem de Santo André antes de outros generais mais antigos.

Os turcos começaram a guerra tentando tomar o forte russo em Kinburn, uma nesga de terra na margem leste do estuário do Dnieper, do lado oposto a Ochakov. Duas tentativas de assalto a Kinburn foram rechaçadas por Suvorov, cuja preferência eram armas brancas. A filosofia de Suvorov era: "A bala é idiota, a baioneta é um bom camarada." Empregando essa tática, os russos atacaram os turcos logo no desembarque e massacraram a maioria deles quando ainda estavam com os pés molhados. A vitória russa foi contrabalançada por um ferimento de Suvorov em combate e por um temporal que pegou a frota russa na saída de Sebastopol. Um grande navio naufragou e outros ficaram avariados. Abalado pelos danos a seus amados navios, Potemkin falou em evacuar a Crimeia e entregar o comando. Catarina respondeu com indignação: "Você está impaciente como uma criança de 5 anos, e os assuntos sob sua responsabilidade requerem uma paciência imperturbável. Você pertence ao Estado e a mim. Meu amigo, nem o tempo, nem a distância, nem ninguém no mundo poderão mudar meu pensar em você e sobre você." E acrescentou a opinião (correta, como se soube depois) de que a frota turca tinha sido igualmente danificada pela tempestade. Potemkin pediu perdão, pondo a culpa do destempero em sua própria sensibilidade, dores de cabeça e hemorroidas.

Quando o inverno cobriu o Dnieper de gelo, os dois lados suspenderam a luta, e só em maio Potemkin pôde colocar 50 mil homens num cerco a Ochakov. Mas não tinha pressa. Achando que a fortaleza iria cair de qualquer maneira e temendo que uma tentativa de ataque frontal aos baluartes resultasse em muitas perdas, adiou deliberadamente o ataque, esperando por uma rendição voluntária. Potemkin não era covarde. Durante o longo cerco, ele se expôs muito ao perigo. Crente de que era protegido por Deus, chegava à linha de fogo vestindo uniforme de gala, tornando-se um alvo perfeito. Sua autoconfiança foi reforçada quando uma bala de canhão matou um oficial logo atrás dele. E disse aos soldados: "Meninos, estão proibidos de me proteger, se expondo temerariamente às balas turcas." Suvorov discordava da estratégia de cautela. Era a favor de um golpe imediato, decisivo, aceitando quantas perdas ocorressem. Quando Potemkin impediu que ele atacasse Ochakov, dizendo "Com a ajuda de Deus, vou tentar conseguir isso de um modo mais fácil", Suvorov respondeu: "Você não captura uma fortaleza só olhando para ela." Os dois mantinham a admiração mútua. Quando Suvorov foi ferido, Potemkin escreveu: "Meu caro amigo, você tem mais valor para mim do que 10 mil outros." Suvorov respondeu: "Longa vida ao príncipe Gregório Alexandrovich! É um homem honesto, um homem bom, um grande homem, e ficarei feliz de morrer por ele!"

O cerco continuou. Um aspecto muito desagradável era a prática turca de expor as cabeças dos prisioneiros russos decapitados espetadas em estacas nos baluartes. Finalmente, em dezembro de 1788, no segundo inverno do cerco, com o exército sofrendo demais com o frio, Potemkin cedeu. Autorizou os soldados a saquear a cidade depois que tomassem a fortaleza, organizou as forças em seis colunas de 5 mil homens cada uma e deu ordem de atacar às quatro da madrugada do dia 6 de dezembro. A escaramuça durou apenas quatro horas e foi uma das mais sangrentas batalhas da história da Rússia. Diz-se que 20 mil russos e 30 mil turcos morreram naquela manhã. Mas a tomada de Ochakov abriu caminho para o Dniester e o Danúbio.

No ano seguinte, 1789, todo o curso do Dniester caiu sob o poder dos russos. As cidades fortificadas de Ackerman e Bender capitularam sem resistência, sendo que havia uma guarnição de 20 mil homens em Bender. No mesmo ano, Belgrado e Bucareste foram tomadas pelos austríacos. Em fevereiro de 1790, porém, o amigo e aliado de Catarina, o imperador José II, morreu de tuberculose. José II não tinha filhos e foi sucedido por seu irmão, Leopoldo, grão-duque da Toscana, que veio a ser o imperador Leopoldo II. Este não tinha interesse em dar continuidade à guerra com a Turquia. Em junho de 1790, ele e o sultão fizeram um armistício, e em agosto concluíram a paz, deixando a Rússia sozinha na luta. Apesar da retirada da Áustria, o exército russo chegou ao Baixo Danúbio, capturando uma cidade após a outra até alcançar Izmail, uma das mais colossais fortalezas da Europa. Esse maciço bastião de torres e baluartes, defendido por 35 mil homens e 265 canhões, foi cercado por 30 mil russos com seiscentos canhões. No fim de novembro de 1790, os russos não haviam feito progresso, e os três generais no comando do exército já preparavam a retirada. Potemkin, preocupado, mandou chamar Suvorov, dando-lhe liberdade para atacar ou levantar o cerco, como achasse melhor. "Corra, meu caro amigo", Potemkin escreveu. "Minha única esperança está em seu valor e em Deus. Há muitos generais da mesma categoria lá, e o resultado é uma espécie de parlamento indeciso." Suvorov chegou em 2 de dezembro, reorganizou a artilharia russa, começou um bombardeio impiedoso e comunicou a Potemkin que iniciaria o assalto dentro de cinco dias. Ordenou aos turcos que se rendessem, avisando: "Se Izmail resistir, ninguém será poupado." O comandante turco desprezou a ordem. A invasão russa começou de madrugada. Os turcos lutaram nos baluartes, nos portões, em cada rua e em cada casa da cidade. Foram vencidos pela fúria do ataque russo. Então, como havia prometido antes da invasão, Suvorov deu aos soldados três dias de pilhagem.

Durante os anos de 1788-90, a Rússia enfrentou duas guerras, uma no Sul e outra no Norte. Em junho de 1788, Gustavo III, rei da Suécia, vendo uma oportunidade de recuperar as terras conquistadas por Pedro, o Grande, no início do século, sucumbiu à tentação oferecida pela concentração do exército russo no Sul. Seu objetivo era retomar a Finlândia e despojar a Rússia das províncias bálticas. E jurou melodramaticamente que, se fracassasse, seguiria o exemplo da rainha Cristina um século antes, abdicaria, se converteria ao catolicismo e se mudaria para Roma. Em 1º de julho de 1788, Catarina recebeu um ultimato com exigências que iam além da devolução de todos os territórios suecos no Báltico. O rei também queria que Catarina aceitasse a mediação da Suécia na guerra russo-turca e devolvesse à Turquia a Crimeia e todos os outros territórios do Império Otomano conquistados desde 1768. Num insulto adicional a essa provocação, ele se referia à "ajuda" que tinha dado, não atacando a Rússia durante a primeira guerra turca e durante a rebelião de Pugachev. Em Estocolmo, Gustavo já se vangloriava, dizendo que em breve estaria tomando café em Peterhof e depois seguiria para São Petersburgo, onde derrubaria a estátua de Pedro, o Grande, e colocaria a sua no lugar. Catarina classificou o documento de "bilhete insano" que recebeu de "sir John Falstaff". A Potemkin, ela descreveu o rei se vestindo com "peitoral, roupas justas, braceletes e elmo com uma enorme quantidade de plumas. Que fiz eu para que Deus venha me castigar com um instrumento tão débil quanto o rei da Suécia?"

Em julho de 1789, Gustavo invadiu a Finlândia e mandou sua frota subir o golfo. O exército sueco fracassou em terra, e a marinha teve sucesso apenas parcial. A guerra ficou inconclusa, principalmente para a Suécia, porque Catarina, totalmente empenhada na guerra da Turquia, só precisou manter o *status quo* no Báltico a fim de vencer. No verão de 1790, Gustavo pediu a paz. O acordo de paz sueco-russo, em 3 de agosto, deixava todas as fronteiras exatamente onde estavam antes do "bilhete insano" do rei. Catarina ficou aliviada. Em carta a Potemkin, que ainda lutava contra os turcos, ela disse: "Tiramos uma pata da lama [no Báltico]. Assim que tirarmos a outra [no Sul], vou cantar aleluia."

A segunda guerra da Turquia foi uma rica fonte de histórias pitorescas acrescentadas à lenda de Gregório Potemkin. Uma delas foi o caso do quartel subterrâneo que ele construiu para ficar durante o cerco de Ochakov. Falavam de um imenso salão de mármore, com fileiras de pilares em lápis-lazúli, grandes candelabros, miríades de velas, espelhos enormes e pelotões de lacaios com cabeleiras empoadas e vestidos em brocado de ouro a seu serviço. Não é muito mais fácil acreditar na informação de que Potemkin tinha até uma companhia de teatro e uma orquestra sinfônica de cem músicos para lhe dar inspiração e diversão. Há também relatos extravagantes de casos de amor supostamente ocorridos durante o cerco de Ochakov. Diziam que ele mantinha um harém de lindas mulheres, inclusive a princesa Catarina Dolgoruky, cujo marido estava servindo sob o comando de Potemkin, e a bela Prascovia Potemkina, esposa de Paulo Potemkin, que era parente dele.

No entanto, o fenômeno mais notável em Ochakov era o próprio Potemkin. O príncipe de Ligne, marechal de campo austríaco que acompanhou Catarina e Potemkin na viagem à Crimeia, ficou no quartel-general russo instigando Potemkin a atacar a fortaleza, a fim de deslocar as tropas turcas da campanha austríaca nos Bálcãs. A despeito da prolongada recusa de Potemkin em atacar, Ligne ficou embasbacado com aquele homem. E escreveu a seu amigo Philippe de Ségur, que estava em São Petersburgo:

> Vejo aqui um comandante em chefe que parece ocioso e está sempre ocupado, que não tem outra escrivaninha senão seus joelhos, não tem outro pente senão seus dedos, sempre recostado num divã, mas sem dormir nem de dia nem de noite. Um tiro de canhão, ao qual ele não está exposto, o inquieta com o pensamento de que custou a vida de alguns soldados. Temendo pelos outros, e ele mesmo muito corajoso, alarmado à aproximação do perigo e brincalhão quando o perigo realmente se aproxima, aborrecido em meio ao prazer, enfarado o tempo todo, facilmente desagradado, moroso, inconstante, um filósofo profundo, ministro hábil, político sublime, não vingativo, pede perdão pelos sofrimentos que infligiu e se apressa a reparar uma injustiça, pensando que ama a Deus quando teme o demônio. Com uma das mãos acena chamando as mulheres que lhe agradam, enquanto com a outra mão faz o sinal da cruz, recebe inúmeros presentes da soberana e os distribui imediatamente; prefere a prodigalidade de doar à regularidade de fazer pagamentos, prodigiosamente rico e não vale um tostão, muito preconceituoso a favor ou contra toda e qualquer coisa; fala de divindade com os generais e de táticas com os bispos; nunca lê nada mas insufla todos com quem conversa; extraordinariamente afável ou extremamente selvagem, tem as mais belas ou mais repulsivas maneiras; sob a aparente rudeza esconde a maior benevolência do coração, como uma criança que-

rendo ter todas as coisas, ou como um grande homem que pode passar sem elas; rói as unhas, as maçãs, os nabos, xingando ou rindo, enfurnado na libertinagem ou nas orações, manda chamar vinte auxiliares de campo e não diz nada a eles, não liga para o frio, embora pareça não existir sem estar coberto de peles; sempre em camisa e sem calças, ou em belas fardas, descalço ou de chinelos, sempre curvado quando está em casa, e ereto, altivo, belo, nobre e majestoso diante do exército, como Agamêmnon se destacava entre aos monarcas gregos. Qual é a mágica? Gênio, capacidade natural, uma excelente memória, estratagemas sem astúcias, a arte de conquistar todos os corações, muita generosidade, amabilidade, justiça nas recompensas e um inexcedível conhecimento da humanidade.

Há uma outra história – e essa é verdadeira – da época da guerra russo-turca, centrada numa figura que poucos relacionam a Catarina da Rússia ou a Gregório Potemkin. Trata-se de John Paul Jones, conhecido pelos norte-americanos como o pai da marinha dos Estados Unidos.

Jones começou como um zé-ninguém e morreu sozinho, rejeitado como um zé-ninguém. Nesse ínterim, porém, teve a fama pela qual ansiava desesperadamente. Nascido John Paul – o Jones foi acrescentado depois –, era filho de um jardineiro pobre que vivia nas margens do Solway Firth, na Escócia. Aos 13 anos, foi trabalhar de graça como atendente num navio mercante que ia para Barbados e para a Virgínia. Aos 19, em 1766, embarcou como terceiro imediato num navio de escravos africanos e permaneceu no comércio de escravos por quatro anos. Aos 23, se tornou comandante de um navio mercante em que sua arte náutica era inquestionável, mas os homens tinham medo de seu temperamento irritadiço. Ele era delgado e rijo, tinha 1,80m de altura, olhos castanhos, nariz afilado, malares altos e um queixo forte, com uma covinha no meio. Vestia-se com apuro, mais como um oficial da marinha de guerra do que como um comandante de navio mercante, e sempre portava uma espada, cuja lâmina foi usada nas Índias Ocidentais contra o chefe de um grupo de amotinados em sua tripulação. Sem saber se seria aplaudido por debelar o motim ou julgado por assassinato, mudou seu nome para John Jones e embarcou no primeiro barco que saiu do porto.

No verão de 1775, Jones estava na Filadélfia à procura de um posto na incipiente marinha das colônias americanas rebeldes, e foi o primeiro tenente comissionado pelo Congresso Continental. Passado um ano, após a assinatura da Declaração da Independência, ele foi para a Europa na esperança de encontrar uma fragata para comandar. O governo francês, animado pela notícia da rendição do general britânico John Burgoyne em Saratoga, já tratava de reconhecer plenamente a independência da América do Norte, e Benjamin Franklin, representante norte-americano em Paris, se tornou patrono de Jones. Com a ajuda de Franklin, Jones assumiu o comando de um barco francês da Companhia das Índias Orientais, um surrado navio mercante de 900 toneladas. Jones armou o navio com 30 canhões e o rebatizou de *Bonhomme Richard*, em alusão à famosa obra de Franklin, *Poor Richard's Almanack*.

Em 14 de agosto de 1779, Jones embarcou na viagem que o tornou famoso. Ao largo da costa de Yorkshire, no Mar do Norte, encontrou um comboio báltico de 44 navios carregados de equipamentos navais indo para a Inglaterra, escoltados por uma fragata inglesa leve, de fácil manobra, com cinquenta armas de fogo. Era o HMS *Serapis*, comandado por um veterano da Marinha Real britânica. Jones atacou. A batalha começou às seis e meia da tarde e prosseguiu durante quatro horas sob o luar. Os dois navios, engatados por ganchos de fabricação americana, trocaram tiros durante todo esse tempo. A certa altura da carnificina, o comandante inglês foi ao convés e gritou: "Seu navio já mostrou as cores?", referindo-se ao sinal de rendição. Alguém ouviu – ou talvez um escritor tenha inventado depois – que Jones respondeu: "Ainda nem comecei a lutar." A refrega continuou até que, quando o *Bonhomme Richard* começou a afundar e o *Serapis* já estava em chamas, o comandante inglês se entregou. Jones levou os feridos e o que restou de sua tripulação para o navio capturado, apagou o fogo e navegou de volta à França. Foi recebido como herói em Paris. Em Versalhes, Luís XVI o condecorou como Cavaleiro da Ordem do Mérito e o presenteou com uma espada de cabo de ouro. Sua celebridade e autoconfiança atraíram mulheres, e ele teve uma sucessão de casos amorosos, um dos quais parece ter resultado num filho inesperado.

Jones não desistia de ser almirante norte-americano, mas nenhum oficial de lá teve essa patente antes da Guerra Civil. Ele voltou a Paris e, em dezembro de 1787, Thomas Jefferson, que havia sucedido Franklin como ministro na França, lhe disse que o ministro russo em Paris queria saber se Jones estaria interessado em assumir um alto-comando na marinha russa, o comando da frota do Mar Negro, com a patente de almirante. Jones entendeu o alcance da proposta: se não era um almirante norte-americano, talvez pudesse ser um almirante russo.

O novo almirante chegou a São Petersburgo em 4 de maio, e Catarina escreveu a Grimm: "Paul Jones acabou de chegar; está a meu serviço. Conheci-o hoje. Acho que vai servir maravilhosamente a nossos propósitos." A opinião de Jones sobre Catarina foi igualmente otimista: "Fiquei encantado e me coloquei nas mãos dela sem estipular qualquer vantagem pessoal. Só pedi um favor: que ela jamais me condene sem me ouvir antes." Jones foi para o Sul, ao encontro de Potemkin em Ekaterinoslav. Supondo que assumiria o comando supremo da frota do mar Negro, passou por Kherson e seguiu até o estuário Liman. Ali, para seu desalento, descobriu que havia três contra-almirantes, inclusive o conde de Nasau-Siegen, e nenhum deles disposto a conceder superioridade a Jones. Potemkin se recusou a interferir.

O teatro de operações foi o estuário Liman, com 50 quilômetros de comprimento, no máximo 13 quilômetros de largura e não mais que seis metros de profundidade. Para navios grandes, cujos movimentos estavam sujeitos à direção do vento, era difícil fazer manobras sem encalhar. Jones recebeu o comando da esquadra de navios maiores, composta por um couraçado e oito fragatas. Se os turcos decidissem adentrar aquelas águas estreitas e congestionadas, poderiam trazer até 18 couraçados e quarenta fragatas, além de várias galeras movidas a remo por escravos acorrentados aos bancos. Os russos também tinham uma flotilha de 25 galeras movidas a remo, de pequeno calado, mas seu comandante, o príncipe Nassau-Siegen, era independente de Jones e recebia ordens apenas de Potemkin. Uma batalha em 5 de junho foi inconclusa e depois os comandantes russos tiveram uma discussão sobre as táticas e o crédito do sucesso em levar os turcos a fazer a retirada. Potemkin tomou o partido de Nassau-Siegen: "É somente a você que atribuo a vitória", escreveu. A Catarina, Potemkin escreveu: "Nassau foi o verdadeiro herói e a ele pertence a vitória." A batalha foi retomada dez dias depois, e Jones se viu em dificuldades – não com os turcos, mas com os russos. Ele não falava russo e não havia um sistema padronizado de sinais entre os navios. O almirante tinha de ser levado num bote a remo para gritar instruções aos comandantes, e, além disso, precisava de um intérprete. Mesmo assim, venceu. Os navios de bandeira turca encalharam e foram destruídos. Nassau-Siegen levou o crédito. "Nossa vitória foi completa", escreveu ele à esposa. "Minha flotilha venceu. Oh, coitado desse homem, Paul Jones! Sou o senhor do Liman. Coitado do Paul Jones! Não teve lugar para ele nesse grande dia!" Durante toda a vida, Jones tivera um intenso desejo de ter seu mérito reconhecido. Escreveu a Potemkin: "Espero não ser mais submetido a humilhações, e me encontrar em breve na situação que me foi prometida quando fui convidado para entrar na Marinha de Sua Majestade Imperial." Em vez disso, Potemkin tirou Jones do comando, explicando à imperatriz que "ninguém queria servir sob as ordens dele". No fim de outubro, Jones estava de volta a São Petersburgo. Foi recebido por Catarina, que lhe disse para esperar por um cargo na frota do Báltico.

Ele esperou durante todo o inverno, passando o tempo com seu amigo Philippe de Ségur, o embaixador francês. Na primeira semana de abril de 1789, a capital ficou chocada com a notícia de que o contra-almirante Jones havia tentado estuprar uma menina de 10 anos, filha de uma imigrante alemã que trabalhava com laticínios. Foi dito à polícia que a menina estava vendendo manteiga pelas ruas quando um criado de Jones falou que seu amo queria comprar e levou-a ao apartamento dele. A menina relatou que encontrou o cliente, que ela nunca vira antes, vestindo um uniforme branco com uma estrela de ouro e faixa vermelha. Ele comprou um pouco de manteiga, trancou a porta, jogou-a no chão, arrastou-a para o quarto e a estuprou. Ela correu para casa e contou para a mãe, que foi à polícia. Ségur defendeu o amigo, tanto na época como em suas memórias, dizendo que a garota tinha procurado Jones perguntando se tinha lençóis para remendar. Ele disse que não. Ségur cita Jones: "Ela então fez gestos indecentes. Eu lhe disse para não seguir aquele modo de vida tão indigno, lhe dei algum dinheiro e a mandei embora. Tão logo ela chegou à porta da frente, rasgou o vestido, gritou 'Estupro' e caiu nos braços da mãe que, convenientemente, estava parada ali perto."

Duas semanas depois, Jones escreveu a Potemkin dizendo que a mãe tinha admitido que um homem com condecorações lhe dera dinheiro para contar uma história prejudicial ao norte-americano. A mãe confessou que a filha tinha 12 anos, e não 10, e havia sido seduzida pelo criado de Jones três meses antes de encontrar o almirante. Além disso, imediatamente após o suposto estupro, em vez de correr para casa e contar à mãe, a menina voltou para a rua e continuou vendendo manteiga. "A acusação é uma impostura desprezível", Jones prosseguiu dizendo a Potemkin. "Deve-se dizer que, na Rússia, uma infeliz que abandonou o marido e fugiu levando a filha, que mora numa casa de má fama e leva uma vida pervertida, devassa, teve crédito suficiente por uma reles queixa, sem o suporte de qualquer prova, para afetar a honra de um oficial general cuja reputação mereceu condecorações na América, na França e neste império? Confesso que amo as mulheres e os prazeres do sexo, mas obter essas coisas à força é horrível para mim. Não posso sequer pensar em satisfazer minhas paixões sem o consentimento delas, e lhe dou minha palavra de soldado e de homem honesto que, se a menina em questão não passou pelas mãos de outro que não eu, ela ainda é virgem."

Mas houve uma terceira versão. Antes de falar com Ségur e escrever a Potemkin, Jones disse ao chefe de polícia: "A acusação é falsa. Foi inventada pela mãe de uma garota depravada, que veio à minha casa várias vezes e com quem muitas vezes *badine*,* sempre lhe dando dinheiro, mas cuja virgindade, positivamente, não tirei. Pensei que era muito mais velha do que Vossa Excelência diz que é, e cada vez que vinha à minha casa se entregava de muita boa vontade a tudo o que um homem poderia desejar dela. A última vez se passou como das outras, e ela saiu parecendo satisfeita e calma, não tendo sido abusada de forma nenhuma. Se alguém verificou que foi deflorada, não sou eu o autor e posso provar facilmente a falsidade dessa afirmação." Essa carta foi confirmada pelo *affidavit* de três testemunhas que juraram ter visto a garota saindo tranquilamente do apartamento de Jones, sem sangue, sem machucados, roupas rasgadas ou lágrimas.

Seja como for, mesmo não tendo sido crime, o fato de um homem de meia-idade, sozinho e assanhado, ter encontros com uma menina menor de idade era de muito mau gosto. Jones caiu no ostracismo da sociedade de São Petersburgo. Ségur acreditava que ele havia sido vítima de uma cilada e o príncipe de Nassau-Siegen era o responsável. "Paul Jones não é mais culpado que eu", declarou o embaixador, "e um homem de sua estatura nunca sofreu tamanha humilhação pela acusação de uma mulher cujo marido confirma que é cafetina e que a filha se oferece." A acusação do crime foi retirada, mas a oferta de comando na frota do Báltico também evaporou. (Esse comando foi dado a Nassau-Siegen, que rapidamente perdeu uma batalha naval com a Suécia.) Em lugar de

---

* Jones escreveu essa carta numa mistura de inglês e francês, e usou a palavra *badiner*. Tem os significados de "brincar com", "folgar com", "me entreter com". No vernáculo atual, pode significar "me divertir com". Ninguém jamais saberá quão íntimos eram esses encontros. Mas Jones não negou que alguma coisa aconteceu. Ficou afirmando que não teve relações sexuais com nenhuma menina de 10 ou 12 anos.

uma destituição direta, Catarina deu a Jones uma licença de dois anos. Em 26 de junho, ela estendeu a mão para que ele beijasse numa despedida pública, com um aceno de cabeça e um frio *"Bon voyage"*.

O que sobrou da vida de Jones foi um breve anticlímax. Nunca mais comandou um navio, quanto mais uma frota. Ainda na casa dos 40 anos, morou em Paris durante os primeiros anos da Revolução Francesa. Nem o *Gouverneur* Morris, o ministro norte-americano, nem Lafayette acharam tempo para se encontrar com ele. Morreu em 18 de julho de 1792, dois dias após completar 45 anos, de nefrite e broncopneumonia. O *Gouverneur* Morris negou a doação de verba para o enterro, nem mesmo para poupar Jones da cova de indigente. A Frente Nacional francesa, que o tinha como herói, pagou as despesas mínimas.

Um século se passou. Em 1899, o embaixador norte-americano na França, Horace Porter, usou dinheiro de seu próprio bolso para procurar o corpo de Jones. Foi encontrado num caixão de chumbo numa cova coberta de cimento, num obscuro cemitério fora de Paris. Quando Theodore Roosevelt foi presidente, e criar uma forte marinha norte-americana se tornou uma de suas grandes paixões, mandou quatro cruzadores a Cherbourg para atravessar o Atlântico trazendo o corpo de Jones de volta à terra adotiva. Em 1913, 121 anos após sua morte, John Paul Jones foi proclamado pai da marinha dos Estados Unidos e seus restos mortais colocados num sarcófago de mármore na cripta da capela da Academia Naval americana. Desde então, todo aspirante a oficial da marinha aprende as palavras de Jones, sejam exatas ou não: "Ainda nem comecei a lutar."

No verão de 1791, o exército russo obrigou os turcos a fazerem a paz. No tratado, concluído em Jassy, na Moldávia, em dezembro de 1791, os maiores objetivos de Catarina não tinham sido atingidos: os turcos mantiveram Constantinopla, e a bandeira com o crescente continuava tremulando no alto de Hagia Sofia. Não houve império grego para o grão-duque Constantino. Mesmo assim, Catarina teve muitos ganhos. A Turquia cedeu formalmente a Crimeia, a foz do Dnieper, com Ochakov, e o território entre os rios Bug e Dniester, fazendo do Dniester a fronteira ocidental russa. Pelo tratado, a aquisição formal da base naval de Sebastopol e a aceitação da frota russa pelos turcos deram à Rússia a presença permanente da frota no Mar Negro. O subsequente desenvolvimento do porto comercial de Odessa propiciou à Rússia uma passagem para a exportação de grandes quantidades de trigo.

A segunda guerra turca foi a guerra de Potemkin. Coube a ele a responsabilidade pela estratégia, o comando e a logística. Catarina sustentou o poder dele. Ela era mais estável, evitava as oscilações de humor dele entre otimismo e pessimismo, suas dúvidas, medos e ocasionais desesperos. Um não poderia ter alcançado a vitória sem o outro. Quando terminaram as operações militares, Potemkin transferiu a outros as negociações em Jassy e foi para São Petersburgo, onde Catarina preparou uma recepção digna de um conquistador. No entanto, enquanto viajava para o Norte, Potemkin estava preocupado. Pela primeira vez em 17 anos, Catarina tinha um novo favorito que ele desaprovava veementemente. Era um jovem chamado Platon Zubov. De pouca cultura, era fútil e cobiçoso de riquezas, propriedades, honrarias, títulos, não só para ele, mas também para o pai e os três irmãos. Todos viraram condes. Os mais importantes homens da corte e do império se humilhavam nas recepções matinais de Zubov diante dos visitantes. Quando se abriam as portas para que eles entrassem, era provável encontrar Zubov deitado numa espreguiçadeira diante do espelho, tendo seus cabelos penteados e empoados. Podia estar usando uma sobrecasaca de seda colorida bordada com pedras preciosas, calças de cetim branco e botinhas verdes. Ostensivamente ignorando os ministros, generais, cortesãos, estrangeiros e requerentes parados em silêncio diante dele, prestava atenção somente no seu macaco de estimação. Quando o dono fazia um gesto, dando sinal para a criatura começar o show, o macaco saía pulando por cima dos móveis e se pendurando nos candelabros, de onde saltava no ombro de um visitante e lhe arrancava a peruca ou despenteava seus cabelos. Quando Zubov ria, todos riam.

Potemkin sabia que ele e Zubov estariam competindo pela confiança da imperatriz. Até então, Potemkin vinha em primeiro lugar. Catarina o consultava sobre tudo e lhe disse que, se estourasse uma guerra com a Polônia, ele iria ter o comando supremo do exército. Ainda assim, ele estava apreensivo. *Zub* significa "dente" em russo. Enquanto a carruagem seguia rumo à capital, Potemkin ia repetindo: "Preciso arrancar esse dente."

Ao chegar a São Petersburgo, em 28 de fevereiro de 1791, Potemkin não tardou a demonstrar que seu caráter não havia mudado. Quando Kyril Razumovsky foi ao apartamento dele dizer que daria um baile em sua homenagem, Potemkin o recebeu vestindo um roupão esfarrapado sem nada por baixo. Bem-humorado, Razumovsky retaliou dias depois, ao receber publicamente o príncipe vestindo um camisolão e touca de dormir. Potemkin riu e abraçou o anfitrião.

Potemkin voltou-se para o problema de Zubov, achando que precisava ser resolvido, tanto para proteger Catarina como pelas razões dele, Potemkin. Via que não podia mais usar seu poder político como tinha feito com Yermolov. Se quisesse afastar aquele rapaz, tinha de usar mais sutileza. Concluiu que o melhor caminho seria recriar a aura do seu antigo romance com ela. Surpreendentemente, teve um sucesso parcial. Numa carta a Grimm, em 21 de maio, Catarina falou de Potemkin com o mesmo entusiasmo de anos antes:

> Quando se olha para o príncipe marechal Potemkin, pode-se dizer que suas vitórias, seus sucessos o embelezam. Ele voltou do exército belo como o dia, alegre como um passarinho, brilhante como uma estrela, mais espirituoso que nunca, não mais roendo as unhas, dando festas todos os dias e, como anfitrião, se portando com a polidez e cortesia que encanta a todos.

Entretanto, o sucesso de Potemkin foi incompleto. Era óbvio que Catarina queria continuar seu relacionamento com Zubov. A competição chegou a um impasse: Potemkin demonstrava abertamente seu desprezo por Zubov, que, por sua vez, sorria e esperava o momento certo. Enquanto isso, quando chegavam as contas de Potemkin, Catarina pagava, dando ordens ao Tesouro para que as despesas do príncipe fossem tratadas como se fossem dela.

Potemkin tentava se distrair dando e frequentando recepções, jantares e bailes. A noitada que superou tudo o que já se tinha visto na Rússia ocorreu em 28 de abril de 1791, no Palácio Tauride, de Potemkin. Todos os 3 mil convidados estavam presentes quando a imperatriz chegou. O príncipe a esperava à porta, trajando casaca escarlate com botões de ouro maciço e um grande diamante solitário incrustado em cada botão. Quando Catarina se sentou, 24 casais, inclusive os netos da imperatriz, Alexander e Constantino, dançaram uma quadrilha. Depois Potemkin conduziu os convidados pelos salões do palácio. Num deles, um poeta recitava versos; em outro, um coro cantava; em outro, se encenava uma comédia francesa.

No fim da noite, depois de um baile e uma ceia extravagante, Catarina e Potemkin saíram a sós para o jardim de inverno, caminhando entre fontes e estátuas de mármore. Quando ele falou em Zubov, ela não respondeu. Catarina só foi embora às duas da madrugada, mais tarde do que jamais ficara em uma festa. Acompanhada por Potemkin até a porta, ela parou para lhe agradecer. Disseram adeus. Emocionado, Potemkin se atirou aos pés dela, e, quando olhou para cima, ambos estavam em lágrimas. Depois que ela saiu, Potemkin continuou lá parado, quieto por alguns minutos, e então se retirou sozinho para o quarto.

Às cinco horas da manhã do dia 24 de julho de 1791, Potemkin saiu de Tsarskoe Selo pela última vez. Já estava cansado, e a viagem para o Sul iria exauri-lo ainda mais. Continuava profundamente insatisfeito com o caso de Zubov com Catarina, e ela, como se não percebesse o quanto ele estava magoado, continuava a encher suas cartas com palavras sobre o jovem amante: "A criança lhe envia seus cumprimentos. A criança acha que você é mais inteligente e muito mais divertido e agradável do que todos aqueles com quem você convive." Anos mais tarde, quando Catarina e Potemkin já estavam mortos, "a criança" revelou seus verdadeiros sentimentos sobre o rival: "Eu não conseguia tirá-lo do meu caminho, e era essencial afastá-lo porque a imperatriz sempre cumpria uma parte dos desejos dele, e o temia como a um marido exigente. Ela amava somente a mim, mas sempre apontava Potemkin como um exemplo que eu deveria seguir. Por culpa dele, não sou duas vezes mais rico."

Afogado em melancolia, Potemkin começou a viagem devagar – os solavancos da carruagem lhe eram dolorosos – e depois, de repente, mandou que corressem. No estalar do chicote pelas estradas poeirentas, passando por vilas e cidades, chegou a Jassy apenas oito dias após deixar o Neva. A jornada esgotou suas poucas forças. Ao chegar, escreveu a Catarina que já sentia o toque da mão da Morte. Sua doença apresentava sintomas da malária contraída na Crimeia, em 1783. Nessa viagem para o Sul, recusou-se a tomar quinino e outros remédios receitados pelos três médicos que o acompanhavam. Assim como Catarina, ele acreditava que a melhor maneira de se recobrar de uma doença era deixar o corpo resolver o problema. Em vez de seguir a dieta recomendada pelos médicos, fazia lautas refeições e bebia desbragadamente. Para aliviar a dor, enrolava toalhas molhadas na cabeça. Chegando a Jassy, a comitiva de Potemkin mandou buscar sua sobrinha Sashenka Branitsky, na esperança de que ela o convencesse a ser razoável e aceitar o tratamento. Ela viajou às pressas da Polônia. Em meados de setembro, Potemkin teve muita febre e tremores incontroláveis por 12 horas. Escreveu a Catarina: "Por favor, me mande uma túnica chinesa, estou precisando muito de uma." O embaixador russo em Viena, Andrei Razumovsky, escreveu sugerindo mandar "o melhor pianista e compositor da Alemanha" para mitigar a dor de Potemkin. O convite foi feito e o compositor aceitou, mas Potemkin não teve tempo de responder, e Wolfgang Amadeus Mozart não chegou a fazer a viagem.

Oprimido pelo ar úmido de Jassy, por duas vezes Potemkin saiu dali para respirar o ar do campo, mas desistia e voltava logo. Em São Petersburgo, Catarina aguardava cartas e mensagens, e pedia à condessa Branitsky que lhe escrevesse diariamente. Preocupada com Potemkin, Catarina voltou atrás em sua opinião sobre médicos e remédios: "Tome tudo o que os médicos recomendarem para lhe trazer alívio; e, tendo tomado, imploro que se abstenha de comidas e bebidas que se oponham à medicina." Com esse apoio, Sashenka e os médicos finalmente persuadiram o doente a tomar remédios. Apresentou melhoras por alguns dias, mas depois voltaram os tremores e a insônia. Dizia que estava "queimando", pedia mais toalhas molhadas, tomava bebidas geladas e borrifavam sua cabeça com frascos de água-de-colônia. Ele pedia que deixassem todas as janelas abertas e, quando isso não lhe trazia alívio, queria ser levado para o jardim. Perguntava muitas vezes por dia se havia chegado alguma mensagem da imperatriz. Quando recebia uma carta dela, ele chorava enquanto lia, depois relia e beijava a carta repetidamente. Nos documentos oficiais, lidos para ele, mal conseguia apor sua assinatura. Era claro que Potemkin estava morrendo. Ele sabia disso. Recusava-se a tomar quinino: "Não vou sarar. Estou doente há muito tempo. Seja feita a vontade de Deus. Rezem por minha alma e não se esqueçam de mim quando eu me for. Nunca desejei mal a ninguém. Fazer as pessoas felizes sempre foi o meu desejo. Não sou um homem mau, não sou o gênio mau de nossa mãe, a imperatriz Catarina, como disseram." Ele pediu a extrema-unção e, quando recebeu, relaxou. Chegou um correio de Moscou trazendo outra carta de Catarina, um casaco de peles e a túnica de seda que ele tinha pedido. Potemkin chorou. Disse a Sashenka: "Fale francamente, você acha que vou me recuperar?" Ela garantiu que sim. Ele acariciou as mãos dela, dizendo: "Boas mãos. Muitas vezes me acalmaram."

Gradualmente aquele homem apaixonado, ambicioso, com apenas 52 anos, foi se acalmando. Quem estava à sua volta viu que ele estava morrendo com serenidade. Pediu perdão a todos por qualquer sofrimento que lhes tivesse causado, e que prometessem transmitir à imperatriz sua mais humilde gratidão por tudo o que ela fizera por ele. Quando chegou uma nova mensagem dela, ele chorou. Concordou em tomar quinino, mas não conseguia retê-lo. Começou a ter desmaios; ficava consciente apenas metade do tempo; sentia estar sufocando. Escreveu a Catarina: "Ai, *matushka*, estou muito doente!" Pediu que fosse levado de Jassy a Nicolaiev; o ar mais fresco lhe faria bem. No dia da viagem, ele ditou uma nota a Catarina: "Vossa Mui Graciosa Majestade. Não tenho mais forças para suportar meus tormentos. A única salvação que me resta é sair dessa vila e ordenei que me levassem para Nicolaiev. Não sei o que será de mim."

Às oito da manhã do dia 4 de outubro, foi carregado para a carruagem. Poucos quilômetros depois, disse que não conseguia respirar. A carruagem parou, ele foi levado para uma casa e adormeceu. Após três horas de descanso, acordou animado e conversou até meia-noite. Tentou dormir de novo, mas não conseguiu. Ao raiar do dia, pediu para continuar a viagem. Tinham viajado apenas dez quilômetros quando ele mandou parar. "Já basta", ele disse. "Não há motivo para prosseguir. Tirem-me da carruagem e me ponham no chão. Quero morrer no campo." Estenderam um tapete persa sobre a relva, deitaram Potemkin sobre ele e o cobriram com a túnica de seda que Catarina lhe enviara. Todos procuraram uma moeda de ouro para fechar seus olhos, à maneira ortodoxa, mas não encontraram. Um cossaco que fazia parte da comitiva ofereceu uma moeda de cinco copeques, e com ela seu olho foi coberto. Ao meio-dia de domingo, 5 de outubro de 1791, ele morreu. A mensagem enviada à imperatriz dizia: "Sua Serena Alteza, o príncipe não está mais nesta terra."

Às cinco da tarde de 12 de outubro, o correio levando a notícia chegou ao Palácio de Inverno em São Petersburgo. Catarina desmoronou. "Agora não tenho ninguém em quem confiar!", ela gritou. "Como alguém pode substituir Potemkin? Tudo agora será diferente. Ele era um verdadeiro nobre." Os dias se passaram e o secretário dela só dizia: "Lágrimas e desespero. Lágrimas. Mais lágrimas."

69

ARTE, ARQUITETURA
E O CAVALEIRO DE BRONZE

A BASE DA FORMIDÁVEL COLEÇÃO DE OBRAS de arte existente hoje no Museu Hermitage, em São Petersburgo, foi lançada por Catarina um ano depois de sua subida ao trono. Em 1763, ela soube que uma coleção de 225 quadros reunidos por um *marchand* polonês em Berlim, que fornecia obras para Frederico II, não tinha sido paga. O *marchand* tinha comprado e guardado os quadros para o palácio Sans Souci, em Potsdam, mas Frederico resolveu que não podia pagar. Suas finanças, pessoais e nacionais, tinham se esgotado nos custos da Guerra dos Sete Anos e a necessidade de pagar o exército e a reconstrução da nação devastada tinha precedência sobre a compra de quadros para as paredes do palácio. Assim, o *marchand* se viu imerso em dívidas e precisando urgentemente de um comprador. Catarina se adiantou e, sem muita barganha, comprou a coleção inteira.

Pode ter havido um elemento de revide na compra dessa coleção destinada a Frederico. Quando Elizabeth era imperatriz da Rússia, esteve em guerra com a Prússia. Depois, Pedro III sucedeu à tia e trocou de lado, tornando-se aliado de Frederico II. Agora, privar Frederico dos quadros daria um certo equilíbrio à balança. Nem todos os quadros eram obras-primas, mas incluíam três Rembrandts, um Franz Hals e um Rubens.

Quando os quadros chegaram a São Petersburgo, Catarina ficou tão contente que mandou dizer a seus embaixadores e agentes na Europa que ficassem atentos a outras coleções que estivessem à venda. Por sorte, o embaixador russo em Paris era o príncipe Dmitri Golitsyn, um iluminista elegante, amigo de Voltaire e Diderot, frequentador do salão intelectual e artístico de madame Geoffrin. Golitsyn providenciou a compra da biblioteca de Diderot em 1765 e continuou a comprar quadros para Catarina enquanto esteve em Paris. Quando Golitsyn saiu da França para ser embaixador russo em Haia, Diderot se prontificou a assumir sua função de escolher e comprar obras de arte para Catarina. Assim, o mais prestigioso e bem informado crítico de arte do mundo passou a agir para a mulher mais rica e poderosa do mundo.

Poucos anos depois, em 1769, Catarina teve um golpe de sorte quando foi posta à venda a famosa coleção Dresden do falecido conde Heinrich von Brühl, ministro das Relações Exteriores de Augusto II, rei da Polônia e eleitor da Saxônia. Ela pagou 180 mil rublos pela coleção, que incluía quatro Rembrandts, um Caravaggio e cinco obras de Rubens. Os quadros foram enviados por mar, subindo o Báltico e o rio Neva, onde os navios atracaram no cais do Palácio de Inverno, praticamente às portas do palácio. Nos 25 anos seguintes, era frequente a presença de navios franceses, holandeses e ingleses no cais, descarregando engradados contendo quadros de Rembrandt, Rubens, Caravaggio, Franz Hals e Van Dyck. No palácio, os engradados eram abertos na presença de Catarina e, uma vez colocados os quadros nas paredes, ela ficava diante deles, estudando-os, tentando entender seu significado. Em seus primeiros anos de colecionadora, Catarina avaliava os quadros menos pela beleza visual e a técnica de pintura do que pelo conteúdo intelectual e narrativo, e pelo prestígio e a notoriedade que a aquisição lhe conferia.

Em 25 de março de 1771, mais uma vez a imperatriz surpreendeu a Europa ao comprar a famosa coleção de Pierre Crozat, que desde a morte do colecionador havia passado por várias mãos. Constava de oito Rembrandts, quatro Veroneses, 12 Rubens, sete Van Dycks e várias obras de Rafael, Ticiano e Tintoretto. Recebeu a coleção inteira, com uma única exceção: o retrato, pintado por Van Dyck, do rei Charles I da Inglaterra, que tinha sido decapitado por Oliver Cromwell. Madame du Barry, amante de Luís XV, havia comprado o retrato porque achava que ela tinha o sangue dos Stuart. Catarina ficou ainda mais feliz quando Diderot lhe disse que pagara a metade do preço de mercado. Quatro meses depois, Catarina comprou 150 quadros da coleção do duque de Choiseul. Mais uma vez, Diderot, que fez a compra, estimou que ela havia pago menos da metade do valor.

Em 1773, Diderot e Grimm foram a São Petersburgo. De volta à França, Grimm substituiu Diderot como agente de Catarina em Paris. Ela se sentia mais à vontade com Grimm. Diderot, assim como Voltaire, lhe parecia um grande homem que precisava ser tratado com cuidado. Grimm era inteligente e agradável, e Catarina teve com ele uma correspondência informal de mais de 150 cartas. Grimm estendeu sua rede de conhecimentos para satisfazer Catarina. Foi ele quem comprou para ela, por exemplo, uma cópia da estátua extraordinariamente vívida de Voltaire sentado, obra do escultor Houdon. A original está hoje na Comédie Française, e essa cópia está no Museu Hermitage.

Em 1778, a imperatriz recebeu de seu embaixador em Londres a notícia de que George Walpole, o perdulário neto e herdeiro de sir Robert Walpole, tinha posto à venda a coleção da família. Robert Walpole foi um conservador, primeiro-ministro por mais de vinte anos nos reinados de George I e George II, e colecionou obras de arte a vida inteira. Durante 33 anos, desde a morte de Robert Walpole, os quadros ficaram na casa da família em Houghton Hall, em Norfolk. Seu neto, a fim de pagar dívidas e sustentar sua paixão pela criação de cães galgos, decidiu vender toda a coleção, a melhor e mais famosa coleção de arte particular na Inglaterra, e uma das melhores do mundo. Constava de quase duzentos quadros, inclusive *O sacrifício de Isaac*, de Rembrandt, 15 obras de Van Dyck e 13 de Rubens. Catarina queria todos. Após dois meses de negociação, ela adquiriu a coleção inteira por 36 mil libras.

A consequência disso foi uma chuva de protestos indignados na Inglaterra. Era intolerável que uma imperatriz estrangeira levasse embora um tesouro nacional. Mais que uma coleção de quadros, seria retirado um capítulo inteiro da história e da cultura do país. Horace Walpole, escritor e esteta, tio do neto perdulário, que sempre cobiçara as obras e esperava que um dia viessem a lhe pertencer, classificou a transação de "roubo". E disse que, se ele não pudesse ter os quadros, "seria preferível que fossem vendidos à coroa da Inglaterra do que à da Rússia, onde serão queimados num palácio de madeira na primeira insurreição". Uma campanha com subscrições públicas para comprar de volta a coleção fracassou. Catarina nem se preocupou. Em carta a Grimm, ela disse: "Os quadros de Walpole são ainda mais desejados pela simples razão de que sua humilde serva já lhes meteu as garras e não vai deixá-los escapar, igual a um gato que agarra um rato."

A compra da coleção Walpole reafirmou a fama de Catarina como a maior colecionadora de arte e principal cliente em potencial para todos os colecionadores que quisessem vender. Ela continuou a comprar, mas de maneira mais seletiva. Em 1779, quando Grimm recomendou a compra da coleção do conde de Baudouin, com nove Rembrandts, dois Rubens e quatro Van Dycks, ela recuou, reclamando do preço. Grimm respondeu: "O conde de Baudouin deixa a Vossa Majestade o poder de decidir as condições, prazos e todas as outras considerações." Catarina admitiu: "Certamente seria descortês recusar uma oferta tão generosa", mas só cedeu em 1784. Escreveu a Grimm: "O mundo é um lugar estranho e poucas são as pessoas felizes. Vejo que o conde de Baudouin não estará feliz enquanto não vender sua coleção, e parece que sou a pessoa destinada a deixá-lo feliz." Enviou a Grimm 50 mil rublos. Quando os quadros foram desembarcados, Catarina escreveu a Grimm: "Estamos prodigiosamente felizes."

Muitos europeus ricos desejavam ser considerados *connoisseurs*, e a competição no mercado de arte era acirrada. Catarina liderava. Era uma colecionadora imensamente rica, confiava em seus agentes, tinha a autoconfiança de quem desejava apenas o melhor e estava disposta a pagar. Mais tarde, ela confessou a participação do ego e do prestígio, dizendo que adorava possuir, acumular, e admitiu, em parte por brincadeira: "Não é amor à arte, é voracidade. Sou glutona." Seus agentes continuaram a comprar tudo o que fosse belo e valioso. Em seu reinado, a coleção de Catarina chegou a quase 4 mil quadros. Foi a maior colecionadora e *patronesse* de arte na história da Europa.

Catarina foi mais que colecionadora; foi também construtora. Além da coleção de quadros, estava determinada a deixar, através da arquitetura, uma marca cultural em São Petersburgo que o tempo não iria desfazer. Em seu reinado, arquitetos geniais foram contratados para criar elegantes edifícios públicos, palácios, mansões e outras estruturas, todos exemplos e lembranças de um mundo maior em que ela desejava incluir a Rússia. Elizabeth também havia sido construtora, mas a exuberância barroca elizabetana, manifesta nas construções de Rastrelli, foi sucedida por um estilo neoclássico mais puro e sóbrio. As construções comandadas por Catarina transmitiam a intenção de representar em formas e pedras seu caráter e gosto pessoais. Ela preferia combinar a simplicidade com a elegância, colunas majestosas e fachadas geométricas em granito e mármore, em vez dos tijolos e do gesso pintado de Rastrelli.

O imenso Palácio de Inverno, em estilo barroco, obra-prima assinada por Rastrelli, levou oito anos para ser construído e só ficou pronto em 1761, ano da morte de Elizabeth. Pintado de verde-claro e branco, com fachada de 135 metros de altura, tem uma estrutura pesada, 1.050 cômodos e 117 escadarias. Seis meses depois, quando Catarina subiu ao trono, achou o tamanho do palácio esmagador, sentia-se sufocada pela decoração luxuriante. Com seu amor à racionalidade e à ordem, detestava os ambientes ornamentados em ouro, azul, brilhos, e buscou um modo de escapar daquilo. Não gostava daquela decoração faustosa, nem de gente demais, nem de excessos arquitetônicos. Preferia reuniões informais em salas menores, onde podia desfrutar da companhia de seus amigos íntimos. Mas também queria um salão grande, bem iluminado, onde expor seus quadros, que continuavam chegando ao cais. Para criar esse refúgio, contratou um arquiteto francês levado à Rússia por Ivan Shuvalov, favorito de Elizabeth em seus últimos anos de reinado. Shuvalov tinha persuadido a imperatriz a autorizar a fundação de uma Academia de Arte, e levou o arquiteto Michel Vallin de la Mothe a São Petersburgo para construir uma galeria de arte para abrigar essa academia. Quando ainda era grã-duquesa, Catarina admirou um trabalho de La Mothe concluído em 1759 e, uma vez no trono, encarregou o arquiteto de construir algo para ela.

Em 1765, Mothe projetou um recinto privado, uma galeria para expor os novos quadros. Ela chamou esse espaço de Hermitage, que mais tarde ficou conhecido como Pequeno Hermitage. Mothe construiu um prédio de três andares anexo ao enorme Palácio de Inverno de Rastrelli e, talvez por ser em tamanho muito menor, a fachada neoclássica do Hermitage ficou compatível com o imenso, superadornado Palácio de Inverno. Durante todo seu reinado, Catarina usou o prédio menor como se fosse uma casa europeia, para ler, trabalhar e conversar. Foi lá que ela recebeu Diderot, Grimm nas duas vezes em que esteve em São Petersburgo, o embaixador inglês James Harris e muitos outros visitantes. Catarina gostava de andar pelas galerias, sozinha ou com amigos, e refletir sobre seus mais recentes tesouros.

"Você deve saber que nossa mania de construção está mais forte que nunca", escreveu ela a Grimm em 1779. "É uma coisa diabólica. Consome o dinheiro, e quanto mais você constrói, mais quer construir. É uma doença, como ser viciado em álcool." No entanto, construía mais para os outros do que para ela. Em 1766, ela contratou Antonio Rinaldi para construir um palácio de campo para Gregório Orlov em Gatchina, a 50 quilômetros de São Petersburgo. Foi para ir a Gatchina que Orlov convidou Jean-Jacques Rousseau, e foi em Gatchina que ela pôs Orlov um mês de "quarentena", quando ele voltou furioso do Sul ao saber que tinha sido substituído pelo infeliz Vasilchikov. Em 1768, Rinaldi foi contratado para construir o Palácio de Mármore de Orlov em São Petersburgo, num jardim junto ao rio Neva. Em vez de fazer um palácio de tijolos revestidos com grossas camadas de estuque pintado em cores fortes, como Rastrelli teria feito, Rinaldi erigiu o palácio de Orlov em granito cinza e vermelho, com detalhes na fachada em diversos tons de mármore branco, rosa e azul-cinza. Catarina colocou ali a inscrição "Em grata amizade".

Dentre todos os palácios que Catarina mandou construir para outros, o mais espetacular foi o de Potemkin. Catarina chamou o arquiteto russo Ivan Starov, que tinha passado dez anos estudando em Paris e Roma. Starov fez o magnífico Palácio Tauride em estilo neoclássico. Quando a obra ficou pronta, em 1789, foi considerada a mais bela residência da Rússia. O hall de entrada, com teto em domo, leva a uma galeria de 70 metros com colunatas jônicas se abrindo em semicírculo em torno de um imenso jardim central. Em 1906, quando o czar Nicolau II criou a primeira Duma, os parlamentares, que logo se tornariam irrelevantes, se instalaram no Palácio Tauride.

A despeito de toda a responsabilidade dada a Starov, ele não foi o arquiteto que mais trabalhou com Catarina, nem o que melhor refletia o gosto dela. Esse foi um escocês calmo e despretensioso chamado Charles Cameron. Nascido em 1743, Cameron era um jacobita que havia estudado em Roma. Fascinado pelo classicismo da Antiguidade, ele escreveu um livro sobre as termas romanas. Quando chegou à Rússia, no verão de 1779, já era famoso como designer de interiores e móveis neoclássicos. Catarina o contratou para reformar e decorar seu apartamento no palácio de Tsarskoe Selo, onde passava os verões. Assim como não gostava do estilo do Palácio de Inverno em São Petersburgo, ela achava igualmente inabitável o imenso palácio barroco em azul-forte, verde-pistache e branco que Rastrelli tinha construído para Elizabeth em Tsarskoe Selo. A fachada de 100 metros era grande demais para ela, a infindável sequência de salões com decoração muito elaborada lhe parecia um quartel enfeitado. A primeira encomenda de Catarina a Cameron foi remodelar o apartamento que ela usava no palácio, a fim de testar o gosto e a competência do arquiteto. Cameron criou ambientes simples, elegantes, em cores leves: branco leitoso, tons de azul-claro, verde e lilás. "Nunca deixo de me surpreender com esse trabalho", Catarina escreveu a Grimm. "Nunca vi nada que se iguale." A partir de então, ela não só permitiu como encorajou Cameron a usar apenas os materiais mais caros, como ágata, jaspe, lápis-lázuli, malaquita e bronze.

Em 1780, a imperatriz encarregou Cameron da construção de um palácio para seu filho, o grão-duque Paulo, e sua esposa Maria em Pavlovsk, a cinco quilômetros de Tsarskoe Selo. Em 1777, por ocasião do nascimento de seu neto Alexander, ela tinha dado ao casal mil acres e um grande parque em estilo inglês, com lagos, pontes, templos, estátuas e colunatas. Cameron construiu o palácio, que se tornou o refúgio de Maria durante muitos anos de viuvez. Hoje, restaurado após os terríveis danos sofridos na Segunda Guerra Mundial, é considerado uma obra-prima.

A incumbência seguinte de Cameron foi uma transformação em outra parte do grande palácio de Tsarskoe Selo. Ele criou o Pavilhão Ágata, constando de três salas com paredes de jaspe maciço intercalado com ágata vermelha. Seu maior sucesso foi o terraço e colunata que leva seu nome, a Galeria Cameron. Essa galeria, toda em mármore, com 80 metros de comprimento e assentada sobre uma base de granito, é aberta nas laterais, com o teto apoiado em delicadas colunas jônicas. Colada em ângulo reto na extremidade do palácio de Rastrelli, perto do novo apartamento de Catarina, é perpendicular ao corpo do prédio principal. Entre as colunas, Catarina pôs mais de cinquenta estátuas de bronze, bustos de filósofos e oradores gregos e romanos. No verão, ela se sentava ali para ler, cercada pelas figuras que admirava. Ao se levantar, caminhava até o fim da galeria, que se abria numa descida em curva, dividida em dois acessos, um com degraus e outro em rampa, levando ao parque. Em seus últimos anos de vida, Catarina andava devagar, descendo ou subindo, ou era levada ao parque em cadeira de rodas.

Depois de Cameron, o arquiteto favorito de Catarina foi Giacomo Quarenghi, um italiano que também trabalhava em estilo neoclássico. Tinha chegado na Rússia em 1780, dois anos depois de Cameron. Seu primeiro projeto foi o neoclássico teatro Palladian, no Pequeno Hermitage, decorado com colunas de mármore e estátuas de escritores teatrais e compositores. Quarenghi projetou também o austero Palácio Alexander em Tsarskoe Selo para Alexander, o amado neto de Catarina que se tornou o czar Alexander I. Um século mais tarde, esse palácio veio a ser a residência de campo do último czar e sua família, Nicolau II, tetraneto do neto de Catarina.

Nem todos os artistas incentivados e patrocinados por Catarina vieram de fora. Os melhores alunos da Academia de Arte russa eram mandados ao exterior, em grupos de 12, para estudar às expensas do Estado durante dois, quatro ou mais anos na França, Itália e Alemanha. Os maiores retratistas dos tempos de Catarina foram os ucranianos Dmitry Levitsky e Vladimir Borovikovsky. O mais famoso retrato pintado por Borovikovsky é de Catarina, já idosa, passeando com seu cachorro no parque de Tsarskoe Selo. Outro artista russo da época foi o arquiteto Georg Friedrich Velten, cujo pai tinha ido para a Rússia como chefe de cozinha de Pedro, o Grande. O filho dele estudou arquitetura no exterior e, quando voltou, foi contratado para substituir os cais de madeira do rio Neva por paredões de granito finlandês. A continuidade arquitetônica dessa obra, estendendo-se por quase 40 quilômetros beirando o rio, deu às margens do Neva uma elegância imponente. Os sólidos cais de granito serviam também para atracação de navios cargueiros fluviais e marítimos.

Se Catarina exigia linhas clássicas e puras nas construções, desejava o oposto nos parques e jardins. Quando reformou os jardins de estilo formal alemão e francês de Tsarskoe Selo, seu jardineiro-chefe e conselheiro na área era John Busch, de origem inglesa e hanoveriana, que falava em alemão com a imperatriz. A competência linguística de Busch fora muito útil para representar o papel de "estalajadeiro" alemão na visita de José II da Áustria a Tsarskoe Selo, quando o imperador viajava sob o pseudônimo de "conde Falkenstein". Busch manteve por muitos anos o posto de jardineiro e, quando se aposentou, o filho dele, José, assumiu seu lugar. E Busch acabou virando parente de Cameron. Ao chegar a Tsarskoe Selo, o arquiteto escocês, que não falava russo nem francês, ficou hospedado na casa de Busch e veio a se casar com a filha dele.

Catarina ajudou a projetar o novo parque. Ela gostava de flores, arbustos, monumentos, obeliscos, arcos de triunfo, canais, caminhos sinuosos. Busch fez tudo isso. Ela escreveu a Voltaire: "Agora amo os belos jardins em estilo inglês, as linhas sinuosas, outeiros suaves, represas formando lagos e tenho desdém pelas linhas retas. Detesto fontes que torturam a água, forçando-a a um curso contrário à natureza. Em resumo, a anglomania rege minha plantomania." Ao fim de um dia de trabalho, ela descia para passear com seus cães, em trajes simples, e andava entre as pessoas que, se estivessem vestidas decentemente, podiam frequentar os jardins. Foi no parque de Tsarskoe Selo que Alexander Pushkin situou a penúltima cena de sua obra sobre a rebelião de Pugachev, *A filha do capitão*, escrita quarenta anos depois da morte de Catarina. Narra a história de uma moça de 18 anos, noiva de um jovem oficial preso e injustamente condenado durante a rebelião. A moça está andando muito triste pelo parque e encontra por acaso uma senhora de meia-idade, vestida com simplicidade, sentada sozinha num banco. A senhora pergunta por que ela está triste, e a moça conta o acontecido, dizendo ter esperanças de achar um meio de implorar a misericórdia da imperatriz. A senhora "parecia ter 40 e poucos anos", o "rosto cheio e rosado, expressão de calma e dignidade, olhos azuis, um leve sorriso e um charme indescritível". Ela diz à aflita jovem que não perdesse a esperança, pois ela costumava frequentar a corte e contará sua história à imperatriz. Logo depois, a moça é chamada ao palácio e levada aos aposentos da imperatriz, onde descobre que a senhora que encontrou no parque era a própria Catarina. O oficial é perdoado, e o desespero se transforma em alegria.

Não foi apenas sua inigualável coleção de quadros e os elegantes palácios neoclássicos construídos para si mesma e para os outros que deram a Catarina a fama de *patronesse* das artes. A obra de arte mais famosa durante seu reinado foi a estátua equestre de Pedro, o Grande, um trabalho de Étienne Maurice Falconet. Desde sua inauguração, em 1782, esse monumento encomendado por Catarina com o intuito de reafirmar seu direito ao legado do maior dos czares continua exposto na margem do rio Neva, por mais de duzentos anos, no centro da cidade fundada por Pedro, o Grande.

A imperatriz Elizabeth, filha de Pedro, idolatrava o pai, mas nunca mandou fazer um monumento que Catarina julgasse à altura dele. Agora Catarina, não tendo nascido na Rússia, mas sempre querendo ser aceita como a verdadeira herdeira política do grande czar, decidiu erigir o maior tributo visual ao homem que fizera da Rússia uma importante potência europeia. Filha da Europa, tendo ido para a Rússia 18 anos após a morte de Pedro, o Grande, Catarina queria ligar sua trajetória à grandeza da civilização. Desejava que os russos entendessem e aceitassem essa conexão.

Como não pensou em ninguém na Rússia com talento suficiente para realizar a obra que desejava, pediu a seu embaixador em Paris, o príncipe Dmitry Golitsyn, que procurasse um escultor francês para projetar e executar uma estátua equestre em bronze. O pagamento oferecido inicialmente foi de 300 mil francos. Golitsyn fez a proposta a três escultores famosos, que pediram 400, 450 e 600 mil francos. Golitsyn então procurou seu amigo Diderot, que indicou Étienne Maurice Falconet, diretor de escultura da fábrica de porcelana real em Sèvres. Falconet não parecia ser o candidato ideal. Filho de um carpinteiro pobre, era considerado competente, mas não brilhante. Catarina havia dito a Golitsyn e a Diderot que desejava um monumento de grandes dimensões, e Falconet era conhecido pelas miniaturas em porcelana, muito apreciadas por madame Pompadour, amante de Luís XV. Aos 51 anos, nunca havia feito um trabalho em grande escala, mas cedeu à persuasão de Diderot, aceitou a oferta da imperatriz e concordou em trabalhar por 25 mil francos por ano, dizendo que poderia dedicar oito anos à obra. Ficou 12 anos na Rússia.

Falconet chegou a São Petersburgo em 1766, sendo recebido entusiasticamente por Catarina. Ela adorou ele ter pedido um pagamento menor que o oferecido, e muito inferior ao que os outros queriam. Em Paris, Falconet tinha fama de ser facilmente irritável, mas em São Petersburgo, desde que começou a esculpir em argila os primeiros modelos da estátua, queria sempre a aprovação de Catarina. A imperatriz acedia, demonstrando não só entusiasmo, mas deferência. Em 1767, quando Falconet lhe apresentou o primeiro projeto da estátua, ela alegou ignorância e se desculpou por não dar uma opinião. Recomendou que o artista confiasse em seu próprio julgamento e no que diria a posteridade. Falconet retrucou:

— Minha posteridade é Vossa Majestade. A outra virá quando lhe aprouver.

— Não, não – Catarina respondeu. – Como você pode se submeter à minha opinião? Eu nem sei desenhar. Qualquer menino de escola sabe mais sobre escultura do que eu.

Feliz com o valor que a imperatriz atribuía a seu julgamento, Falconet passou a dar opinião sobre os quadros que Diderot enviava. Seus comentários eram sempre obsequiosos. "Que quadro encantador", ele escreveu a respeito da pintura de um artista pouco conhecido. "Que pincelada magnífica! Que belas tonalidades! Que linda cabecinha de Afrodite! Que consistência admirável!" Sobre outro quadro, ele disse: "Devemos nos ajoelhar diante deste. Quem ousar discordar não tem fé nem moral. Afinal, sei alguma coisa sobre isso; é praticamente minha profissão." Ao que Catarina respondeu: "Acho que tem razão. Conheço bem o motivo pelo qual não aprovo. É porque não conheço o bastante para ver nele tudo o que você vê." Frequentemente, depois de dar uma olhada num novo quadro, Catarina queria compartilhar com Falconet. "Meus quadros são lindos", ela escreveu ao receber um carregamento. "Quando você gostaria de vê-los?"

Catarina pode ter assumido sua ignorância em matéria de arte, mas, ao imaginar a estátua de Pedro, o Grande, ela sabia bem o que queria. Falconet jamais pensara em fazer algo na escala exigida pela imperatriz, mas a alta expectativa dela elevava seu projeto e seus esforços. A fim de ajudá-lo a entender a aparência e os movimentos de um cavalo empinando, a imperatriz pôs à disposição dele dois de seus animais prediletos, junto com os adestradores, que sabiam fazê-los empinar como o artista queria. Enquanto isso, a aprendiz do escultor, Marie-Anne Collot, de 18 anos, que tinha vindo com ele de Paris, começava a trabalhar a cabeça e o rosto do czar usando a máscara mortuária e os retratos de Pedro. Ela ficou na Rússia todo o tempo que Falconet permaneceu lá e mais tarde se casou com o filho dele, que foi visitá-lo.

No verão de 1769, a obra estava suficientemente avançada para que o público pudesse ver o modelo. Nem todas as reações foram favoráveis. Um ponto de controvérsia foi a serpente que o artista tinha colocado sob as patas traseiras do cavalo. Disseram que a criatura era inadequada, mas as pessoas não sabiam que o suporte dado pela serpente era essencial. Sem os três pontos das patas e da cauda se apoiando sobre a cobra, a estátua não teria equilíbrio para ficar de pé. "Eles não fizeram, mas eu fiz, o cálculo das forças necessárias", disse o escultor ao saber das críticas. "Não sabem que, se eu seguisse a opinião deles, a obra não sobreviveria." Catarina não tinha intenção de se envolver na disputa e respondeu a Falconet: "Há uma velha canção que diz 'o que for, será'. É minha resposta à serpente. Seus motivos são bons."

Na primavera de 1770, o modelo estava pronto e houve mais reclamações. Disseram que Falconet representava o herói russo vestido como um imperador romano, levando os líderes da Igreja Ortodoxa a dizer que aquele francês tinha feito Pedro, o Grande, parecer um rei pagão. Catarina acalmou os críticos, dizendo que Pedro estava vestindo uma representação idealizada dos trajes russos. Mais tarde, ela voltou a escrever, tranquilizando o sensível Falconet: "Só escuto elogios à estátua. Ouvi apenas uma pessoa dizer que preferiria as roupas mais pregueadas para que os tolos não pensassem que é uma camisa, mas não se pode contentar a todos." Finalmente, quando o modelo em argila estava completo e foi revelado, Catarina ainda precisou encorajar novamente o artista que, nervoso, agora se preocupava por não ver nenhuma reação à obra, e se queixava de que as pessoas não estavam falando com ele. Mais uma vez, ela tentou lhe dar ânimo: "Sei que em geral todos estão muito contentes. Se as pessoas não estão falando com você, é por delicadeza. Algumas não se sentem qualificadas, outras talvez tenham receio de desagradar ao lhe dar uma opinião, e ainda outras não conseguem ver nada. Não leve tudo a mal."

Enquanto a colossal estátua era modelada, o escultor e a *patronesse* tentavam encontrar uma base para colocá-la. Pesquisadores que buscavam granito ali perto – na Karelia finlandesa – para o novo cais descobriram um enorme bloco de pedra enterrado num pântano. Quando foi desencavado, viram que tinha 7 metros de altura por 13 de comprimento e 10 de largura. Seu peso foi calculado em 150 toneladas. Catarina achou que aquele pedregulho da Idade do Gelo poderia servir de pedestal da estátua. Para trazê-lo a São Petersburgo, foi criado um sistema que por si só era uma proeza de engenharia. Quando chegou o inverno, com a terra coberta de gelo, o monólito foi arrastado por seis quilômetros até o mar, acondicionado num trenó metálico sobre esferas de cobre que tinham a função dos rolamentos de hoje. Essas esferas rolavam sobre sulcos longitudinais escavados de ponta a ponta em troncos de madeira. Foi preciso usar cabrestantes, polias e mil homens para puxar a pedra, centímetro a centímetro, percorrendo 100 metros por dia desde a clareira na floresta até a costa do golfo da Finlândia, onde uma barcaça especialmente construída os esperava. Uma vez carregada, a barcaça navegou amarrada a dois navios grandes, um de cada lado, para evitar que emborcasse. Dessa maneira, o pedregulho foi rebocado lentamente através do golfo e do Neva, desembarcado e colocado na posição desejada na margem do rio.

A essa altura, cinco anos tinham se passado. Outros quatro anos se foram até ser encontrado um mestre de fundição que fizesse o molde para uma enorme massa de cobre e estanho tomar a forma da estátua. Juntos, cavalo e cavaleiro pesariam 16 toneladas, com a espessura do bronze variando de dois e meio a meio centímetros. Em certo momento da fundição, o molde quebrou, e o bronze derretido escorreu. Às vezes, o metal em ponto de fusão ficava em chamas, e quando apagavam o fogo, ele endurecia e tinha de ser cavado, raspado, fundido e moldado novamente. Era um malogro atrás do outro, e o dinheiro escorrendo pelo ralo. As relações de Catarina e Falconet ficaram estremecidas. O entusiasmo e incentivo da parte dela passaram a ser indiferença e irritação. Falconet, nervoso e irascível, não podia enfrentar a imperatriz, que não conseguia entender tanta demora. No princípio, ela apreciava o temperamento artístico dele, depois se cansou. Escrevendo a Grimm, pedindo-lhe que contratasse dois arquitetos italianos, ela manifestou frustração: "Escolha gente honesta e razoável, não sonhadores como Falconet; [quero] pessoas que andem na terra, e não no ar."

Falconet ficou quase 12 anos na Rússia, porém depois não pôde mais continuar. Em 1778, cansado das demoras, exasperado pelas críticas, abalado no corpo e na mente, Falconet pediu permissão para ir embora. Catarina pagou o que lhe era devido, mas se recusou a vê-lo. Ele voltou para Paris, onde se tornou diretor da Académie des Beaux-Arts. Em 1783 teve um derrame cerebral e ainda viveu mais oito anos. Continuou escrevendo sobre arte, mas nunca mais fez uma escultura.

Depois que Falconet foi embora, mais quatro anos se passaram – 16 ao todo, desde a chegada do escultor – até que a estátua fosse exposta ao público. Catarina não convidou Falconet para a cerimônia de inauguração. Mas o tempo compensou sua ingratidão. O resultado dos 12 anos de trabalho dele ainda hoje é um ponto de referência em São Petersburgo, o monumento mais famoso da Rússia, e até hoje uma obra incomparável. Durante os novecentos dias de cerco na Segunda Guerra Mundial, a cidade sofreu constantes bombardeios aéreos e ataques de artilharia dos alemães. A estátua de Falconet, na margem do rio Neva, permaneceu incólume.

Em 7 de agosto de 1782, Catarina presidiu a inauguração formal da estátua. De uma janela do Senado, contemplando os regimentos da Guarda e a grande aglomeração de pessoas na praça, a imperatriz fez um sinal. O pano drapeado que cobria a estátua caiu, e a multidão explodiu em aplausos e exclamações de admiração.

Lá estava Pedro, o Grande, imortalizado em bronze, com a cabeça erguida a 15 metros do chão, em despojados trajes romanos e uma coroa de louros. Com a face voltada para o rio Neva, a mão esquerda agarrava as rédeas do cavalo empinado sobre a crista de uma onda imobilizada em pedra. O braço direito esticado aponta para a fortaleza do outro lado do rio, a primeira edificação da cidade criada por ele. A serpente, esmagada sob as patas traseiras do cavalo, simboliza as dificuldades que ele tinha superado. O rabo do cavalo também se apoia sobre a serpente, provendo os três pontos necessários ao equilíbrio da estátua. Em cada lado da base, há uma inscrição em letras de metal cravadas na pedra com os dizeres: PARA PEDRO PRIMEIRO, DE CATARINA SEGUNDA, sendo de um lado em russo e do outro em latim. Assim, a imperatriz fez uma homenagem ao predecessor, ao mesmo tempo se identificando com ele.

Em seu clássico poema "O cavaleiro de bronze", Alexander Pushkin diz:

> A imagem de braço aberto em gesto largo
>   Montando um cavalo de bronze...
> Ele, que imóvel, elevado e difuso,
>   Essa cidade junto ao mar fundou,

> Sua vontade ditava o destino. Temível ainda está
>   Cingido pela bruma e o vento.
> Que pensamentos cinzelam sua fronte!
>   Quanto poder oculto e autoridade exala!
> Intrépido guerreiro, por onde cavalgaste,
>   Aonde foste? E onde, e quem
> Esmagarás sob os cascos do cavalo?

Assim, o maior poeta russo descreveu o maior dos imperadores russos representado por um escultor francês e criado pela inspiração e determinação de uma imperatriz nascida na Alemanha. A estátua foi o ápice do empenho de Catarina em marcar uma identificação, e até mesmo uma incorporação, com o predecessor. Catarina era semelhante a Pedro, o Grande, a única igual a ele em termos de visão, propósito, força e realizações durante os séculos em que a Rússia foi governada por czares, imperadores e imperatrizes.

70

"ELES SÃO CAPAZES DE ENFORCAR O PRÓPRIO REI NUM POSTE DE LUZ!"

Sua Mui Cristã Majestade, Luís XVI, rei de França e Navarra, era um homem amável, bem-intencionado e desajeitado, cujas alegrias na vida derivavam de comer vorazmente, caçar veados e mexer em mecanismos internos de fechaduras. Rodeado de ministros lhe dando conselhos contraditórios, ele tinha dificuldade de tomar decisões. Quando precisava escolher entre um e outro caminho a tomar, ficava confuso, mesmo depois da escolha continuava a vacilar e, às vezes, voltava atrás. Esse infeliz monarca de 35 anos estava no sexto ano de reinado quando, em maio de 1789, convocou os Estados Gerais para uma assembleia em Versalhes. Luís não fez essa convocação porque quis ou por ser uma prática comum dos reis da França. Ele não teve escolha; o governo precisava desesperadamente levantar dinheiro para evitar a bancarrota nacional.

Aparentemente, a França estava no auge da cultura e do poder. Sua população de 27 milhões era a maior da Europa. Possuía a mais rica e produtiva agricultura do continente. Era o centro do pensamento intelectual, e seu idioma era a *língua franca* das pessoas cultas e educadas em toda a parte. Desde a vitória de Guilherme da Normandia em Hastings, em 1066, era vencedora em inúmeros campos de batalha. A partir do início do século XVI, os grandes reis da França – Francisco I, Henrique IV, Luís XIV – se destacavam entre os soberanos europeus. Mas em 1715, quando o Rei Sol foi sucedido por seu bisneto, Luís XV, o sucesso passou a ser intermitente. Na Guerra dos Sete Anos, terminada em 1763, a Inglaterra tomou da França muitas colônias importantes na América do Norte e na Índia. Em troca, a França se vingou ao apoiar a luta pela independência dos colonos americanos. A euforia que se seguiu ao triunfo militar na América foi tão grande em Paris quanto na Filadélfia.

Mas as guerras custam dinheiro e era preciso pagar as contas. As finanças da nação foram exauridas e depois totalmente esvaziadas pela guerra, e os gastos do governo continuavam a aumentar. Para acudir, o Tesouro tomava dinheiro emprestado e, em 1788, os juros absorviam metade das despesas governamentais. Os impostos, mais pesados para as classes mais baixas, eram esmagadores, e na fértil terra francesa as pessoas ficaram empobrecidas. As colheitas fracas em 1787 e 1788 resultaram em escassez de grãos e aumento de preço dos alimentos. Diante do colapso financeiro, o rei não teve alternativa senão reunir os Estados Gerais, a muito inativa assembleia legislativa francesa. Ao convocar essa reunião, o governo admitia que não podia aumentar mais os impostos sem o consentimento da nação.

Os Estados Gerais se reuniram em Versalhes em 5 de maio de 1789. Os três estados – três classes sociais – eram representados por 1.200 delegados. O primeiro estado, o clero, possuía 10% das terras, era isento de muitos impostos e tinha trezentos delegados. O segundo estado, a nobreza, possuía 30% das terras, era isento de muitos impostos e tinha também trezentos delegados. Cem desses eram nobres de mentalidade liberal, e cinquenta, com menos de 40 anos de idade, estavam prontos, até mesmo impacientes, para mudar as coisas. Os plebeus do terceiro estado, representado por seiscentos delegados, estavam lá para falar pelo povo, que perfazia 97% da população francesa. A vasta maioria do povo era composta de camponeses, agricultores, embora o terceiro estado incluísse também trabalhadores urbanos. O pão constituía três quartos da dieta de uma pessoa comum e custava entre um terço e metade dos seus rendimentos. A burguesia, ou classe média – banqueiros, advogados, médicos, artistas, escritores, empresários e outros –, também fazia parte do terceiro estado. Afligidos por altos impostos, escassez de alimentos, desemprego, pobreza e uma agitação geral, o terceiro estado estava ansioso, até desesperado, por mudanças. Mas seus delegados sabiam muito bem que não tinham sido convocados com o propósito de melhorar as condições de vida do povo que representavam, e sim porque o governo estava desesperado para arrumar dinheiro.

Em poucas semanas de reuniões, os delegados dos dois estados privilegiados, o clero e a nobreza, já fizeram os representantes do povo sentir sua inferioridade. Em 20 de junho, quando os membros do terceiro estado chegaram para a reunião, foram barrados por guardas armados e obrigados a ficar esperando debaixo de uma chuva forte. Alguém lembrou que havia uma quadra de tênis coberta ali perto e foi para lá que todos correram. Chegando, expuseram seus sentimentos e, declarando serem eles a verdadeira Assembleia Nacional, juraram "por Deus e pelo país não nos separarmos até termos escrito uma Constituição sólida e equitativa como nossos eleitores nos pediram". Quarenta e sete membros da nobreza liberal aderiram a essa nova Assembleia Nacional e também fizeram o que se chamou Juramento da Quadra de Tênis.

O terceiro estado não tinha permissão para se declarar ou agir como uma assembleia nacional, e o rei ameaçou dissolver todos os Estados Gerais, à força, se necessário. O conde de Mirabeau, um nobre que se uniu aos delegados do terceiro estado e logo tomou a liderança, desafiou o mensageiro do rei, dizendo: "Diga a quem o mandou que estamos aqui pela vontade do povo, e não vão nos dispersar, a não ser na ponta de baionetas." Em 27 de junho, um decreto de Luís XVI deu fim às reuniões dos Estados Gerais, declarando-as "nulas, ilegais e inconstitucionais". O resultado foram tumultos nas cidades e levantes no campo. O mais famoso foi a tomada da Bastilha.

A Bastilha, uma fortaleza de quatrocentos anos, com oito torres redondas e muralhas com 1,50m de espessura, tinha sido convertida em prisão, onde criminosos ou infratores contra o governo eram trancafiados, e de onde muitos nunca mais saíam. Em 1789, isso mudou, e a prisão se tornou mais um símbolo de tirania do que um lugar tétrico de encarceramento. O marquês de Sade, prisioneiro até a semana anterior à queda da Bastilha, tinha lá quadros pendurados nas paredes, um guarda-roupa de luxo e uma biblioteca com dezenas de volumes. No dia do ataque, só havia sete prisioneiros, sendo cinco falsários e dois mentalmente comprometidos. Mas, como era também um arsenal real e tinha uma guarnição de 114 homens, o governo havia depositado lá 250 barris de pólvora.

No dia 14 de julho, 20 mil parisienses, inflamados pela dissolução dos Estados Gerais, pela presença de um número cada vez maior de soldados em Paris e pelo estoque de pólvora, atacaram a Bastilha. Em poucas horas, a fortaleza se rendeu, a turba libertou os sete presos e se apossou dos barris de pólvora. O diretor da fortaleza foi morto a facadas, golpes de espadas e baionetas, seu pescoço foi cortado com um canivete, e a cabeça, espetada numa lança, ficou balançando no alto da rua.

A queda da Bastilha foi um ponto de virada político e psicológico. A Assembleia Nacional fez uma nova Constituição e, em 4 de agosto, votou pela abolição dos direitos da aristocracia e privilégios fiscais da nobreza e do clero. Em 26 de agosto, a assembleia adotou a Declaração dos Direitos do Homem, uma carta de liberdades cujo conteúdo refletia as ideias do Iluminismo e a linguagem da Declaração da Independência americana.

Luís XVI e família permaneceram em Versalhes. No dia 5 de outubro, uma multidão de 5 mil mulheres (e muitos homens disfarçados de mulheres, supondo, acertadamente, que o rei não ordenaria que os guardas do palácio atirassem nelas) percorreram os 16 quilômetros de Paris a Versalhes, invadiram o palácio construído pelo Rei Sol e, no dia seguinte, obrigaram a família real a voltar para Paris. Ela foi instalada no Palácio das Tulherias, em semidetenção (eram permitidos passeios de carruagem nos parques). Ali permaneceram por nove meses, enquanto os líderes da Assembleia Nacional, muitos dos quais intelectuais e advogados, e uns poucos nobres, pensando em termos de manter a ordem enquanto faziam a reforma, tentavam criar uma nova forma de monarquia constitucional. Durante esse trabalho, e até a primavera de 1791 – dois anos após a convocação dos Estados Gerais e um ano e dez meses após a tomada da Bastilha –, a França foi governada por uma Assembleia Nacional de maioria monarquista, liderada por Mirabeau.

Na noite de 25 de março de 1791, Mirabeau levou para casa duas dançarinas da Ópera, dormiu com elas, ficou gravemente doente e morreu oito dias depois. A morte dele tirou a única pessoa cuja reputação política e força de oratória poderiam ter assegurado o estabelecimento de uma monarquia constitucional. Mesmo sem ele, em 3 de maio, a Assembleia Nacional proclamou uma nova Constituição, estabelecendo uma monarquia limitada. O monarca agora teria o título de Rei dos

Franceses, e não mais Rei da França, e a França continuaria a ser uma monarquia, mas com os políticos burgueses no controle.

Em 20 de junho, Luís XVI e Maria Antonieta abriram as portas para a catástrofe pessoal e política. Na tentativa de fugir das Tulherias sob o disfarce de criados, o rei, a rainha e seus filhos saíram de Paris rumo aos Países Baixos austríacos. A carruagem real não percorria mais que 11 quilômetros por hora porque a rainha fez questão de que toda a família viajasse num só veículo, muito grande, com excesso de peso. Sentindo-se fora de perigo, pararam para passar a noite em Varennes, perto da fronteira. Ao chegar lá, o homem esquisito, vestido com um casaco verde-escuro e chapéu de lacaio, foi reconhecido, preso e levado ignominiosamente de volta a Paris junto com sua família.

Politicamente, o fracasso da fuga para Varennes tirou a credibilidade do rei. Os líderes da Assembleia Nacional, que vinham negociando com Luís para criar uma nova forma de monarquia, se sentiram traídos e perderam a confiança. Em outros países, muitos criticaram o rei. Até a captura de Luís e seu retorno de Varennes, Catarina ainda o considerava livre – fraco, mas livre. No entanto, depois que foi levado para Paris como um animal preso numa jaula, toda a ilusão de liberdade desapareceu. "Receio que o maior obstáculo à salvação do rei seja o próprio rei", disse Catarina. "Conhecendo o marido, a rainha não o larga, e está certa, mas isso complica o problema."

A desastrosa trapalhada da tentativa de fuga gerou conversas sobre a necessidade de socorrer o monarca e sua família. Antes do fim de junho, o irmão de Maria Antonieta, imperador Leopoldo II da Áustria, apelou a todas as potências europeias, pedindo ajuda para a restauração da monarquia francesa. Leopoldo, sucessor de José II, era imperador havia apenas um ano. Mas havia pouca convicção em seu apelo, e até alguma duplicidade, dado que naquele momento ele não tinha intenção de liderar, nem mesmo participar de uma investida militar contra a França. Contudo, a preocupação de Leopoldo precipitou um encontro com o rei Frederico Guilherme da Prússia, na estação de águas de Pillnitz, na Saxônia. Aos dois soberanos se reuniu o irmão de Luís XVI, o arrogante conde de Artois, que apareceu sem ter sido convidado e exigiu uma intervenção armada imediata.

A Declaração de Pillnitz, decorrente da exigência de Artois, foi assinada a contragosto em 27 de agosto de 1791, reafirmando o argumento de Leopoldo, de que o destino da monarquia francesa era de "interesse comum", e convidando outros monarcas europeus a também tomarem "as medidas mais efetivas para levar o rei da França de volta ao trono". Não foram propostas medidas concretas. Leopoldo foi cauteloso porque o império herdado do irmão estava num estado de revolta nos Países Baixos e havia dissensões em outros lugares. Ao mesmo tempo, ele não podia ignorar o destino de sua irmã e seu cunhado em Paris, entendendo que corriam perigo físico. Por outro lado, Leopoldo temia que a ação militar urgente que Artois estava exigindo pudesse aumentar o risco de sua irmã. A decisão final de Leopoldo foi que só poderia agir contra a França em conjunto com outros países e, com essa cláusula, sabia que estaria a salvo. Portanto, a Declaração de Pillnitz não ratificou nenhum compromisso da Áustria. De fato, o único resultado foi irritar tanto a Assembleia Nacional francesa que, oito meses depois, em abril de 1792, a França declarou guerra à Áustria. A essa altura, Leopoldo, que havia morrido em março, tinha sido sucedido por um inexperiente filho de 24 anos, Francisco II.

Nos dois primeiros anos da Revolução Francesa – da primavera de 1789 até o verão de 1791 –, as informações sobre os eventos na França chegavam livremente à imprensa de São Petersburgo. Não havia censura, e as notícias da França, assim como as notícias dos recém-criados Estados Unidos, que acabavam de compor a Constituição republicana, eram ventiladas abertamente. A convocação dos Estados Gerais, a declaração que transformou o terceiro estado em Assembleia Nacional, a tomada da Bastilha, a retirada dos privilégios da nobreza, a Declaração dos Direitos do Homem – tudo isso foi amplamente publicado na *Gazeta de São Petersburgo* e na *Gazeta de Moscou*. Segundo Philippe de Ségur, a queda da Bastilha despertou entusiasmo geral: "franceses, russos, dinamarqueses, alemães, ingleses e holandeses... todos se congratulavam e se abraçavam nas ruas".

Quando o terceiro estado se proclamou Assembleia Nacional e Catarina soube que um grupo de nobres havia se unido aos camponeses e burgueses, abrindo mão dos privilégios políticos e sociais, ficou abismada. "Não posso acreditar nos talentos superiores de remendões e sapateiros para governar e legislar", ela escreveu a Grimm. À medida que as semanas se passavam, o pasmo virou susto. "É uma verdadeira anarquia!", ela exclamou em setembro de 1789. "Eles são capazes de enforcar o próprio rei num poste de luz!" Ficou especialmente preocupada com

Maria Antonieta. "Acima de tudo, espero que a situação da rainha esteja de acordo com meu vivo interesse por ela. Grande coragem triunfa sobre grandes perigos. Gosto dela como a querida irmã de meu grande amigo, José II, e admiro sua coragem. Ela pode confiar em que, se eu puder ajudá-la, cumprirei meu dever." Mas, enquanto a Rússia estivesse lutando em duas guerras – com a Turquia no Sul e a Suécia no Báltico –, ela não poderia cumprir esse "dever", fosse lá como interpretasse isso.

Em outubro de 1789, Catarina entendeu que, se a França havia se deixado cair numa verdadeira revolução, esse fato poderia ameaçar todas as monarquias europeias. Isso a colocava numa posição difícil com Philippe de Ségur. Quando os quatro anos de serviço do embaixador na Rússia chegaram ao fim, ele veio se despedir da imperatriz. Catarina enviou por intermédio dele uma mensagem amável ao rei da França, e deu a Ségur conselhos de cunho pessoal:

> Estou triste ao vê-lo partir. Você faria melhor em ficar aqui comigo em vez de se lançar no olho do furacão, que pode se alastrar mais do que se pensa. Sua inclinação para a nova filosofia, sua paixão pela liberdade provavelmente o levarão a adotar a causa popular. Vou lamentar, pois sou, e permanecerei, uma aristocrata. É meu *métier*. Lembre-se, você vai encontrar a França muito febril e muito doente.

Ségur, igualmente triste, respondeu: "Receio que sim, madame, e por isso meu dever é retornar." Ela o convidou para jantar, e ao demonstrar sua afeição por ele, a despedida ficou mais difícil. "Quando parti, achei que estava apenas tirando uma licença", ele escreveu mais tarde. "A partida teria sido ainda mais dolorosa se eu soubesse que a via pela última vez."

Os comentários de Catarina sobre os acontecimentos na França ficaram cada vez mais cáusticos. A Assembleia Nacional era "a Hidra de 1.200 cabeças". Nos novos membros do governo, ela discernia "só pessoas que põem em movimento uma máquina que não têm talento nem capacidade para controlar. A França é a presa de uma turba de advogados, tolos fantasiados de filósofos, patifes, jovens gatunos destituídos de senso comum, fantoches de uns poucos bandidos que não merecem sequer o título de criminosos ilustres". Sua defesa da monarquia se baseava numa crença na necessidade de eficiência de administração e preservação da ordem pública: "Diga a mil pessoas que escrevam uma carta, que discutam cada frase, e veja quanto tempo levam e a que chegam." Ela odiava ver a ordem desmoronando e a anarquia se agigantando na França, pois tivera a experiência da anarquia durante a rebelião de Pugachev.

Catarina não podia dar às suas ideias um apoio militar a meio continente de distância, mas não ficou totalmente passiva, mesmo antes da fuga de Luís XVI para Varennes. Disse a seu embaixador na Suécia desejar que o futuro da França se tornasse uma questão para todos os soberanos europeus. Não se tratava somente de esmagar uma revolução, mas de a França reassumir seu papel no equilíbrio do poder na Europa. Sabendo que o rei Gustavo III da Suécia, sempre em busca de glórias, ambicionava a liderança de uma investida monarquista contra a revolução na França, viu nele uma possibilidade de apoio. Em outubro de 1791, apenas um ano após o fim da rápida e inócua guerra no Báltico entre a Rússia e a Suécia, ela ofereceu a Gustavo subsídios para manter um corpo de 12 mil soldados suecos a serem enviados na invasão da França. A data marcada para essa operação foi a primavera de 1792.

Um grave acontecimento na Suécia impediu essa ação militar. Em 5 de março de 1792, Gustavo III levou um tiro nas costas num baile de máscaras em Estocolmo, e morreu no fim do mesmo mês. Embora o assassino fosse um aristocrata sueco, e o motivo estivesse totalmente ligado à política sueca, Catarina entendeu que era parte de uma crescente maré de violência antimonarquista. Havia informações da polícia de que um agente francês estava a caminho de São Petersburgo para assassinar a imperatriz, e o número de guardas do Palácio de Inverno foi duplicado. Não se falou mais em envio de tropas suecas para a França.

Na primavera de 1792, Catarina emitiu um memorando sugerindo medidas para abolir a anarquia, restabelecer a monarquia e trazer a França de volta ao caminho da tranquilidade e da grandeza. Começou dizendo que "a causa do rei da França é a causa de todos os reis. Todo o trabalho da Assembleia Nacional é no sentido de eliminar a forma de monarquia existente há mil anos no país. [Agora] é importante que a Europa veja a França reassumir sua posição de grande potência". Quanto às medidas, ela propôs: "Uma força de 10 mil homens será suficiente para marchar de uma ponta a outra da França. Talvez mercenários – os melhores seriam os suíços – possam ser contratados, e talvez outros dos príncipes alemães. Com essa força pode-se livrar a França dos bandidos, restabelecer a monarquia, afugentar os impostores, punir os patifes e livrar o país da opressão." Uma vez alcançada a restauração, a imperatriz advertia contra uma repressão ampla e vingativa. "Alguns verdadeiros revolucionários deveriam ser punidos, e concedida anistia aos que se submetessem e retornassem à fidelidade." Ela acreditava que muitos delegados da Assembleia Nacional aceitariam o perdão ao entender que "haviam ido além de seus poderes porque o eleitorado não exigia a abolição da monarquia, e muito menos da religião cristã". Era essencial que, na restauração do reinado, houvesse um equilíbrio dos três estados: a nobreza, o clero e o povo. As propriedades do clero deveriam ser restituídas, a nobreza deveria recobrar seus privilégios, e a válida demanda popular pela liberdade "possa ser satisfeita por leis boas e sábias". Antes de mais nada, a família real deveria ser libertada. "À medida que as tropas avancem, os príncipes e os soldados devem focalizar o ponto mais essencial: a libertação do rei e da família real das mãos da população de Paris."

Esse documento, escrito poucos meses antes das chacinas de setembro, da abolição formal da monarquia francesa e da decapitação do rei, é irremediavelmente ingênuo. Mostra o completo equívoco de Catarina quanto à evolução das condições políticas, econômicas, sociais e psicológicas do povo francês. Enquanto ela escrevia o memorando, a radicalização na França acelerava cada vez mais. O Clube Jacobino, extremamente poderoso em Paris, se expandia em número de associados e influência por todo o país. O papel revolucionário do clube teve início em reuniões num antigo convento dos jacobinos, na rua Saint Honoré, para estudar e discutir a necessidade de reformas, e evoluiu para um espaço de pensamento radical, discursos exaltados e demandas de ações drásticas. Seus líderes, Georges Danton, Jean-Paul Marat e Maximilien Robespierre, estavam chegando ao cume do poder político. No verão de 1792, a Comuna de Paris, o novo governo municipal organizado pelos *sans culottes* – cidadãos comuns "sem calças chiques até os joelhos" –, controlava a cidade. Danton, ministro da Justiça aos 30 anos de idade, assumiu a responsabilidade pela família real presa nas Tulherias.

Em 10 de agosto, uma multidão reunida pela Comuna invadiu o Palácio das Tulherias. Seiscentos membros da Guarda Suíça, que protegia a família real, resistiram, até que o rei, para evitar derramamento de sangue, ordenou que se rendessem. Os guardas obedeceram, foram presos e massacrados. Os aposentos reais foram invadidos, e o rei, a rainha e seus filhos foram levados para a prisão do Templo.

Naquela primavera de 1792, a Prússia tinha entrado na guerra austríaca contra a França. Em meados do verão, um exército prussiano aguardava no Reno, pronto para entrar em Paris. Quando o exército começou a avançar, o duque de Brunswick, comandante das forças prussianas, soube que Luís XVI e sua família tinham sido levados das Tulherias. A reação do duque foi lançar um manifesto ameaçando Paris com "um ato exemplar e inesquecível de vingança caso o rei e sua família sofram algum dano". A ameaça produziu o efeito contrário ao pretendido. O manifesto de Brunswick levou Paris a uma terrível retaliação. Ouvindo dizer que já haviam cometido atos pelos quais seriam punidos, os parisienses viram que nada tinham a perder. Houve rumores de que, quando o inimigo chegasse, a população parisiense seria massacrada.

Em 30 de julho de 1792, chegaram a Paris quinhentos homens de barretes vermelhos, vindos de Marselha e outros lugares do Sul. Nas palavras de um membro da Assembleia, "uma escória vomitada das prisões de Gênova e da Sicília" foi contratada pela Comuna para ir a Paris ajudar a defender a cidade. Eram prisioneiros soltos com a condição de obedecerem às ordens da Comuna.

A selvageria dos massacres nas prisões entre os dias 2 e 8 de setembro de 1792 foi planejada. Nas duas últimas semanas de agosto, foram presos centenas de parisienses considerados "prováveis traidores". Destinados à morte, eram reunidos nas prisões para facilitar o trabalho. Muitos eram padres tirados de seminários e igrejas, acusados de crenças antirrevolucionárias. Outros eram criados pessoais do rei e da rainha. Entre os presos estavam também o dramaturgo Pierre Beaumarchais e a grande amiga de Maria Antonieta, a princesa de Lamballe, que tinha fugido para Londres e depois voltado a Paris para ficar ao lado da rainha. A maioria era gente do povo. Danton não instigava, mas estava ciente do que aconteceria. "Não ligo a mínima para os prisioneiros", ele disse. "Eles que se arranjem." Mais tarde, acrescentou que "as execuções foram necessárias para apaziguar o povo de Paris". Robespierre falou simplesmente que era a expressão da vontade do povo.

A notícia de que os prussianos haviam tomado Verdun chegou a Paris na manhã de domingo, dia 2 de setembro. Os massacres começaram naquela tarde. Vinte e quatro padres levados à prisão da abadia de Saint-Germain-des-Près foram arrancados das carruagens que os transportavam e, antes mesmo de passar pelo portão da prisão, foram retalhados com espadas, facas, machados e pás, sobre as pedras da rua estreita. Prisioneiros que já estavam na abadia foram empurrados, um a um, escada abaixo até os jardins e estraçalhados com facas, machadinhas e serrotes de carpinteiro. Outros bandos atacaram outras prisões: 328 prisioneiros foram mortos na Conciergerie; 266 no Châtelet; 115, inclusive um arcebispo, no convento carmelita. Na Bicêtre, foram estripados 43 adolescentes, sendo 13 deles de 15 anos de idade, três de 14, dois de 13 e um de 12 anos. Mulheres de todas as idades, inclusive adolescentes, foram brutalmente violentadas. Quando a princesa de Lamballe se recusou a declarar ódio ao casal real, também foi retalhada até a morte. Sua cabeça foi exposta na prisão do Templo, espetada numa lança, diante dos olhos do rei e da rainha.

Em 9 de setembro, os franceses venceram os prussianos em Valmy, dando fim à invasão e forçando a Prússia a recuar para o Reno. A França não parou aí e capturou Mainz e Frankfurt. Em 21 de setembro, três semanas após os massacres, a monarquia francesa foi abolida e proclamada a república. Em dezembro, a Assembleia Nacional anunciou que, por onde marchasse o exército, a forma de governo seria substituída pelas leis do povo.

Em 21 de janeiro de 1793, Luís XVI foi executado. Isso foi demais para alguns que até então tinham acreditado na revolução. O general François Dumouriez, vitorioso em Valmy e até então amigo de Danton, passou para o lado dos austríacos. Lafayette tinha desertado depois da invasão das Tulherias. As províncias se levantaram contra o governo de Paris e pagaram caro. Quando Lyon, a cidade mais importante depois de Paris, capitulou, os condenados à morte, sendo a maioria de camponeses e trabalhadores, foram amarrados com cordas em grupos de duzentos, tocados como gado para os campos ao redor da cidade e executados a tiros de canhão disparados sobre a massa humana amontoada. Um dos agentes de Robespierre escreveu ao chefe: "Quanto deleite você teria se visse a justiça nacional se abatendo sobre 290 canalhas! Oh, quanta majestade! Que tom sublime! Foi emocionante ver aqueles desgraçados comendo terra!"

Foi criado um novo comitê executivo do governo, o Comitê de Segurança Pública, do qual faziam parte Danton e Robespierre. Afinal, Robespierre decidiu que a revolução era ideologicamente impura. Instituiu-se o Reinado do Terror "para proteger a república de inimigos internos, aqueles que, por sua conduta, seus contatos, suas palavras ou seus escritos mostravam apoiar a tirania e os inimigos da liberdade" e aqueles "que não manifestaram sempre suas conexões com a revolução". Ao fim de nove meses, a contagem oficial de executados chegou a 16 mil, mas há estimativas de que o Terror reivindicava duas ou três vezes esse número.

Ao saber que Luís XVI da França tinha sido guilhotinado, Catarina, já abalada, adoeceu. Permaneceu uma semana isolada, ordenou seis semanas de luto na corte e o rompimento imediato de relações com a França. O *chargé d'affaires* francês, Edmond Genet, foi expulso. O tratado comercial franco-russo de 1787 foi anulado e proibido todo o comércio entre os dois países. Nenhum navio ostentando a bandeira tricolor francesa era admitido em águas russas. Todos os súditos russos residentes na França ou em viagem por lá foram chamados de volta, e todos os cidadãos franceses na Rússia tiveram três semanas para jurar fidelidade ao rei da França ou deixar o império de Catarina. Dos 1.500 cidadãos franceses na Rússia, apenas 43 se recusaram a fazer o juramento. Em março de 1793, dois meses após a morte do irmão dele, Catarina recebeu o conde de Artois em São Petersburgo, concordou em financiá-lo e o exortou a trabalhar em conjunto com outros emigrados. No entanto, ainda evitava um envolvimento militar com a França. Diante do malogro da Áustria e da Prússia, ela julgava que pouco se podia fazer sem a Inglaterra, e a Inglaterra não tinha a intenção de entrar na guerra. O primeiro-ministro inglês, William Pitt, tinha dito que a política britânica se interessava pela segurança na Europa, e não pelo regime de governo francês. A execução de Luís XVI fez Pitt mudar de ideia. A execução do rei, disse Pitt, foi "o ato mais abominável e mais atroz que o mundo jamais viu".* O embaixador francês teve ordens de deixar a Inglaterra. Mais uma vez, a França saiu na frente. Em 1º de fevereiro de 1793, declarou guerra à Inglaterra.

Seis meses após a morte do marido, Maria Antonieta, com os cabelos brancos aos 37 anos, foi separada de seus filhos e levada da torre do Templo para a prisão da Conciergerie. A ex-rainha da França — arquiduquesa de Habsburgo, filha de uma imperatriz austríaca, irmã de dois imperadores da Áustria e tia de um terceiro — passou dois meses presa numa cela de dois metros por três e meio. Em 5 de outubro de 1793, foi colocada numa carroça que a levou pelas ruas até a guilhotina.

---

* Talvez Pitt tenha se esquecido de que em 1588 a Inglaterra decapitou Mary Stuart, ex-rainha da França, e depois rainha da Escócia. E que em 1649, após derrubar a monarquia, os ingleses tinham decapitado o rei Charles I.

As carroças rolavam sem parar. A lâmina afiada subia e descia quarenta, cinquenta, sessenta vezes por dia. Políticos aterrorizados guilhotinavam uns aos outros para escapar ao mesmo destino. Centenas iam para a morte por motivos tão banais quanto brigas pessoais ou inveja de vizinhos; o crime era estar "sob suspeita". Entre as vítimas, estavam vinte jovens camponesas de Poitou, uma delas dormindo nas pedras frias da Conciergerie com um bebê no colo, aguardando a execução. O poeta André Chénier foi guilhotinado por ter sido confundido com seu irmão. Ao saber do engano, a Comuna guilhotinou o irmão também. O cientista Antoine Lavoisier pediu um pequeno adiamento da execução para terminar um experimento. "A revolução não precisa de cientistas" foi a resposta. Outro condenado foi o marechal octogenário duque de Mouchy, cuja esposa idosa não entendeu o que estava acontecendo. "Madame, temos de ir agora", disse o marido gentilmente. "É o desejo de Deus, vamos honrar Sua vontade. Não sairei do seu lado. Vamos partir juntos." Enquanto eram tirados da prisão, alguém gritou "Coragem!", ao que Mouchy respondeu: "Meu amigo, quando eu tinha 15 anos, rompi barreiras pelo rei. Aos 80, vou ao patíbulo por Deus. Não sou desafortunado." Emigrados e refugiados franceses contavam essas histórias a Catarina.

Quando chegou ao máximo, a maré do Terror começou a refluir. Em 13 de julho de 1793, Marat morreu esfaqueado na banheira por Charlotte Corday. Em 5 de abril de 1794, foi a vez de Danton ser mandado para a guilhotina por Robespierre. Três meses e meio depois, em 27 de julho de 1794, a cabeça de Robespierre rolou na cesta. A morte de Robespierre pôs fim ao pior do Terror. Foi instituído o Diretório e, em 1799, o Consulado. Um jovem general do exército, Napoleão Bonaparte, tornou-se primeiro cônsul até 1804, quando coroou a si mesmo imperador. As guerras iniciadas sob a França revolucionária em 1792 prosseguiram com Napoleão por 23 anos. Após a queda de Napoleão, o antigo conde de Provence, o mais velho dos irmãos sobreviventes de Luís XVI, subiu ao trono como Luís XVIII. Foi sucedido por seu irmão mais novo, o conde de Artois, que se tornou rei Carlos X. Depois veio o último rei da França, Luís Felipe. Nenhum desses três reis foi melhor que o amável e indeciso Luís XVI, que fracassou como soberano, mas era dedicado a seu país, suportou a prisão com dignidade e enfrentou a morte com bravura e sem amargor.

O símbolo restante da Revolução Francesa é a guilhotina. As execuções de Luís XVI e de Maria Antonieta, reforçadas na literatura de Dickens pela personagem de madame Defarge fazendo tricô sob aquela máquina implacável, imprimiram profundamente esse método de morte na memória cultural.

Originalmente, a guilhotina foi projetada para dar um efeito prático à crença de que o objetivo da pena capital era dar fim à vida sem infligir dor. Até a primeira vítima do invento, em abril de 1792, muitos condenados franceses morriam da maneira mais horrível, estirados na roda ou esquartejados vivos por quatro cavalos atrelados aos membros da vítima. Em geral, os nobres eram decapitados por espada ou machado, e os plebeus eram enforcados. Mas os carrascos às vezes erravam, as espadas e os machados nem sempre eram bem afiados e, na forca, os condenados morriam lentamente, por asfixia, se debatendo no ar. A guilhotina foi criada para proporcionar uma forma mais humana de morte, instantânea e indolor. Nas palavras de seu inventor, Dr. Joseph-Ignace Guillotin, "O mecanismo cai como um trovão, a cabeça salta fora, o sangue jorra e a pessoa não existe mais". Foi também considerada melhor em termos de igualdade porque seria aplicada a todos os condenados, independentemente da classe social. De qualquer forma, a invenção prestou serviços durante um longo tempo. Foi utilizada na Alemanha imperial, na República de Weimar e na Alemanha nazista, onde, entre 1933 e 1945, 16 mil pessoas foram guilhotinadas. Continuou a ser uma forma de execução na França até 1977; quatro anos depois, o país aboliu a pena de morte.

Se a guilhotina era mais humana do que o machado, a forca, a cadeira elétrica, o pelotão de fuzilamento ou a injeção letal é uma questão médica, política e moral. A solução mais definitiva foi deixar morrer o assunto, com a extinção da pena de morte na maior parte dos países. Enquanto as sociedades lutavam por isso, permanecia uma pergunta de cunho médico-científico: a morte na guilhotina era instantânea a ponto de ser mesmo indolor? Alguns acreditam que não. Argumentam que a queda da lâmina, cortando rapidamente o pescoço e a coluna vertebral, tinha um impacto relativamente pequeno sobre o crânio, que contém o cérebro, e, portanto, não devia haver inconsciência imediata. Caso isso seja verdade, pode-se crer que as vítimas sabiam o que estava acontecendo? Testemunhas de guilhotinados afirmaram ter visto pálpebras se mexendo e movimentos dos olhos, lábios e boca. Ainda em 1956, especialistas fazendo experimentos com cabeças decepadas na guilhotina explicaram que o que aparentava ser a reação da cabeça ao ouvir chamarem seu nome ou a uma picada de agulha na bochecha podia ser apenas uma contração muscular aleatória, ou um movimento reflexo, sem envolvimento da inteligência ou da consciência. Certamente, um forte golpe seccionando a coluna e um repentino aumento na pressão sanguínea do cérebro pode resultar numa perda rápida, senão instantânea, da consciência. Mas nesse mínimo espaço de tempo não existe consciência?

Em junho de 1905, um respeitável médico francês teve licença para fazer um experimento com a cabeça cortada de um prisioneiro chamado Languille. Seu relato diz que "imediatamente após a decapitação os movimentos espasmódicos cessaram. Então chamei em voz forte e áspera: 'Languille!' e vi suas pálpebras se levantarem lentamente com um movimento regular, bem distinto e normal. Os olhos de Languille se fixaram muito certamente nos meus, com as pupilas focalizando. Eu estava vendo olhos inegavelmente vivos olhando para mim... Depois de vários segundos, as pálpebras se fecharam. Chamei novamente, as pálpebras tornaram a se levantar, e olhos vivos se fixaram em mim, talvez mais penetrantes que da primeira vez. Depois as pálpebras se fecharam de novo [e] não houve mais movimentos".

Que consciência, se é que há, tem uma cabeça cortada é algo que Luís XVI, Maria Antonieta, Georges Danton, Maximilien Robespierre e dezenas de milhares que morreram na guilhotina puderam descobrir. Nós jamais saberemos.

71

DISSENSÃO NA RÚSSIA, PARTILHA FINAL DA POLÔNIA

A REVOLUÇÃO FRANCESA teve um impacto drástico sobre Catarina, não só porque a imperatriz ficou horrorizada com a degradação, a humilhação e a violenta derrocada da monarquia francesa, mas também porque temia que o fervor revolucionário se alastrasse. Sua crença na necessidade de se proteger, e à Rússia, precipitou uma significativa reversão em suas antigas ideias liberais sobre liberdade de expressão e pensamento. Nas esferas política e militar, o medo do que ela chamava de "veneno francês" resultou – ou serviu para justificar – em um evento raro na história europeia, que foi o total desaparecimento de um grande e orgulhoso Estado-nação.

Quando jovem e recém-empossada imperatriz, Catarina era amiga e admiradora dos *philosophes*. Voltaire e Diderot a aclamavam como a mais liberal soberana da Europa, a Semíramis do Norte. A leitura das obras deles e de Montesquieu ensinou a ela que a melhor forma de governo era a autocracia benevolente, bem informada e guiada pelos princípios do Iluminismo. Em seus primeiros anos no trono, havia esperado corrigir, ou pelo menos melhorar, o funcionamento de algumas das mais ineficazes e injustas instituições da Rússia, inclusive a servidão. Convocou a Comissão Legislativa em 1767, ouviu as queixas e recomendações de pessoas de diversas classes, inclusive de camponeses. Mas então veio a rebelião de Pugachev. Depois disso, ela ainda manteve relações de cordial amizade com vários *philosophes*, mas deixou de ser uma discípula. Passou a questionar, e às vezes desafiar, as utopias deles.

Em 1789, após 27 anos como imperatriz, Catarina atingiu algumas metas da liberalidade formulada na juventude. Ajudou a criar uma *intelligentsia* russa. Muito mais jovens da nobreza passaram a frequentar universidades, viajar para o exterior, aprender outras línguas, escrever peças de teatro, romances e poesias. Jovens promissores iam estudar às expensas do Estado e adquirir conhecimentos em universidades e colégios estrangeiros. Homens cultos não nascidos nobres se tornaram altos funcionários do governo, poetas, escritores, médicos, arquitetos, pintores. Mas depois, parecendo pôr em xeque seus esforços e objetivos, veio a cruel realidade de Pugachev, seguida, vinte anos mais tarde, pelos eventos na França.

Catarina acompanhou, consternada, a destruição da monarquia francesa e do Antigo Regime. Todos os meses chegavam à Rússia emigrantes e refugiados franceses contando histórias apavorantes. Mais que qualquer outro soberano europeu, ela achava que a ideologia radical da França era também dirigida a ela, e quanto mais radical a França se tornava, mais defensiva e reacionária era a atitude de Catarina. Passou a descobrir perigos na filosofia do Iluminismo, atribuindo certa responsabilidade pelos excessos da revolução aos escritos dos filósofos que ela admirava. Durante anos, as obras deles vinham atacando e solapando o respeito à autoridade e à religião. Não seriam eles parcialmente responsáveis? Como não puderam ver aonde esse caminho levaria?

Em 1791, ela ordenou que as livrarias registrassem na Academia de Ciências todos os catálogos de livros que se opusessem à "religião, à decência e a nós". Em 1792, ordenou o confisco de uma edição completa das obras de Voltaire. Em 1793, deu ordem aos governadores provinciais para que proibissem a publicação de livros que pudessem "corromper a moral, com relação ao governo, e, acima de tudo, os relacionados à Revolução Francesa". Receosa da facilidade com que as ideias revolucionárias cruzavam as fronteiras, proibiu a importação de jornais e livros franceses. Em setembro de 1796, foi estabelecido o primeiro sistema formal de censura em seu reinado. Todas as gráficas privadas foram fechadas, e todos os livros tinham de ser submetidos a um censor do Estado antes da publicação. Um dos primeiros afetados por essas normas restritivas foi um jovem nobre intelectual que tinha ascendido a uma posição significativa na administração do império.

Alexander Radishchev nasceu em 1749, na província de Saratov, primogênito de 11 filhos de um nobre culto, um senhor de terras que possuía 3 mil servos. Aos 13 anos, Alexander entrou para o *Corps des Pages* em São Petersburgo, servindo na corte. Aos 17, foi um dos 12 escolhidos para estudar filosofia e direito na Universidade de Leipzig, custeado pelo Estado. Lá ele conheceu Goethe, que foi seu colega de classe. Em 1771, aos 22 anos, retornou à Rússia, onde serviu como funcionário menor nos escritórios do Senado, e depois no departamento de advocacia do Colégio de Guerra. Em 1775, Radishchev se casou e assumiu um cargo no Colégio do Comércio, presidido por Alexander Vorontsov, irmão da princesa Dashkova, amiga de Catarina. Chegou a ser diretor da alfândega de São Petersburgo.

Durante os anos 1780, Radishchev começou a escrever um livro intitulado *Uma viagem de São Petersburgo a Moscou*. Em 1790, imprimiu alguns exemplares em sua gráfica doméstica. Como exigido, submeteu o livro à aprovação do censor na chefatura de polícia de São Petersburgo. O censor deu uma olhada no título, supôs que era uma narrativa de viagem, aprovou e devolveu ao autor, na alfândega. Radishchev imprimiu seiscentos exemplares em anonimato. O momento não era favorável, um ano depois da queda da Bastilha e enquanto a Rússia ainda estava em guerra com a Turquia e a Suécia.

A *Viagem* de Radishchev não era uma narrativa. Era uma acusação veemente da instituição da servidão e uma crítica da estrutura social do governo russo, que permitia a existência da servidão. Começava com um apelo emocional:

> Seremos tão desprovidos de sentimento humano, desprovidos de piedade, desprovidos da ternura de um coração nobre, tão desprovidos de amor fraterno que suportamos, debaixo de nossos olhos, uma eterna reprovação [ao manter] nossos camaradas, nossos iguais, cidadãos, nossos amados irmãos na natureza, nos pesados grilhões da servidão e da escravidão? O costume bestial de escravizar nossos companheiros, um costume que significa ter um coração de pedra e total falta de alma, se espalhou pela face da Terra. E nós, eslavos, filhos da glória entre gerações filhas da terra, adotamos esse costume e, para nossa vergonha... para vergonha, dessa idade da razão, o mantemos inviolado até os dias de hoje.

Radishchev ilustrou os efeitos da servidão criando inúmeras cenas descritas pelo "viajante" ao passar por cidades, aldeias e postos de muda durante sua jornada. Retratou os abusos do trabalho servil, as chocantes sentenças de juízes corruptos e a situação indefesa das mulheres servas à mercê de amos predadores. Num dos episódios, três filhos brutais de um senhor de terras atacam, amordaçam e amarram uma linda serva virgem na manhã do casamento dela, com a intenção de usá-la para seu "bestial propósito". O noivo, servo, vê o que está acontecendo, ataca os três malfeitores e "quebra a cabeça" de um deles. O senhor ordena um implacável açoitamento do noivo. O jovem servo aceita, mas, quando vê os três filhos do amo arrastando sua futura esposa para a casa deles, se solta, salva a noiva e encara os três inimigos girando um mourão de cerca sobre a cabeça. Nesse momento, outros servos acorrem e, na pancadaria que se seguiu, o amo e os filhos foram espancados até a morte. Todos os servos envolvidos são condenados à servidão penal pelo resto da vida. Radishchev contou essa história não só como exemplo da natureza das relações senhor-servo, mas também para advertir os leitores de que muitos servos, se levados ao desespero, aguardam apenas uma chance para se revoltar:

> Sabem, caros companheiros cidadãos, que destruição nos ameaça e em que perigo nos encontramos? Um rio barrado em seu curso

se torna mais potente. Quando a barragem se rompe, nada pode estancar a torrente. Assim estão nossos irmãos que vocês mantêm acorrentados. Estão esperando por uma chance no momento certo. O alarme já está soando. E a força destrutiva da bestialidade se solta a uma velocidade terrível. A morte e a total desolação serão a resposta à nossa crueldade e desumanidade. Quanto mais adiarmos a libertação das correntes, quanto mais inflexíveis formos, mais violenta será a vingança. Relembrem os eventos de tempos idos [Pugachev]. Não pouparam sexo nem idade. Tiveram mais prazer na vingança do que no benefício dos grilhões rompidos. Isso é o que nos aguarda. Isso é o que devemos esperar.

Como paliativo para essa sinistra profecia, Radishchev propunha um plano de emancipação gradual dos servos. Propôs que todos os servos domésticos fossem libertados imediatamente, que os servos trabalhando na agricultura tivessem pleno direito de propriedade ao terreno que cultivassem e usassem os rendimentos para comprar a liberdade. Deveriam poder se casar sem precisar do consentimento do amo. E deveriam ser julgados na justiça por seus iguais, ou seja, por outros camponeses.

Catarina leu o livro em junho de 1790 e encheu as margens de notas, dando a Radishchev crédito intelectual: "[O autor] aprendeu muito, leu muitos livros, tem muita imaginação e audácia ao escrever." Deduzindo que ele tinha sido educado em Leipzig, "consequentemente a suspeita recai sobre o senhor Radishchev, ainda mais porque diz-se que ele tem uma gráfica em casa". Se o livro tivesse sido escrito 30, ou mesmo 20 anos antes, Catarina teria reconhecido nele algumas de suas próprias ideias, mas agora, de sua nova perspectiva, declarou que "o propósito desse livro está claro em cada página. O autor, infectado totalmente pela loucura francesa, tenta de todas as maneiras quebrar o respeito à autoridade e às autoridades, insuflando no povo a ira contra seus superiores e contra o governo". Condenou a descrição do comportamento dos senhores e a condição dos servos, e ficou indignada com as advertências sobre o ódio e a iminente vingança dos servos. Disse que o autor era "um agitador da plebe, pior que Pugachev, incitando os servos a uma rebelião sangrenta". E que ele estava incitando não só os camponeses, mas a população em geral a desprezar a autoridade de todos os governantes, desde a imperatriz até as autoridades locais. Nas denúncias do governo e nas associações feitas por Radishchev entre os horrores dos tempos de

Pugachev e os recentes "venenos" inventados na França, Catarina viu uma intenção de propagar as crenças dos revolucionários parisienses para desestabilizar a Rússia num momento em que o país estava enfrentando duas guerras. Escreveu numa das margens que o livro "não podia ser tolerado".

Radishchev foi identificado, preso e levado a interrogatório na fortaleza de São Pedro e São Paulo. Não foi torturado, mas, mesmo assim, ciente das consequências para sua família, renegou a obra, dizendo que o livro era fruto de sua vaidade, escrito em busca de fama literária. Fez o possível para minimizar punições, admitindo que sua linguagem tinha sido exagerada e as acusações aos membros do governo eram incorretas. Negou qualquer intenção de atacar o governo de Catarina; só pretendia apontar certas falhas que julgava corrigíveis. Não tivera a intenção de incitar os camponeses contra seus senhores, quis apenas levar alguns senhores maus a se envergonhar de seu comportamento. Admitiu ter esperança de libertação dos servos, mas somente por meio de ações legislativas, tais como as que já tinham sido propostas ou tomadas pela imperatriz Catarina. Declarou-se entregue à misericórdia de Catarina. Foi julgado no Supremo Tribunal Criminal em São Petersburgo, acusado dos crimes de sedição e lesa-majestade, e sentenciado à morte por decapitação. O Senado, como sempre, aprovou a sentença. Nesse ínterim, porém, Catarina tinha pedido a Potemkin uma opinião sobre o livro. A despeito dos ataques pessoais a ele, bem como à imperatriz, o príncipe recomendou leniência, escrevendo a Catarina: "Li o livro que você me mandou. Não estou irritado. Parece, *matushka*, que ele está caluniando você. E você também não deve se irritar. Suas ações são seu escudo." A resposta moderada de Potemkin tranquilizou Catarina, que fez o de sempre: comutou a pena de morte, e mandou o autor para dez anos de exílio na Sibéria.

Daí por diante, Radishchev foi tratado com uma certa complacência. Depois de ouvir a sentença, saiu acorrentado do tribunal, mas, na manhã seguinte, as correntes foram retiradas por ordem de Catarina. Teve um prazo de 16 meses para chegar ao local de exílio, a 6.500 quilômetros de São Petersburgo. O ministro do Comércio, Alexander Vorontsov, seu patrono e amigo, lhe enviava roupas, livros e mil rublos por ano. Mais tarde, já viúvo, Radishchev recebeu na Sibéria seus dois filhos mais novos, trazidos por sua cunhada, que ficou morando com ele, e juntos tiveram mais três filhos. Radishchev construiu uma casa grande o suficiente para acomodar a família, seus criados e seus livros. Trabalhava como médico diletante, era professor de seus filhos e lia os livros enviados pelos amigos. Pouco depois da morte de Catarina, em 1796, o filho dela, Paulo, suspendeu o exílio de Radishchev, dando-lhe permissão para voltar à sua propriedade perto de Moscou. Em 1802, em depressão profunda, ele cometeu suicídio, deixando as palavras finais de Cato: "Agora sou senhor de mim mesmo." Sua *Viagem* foi publicada em Londres em 1859. Três anos depois – sessenta anos após a morte de Radishchev –, o bisneto de Catarina, o imperador Alexander II, aboliu a servidão.

Na partilha da Polônia em 1772, a Rússia, a Áustria e a Prússia impuseram à nação uma Constituição que limitava a autoridade do rei e da Dieta, deixando o poder nas mãos de uma aristocracia independente e conservadora que se recusava a governar e a ser governada, o que levou o país a um estado de perpétua semianarquia. Stanislaus Augustus, o rei instalado por Catarina, reinou durante os 16 anos seguintes, mas em todas as questões importantes o governo era orientado por São Petersburgo. Em termos de território, a Polônia ainda era grande, mas durante todos esses anos continuou aceso o ressentimento dos poloneses com as potências que tinham feito a partilha, principalmente a Rússia. Em setembro de 1788, estando Catarina e seu aliado José II da Áustria envolvidos na guerra com a Turquia, os poloneses viram uma chance de fazer mudanças. Uma Dieta, hostil à dependência polonesa da Rússia, se reuniu e foi logo confederada. O *liberum veto* foi posto de lado, capacitando a Dieta a tomar decisões por maioria de votos. Em meio à erupção de sentimentos contra a Rússia e muitos insultos verbais a Catarina, Stanislaus advertiu sobre o perigo de fazer mudanças unilaterias na Constituição aprovada pela imperatriz. Foi ignorado. Nos meses que se seguiram, a Dieta confederada fez uma reviravolta na estrutura governamental endossada pela Rússia durante 16 anos. O exército russo estava no Sul, portanto Catarina nada podia fazer – pelo menos no momento – e fingiu não notar.

No ano seguinte, 1790, Catarina sofreu uma série de reveses políticos. Em março, o rei Frederico Guilherme da Prússia, que em 1786 tinha sucedido a seu tio, Frederico, o Grande, surpreendeu a Rússia ao assinar um tratado com a Polônia, se comprometendo a dar assistência em caso de interferência externa. Em 3 maio de 1791, a encorajada Dieta polonesa, sabendo que a Rússia continuava enredada na guerra no mar Negro, e acreditando que a Polônia estava agora protegida pelo tratado com a Prússia, votou por adotar uma nova Constituição estabelecendo uma monarquia hereditária, e não mais por eleição. O rei Stanislaus poderia continuar no governo até o fim da vida, mas a partir de sua morte a coroa seria hereditária, passando de pai para filho na casa dos eleitores na Saxônia. O *liberum veto* seria abolido e substituído pela maioria de votos na Dieta. O objetivo da nova Constituição era enfraquecer a antiga nobreza e dar à Polônia um governo nacional mais eficaz.

Catarina, percebendo até que ponto a nova Constituição diminuía o poder da nobreza conservadora, na qual ela confiava para manter a Polônia fraca, ficou alarmada. O tratado russo-polonês de 1772 tinha sido desfeito unilateralmente. Ela não tinha tropas disponíveis para reabilitar a velha Constituição, mas, levada pela raiva e a frustração, encontrou aliados entre os próprios poloneses. Os nobres conservadores, sabendo que um governo central fraco era necessário para que se mantivessem no poder, também rejeitaram a Constituição de 3 de maio. Esses nobres se reuniram em Grodno, formaram sua própria federação, proclamaram a restauração da Constituição de 1772 e enviaram uma delegação a São Petersburgo para pedir ajuda a Catarina.

A imperatriz estava pronta a ajudar. A Constituição de 3 de maio era longe de ser radical, mas, para Catarina, parecia ter uma inquietante semelhança com os eventos do ataque à monarquia francesa. Em julho de 1791, a paz com a Turquia estava próxima, e o exército russo logo ficaria disponível para dar ajuda aos poloneses conservadores. Ela já dissera a Potemkin, na última estada dele em São Petersburgo, que pretendia nomeá-lo comandante em chefe dessa nova campanha. Havia riscos a serem considerados. Tanto Leopoldo da Áustria como Frederico Guilherme da Prússia, preocupados com a situação cada vez mais deteriorada da França, e na esperança de acalmar a crescente agitação no vizinho Leste Europeu, já tinham concordado em aceitar a Constituição de 3 de maio polonesa. Frederico Guilherme concordou por ser aliado da Polônia, e Leopoldo, porque queria estar livre para se concentrar na França. Ambos instaram com Catarina para que se juntasse a eles.

Catarina, que já decidira agir sozinha se fosse necessário, recusou, e inverteu o pedido, tentando convencer a Prússia e a Áustria a apoiá-la. Em dezembro de 1791, no Colégio de Relações Exteriores russo, falou sem rodeios que jamais concordaria com a nova estrutura política da Polônia, e que estava decidida a agir. A Prússia e a Áustria "vão se opor apenas com uma pilha de papéis", ela disse. Esperava receber protestos, mas a Áustria, enfrentando uma guerra com a França, não iria fazer nada, e se o acordo da Prússia de ignorar o tratado com a Polônia precisasse ser comprado com mais algum território polonês, Catarina estava disposta a aceitar uma nova partilha. Quanto aos poloneses, ela entendia que, para restaurar a Constituição de 1772, o exército russo precisaria invadir o país.

Por trás da política combativa de Catarina com relação à Polônia, havia o fato de que, apesar de falar numa campanha contra a França, sua verdadeira preocupação se situava mais perto de casa. Estava irritada pelos recentes passos da Polônia e assustada com o que poderia vir a acontecer. Um regime efetivo, potencialmente revolucionário, seria perigoso para a Rússia. Iria ignorar essa possível ameaça para lutar contra o jacobinismo na França? Seu dever era combater o inimigo onde fosse mais ameaçador para ela. Disse a Grimm estar determinada a "exterminar esse ninho de jacobinos em Varsóvia". Era um argumento de fachada, pois ela revelou a verdadeira estratégia num desabafo a seu secretário particular, em 14 de novembro de 1791: "Estou quebrando a cabeça para forçar as cortes de Viena e Berlim a se envolverem nas questões da França. A corte austríaca está disposta, mas Berlim se recusa a se mexer. Existem razões que não posso dizer [a eles]. Quero que se envolvam para me deixar espaço de manobra. Tenho em mente muitos assuntos inacabados e é necessário que fiquem ocupados para que não me estorvem." Os "assuntos inacabados" eram restaurar o poder da Rússia sobre a Polônia.

Em 9 de abril de 1792, a França deu uma ajuda involuntária a Catarina, declarando guerra à Áustria. Agora a imperatriz podia ter certeza de que a Áustria não iria honrar seu compromisso de apoiar a Constituição polonesa de 3 de maio. No final de abril, Catarina comunicou a Berlim e Viena sua intenção de invadir a Polônia. Em 7 de maio, 65 mil soldados russos cruzaram a fronteira, seguidos por mais 35 mil poucas semanas depois. A Polônia apelou imediatamente para Frederico Guilherme da Prússia, invocando o tratado de 1790. O rei da Prússia reagiu como Catarina previra. Antevendo uma guerra com a França, traiu o compromisso de ajuda à Polônia, alegando que não tinha sido consultado sobre a Constituição de 3 de maio, e isso o isentava de cumprir os termos do tratado. Declarou que não era "obrigado a defender uma Constituição modificada sem seu conhecimento". Stanislaus, mais uma vez jogando nos dois lados, primeiro jurou lutar pela Constituição de 3 de maio e depois tentou negociar com Catarina, oferecendo abdicar do trono em favor do neto dela, Constantino. Ela não se interessou. Nada mais tendo a oferecer, o rei ordenou que o exército polonês depusesse as armas.

A ocupação militar foi tranquila, mas a Rússia logo se viu metida num espinheiro político. Os líderes conservadores poloneses apoiados por Catarina entraram em discordâncias entre si e se mostraram incapazes de governar. Em dezembro de 1792, Catarina via que a única solução para dar fim ao caos progressivo seria formalizar a ocupação com uma segunda partilha. Ofereceu a Frederico Guilherme as áreas do Norte e Oeste, ambicionadas de longa data pela Prússia. Ele aceitou. Tanto a Rússia como a Prússia declararam que seus atos tinham por finalidade combater o jacobinismo na Polônia. Frederico Guilherme anunciou que havia sido forçado a enviar seu exército para proteger a Prússia contra jacobinos furiosos na fronteira. Catarina continuou a usar esse argumento. "Você parece ignorar que a *Jacobinière* de Varsóvia é correspondente ao Clube Jacobino em Paris", ela escreveu a Grimm. Em janeiro de 1793, a Rússia e a Prússia assinaram um tratado secreto selando uma segunda partilha da Polônia.

Sem estar a par desse tratado, os conservadores poloneses pediram a Catarina a garantia de proteção da integridade física do país. Tarde demais. No início de abril de 1793, foram publicados os manifestos russo e prussiano da nova partilha. Na tentativa de dar às suas ações um aspecto de legalidade, Catarina e Frederico Guilherme obrigaram Stanislaus a ir de Varsóvia para Grodno, centro da fracassada confederação conservadora, a fim de presidir uma Dieta para obter "um entendimento amigável com as potências da partilha". Para ajudar a Dieta a tomar a decisão, o embaixador russo anunciou que "os soldados de Sua Majestade Imperial iriam ocupar as terras dos delegados que se opusessem à vontade da nação". Em julho, os membros da Dieta consentiram de má vontade na nova partilha com a Rússia, mas, com ódio maior à Prússia, se recusaram a ratificar a cessão de territórios à nação que os havia traído. O prédio da Dieta em Grodno foi cercado por tropas russas, e disseram aos deputados que ninguém sairia de lá até que a partilha fosse aprovada. A sessão entrou pela noite adentro. A princípio, os deputados gritaram, se recusando a ocupar seus lugares; depois se sentaram, imóveis, em silêncio total. Às quatro da madrugada, o coordenador da Dieta perguntou três vezes: "A Dieta autoriza os delegados a assinar o tratado?" Nenhum deles respondeu. Diante disso, o coordenador anunciou: "Quem cala consente." E assim foi aprovado o tratado de partilha pela Dieta polonesa.

Na verdade, o tratado com a Rússia fazia da mutilada Polônia um protetorado – ou, como disse amargamente um deputado, "uma província russa". Toda a política interna e externa da Polônia teria de ser submetida à aprovação da Rússia, o pessoal do governo teria de ser aprovado por São Petersburgo, e o exército polonês ficaria reduzido a 15 mil homens. Stanislaus continuou no trono. Politicamente impotente, supérfluo, patético, voltou ao palácio em Varsóvia desprezado por seus súditos.

O novo quinhão russo da Polônia foi grande: mais de 140 mil quilômetros quadrados do Leste do país, incluindo o resto da Bielorrússia, com a cidade de Minsk, extensas fatias da Lituânia, inclusive Vilna, e o restante da Ucrânia polonesa. Ao todo, 3 milhões de pessoas foram acrescentadas ao império de Catarina. A Prússia ficou com 37 mil quilômetros quadrados, finalmente se apossando das cobiçadas regiões de Danzig e Thorn, bem como de outros territórios do Oeste da Polônia, ganhando 1 milhão de habitantes. A Áustria não teve parte nessa pilhagem, mas Francisco II obteve a promessa de que a Prússia seria uma aliada ativa da Áustria na guerra com a França. A Polônia ficou reduzida a um terço do tamanho original e a uma população de 4 milhões. Quando os tratados foram assinados, Catarina disse a si mesma que não apenas tinha afastado o vírus que se alastrava da França, mas simplesmente recuperado terras que haviam pertencido ao grande principado de Kiev no século XVI, "terras ainda habitadas por pessoas de raça e credo russos".

Na primavera de 1794, quando Robespierre tinha o poder supremo na França, muitos poloneses acharam que esse esfacelamento do país e a humilhante imposição constitucional eram intoleráveis. Em março, quando houve uma tentativa de desarmar o exército, a nação se sublevou. Thaddeus Kosciuszko, um oficial polonês treinado na França e que havia lutado ao lado de Washington e Lafayette na Guerra da Independência norte-americana, apareceu subitamente em Cracóvia e assumiu o comando das forças rebeldes. Em 24 de março, com 4 mil soldados e 2 mil camponeses armados com foices, derrotou 7 mil soldados russos perto de Cracóvia. A revolta se espalhou com tanta rapidez que, quando atingiu Varsóvia, a guarnição russa, de 7 mil homens, foi apanhada de surpresa. Três mil soldados russos foram mortos ou feitos prisioneiros. Os corpos dos mortos foram estripados e jogados nus pelas ruas. Frederico Guilherme da Prússia foi denunciado como traidor, e um retrato de Catarina, retirado da embaixada russa, foi destroçado em praça pública.

Quando a notícia desses eventos chegou a São Petersburgo, Catarina disse à Prússia e à Áustria que já era tempo de "extinguir a última fagulha do fogo jacobino na Polônia". Frederico Guilherme, se sentindo injuriado pelos poloneses, quis ter a honra de sufocar pessoalmente a resistência polonesa. Catarina sugeriu que ele atacasse os revoltosos a oeste do rio Vístula, e aconselhou Francisco II da Áustria a se deslocar para o sul. Ambos se apressaram a cooperar, e ambos esperavam o pagamento pela ação. Assim, todas as partes tinham a expectativa de mais uma partilha da Polônia. Frederico Guilherme dividiu o exército destinado à França e mandou 25 mil homens para o Leste, a fim de subjugar a Polônia. Em meados de julho, os 25 mil prussianos e 14 mil russos avançaram sobre Varsóvia, vindo de duas direções. No fim de julho, o próprio Frederico Guilherme chegou para comandar o cerco a Varsóvia. Os prussianos não fizeram grandes progressos. Em setembro, o rei declarou que precisava das tropas para enfrentar a ameaça da França, levantou o cerco e ordenou a retirada.

A essa altura, os russos não precisavam de ajuda. Na verdade, Catarina já havia percebido que, se a Rússia fosse esmagar a revolta sem auxílio, ela poderia ditar as regras. Colocou Rumyantsev no comando geral do exército na Polônia e Suvorov no comando tático. Em 10 de outubro, Suvorov derrotou Kosciuszko numa batalha em que 13 mil russos venceram 7 mil poloneses. Kosciuszko ficou gravemente ferido, foi capturado, levado para São Petersburgo e preso na fortaleza Schlüsselburg. Depois, Suvorov foi a Praga, o local fortificado do outro lado do Vístula, na periferia de Varsóvia.

Antes de ordenar o ataque, Suvorov lembrou aos soldados o massacre da guarnição russa em Varsóvia em abril. O ataque começou de madrugada e, segundo o relato de Suvorov, "três horas depois, Praga inteira estava cheia de corpos espalhados por toda parte, e o sangue escorria nos rios". A estimativa do número de mortos variava de 12 a 20 mil. Mais tarde, os russos alegaram que Suvorov não foi capaz de conter os soldados ávidos de vingança do massacre de seus companheiros na primavera. Mas esse argumento não justifica a morte de mulheres, crianças, padres e freiras. Suvorov usou essa carnificina como exemplo para avisar Varsóvia do que poderia acontecer: se não se rendesse, seria tratada como Praga. Varsóvia capitulou imediatamente, e a resistência armada na Polônia chegou ao fim.

Catarina via Kosciuszko como um agente do extremismo revolucionário e achava que ele se correspondia com Robespierre. Foi nesse contexto que ela e o Conselho decidiram o que fazer com a prostrada Polônia. Concordaram que o perigo do jacobinismo continuava a ameaçar a Rússia e seria imprudência deixar que a Polônia tivesse um governo próprio. Bezborodko afirmava que séculos de experiência mostraram ser impossível ter a amizade dos poloneses, que eles sempre apoiariam todo inimigo da Rússia, fosse a Turquia, a Prússia, a Suécia ou qualquer outro país. Além disso, o conceito de Estado-tampão não se aplicava a ideias que pudessem cruzar fronteiras. A decisão do Conselho foi tratar a Polônia como um inimigo conquistado: todos os símbolos pátrios, bandeiras, emblemas, arquivos e bibliotecas foram confiscados e levados para a Rússia. Suvorov assumiu o governo por decreto.

O passo seguinte foi chegar a um acordo sobre uma nova divisão do território. Catarina preferia uma anexação imediata à Rússia de tudo o que restava da Polônia, mas sabia que isso seria inaceitável para a Prússia e a Áustria. Assim sendo, propôs uma terceira partilha, definitiva. A Áustria hesitou, sugerindo uma volta ao *status quo*, mas com maior supervisão externa. A Prússia aprovou a partilha, ou total, ou deixando um pequeno e insignificante Estado-tampão, entre os três países. A proposta de Catarina, mais extrema, foi dividir todo o território remanescente da Polônia e simplesmente varrer do mapa o perigoso vizinho. A proposta foi aceita.

Em 3 de janeiro de 1795, a Rússia e a Áustria concordaram com uma terceira e definitiva partilha da Polônia. À Prússia, ainda em guerra com a França, disseram que poderia tomar posse do território desejado quando pudesse. Em 5 de maio, a Prússia fez a paz com a França revolucionária e ocupou sua fatia da Polônia. A Rússia tomou Courland, o que restava da Lituânia, a parte remanescente da Bielorrússia e o Oeste da Ucrânia. A Prússia pegou Varsóvia e o resto da Polônia a oeste do Vístula. À Áustria coube Cracóvia, Lublin e o Oeste da Galícia. Mais tarde, Catarina repetiu que não tinha anexado "nem um único polonês", mas simplesmente trazido de volta antigas terras da Rússia e da Lituânia com habitantes ortodoxos que estavam "agora juntos na terra natal russa".

Em 25 de novembro de 1795, tendo seu reino desmembrado, Stanislaus abdicou. Um ano depois, quando Catarina morreu, o imperador Paulo convidou o ex-rei para ir a São Petersburgo, onde foi hospedado no Palácio de Mármore, construído para Gregório Orlov. Lá ele morreu, em 1798. Para a Polônia, a terceira partilha significou a extinção nacional. Somente na assinatura do Tratado de Versalhes, depois da Primeira Guerra Mundial, quando os impérios da Rússia, Alemanha e Áustria estavam aniquilados, foi que a Polônia ressurgiu fisicamente. Durante esses 126 anos, o povo e a cultura da Polônia não tiveram um país.

72

DECLÍNIO

EM 1796, COM 35 ANOS DE REINADO, Catarina era a mais notável personagem da realeza no mundo inteiro. A idade afetou sua aparência, mas não a dedicação ao trabalho e a atitude positiva diante da vida. Estava mais pesada e tinha os cabelos completamente brancos, mas os olhos azuis ainda eram jovens e brilhantes. Mesmo aos 67 anos, sua compleição tinha frescor, e a dentadura preservava a ilusão de que seus dentes continuavam intactos. A dignidade e a graça estavam incorporadas em seu porte, particularmente na maneira altiva de fazer um aceno de cabeça em público. Aos amigos, membros do governo, cortesãos e criados, ela inspirava profunda afeição e respeito.

Levantava-se às seis da manhã e vestia um robe de seda. Seus movimentos acordavam a família de pequenos galgos ingleses que dormia num sofá de cetim rosa ao lado da cama dela. O mais velho dos cães, que ela chamava de sir Tom Anderson, e sua esposa, duquesa Anderson, tinham sido presentes do Dr. Dimsdale, que havia vacinado Catarina e seu filho Paulo contra a varíola. O casal canino, com a participação da segunda esposa de sir Tom, *mademoiselle* Mimi, havia tido várias ninhadas. Catarina cuidava deles. Quando os cães queriam sair, ela abria pessoalmente a porta para o jardim. Isso feito, tomava quatro ou cinco xícaras de café e se punha a trabalhar com a pilha de correspondência oficial e pessoal à sua espera. Tinha a vista enfraquecida, usava óculos para ler, e às vezes, uma lupa. Certa vez, quando seu secretário a viu lendo, ela sorriu e disse: "Você provavelmente ainda não precisa dessa invenção. Quantos anos você tem?" Ele respondeu que tinha 28, e Catarina disse: "Nossa vista enfraqueceu por longos anos de serviço ao Estado e agora temos de usar óculos." Exatamente às nove horas, ela deixava a pena no tinteiro e tocava uma campainha, avisando ao criado do lado de fora da porta que estava pronta para receber os visitantes. Isso significava uma longa manhã com ministros, generais e outros membros do governo, lendo e ouvindo relatórios, assinando os documentos que lhe traziam.

Eram sessões de trabalho, e os visitantes eram orientados a discordar das ideias dela e oferecer sugestões quando julgassem que estava errada. A atitude de Catarina era sempre atenta, agradável e imperturbável.

Uma exceção a esse procedimento era a reação às visitas do brilhante general Alexander Suvorov. Tão devotado quanto excêntrico, Suvorov entrava, fazia três mesuras diante da imagem de Nossa Senhora de Kazan, caía de joelhos na frente da imperatriz e tocava o chão com a cabeça. Catarina sempre tentava impedi-lo, dizendo: "Pelo amor de Deus, você não se envergonha?" Impassível, Suvorov se sentava e repetia seu pedido de lutar contra o exército francês no Norte da Itália, comandado por um jovem general chamado Napoleão Bonaparte. "*Matushka*, deixe-me marchar contra os franceses!", ele implorava. Após muitas visitas e muitos apelos, ela concordou e, em novembro de 1796, Suvorov estava pronto para marchar à frente de 60 mil russos. Catarina morreu na véspera da partida, e a campanha foi cancelada. Jamais houve um encontro desses dois famosos soldados em campos de batalha.

À uma hora da tarde, terminado o trabalho matinal, Catarina se retirava e se vestia, geralmente em seda cinza ou violeta, para o almoço. Sentavam-se com ela de dez a vinte convidados, entre amigos pessoais, nobres, funcionários mais graduados e os diplomatas estrangeiros de que ela mais gostava. Ela não se interessava por comida, e as refeições eram espartanas. Depois, os convidados se retiravam discretamente para os apartamentos de cortesãos que moravam no palácio para complementar o almoço.

À tarde, Catarina lia, ou alguém lia livros em voz alta enquanto ela costurava ou bordava. Às seis, quando havia recepção na corte, ela circulava entre os convidados nos salões do Palácio de Inverno. O jantar era servido, mas Catarina nunca comia e às dez horas se retirava. Quando não havia recepções oficiais, ela recebia amigos no Hermitage. Ouviam um concerto, assistiam a uma peça francesa ou russa, ou então faziam jogos, charadas ou jogavam *whist*. Nessas reuniões, as velhas regras continuavam em vigor: a formalidade era proibida, ninguém podia se levantar quando a imperatriz se levantava, todos falavam livremente, mau humor não era tolerado e o riso era obrigatório. À sua amiga *frau* Bielcke, ela escreveu: "Madame, você precisa ser alegre; só assim se pode suportar a vida. Falo por experiência própria, pois tive de suportar muito, e só fui capaz porque sempre dei risadas quando tive chance."

Nos anos 1790, a saúde de Catarina decaiu. Ela passou anos sofrendo de dor de cabeça e indigestão, e agora se somavam resfriados e reumatismo. No verão de 1796, padeceu com feridas nas pernas. Às vezes inchadas e sangrando, suas pernas a incomodavam tanto que ela as banhava diariamente com água do mar gelada. O ceticismo do Dr. Rogerson quanto a esse tratamento não convencional só a deixava mais certa de que estava tendo "efeitos maravilhosos".

As enfermidades eram uma inconveniência, mas não a deixaram imobilizada. Passava o outono e o inverno no Palácio de Inverno e no Hermitage. Após a morte de Potemkin, passou a ter outra residência na cidade e ficava algumas semanas de verão e de outono no Palácio Tauride, que comprou dos herdeiros do príncipe. Morar lá ajudava a trazer lembranças do homem que fora seu amante, parceiro e talvez marido. Em vez das propriedades em Peterhof e Oranienbaum, no golfo da Finlândia, que poderiam despertar más recordações, ela preferia passar os verões em Tsarskoe Selo, cercada de amigos e netos. Não havia grandes barreiras entre a família imperial e o público; todos os parques na capital e arredores eram abertos a todos que estivessem "decentemente vestidos". Isso incluía o parque de Tsarskoe Selo. Um dia, Catarina estava sentada num banco com sua dama de companhia predileta depois do passeio matinal. Um homem que passava deu um olhar casual às duas senhoras, não reconheceu a imperatriz e seguiu seu caminho, assoviando. A dama ficou indignada, mas Catarina observou calmamente: "O que você esperava, Maria Savichna? Há vinte anos, isso não teria acontecido. Nós envelhecemos. A culpa é nossa."

Catarina tinha 48 anos quando, em 1777, sua nora, Maria, deu à luz o primeiro neto da imperatriz. Catarina, e não os pais do menino, escolheu seu nome, Alexander. A maternidade trouxera poucas alegrias a Catarina; agora, sendo avó, podia aproveitar. Deixando de lado a velha mágoa da imperatriz Elizabeth, que havia lhe roubado o primeiro filho, Paulo, Catarina assumiu o papel dominante na vida do novo infante. Seu motivo foi semelhante ao de Elizabeth. Ambas eram frustradas: uma, pela incapacidade de conceber, e a outra, por não ter podido criar o filho. Ambas usaram o mesmo pretexto para ter a atitude quanto aos netos, ou seja, que uma jovem mãe inexperiente não poderia assumir a responsabilidade de criar e educar um futuro czar.

Ao contrário do que Elizabeth fizera com Paulo, Catarina não se apossou totalmente de Alexander. Todas as tardes o neto era levado para o tapete ao lado da escrivaninha da imperatriz, e ela interrompia o que quer que estivesse fazendo para brincar com ele. Catarina se sentava no chão, contava histórias, inventava brincadeiras, corrigia os erros dele e o abraçava muitas e muitas vezes. "Já lhe disse antes, e volto a dizer", ela escreveu a Grimm. "Eu adoro e mimo o macaquinho. À tarde, meu macaquinho vem quantas vezes quiser e passa de três a quatro horas no meu quarto." Ela o chamava de "*monsieur* Alexander", e dizia: "É impressionante que, embora ainda não saiba falar, aos 20 meses ele sabe coisas que estão além do alcance de uma criança de 3 anos." Quando o neto tinha 3 anos, ela escreveu: "Você nem imagina as maravilhas que Alexander faz como cozinheiro, como arquiteto, como ele pinta, mistura as cores, corta madeira, como ele brinca de criado e de cocheiro, como está aprendendo sozinho a ler, escrever, desenhar e fazer cálculos." Esses exageros não eram diferentes das efusões de qualquer avó querendo que todo mundo soubesse — na verdade, insistindo para que todos soubessem — das extraordinárias qualidades e talentos do netinho. Catarina tinha certeza de que Alexander era uma criança incomparável, e que isso se devia unicamente a ela. "Estou fazendo dele uma criança deliciosa", ela dizia. "Ele me ama instintivamente." Catarina mandou fazer para Alexander um traje solto, de uma só peça, que poderia ser vestido facilmente e não restringia os movimentos dos braços e das pernas. "É costurado junto e entra de uma vez só, preso atrás por quatro ou cinco colchetes", contou a Grimm. O rei da Suécia encomendou um, e recebeu o molde da vestimenta de *monsieur* Alexander."

O segundo neto de Catarina nasceu 18 meses depois de Alexander. A imperatriz lhe deu o nome de Constantino, para indicar o que tinha em mente para esse neto: que um dia ele reinasse sobre um grande império ortodoxo grego, com capital em Constantinopla. Quando já era um pouquinho maior, Constantino passou a acompanhar o irmão nas atividades no tapete de Catarina. Destinados a reinados diferentes, cada um recebeu uma educação específica. Alexander, que seria o futuro ocupante do trono de Catarina, foi educado no modelo inglês. Teve uma babá inglesa, estudou a história da Europa e a literatura do Iluminismo. Constantino, destinado a Constantinopla, teve uma babá grega, criados gregos e companheiros de brincadeiras gregos, para aprender o idioma na primeira infância. Tinha aulas de história da Grécia, Roma e Bizâncio, bem como da Rússia.

Quando Alexander tinha 7 anos, e Constantino quase 6, chegando ambos à idade de ter tutores, Catarina escreveu trinta páginas de instruções para a educação deles. Deveriam ser confiáveis e corajosos, tão corteses com os criados quanto com os mais velhos. Deveriam dormir cedo, em quartos bem arejados, a uma temperatura de 16 graus, em camas retas com colchões de couro. Deveriam se lavar todos os dias em água fria e se banhar nas termas durante o inverno. No verão, aprenderiam a nadar. A comida seria simples, com frutas de todos os tipos pela manhã durante o verão. Iriam plantar os próprios jardins e cultivar os próprios legumes. Qualquer punição consistiria em ensinar a criança a se envergonhar de seu mau comportamento. Repreensões seriam em particular, e elogios, em público. Castigos corporais eram proibidos.

Em 1784, Catarina nomeou um suíço, Frédéric-César de La Harpe, primeiro tutor dos meninos. Republicano, cético quanto à autocracia, ganhou o respeito e a afeição de Alexander e, com a permissão de Catarina, pregava o valor da liberdade e os deveres de um soberano para com o povo. Alexander prestava muita atenção a essas ideias, mas Constantino se rebelava. Certa vez, gritou com La Harpe, dizendo que quando chegasse ao poder iria invadir a Suíça e destruir o país com seus exércitos. La Harpe respondeu calmamente: "No meu país, numa aldeia perto de Morat, há um prédio onde guardamos os ossos de quem nos visita com esse propósito."

Desde os primeiros anos de vida de Alexander, Catarina nutria a esperança de colocá-lo no lugar de seu filho, Paulo, como sucessor. Não demorou para que Paulo desconfiasse de que a intenção de deserdá-lo estava por trás da possessividade de sua mãe com relação a Alexander, que, por sua vez, também descobriu que era objeto de discórdia entre seus pais e a imperatriz, e aprendeu a se adaptar às circunstâncias. Em Gatchina, ouvia as diatribes de seu pai contra a imperatriz; de volta à corte, concordava com tudo o que a avó dizia. Incapaz de tomar partido, retraiu-se numa posição de indecisão e ambiguidade. Durante toda a vida, Alexander teve dificuldade de tomar decisões rápidas e sem hesitações.

Paulo e Maria tiveram dez filhos num período de 19 anos. Foram quatro meninos e seis meninas. O terceiro filho, Nicolas, nascido em 1796, último ano de vida de Catarina, escapou à rígida supervisão da imperatriz. As meninas, ao contrário dos irmãos mais velhos, ficaram aos cuidados dos pais, que puderam educá-las como quiseram. O interesse primordial de Catarina sempre foi por Alexander e, em virtude da ansiedade com a sucessão e o futuro da dinastia, ela o forçou a se casar cedo. Embora os tutores o achassem muito imaturo para o casamento, em outubro de 1792 Catarina convidou duas princesas germânicas, de Baden, para irem a São Petersburgo, a fim de avaliá-las. A mais velha, Luísa, tinha 14 anos, e Fredericka era um ano mais nova. Luísa era tímida, mas logo se apaixonou pelo príncipe russo. Alexander admitiu que gostava dela. Foi o suficiente para Catarina. Em janeiro de 1793, Luísa se converteu à Igreja Ortodoxa e se tornou a grã-duquesa Elizabeth Alekseyevna. O casamento de Alexander com a recém-batizada Elizabeth, quando ele tinha 15 anos, e ela, 14, se deu em setembro de 1793. Infelizmente para as esperanças de Catarina, Elizabeth nunca deu à luz uma criança viva. Constantino, que recusou o trono ao fim do reinado de Alexander, em 1825, não teve filhos legítimos. Quem herdou o trono foi Nicolas, o neto que Catarina deixou que a mãe educasse, e, por meio de seus descendentes, deu continuidade à dinastia.

Catarina consentiu que Paulo e Maria criassem as meninas, mas tinha a intenção de se encarregar delas tão logo tivessem idade para se casar. A neta mais velha, Alexandra Pavlovna, tinha 13 anos quando a imperatriz decidiu que era chegada a hora. Catarina queria um casamento com Gustavo Adolfo, o jovem rei ainda não coroado da Suécia, filho de Gustavo III, que fora assassinado quatro anos antes. A união com o jovem Gustavo iria serenar a velha hostilidade entre a Rússia e a Suécia, e assegurar a posição russa no norte do Báltico.

Havia um obstáculo. Em novembro de 1795, tinha sido anunciado o noivado de Gustavo com a princesa Luísa, filha do duque de Mecklenburg-Schwerin, protestante. Catarina não recuou. Foi dito ao regente sueco, duque de Sudermania, irmão do assassinado Gustavo III e tio do jovem rei não coroado, que centenas de milhares de rublos estariam à disposição para subsidiar o tesouro sueco, caso o desejo da imperatriz fosse satisfeito. No começo de abril de 1796, o regente concordou em adiar o casamento do sobrinho até que ele atingisse a maioridade, aos 18 anos, em novembro daquele ano.

Catarina convidou Gustavo e o tio para irem a São Petersburgo. Como o rei ainda não era coroado, seria uma visita "particular", e os nobres suecos viajariam incógnitos. Gustavo iria como conde Haga e seu tio, como conde Vasa. Em 15 de agosto, os dois "condes" chegaram. O rei mostrou ser um jovem solene, com cabelos louros compridos até os ombros e trajes negros. Foi apresentado a Alexandra, e o par abriu o baile daquela noite, dançando um minueto. Catarina, ao contrário do costume, ficou no baile até meia-noite. As três semanas seguintes foram cheias de divertimentos, mas o casal teve tempo de ficar a sós. A imperatriz ficava contente ao ver que Gustavo ia perdendo um pouco da rigidez e várias vezes foi visto falando em voz baixa com Alexandra. Certo dia, enquanto dançavam, chegou a ponto de apertar a mão dela. "Eu não sabia o que seria de mim", ela cochichou com a governanta. "Fiquei tão assustada que achei que ia cair." Dois dias depois, após um jantar no Palácio Tauride, Gustavo se sentou a lado de Catarina, num banco no jardim, e confidenciou que gostaria de se casar com a neta dela. Catarina lembrou-lhe que já estava noivo de outra pessoa, e Gustavo prometeu romper o noivado imediatamente. Tiveram início as negociações da aliança russo-sueca que acompanharia o casamento. O subsídio anual prometido à Suécia foi de 300 mil rublos.

Feliz com esses progressos, Catarina marcou a cerimônia de noivado oficial para 11 de setembro. Restava uma questão significativa a ser resolvida: a religião da noiva após o casamento. Catarina exigia que Alexandra tivesse a liberdade de praticar a religião ortodoxa. Gustavo disse que isso não seria possível. Ele pensava estar claro que, se fosse se casar com Alexandra, ela deveria abraçar o luteranismo. Catarina reagiu, insistindo na garantia de que, mesmo rainha da Suécia luterana, sua neta iria permanecer membro da Igreja Ortodoxa. Na verdade, Catarina estava surpresa, pois nunca lhe ocorrera que um monarca adolescente não coroado pudesse esperar que uma grã-duquesa russa, neta de uma imperatriz, abandonasse sua religião. Para ela, o prestígio nacional e pessoal era tão importante quanto — talvez até mais importante do que — a observância da religião. Ademais, ela achava que tinha o direito de estabelecer os termos porque os grandes subsídios para a Suécia estariam efetivamente pagando pelo casamento.

E havia outra razão. Catarina tinha a mesma idade de Alexandra quando recebeu uma proposta de casamento aceita por ela e que a obrigava a mudar de religião, a despeito da vontade de seu pai. Agora Catarina prometia a si mesma que a neta não seria forçada a passar pelo que ela passara cinquenta anos antes. Catarina inseriu no contrato de casamento uma cláusula, não só garantindo a Alexandra o direito de permanecer ortodoxa como rainha da Suécia, mas também que ela tivesse uma capela privativa e um padre confessor ortodoxo no palácio real sueco. Gustavo, leal à religião protestante estabelecida em seu reino, e acreditando que a rainha deveria compartilhar sua fé, não concordou com isso. Diante dos protestos de Catarina, de que os ministros suecos já haviam se comprometido a aceitar as garantias que ela desejava, o jovem replicou que houvera um mal-entendido na negociação entre seus ministros e os funcionários russos. Catarina então exigiu que o rei, de próprio punho, acrescentasse essa cláusula. Gustavo hesitou. Depois, sob a pressão do tio, concordou em fazer a emenda no contrato.

Parecia tudo acertado para a cerimônia de noivado, à qual se seguiria um baile no Palácio Tauride. As famílias e os plenipotenciários se reuniram ao meio-dia para testemunhar a assinatura do tratado. Os russos logo descobriram, porém, que a cláusula da religião de Alexandra não constava no texto do tratado. Gustavo a tinha retirado para poder voltar a discutir a questão com a imperatriz. Naquela tarde, ele se recusou a ir além da promessa de que "a grã-duquesa jamais terá inquietações de consciência com respeito à religião". Catarina interpretou isso como um novo compromisso e sugeriu ao regente que prosseguissem com a cerimônia oficial de noivado. Após consultar Gustavo, o regente concordou. "Com a bênção da Igreja?", Catarina perguntou. "Sim", disse o regente, "de acordo com seus ritos." Certa de que a questão estava resolvida, Catarina não viu necessidade de continuar discutindo com Gustavo e deixou o texto final do documento a cargo de Platon Zubov.

Às sete horas, Catarina chegou ao salão e se sentou no trono. A seu lado estava o arcebispo metropolitano ortodoxo, Gavril. Sobre uma mesa, havia dois anéis. Duas poltronas estofadas em veludo azul estavam destinadas ao rei e à noiva. Paulo, Maria e toda a família imperial estavam presentes. Todos os olhares se fixavam em Alexandra, ao lado da avó, à espera do prometido noivo. O tempo foi passando... meia hora... uma hora inteira. Os funcionários se entreolhavam. Havia alguma coisa errada. No reino de Catarina, a corte russa primava pela pontualidade. Finalmente a porta dupla se abriu. Mas não era Gustavo, apenas um secretário que cochichou com Zubov e lhe entregou um papel. Zubov correu para fora do salão. O rei tinha se recusado a assinar o contrato de casamento com a cláusula reinserida por Catarina. Havia retornado à posição anterior, de que a rainha da Suécia tinha de ser luterana. Zubov, cada vez mais desesperado, tentou convencê-lo a mudar de ideia. Catarina, a família e a corte continuavam a esperar.

O suspense enchia a sala. A princípio, Catarina ficou calma. Depois, à medida que o tempo passava, seu sorriso desapareceu e o rosto ficou vermelho. A seu lado, a neta estava em lágrimas. Os ponteiros do relógio passaram das nove e seguiam na direção das dez. Por fim, a porta dupla se abriu. Zubov entrou e entregou um papel a Catarina. O rei havia mudado de ideia novamente. Agora dizia que tinha dado sua palavra de honra de que Alexandra não seria impedida de praticar sua religião, mas ele não poria nada por escrito e não assinaria o contrato de casamento enquanto contivesse a cláusula exigida por Catarina.

Catarina mal podia acreditar no que lia. Levantou-se do trono, tentou falar, mas as palavras eram ininteligíveis. Alguns pensaram que era uma tonteira, outros acharam que ela estava tendo um pequeno derrame. O ataque, fosse qual fosse, foi temporário, e um minuto depois ela foi capaz de anunciar: "Sua Majestade o rei Gustavo não está passando bem. A cerimônia está adiada." Catarina deixou o salão apoiada no braço de Alexander. O regente enviou um pedido de desculpas pelo comportamento do sobrinho, mas Catarina continuou abalada. Na manhã seguinte, ela falou rapidamente com o regente e o rei. O regente estava desesperado, mas Gustavo, "rijo como um espeto", só repetia: "O que escrevi está escrito. Jamais mudarei o que escrevi."

Catarina se recusava a admitir que um menino de 17 anos vencesse a imperatriz da Rússia em seu próprio palácio. Achou que algum tempo daria conta da teimosia dele e insistiu que Gustavo e o tio permanecessem em São Petersburgo por mais duas semanas. Gustavo concordou em ficar mais dez dias, mas não recuou de sua posição. Afinal, não houve casamento.

A humilhação e o esforço para reprimir a raiva em público afetaram a saúde de Catarina. Mais tarde, ela soube que um rígido pastor havia convencido Gustavo de que seus súditos nunca o perdoariam se tomasse por esposa alguém pertencente a qualquer outra religião que não a luterana. Catarina descobriu também que, durante os longos momentos que passaram juntos, quando o jovem rei parecia estar cortejando a jovem grã-duquesa, estava na verdade tentando convertê-la ao luteranismo. Escreveu a Paulo, com amargura:

> O fato é que o rei fingia que Alexandra lhe prometera mudar de religião e tomar o sacramento luterano, e que tinha jurado. Ela me contou, com toda a inocência e todo seu candor natural, que ele lhe dissera que no dia da coroação ela teria de tomar o sacramento [luterano] junto com ele, e que ela respondera: "Certamente, se eu puder e minha avó consentir."

Alexandra, a ex-futura noiva, nunca se recuperou completamente. Depois da morte da avó, o imperador Paulo casou-a com um arquiduque Habsburgo. O casamento foi infeliz, e ela morreu de parto aos 17 anos de idade. Em 1º de novembro de 1796, Gustavo foi coroado rei Gustavo IV.

Pouco depois se casou com a princesa Fredericka de Baden, irmã mais nova da grã-duquesa Elizabeth, esposa de Alexander, neto de Catarina.

⚜73⚜
A MORTE DE CATARINA, A GRANDE

NA NOITE DE TERÇA-FEIRA, dia 4 de novembro de 1796, Catarina apareceu em público pela última vez, com um pequeno grupo de amigos reunido no Hermitage. Um deles era Lev Naryshkin, que quarenta anos antes tinha sido proposto, juntamente com Sergei Saltykov, como pai em potencial do filho que ela precisava ter urgentemente, e que depois miava como um gato para avisar quando ela podia sair do palácio à noite para se encontrar com seu amante Poniatowski. Nessa última noite, Lev, sempre brincando de bobo da corte, apareceu para Catarina fantasiado de vendedor ambulante, carregando um tabuleiro cheio de bugigangas, oferecendo quinquilharias à venda. A performance fez Catarina chorar de rir. Ela se retirou cedo, alegando ter rido tanto que precisava descansar.

Na manhã seguinte, 5 de novembro, ela se levantou às seis horas, tomou café e se sentou para trabalhar. Às nove, pediu que a deixassem sozinha e foi ao quarto de vestir. Não voltou. Os atendentes ficaram à espera. O valete bateu na porta, entrou no quarto e ela não estava lá. Esperou um minuto, bateu na porta do banheiro adjacente, parcialmente aberta. Ele e uma dama forçaram a porta do banheiro e encontraram a imperatriz caída, inconsciente. Tinha o rosto muito vermelho e os olhos fechados. Quando o valete levantou cuidadosamente a cabeça da imperatriz, ela gemeu. Com a ajuda de outros atendentes, conseguiram levá-la para o quarto. Como o corpo inerte estava pesado demais para ser carregado para cima da cama alta, deitaram Catarina sobre um colchão de couro colocado no chão. O Dr. Rogerson foi chamado e abriu uma veia no braço dela.

A imperatriz estava viva, mas não falava, e seus olhos estavam fechados. Os membros do governo, chamados às pressas, decidiram enviar um chamado urgente ao grão-duque. Platon Zubov mandou seu irmão Nicolas a galope para Gatchina, a fim de avisar Paulo. Pouco depois, o jovem Alexander, em lágrimas, pediu ao conde Fyodor Rostopchin que fosse a Gatchina comunicar oficialmente o que havia acontecido. Alexander queria garantir ao pai que ninguém – e muito menos ele, Alexander – tinha a intenção de se apoderar do trono. Rostopchin seguiu pouco depois de Nicolas Zubov na estrada para Gatchina.

Nicolas Zubov chegou a Gatchina às 3h45 da tarde, com a notícia de que Catarina tinha sofrido, provavelmente, um derrame cerebral. Paulo ordenou que trouxessem um trenó e partiu imediatamente com Maria para São Petersburgo. Num posto de muda, a meio caminho da capital, encontraram Rostopchin. Anos depois, o conde recordou:

> O grão-duque desceu do trenó para atender a um chamado da natureza. Desci do trenó também, e chamei sua atenção para a beleza da noite. Estava extremamente calma e clara, via-se a lua por entre as nuvens, todos os sons eram abafados e o silêncio reinava. O grão-duque fixou o olhar na lua, e lágrimas lhe escorreram pelo rosto... Peguei a mão dele. "Meu senhor, que momento importante!" Ele apertou minha mão. "Espere, meu caro amigo, espere. Vivi 42 anos. Talvez Deus me dê forças e bom senso para suportar o destino reservado para mim."

Paulo e Maria chegaram ao Palácio de Inverno às 8h25 da noite. Foram recebidos por Alexander e Constantino, já vestidos em uniformes em estilo prussiano "Gatchina", com túnicas justas abotoadas e botas altas. O grão-duque encontrou a mãe deitada no colchão de couro, imóvel, com os olhos fechados. Paulo ajoelhou-se e beijou-lhe as mãos. Não houve reação. Ele e Maria passaram a noite ao lado dela.

Em todo o palácio, a imperatriz doente foi alvo de piedade e especulação. Iria se recuperar? Pelo menos voltaria à consciência para deserdar Paulo e nomear Alexander? Os cortesãos se perguntavam se deviam jurar lealdade. E a quem. E quando. Um que nada dizia, sentado sozinho num canto e evitado por todos, era Platon Zubov.

A vigília durou a noite inteira. De madrugada, os médicos disseram a Paulo que Catarina tinha tido um derrame e não havia esperanças. Paulo mandou chamar Bezborodko e lhe disse para preparar um manifesto anunciando sua ascensão ao trono. Ao meio-dia, ordenou a Bezborodko que separasse e lacrasse os documentos no escritório da mãe, sob a supervisão de Alexander e Constantino, depois trancasse a porta e lhe desse a chave. Às cinco da tarde, Catarina respirava com muita dificuldade. Dr. Rogerson disse a Paulo que o fim estava próximo. O arcebispo metropolitano Gravil administrou a extrema-unção, untando com óleo consagrado a testa, as faces, a boca, o peito e as mãos de Catarina.

As horas se passavam. Ninguém falava. Às 9h45 da noite de 6 de novembro de 1796, 36 horas depois do derrame, sem recobrar a consciência, Catarina morreu. Os cortesãos se reuniram na antecâmara, e um alto funcionário anunciou: "Senhores, a imperatriz Catarina morreu, e Sua Majestade Paulo Petrovich dignou-se a subir ao trono de todas as Rússias."

Em 8 de novembro, dois dias após a morte da mãe, o novo imperador foi ao monastério Alexander Nevsky, onde mandou abrir o caixão do homem que ele acreditava ser seu pai. O corpo não tinha sido embalsamado e dentro do caixão só havia ossos, pó, um chapéu, luvas, botas e botões. Em 2 de dezembro, uma procissão saiu do monastério, levando o caixão para o Palácio de Inverno. Paulo e sua família, a corte e o corpo diplomático acompanharam a procissão pelas ruas ladeadas de regimentos da Guarda. Uma figura do passado também seguiu a procissão. Alexis Orlov, já com 80 anos, que havia comandado a guarda em Ropsha e escrito a carta comunicando a Catarina a morte do marido, tinha recebido ordem de Paulo para seguir atrás do caixão de Pedro, levando a coroa de Paulo numa almofada. Orlov suportou a humilhação de cabeça erguida, o rosto esculpido em pedra. No palácio, o caixão foi colocado ao lado do de Catarina para um velório em honra de ambos. Em 5 de dezembro, os dois caixões foram levados através do rio Neva congelado até a catedral de São Pedro e São Paulo, onde foram colocados perto da tumba de Pedro, o Grande. Estão lá até hoje.

Catarina acreditava numa autocracia iluminista. Ao colocar em prática essa crença, ela sempre levou em consideração a opinião pública. Tinha isso em mente quando escreveu a Diderot: "O que desisto de derrubar, vou minando." Seu manejo do poder absoluto repousava na sensibilidade às nuances do possível. Anos mais tarde, o assessor de Potemkin, V. S. Popov, analisou essa atitude, relatando ao jovem imperador Alexander I uma conversa que teve com a imperatriz:

> O tema era o poder ilimitado com o qual a grande Catarina governava o império. Falei da surpresa que tive diante da obediência cega a todos os desejos dela, da ânsia e entusiasmo de todos para tentar contentá-la.
> "Não é tão fácil quanto você imagina", ela respondeu. "Em primeiro lugar, minhas ordens não seriam cumpridas se fossem

ordens que não pudessem ser cumpridas. Você sabe com que prudência e circunspeção eu ajo na promulgação das leis. Examino as circunstâncias, peço conselhos, consulto a parte esclarecida do povo, e assim descubro o efeito que a lei terá. Quando estou certa de que terei boa aprovação, só então dou as ordens e tenho o prazer de observar o que você chama de obediência cega. Esta é a base do poder ilimitado. Mas creia-me, não obedeceriam cegamente se as ordens não fossem adaptadas à opinião geral."

Ela sabia que alguns aspectos de sua vida pessoal eram criticados. Sua resposta era que sua vida tinha sido invulgar. "Antes de ser o que sou hoje, fui durante 33 anos igual às outras pessoas. Faz apenas trinta anos que me tornei o que elas não são, e isso ensina a viver."

Depois da morte de Potemkin, Catarina escreveu um epitáfio para si mesma:

AQUI JAZ CATARINA SEGUNDA

Nascida em Stettin, em 21 de abril de 1729.

No ano de 1744, veio para a Rússia para se casar com Pedro III. Aos 14 anos de idade, tomou a tripla resolução de agradar ao marido, a Elizabeth e à nação. A fim de atingir esse objetivo, não negligenciou nada. Dezoito anos de tédio e solidão lhe deram a oportunidade de ler muitos livros.

Quando subiu ao trono da Rússia, desejava fazer o que fosse bom para o país e tentou trazer felicidade, liberdade e prosperidade a seus súditos.

Perdoava com facilidade e não odiava ninguém. Era de boa índole, tranquila, tolerante, compreensiva e com tendência à felicidade. Tinha espírito republicano e bom coração.

Era sociável por natureza.

Fez muitas amizades.

Tinha prazer em trabalhar.

Amava as artes.

Certamente, essa descrição é ao mesmo tempo idealizada e excessivamente modesta. Ela sempre recusou títulos extravagantes, fossem eles sugeridos pela Assembleia Legislativa, que quis chamá-la de Catarina, a Grande, por Voltaire, que enchia suas cartas de atributos floreados, ou por Grimm, que a chamou de Catarina, a Grande, numa carta em 1788.

Em resposta a Grimm, ela escreveu: "Peço-lhe não me chamar de Catarina, a Grande, porque meu nome é Catarina II." Foi depois de sua morte que os russos passaram a falar nela como "Catarina, a Grande".

Foi uma figura majestática na era da monarquia. A única que se igualou a ela num trono europeu foi Elizabeth I da Inglaterra. Na história da Rússia, ela e Pedro, o Grande, se destacaram pela capacidade e pelas realizações, em comparação com os outros 14 czares e imperatrizes nos trezentos anos da dinastia Romanov. Catarina deu continuidade ao legado de Pedro. Ele ofereceu à Rússia uma "janela para o Ocidente" na costa do Báltico, construindo uma cidade para se tornar sua capital. Catarina abriu outra janela, no mar Negro, onde Sebastopol e Odessa eram suas joias. Pedro importou tecnologia e instituições governamentais. Catarina trouxe da Europa filosofia moral, política e jurídica, literatura, arte, arquitetura, escultura, medicina e educação. Pedro criou a Marinha e organizou um Exército que derrotou um dos melhores militares europeus. Catarina fundou a maior galeria de arte da Europa, hospitais, escolas e orfanatos. Pedro cortou a barba e os longos mantos dos nobres. Catarina os persuadiu a tomar vacina contra a varíola. Pedro fez da Rússia uma grande potência. Catarina amplificou esse poder e desenvolveu uma cultura que, durante o século seguinte, produziu, entre outros, Derzhavin, Pushkin, Lermontov, Gogol, Dostoiévski, Tolstoy, Turgenev, Tchekov, Borodin, Rimsky-Korsakov, Mussorgsky, Glinka, Tchaikovsky, Stravinsky, Petipa e Diaghilev. Esses artistas e suas obras são parte do legado de Catarina à Rússia.

Em 1794, quando tinha 64 anos, ela escreveu a Grimm:

> Antes de ontem, em 9 de fevereiro, fez cinquenta anos que cheguei a Moscou com minha mãe. Duvido que haja em São Petersburgo dez pessoas que se lembrem. Há Betskoy, cego, decrépito, gagá, ainda perguntando a jovens casais se lembram de Pedro, o Grande. Há uma das minhas velhas damas, que ainda mantenho, embora ela se esqueça de tudo. Há provas da velhice, e eu sou uma delas. Mas, apesar disso, gosto tanto quanto uma criança de 5 anos de brincar de cabra-cega, e os jovens, inclusive meus netos, dizem que as brincadeiras são muito mais alegres quando brinco com eles. E ainda adoro rir.

Foi uma longa e notável jornada que ninguém poderia imaginar, nem mesmo ela quando, aos 14 anos, atravessou as neves a caminho da Rússia.

AGRADECIMENTOS

Ao escrever este livro, usei amplamente as ricas coleções da Biblioteca Sterling Memorial da Universidade de Yale. Graças ao *Privileges Office* da biblioteca, pude passar dias com pilhas de livros e pegar emprestados todos os que queria, por um período de tempo razoável. Agradeço à biblioteca por sua generosa política e pela boa vontade dos funcionários. Usei extensivamente também a Biblioteca Pública de Nova York, e agradeço à sua equipe por essa joia da coroa que é a vida cultural de Nova York.

Entre aqueles que por suas palavras e obras me deram estímulo constante nos anos deste trabalho estão Andre Bernard, Donald Bitsberger, Kenneth Burrows, Janet Byrne, Georgina Capel e Anthony Cheetham, Robert e Ina Caro, Patricia Civale, Robert e Aline Crumb, Donald Holden, Melanie Jackson e Thomas Pynchon, James Marlas e Marie Nugent-Head, Kim, Lorna e Miranda Massie, Jack e Lynn May, Lawrence e Margaret McQuade, Gilbert Merritt, Eunice Meyer, David Michaelis e Nancy Steiner, Edmund e Sylvia Morris, Mary Mulligan, Sara Nelson, Sydney Offit, George Paine, Heather Previn, David Remnick e Esther B. Fein, Peter e Masha Sarandinaki, Richard Weiss e Brenda Wineapple. Douglas Smith, generosamente, me permitiu usar suas traduções da correspondência de Catarina. Doug Smith me permitiu também fazer grande uso do seu livro *The Pearl*, contendo descrições da instituição da servidão na Rússia, principalmente nas áreas das óperas, companhias de balé, de teatro, orquestras sinfônicas e outras artes praticadas pelos servos.

Mais uma vez tive o prazer de ter como editora deste livro a Random House, com seu grupo de talentos extraordinários. Os membros dessa família que me ajudaram aqui são Avideh Bashirrad, Evan Camfield, Gina Centrello, Jonathan Jao, Susan Kamil, London King, Carole Lowenstein, Jynne Martin, Sally Marvin, Tom Perry, Robbin Schiff, Ben Steinberg e Jessica Waters. Tive também a ajuda de Dolores Karl, Lane Trippe e Alex Remnick.

Por muitos anos, meu amigo, conselheiro e esteio essencial na Random House foi Bob Loomis, que se aposentou no verão de 2011, após 54 anos de empenho constante e brilhantes realizações na editora. Sou um entre as centenas de autores cujo trabalho foi guiado e aprimorado por sua sabedoria, entusiasmo, gentileza e admoestações firmes, porém amáveis, que geralmente começavam com: "Vamos ver se conseguimos melhorar mais ainda." Não existem outros como ele.

Manuscrito na mão, Deborah Karl, minha esposa, agente literária e a melhor pessoa que conheço, fez diversas sugestões; todas estão no livro. Três dos meus filhos, Bob Jr., Elizabeth e Christopher, também leram o manuscrito e colocaram boas questões. Minha filha Susanna acompanhou de um lugar distante, e, em casa, minhas filhas Sophia e Nora me apoiaram com seu amor, inabalável otimismo e elevado talento artístico.

Por fim, devo agradecer pelo extraordinário prazer que tive na companhia da mulher excepcional que foi meu tema. Depois de oito anos com sua constante presença em minha vida, vou sentir saudades dela.

NOTAS

A vida de Catarina se divide em duas partes de quase igual extensão. De 1729 a 1762, era princesa alemã e grã-duquesa russa. De 1762 até sua morte, em 1796, foi imperatriz da Rússia. A fonte primária da primeira parte de sua vida está em suas próprias *Memoirs*, que começam com suas primeiras recordações e prosseguem até 1758, quando estava com 29 anos e sob estresse na corte da imperatriz Elizabeth. Naturalmente, suas memórias apresentam a perspectiva subjetiva, como a de qualquer autor de memórias. Ainda assim, têm valor inestimável.

Catarina escreveu-as em francês, e foram publicadas pelo menos quatro traduções em inglês. A primeira delas foi de Alexander Herzen, famoso escritor russo exilado em Londres. Seu trabalho apareceu em 1859. A norte-americana Katharine Anthony as retraduziu e editou e foram publicadas em Londres e Nova York em 1927. As memórias de Catarina editadas e publicadas no original francês por Dominique Maroger, em Paris, foram traduzidas para o inglês por Moura Budberg e publicadas em Nova York em 1955. A Modern Library publicou uma nova tradução em 2005, de Mark Cruse e Hilde Hoogenboom, colocando as recordações na sequência cronológica correta, o que nem a própria Catarina nem os tradutores anteriores haviam conseguido. Usei as três primeiras dessas traduções. São identificadas em Notas assim: a versão de Maroger e Budberg consta simplesmente como *Memoirs*. A tradução de Herzen é identificada como Herzen. A tradução de Anthony é identificada como *Memoirs* (Anthony).

I. A INFÂNCIA DE SOFIA

- 19 "aquele idiota": Haslip
- 22 "Disseram-me": *Memoirs*, 25-6
- 22 "Ele viveu apenas até os 12 anos": Ibid., 41
- 23 "Logo notaram": *Memoirs* (Anthony), 27
- 24 "circuncisão": Ibid., 31
- 24 "toda noite, no crepúsculo": *Memoirs*, 30
- 24 "Estou convencida": *Memoirs* (Anthony), 27
- 24 "Toda a minha vida": *Memoirs*, 30
- 24 "Ele sempre trazia": *Memoirs* (Anthony), 27
- 24 "Barulho aos meus ouvidos": *Memoirs*, 31
- 24 "Tinha uma alma nobre: Ibid., 26
- 24 "a pupila": Oldenbourg, 8
- 24 "Nem sempre se pode saber": Kaus, 11
- 26 "Uma grande quantidade de papagaios": *Memoirs*, 36
- 27 "Não sei se quando criança": *Memoirs* (Anthony), 13
- 27 "agradável e bem-nascido": *Memoirs*, 33

28 "Eu sabia que algum dia": Ibid.,34
28 "Madame, a senhora não conhece a menina": Ibid., 49
28 "Galopava até ficar exausta": Ibid., 38
29 "Nunca fui apanhada": Ibid.
29 "Eu não sabia nada sobre o amor": Ibid., 46
29 "Meus pais não vão permitir": *Memoírs* (Anthony), 28
29 "Ele era muito bonito": *Memoírs*, 46

2. O CHAMADO PARA A RÚSSIA
30 "A imperatriz está encantada": Kaus, 19
32 "Sob o comando explícito": Ibid., 25
33 "Não mais esconderei": Ibid., 26
33 "Só lhe faltavam asas": Ibid., 27
34 "Abaixo de Sua Majestade": Ibid., 28
34 "Meu marido, o príncipe": Ibid.
34 "Ela me disse": *Memoírs*, 50

3. FREDERICO II E A VIAGEM PARA A RÚSSIA
36 "ambição, a oportunidade de ganho": Ritter, 7
39 "ópera, teatro, poesia, danças": *Memoírs*, 54
39 "todas as pessoas presentes": Oldenbourg, 21
39 "Aceite esse presente": *Memoírs*, 54
39 "A princesinha de Zerbst": Haslip, 24
40 "Meu senhor: imploro-lhe": Oldenbourg, 59
41 "As alcovas não tinham": Waliszenski, 23
42 "Eu nunca tinha visto nada": *Memoírs*, 54
42 "Nesses últimos dias: *Memoírs* (Anthony), 69
42 "encontrei, prontas para nos agasalhar": Ibid., 71
43 "Aqui tudo acontece": Ibid.
44 "É a noiva do grão-duque": Kaus, 42

4. A IMPERATRIZ ELIZABETH
45 "amava as duas filhas": Rice, 15
46 "Meu pai sempre repetia": Bain, *Peter III*, 13
46 "Ela é de uma beleza": Massie, *Peter the Great*, 806

49 Eu era jovem demais": Rice, 48
52 "não conhecia nenhuma outra família": Ibid.
52 "Vossa Majestade pode fazer de mim": Ibid., 61
52 "Em público": Longworth, 162
53 "extremamente cordata e afável": Rice, 47
54 "Madame – disse ele –, é preciso escolher": Ibid., 57

5. A PRODUÇÃO DE UM GRÃO-DUQUE
56 "Não acredito que haja": Massie, 806
57 "Lembrem-se de que sou russa": Bain, *Pupils of Peter the Great*, 125
58 "o dia mais feliz da minha vida": Oldenbourg, 48
61 "Vejo que Vossa Alteza": Bain, *Peter III*, 11
62 "absolutamente frívolo": Ibid., 14
62 "extremamente fraco": Ibid., 15
62 "Esta foi sua última": Oldenbourg, 52
63 "Nem sei expressar": Bain, *Peter III*, 13
63 "Promete-se": Oldenbourg, 53
64 "a julgar por sua fala": Ibid.

6. O ENCONTRO COM ELIZABETH E PEDRO
65 "Não pude esperar mais": Kaus, 43
66 "Tudo o que fiz por você": Ibid.
66 "Era praticamente impossível": *Memoírs*, 60
66 "um dos homens mais bonitos": Ibid., 61
67 "Estamos vivendo como rainhas": Kaus, 53
67 "nos dez primeiros dias": *Memoírs*, 62
67 "porque era o desejo de sua tia": Ibid.
68 "Fiquei corada ao ouvir": Ibid.

7. PNEUMONIA
69 "os ritos externos": Madariaga, *Russia in the Age*, 6
69 "Examine com cuidado": *Memoírs* (Anthony), 82
69 "A mudança de religião": Ibid., 81
69 "E lá estava eu, deitada, com febre alta": *Memoírs*, 63

70 "o diabo que a carregasse": Oldenbourg, 68
71 "Chame Simon Todorsky": *Memoirs* (Anthony), 83
71 "as damas diziam": Herzen, 28
71 "o comportamento de minha mãe": *Memoirs*, 64
72 "Eu estava magra como um esqueleto": *Memoirs*, 65
73 "Meu senhor, tenho a ousadia": Oldenbourg, 68
73 "Nosso bom príncipe": Kaus, 58
73 "Tive mais trabalho": Ibid., 59

8. CARTAS INTERCEPTADAS
75 "Se a imperatriz desse": Kaus, 50
76 "frívola, indolente, cada vez mais gorda": Haslip, 34
76 "Essa brincadeira vai acabar": Herzen, 29
77 "Se sua mãe fez alguma coisa errada": *Memoirs*, 66

9. A CONVERSÃO E O NOIVADO
78 "Ela dormiu muito bem": Oldenbourg, 74
78 "eu a achei encantadora": Ibid., 75
79 "A testa, os olhos, o pescoço, a garganta": Ibid., 76
79 "Tinha aprendido de cor": *Memoirs* (Anthony), 84
79 "A atitude dela durante toda a cerimônia": Ibid.
80 "ambos verdadeiros monstrinhos": Oldenbourg, 77
80 "A cerimônia demorou quatro horas": Ibid., 78
80 "Nossa situação é a mesma": Ibid.
80 "as pessoas ficavam quase sufocadas": *Memoirs*, 71
81 "Minha filha se conduz": Oldenbourg, 79
81 "Não se passava um dia": *Memoirs*, 72
81 "Sei que Vossa Alteza enviou meu irmão": Kaus, 65
81 "usasse minha influência": *Memoirs*, 72

10. PEREGRINAÇÃO A KIEV E BAILES TRAVESTIS
83 "pedagogos": *Memoirs*, 73
83 "entrou na nossa": Ibid., 74
83 "Só deixamos ficar conosco os mais engraçados": Ibid.
83 "Enquanto nos divertíamos": Ibid.
84 "Sabendo como minha mãe se exaltava facilmente": Ibid., 75
84 "Quando minha mãe estava com raiva": Ibid.
85 "Na verdade, naquela época": Ibid.
85 "Nunca, em toda a minha vida": Ibid., 76
86 "Eu tinha medo de não ser querida": Ibid., 77
86 "Meu respeito pela imperatriz": Ibid.
86 "Devo dizer": Ibid., 78
86 "*Monsieur* Sievers, muito alto": Ibid.
87 "lavava as mãos": Ibid., 79

11. VARÍOLA
88 "incontrolável em seus caprichos": Ibid., 82
88 "ele me confessou suas travessuras infantis": Ibid.
90 "e estava tão mal relacionada": Ibid., 84
90 "em muito me agradava": Ibid.
91 "me mandou sair": Ibid., 91
92 "Vossa Alteza, minha muito querida sobrinha": Troyat, 39
92 "Era um homem de grande inteligência": *Memoirs*, 85
93 "Li as observações dele várias vezes": Ibid., 86
93 "Que pena": Ibid., 86, nota de rodapé
93 "semiescuridão": Ibid.
93 "quase de terror": Ibid.
94 "ele se aproximou": Kaus, 79

12. O CASAMENTO
97 "quase tão discreto como um tiro de canhão": *Memoirs*, 88
98 "Toda a atenção": Ibid., 92
98 "Passávamos o tempo caminhando": Ibid., 93
98 "À medida que se aproximava o dia do meu casamento": Ibid., 97
99 "repreendeu severamente": Ibid.
100 "Tivemos uma conversa longa e amigável": Ibid., 97
101 "O vestido de noiva, em brocado de prata": Oldenbourg, 95
102 "O desfile supera infinitamente": Kaus, 85

102 "horrivelmente pesado": *Memoírs*, 98
102 "Implorei à princesa de Hesse": Ibid., 99
102 "Fiquei sozinha": Ibid.
103 "Como meus servos iriam se divertir": Ibid.
103 "E as coisas continuaram nesse estado": Kaus, 86
103 "Não havia um único homem": *Memoírs*, 100
103 "No dia seguinte": Ibid.
103 "Meu querido marido": Ibid., 100
104 "Eu estaria pronta": Ibid., 101
104 "foi o casamento mais alegre": Kaus, 85

13. JOANA VAI PARA CASA
105 "Desde meu casamento": *Memoírs*, 101
105 "Naquela época eu daria tudo": Ibid., 102
106 "Nossa despedida foi muito afetuosa": Kaus, 89
106 "Ao se despedir da imperatriz, a princesa": Ibid.
106 "para não me deixar mais triste": *Memoírs* (Anthony), 102
107 "Considero necessário": Kaus, 90

14. O CASO ZHUKOVA
111 "Daquele momento em diante": Herzen, 46
111 "Achei que ia desmaiar": *Memoírs*, 103
111 "receava que eu tivesse ficado": Ibid.
112 "Minha mãe não falava russo": Ibid., 104
112 "Com ajuda de minhas servas": Ibid., 105
112 "É difícil encontrar uma explicação": Ibid.
115 "Quanto ao meu vestido anterior": Ibid., 149

15. FUROS PARA ESPIAR
116 "em nome da imperatriz": Ibid., 106
116 "Pareceu-nos estranho": Ibid.
117 "ficou satisfeita e contente comigo": Ibid., 107
117 "Receio que ele se apaixone": Ibid., 104
117 "Finalmente, meu desejo se cumpre": Kaus, 84
117 "isso serviria aos propósitos dele": *Memoírs*, 112
118 "Ele não contou o que era": Ibid., 109
119 "um menininho desrespeitoso": Ibid., 110
119 "atacou com os mais chocantes insultos": Ibid.
119 "ficamos pasmos": Ibid.
119 "Ela parecia uma Fúria": Ibid., 111
119 "Deve-se admitir": Ibid.
119 "Pedimos seu perdão, mãezinha": Ibid.
120 "grande amiga da garrafa": Ibid., 112
120 "Vossa Alteza Imperial deve ter em mente: Ibid., 116
120 "Vossa Alteza só fala e pensa": Ibid.
121 "Não consigo falar com você assim": Ibid., 117
121 "O grão-duque está perguntando": Ibid.
121 "Não, padre": Ibid., 123

16. O CÃO DE GUARDA
123 "Sua Alteza Imperial foi escolhida para a alta honra": Oldenbourg, 110
124 "Em dois anos na Rússia": *Memoírs*, 113
124 "Agora, como eu estava casada": Herzen, 66
125 "Sei muito bem": *Memoírs*, 114
125 Eu não podia fugir para me salvar": Ibid.
125 "essa conversa vai desagradar": Ibid., 119
126 "Naqueles dias": Ibid., 123
126 "Nunca duas mentes": Ibid., 129

17. "ELE NÃO ERA REI"
127 "seu pai não era rei": Ibid., 130
128 "Aparentemente, minhas palavras": Ibid.
128 "Foi um golpe terrível para nós": Ibid., 127
128 "Poucos dias depois": Ibid., 128
129 "um homem gentil, sensato": Ibid.
129 "O grão-duque e eu": Ibid., 133
129 "Em sua angústia, o grão-duque": Ibid., 128
130 "Havia momentos": Ibid., 129

18. NO QUARTO
- 131 "Parece-me que eu era boa para alguma outra coisa": Kaus, 101
- 133 "O menor dos rabinos de São Petersburgo": Kaus, 94

19. UMA CASA DESMORONA
- 135 "Levantem e saiam": *Memoirs*, 141
- 135 "como ondas do mar": Ibid., 142
- 135 "Imediatamente depois": Herzen, 89
- 136 "quanto à minha estupidez": *Memoirs*, 136
- 136 "Para mostrar quão inútil": Herzen, 84
- 136 "frequentemente me passava informações": Ibid.
- 137 "Isso é de sua mãe": *Memoirs*, 144

20. PRAZERES DE VERÃO
- 138 "uma moça grande, boba e desastrada": *Memoirs* (Anthony), 132
- 139 "Eu tinha a maior liberdade": Ibid., 147
- 140 "paixão dominante": Herzen, 78
- 140 "Numa sela de mulher": Ibid., 131
- 140 "Para dizer a verdade": *Memoirs*, 183
- 140 "Ela era alta": Ibid., 181
- 141 "Mordemos os lábios": Ibid., 182

21. DEMISSÕES NA CORTE
- 142 "Ela era um arquivo vivo": *Memoirs*, 164
- 143 "Não chegue perto de mim": Ibid., 150
- 143 "Ontem à noite, o conde Lestocq": Ibid.
- 143 "A imperatriz não tinha coragem": Ibid., 151
- 144 "Esse filho da puta": Ibid., 140
- 144 "Lembra-se daquela vez": Ibid., 141
- 144 "Esse é o efeito": Ibid.
- 144 Assim, a fim de não estragar": Ibid., 133
- 144 "apenas duas ocupações": Ibid., 154
- 144 "De sete da manhã": Ibid.
- 144 "Um dia, ouvindo um pobre cão": Ibid., 159

22. MOSCOU E O CAMPO
- 146 "A condessa Shuvalova contou à imperatriz": *Memoirs*, 156
- 146 "Eu sei. Não vamos": Ibid., 157
- 146 "Foi a pior que tive na vida": Ibid., 160
- 147 "Ela sentia um medo mortal": Ibid., 163
- 147 Eu cavalgava sempre": Ibid., 161
- 147 "que também não era inimigo do vinho": Ibid., 163
- 147 "Ele não sabia o que estava dizendo": Ibid.
- 148 "Ele era muito alegre": Ibid., 161
- 148 "Ela sentava-se ao lado da minha cama": Ibid., 164

23. CHOGLOKOV FAZ UM INIMIGO, E PEDRO SOBREVIVE A UMA CONSPIRAÇÃO
- 149 "podia-se pensar que ele": Herzen, 101
- 149 "Choglokov é um tolo pretensioso": *Memoirs*, 165
- 150 "Como ele nunca conseguia guardar por muito tempo": Ibid., 167
- 152 "Nunca na vida senti tanta dor": Ibid., 170

24. UM BANHO ANTES DA PÁSCOA E O CHICOTE DO COCHEIRO
- 153 "olhos muito lindos": *Memoirs*, 173
- 153 "sua inteligência fazia esquecer": Herzen, 118
- 154 "negligenciada em favor daquela figurinha": Ibid., 120
- 154 "todos estavam chocados e descontentes": Ibid.
- 155 "Gostaria de ver o que ela pode fazer": *Memoirs*, 174
- 155 "ambos ficaram fora de si": Ibid.
- 156 "Meu Deus, o que aconteceu?": Ibid., 177
- 156 "Limpe o rosto": Ibid.
- 156 "Veja como essas mulheres nos tratam": Ibid.

25. OSTRAS E UM ATOR
- 158 "tinha uma paixão extraordinária": *Memoirs*, 148
- 159 "Ouvi a conversa sobre essas negociações": Herzen, 126
- 159 "Se esse homem, ou alguém como ele": Ibid., 124
- 160 "Como embaixador, não tenho instruções": *Memoirs*, 192

26. LIVROS, DANÇAS E UMA TRAIÇÃO
160 "era de um enfado": Herzen, 148
161 "Ele era louro e afetado": Ibid., 132
162 "Meu Deus, quanta modéstia!": *Memoirs*, 190
162 "Fiquei muito feliz ao vê-lo": Ibid., 189
162 "as coisas não foram além": Herzen, 149
163 "A verdade": *Memoirs*, 181
163 "Como assim, madame Choglokova?": Herzen, 151

27. SALTYKOV
167 "Era um palhaço nato": *Memoirs*, 194
167 "um bobo em todos os sentidos": Herzen, 132
168 "Como essas pessoas": *Memoirs*, 199
168 "E sua esposa": Ibid., 200
169 "Nem tudo o que brilha é ouro": Ibid.
169 "Ele tinha 26 anos": Ibid.
169 "Era bonito como o amanhecer": Ibid.
169 "Como você sabe": Ibid., 201
169 "retomou seu tema favorito": Herzen, 155
170 "Eu tinha de admitir": *Memoirs*, 201
170 "Sim, sim, mas vá embora": Ibid.
170 "Ele já se achava triunfante": Ibid., 202
170 "Sergei Saltykov e minha esposa": Ibid.
170 "sem que alguma coisa acontecesse antes": Herzen, 158
172 "Preciso falar com você muito seriamente": *Memoirs*, 208
172 "Madame Choglokova começou": Ibid.
172 "Você verá": Ibid.
173 "Tão logo o via": Ibid., 207
173 "algumas palavras": Ibid.
173 "Sei que você pode ver": Ibid.
174 "Ele lhe deu": Ibid., 208
175 "Eu devia estar grávida": Herzen, 168
175 "Quando isso acontecia": Ibid., 169
176 "Ninguém viu mais incêndios": Alexander, 45
176 "Não havia móveis": Herzen, 173
177 "Ele estava morrendo justamente": *Memoirs*, 220
178 "Tenho certeza de que meu marido": Herzen, 184

28. O NASCIMENTO DO HERDEIRO
179 "pilar de sal": *Memoirs*, 248
179 "as anáguas da condessa": Herzen, 174
179 "uma depressão": *Memoirs*, 223
179 "meus problemas me seguiam": Ibid.
179 "isolada, sem companhia": Herzen, 187
180 "não tinha forças para me arrastar": Ibid., 189
180 "por excesso de cuidados": Ibid., 192
181 "não possuía nem um copeque": *Memoirs*, 228
181 "tudo o que vier da imperatriz": Ibid.
181 "Isso significava": Ibid., 229
182 "Achei-o lindo": Ibid.
183 "até me sentir forte": Ibid.
183 "uma revolução singular em meu cérebro": Herzen, 196
184 "deveria ser o breviário": Durant, 10:435
185 "o dia inteiro e parte da noite": *Memoirs*, 230
185 "fumavam constantemente": Ibid.
185 "Fiquei aflita": Herzen, 197
186 "Vi, claro como o dia": *Memoirs*, 231
186 "Ele sabia esconder seus defeitos": Ibid., 200
186 "Já não fez": Alexander, 63

29. RETALIAÇÃO
186 "Mandei fazer um vestido": *Memoirs*, 232
187 "Tratei-os com profundo desprezo": Herzen, 198
187 "Um dia, Sua Alteza Imperial": *Memoirs*, 233
188 "podia se poupar": Herzen, 201
188 "não conseguiu nada": *Memoirs*, 234
189 "tremeu ao pensar no efeito": Herzen, 203
189 "Esses malditos germânicos": *Memoirs*, 235
189 "uma palhaçada": Ibid., 236
189 "Agora somos servos": Ibid.
189 "o mais longe possível": Ibid.

30. O EMBAIXADOR INGLÊS
- 190 "Não era difícil conversar": *Memoirs*, 239
- 190 "uma prova de fogo": Ibid.
- 190 "em nenhuma outra parte da Europa": Ibid., 240
- 192 "A imperatriz está muito mal": Kaus, 138
- 192 "Um homem da minha idade": Cronin, 105
- 193 "Tenho alguma hesitação": Troyat, 87
- 194 "Tudo o que for dado daqui por diante": Kaus, 143

31. UM TERREMOTO DIPLOMÁTICO
- 197 "Ouvi dizer, com prazer": Kaus, 144-45

32. PONIATOWSKI
- 199 "Uma excelente educação": Haslip, 71
- 199 "Uma educação severa": Poniatowski, 157
- 200 "Tinha 25 anos": Madariaga, *Russia in the Age*, 48
- 201 "Não posso me negar o prazer": Oldenbourg, 178

33. UM RATO MORTO, UM AMANTE AUSENTE E UMA PROPOSTA ARRISCADA
- 203 "Você precisa ir vê-la": *Memoirs*, 242
- 203 "Passamos a noite": Ibid., 243
- 203 "Às vezes, no teatro": Ibid., 244
- 204 "uma criadinha": Haslip, 76
- 204 "Diga-me o que você sabe": *Memoirs*, 252
- 205 "não há maior traidor": Ibid., 249
- 206 "No presente estado de coisas": Haslip, 82
- 206 "Pressionei-a fortemente": *Memoirs* (Anthony), 137

34. CATARINA DESAFIA BROCKDORFF E DÁ UMA FESTA
- 208 "Disseram-me que ele é suspeito": *Memoirs*, 254
- 208 "Se for assim": Ibid., 249
- 209 "Venha ao meu apartamento": Ibid., 255
- 209 "Fale com a grã-duquesa": Ibid.
- 209 "*Baba Ptítsa*": Ibid., 256
- 209 "Ele tomava dinheiro de todo mundo": Ibid.
- 210 "Olhe o diabo desse homem": Ibid., 257
- 211 "O grande problema": Ibid., 258
- 211 "Bem, você começou muito cedo": Ibid., 259
- 212 "Você parece estar bem informada": Ibid., 264
- 212 "O tempo estava magnífico": Ibid., 276
- 212 "A grã-duquesa é a bondade": Ibid., 277
- 213 "agradar a imperatriz": Kaus, 147
- 213 "O grão-duque é tão completamente prussiano": Ibid., 148
- 214 "Eu o amo como a meu pai": Cronin, 110

35. A RETIRADA DE APRAKSIN
- 214 "um homem muito corpulento": Cronin, 109
- 217 "Se a imperatriz morrer": Haslip, 89
- 218 "E não temos outro recurso": Kaus, 171

36. A FILHA DE CATARINA
- 218 "Não tenho a menor ideia": *Memoirs*, 280
- 218 "Seu tolo! Volte lá": Ibid.
- 218 "Vá para o diabo!": Ibid.
- 219 "Disseram que as comemorações": Ibid., 283
- 220 "acabado de acordar": Ibid., 284
- 220 "Vocês não precisam morrer de fome": Ibid.
- 220 "Um dos músicos do grão-duque": Ibid., 285
- 221 "à exceção de Alexander Shuvalov": Ibid.

37. A QUEDA DE BESTUZHEV
- 221 "Conde, acabei de receber": *Memoirs*, 286
- 222 "Graças a Deus, vamos prender': Ibid., 287
- 222 "um homem honesto e leal": Ibid.
- 223 "Com um punhal no coração": Ibid., 288
- 223 "O que significam todas essas coisas?": Ibid.
- 224 "tentar semear a discórdia": Ibid., 292
- 225 "Você é testemunha": Ibid., 294

38. UMA APOSTA
- 225 "num impulso atemorizador": *Memoirs*, 297
- 226 "E o que vai dizer a ela?": Ibid.
- 227 "Hoje, o meu maldito sobrinho": Ibid., 299
- 228 "Sinto-me com coragem suficiente": Ibid.
- 228 "Meu orgulho natural": Ibid., 300
- 229 "Acabei de dizer que eu era atraente": Ibid., 301
- 229 "Estamos com medo": Ibid., 302

39. CONFRONTO
- 231 "Por que você quer": *Memoirs*, 305
- 231 "Meus filhos estão em suas mãos": Ibid.
- 231 "Vossa Majestade Imperial pode enumerar": Ibid.
- 232 "Deus é testemunha": Ibid.
- 232 "Você é terrivelmente soberba": Ibid., 306
- 232 "Ela é extremamente rancorosa": Ibid.
- 232 "Você se intromete": Herzen, 288
- 233 "E por que escreveu": Ibid., 289
- 233 "O grão-duque demonstrou muita amargura": Ibid.
- 233 "Tenho muito mais a lhe dizer": Ibid., 290
- 233 "Ele falou que a imperatriz": Ibid., 291
- 234 "Espero que você responda": Ibid., 296

40. UM *MÉNAGE À QUATRE*
- 235 Todas as citações contidas neste capítulo foram retiradas das *Memoirs* de Poniatowski, traduzidas por R. Massie

41. PANIN, ORLOV E A MORTE DE ELIZABETH
- 276 "Deixe o menino ficar": Kaus, 176
- 276 "Eu preferiria ser mãe a ser esposa": Ibid., 177
- 277 "o terror que o inimigo": Duffy, *Frederick*, 171
- 277 "Se eu fosse imperador": Alexander, 55
- 278 "Vamos abrir espaço": Kaus, 183
- 278 "a cabeça de um anjo": Ibid.
- 280 "um homem de prazeres": Dashkova, 1:3
- 280 "Falávamos francês fluentemente": Ibid., 4
- 281 "Posso me aventurar a dizer": Ibid., 13
- 281 "Ela cativou meu coração": Ibid., 29
- 282 "Menina, convém você se lembrar": Ibid., 27
- 282 "Você é apenas uma criança": Ibid., 29
- 282 "me deu alto grau de notoriedade": Ibid., 30
- 282 "Eu via quão pouco meu país": Ibid., 31
- 284 "Ele deve estar louco": Oldenbourg, 230
- 285 "De um exército de 48 mil": Asprey, 520
- 285 "O meu problema": Duffy, *Frederick*, 192
- 285 "Pretendo prosseguir com a guerra": Oldenbourg, 222
- 287 O relato da visita noturna e da conversa com Catarina é de Dashkova, 1:32-35
- 288 "Sua Majestade Imperial, Elizabeth Petrovna": Haslip, 108

42. O BREVE REINADO DE PEDRO III
- 289 "Não sabia que me amavam": Bain, *Peter III*, 40
- 289 "Minha amiguinha, siga meu conselho": Dashkova, 1:38
- 292 "A moderação e a clemência": Bain, *Peter III*, 49
- 292 "Não vejo ninguém aqui": Ibid.
- 295 "principal instrumento do partido": Ibid., 56
- 295 "num jantar, Sua Majestade Imperial": Ibid.
- 295 "resolvido a se livrar": Ibid., 57
- 295 "Temos de fazer a paz": Ibid., 63
- 297 "honra dos valorosos oficiais": Ibid., 74
- 297 "nada foi omitido": Ibid.
- 297 "por compaixão pelo sofrimento": Ibid., 77
- 298 "Senhor, a manutenção": Ibid., 79
- 299 "Francamente, não confio": Ibid., 116
- 299 "Se os russos quisessem": Ibid., 117

43. "*DURA!*"
- 300 "Parece que a imperatriz": Bain, *Peter III*, 123

300 "a imperatriz está entregue à tristeza": Ibid., 130
301 "uma meretriz de taverna": Ibid., 126
302 "rosto largo, inchado, cheio de marcas": Ibid.
302 "*Dura!*": Madariaga, *Russia in the Age*, 27
302 "passei a ouvir as propostas": Bain, *Peter III*, 192
304 "Vossa Majestade pode se vingar": Ibid., 134
304 "Agora você também sabe demais": Kaus, 214
306 "*Matushka*, mãezinha, acorde!": *Memoirs* (Anthony), 165
307 "*Matushka*, perdoe termos": Madariaga, *Russia in the Age*, 29
308 "O Céu seja louvado!": Dashkova, 1:81
309 "um menino de 15 anos": Ibid., 1:98
310 "Vou partir com o exército": Alexander, 9
311 "Eu não disse que ela é capaz": Bain, *Peter III*, 154
313 "Não temos mais imperador!": Ibid., 160
314 "Aceito a proposta": Ibid., 161
314 "Eu, Pedro, por minha livre vontade": Kaus, 233
314 "uma criança mandada para a cama": Ibid.

44. "NÓS NEM SABEMOS O QUE FIZEMOS"
315 "Considero o maior infortúnio": Madariaga, *Russia in the Age*, 31
316 "Com que direito": Dashkova, 1:89
317 "Entendi, com indizível dor": Ibid., 1:90
318 "Rogo a Vossa Majestade": Carta de Peter de Ropsha para Catarina, *Memoirs* (Anthony), 176-77
320 "*Matushka*, mãezinha": Madariaga, *Russia in the Age*, 32
321 "A expressão do rosto": Oldenbourg, 252
321 "Nós nem sabemos o que fizemos": Kaus, 244
322 "Meu horror diante da morte dele": Dashkova, 1:107
322 "No sétimo dia do nosso reinado": Kaus, 246
323 "poupar sua saúde": Troyat, 139

323 "Pedro III perdeu o pouco juízo": Bain, *Peter III*, 191
324 "nos ensina a ser sóbrios": Cronin, 156
324 "A imperatriz ignorava totalmente esse crime": Haslip, 133
325 "O que dizem em Paris": *Memoirs* (Anthony), 180

45. COROAÇÃO
330 "O último dos soldados da Guarda": Alexander, 67
331 "Você apenas cumpriu o seu dever": Cronin, 172
332 "Imploro a Vossa Majestade": Dashkova, 1:97
332 "a princesa Dashkova teve apenas uma participação": Haslip, 144
333 Todo o diálogo entre Catarina e Betskoy é de Dashkova, 1:101-2 e Kaus, 240
335 "uma mulher de estatura": Scott Thomson, 85-6
336 "o Senhor colocou a coroa": Grey, 119
337 "Não posso sair": Ibid.

46. O GOVERNO E A IGREJA
339 "havia no Tesouro", Waliszewski, 313
339 "uma paz ignominiosa": Kaus, 239
339 "não ter 'um traje adequado'": Ibid.
339 "Quanto à paz": Ibid.
340 "meu império é tão vasto": Haslip, 137
340 "Relatórios completos": Ibid.
340 "Pertencendo pessoalmente à nação": Ibid.
341 "Não posso dizer": Madariaga, *Russia in the Age*, 44
341 "o olho do soberano": Ibid., 40
341 "No Senado, você encontrará": Ibid., 44-5
341 "Você deve saber", Ibid., 58
348 "quietos como cachorros mudos sem latir":Ibid., 116
348 "estendem as mãos para agarrar": Kaus, 254
348 "Nossa soberana atual não é nativa": Madariaga, *Russia in the Age*, 116
348 "Fechem essa boca!": Ibid.
349 "André Mentiroso": Ibid., 117
349 "Vocês são os sucessores": Kaus, 255

47. SERVIDÃO
- 351 "Vendo um barbeiro": Oldenbourg, 285
- 352 "Quem quiser comprar": Waliszewski, 304
- 352 "À venda: domésticas e hábeis artesãos": Grey, 122
- 354 "Se não concordarmos": Ibid., 164
- 355 "Pronto! O povo está livre!": Cronin, 262
- 356 "O que me repugna": Grey, 122
- 358 "É punição": Smith, Pearl, 105
- 358 "É um dos meus violinistas": Ibid.
- 360 "um milagre de cor": Ibid., 70
- 360 "Eu tive por ela os sentimentos": Ibid., 71

48. "MADAME ORLOV JAMAIS PODERIA SER IMPERATRIZ DA RÚSSIA"
- 362 "Os homens ao meu redor": Haslip, 143
- 364 "Talvez tenha razão": Alexander, 74
- 365 "Diga a Sua Majestade Imperial": Kaus, 271
- 367 "cada pessoa deve se ocupar": Ibid., 273
- 368 "Se a imperatriz quiser": Haslip, 149
- 368 "É meu desejo expresso": Dashkova, 1:128
- 368 "Não teria havido": Smith, Love and Conquest, 9
- 369 "Você não se surpreenderá": Haslip, 178

49. A MORTE DE IVAN VI
- 371 "Cuidado!": Kaus, 277
- 371 "Se o prisioneiro ficar insubordinado": Ibid.
- 371 "está mais quieto": Ibid.
- 371 "Afora seus balbucios": Ibid., 278
- 372 "O prisioneiro não poderá": Ibid., 280
- 372 "Liberte-nos": Ibid.
- 372 "O deferimento do seu pedido": Ibid.
- 373 "Vá fazer sua própria carreira": Ibid., 282
- 374 "Não muito depois de Pedro III assumir": Madariaga, Russia in the Age, 35
- 374 "Se os outros concordarem": Kaus, 285
- 375 "Onde está o imperador?": Alexander, 91
- 375 "Vejam, meus irmãos": Kaus, 285
- 375 "Os caminhos de Deus": Madariaga, Russia in the Age, 36
- 375 "ela saiu daqui [Riga]": Waliszewski, 264
- 376 "Quanto aos insultos": Kaus, 287
- 377 "leal cumprimento do dever": Ibid., 288
- 377 "O manifesto que ela": Troyat, 167
- 377 "Parece-me que": Ibid.
- 377 "Estou tentada a lhe dizer": Ibid.

50. CATARINA E O ILUMINISMO
- 378 "Se possuo algum estilo": Haslip, 157
- 379 "A nação vencedora": Durant, 10:151
- 379 "Deus Todo-poderoso": Ibid., 9:750
- 380 "Digam que estou muito doente": Ibid., 10:133
- 380 "sótão mais alto e gelado": Ibid.
- 381 "enforcados, afogados": Ibid., 9:731
- 381 "Foram só duas horas": Ibid., 9:733
- 381 "Irei a Paris somente por você": Ibid., 10:392
- 382 "Por mim, tenho o consolo": Ibid., 10:139
- 382 "Ele governou todo": Ibid., 9:784
- 382 "Desde que Voltaire morreu": Memoirs (Anthony), 229
- 383 "isso é assunto de família": Gorbatov, 70
- 383 "moderar um pouco nosso entusiasmo": Ibid.
- 383 "Semíramis do Norte": Durant, 9:448
- 384 "Pelo amor de Deus, tente persuadir": Madariaga, Russia in the Age, 336
- 384 "em certos aspectos… 100": Gorbatov, 177
- 385 "Você e M. Diderot": Durant, 9:719
- 385 "Vão em frente, bravo Diderot": Ibid.
- 385 "Seria cruel separar": Gooch, 60
- 386 "prostro-me a seus pés": Troyat, 177
- 386 "somos três que lhe ergueríamos altares": Ibid., 178
- 386 "Trinta anos de trabalho": Ibid.

386 "Nunca pensei que comprar": Gorbatov, 156
387 "Esta porta estará aberta para você": Oliva, 119
387 "minha boa senhora": Troyat, 207
387 "Seu Diderot é um homem extraordinário": Durant, 9:448
388 "Ouvi atentamente": Troyat, 207
389 "Agora você está sentada": Ibid., 209
389 "Estou positivamente em desgraça": Reddaway, 198
390 "Viva, *monsieur*": Ibid., 199
390 "voltava acorrentado": Ibid., 200

51. O *NAKAZ*
392 "um dos mais notáveis tratados": Madariaga, *Russia in the Age*, 151
393 "A Rússia é um Estado europeu": Ibid., 153
394 "é muito melhor prevenir": Reddaway, 225
394 "produzir nada mais que": Ibid., 288
394 "O uso da tortura é contrário": Ibid., 231
395 "sem grandes inconvenientes": Ibid., 232
395 "Que direito pode dar": Ibid., 244
395 "Todas as punições pelas quais o corpo humano": Ibid., 227
395 "Alguns juízes devem ter": Ibid., 232
396 "uma sociedade civil requer": Ibid., 256
396 "Por que se preocupariam": Haslip, 162
396 "Esses axiomas": Madariaga, *Russia in the Age*, 158
397 "Deixei que apagassem": Ibid.
397 "Dado que a Lei da Natureza": Reddaway, 256
398 "me escondi sob as plumas do pavão": Grey, 147
398 "roubei Montesquieu": Troyat, 179
398 "teriam sido capazes de tal criação": Troyat, 182
398 "o mais excelente monumento desta época": Gooch, 67
399 "uma realização masculina, vigorosa": Troyat, 182
399 "Devo advertir a Vossa Majestade": Madariaga, *Russia in the Age*, 151

52. "TODOS OS ESTADOS LIVRES DO REINO"
401 "Por meio dessa instituição": Alexander, 102
401 "receba uma carta de algum recanto da Ásia": Ibid., 103
401 "Nada há de mais prazeroso": Ibid., 108
402 "Essas leis sobre as quais": Ibid., 109
402 "Há tantos objetos": Ibid.
402 "as pessoas ao longo do Volga": Ibid., 110
403 "A cidade se elevava": Kerensky, 3
403 "glorificar a si mesmos": Alexander, 112
404 "Eu os convoquei para estudar as leis": Troyat, 181
405 "Eles já perderam mesmo aqueles exemplares": Alexander, 115
406 "O camponês também tem sentimentos": Madariaga, *Russia in the Age*, 176
407 "A maioria dos votos": Ibid., 159
407 "E de vez em quando aparece": Ibid., 160
407 "nem podem ter, nas circunstâncias atuais": Ibid.
408 "A emancipação geral": Alexander, 116
408 "O que não sofri": *Memoirs* (Anthony), 215
410 "A ideia de que o objetivo principal": *Memoirs*, Catherine, 34

53. "O REI QUE NÓS FIZEMOS"
413 "Estou enviando como embaixador": Kaus, 262
414 "feliz anarquia": Alexander, 123
414 "Há uma grande diferença entre melões": Kaus, 264
414 "recorrer, caso necessário, à força de armas": Ibid., 265
414 "sem qualquer misericórdia": Alexander, 126
415 "Não ria de mim": Kaus, 263
415 "Rogo-lhe, com a maior urgência": Coughlan, 228
416 "alvo de mil inconveniências": Ibid.
416 "nas mãos dos irmãos Orlov": Ibid., 229
417 "Imploro que me escute": Kaus, 263
419 "pelo novo rei que nós fizemos": Ibid., 266

54. A PRIMEIRA PARTILHA DA POLÔNIA E A PRIMEIRA GUERRA DA TURQUIA

420 "é um verdadeiro raio": Coughlan, 233
422 "impedir que um quarto da nação": Gooch, 64
423 "o quanto a gente tem de aguentar": Alexander, 129
423 "... correndo o risco de me repetir": Haslip, 182
426 "Não posso lhe escrever a cada vitória": Ibid.
428 "é só alguém chegar e se servir": Memoirs (Anthony), 203

55. MÉDICOS, VARÍOLA E PESTE

432 "perguntando a um camponês quantos filhos ele teve": Cronin, 167
432 "tivessem o mesmo cuidado": Madariaga, Russia in the Age, 560
433 "Estou bastante doente, minhas costas doem": Alexander, 144
433 "Faz quatro anos": Ibid., 143
433 "Você não cura nem picada de pulga": Cronin, 169
433 "Muito bem, madame! Muito bem!": Ibid., 169
434 "Você sabe que ainda sou criança": Alexander, 145
434 "mérito incomum, linda e imensamente rica": Ibid.
434 "Estou muito preocupada": Ibid.
434 "Sabendo agora do falecimento": Ibid.
435 "de todas as que vi de seu sexo": Cronin, 168
435 "era um segredo que todos conheciam": Alexander, 146
436 "exceto por um leve mal-estar": Ibid., 147
436 "Meu objetivo foi": Ibid.
436 "críticos charlatães": Ibid., 148
438 "belo e dedicado": Reddaway, 135
439 "O famoso século XVIII": Ibid.
439 "Passamos um mês nas circunstâncias": Alexander, 158

56. O RETORNO DE "PEDRO TERCEIRO"

444 "liberdade nos rios": Madariaga, Russia in the Age, 243
444 "Dou liberdade eterna": Oldenbourg, 299
444 "Se Deus permitir que eu chegue a São Petersburgo": Kaus, 296
446 "um tumulto maldito": Alexander, 170
446 "O grande soberano": Madariaga, Russia in the Age, 270
447 "Quem você estiver representando": Kaus, 298
447 "um assaltante ordinário": Oldenbourg, 301
448 "façanhas de um salteador": Troyat, 213
448 "marquês de Pugachev": Alexander, 177
448 "esse novo marido que apareceu": Haslip, 211
448 "por mais de seis semanas": Grey, 162
448 "turba misturada, movida": Alexander, 171
448 Qual é a necessidade": Madariaga, Russia in the Age, 249
449 "Orenburg já está cercada": Alexander, 171
450 "Deixe os camponeses entregues": Madariaga, Russia in the Age, 248
450 "a suspeita de estrangeiros": Alexander, 174
450 "habitada por todos os vagabundos": Ibid.
450 "Já que você gosta tanto": Ibid.

57. OS ÚLTIMOS DIAS DO "MARQUÊS DE PUGACHEV"

451 "Se Deus me der poder": Madariaga, Russia in the Age, 271
452 "Por que ele diz que é o czar Pedro?": Cronin, 180
452 "Extremamente abalada": Alexander, 176
453 "boquirroto insolente": Ibid.
453 "Veja, meu amigo": Madariaga, Russia in the Age, 264
454 "as notícias ruins chegam mais rápido": Alexander, 177
455 "Como se atrevem": Madariaga, Russia in the Age, 255
455 "monstro infernal": Oldenbourg, 302
455 "O senhor é senhor ou servo?": Alexander, 178
455 "evite torturas": Madariaga, Russia in the Age, 267

456 "Pugachev viveu como um patife": Oldenbourg, 304
456 "Por favor, ajude": Alexander, 179
456 "queriam quebrar Pugachev na roda": Ibid.
457 "tudo o que se passou ao eterno esquecimento": Ibid., 180

58. VASILCHIKOV

461 "Ele deve aparecer para os turcos": Kaus, 311
462 "bonito, amável": Haslip, 198
462 "Ele é capaz de me matar": Oldenbourg, 310
464 "uma espécie de *cocotte* masculino": Kaus, 313
464 "Diga a Panin que mande Vasilchikov": Smith, *Love and Conquest*, 21
464 "Foi uma escolha casual": Kaus, 311

59. CATARINA E POTEMKIN: PAIXÃO

466 "Se eu for general": Soloveytchik, 43
468 "Senhor Tenente Geral e *Chevalier*": Smith, *Love and Conquest*, 8
468 "Alguma novidade na corte?": Soloveytchik, 67
469 "Não entendo o que o reduziu": Ibid., 68
469 "o Estado e a senhora, madame": Ibid., 69
470 "pois se conduzia indiscretamente": Smith, *Love and Conquest*, 9
470 "Após um ano de intensa tristeza": Ibid., 9-10
471 "Permaneço desmotivado pela inveja": Ibid., 18
472 "Senhor Tenente Geral": Ibid., 20
472 "Sr. Vasilchikov, o favorito": Soloveytchik, 73
472 "Agora, meu bem": Ibid., 75
473 "Não me surpreende": Smith, *Love and Conquest*, 19
473 "Não entendi o que o impediu": Ibid., 17
473 "Só lhe peço que não faça": Ibid., 19
474 "Separei-me de um certo cidadão": Soloveytchik, 78
474 "Não, Grishenka": Smith, *Love and Conquest*, 24
474 "Não há motivo para se zangar": Ibid., 27
475 "Oh, meu querido": Ibid., 35
475 "Permita-me, amada preciosa": Ibid., 78
477 "Parece, senhor": Soloveytchik, 101
477 "certos direitos sagrados": Montefiore, 139
478 "Receba meu beijo e meu abraço": Smith, *Love and Conquest*, 38
478 "suplico que venha me afagar": Ibid., 40

60. A ASCENSÃO DE POTEMKIN

478 "Não houve um caso de progresso": Soloveytchik, 107
479 "Você se lembra": Ibid., 110
479 "Vi que sua mãe estava": Smith, *Love and Conquest*, 61
479 "No domingo, sentado ao lado": Soloveytchick, 112
480 "Enquanto tiver minha cama no palácio": Ibid., 119
480 "Se não tiver erros": Smith, *Love and Conquest*, 50
481 "Isso já é demais!": Soloveytchik, 131
481 "Faz cem anos que não te vejo": Smith, *Love and Conquest*, 55
482 "A rebelião em grande parte": Soloveytchik, 143

61. CATARINA E POTEMKIN: SEPARAÇÃO

483 "Meu caro amigo": Smith, *Love and Conquest*, 51
483 "Sua longa carta": Ibid., 57
483 "Você estava a fim de brigar": Ibid., 67
484 "Precioso amor, passei uma corda": Ibid.
484 "Hoje de manhã, escrevi-lhe": Ibid., 75
484 "Faça-me esse favor": Ibid., 77
484 "Essa raiva deve ser esperada": Ibid., 80
485 "Meu querido senhor e marido!": Ibid., 77
485 "Se você não tivesse prazer": Ibid., 81
485 "Que Deus o perdoe": Ibid., 82
485 "Vossa Mui Graciosa Majestade": Ibid., 83
485 "Li sua carta": Ibid., 84
486 "Apresentar essa comédia": Ibid., 85

486 "*Matushka*, eis o resultado": Ibid.
487 "Seus atos tolos permanecem iguais": Ibid., 68
487 "Ouvindo você falar": Ibid., 74
489 "Deus sabe que não tenho a intenção": Ibid., 87
489 "Vossa Mui Graciosa Majestade": Ibid.
489 "A senhora sabe, madame": Soloveytchik, 195

62. NOVOS RELACIONAMENTOS

492 "Meu caro marido me escreveu": Smith, *Love and Conquest*, 76
492 "Você pede o afastamento de Zavadovsky": Ibid., 85
493 "Varinka, eu te amo": Soloveytchik, 167
494 "Ouça, meu querido": Smith, *Love and Conquest*, 96
494 "Para que tudo isso?": Soloveytchik, 170
495 "Não seria fascinante": *Memoirs* (Anthony), 315

63. FAVORITOS

498 "com a maior dignidade e decoro": Coughlan, 294
499 "Ontem à noite eu o amava": Haslip, 257
499 "Piro, rei do Epiro": Kaus, 326
500 "Livros grandes embaixo": Cronin, 256
500 "mudou seu nome, de Ivan Korsack: Haslip, 261
501 "gentil, alegre, honesto": Madariaga, *Russia in the Age*, 354
501 "comparado aos outros": Haslip, 288
502 "eles ajudaram": Alexander, 217
502 "Estou mergulhada no mais profundo pesar": Ibid., 216
502 "De Catarina para meu querido amigo": Haslip, 290
503 "Mais uma vez, estou": Ibid., 292
503 "Seu vira-lata, seu macaco": Ibid., 299
503 "Um de dois tem de sair!": Ibid.
504 "Eles dormiram até as nove horas": Alexander, 218
504 "Temos uma inteligência dos diabos": Coughlan, 295
504 "Sasha não tem preço": Haslip, 305
504 "asfixiante": Ibid., 306
504 "É seu dever permanecer": Ibid., 330
505 "frio e preocupado": Alexander, 219
505 "uma garota muito comum": Ibid., 220
505 "Que Deus lhe dê felicidade": Gooch, 51
505 "Nunca fui tirana de ninguém": Alexander, 222
506 "sempre me tortura a alma": Ibid.

64. CATARINA, PAULO E NATÁLIA

514 "Nunca tivemos uma temporada": Gooch, 26
514 "Volto à cidade na terça-feira": Ibid.
517 "Tudo é excessivo": Alexander, 227
517 "O grão-duque": Smith, *Love and Conquest*, 58
517 "Os amigos dela estão": Alexander, 228
518 "Nunca em minha vida": Ibid.
518 "Durante três dias": Haslip, 239
518 "perfeitamente formado": Alexander, 229
519 "Não perdi tempo": Troyat, 232
519 "já que ficou provado": Ibid., 231

65. PAULO, MARIA E A SUCESSÃO

521 "Espero que, com o tempo": Ibid., 231
521 "Nada excede as atenções": Gooch, 29
521 "O grão-duque é": Ibid.
522 "minha filha. Tenha certeza": Alexander, 232
522 "Teremos a princesa aqui": *Memoirs* (Anthony), 277
522 "Meu filho voltou": Alexander, 233
522 "Juro amar e adorar": Troyat, 234
523 "Esse marido adorado": Gooch, 30
523 "Aonde quer que ela vá": Ibid.
524 "um mapa da Europa para Alexander": Haslip, 285
524 "se Sua Majestade polonesa": Ibid., 286
524 "prefere compotas de frutas": Ibid.
524 "um homem ardente e impetuoso": Waliszewski, 403
525 "O grão-duque é grandemente": Gooch, 30
526 "Quando me admitiram": Ibid., 32
526 "Ele aliava inteligência": Ibid., 33

527 "Você me acusa": *Memoirs* (Anthony), 287
527 "Permita-me escrever-lhe com frequência": Ibid.
527 "Não se pode ver": Troyat, 323
528 "Já disse que sua solicitação": Gooch, 27
528 "Ficarei separada": Gooch., 34
529 "Todo dia vem alguém": *Memoirs* (Anthony), 288
529 "Imagino nas mãos de quem": Gooch, 35
529 "espero que não seja no tempo de Alexander": Ibid., 36

66. POTEMKIN: CONSTRUTOR E DIPLOMATA

532 "Isso é coisa de soldado?": Soloveytchik, 177
533 "uma mistura de inteligência, frivolidade": Ibid., 221
533 "mostrou um forte desejo": Ibid., 201
534 "Você escolheu um mau momento": Ibid., 212
535 "Meu interesse por tudo": Ibid., 216
535 "Elogie a imperatriz": Ibid., 225
535 "Pode exigir o que quiser": Ibid.
535 O diálogo entre Potemkin e Harris sobre a aliança anglo-russa foi retirado de Soloveytchik, 227-45
536 *"La mariée est trop belle"*: Ibid., 234
537 "A aquisição da Crimeia": Soloveytchik, 180

67. VIAGEM À CRIMEIA E ÀS "CIDADES POTEMKIN"

539 "Tudo foi feito para impedir": Haslip, 308
540 "Seus filhos pertencem a vocês": Troyat, 271
540 "Sua última proposta": Rounding, 424
540 "mala": Madariaga, *Russia in the Age*, 569
541 "Era um tempo": Haslip, 307
542 "Um dia, eu estava sentado": Rounding, 429
542 "Aqui os campos": Smith, *Love and Conquest*, 176
542 "Evitem o príncipe": Haslip, 310
543 "o maior gênio de seu tempo": Ibid., 303
543 "a mais agradável companhia": Ibid., 304
543 "É estranho que você goste": Smith, *Love and Conquest*, 175
544 "Senhores, o rei da Polônia": Montefiore, 365
544 "Passaram-se trinta anos": Ibid., 366
545 "Eles falaram pouco": Haslip, 314
545 "Sei que nosso convidado": Smith, *Love and Conquest*, 178
545 "O rei me aborrece": Haslip, 315
546 "O novo favorito é bonito": Ibid., 317
546 "Fiz uma grande proeza": Cronin, 130
547 "Que terra peculiar": Montefiore, 371
548 "o mais belo porto que já vi": Ibid., 374
549 "Amo você e o seu serviço": Smith, *Love and Conquest*, 180
549 "Como agradeço os sentimentos": Ibid., 182
549 "Aqui entre nós, meu amigo": Ibid.

68. A SEGUNDA GUERRA TURCA E A MORTE DE POTEMKIN

552 "Você está impaciente": Madariaga, *Russia in the Age*, 398
552 "Meninos, estão proibidos": Soloveytchik, 301
552 "vou tentar conseguir isso de um modo mais fácil": Ibid., 308
552 "Você não captura uma fortaleza": Ibid.
552 "Meu caro amigo, você tem mais valor": Ibid.
552 "Longa vida ao príncipe Gregório Alexandrovich!": Ibid., 309
553 "Corra, meu caro amigo": Ibid.
553 "Se Izmail resistir": Montefiore, 450
554 "bilhete insano": Alexander, 270
554 "peitoral": Haslip, 346
554 "Tiramos uma pata da lama": Madariaga, *Russia in the Age*, 414
555 "Vejo aqui um comandante": Ibid., 314
557 "Seu navio já mostrou as cores?": Morison, 230
558 "Paul Jones acabou de chegar": Ibid., 364
558 "Fiquei encantado": Ibid.

558 "É somente a você": Montefiore, 400
558 "Nossa vitória foi completa": Ibid.
559 "Espero não ser": Morison, 382
559 "ninguém queria servir": Ibid., 384
559 "fez gestos indecentes": Ibid., 387
559 "A acusação é uma impostura": Ibid., 388
560 "A acusação é falsa": Ibid.
560 "Paul Jones não é mais culpado que eu": Montefiore, 421
562 "Preciso arrancar esse dente": Soloveytchik, 326
563 "Quando se olha para o príncipe marechal": Ibid., 327
564 "A criança lhe envia seus cumprimentos": Ibid., 335
564 "Eu não conseguia tirá-lo do meu caminho": Montefiore, 478
565 "Por favor, me mande uma túnica chinesa": Ibid., 338
565 "o melhor pianista e compositor": Montefiore, 482
565 "Tome tudo o que os médicos recomendarem": Smith, *Love and Conquest*, 389
565 "Não vou sarar": Soloveytchik, 340
565 "Fale francamente": Ibid.
565 "Boas mãos": Ibid., 341
566 "*Matushka*, estou muito doente!": Smith, *Love and Conquest*, 390
566 "Não tenho mais forças": Ibid., 390
566 "Já basta!": Soloveytchik, 342
566 "o príncipe não está mais nesta terra": Ibid., 343
566 "não tenho ninguém em que confiar": Ibid.

69. ARTE, ARQUITETURA E O CAVALEIRO DE BRONZE

569 "Os quadros de Walpole": Descargues, 42
569 "O conde de Baudouin deixa": Ibid., 44
569 "O mundo é um lugar estranho": Ibid.
570 "Estamos prodigiosamente": Ibid.
570 "Sou glutona": Waliszewski, 344
571 "Você deve saber": Madariaga, *Russia in the Age*, 532
574 "Agora amo os belos jardins": Waliszewski, 390

574 *A filha do capitão* está em Yarmolinski, ed., 599-727
576 "Minha posteridade é Vossa Majestade": Waliszewski, 341
576 "Que quadro encantador": Descargues, 26
576 "Meus quadros são lindos": Ibid., 29
577 "Eles não fizeram": Rounding, 221
577 "Há uma velha canção": Ibid., 222
577 "Só escuto elogios": Ibid.
577 "em geral todos estão muito contentes": Ibid.
578 "Escolha gente honesta": Waliszewski, 350

70. "ELES SÃO CAPAZES DE ENFORCAR O PRÓPRIO REI NUM POSTE DE LUZ!"

582 "por Deus e pelo país": Schama, 359
582 "Diga a quem o mandou": Ibid., 363
582 "nulas, ilegais e inconstitucionais": Winik, 124
584 "Receio que o maior obstáculo": Gooch, 103
585 "franceses, russos, dinamarqueses": Madariaga, *Catarina*, 189
585 "Não posso acreditar nos talentos": Gooch, 99
585 "Eles são capazes de enforcar": Madariaga, *Russia in the Age*, 421
586 "Acima de tudo, espero": Gooch, 99
586 "Estou triste ao vê-lo partir": Haslip, 341
586 "Receio que sim, madame": Ibid.
586 "a Hidra de 1.200 cabeças": Waliszewski, 351
586 "só as pessoas que põem em movimento uma máquina": Gooch, 100
586 "Diga a mil pessoas": Cronin, 269
587 "a causa do rei da França": o resumo do memorando de Catarina se baseia em Larivière, 101 ff.
589 "um ato exemplar e inesquecível": Schama, 612
589 "uma escória vomitada": Loomis, 75
589 "Não ligo a mínima": Schama, 633
590 "para proteger a república": Thompson, 258-59

591 "o ato mais abominável": Schama, 687
592 "A revolução não precisa": Loomis, 335
592 "Madame, temos de ir agora": Ibid., 333
593 "O mecanismo cai como um trovão": Schama, 621
594 "imediatamente após": www.guillotine.dk/Pages/30sek/hmtl

71. DISSENSÃO NA RÚSSIA, PARTILHA FINAL DA POLÔNIA

596 "corromper a moral": Madariaga, *Russia in the Age*, 546
597 "bestial propósito": Radishchev, 96
597 "quebra a cabeça": Ibid., 97
597 "Sabem, caros companheiros": Ibid., 153
598 "aprendeu muito, leu muitos livros": Ibid., 239
598 "a suspeita recai sobre o senhor Radishchev": Ibid., 241
598 "o propósito desse livro está claro": Ibid., 239
598 "um agitador da plebe": Ibid., 11
599 "Li o livro": Montefiore, 440
600 "Agora sou senhor de mim mesmo": Radishchev, 19
601 "vão se opor apenas": Madariaga, *Russia in the Age*, 430
602 "exterminar esse ninho de jacobinos": Haslip, 353
602 "Estou quebrando a cabeça": Madariaga, *Russia in the Age*, 428
603 "Você parece ignorar": Ibid., 435
603 "os soldados de Sua Majestade Imperial": Haslip, 356
603 "A Dieta autoriza": Madariaga, *Russia in the Age*, 439
603 "Quem cala consente": Ibid.
603 "uma província russa": Ibid., 440
605 "Praga inteira": Ibid., 446

72. DECLÍNIO

607 "Você provavelmente ainda não precisa": Cronin, 289
608 "você não se envergonha?": Waliszewski, 376
608 "deixe-me marchar contra os franceses!": Kaus, 376
608 "você precisa ser alegre": Ibid., 367
609 "Há vinte anos, isso não teria": Waliszewski, 391
610 "Já lhe disse antes": Ibid., 412
610 "É impressionante que": Troyat, 236
610 "Você nem imagina as maravilhas": Kaus, 306
610 "Estou fazendo dele uma criança deliciosa": Troyat, 236
610 "Ele me ama instintivamente": Oldenbourg, 331
610 "É costurado junto": Waliszewski, 413
611 "No meu país, numa aldeia": Troyat, 323
613 "Eu não sabia o que seria de mim": Cronin, 295
614 "a grã-duquesa jamais terá": Madariaga, *Russia in the Age*, 576
614 "Com a bênção da Igreja?": Cronin, 296
615 "o rei Gustavo não está passando bem": Ibid., 297
615 "O que escrevi está escrito": Madariaga, *Russia in the Age*, 576
615 "O fato é que o rei": *Memoirs* (Anthony), 321

73. A MORTE DE CATARINA, A GRANDE

617 "O grão-duque desceu do trenó": Cronin, 299
618 "a imperatriz Catarina morreu": Ibid., 300
618 "O tema era o poder ilimitado": Madariaga, *Russia in the Age*, 580
619 "Antes de ser o que sou hoje": Haslip, 361
619 "AQUI JAZ CATARINA SEGUNDA": *Memoirs* (Anthony), 325
620 "meu nome é Catarina II": Alexander, 265
620 "Antes de ontem": Haslip, 361

Impressão e Acabamento:
EDITORA JPA LTDA.